CALCUL 2

Introduction au calcul intégral

Données de catalogage avant publication (Canada)

Ouellet, Gilles, 1945-
Calcul 2 : introduction au calcul intégral

3e éd.
Comprend des références bibliographiques et un index.
ISBN 2-89443-137-6

1. Calcul intégral. 2. Calcul intégral--Problèmes et exercices. I. Titre.

QA308.O93 2000 515'.4 C00-901345-8

Coordination de l'édition : Sophie Descoteaux; **Graphisme :** Charles Lessard;
Illustrations : Bertrand Lachance; **Montage :** Typo Lithocomposition;
Portraits de scientifiques : Réjean Roy, D'après Nature enr.;
Saisie du texte et des équations : Josée Breton

Membre du Groupe Modulo
Téléphone : 514 738-9818 / 1 888 738-9818
Télécopieur : 514 738-5838 / 1 888 273-5247
Site Internet : www.groupemodulo.com

Calcul 2 : introduction au calcul intégral. 3e édition
ISBN 978-2-89443-137-5

Gouvernement du Québec - Programme de crédit d'impôt pour l'édition de livres - Gestion SODEC

Ce projet est financé en partie par le gouvernement du Canada | Canada

Dépôt légal
Bibliothèque nationale du Canada
Bibliothèque nationale du Québec
4e trimestre 2000

3 4 5 6 7 M 20 19 18 17 16

GILLES OUELLET

CALCUL 2

Introduction au calcul intégral

TROISIÈME ÉDITION

AVANT-PROPOS

La troisième édition de *Calcul 2* offre au lecteur une présentation tout à fait nouvelle de son texte d'introduction au calcul intégral. Si la trame de fond demeure essentiellement la même que celle de l'édition précédente, de nombreuses modifications et un découpage plus marqué viennent ajouter beaucoup de relief à cet ouvrage.

Les principales modifications apportées sont les suivantes :

a) au début de chaque chapitre, ajout de l'énoncé de la compétence à atteindre, des objectifs visés et d'un court préambule ;

b) division de chaque section de chapitre en sous-sections bien identifiées et numérotées ;

c) ajout de notes historiques ;

d) pour certains exercices, ajout d'un pictogramme indiquant leur domaine d'application : pour les sciences administratives, pour les sciences pures et appliquées et pour les sciences biologiques ;

e) pour chaque exercice, identification du niveau de difficulté ; 12 indique un exercice plutôt facile qui est généralement une application directe de la théorie étudiée ; 12 indique un exercice de difficulté moyenne où l'on doit utiliser plusieurs notions étudiées ou qui nécessite des calculs plus longs ; 12 indique un exercice plus difficile faisant appel à plus de créativité, à l'établissement de liens entre diverses notions ou à des calculs plus complexes ;

f) regroupement des exercices de perfectionnement, des exercices de démonstration et des exercices subsidiaires dans une section appelée « Défis » ;

g) à la fin de chaque chapitre, ajout d'un sujet de discussion, d'une page de notes personnelles, d'une liste de vérification des objectifs atteints et d'un test permettant de vérifier le degré d'atteinte des objectifs ;

h) rappel en annexe des formules de dérivation, des formules de géométrie, des représentations graphiques des fonctions les plus courantes et des formules d'intégration ;

i) à la suite des annexes, réponse à tous les exercices et solution complète à environ un tiers de ceux-ci ;

j) insertion d'un aide-mémoire pratique présentant les formules d'intégration étudiées dans le cours ;

k) création d'une grille typographique attrayante visuellement et pédagogiquement.

La production d'un ouvrage de cette envergure nécessite la collaboration de plusieurs personnes. Je remercie toutes les personnes qui, depuis la première édition, ont collaboré à la réalisation et à l'amélioration de cet ouvrage par leurs suggestions, commentaires et critiques. Je remercie aussi toutes les personnes qui m'ont soutenu et encouragé, en particulier mes collègues du Cégep de Sainte-Foy ainsi que les membres de ma famille. Je remercie enfin la jeune et dynamique équipe des éditions Le Griffon d'argile pour son enthousiasme, son énergie et son travail professionnel. Tous ces efforts conjugués permettent de vous offrir, nous osons le croire, un livre de qualité.

C'est toujours avec plaisir et dans un esprit d'amélioration que j'accueille toute critique, suggestion, commentaire ou correction de la part des lecteurs, professeurs ou élèves.

Novembre 2000
Gilles OUELLET

TABLE DES SUJETS

CHAPITRE 1

Théorèmes d'analyse

L'atteinte des objectifs de ce chapitre conduit à l'acquisition de l'élément de compétence suivant.

« Calculer les limites de fonctions présentant des formes indéterminées. »

Objectifs

A Énoncer et comprendre le théorème de Rolle.

B Énoncer et comprendre le théorème de Lagrange.

C Utiliser le théorème de Lagrange pour effectuer des calculs approximatifs.

D Utiliser le théorème de Lagrange pour démontrer des inégalités.

E Énoncer et comprendre le théorème de Cauchy.

F Énoncer et comprendre la règle de L'Hospital.

G Identifier les différentes formes indéterminées.

H Évaluer des limites de formes indéterminées à l'aide de la règle de L'Hospital.

I Déterminer l'ordre relatif et la partie principale d'un infiniment petit.

Préambule

Dans l'étude du calcul différentiel, nous avons formulé de nombreux résultats qui établissent des liens entre la dérivée d'une fonction et certaines caractéristiques de cette fonction, par exemple la croissance, la concavité et les extremums. Nous avons démontré rigoureusement quelques-uns de ces résultats mais, dans la plupart des cas, nous nous sommes limités à une approche graphique ou à un raisonnement intuitif. Ces résultats ont cependant un fondement théorique rigoureux et on peut les démontrer en construisant des preuves formelles. L'outil principal utilisé pour démontrer certains théorèmes déjà rencontrés en calcul différentiel et de nombreux autres que nous verrons dans la suite est le *théorème de Lagrange*, aussi connu sous les appellations *théorème de la moyenne* ou *théorème des accroissements finis*. De ce fait, ce théorème est un des plus importants théorèmes en calcul.

1.0 Pourquoi des théorèmes d'analyse ?

L'objet de ce chapitre est triple. Nous allons d'abord introduire quelques théorèmes relatifs aux fonctions dérivables; ensuite, nous reverrons l'étude des formes indéterminées à l'aide d'un précieux outil, la règle de L'Hospital; finalement, nous étudierons les infiniment petits.

Bien que les premiers concepts abordés dans ce texte soient des théorèmes et que le titre même du chapitre comporte le mot « analyse », il ne s'agit pas ici de faire de l'analyse mathématique. Il s'agit plutôt d'étudier d'un peu plus près les fonctions généralement utilisées en calcul et de bien saisir les résultats qui sont à la base de l'édifice du calcul. Plusieurs autres théorèmes utiliseront ces théorèmes de base dans leur démonstration. Ces théorèmes de base sont : le *théorème de Rolle*, le *théorème de Lagrange* et le *théorème de Cauchy*.

Ces théorèmes d'analyse débouchent immédiatement sur la règle de L'Hospital que l'on utilisera pour l'étude des formes indéterminées. Nous introduirons finalement le concept d'infiniment petit; il est particulièrement utile de bien saisir la notion d'infiniment petit puisque l'intégrale définie que nous étudierons au chapitre 4 est, en fait, une somme infinie d'infiniment petits.

1.1 Théorème de Rolle

Nous avons dit que nous ne ferions pas de l'analyse au sens strict du mot. Pour ce faire, nous admettrons comme point de départ, comme axiome, un résultat dont la démonstration exigerait un effort au delà du niveau de ce texte. Nous nous contenterons du sens intuitif à ce stade-ci.

1.1.1 Axiome de départ

Si f est une fonction continue sur l'intervalle fermé $[a, b]$, alors f possède une valeur maximale en un certain point dans l'intervalle. De même, f possède une valeur minimale en un certain point dans l'intervalle.

Illustrons ce résultat par quelques situations graphiques.

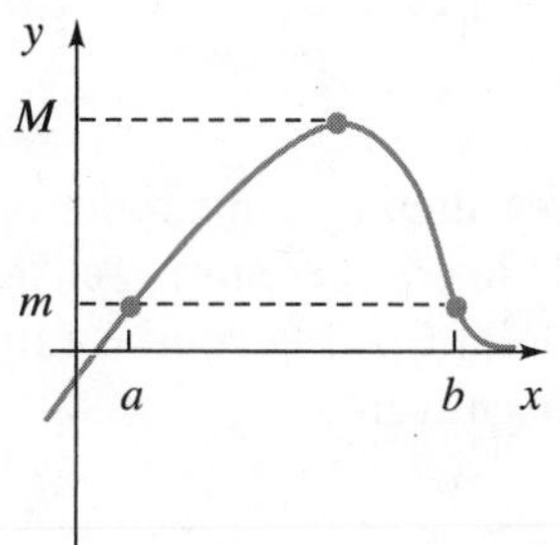

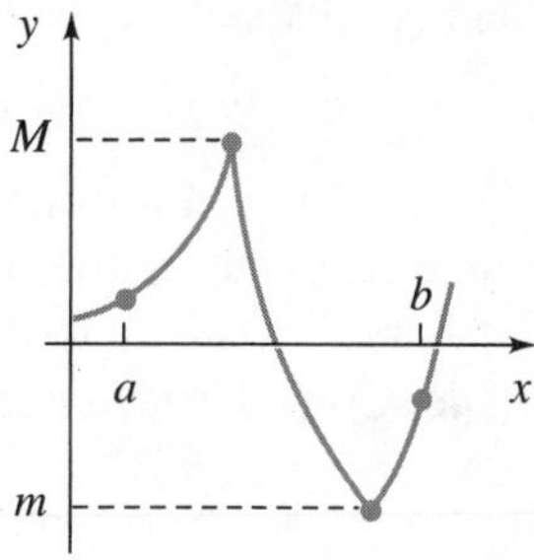

Dans ces deux cas, on est en présence de fonctions continues sur $[a, b]$ et chaque fois la fonction représentée atteint une valeur maximale M et une valeur minimale m. Notons que cette valeur maximale ou minimale peut être atteinte en plus d'un point du graphique; par exemple, dans le premier graphique la valeur minimale m est atteinte en deux endroits, soit au point d'abscisse a de même qu'au point d'abscisse b.

Intuitivement, on conçoit bien que si une fonction f n'a pas de valeur maximale, elle devient donc infinie et alors f n'est pas continue, contrevenant ainsi à ce que l'on exige dans l'énoncé de l'axiome. Naturellement, on peut faire le même raisonnement concernant la valeur minimale.

Voyons maintenant deux autres fonctions données graphiquement.

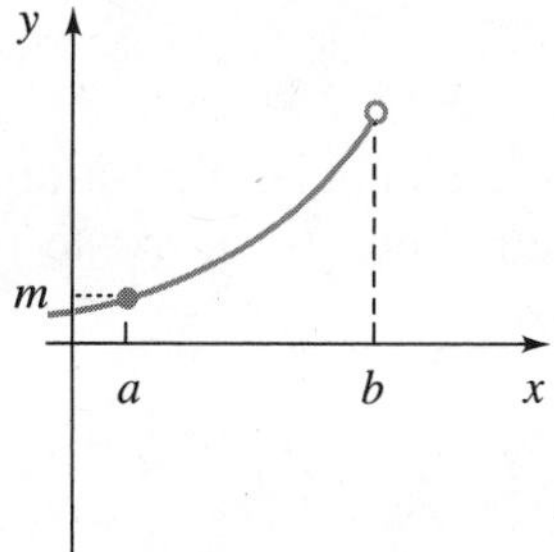

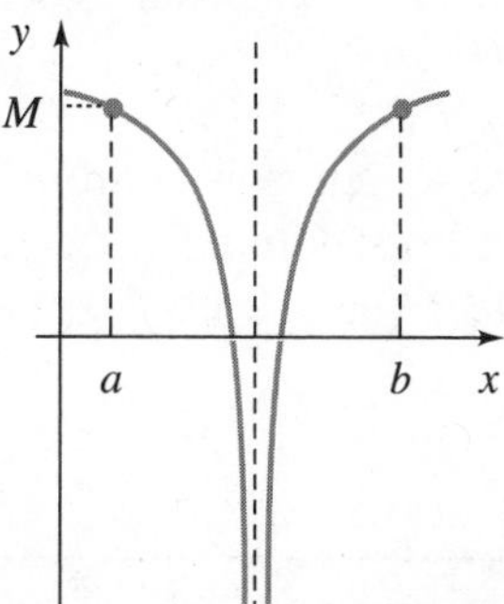

La fonction illustrée à gauche n'a pas de maximum; notons que le point en b est ouvert. Celle de droite n'a pas de minimum; notons qu'on a un comportement asymptotique au milieu de l'intervalle $[a, b]$. Bref, ces deux fonctions n'ont pas un minimum et un maximum; on note qu'elles ne sont pas continues sur l'intervalle fermé $[a, b]$, de sorte que l'axiome ne s'applique pas. Ainsi, lorsqu'une fonction n'est pas continue sur $[a, b]$, on ne peut pas garantir la présence d'un minimum et d'un maximum de la fonction dans cet intervalle.

1.1.2 Énoncé du théorème de Rolle

Ce théorème fort simple attribuable au mathématicien français Michel Rolle (1652-1719) est un énoncé de base en calcul. Les résultats et théorèmes des sections suivantes s'appuient sur le théorème de Rolle. Nous allons d'abord l'énoncer, ensuite l'illustrer par des exemples et, finalement, le démontrer.

Théorème de Rolle

Soit f une fonction définie sur l'intervalle fermé $[a, b]$ et soit :

(i) f continue sur $[a, b]$

(ii) f dérivable sur $]a, b[$

(iii) $f(a) = f(b)$

Alors il existe une valeur c dans l'intervalle ouvert $]a, b[$ telle que $f'(c) = 0$.

1.1.3 Interprétation graphique du théorème de Rolle

Cet énoncé signifie que si la courbe représentative d'une fonction est continue et dérivable, c'est-à-dire admet une tangente en tout point de la courbe entre A et B, deux points situés sur une même horizontale, alors il existe au moins un point C sur la courbe entre A et B où la tangente à la courbe est horizontale. Considérons le graphique suivant.

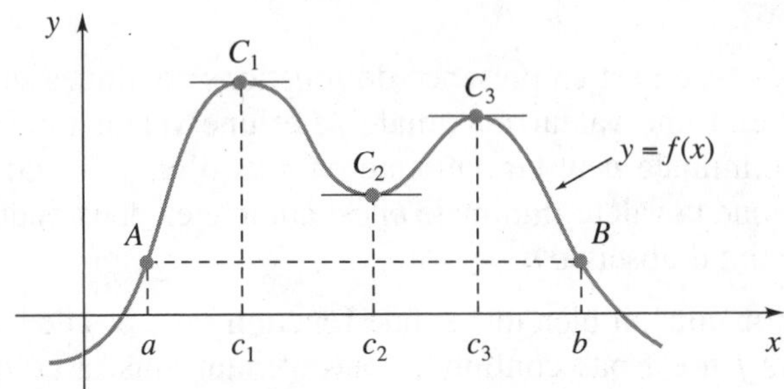

Il s'agit bien ici d'une courbe définie sur $[a, b]$, continue sur $[a, b]$, dérivable sur $]a, b[$ et telle que $f(a) = f(b)$.

Dans ce cas-ci, en trois endroits la dérivée s'annule, c'est-à-dire la tangente à la courbe est horizontale en trois points C_1, C_2 et C_3. Autrement dit, il existe trois valeurs c_1, c_2 et c_3 telles que $f'(c_1) = 0$, $f'(c_2) = 0$ et $f'(c_3) = 0$.

EXEMPLE

1.1

Trouver une valeur c telle que prévue par le théorème de Rolle pour la fonction $f(x) = x^3 - x^2$ sur l'intervalle $[0, 1]$.

Solution

Vérifions d'abord si cette fonction remplit bien les trois hypothèses du théorème de Rolle. En effet, $f(x) = x^3 - x^2$ est une fonction polynomiale, donc une fonction continue sur $\mathbb{R}$ et en particulier sur l'intervalle $[0, 1]$. Par un raisonnement analogue, on obtient que f est dérivable sur $]0, 1[$. Finalement, $f(0) = f(1) = 0$. Ainsi, le théorème de Rolle s'applique et nous sommes assurés de l'existence d'au moins une valeur c telle que $f'(c) = 0$. Comment trouver cette valeur c?

On trouve d'abord la fonction dérivée:

$$f'(x) = 3x^2 - 2x$$

$$f'(x) = x(3x - 2)$$

On cherche une valeur c où $f'(c) = 0$, c'est-à-dire

$$f'(c) = c(3c - 2) = 0$$

En résolvant cette dernière équation, on trouve deux valeurs pour c: 0 et 2/3. Seule la valeur 2/3 appartient à l'intervalle ouvert $]0, 1[$ et c'est la seule qu'on retient. C'est la valeur prévue par le théorème de Rolle.

Pour bien illustrer la situation, voyons une représentation graphique de la fonction f:

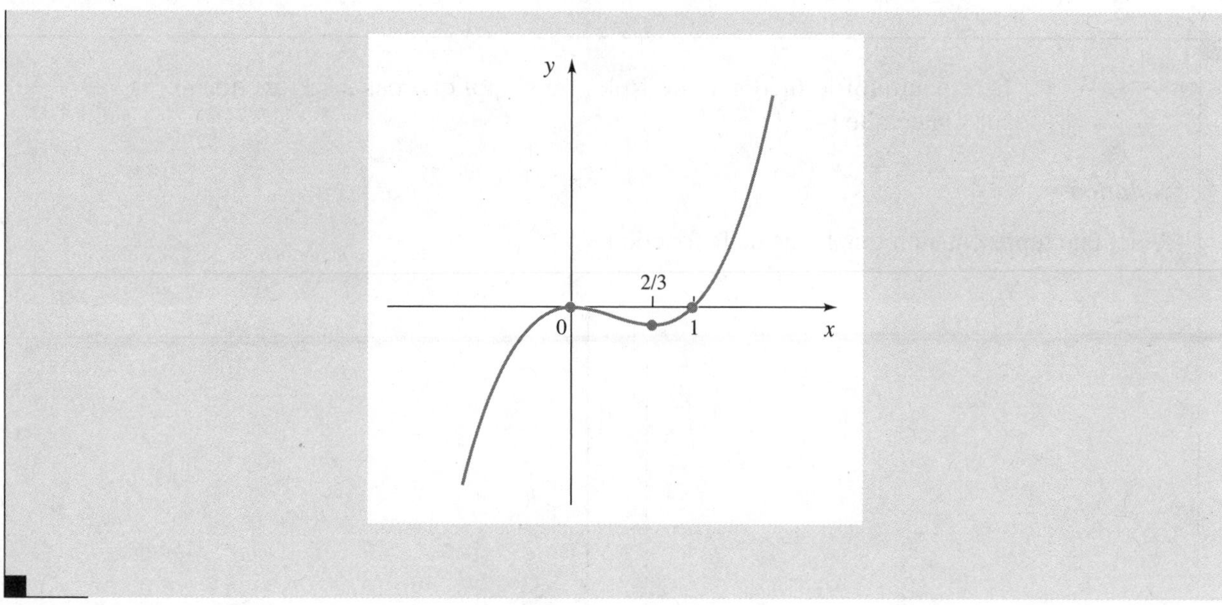

Pour être assuré de l'existence d'une valeur où la dérivée s'annule, comme le prévoit le théorème de Rolle, il faut bien sûr que les trois conditions énumérées dans l'énoncé soient remplies. De là l'importance de vérifier ces conditions avant de chercher une valeur c où $f'(c) = 0$.

Voyons trois exemples où le théorème de Rolle ne s'applique pas et expliquons pourquoi.

EXEMPLE 1.2

Dire pourquoi le théorème de Rolle ne s'applique pas à la fonction $f(x) = \sqrt{2x-1}$ sur l'intervalle $[1, 5]$.

Solution

Esquissons d'abord une représentation graphique de cette fonction :

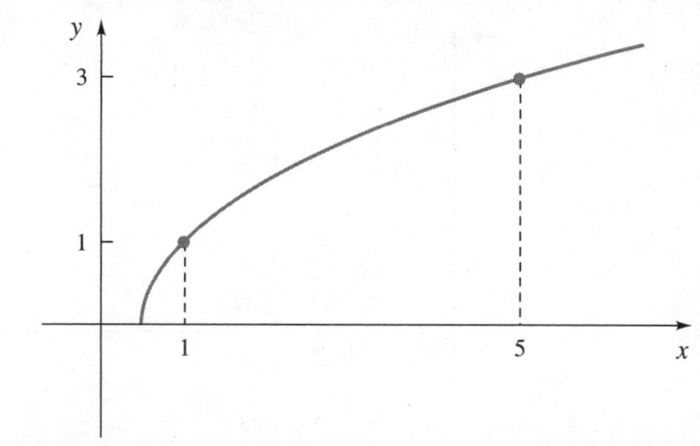

Cette fonction est continue sur $[1, 5]$ et dérivable sur $]1, 5[$. Cependant, $f(1) \neq f(5)$ et ainsi le théorème de Rolle ne s'applique pas dans ce cas-ci.

EXEMPLE

1.3

Dire pourquoi le théorème de Rolle ne s'applique pas à la fonction $f(x)=\dfrac{2}{(x+1)^2}$ sur l'intervalle [−3, 1].

Solution

Voici une représentation graphique de la fonction :

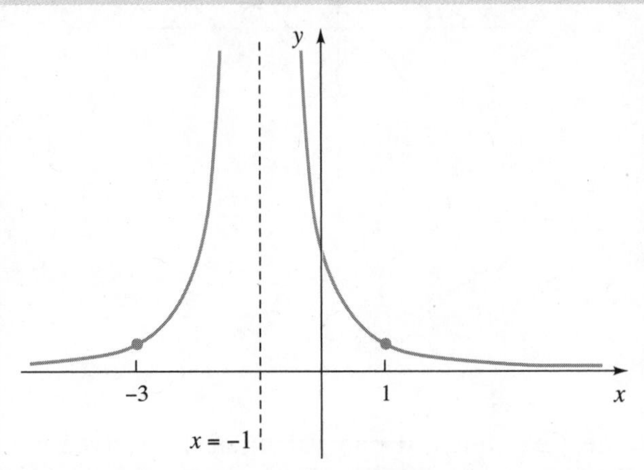

Le théorème de Rolle ne s'applique pas car la fonction présente une discontinuité en $x = -1$, c'est-à-dire qu'elle n'est pas continue sur [−3, 1].

Bien sûr, elle n'est pas dérivable en $x = -1$. Par contre, $f(-3)=f(1)=1/2$.

EXEMPLE

1.4

Dire pourquoi le théorème de Rolle ne s'applique pas à la fonction $f(x)=(x-2)^{2/3}$ sur l'intervalle [1, 3].

Solution

Voici une représentation graphique de cette fonction :

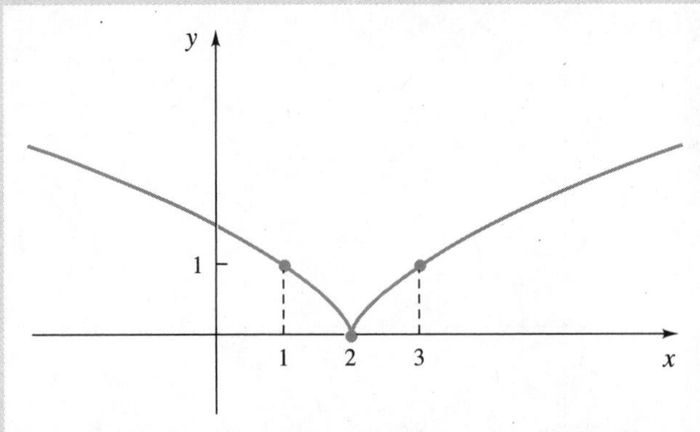

Cette fonction est continue sur l'intervalle [1, 3] et $f(1)=f(3)=1$. Cependant, elle n'est pas dérivable sur l'intervalle]1, 3[puisqu'elle n'est pas dérivable au point d'abscisse $x = 2$. Voilà pourquoi le théorème de Rolle ne s'applique pas.

1.1.4 Localisation des racines réelles

Le théorème de Rolle peut être utilisé pour localiser les racines réelles d'une équation de la forme $f(x) = 0$. Supposons que $f(x)$ et $f'(x)$ sont continues sur un intervalle fermé $[a, b]$, que $f(a)$ et $f(b)$ sont de signes contraires et que $f'(x) \neq 0$ pour $x \in]a, b[$, alors il y a une et une seule solution de $f(x) = 0$ entre a et b. En effet, selon le théorème de Rolle, s'il y avait deux solutions entre a et b, c'est-à-dire deux valeurs r_1 et r_2 telles que $f(r_1) = f(r_2) = 0$, alors il existerait une valeur c entre ces deux valeurs pour laquelle $f'(c) = 0$ ce qui contredit le fait que $f'(x) \neq 0$ pour tout x entre a et b. Voyons un exemple.

EXEMPLE 1.5

Sans résoudre l'équation, localiser les racines de l'équation $x^3 + x^2 - 2x + 1 = 0$.

Solution

On a $f(x) = x^3 + x^2 - 2x + 1$ et $f'(x) = 3x^2 + 2x - 2$.

$f'(x) = 0$ pour $x = \dfrac{-2 \pm \sqrt{(2)^2 - 4(-2)(3)}}{6} = \dfrac{-2 \pm \sqrt{28}}{6} = \dfrac{-1 \pm \sqrt{7}}{3}$.

Ces deux valeurs sont $x_1 = -1{,}215$ et $x_2 = 0{,}549$.

Donc, $f(x) = 0$ ne peut avoir plus d'une racine dans chacun des intervalles ouverts :

$$\left]-\infty, \frac{-1-\sqrt{7}}{3}\right[, \quad \left]\frac{-1-\sqrt{7}}{3}, \frac{-1+\sqrt{7}}{3}\right[, \quad \left]\frac{-1+\sqrt{7}}{3}, \infty\right[$$

C'est donc dire qu'il ne peut y avoir plus de trois racines. Calculons quelques valeurs de $f(x)$ dans chacun de ces intervalles ouverts :

$f(-4) = -39$	$f(-1) = 3$	$f(1) = 1$
$f(-3) = -11$	$f(0) = 1$	$f(2) = 9$
$f(-2) = 1$	$f(0{,}5) = 0{,}375$	$f(3) = 31$

En analysant les signes de ces valeurs de $f(x)$, on conclut qu'il y a une seule racine et qu'elle se situe entre -3 et -2. À l'aide de la méthode de Newton-Raphson, on peut vérifier que cette racine est $-2{,}148$.

Voici une représentation graphique de cette fonction $f(x) = x^3 + x^2 - 2x + 1$.

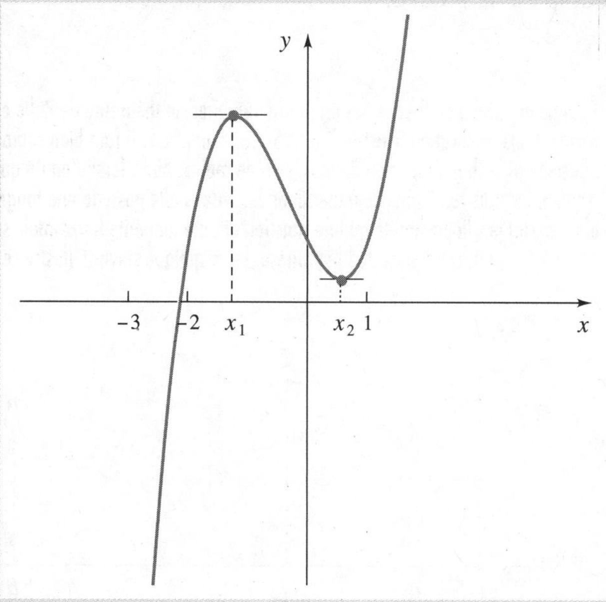

REMARQUE

En utilisant le théorème de Rolle, comme on l'a fait dans le dernier exemple, conjointement avec la méthode de Newton-Raphson, on peut arriver à trouver toutes les racines d'une équation $f(x) = 0$ et ce, avec la précision qu'on désire.

1.1.5 Preuve du théorème de Rolle

Voici maintenant la preuve du théorème de Rolle.

Considérons une fonction f, continue sur $[a, b]$, dérivable sur $]a, b[$ et telle que $f(a) = f(b) = k$.

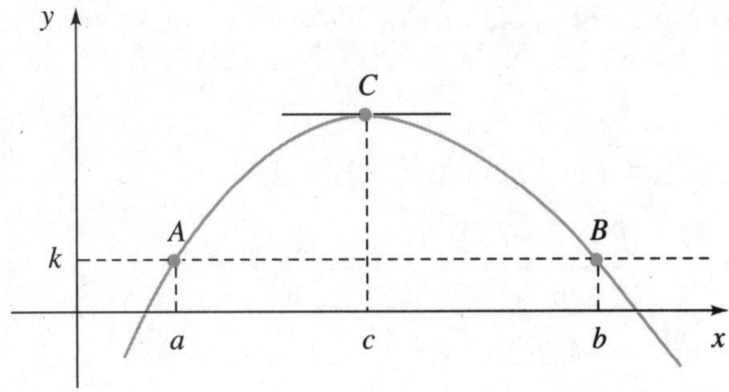

La fonction f étant continue sur $[a, b]$, selon l'axiome de la section 1.1.1 f atteint dans cet intervalle un maximum M et un minimum m.

Si $M = m$, alors f est une fonction constante et ainsi,

$$f'(x) = 0 \qquad \text{pour tout } x \in]a, b[$$

et n'importe quelle valeur $c \in]a, b[$ est telle que $f'(c) = 0$.

Si $M \neq m$, alors au moins un de ces deux nombres est différent de k. Supposons $M > k$. Le raisonnement serait analogue si on supposait $m < k$.

Soit $x = c$ l'abscisse du point C qui a une valeur extrême différente de k. Ainsi, $M = f(c) \neq k$ pour une certaine valeur $c \in]a, b[$; en effet, $c \neq a$ et $c \neq b$ car $f(a) = f(b) = k$. Or, puisque f est dérivable sur $]a, b[$ et que $f(c)$ est le maximum de f sur $]a, b[$, c'est donc un maximum relatif et ainsi $f'(c) = 0$, ce qui complète la preuve.

REMARQUE

Comme beaucoup de théorèmes en mathématiques, le théorème de Rolle est énoncé sous la forme d'une implication, c'est-à-dire : « Si… , alors… ». Il faut bien comprendre ce que dit exactement le théorème, rien de plus, rien de moins. Ainsi, lorsqu'on dit que *si* une fonction remplit les trois conditions déjà mentionnées, *alors* elle possède une tangente horizontale, cela n'exclut pas la possibilité qu'une fonction ait une tangente horizontale sans satisfaire aux trois conditions de l'hypothèse. Le graphique suivant illustre ce fait.

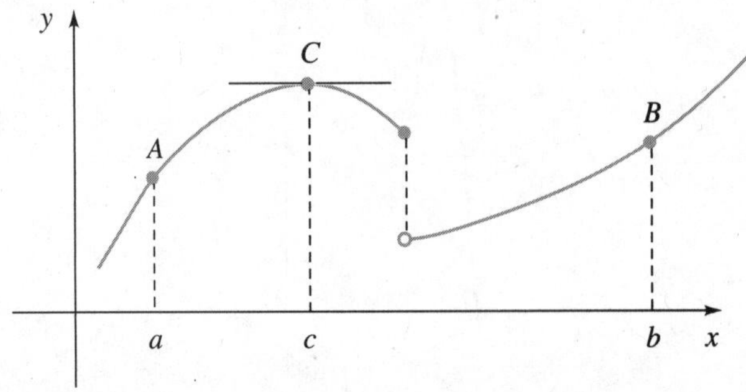

Cette fonction ne remplit aucune des conditions du théorème de Rolle sur l'intervalle $[a, b]$. Elle n'est pas continue sur $[a, b]$, elle n'est pas dérivable sur $]a, b[$ et $f(a) \neq f(b)$. Cependant, il existe une valeur $c \in]a, b[$ telle que $f'(c) = 0$. Cela démontre qu'il faut bien lire l'énoncé d'un théorème.

NOTE *historique*

Michel Rolle
1652-1719

Ce mathématicien français né à Ambert (Puy-de-Dôme) est considéré comme un autodidacte. Il a travaillé en algèbre et en géométrie, particulièrement à la résolution d'équations. En 1691, il publie un ouvrage dans lequel il expose une méthode pour trouver des solutions approchées des équations. On considère que ce texte n'est pas très clair. Toutefois, il y figure un résultat accessoire qui fera par la suite sa renommée; c'est, bien sûr, le théorème de Rolle. Michel Rolle deviendra membre de l'Académie des sciences en 1699.

Rolle fut très critique à l'égard des nouvelles méthodes amenées par le calcul infinitésimal. Il voyait là un ramassis de raisonnements fallacieux. C'est un autre membre de l'Académie des sciences, Pierre Varignon, un grand ami de Jean Bernoulli, qui répondit aux critiques de Rolle et qui finalement arriva à convaincre ce dernier de la solidité de cette nouvelle branche des mathématiques.

1.2 Théorème de Lagrange

Ce théorème est aussi connu sous le nom de *théorème des accroissements finis* mais l'appellation la plus fréquente rencontrée dans les ouvrages de calcul est celle de « théorème de la moyenne ».

1.2.1 Approche graphique

Considérons une fonction $y = f(x)$ et soit $A: (a, f(a))$ et $B: (b, f(b))$, deux points sur la courbe représentative de cette fonction. Supposons, de plus, que la fonction f est continue sur l'intervalle fermé $[a, b]$ et qu'en tout point de l'intervalle ouvert $]a, b[$ on peut tracer une tangente à la courbe. Portons notre attention sur la droite passant par les points A et B. Cette droite, qu'on appelle *sécante*, a pour pente :

$$\frac{f(b) - f(a)}{b - a}$$

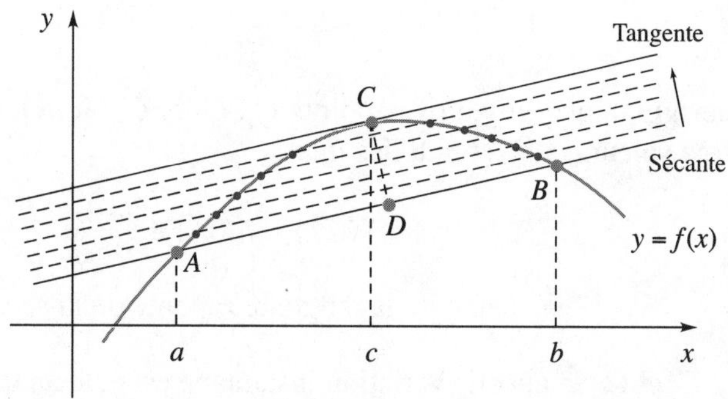

Imaginons maintenant qu'on déplace cette sécante (vers le haut dans le graphique ci-dessus) parallèlement à elle-même, c'est-à-dire en gardant toujours la même pente. Dans ce cas, les deux points A et B qui traversent la courbe se rapprochent de plus en plus. À un moment donné, ces deux points coïncident en un point C et alors la sécante devient *tangente* à la courbe. Cette tangente au point C, dont la pente est $f'(c)$, est, bien sûr, parallèle à la sécante passant par A et B. On peut raisonnablement supposer que ce point de tangence C est le point de la courbe où la distance entre la courbe et la sécante (soit CD) est maximale.

L'argument graphique que nous avons exposé ici contient à la fois le résultat et l'idée de la preuve du théorème de Lagrange.

1.2.2 Énoncé du théorème de Lagrange

Théorème de Lagrange

Soit f une fonction définie sur l'intervalle fermé $[a, b]$ et soit :

(i) f continue sur $[a, b]$

(ii) f dérivable sur $]a, b[$

Alors il existe une valeur c dans l'intervalle ouvert $]a, b[$ telle que $\dfrac{f(b) - f(a)}{b - a} = f'(c)$

1.2.3 Interprétation graphique du théorème de Lagrange

Ce dernier résultat est simple à interpréter géométriquement. En effet, $f'(c)$ représente la pente de la tangente à la courbe de f au point d'abscisse $x = c$ et

$$\frac{f(b) - f(a)}{b - a}$$

représente la pente de la sécante à la courbe passant par les deux points d'abscisses $x = a$ et $x = b$. Ainsi, l'énoncé du théorème signifie que si la courbe représentative d'une fonction est continue et admet une tangente en tout point situé entre deux points A et B sur cette courbe, alors il existe au moins un point C sur la courbe entre A et B où la tangente est parallèle à la sécante passant par A et B.

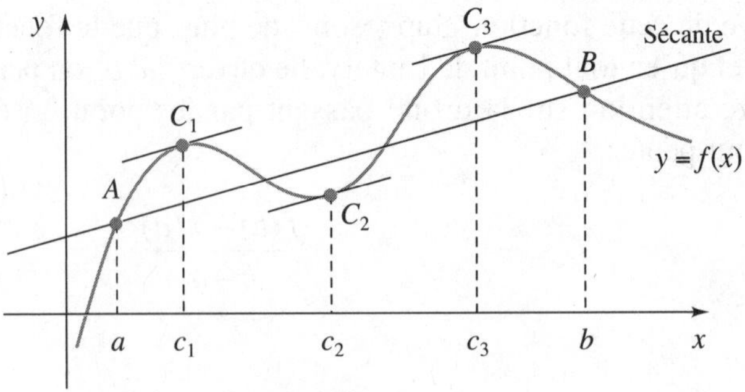

Dans ce dernier graphique, il y a trois points C_1, C_2 et C_3 où la tangente est parallèle à la sécante, c'est-à-dire trois valeurs c_1, c_2 et c_3 telles que

$$f'(c_1) = f'(c_2) = f'(c_3) = \frac{f(b) - f(a)}{b - a}$$

pente de la tangente = pente de la sécante

Aux points C_1, C_2 et C_3, le taux de variation instantané est égal au taux de variation moyen sur $[a, b]$.

EXEMPLE
1.6

Trouver une valeur c prévue par le théorème de Lagrange pour la fonction $f(x) = 4x - x^2 - 1$ sur l'intervalle $[1, 4]$.

Solution

Voici une représentation graphique de la fonction f:

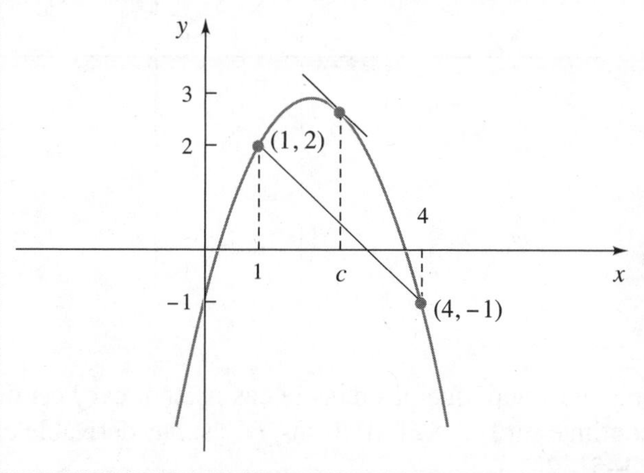

Cette fonction remplit les conditions du théorème de Lagrange, c'est-à-dire qu'elle est continue sur $[1, 4]$ et dérivable sur $]1, 4[$. Donc, il existe au moins une valeur c dans l'intervalle ouvert $]1, 4[$ où la pente de la tangente est la même que la pente de la sécante passant par les points $(1, 2)$ et $(4, -1)$. La pente de la sécante est:

$$\frac{f(4) - f(1)}{4 - 1} = \frac{-1 - 2}{4 - 1} = -1$$

La tangente en tout point d'abscisse x a comme pente $f'(x) = 4 - 2x$. On cherche une valeur c entre 1 et 4 où

$$f'(c) = -1$$
$$4 - 2c = -1$$
$$c = 5/2$$

C'est la valeur prévue par le théorème de Lagrange.

Il faut toujours s'assurer que la fonction f est continue sur $[a, b]$ et dérivable sur $]a, b[$ pour appliquer le théorème de Lagrange.

EXEMPLE
1.7

Dire pourquoi le théorème de Lagrange ne s'applique pas à la fonction $f(x) = \dfrac{4}{3 + x}$ sur l'intervalle $[-5, -2]$.

Solution

Voici une représentation graphique de la fonction f:

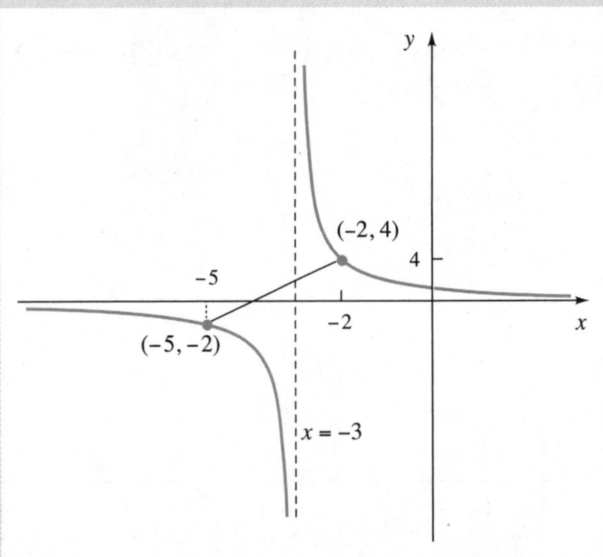

Le théorème de Lagrange ne s'applique pas dans le cas présent car f est discontinue en $x = -3$, c'est-à-dire que f n'est pas continue sur $[-5, -2]$. Bien sûr, f n'est pas dérivable en $x = -3$ et par le fait même n'est pas dérivable sur $]-5, -2[$.

EXEMPLE 1.8

Dire pourquoi le théorème de Lagrange ne s'applique pas à la fonction $f(x) = (x-2)^{2/3}$ sur l'intervalle $[1, 4]$.

Solution

Voici une représentation graphique de la fonction f:

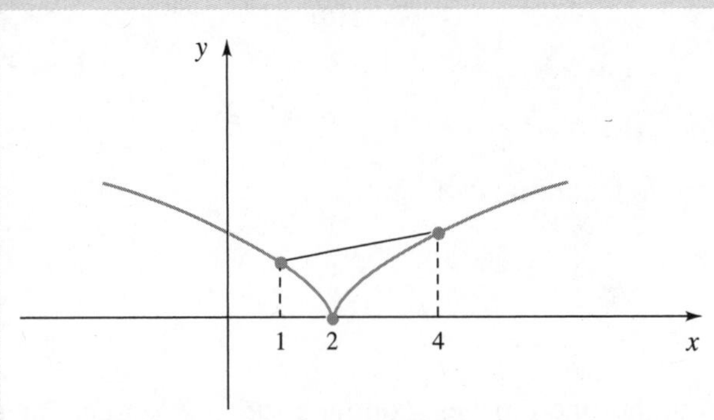

La fonction f est continue sur $[1, 4]$. Cependant, elle n'est pas dérivable au point d'abscisse $x = 2$, c'est-à-dire qu'elle n'est pas dérivable sur $]1, 4[$; voilà pourquoi le théorème de Lagrange ne s'applique pas.

REMARQUE

Dans l'équation $y = f(x)$, si on interprète y comme la distance parcourue au temps x, alors

$$\frac{f(b) - f(a)}{b - a}$$

représente la vitesse moyenne lorsqu'on passe du temps $x = a$ au temps $x = b$, et $f'(c)$ représente la vitesse instantanée au temps $x = c$. Le théorème de Lagrange stipule qu'il existe au moins un instant $x = c$ où la vitesse instantanée est égale à la vitesse moyenne. Par exemple, si vous avez parcouru 300 kilomètres en 4 heures, vous avez maintenu une vitesse moyenne de 75 km/h. Le théorème de Lagrange dit qu'il y a au moins un moment durant le voyage où votre tachymètre a indiqué 75 km/h.

La recherche de la valeur c prévue par le théorème de Lagrange n'est pas un problème qui présente un grand intérêt en soi. L'importance du théorème de Lagrange se situe plutôt dans le fait qu'un très grand nombre de résultats prennent appui sur celui-ci. Voici un exemple.

EXEMPLE 1.9

Démontrer que, pour une fonction f continue sur $[a, b]$ et dérivable sur $]a, b[$, si $f'(x) > 0$ sur $]a, b[$, alors f est croissante sur $[a, b]$. (voir le théorème 1 de la section 5.4.4 du volume *Calcul 1*, 4e édition, p. 220).

Solution

Soit x_1 et x_2, deux nombres quelconques choisis dans $[a, b]$ et tels que $x_1 < x_2$. Considérons la fonction f sur l'intervalle $[x_1, x_2]$. Selon le théorème de Lagrange :

$$\frac{f(x_2) - f(x_1)}{x_2 - x_1} = f'(c) \qquad \text{où } x_1 < c < x_2$$

$$f(x_2) - f(x_1) = f'(c)\,(x_2 - x_1)$$

On sait que $f'(x) > 0$ et que $x_2 - x_1 > 0$. Donc,

$$f(x_2) - f(x_1) > 0$$
$$f(x_2) > f(x_1)$$

Ainsi, pour tout $x_1, x_2 \in [a, b]$, on a :

$$x_1 < x_2 \quad \Rightarrow \quad f(x_1) < f(x_2)$$

et, par définition, f est croissante sur $[a, b]$.

REMARQUE

Le théorème de Lagrange est une généralisation du théorème de Rolle. En effet, le théorème de Lagrange traite d'une sécante quelconque alors que celui de Rolle se limite au cas d'une sécante horizontale.

Bien que le théorème de Lagrange soit surtout utilisé pour démontrer les principaux résultats du calcul, il peut aussi être employé dans certaines applications pratiques. Nous abordons deux exemples dans les deux sous-sections qui suivent : le calcul d'une valeur approximative et la démonstration d'une inégalité.

1.2.4 Approximation à l'aide du théorème de Lagrange

Considérons une fonction f définie sur $[a, b]$, continue sur $[a, b]$ et dérivable sur $]a, b[$. Alors, selon le théorème de Lagrange, il existe une valeur $c \in\,]a, b[$ telle que :

$$\frac{f(b) - f(a)}{b - a} = f'(c)$$

On peut écrire :

$$f(b) - f(a) = (b - a)f'(c)$$

et enfin :

$$f(b) = f(a) + (b - a)f'(c) \qquad \text{où } a < c < b$$

Si on imagine que a et b sont assez près l'un de l'autre, alors c sera assez près de a. Dans ce cas, en remplaçant c par a, l'égalité devient une approximation.

$$f(b) \cong f(a) + (b - a)f'(a)$$

C'est ce raisonnement que nous suivrons pour trouver une valeur approximative d'une fonction.

EXEMPLE

1.10

Utiliser le théorème de Lagrange pour trouver une valeur approximative de $\sqrt[3]{30}$.

Solution

Il s'agit de calculer une racine cubique. Considérons donc la fonction $f(x) = \sqrt[3]{x}$. Le problème consiste à évaluer $f(30) = \sqrt[3]{30}$. Cette fonction est continue et dérivable sur $\mathbb{R}\backslash\{0\}$. Il faut maintenant choisir un intervalle $[a, b]$ sur lequel nous pourrons appliquer le théorème de Lagrange. Dans le cas présent, il semble sage de choisir l'intervalle [27, 30]. Le nombre 30 est choisi parce qu'on désire évaluer la fonction f en cette valeur. Le nombre 27 est choisi parce que $f(27)$ est facile à évaluer et que 27 est la valeur facile à évaluer la plus près de 30. Nous avons donc :

$$f'(x) = \frac{1}{3\sqrt[3]{x^2}} \qquad \text{et} \qquad f(27) = \sqrt[3]{27} = 3$$

Considérons $f(x) = \sqrt[3]{x}$ sur l'intervalle [27, 30].

En appliquant le théorème de Lagrange, on a :

$$f(30) = f(27) + (30 - 27)f'(c) \quad \text{où} \qquad 27 < c < 30$$

On trouve une approximation pour $f(30)$ en remplaçant c par 27.

$$f(30) \cong f(27) + (30 - 27)f'(27)$$

$$\sqrt[3]{30} \cong \sqrt[3]{27} + 3\left(\frac{1}{3\sqrt[3]{27^2}}\right) = 3 + \frac{1}{9} = 3{,}111$$

La précision est assez bonne puisqu'une méthode de calcul précise donnerait 3,107.

En observant attentivement, on notera l'analogie entre la méthode d'approximation faite à l'aide du théorème de Lagrange et celle faite à l'aide de la différentielle.

REMARQUE

La précision obtenue par cette méthode d'approximation est d'autant meilleure que les nombres *a* et *b* sont le plus près possible l'un de l'autre. Un de ces deux nombres, *a* ou *b*, doit être la valeur où on veut évaluer la fonction. L'autre nombre doit être le plus près possible du premier et tel que la fonction *y* est facile à évaluer et ce, peu importe si cet autre nombre est inférieur ou supérieur au premier.

EXEMPLE

1.11 Utiliser le théorème de Lagrange pour trouver une valeur approximative de arctan (0,9).

Solution

Considérons la fonction $f(x) = \arctan x$ sur l'intervalle [0,9 ; 1].

On sait que $\arctan 1 = \dfrac{\pi}{4}$ et que $f'(x) = \dfrac{1}{1+x^2}$

Alors, selon le théorème de Lagrange :

$$f(1) = f(0,9) + (1 - 0,9)f'(c)$$

ce qu'on transforme en approximation en remplaçant c par 1:

$$f(1) \cong f(0,9) + (1 - 0,9)f'(1)$$

Comme on cherche $f(0,9)$, on écrit :

$$f(0,9) \cong f(1) - (1 - 0,9)f'(1)$$

$$\arctan(0,9) \cong \arctan 1 - (0,1)\left(\frac{1}{1+1}\right)$$

$$\arctan(0,9) \cong \frac{\pi}{4} - \frac{1}{20} = 0,735$$

1.2.5 Inégalité à l'aide du théorème de Lagrange

Considérons une fonction f qui remplit les conditions du théorème de Lagrange sur l'intervalle $[a, x]$. Alors, il existe une valeur $c \in \,]a, x[$ telle que :

$$\frac{f(x) - f(a)}{x - a} = f'(c)$$

Puisque c est encadrée par a et x, c'est-à-dire $a < c < x$, il est peut-être possible d'encadrer $f'(c)$ et de là encadrer $f(x)$. Il faut cependant être prudent lorsqu'on travaille avec les inégalités. Les manipulations ne sont pas toujours semblables à celles utilisées lorsqu'on travaille avec des égalités. Voyons par un exemple comment on peut encadrer une fonction, c'est-à-dire obtenir des inégalités s'appliquant à une fonction, en utilisant le théorème de Lagrange et les propriétés des inégalités.

EXEMPLE

1.12 À l'aide du théorème de Lagrange, montrer que pour $x > 0$, $\sqrt{1+x} < 1 + \dfrac{x}{2}$.

Solution

Soit $x > 0$. Considérons la fonction $f(x) = \sqrt{1+x}$ sur l'intervalle $[0, x]$.

Alors, $f'(x) = \dfrac{1}{2\sqrt{1+x}}$. La fonction f remplit les conditions du théorème de Lagrange.

Alors, il existe une valeur $c \in]0, x[$ telle que :

$$\frac{f(x) - f(0)}{x - 0} = f'(c)$$

$$\frac{\sqrt{1+x} - 1}{x} = f'(c) = \frac{1}{2\sqrt{1+c}}$$

La valeur c est encadrée : $0 < c < x$.

Essayons d'encadrer $f'(c) = \dfrac{1}{2\sqrt{1+c}}$

Partons de : $0 < c < x$

Ajoutons 1: $1 + 0 < 1 + c < 1 + x$

$1 < 1 + c < 1 + x$

On peut extraire la racine carrée en gardant les inégalités puisque la fonction $\sqrt{x}$ est croissante.

$$\sqrt{1} < \sqrt{1+c} < \sqrt{1+x}$$

En inversant les termes, on change le sens des inégalités puisque la fonction $1/x$ est décroissante.

$$\frac{1}{\sqrt{1}} > \frac{1}{\sqrt{1+c}} > \frac{1}{\sqrt{1+x}}$$

$$1 > \frac{1}{\sqrt{1+c}} > \frac{1}{\sqrt{1+x}}$$

Divisons par 2: $\dfrac{1}{2} > \dfrac{1}{2\sqrt{1+c}} > \dfrac{1}{2\sqrt{1+x}}$

On sait que $\dfrac{1}{2\sqrt{1+c}} = f'(c) = \dfrac{\sqrt{1+x} - 1}{x}$

Alors $\dfrac{1}{2} > \dfrac{\sqrt{1+x} - 1}{x} > \dfrac{1}{2\sqrt{1+x}}$

Multiplions par x : $(x > 0)$

$$\frac{x}{2} > \sqrt{1+x} - 1 > \frac{x}{2\sqrt{1+x}}$$

Ajoutons 1: $1 + \dfrac{x}{2} > \sqrt{1+x} > 1 + \dfrac{x}{2\sqrt{1+x}}$

Ne retenant que la première inégalité, on arrive au résultat souhaité:

$$\sqrt{1+x} < 1 + \frac{x}{2} \qquad \text{pour tout } x > 0$$

■

1.2.6 Preuve du théorème de Lagrange

Considérons une fonction f, continue sur $[a, b]$ et dérivable sur $]a, b[$.

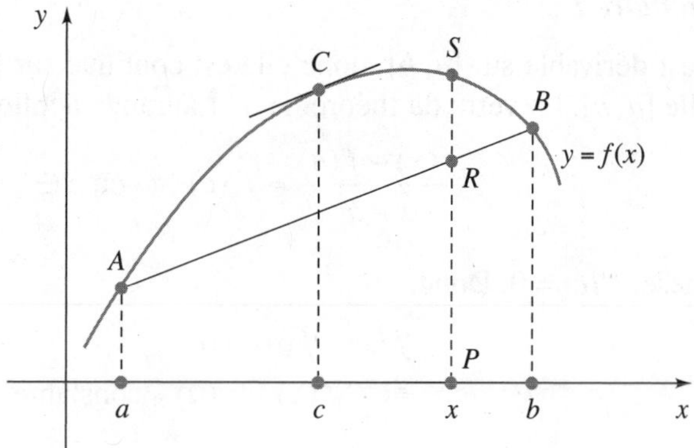

Soit $x \in]a, b[$ et P, le point $(x, 0)$. La verticale menée par ce point coupe la courbe en S et la sécante passant par A et B en R. On a :

$$RS = PS - PR$$

RS est la distance verticale entre la sécante et la courbe et $PS = f(x)$. Quant à PR, c'est l'ordonnée d'un point sur la sécante dont la pente est

$$m = \frac{f(b) - f(a)}{b - a}.$$

$$PR = f(a) + m(x - a) = f(a) + \left(\frac{f(b) - f(a)}{b - a}\right)(x - a)$$

Considérons la fonction $y = F(x) = RS = f(x) - f(a) - \left(\frac{f(b) - f(a)}{b - a}\right)(x - a)$.

Cette nouvelle fonction remplit les conditions du théorème de Rolle. En effet, elle est continue sur $[a, b]$ puisque $f(x)$ et $(x - a)$ le sont et elle est dérivable sur $]a, b[$ puisque $f(x)$ et $(x - a)$ le sont également. De plus, $F(a) = F(b) = 0$.

D'après le théorème de Rolle, il existe une valeur $c \in]a, b[$ telle que $F'(c) = 0$. Or,

$$F'(x) = f'(x) - \left(\frac{f(b) - f(a)}{b - a}\right) 1$$

et donc $F'(c) = f'(c) - \left(\frac{f(b) - f(a)}{b - a}\right) = 0 \quad \Rightarrow \quad f'(c) = \frac{f(b) - f(a)}{b - a}$

Cela complète la preuve du théorème de Lagrange.

1.2.7 Corollaires du théorème de Lagrange

Terminons cette section en démontrant deux corollaires du théorème de Lagrange qui nous seront utiles au prochain chapitre.

Corollaire 1

Si la dérivée d'une fonction f est nulle sur un intervalle $[a, b]$, alors la fonction f est constante sur cet intervalle.

Preuve du corollaire 1

La fonction f est dérivable sur $[a, b]$, donc elle est continue sur $[a, b]$. Soit x un point quelconque dans l'intervalle $[a, b]$. En vertu du théorème de Lagrange appliqué sur l'intervalle $[a, x]$:

$$\frac{f(x)-f(a)}{x-a}=f'(c) \qquad \text{où } c\in\,]a,x[$$

Or, par hypothèse, $f'(c)=0$. Donc,

$$f(x)-f(a)=0$$
$$\Rightarrow \; f(x)=f(a)=\text{constante}$$

et ce, pour tout $x\in[a, b]$. Ce qui démontre le corollaire.

Corollaire 2

Soit f et g deux fonctions qui admettent la même dérivée en tout point sur l'intervalle $[a, b]$, alors il existe une constante K telle que $f(x) = g(x) + K$ pour tout $x \in [a, b]$.

Preuve du corollaire 2

Les deux fonctions f et g sont dérivables sur $[a, b]$, donc elles sont continues sur $[a, b]$. Par hypothèse, on a :

$$f'(x)=g'(x) \qquad \text{pour tout } x\in[a,b]$$
$$(f(x)-g(x))'=0 \qquad \text{pour tout } x\in[a,b]$$

Donc,

$$f(x)-g(x)=K \qquad \text{selon le corollaire 1}$$
$$\Rightarrow \; f(x)=g(x)+K \qquad \text{pour tout } x\in[a,b]$$

Ce qui démontre le corollaire.

EXEMPLE 1.13

Montrer que les deux fonctions f et g définies par

$$f(x)=\frac{x+1}{x^2+1} \qquad \text{et} \qquad g(x)=\frac{3x^2+x+4}{x^2+1}$$

ne diffèrent que par une constante.

Solution

Calculons les dérivées de f et de g :

$$f'(x)=\frac{1(x^2+1)-(x+1)\,2x}{(x^2+1)^2}=\frac{x^2+1-2x^2-2x}{(x^2+1)^2}=\frac{1-x^2-2x}{(x^2+1)^2}$$

$$g'(x)=\frac{(6x+1)(x^2+1)-(3x^2+x+4)\,2x}{(x^2+1)^2}=\frac{6x^3+x^2+6x+1-6x^3-2x^2-8x}{(x^2+1)^2}=\frac{1-x^2-2x}{(x^2+1)^2}$$

Les dérivées étant égales, on peut conclure selon le corollaire 2 que $f(x) = g(x) + K$, donc que f et g ne diffèrent que par une constante.

On peut facilement vérifier, en effectuant la division polynomiale $(3x^2 + x + 4) \div (x^2 + 1)$, que

$$g(x) = 3 + \frac{x+1}{x^2+1} = 3 + f(x)$$

Donc, $f(x) = g(x) - 3$ et ainsi $K = -3$.

NOTE *historique*

Joseph Louis Lagrange
1736-1813

Joseph Louis Lagrange est né à Turin et a fait ses études dans sa ville natale. Dès l'âge de 18 ans, il entretient une correspondance avec le grand mathématicien Leonhard Euler. Ce dernier reconnaît tout le potentiel mathématique de ce jeune homme qui deviendra son protégé. À l'âge de 22 ans, Lagrange collabore à la création d'une société scientifique qui deviendra plus tard l'Académie des sciences de Turin. C'est par les publications de cette société que Lagrange fera connaître les résultats de ses travaux acquérant ainsi une grande notoriété dans le monde scientifique. C'est lors d'un voyage à Paris qu'il rencontre l'encyclopédiste D'Alembert et se lie d'amitié avec lui. De 1766 à 1787, Lagrange occupe un poste de professeur à l'Académie de Berlin succédant à Euler qui occupait ce poste avant lui. C'est durant ce séjour à Berlin qu'il conçut ce qu'on doit qualifier comme étant son chef-d'œuvre intitulé « Mécanique analytique », ouvrage dans lequel il n'y a aucune figure mais uniquement des opérations algébriques. Durant ce séjour à Berlin, Lagrange eut une longue période de découragement au cours de laquelle il abandonna ses travaux mathématiques. Son ami D'Alembert l'encouragea à poursuivre ses recherches. Ce n'est qu'en 1788, après son retour à Paris, que fut publié sa « Mécanique analytique ». C'est en étudiant les développements en séries de Taylor que Lagrange introduisit pour la première fois les notations $f'(x), f''(x), f'''(x), \ldots$ *pour désigner les dérivées d'ordre un, deux, trois, … d'une fonction* $f(x)$. *Grâce à Euler, il fut nommé membre associé de l'Académie des sciences en 1772.*

Lagrange était un homme pacifique et modeste. Il cherchait toujours à éviter les controverses et les intrigues. Il était politiquement neutre. Après la mort du roi de Prusse, Frédéric II, il craignait le climat de trouble que cet événement pouvait engendrer. Il accepta donc l'invitation de Louis XVI et revint à Paris en 1787. Malheureusement pour lui, il eut à vivre la Révolution française. Toutefois, sa notoriété le protégea des mesures de répression contre les étrangers. En 1790, il présida la commission pour l'établissement du système des poids et mesures demandé par l'Assemblée constituante. À cette occasion, il se fit le promoteur du système métrique décimal que l'on connaît aujourd'hui. Il occupa par la suite divers postes importants. Napoléon le comblera d'honneurs en le faisant même comte. Ses restes sont au Panthéon de Paris.

1.3 Théorème de Cauchy

Avant d'aborder l'étude de ce théorème, voyons quelques considérations préliminaires concernant les équations paramétriques d'une courbe.

1.3.1 Équations paramétriques d'une courbe

Les coordonnées x et y d'un point (x, y) d'une courbe sont parfois exprimées en fonction d'un paramètre t de la façon suivante.

$$x = g(t) \quad \text{et} \quad y = f(t) \quad \text{où } a \leqslant t \leqslant b$$

Chaque valeur de t donne une valeur à x et une valeur à y; la valeur de t détermine ainsi un point (x, y) de la courbe ou, sous une autre forme, un point $(g(t), f(t))$ de la courbe.

La pente de la tangente à la courbe est donnée par dy/dx, mais cette pente n'est pas exprimée sous forme paramétrique. Pour y arriver, on procède comme suit en utilisant les résultats connus sur la dérivée de fonctions composées.

$$\frac{dy}{dx} = \frac{dy}{dt} \times \frac{dt}{dx}$$

C'est-à-dire :

$$\frac{dy}{dx} = \frac{dy/dt}{dx/dt} = \frac{f'(t)}{g'(t)}$$

Bref, un point quelconque d'une courbe donnée sous forme paramétrique peut se décrire sous la forme $(g(t), f(t))$ et la pente de la tangente à la courbe en ce point est donnée par $f'(t)/g'(t)$.

Avant de passer au théorème de Cauchy, il nous reste à décrire l'équation d'une droite sécante à une courbe quand cette courbe est exprimée sous forme paramétrique. Considérons une telle courbe traversée par une sécante aux points A et B.

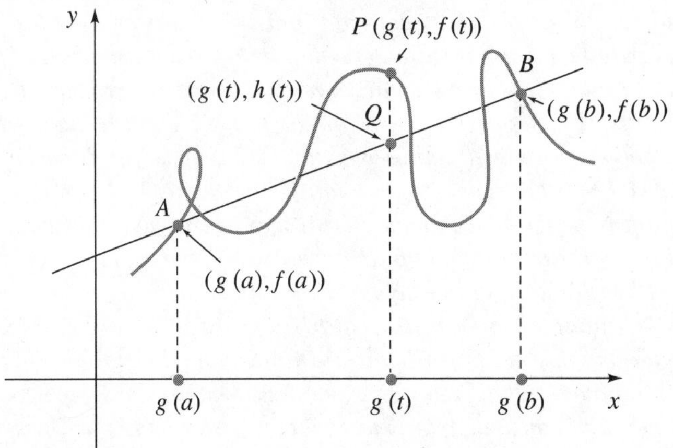

Soit t une valeur quelconque du paramètre et P: $(g(t), f(t))$ un point de la courbe correspondant à cette valeur de t.

Soit Q: $(g(t), h(t))$ le point de la sécante situé sur la même verticale que P, c'est-à-dire que le point Q a la même abscisse que le point P mais possède une ordonnée différente.

La pente de la sécante est donnée par

$$\frac{f(b) - f(a)}{g(b) - g(a)}$$

et l'équation de la droite sécante est

$$\frac{h(t) - f(a)}{g(t) - g(a)} = \frac{f(b) - f(a)}{g(b) - g(a)}$$

ce que l'on peut écrire

$$h(t) = f(a) + \left(\frac{f(b) - f(a)}{g(b) - g(a)}\right)\left(g(t) - g(a)\right)$$

Abordons maintenant le théorème de Cauchy, connu aussi sous le nom de *théorème de la moyenne généralisé*. On parle aussi à l'occasion du rapport des accroissements de deux fonctions.

1.3.2 Énoncé du théorème de Cauchy

Théorème de Cauchy

Soit f et g deux fonctions définies sur l'intervalle fermé $[a, b]$ et soit

(i) f et g continues sur $[a, b]$

(ii) f et g dérivables sur $]a, b[$

(iii) $g(b) \neq g(a)$ et $f'(t)$ et $g'(t)$ ne sont pas nuls simultanément

Alors il existe une valeur c dans l'intervalle ouvert $]a, b[$ telle que $\dfrac{f(b) - f(a)}{g(b) - g(a)} = \dfrac{f'(c)}{g'(c)}$

1.3.3 Interprétation graphique du théorème de Cauchy

L'interprétation géométrique de ce théorème est la suivante. Notons d'abord que les deux fonctions f et g définissent une courbe paramétrique comme par exemple la courbe suivante.

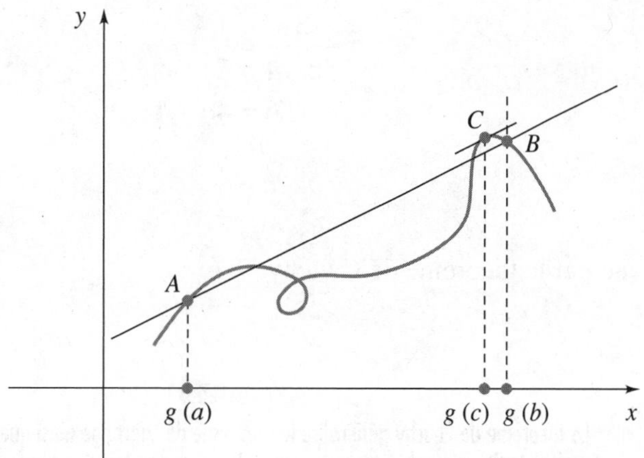

Soit

$$A : (g\,(a), f(a)) \quad \text{et} \quad B : (g\,(b), f(b))$$

Traçons la sécante passant par les points A et B.

Comme nous l'avons vu, $f'(c)/g'(c)$ est la pente de la tangente à la courbe au point où $t = c$.

De plus, nous savons que

$$\frac{f(b) - f(a)}{g(b) - g(a)}$$

est la pente de la sécante passant par les points A et B. Ainsi, l'égalité

$$\frac{f(b)-f(a)}{g(b)-g(a)}=\frac{f'(c)}{g'(c)}$$

nous dit que si la courbe admet une tangente en tout point de l'arc AB, il existe au moins un point C entre A et B tel que la tangente en ce point est parallèle à la corde AB.

EXEMPLE 1.14

Trouver une valeur c prévue par le théorème de Cauchy pour les fonctions suivantes sur l'intervalle $[1,4]$.

$$f(t)=3t-2 \qquad \text{et} \qquad g(t)=2t^2-4t+3$$

Solution

Procédons algébriquement :

$$f'(t)=3 \qquad \text{et} \qquad g'(t)=4t-4$$

Si c est une valeur cherchée dans $]1,4[$, on a d'une part :

$$\frac{f'(c)}{g'(c)}=\frac{3}{4c-4}$$

et d'autre part :

$$\frac{f(4)-f(1)}{g(4)-g(1)}=\frac{10-1}{19-1}=\frac{9}{18}=\frac{1}{2}$$

Ainsi :

$$\frac{3}{4c-4}=\frac{1}{2}$$

$$6=4c-4$$

$$c=\frac{5}{2}$$

C'est la valeur prévue par le théorème de Cauchy.

REMARQUE

Le théorème de Cauchy généralise le théorème de Lagrange ainsi que le théorème de Rolle. En effet, le théorème de Lagrange est valable pour une fonction tandis que celui de Cauchy est valable pour une courbe donnée sous forme paramétrique. Puisque toute fonction peut se décrire par des équations paramétriques — l'inverse n'est pas vrai car une courbe paramétrique n'est pas nécessairement une fonction — il s'ensuit que le théorème de Cauchy touche à plus d'« objets mathématiques » que le théorème de Lagrange et constitue par le fait même une généralisation de ce dernier qui est lui-même une généralisation du théorème de Rolle.

1.3.4 Preuve du théorème de Cauchy

Considérons deux fonctions f et g remplissant les conditions de l'énoncé. Considérons une représentation graphique de la courbe paramétrique définie par f et g.

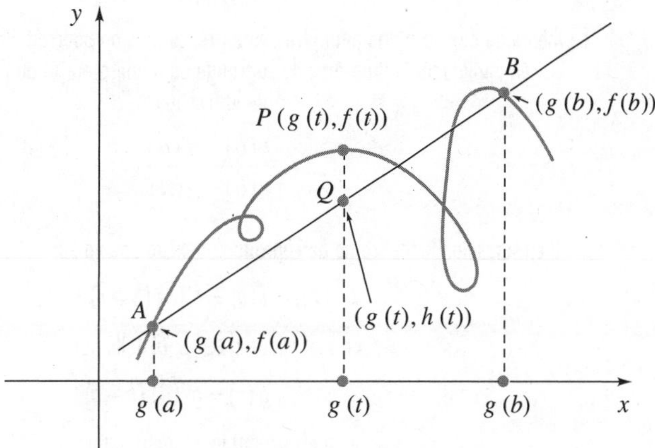

L'hypothèse (iii) qui pose que $f'(t)$ et $g'(t)$ ne sont pas nuls simultanément nous assure que la courbe ne contient pas de points de rebroussement comme par exemple :

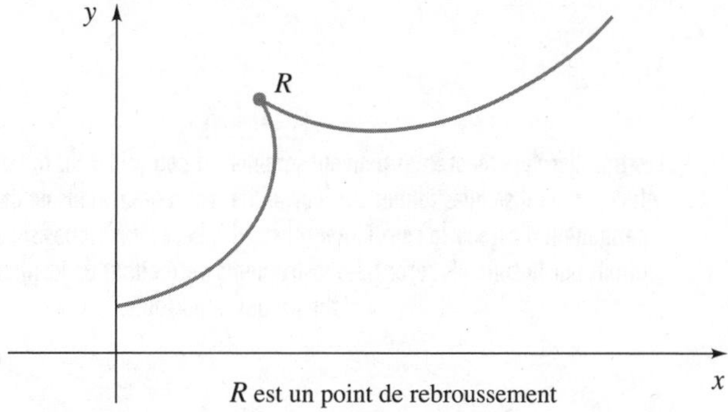

R est un point de rebroussement

Considérons maintenant la distance verticale entre la courbe et la sécante, c'est-à-dire la distance *PQ*. Cette distance est une fonction de *t* donnée par

$$F(t) = f(t) - h(t)$$

$$F(t) = f(t) - f(a) - \left(\frac{f(b) - f(a)}{g(b) - g(a)}\right)\left(g(t) - g(a)\right)$$

On a :

$$F(a) = F(b) = 0$$

$$F \text{ est continue sur } [a, b]$$

$$F \text{ est dérivable sur }]a, b[$$

Selon le théorème de Rolle, il existe une valeur $c \in \,]a, b[$ telle que $F'(c) = 0$.

$$F'(t) = f'(t) - \left(\frac{f(b) - f(a)}{g(b) - g(a)}\right) \times g'(t)$$

$$F'(c) = f'(c) - \left(\frac{f(b) - f(a)}{g(b) - g(a)}\right) \times g'(c) = 0$$

D'où on tire :

$$\frac{f(b) - f(a)}{g(b) - g(a)} = \frac{f'(c)}{g'(c)}$$

ce qui complète la preuve.

REMARQUE

Le théorème de Cauchy ne peut être démontré, comme on pourrait être tenté de le croire, en appliquant le théorème de Lagrange au numérateur et au dénominateur de la fraction

$$\frac{f(b)-f(a)}{g(b)-g(a)}$$

Bien sûr, selon le théorème de Lagrange, il existe une valeur $c_1 \in]a, b[$ telle que :

$$f(b)-f(a) = f'(c_1)(b-a)$$

et une valeur $c_2 \in]a, b[$ telle que :

$$g(b)-g(a) = g'(c_2)(b-a)$$

En effectuant le quotient, on a :

$$\frac{f(b)-f(a)}{g(b)-g(a)} = \frac{f'(c_1)}{g'(c_2)}$$

mais rien nous dit que $c_1 = c_2$; alors, ce n'est pas exactement le théorème de Cauchy.

REMARQUE

Les trois derniers théorèmes peuvent sembler un peu arides du fait qu'après une première étude, on peut se questionner sur leur utilité. Contentons-nous de dire que ces théorèmes permettent d'asseoir le calcul intégral sur des bases théoriques solides et qu'à plusieurs endroits par la suite, ils seront des instruments permettant de justifier des développements théoriques importants.

NOTE historique

Augustin Cauchy
1789-1857

Augustin Louis Cauchy est né à Paris au moment où débutait la Révolution française. Doté d'un esprit brillant et d'une santé fragile, il fut élevé pendant une période trouble et c'est son père lui-même qui assuma son éducation de base. Très jeune, on reconnut ses grands talents de mathématicien. Par ses recherches et ses publications, il s'implanta dans le monde scientifique de son époque. Il eut une très belle carrière malgré le fait que ses idées politiques (il était royaliste) lui valurent de nombreux déboires. Il a été d'une activité prodigieuse ayant publié plus de 700 mémoires touchant à toutes les branches des mathématiques. Il fut nommé membre de l'Académie des sciences en 1816. On doit le considérer parmi les plus grands mathématiciens de tous les temps.

Il a apporté la rigueur à l'analyse mathématique en introduisant d'une façon claire et définitive les notions de limite, d'infiniment petit et de continuité. D'ailleurs, on le surnomme parfois « Le père de l'analyse ». On doit également à Cauchy la création de la théorie des fonctions d'une variable complexe et on sait qu'il a joué un rôle de premier plan dans la création de la théorie des groupes par Evariste Galois.

EXERCICES

Pour les numéros 1 à 7, trouver une valeur c telle que prévue par le théorème de Rolle pour la fonction donnée sur l'intervalle donné.

1. $f(x) = x^2 - 2x - 2$ sur $[-1, 3]$
2. $f(x) = x^2 - 8x + 12$ sur $[2, 6]$
3. $f(x) = x^3 - x$ sur $[-1, 1]$
4. $f(x) = 2x^3 - 7x^2 + 9$ sur $[-1, 3]$
5. $f(x) = \sin 2x$ sur $[0, \pi/2]$
6. $f(x) = \dfrac{x^2 - 2x}{x - 3}$ sur $[0, 2]$
7. $f(x) = e^{9-x^2} - 1$ sur $[-3, 3]$

Pour les numéros 8 à 14, expliquer pourquoi le théorème de Rolle ne s'applique pas à la fonction donnée sur l'intervalle donné.

8. $f(x) = \dfrac{2x^2 + x - 6}{x + 5}$ sur $[-2, 2]$
9. $f(x) = 2 - |x - 1|$ sur $[-1, 3]$
10. $f(x) = x^3 - x^2 + 2$ sur $[-1, 1]$
11. $f(x) = \dfrac{x^2 - 2x}{x - 1}$ sur $[0, 2]$
12. $f(x) = \begin{cases} x^2 + 1 & \text{si } x < 2 \\ -2x + 9 & \text{si } x \geq 2 \end{cases}$ sur $[0, 4]$
13. $f(x) = \tan x$ sur $[0, \pi]$
14. $f(x) = \ln (x - 1) + x$ sur $[0, 1]$

Pour les numéros 15 à 21, trouver une valeur c telle que prévue par le théorème de Lagrange pour la fonction donnée sur l'intervalle donné.

15. $f(x) = x^2 - 10x + 16$ sur $[3, 7]$
16. $f(x) = x^3 - x$ sur $[0, 2]$
17. $f(x) = x^3 + 2x - 4$ sur $[0, 1]$
18. $f(x) = \dfrac{2}{x - 5}$ sur $[1, 3]$
19. $f(x) = 1 + \sin x$ sur $[0, \pi/2]$
20. $f(x) = \ln (1 - x)$ sur $[-2, 0]$
21. $f(x) = x + \cos x$ sur $[0, \pi/2]$

Pour les numéros 22 à 28, expliquer pourquoi le théorème de Lagrange ne s'applique pas à la fonction donnée sur l'intervalle donné.

22. $f(x) = |2x + 3|$ sur $[-2, 0]$
23. $f(x) = \dfrac{x - 5}{2x - 5}$ sur $[1, 4]$
24. $f(x) = \sqrt[3]{x - 1}$ sur $[-2, 2]$
25. $f(x) = \dfrac{\sqrt{x}}{x - 3}$ sur $[3, 5]$
26. $f(x) = \ln (x^2 - 1)$ sur $[-2, 2]$
27. $f(x) = \tan (x - 2)$ sur $[2, 5]$
28. $f(x) = x^{2/3} - 5x$ sur $[-1, 1]$
29. Expliquer algébriquement en quoi le théorème de Rolle est un cas particulier du théorème de Lagrange.

Pour les numéros 30 à 42, utiliser le théorème de Lagrange pour trouver une valeur approximative à l'expression donnée.

30. $\sqrt{17}$
31. $\sqrt[3]{10}$
32. $\sqrt[3]{29}$
33. $\sin 35°$
34. $\cos 50°$
35. $\sqrt{70}$
36. $\sqrt[3]{60}$
37. $\sqrt[5]{33}$
38. $(4{,}2)^3$
39. $(1{,}9)^4 + (1{,}9)^3$
40. $e^{1{,}3}$
41. $\tan 47°$
42. $\ln 1{,}3$

Pour les numéros 43 à 49, utiliser le théorème de Lagrange pour montrer que :

43. pour $0 < x < \dfrac{\pi}{2}$, $\cos x > 1 - x \sin x$
44. pour $x > 0$, $e^x > 1 + x$
45. pour $x > 0$, $e^x < 1 + x\, e^x$
46. pour $x > 0$, $x > \ln (1 + x)$
47. pour $x > 0$, $\sin x < x$
48. pour $x > 0$, $\arctan x < x$
49. pour $0 < x < \dfrac{\pi}{2}$, $\tan x > x$

50 En utilisant les dérivées, montrer que les deux fonctions suivantes ne diffèrent que par une constante.

$$f(x)=\frac{x^2-x}{x-2}\qquad g(x)=\frac{x^2+4x-10}{x-2}$$

51 En utilisant les dérivées, montrer que les deux fonctions suivantes ne diffèrent que par une constante.

$$f(x)=2-\sin(x-\pi/2)\qquad g(x)=\cos x$$

52 Trouver une valeur c telle que prévue par le théorème de Cauchy pour les fonctions suivantes sur l'intervalle $[1,2]$.

$$f(t)=2t^2-t+1\quad \text{et}\quad g(t)=3t^3-1$$

53 Trouver une valeur c telle que prévue par le théorème de Cauchy pour les fonctions suivantes sur l'intervalle $\left[0,\pi/2\right]$.

$$f(t)=2\sin t\quad \text{et}\quad g(t)=3\cos t$$

1.5 Règle de L'Hospital

Nous arrivons maintenant à une partie un peu plus pratique du chapitre où nous allons donner une règle permettant de lever les indéterminations de la forme $0/0$ et ∞/∞. Illustrons d'abord l'utilité du résultat à venir. Supposons que l'on veuille calculer la limite suivante.

$$\lim_{x\to 2}\frac{x^2-4}{e^{x-2}-1}$$

En remplaçant x par 2 dans l'expression donnée, on se retrouve avec une forme $0/0$. C'est donc une *indétermination*. Les méthodes vues au début de l'étude du calcul et utilisant divers artifices de calcul s'avèrent inefficaces dans une telle situation.

Cependant, quelqu'un trouva une solution. Guillaume François Antoine de L'Hospital (1661-1704), mathématicien né à Paris, trouva plusieurs réponses à des questions laissées en plan par les créateurs du calcul, Newton et Leibniz. On lui doit aussi le premier manuel de calcul différentiel et intégral. Dans le cas du présent problème, sa solution est fort simple : elle consiste à dériver le numérateur et le dénominateur dans l'expression de la limite. Ainsi :

$$\lim_{x\to 2}\frac{x^2-4}{e^{x-2}-1}=\lim_{x\to 2}\frac{2x}{e^{x-2}}=\frac{4}{1}=4$$

Cette règle est précisée dans le théorème suivant.

1.5.1 Énoncé de la règle de L'Hospital

Règle de L'Hospital

Soit f et g deux fonctions telles que :

a) il existe un nombre réel $\delta>0$ tel que :

(i) f et g sont continues sur $\left[a-\delta,a+\delta\right]$

(ii) f et g sont dérivables sur $\left]a-\delta,a+\delta\right[$

(iii) $g(x)\neq 0$ et $g'(x)\neq 0$ pour $x\in\left[a-\delta,a+\delta\right]\setminus\{a\}$

b) $f(a) = g(a) = 0$

Alors, $\lim\limits_{x\to a}\dfrac{f(x)}{g(x)} = \lim\limits_{x\to a}\dfrac{f'(x)}{g'(x)}$ si cette dernière limite existe.

1.5.2 Preuve de la règle de L'Hospital

Soit $x \in \left]a-\delta, a+\delta\right[$. Considérons l'intervalle $[a, x]$. Selon le théorème de Cauchy, il existe une valeur c telle que :

$$\frac{f(x)-f(a)}{g(x)-g(a)} = \frac{f'(c)}{g'(c)}$$

où $a < c < x$.

Or, $f(a) = g(a) = 0$ par hypothèse. Donc :

$$\frac{f(x)}{g(x)} = \frac{f'(c)}{g'(c)}$$

De plus, si $x \to a$, $c \to a$ car $a < c < x$ et alors le théorème du sandwich s'applique. Donc :

$$\lim_{x\to a}\frac{f(x)}{g(x)} = \lim_{x\to a}\frac{f'(c)}{g'(c)} = \lim_{c\to a}\frac{f'(c)}{g'(c)} = \lim_{x\to a}\frac{f'(x)}{g'(x)}$$

et, finalement, on a :

$$\lim_{x\to a}\frac{f(x)}{g(x)} = \lim_{x\to a}\frac{f'(x)}{g'(x)}$$

ce qui complète la preuve.

En fait, nous venons de démontrer le théorème pour $x \to a^+$ car nous avons considéré $a < c < x$. Il en serait évidemment de même pour $x \to a^-$.

1.5.3 Utilisation de la règle de L'Hospital

Voici quelques exemples d'utilisation de cette règle.

EXEMPLE 1.15

Calculer $\lim\limits_{x\to 3}\dfrac{2x^2-x-15}{x^2-9}$

Solution

C'est une forme 0/0 et les conditions d'application de la règle de L'Hospital sont remplies. Alors,

$$\lim_{x\to 3}\frac{2x^2-x-15}{x^2-9} = \lim_{x\to 3}\frac{4x-1}{2x} = \frac{11}{6}$$

REMARQUE

Dans ce dernier exemple, on aurait pu procéder comme on l'a déjà fait dans une première approche du calcul par une simplification du facteur $(x-3)$ pour retrouver le même résultat. La règle de L'Hospital a l'avantage d'être une méthode plus universelle.

EXEMPLE
1.16

Calculer $\lim_{x\to 0}\frac{e^{3x}-e^{-x}}{\sin 5x}$

Solution

On a une forme $0/0$. Selon la règle de L'Hospital :

$$\lim_{x\to 0}\frac{e^{3x}-e^{-x}}{\sin 5x}=\lim_{x\to 0}\frac{3e^{3x}+e^{-x}}{5\cos 5x}=\frac{3+1}{5}=\frac{4}{5}$$

EXEMPLE
1.17

Calculer $\lim_{x\to 1}\frac{\ln(2-x)}{x-1}$

Solution

On a une forme $0/0$. Selon la règle de L'Hospital :

$$\lim_{x\to 1}\frac{\ln(2-x)}{x-1}=\lim_{x\to 1}\frac{-1/(2-x)}{1}=\lim_{x\to 1}\frac{-1}{2-x}=-1$$

REMARQUE

Si $f'(a)=g'(a)=0$ et si $f'(x)$ et $g'(x)$ rencontrent les conditions d'application de la règle de L'Hospital, nous pouvons alors l'appliquer de nouveau au rapport $f'(x)/g'(x)$. Ainsi :

$$\lim_{x\to a}\frac{f(x)}{g(x)}=\lim_{x\to a}\frac{f'(x)}{g'(x)}=\lim_{x\to a}\frac{f''(x)}{g''(x)}=\ldots$$

Bref, si les conditions nécessaires sont remplies, on peut appliquer la règle de L'Hospital plusieurs fois de suite.

EXEMPLE
1.18

Calculer $\lim_{x\to 0}\frac{e^{x}+e^{-x}-2\cos x}{2x\sin x}$

Solution

On a une forme $0/0$. Appliquons la règle de L'Hospital :

$$\lim_{x\to 0}\frac{e^{x}+e^{-x}-2\cos x}{2x\sin x}=\lim_{x\to 0}\frac{e^{x}-e^{-x}+2\sin x}{2x\cos x+2\sin x}$$

C'est encore une forme $0/0$ à laquelle on peut appliquer la règle de L'Hospital :

$$\lim_{x\to 0}\frac{e^{x}-e^{-x}+2\sin x}{2x\cos x+2\sin x}=\lim_{x\to 0}\frac{e^{x}+e^{-x}+2\cos x}{-2x\sin x+4\cos x}=\frac{4}{4}=1$$

REMARQUE

La règle de L'Hospital reste applicable si $g'(a)=0$. Le résultat est alors infini, positif ou négatif.

EXEMPLE 1.19

Calculer $\lim_{x\to 0} \frac{e^x - 1}{x^3}$

Solution

On a une forme $0/0$. Selon la règle de L'Hospital :

$$\lim_{x\to 0} \frac{e^x - 1}{x^3} = \lim_{x\to 0} \frac{e^x}{3x^2} = \frac{1}{0^+} = \infty$$

REMARQUE

La règle de L'Hospital reste applicable dans le cas des limites à l'infini.

EXEMPLE 1.20

Calculer $\lim_{x\to \infty} \frac{e^{-4/3x} - 1}{1/x}$

Solution

On a bien une forme $0/0$; alors, selon la règle de L'Hospital :

$$\lim_{x\to \infty} \frac{e^{-4/3x} - 1}{1/x} = \lim_{x\to \infty} \frac{e^{-4/3x}(4/3x^2)}{(-1/x^2)} = \lim_{x\to \infty}(-4/3)e^{-4/3x} = \frac{-4}{3}$$

REMARQUE

La règle de L'Hospital reste applicable dans le cas des limites infinies, c'est-à-dire dans les cas d'indéterminations de la forme ∞/∞. La preuve formelle de ce résultat est assez aride. Nous ne la donnerons pas à ce stade.

EXEMPLE 1.21

Calculer $\lim_{x\to \infty} \frac{x^3 + 2x - 5}{x^2 + 6}$

Solution

C'est une forme ∞/∞. Selon la règle de L'Hospital :

$$\lim_{x\to \infty} \frac{x^3 + 2x - 5}{x^2 + 6} = \lim_{x\to \infty} \frac{3x^2 + 2}{2x} = \lim_{x\to \infty} \frac{6x}{2} = \infty$$

EXEMPLE 1.22

Calculer $\lim_{x\to 0^+} \frac{e^{1/x}}{1/x}$

Solution

On a une forme ∞/∞. Alors, selon la règle de L'Hospital :

$$\lim_{x\to 0^+} \frac{e^{1/x}}{1/x} = \lim_{x\to 0^+} \frac{e^{1/x}(-1/x^2)}{(-1/x^2)} = \lim_{x\to 0^+} e^{1/x} = \infty$$

EXEMPLE

1.23

Calculer $\lim\limits_{x\to\infty} \dfrac{x^4+3x^3+2x-5}{e^x}$

Solution

On a une forme ∞/∞. Alors, selon la règle de L'Hospital :

$$\lim_{x\to\infty} \frac{x^4+3x^3+2x-5}{e^x} = \lim_{x\to\infty} \frac{4x^3+9x^2+2}{e^x} = \lim_{x\to\infty} \frac{12x^2+18x}{e^x} = \lim_{x\to\infty} \frac{24x+18}{e^x} = \lim_{x\to\infty} \frac{24}{e^x} = 0$$

REMARQUE

Dans certains cas, il peut arriver que, bien qu'applicable, la règle de L'Hospital ne donne pas le résultat espéré. Il faut bien remarquer les derniers mots de l'énoncé de la règle...

« si cette dernière limite existe »

Donc, la limite $\lim\limits_{x\to a} \dfrac{f'(x)}{g'(x)}$ peut ne pas exister et la règle de L'Hospital ne nous est alors d'aucune utilité.

EXEMPLE

1.24

Calculer $\lim\limits_{x\to\infty} \dfrac{4x+\sin x}{3x}$

Solution

Comme on a une forme ∞/∞, la règle de L'Hospital est applicable et nous donne :

$$\lim_{x\to\infty} \frac{4x+\sin x}{3x} = \lim_{x\to\infty} \frac{4+\cos x}{3}$$

Cette dernière limite n'existe pas ; on ne peut donc rien conclure de cette façon. Pour calculer la limite, la procédure à suivre est la suivante.

$$\lim_{x\to\infty} \frac{4x+\sin x}{3x} = \lim_{x\to\infty} \frac{4x}{3x} + \lim_{x\to\infty} \frac{\sin x}{3x} = \frac{4}{3} + \lim_{x\to\infty} \frac{\sin x}{3x} = \frac{4}{3} + 0 = \frac{4}{3}$$

Note :

$\lim\limits_{x\to\infty} \dfrac{\sin x}{3x} = 0$ car si $x > 0$, on a : $\dfrac{-1}{3x} \le \dfrac{\sin x}{3x} \le \dfrac{1}{3x}$.

Or, $\lim\limits_{x\to\infty} \dfrac{-1}{3x} = \lim\limits_{x\to\infty} \dfrac{1}{3x} = 0$ et ainsi, selon le théorème du sandwich : $\lim\limits_{x\to\infty} \dfrac{\sin x}{3x} = 0$.

EXEMPLE

1.25

Calculer $\lim\limits_{x\to(\pi/2)^-} \dfrac{\tan 3x}{\tan 5x}$

Solution

On a une forme ∞/∞ et la règle de L'Hospital est applicable.

$$\lim_{x\to(\pi/2)^-} \frac{\tan 3x}{\tan 5x} = \lim_{x\to(\pi/2)^-} \frac{3\sec^2 3x}{5\sec^2 5x}$$

C'est encore une forme ∞/∞ à laquelle on peut appliquer la règle de L'Hospital.

$$\lim_{x\to(\pi/2)^-}\frac{3\sec^2 3x}{5\sec^2 5x}=\lim_{x\to(\pi/2)^-}\frac{18\sec^2 3x\tan 3x}{50\sec^2 5x\tan 5x}$$

On peut poursuivre de cette façon autant de fois que l'on voudra. Cependant, l'expression s'alourdit de plus en plus et on ne peut conclure. Pour résoudre facilement, il faudra plutôt faire quelques transformations sur la forme originale avant d'appliquer la règle de L'Hospital. Ainsi :

$$\lim_{x\to(\pi/2)^-}\frac{\tan 3x}{\tan 5x}=\lim_{x\to(\pi/2)^-}\frac{\sin 3x\cos 5x}{\sin 5x\cos 3x}$$

C'est une forme 0/0 et la règle de L'Hospital est applicable.

$$\lim_{x\to(\pi/2)^-}\frac{\sin 3x\cos 5x}{\sin 5x\cos 3x}=\lim_{x\to(\pi/2)^-}\frac{3\cos 3x\cos 5x-5\sin 3x\sin 5x}{5\cos 5x\cos 3x-3\sin 3x\sin 5x}=\frac{5}{3}$$

EXEMPLE 1.26

Calculer $\lim_{x\to\infty}\frac{2xe^x-1}{xe^{2x}+1}$

Solution

On a une forme ∞/∞. Selon la règle de L'Hospital :

$$\lim_{x\to\infty}\frac{2xe^x-1}{xe^{2x}+1}=\lim_{x\to\infty}\frac{e^x(2x+2)}{e^{2x}(2x+1)}$$

Pour éviter la complication de l'expression, il faut maintenant faire une simplification avant d'utiliser à nouveau la règle de L'Hospital.

$$\lim_{x\to\infty}\frac{e^x(2x+2)}{e^{2x}(2x+1)}=\lim_{x\to\infty}\frac{2x+2}{e^x(2x+1)}=\lim_{x\to\infty}\frac{2}{e^x(2x+3)}=0$$

EXEMPLE 1.27

Calculer $\lim_{x\to 0}\frac{x\cos x-\sin x\cos x}{x^2\cos^3 x}$

Solution

C'est une forme 0/0. On peut donc appliquer la règle de L'Hospital. Cependant, on a intérêt ici à décomposer d'abord l'expression en deux parties pour éviter que les dérivées soient trop lourdes. Ainsi :

$$\lim_{x\to 0}\frac{x\cos x-\sin x\cos x}{x^2\cos^3 x}=\lim_{x\to 0}\left(\frac{x-\sin x}{x^2}\right)\left(\frac{\cos x}{\cos^3 x}\right)=\lim_{x\to 0}\left(\frac{x-\sin x}{x^2}\right)\lim_{x\to 0}\left(\frac{1}{\cos^2 x}\right)=\lim_{x\to 0}\left(\frac{x-\sin x}{x^2}\right)\times 1$$

Ici, on applique la règle de L'Hospital.

$$=\lim_{x\to 0}\frac{1-\cos x}{2x}=\lim_{x\to 0}\frac{\sin x}{2}=0$$

1.6 Formes indéterminées

À l'aide de la règle de L'Hospital, nous pouvons lever la plupart des indéterminations de la forme

$$0/0 \quad \infty/\infty \quad 0\times\infty \quad \infty-\infty \quad 0^0 \quad \infty^0 \quad 1^\infty$$

Dans les deux premiers cas, nous utilisons directement la règle de L'Hospital. Précisons que ce sont les seuls cas où on peut l'utiliser directement. Nous avons étudié ces cas dans la section précédente.

1.6.1 La forme $0 \times \infty$

Dans le cas de la forme $0\times\infty$, on se ramènera au cas $0/0$ ou au cas ∞/∞ en transformant

$$\lim_{x\to a} f(x)g(x)$$

en

$$\lim_{x\to a}\frac{f(x)}{1/g(x)}$$

ou en

$$\lim_{x\to a}\frac{g(x)}{1/f(x)}$$

EXEMPLE

1.28 Calculer $\lim\limits_{x\to 0^+} x\ln x$

Solution

On a une forme $0\times\infty$ ou, si on veut être plus précis, une forme $0\times(-\infty)$. Alors,

$$\lim_{x\to 0^+} x\ln x = \lim_{x\to 0^+}\frac{\ln x}{1/x} \qquad \text{(forme } -\infty/\infty\text{)}$$

et, selon la règle de L'Hospital :

$$\lim_{x\to 0^+}\frac{\ln x}{1/x} = \lim_{x\to 0^+}\frac{1/x}{-1/x^2} = \lim_{x\to 0^+}(-x) = 0$$

EXEMPLE

1.29 Calculer $\lim\limits_{x\to 1^-}\left(\sec\dfrac{\pi x}{2}\right)(\sin(1-x))$

Solution

C'est une forme $\infty\times 0$. On a :

$$\lim_{x\to 1^-}\sec\left(\frac{\pi x}{2}\right)\sin(1-x) = \lim_{x\to 1^-}\frac{\sin(1-x)}{(1/\sec(\pi x/2))} = \lim_{x\to 1^-}\frac{\sin(1-x)}{\cos(\pi x/2)}$$

C'est devenu une forme $0/0$. Alors, selon la règle de L'Hospital :

$$\lim_{x\to 1^-}\frac{\sin(1-x)}{\cos(\pi x/2)} = \lim_{x\to 1^-}\frac{-\cos(1-x)}{(-\pi/2\times\sin(\pi x/2))} = \frac{-1}{-\pi/2} = \frac{2}{\pi}$$

1.6.2 La forme $\infty - \infty$

Dans le cas de la forme $\infty - \infty$, on utilisera des manipulations algébriques pour se ramener à l'une ou l'autre des formes $0/0$ ou ∞/∞ . En effet, si

$$\lim_{x\to a} f(x) = \infty \qquad \text{et} \qquad \lim_{x\to a} g(x) = \infty$$

on peut transformer ainsi :

$$\lim_{x\to a}\big(f(x) - g(x)\big) = \lim_{x\to a} f(x)\left(1 - \frac{g(x)}{f(x)}\right)$$

Si $\displaystyle\lim_{x\to a}\frac{g(x)}{f(x)} \neq 1$ (i.e. existe et est $\neq 1$) le résultat est infini.

Si $\displaystyle\lim_{x\to a}\frac{g(x)}{f(x)} = 1$ on a une forme $\infty \times 0$ et alors on appliquera la règle de L'Hospital à

$$\lim_{x\to a}\frac{1 - \dfrac{g(x)}{f(x)}}{1/f(x)}$$

qui est une forme $0/0$.

EXEMPLE 1.30

Calculer $\displaystyle\lim_{x\to 0^+}(1/x + \ln x)$

Solution

C'est une forme $\infty - \infty$ On a :

$$\lim_{x\to 0^+}(1/x + \ln x) = \lim_{x\to 0^+}\left(\frac{1}{x}\right)(1 + x\ln x)$$

Or, selon l'exemple 1.28, $\displaystyle\lim_{x\to 0^+} x\ln x = 0$. Donc :

$$\lim_{x\to 0^+}\left(\frac{1}{x}\right)(1 + x\ln x) = \infty\,(1 + 0) = \infty$$

EXEMPLE 1.31

Calculer $\displaystyle\lim_{x\to 0}\left(\frac{1}{x} - \frac{1}{\tan x}\right)$

Solution

C'est une forme $\infty - \infty$. On a :

$$\lim_{x\to 0}\left(\frac{1}{x} - \frac{1}{\tan x}\right) = \lim_{x\to 0}\frac{1}{x}\left(1 - \frac{x}{\tan x}\right)$$

Or, $\displaystyle\lim_{x\to 0}\frac{x}{\tan x} = \lim_{x\to 0}\frac{1}{\sec^2 x} = 1$

Donc, $\displaystyle\lim_{x\to 0}\frac{1}{x}\left(1 - \frac{x}{\tan x}\right)$ est de la forme $\infty \times 0$ et $\displaystyle\lim_{x\to 0}\frac{1}{x}\left(1 - \frac{x}{\tan x}\right) = \lim_{x\to 0}\frac{1 - x/\tan x}{x}$

est une indétermination de la forme 0/0. Selon la règle de L'Hospital :

$$\lim_{x\to 0}\frac{1-x/\tan x}{x}=\lim_{x\to 0}\frac{-(\tan x - x\sec^2 x)/\tan^2 x}{1}=\lim_{x\to 0}\frac{-\tan x + x\sec^2 x}{\tan^2 x}$$

$$=\lim_{x\to 0}\frac{-\sec^2 x+\sec^2 x+2x\sec^2 x\tan x}{2\tan x\sec^2 x}=\lim_{x\to 0}\frac{2x\sec^2 x\tan x}{2\tan x\sec^2 x}=\lim_{x\to 0}x=0$$

EXEMPLE

1.32 Calculer $\lim_{x\to\infty}\left(\sqrt{x-1}-\sqrt{x}\right)$

Solution

C'est une forme $\infty-\infty$. On peut procéder selon la méthode que l'on vient de décrire mais, dans certains cas, on peut également avoir recours à d'autres manipulations algébriques pour calculer une telle limite. Ainsi, en multipliant numérateur et dénominateur par l'expression conjuguée, on a :

$$\lim_{x\to\infty}\left(\sqrt{x-1}-\sqrt{x}\right)\times\frac{\left(\sqrt{x-1}+\sqrt{x}\right)}{\left(\sqrt{x-1}+\sqrt{x}\right)}=\lim_{x\to\infty}\frac{x-1-x}{\sqrt{x-1}+\sqrt{x}}=\lim_{x\to\infty}\frac{-1}{\sqrt{x-1}+\sqrt{x}}=0$$

1.6.3 Les formes 0^0, ∞^0 et 1^∞

Dans les trois derniers cas d'indétermination, soit les formes 0^0, ∞^0 et 1^∞, ce sont des expressions où l'on retrouve des exposants variables. La technique consiste à prendre le logarithme naturel de l'expression dont on cherche la limite; au lieu d'exposants, on aura alors la forme $0\times\infty$, ce que l'on sait calculer. Après avoir trouvé la limite L du logarithme de l'expression, on revient ensuite à la limite de l'expression initiale par l'opération e^L.

On a $y = f(x)^{g(x)}$ ce qui, en passant à la limite, devient une forme 0^0, ∞^0 ou 1^∞. Alors $\ln y = g(x)\times\ln f(x)$ est une forme $0\times(-\infty)$ ou $0\times\infty$ ou $\infty\times 0$.

Supposons que l'on ait trouvé une limite L à cette expression

$$\lim_{x\to a}\ln y = L$$

Or, on cherche $\lim_{x\to a} y$; si on se rappelle que $y = e^{\ln y}$, alors

$$\lim_{x\to a} y = e^L$$

EXEMPLE

1.33 Calculer $\lim_{x\to 1^+}(x-1)^{\sin(x-1)}$

Solution

C'est une forme 0^0. Posons $y=(x-1)^{\sin(x-1)}$

Alors,

$$\ln y = \sin(x-1)\ln(x-1)$$

$$\lim_{x\to 1^+}\ln y = \lim_{x\to 1^+}\sin(x-1)\ln(x-1)$$

C'est une forme $0 \times (-\infty)$.

$$\lim_{x\to 1^+} \ln y = \lim_{x\to 1^+} \frac{\ln (x-1)}{\operatorname{cosec}(x-1)}$$

C'est une forme $-\infty/\infty$. Selon la règle de L'Hospital :

$$\lim_{x\to 1^+} \ln y = \lim_{x\to 1^+} \frac{1/(x-1)}{-\operatorname{cosec}(x-1)\cot(x-1)} = \lim_{x\to 1^+} \frac{-\sin(x-1)\tan(x-1)}{x-1}$$

$$= \lim_{x\to 1^+} \frac{-\cos(x-1)\tan(x-1) - \sin(x-1)\sec^2(x-1)}{1} = 0$$

et ainsi, $\lim_{x\to 1^+} \ln y = 0$. Donc $\lim_{x\to 1^+} y = e^0 = 1$.

EXEMPLE

1.34 Calculer $\lim_{x\to\infty}(1+x)^{1/x}$

Solution

C'est une forme ∞^0. Posons $y = (1+x)^{1/x}$

Alors :

$$\ln y = (1/x)\ln(1+x)$$

$$\lim_{x\to\infty} \ln y = \lim_{x\to\infty} \frac{\ln(1+x)}{x}$$

C'est une forme ∞/∞. Selon la règle de L'Hospital :

$$\lim_{x\to\infty} \ln y = \lim_{x\to\infty} \frac{1/(1+x)}{1} = \lim_{x\to\infty} \frac{1}{1+x} = 0$$

Finalement : $\lim_{x\to\infty} y = e^0 = 1$

EXEMPLE

1.35 Calculer $\lim_{x\to 0}(1+x)^{1/x}$

Solution

C'est une forme 1^∞. Posons $y = (1+x)^{1/x}$

Alors :

$$\ln y = (1/x)\ln(1+x)$$

$$\lim_{x\to 0} \ln y = \lim_{x\to 0} \frac{\ln(1+x)}{x}$$

C'est une forme 0/0. Selon la règle de L'Hospital :

$$\lim_{x\to 0} \ln y = \lim_{x\to 0} \frac{1/(1+x)}{1} = \lim_{x\to 0} \frac{1}{1+x} = 1$$

Finalement : $\lim_{x\to 0} y = e^1 = e$

1.7 Infiniment petits

1.7.1 Définition d'un infiniment petit

Une fonction f s'appelle un *infiniment petit* lorsque $x \to a$ si $\lim_{x\to a} f(x) = 0$

Par exemple :

$\sin^2 3x$ est un infiniment petit lorsque $x \to 0$

$4x^2 + 7x$ est un infiniment petit lorsque $x \to 0$

$\cos 2x$ est un infiniment petit lorsque $x \to \pi/4$

Remarquons cependant que $\cos 2x$ n'est pas infiniment petit lorsque $x \to 0$.

Nous avons déjà rencontré des infiniment petits dans notre première étude du calcul. En effet, pour une fonction dérivable f, la différentielle $dy = f'(x)\,dx$ est un infiniment petit quand $dx \to 0$. Dans l'étude de l'intégrale définie, nous aurons l'occasion de revoir la différentielle comme un infiniment petit. Nous aurons alors besoin de comparer ces infiniment petits. Dans la présente section, nous allons classifier et comparer des infiniment petits.

1.7.2 Comparaison des infiniment petits

Pour considérer l'ordre relatif d'infiniment petits, on calcule la limite de leur rapport.

Soit f et g deux infiniment petits lorsque $x \to a$. Si

$\lim_{x\to a} \frac{f(x)}{g(x)} = 0$ f est un infiniment petit d'*ordre supérieur* par rapport à g.

$\lim_{x\to a} \frac{f(x)}{g(x)} = k \neq 0$ (où k est une constante réelle non nulle)

f est un infiniment petit de *même ordre* par rapport à g.

$\lim_{x\to a} \frac{f(x)}{g(x)} = \infty$ f est un infiniment petit d'*ordre inférieur* par rapport à g.

EXEMPLE

1.36 Comparer les infiniment petits $2x - 5x^3$ et x quand $x \to 0$.

Solution

Une telle comparaison se fait en calculant la limite du rapport de ces infiniments petits :

$$\lim_{x\to 0} \frac{2x - 5x^3}{x}$$

Bien sûr, on est devant une forme $0/0$. Selon la règle de L'Hospital :

$$\lim_{x\to 0} \frac{2x - 5x^3}{x} = \lim_{x\to 0} \frac{2 - 15x^2}{1} = 2$$

On en conclut donc que $2x - 5x^3$ et x sont des infiniment petits de même ordre lorsque $x \to 0$.

REMARQUE

Dans ce dernier exemple, la limite du rapport des deux infiniment petits est de 2; cela signifie que, pour des valeurs de x près de 0, $2x - 5x^3$ est à peu près le double de x. Les deux expressions approchent donc 0 au même rythme et en gardant un rapport à peu près constant.

EXEMPLE

1.37

Comparer les infiniment petits $x^3 - 5x^2 + 7x - 3$ et $x - 1$ lorsque $x \to 1$.

Solution

Il faut donc calculer $\lim\limits_{x \to 1} \dfrac{x^3 - 5x^2 + 7x - 3}{x - 1}$

C'est une forme 0/0. Selon la règle de L'Hospital :

$$\lim_{x \to 1} \frac{x^3 - 5x^2 + 7x - 3}{x - 1} = \lim_{x \to 1} \frac{3x^2 - 10x + 7}{1} = 0$$

Alors, $x^3 - 5x^2 + 7x - 3$ est un infiniment petit d'ordre supérieur par rapport à $x - 1$ lorsque $x \to 1$.

REMARQUE

On peut interpréter intuitivement le résultat du dernier exemple comme suit : lorsque x approche 1, le numérateur approche 0 beaucoup plus rapidement que le dénominateur. On peut aussi dire que lorsque x approche 1, le numérateur rapetisse de plus en plus *relativement* au dénominateur de sorte que le rapport tend vers 0.

EXEMPLE

1.38

Comparer les infiniment petits $\sqrt{x}$ et x lorsque $x \to 0^+$.

Solution

On a : $\lim\limits_{x \to 0^+} \dfrac{\sqrt{x}}{x} = \lim\limits_{x \to 0^+} \dfrac{1/2\sqrt{x}}{1} = \lim\limits_{x \to 0^+} \dfrac{1}{2\sqrt{x}} = \infty$

On dit alors que $\sqrt{x}$ est un infiniment petit d'ordre inférieur par rapport à x lorsque $x \to 0^+$.

1.7.3 Ordre d'un infiniment petit par rapport à un autre infiniment petit

Dans les comparaisons que l'on a faites jusqu'ici, on s'est contenté de conclure en termes de même ordre, ordre supérieur ou ordre inférieur. On peut quantifier cette comparaison de la façon suivante.

S'il existe un nombre positif n tel que

$$\lim_{x \to a} \frac{f(x)}{\left(g(x)\right)^n} = k \neq 0$$

on dit alors que f est un infiniment petit d'*ordre n* par rapport à g lorsque $x \to a$.

EXEMPLE

1.39 Comparer les infiniment petits $x - \sin x$ et x lorsque $x \to 0$.

Solution

Calculons $\lim\limits_{x\to 0}\dfrac{x-\sin x}{x} = \lim\limits_{x\to 0}\dfrac{1-\cos x}{1} = 0$

De ce résultat, nous pouvons conclure que $x - \sin x$ est un infiniment petit d'ordre supérieur par rapport à x. Comparons alors $x - \sin x$ à x^2.

$$\lim_{x\to 0}\frac{x-\sin x}{x^2} = \lim_{x\to 0}\frac{1-\cos x}{2x} = \lim_{x\to 0}\frac{\sin x}{2} = 0$$

De ce résultat, nous concluons que $x - \sin x$ est un infiniment petit d'ordre supérieur par rapport à x^2. Comparons alors $x - \sin x$ à x^3.

$$\lim_{x\to 0}\frac{x-\sin x}{x^3} = \lim_{x\to 0}\frac{1-\cos x}{3x^2} = \lim_{x\to 0}\frac{\sin x}{6x} = \lim_{x\to 0}\frac{\cos x}{6} = \frac{1}{6}$$

Donc, $x - \sin x$ est un infiniment petit de même ordre que x^3 ou encore, on dira que $x - \sin x$ est un infiniment petit d'ordre 3 par rapport à x lorsque $x \to 0$.

1.7.4 Partie principale d'un infiniment petit

Dans le dernier exemple, on peut donner un sens plus précis au résultat de la limite qui est de 1/6. Ce résultat signifie que pour des valeurs de x près de 0:

$$x - \sin x \cong \frac{1}{6}x^3$$

On dit alors que $\frac{1}{6}x^3$ est la partie principale de l'infiniment petit $x - \sin x$. Généralisons cette notion.

Soit $f(x)$ un infiniment petit lorsque $x \to a$. Si on compare $f(x)$ à l'infiniment petit $(x - a)$ et que l'on trouve

$$\lim_{x\to a}\frac{f(x)}{(x-a)^n} = k \neq 0 \qquad \text{(où } k \text{ est une constante réelle non nulle)}$$

on dira alors que $k\,(x - a)^n$ est la *partie principale* de l'infiniment petit $f(x)$ lorsque $x \to a$.

EXEMPLE

1.40 Trouver la partie principale de l'infiniment petit $1 - \cos x$ lorsque $x \to 0$.

Solution

Comparons cet infiniment petit avec les diverses puissances de x.

$$\lim_{x\to 0}\frac{1-\cos x}{x} = \lim_{x\to 0}\frac{\sin x}{1} = 0$$

$$\lim_{x\to 0}\frac{1-\cos x}{x^2} = \lim_{x\to 0}\frac{\sin x}{2x} = \lim_{x\to 0}\frac{\cos x}{2} = \frac{1}{2}$$

Donc, $1-\cos x \cong \frac{1}{2}x^2$ et $\frac{1}{2}x^2$ est la partie principale de l'infiniment petit $1 - \cos x$ lorsque $x \to 0$.

Un infiniment petit $f(x)$ et sa partie principale $k(x-a)^n$ sont deux infiniment petits de même ordre alors que la différence entre un infiniment petit et sa partie principale est un infiniment petit d'ordre supérieur par rapport à $f(x)$. La preuve de ces énoncés est laissée comme exercice dans la section des exercices défis.

EXEMPLE 1.41

Trouver la partie principale de l'infiniment petit $x^3 - 4x^2 + 4x$ lorsque $x \to 2$.

Solution

On a :

$$\lim_{x\to 2}\frac{x^3-4x^2+4x}{x-2} = \lim_{x\to 2}\frac{3x^2-8x+4}{1} = 0$$

$$\lim_{x\to 2}\frac{x^3-4x^2+4x}{(x-2)^2} = \lim_{x\to 2}\frac{3x^2-8x+4}{2(x-2)} = \lim_{x\to 2}\frac{6x-8}{2} = 2$$

Donc, la partie principale de l'infiniment petit $x^3 - 4x^2 + 4x$ lorsque $x \to 2$ est $2(x-2)^2$.

EXEMPLE 1.42

Montrer que la différence entre l'infiniment petit $x^3 - 4x^2 + 4x$ et sa partie principale $2(x-2)^2$ est un infiniment petit d'ordre supérieur par rapport à $x^3 - 4x^2 + 4x$ lorsque $x \to 2$.

Solution

On a :

$$\lim_{x\to 2}\frac{(x^3-4x^2+4x)-2(x-2)^2}{x^3-4x^2+4x} = \lim_{x\to 2}\left(1-\frac{2(x-2)^2}{x^3-4x^2+4x}\right)$$

$$= 1-\lim_{x\to 2}\frac{2(x-2)^2}{x^3-4x^2+4x} = 1-\lim_{x\to 2}\frac{4(x-2)}{3x^2-8x+4} = 1-\lim_{x\to 2}\frac{4}{6x-8} = 1-1=0$$

ce qui démontre le résultat.

EXEMPLE 1.43

Trouver la partie principale de l'infiniment petit $3x^2 + x^3 + 2x^5$ lorsque $x \to 0$.

Solution

$$\lim_{x\to 0}\frac{3x^2+x^3+2x^5}{x} = \lim_{x\to 0}\frac{6x+3x^2+10x^4}{1} = 0$$

$$\lim_{x\to 0}\frac{3x^2+x^3+2x^5}{x^2} = \lim_{x\to 0}\frac{6x+3x^2+10x^4}{2x} = \lim_{x\to 0}\frac{6+6x+40x^3}{2} = 3$$

Donc, la partie principale cherchée est $3x^2$, c'est-à-dire le terme du polynôme ayant le plus petit exposant. Les autres termes sont des infiniment petits d'ordre supérieur.

EXERCICES

1.8

Trouver, si elles existent, les limites suivantes.

1. $\lim\limits_{x\to 2}\dfrac{2x^2-3x-2}{7x^2-9x-10}$
2. $\lim\limits_{x\to 0}\dfrac{3x^5+x^2+x}{2x^6-x+x^2}$
3. $\lim\limits_{x\to 0}\dfrac{\sin 7x}{5x}$
4. $\lim\limits_{x\to 0}\dfrac{x^2-x^3}{\tan x}$
5. $\lim\limits_{x\to \pi/3}\dfrac{\sin(x-\pi/3)}{1-2\cos x}$
6. $\lim\limits_{x\to \pi}\dfrac{\ln\cos 2x}{(\pi-x)^2}$
7. $\lim\limits_{x\to 0}\dfrac{x}{\ln(1+x)}$
8. $\lim\limits_{x\to 6}\dfrac{\sqrt{x-2}-2}{x-6}$
9. $\lim\limits_{x\to 1}\dfrac{x^5+x^3-2x+4}{x^4+x^3-2x}$
10. $\lim\limits_{x\to 0}\dfrac{\sec x-1}{x^3-x}$
11. $\lim\limits_{x\to 0}\dfrac{3\arctan(x^2/2)}{x^2}$
12. $\lim\limits_{x\to 0}\dfrac{e^x-\cos x+x}{\sin 3x}$
13. $\lim\limits_{x\to \infty}\dfrac{x^4+3x^3+x+2}{2x^3+x^2}$
14. $\lim\limits_{x\to \infty}\dfrac{3x^3+2x^2-x-3}{5x^3+1}$
15. $\lim\limits_{x\to \infty}\dfrac{x^7+2x^2+1}{e^x-1}$
16. $\lim\limits_{x\to 2^+}\dfrac{\operatorname{cosec}(x-2)}{\ln(x-2)}$
17. $\lim\limits_{x\to \infty}\dfrac{e^x+2x^3}{e^x-3}$
18. $\lim\limits_{x\to 1}\dfrac{\arcsin(x-1)}{x^2-x}$
19. $\lim\limits_{x\to -1}\dfrac{e^{x+1}\sin\pi x}{\ln(x+2)}$
20. $\lim\limits_{x\to 0^+}\dfrac{\ln\sin x}{\operatorname{cosec} x}$
21. $\lim\limits_{x\to 0}\dfrac{e^x-\ln(1+x)-\cos x}{x\sin x}$
22. $\lim\limits_{x\to \infty}\dfrac{e^x+\ln x+2x}{3x^2+x+1}$
23. $\lim\limits_{x\to 0}x^2\operatorname{cosec} x^2$
24. $\lim\limits_{x\to 0^+}x\cot x^2$
25. $\lim\limits_{x\to \infty}e^x\ln(1+1/x)$
26. $\lim\limits_{x\to \pi/2}(x-\pi/2)\tan 3x$
27. $\lim\limits_{x\to \pi/6}\sec 3x\sin(x-\pi/6)$
28. $\lim\limits_{x\to 0}(\cot x-\operatorname{cosec} x)$
29. $\lim\limits_{x\to \infty}(\ln x-e^x)$
30. $\lim\limits_{x\to 0}(1/x^4-1/x^2)$
31. $\lim\limits_{x\to \infty}\left(\sqrt{x+3}-\sqrt{x}\right)$
32. $\lim\limits_{x\to \infty}\left(2x-\sqrt{4x^2+3x}\right)$
33. $\lim\limits_{x\to 3}\left(\dfrac{1}{x-3}-\dfrac{10}{x^2+4x-21}\right)$
34. $\lim\limits_{x\to 0^+}(\ln x-\cot x)$
35. $\lim\limits_{x\to 0^+}(\sin x)^x$
36. $\lim\limits_{x\to 0^+}(\tan x)^{\cos x-1}$
37. $\lim\limits_{x\to 0}(1-\cos x)^{\tan x}$
38. $\lim\limits_{x\to 0^+}(\ln(1+x))^{\sin x}$
39. $\lim\limits_{x\to \frac{\pi}{4}^-}(\tan 2x)^{\cos 2x}$

40 $\lim\limits_{x\to 0^+} x^{2/\ln x}$

41 $\lim\limits_{x\to\infty}(1+7x)^{3/x}$

42 $\lim\limits_{x\to 0^+}(1-\ln x)^{\arctan x}$

43 $\lim\limits_{x\to\infty}(e^x-3)^{1/2x}$

44 $\lim\limits_{x\to 1}(x)^{1/(1-x^2)}$

45 $\lim\limits_{x\to 0}(1+2x)^{3/x}$

46 $\lim\limits_{x\to e}(\ln x)^{4/(1-\ln x)}$

47 $\lim\limits_{x\to\infty}(1+3/x)^{7x}$

48 $\lim\limits_{x\to 0^+}\left(\cos\sqrt{x}\right)^{3/x}$

49 $\lim\limits_{x\to 0^+}(\cot 2x)^{3x}$

50 $\lim\limits_{x\to 0}\left((\tan x)/x\right)^{1/x^2}$

Dans les numéros qui suivent, comparer les infiniment petits en trouvant l'ordre de grandeur du premier par rapport au second.

51 x^2+4x et $3x$ lorsque $x\to 0$

52 $5x^4+x^2-x$ et $2x^4+3x+x^3$ lorsque $x\to 0$

53 $6x^2+7x-5$ et $2x^2+3x-2$ lorsque $x\to 1/2$

54 $\cot^2 2x$ et $\cos 2x$ lorsque $x\to\pi/4$

55 $2-2x$ et $\sqrt{x-1}$ lorsque $x\to 1^+$

56 $\ln(1+x)$ et x lorsque $x\to 0$

57 $\tan 2x$ et $\sin x$ lorsque $x\to 0$

58 $\cot x-\cos x$ et $x-\pi/2$ lorsque $x\to\pi/2$

59 $2-2\cos x-x^2$ et x lorsque $x\to 0$

60 $\cos x$ et $2x-\pi$ lorsque $x\to\pi/2$

61 $e^{-x^2}+x^2-1$ et x lorsque $x\to 0$

62 $2\ln\cos x+x^2$ et x lorsque $x\to 0$

63 $x^3-6x+6\sin x$ et x lorsque $x\to 0$

64 $1-x+\ln x$ et $x-1$ lorsque $x\to 1$

65 $x-\arcsin x$ et $\sin x$ lorsque $x\to 0$

Dans les numéros qui suivent, trouver la partie principale de l'infiniment petit donné.

66 $7x^2-8x^5+x^9$ lorsque $x\to 0$

67 $\dfrac{3x^2-5x^3}{x^2+3x+5}$ lorsque $x\to 0$

68 $x-\arctan x$ lorsque $x\to 0$

69 $3x^3-8x^2+7x-2$ lorsque $x\to 1$

70 $-3x^4+26x^3-84x^2+120x-64$ lorsque $x\to 2$

71 $\sin 2x-2\sin x$ lorsque $x\to 0$

72 $2\sin x-1$ lorsque $x\to\pi/6$

73 $e^{x-1}-x$ lorsque $x\to 1$

74 $\sqrt{x}-1$ lorsque $x\to 1$

EXERCICES

1 Trouver une valeur c prévue par le théorème de Rolle pour la fonction $f(x)=2x^2-6x$ sur l'intervalle $[0, 3]$.

2 Trouver une valeur c prévue par le théorème de Rolle pour la fonction $f(x)=x^2-x-1$ sur l'intervalle $[-2, 3]$.

3 Trouver une valeur c prévue par le théorème de Rolle pour la fonction

$$f(x)=\frac{2x^2-5x+2}{x^2+1}$$

sur l'intervalle $[1/2, 2]$.

4 Trouver une valeur c prévue par le théorème de Rolle pour la fonction $f(x)=\sin^2 x-\sin x$ sur l'intervalle $[0,\pi/2]$.

5 Dire pourquoi le théorème de Rolle ne s'applique pas à la fonction :

a) $f(x)=2x-1$ sur l'intervalle $[1, 2]$

b) $f(x)=1/x^2$ sur l'intervalle $[-1, 1]$

c) $f(x)=\begin{cases}3-\sqrt{9-x^2} & \text{si } 0\le x\le 3\\ 3-\sqrt{9-(x-6)^2} & \text{si } 3<x\le 6\end{cases}$

sur l'intervalle $[0, 6]$

RÉVISION 1.9

6. Expliquer pourquoi le théorème de Rolle ne s'applique pas à la fonction

$$f(x)=\frac{3x^2-5x}{x-1}$$

sur l'intervalle $[0, 5/3]$.

7. Expliquer pourquoi le théorème de Rolle ne s'applique pas à la fonction $f(x)=2-|x-3|$ sur l'intervalle $[-1, 7]$.

8. Expliquer pourquoi le théorème de Rolle ne s'applique pas à la fonction $f(x)=\tan(\pi-x)$ sur l'intervalle $[0, \pi]$.

9. Expliquer pourquoi la dérivée ne s'annule pas pour les fonctions suivantes alors que la fonction s'annule aux extrémités de l'intervalle considéré.

a) $f(x)=\begin{cases}3x+6 & \text{si } x<0\\ x-4 & \text{si } x\geq 0\end{cases}$ sur $[-2, 4]$

b) $f(x)=\dfrac{(x+3)(x-4)}{x-2}$ sur $[-3, 4]$

c) $f(x)=\begin{cases}6+x-x^2 & \text{si } x<0\\ x^2-5x+6 & \text{si } x\geq 0\end{cases}$ sur $[-2, 2]$

10. Sans la résoudre, montrer que l'équation $x^5+x^3-3=0$ n'a qu'une seule racine réelle.

11. Trouver une valeur de c prévue par le théorème de Lagrange pour la fonction

$$y=5+6x-x^2 \text{ sur } [0, 4]$$

12. Trouver une valeur c prévue par le théorème de Lagrange pour la fonction

$$f(x)=\frac{x}{x+4}$$

sur l'intervalle $[1, 4]$

13. Trouver la (les) valeur(s) prévue(s) par le théorème de Lagrange pour la fonction :

a) $f(x)=4x-x^2+3$ sur l'intervalle $[1, 5]$

b) $f(x)=x^3-6x$ sur l'intervalle $[1, 3]$

c) $f(x)=\dfrac{2x+5}{x-2}$ sur l'intervalle $[3, 5]$

14. Trouver une valeur c telle que prévue par le théorème de Lagrange pour les fonctions suivantes sur l'intervalle donné.

a) $f(x)=2x^2-1$ sur $[0, 5]$

b) $f(x)=\dfrac{3x-1}{x+5}$ sur $[-2, 3]$

c) $f(x)=\sin x+2\cos x$ sur $[-\pi/3, \pi/3]$

15. Trouver une valeur c prévue par le théorème de Lagrange pour la fonction

$$f(x)=2+\sqrt{9-x^2}$$

sur l'intervalle $[-1, 3]$.

16. Expliquer pourquoi le théorème de Lagrange ne s'applique pas à la fonction suivante sur l'intervalle $[1, 4]$.

$$f(x)=\begin{cases}2x+4 & \text{si } x<3\\ 5-x^2 & \text{si } x\geq 3\end{cases}$$

17. Dire pourquoi le théorème de Lagrange ne s'applique pas à la fonction :

a) $f(x)=\dfrac{1}{x-2}$ sur l'intervalle $[1, 4]$

b) $f(x)=|x-3|$ sur l'intervalle $[-2, 4]$

18. Expliquer pourquoi le théorème de Lagrange ne s'applique pas sur l'intervalle $[3, 8]$ pour la fonction $f(x)=(x-4)^{2/3}$.

Dans les problèmes 19 à 24, déterminer si le théorème de Lagrange s'applique; si oui, trouver une valeur c; si non, expliquer pourquoi le théorème ne s'applique pas.

19. $f(x)=\dfrac{5x-4}{2x+5}$ sur $[-4, 2]$

20. $f(x)=-|2x+7|$ sur $[-4, 2]$

21. $f(x)=\tan x$ sur $[\pi/4, 3\pi/4]$

22. $f(x)=\sqrt{16-x^2}$ sur $[-3, 2]$

23. $f(x)=(x-2)^{1/3}$ sur $[0, 5]$

24. $f(x)=\ln(x+3)$ sur $[-3, 0]$

25. En utilisant le théorème de Lagrange, trouver une valeur approximative de sec 50°.

26. À l'aide du théorème de Lagrange, montrer que pour $x>0$,

$$\sqrt{x+4}<2+\frac{x}{4}$$

27 Montrer que les deux fonctions f et g définies par

$$f(x)=\frac{3x-1}{x-2} \quad \text{et} \quad g(x)=\frac{2x+1}{x-2}$$

ne diffèrent que par une constante.

28 Montrer que les deux fonctions f et g qui suivent ne diffèrent que par une constante, et trouver cette constante.

$$f(x)=\frac{x+1}{x+3} \quad \text{et} \quad g(x)=\frac{-3x-11}{x+3}$$

29 Trouver la (les) valeur(s) prévue(s) par le théorème de Cauchy pour les fonctions suivantes sur l'intervalle [0, 2].

$$f(t)=t^2+1 \quad \text{et} \quad g(t)=(t+1)^3$$

Trouver, si elles existent, les limites suivantes.

30 $\lim\limits_{x\to 1}\frac{x^2+2x-3}{x^3-x^2-5x+5}$

31 $\lim\limits_{x\to 0}\frac{x\cos x}{e^x-1}$

32 $\lim\limits_{x\to 3}\frac{\sqrt{x}-\sqrt{3}}{x-3}$

33 $\lim\limits_{x\to 4}\frac{\ln(x-3)}{x-4}$

34 $\lim\limits_{x\to 0}\frac{\sin 3x}{\tan 7x}$

35 $\lim\limits_{x\to 0}\frac{\sin 5x}{x^2+2x}$

36 $\lim\limits_{x\to 4}\frac{\sin(x-4)}{\ln(5-x)}$

37 $\lim\limits_{x\to\infty}\frac{2x^3+6x-5}{3x^3+7}$

38 $\lim\limits_{x\to\infty}\frac{x^4-3x^2+8}{3x^3+4x-1}$

39 $\lim\limits_{x\to-\infty}\frac{x^2+8x-5}{x^3+1}$

40 $\lim\limits_{x\to-\infty}\frac{2x^5+7x}{x^2-x^5}$

41 $\lim\limits_{x\to 0^+} xe^{1/x}$

42 $\lim\limits_{x\to 1^+}(x-1)\ln(x^2-1)$

43 $\lim\limits_{x\to 0^+} e^{-\ln x}(\tan 2x)$

44 $\lim\limits_{x\to 2^+}\left(\frac{3}{x-2}-\frac{15}{x^2+x-6}\right)$

45 $\lim\limits_{x\to\infty}(\ln x^2-3e^x)$

46 $\lim\limits_{x\to\infty}\left(\sqrt{x^2+1}-\sqrt{x+1}\right)$

47 $\lim\limits_{x\to\infty}\left(\sqrt{x+2}-\sqrt{x}\right)$

48 $\lim\limits_{x\to 1}\left(\frac{1}{\ln x^2}-\frac{x}{2\ln x}\right)$

49 $\lim\limits_{x\to 0}\left(\text{cosec}^2 x-\frac{1}{x^2}\right)$

50 $\lim\limits_{x\to 0^+} x^{-\sin x}$

51 $\lim\limits_{x\to 0}(3-2\cos x)^{1/x}$

52 $\lim\limits_{x\to 0}(2-\cos^2 x)^{1/x}$

53 $\lim\limits_{x\to 0}(x^2e^x+1)^{1/x}$

54 $\lim\limits_{x\to 0}(e^x+3x)^{2/x}$

55 $\lim\limits_{x\to 0}(xe^x+\cos x)^{1/2x}$

56 $\lim\limits_{x\to 1}(x)^{1/(1-x)}$

Dans les numéros qui suivent, comparer les infiniment petits en trouvant l'ordre de grandeur du premier par rapport au second.

57 $x\sin x$ et $\ln\cos x$ lorsque $x\to 0$

58 e^x-1 et $\sqrt{x}$ lorsque $x\to 0^+$

59 $(\sin x)(\ln x)$ et $x-1$ lorsque $x\to 1$

60 $x\cos x-2\cos x-x\cos 2+2\cos 2$ et x^2+x-6 lorsque $x\to 2$

61 $2x-\sin x-\tan x$ et x lorsque $x\to 0$

Dans les numéros qui suivent, trouver la partie principale de l'infiniment petit donné.

62 $\cot x-\text{cosec}\, x$ lorsque $x\to 0$

63 $\sin x\ln\cos^2 x$ lorsque $x\to 0$

64 $x^2+\ln\cos x$ lorsque $x\to 0$

65 $2x-\sin x-\tan x$ lorsque $x\to 0$

DÉFIS 1.10

EXERCICES

1. Trouver une valeur c prévue par le théorème de Rolle pour la fonction
$$f(x) = (x - 1)(e^x - 1)$$
sur l'intervalle [0, 1].

2. Expliquer pourquoi le théorème de Rolle ne s'applique pas sur l'intervalle [1, 3] pour la fonction $f(x) = 1 + \sqrt{x-3}$.

3. Trouver une valeur c prévue par le théorème de Lagrange pour la fonction $f(x) = \arctan x$ sur l'intervalle [0, 1].

4. Expliquer pourquoi le théorème de Lagrange ne s'applique pas sur l'intervalle [0, 2] pour la fonction $f(x) = x \sec x$.

5. Considérons la fonction $f(x) = |x^2 - 3|$ sur l'intervalle [–2, 2]. Cette fonction n'est pas dérivable en $x = \pm\sqrt{3}$, donc f n'est pas dérivable sur]–2, 2[. Pourtant :
$$f'(0) = 0 = \frac{f(2) - f(-2)}{2 - (-2)}$$
Est-ce que cela contredit le théorème de Lagrange ? Expliquer.

6. Démontrer que, pour une fonction f continue sur $[a, b]$ et dérivable sur $]a, b[$, si $f'(x) < 0$ sur $]a, b[$, alors f est décroissante sur $[a, b]$.

7. Montrer que les deux fonctions f et g suivantes ne diffèrent que par une constante.
$$f(x) = \ln 5x \qquad g(x) = 1 + \ln x$$

8. Montrer que les deux fonctions f et g suivantes ne diffèrent que par une constante.
$$f(x) = 2 - \sin\left(x - \frac{\pi}{2}\right) \qquad g(x) = \frac{\sin 2x}{2\sin x}$$

9. À l'aide du théorème de Lagrange, montrer que $\tan x < x \sec^2 x$ pour $0 < x < \pi/2$.

10. Montrer que $x^3 - 3x^2 + 6x - 3 = 0$ a exactement une racine réelle et ce, sans calculer cette racine.

11. Montrer que $|\sin x - \sin a| \leq |x - a|$

12. Montrer qu'à partir du théorème de Cauchy, on peut démontrer le théorème de Lagrange.

13. Trouver la partie principale de l'infiniment petit
$$x^2 - x + \ln\left(x + \sqrt{1 - x^2}\right)$$
lorsque $x \to 0$.

14. Démontrer qu'un infiniment petit et sa partie principale sont des infiniment petits de même ordre.

15. Démontrer que la différence entre un infiniment petit et sa partie principale est un infiniment petit d'ordre supérieur par rapport à l'infiniment petit initial.

16. Refaire la preuve de la règle de L'Hospital en changeant la condition (b) de l'hypothèse par (b*)
$$(b^*) : \lim_{x\to a} f(x) = \lim_{x\to a} g(x) = 0$$

17. Démontrer la règle de L'Hospital dans le cas des limites à l'infini. (*Suggestion* : poser $x = 1/z$)

18. Démontrer que la règle de L'Hospital reste valable si $g'(a) = 0$. (*Suggestion* : considérer le rapport inverse $g(x)/f(x)$)

19. Démontrer la règle de L'Hospital dans le cas ∞/∞.

Axiome

Si f est une fonction continue sur l'intervalle fermé $[a, b]$, alors f possède une valeur maximale en un certain point dans l'intervalle. De même, f possède une valeur minimale en un certain point dans l'intervalle.

Théorème de Rolle

Soit f une fonction définie sur l'intervalle fermé $[a, b]$ et soit :

(i) f continue sur $[a, b]$

(ii) f dérivable sur $]a, b[$

(iii) $f(a) = f(b)$

Alors il existe une valeur $c \in]a, b[$ telle que $f'(c) = 0$.

Théorème de Lagrange

Soit f une fonction définie sur l'intervalle fermé $[a, b]$ et soit :

(i) f continue sur $[a, b]$

(ii) f dérivable sur $]a, b[$

Alors il existe une valeur $c \in]a, b[$ telle que $\dfrac{f(b) - f(a)}{b - a} = f'(c)$.

Approximation à l'aide du théorème de Lagrange

$$f(b) \cong f(a) + (b - a)f'(a)$$

Inégalité à l'aide du théorème de Lagrange

$$\frac{f(x) - f(a)}{x - a} = f'(c) \qquad \text{où } a < c < x$$

Corollaires du théorème de Lagrange

Si $f'(x) = 0$ sur $[a, b]$, alors $f(x) = k$ sur $[a, b]$

Si $f'(x) = g'(x)$ sur $[a, b]$, alors $f(x) = g(x) + K$ sur $[a, b]$

Théorème de Cauchy

Soit f et g deux fonctions définies sur l'intervalle fermé $[a, b]$ et soit

(i) f et g continues sur $[a, b]$

(ii) f et g dérivables sur $]a, b[$

(iii) $g(b) \neq g(a)$ et $f'(t)$ et $g'(t)$ ne sont pas nuls simultanément

Alors il existe une valeur $c \in \,]a, b[$ telle que $\dfrac{f(b)-f(a)}{g(b)-g(a)} = \dfrac{f'(c)}{g'(c)}$.

Règle de L'Hospital

Soit f et g deux fonctions telles que :

a) il existe un nombre réel $\delta > 0$ tel que :

(i) f et g sont continues sur $[a-\delta, a+\delta]$

(ii) f et g sont dérivables sur $]a-\delta, a+\delta[$

(iii) $g(x) \neq 0$ et $g'(x) \neq 0$ pour $x \in [a-\delta, a+\delta] \setminus \{a\}$

b) $f(a) = g(a) = 0$

Alors $\lim\limits_{x\to a} \dfrac{f(x)}{g(x)} = \lim\limits_{x\to a} \dfrac{f'(x)}{g'(x)}$ si cette dernière limite existe.

Formes indéterminées

$\dfrac{0}{0}$ et $\dfrac{\infty}{\infty}$:	Règle de L'Hospital
$0 \times \infty$ et $\infty - \infty$:	Ramener à un quotient et règle de L'Hospital
$0^0, \infty^0, 1^\infty$:	Prendre le logarithme naturel, ramener à une forme $\dfrac{0}{0}$ ou $\dfrac{\infty}{\infty}$, utiliser la règle de L'Hospital et revenir à la forme originale.

Infiniment petits

f est un infiniment petit lorsque $x \to a$ si $\lim\limits_{x\to a} f(x) = 0$

$$\lim_{x\to a} \frac{f(x)}{g(x)} = \begin{cases} 0 & : f \text{ est d'ordre supérieur par rapport à } g \\ k \neq 0 & : f \text{ est de même ordre par rapport à } g \\ \infty & : f \text{ est d'ordre inférieur par rapport à } g \end{cases}$$

$$\lim_{x\to a} \frac{f(x)}{(g(x))^n} = k \neq 0 \quad \Rightarrow \quad f \text{ est d'ordre } n \text{ par rapport à } g$$

$$\lim_{x\to a} \frac{f(x)}{(x-a)^n} = k \neq 0 \quad \Rightarrow \quad k(x-a)^n \text{ est la partie principale de } f$$

Sujet de réflexion et de discussion

Développer des arguments allant dans le sens et d'autres allant dans le sens contraire de l'énoncé suivant.

« Les mathématiques sont le fruit de l'imagination et de la créativité de l'Homme et de ce fait, on devrait les inclure dans les sciences humaines. »

AI-JE ATTEINT MES OBJECTIFS ?

Je viens de terminer l'étude du chapitre 1 et j'estime être capable de :

- ☐ Énoncer le théorème de Rolle.
- ☐ Trouver une valeur c prévue par le théorème de Rolle.
- ☐ Déterminer si le théorème de Rolle s'applique à une fonction donnée sur un intervalle donné.
- ☐ Énoncer le théorème de Lagrange.
- ☐ Trouver une valeur c prévue par le théorème de Lagrange.
- ☐ Déterminer si le théorème de Lagrange s'applique à une fonction donnée sur un intervalle donné.
- ☐ Utiliser le théorème de Lagrange pour effectuer des calculs approximatifs.
- ☐ Utiliser le théorème de Lagrange pour démontrer des inégalités.
- ☐ Énoncer les corollaires du théorème de Lagrange.
- ☐ Énoncer le théorème de Cauchy.
- ☐ Calculer les limites de formes indéterminées à l'aide de la règle de L'Hospital.
- ☐ Comparer l'ordre de grandeur de deux infiniment petits.
- ☐ Trouver la partie principale d'un infiniment petit.

Notes personnelles

TEST SUR LE CHAPITRE 1

1. Trouver une valeur c prévue par le théorème de Rolle sur l'intervalle $[-1, 2]$ pour la fonction $f(x) = \sqrt{x+1}\,(x-2)+2$.

2. Trouver une valeur c prévue par le théorème de Lagrange pour la fonction
$$f(x) = x \ln x$$
sur l'intervalle $[2, 3]$.

3. À l'aide du théorème de Lagrange, trouver une valeur approximative de cot 31°.

4. Montrer que les deux fonctions f et g suivantes ne diffèrent que par une constante et trouver cette constante.
$$f(x) = \frac{x^2 - x}{x-2} \qquad g(x) = \frac{x^2 + 4x - 10}{x-2}$$

5. Trouver $\lim\limits_{x\to\infty} \dfrac{3e^x + x^2}{e^{2x} + 7}$

6. Trouver $\lim\limits_{x\to 0^+} x\,(\ln \sin x)$

7. Trouver $\lim\limits_{x\to\infty} (x^3 - \ln x)$

8. Trouver $\lim\limits_{x\to 0} (xe^x + 1)^{2/x}$

9. Comparer l'ordre de grandeur du premier infiniment petit par rapport au second
$$e^x \cos x - 1 - x \quad \text{et} \quad x \quad \text{lorsque } x \to 0$$

10. Trouver la partie principale de l'infiniment petit
$$x - 3 - \sin(x-3) \qquad \text{lorsque } x \to 3$$

TEST

C H A P I T R E

L'intégrale indéfinie

L'atteinte des objectifs de ce chapitre conduit à l'acquisition des éléments de compétence suivants.

« Déterminer l'intégrale indéfinie d'une fonction. »

et

« Traduire des problèmes concrets sous forme d'équations différentielles et résoudre des équations différentielles simples. »

Objectifs

- **A** Énoncer la définition d'une primitive et d'une intégrale indéfinie.
- **B** Énoncer et utiliser la nomenclature reliée à l'intégrale indéfinie.
- **C** Énoncer et utiliser les règles de base et les propriétés de l'intégrale indéfinie.
- **D** Calculer les primitives des fonctions usuelles.
- **E** Énoncer et utiliser les principales formules d'intégration.
- **F** Trouver des intégrales indéfinies à l'aide des formules de base.
- **G** Effectuer les manipulations algébriques requises en intégration.
- **H** Intégrer à l'aide de la technique du changement de variable.
- **I** Résoudre des équations différentielles à variables séparables.
- **J** Reconnaître et modéliser des situations à l'aide d'équations différentielles.

Préambule

En calcul différentiel, l'opération mathématique principale consiste, à partir d'une fonction donnée, à trouver sa dérivée ou sa différentielle. Lorsque nous étudions la dérivée en un point d'une fonction ou encore une différentielle, nous étudions cette fonction localement, c'est-à-dire sur un intervalle très petit ou même infiniment petit. Nous aurons maintenant à rencontrer des situations inverses, c'est-à-dire qu'à partir de la connaissance locale d'une fonction, nous chercherons à connaître le comportement de la fonction. L'objet central du calcul intégral consiste à trouver une fonction lorsque sa dérivée est connue ou encore à faire une somme de différentielles dans le but d'avoir un portrait global de la fonction.

Nous pouvons donc distinguer deux aspects à la notion d'intégrale :

« trouver une fonction dont la dérivée est connue »

c'est l'*intégrale indéfinie*

« calculer une somme de différentielles »

c'est l'*intégrale définie*

Le lien entre ces deux notions se fera à l'aide du théorème fondamental du calcul intégral que nous verrons au chapitre 4.

2.0 Position du problème

En calcul différentiel, l'opération mathématique principale consiste à trouver la fonction dérivée d'une fonction donnée. Par exemple, si on connaît la fonction qui décrit le déplacement y d'un objet en fonction du temps t, c'est-à-dire si on connaît la fonction $y = f(t)$, on peut trouver la vitesse de cet objet en calculant sa dérivée dy/dt. Dans beaucoup de phénomènes naturels, le problème se pose en sens inverse. En effet, ce qu'on observe et qu'on peut quantifier, c'est la variation d'une variable, c'est-à-dire son taux de variation ou sa dérivée. À partir de cette dérivée, on voudra remonter à la fonction primitive. On dit alors qu'on intègre. L'opération qui consiste à trouver la dérivée d'une fonction donnée s'appelle la *dérivation*. L'opération inverse qui consiste à trouver une fonction dont on connaît la dérivée s'appelle l'*intégration*. Au chapitre 4, nous donnerons un autre sens au mot « intégration » et nous verrons que ces deux sens sont intimement liés par le théorème fondamental du calcul intégral. Schématisons :

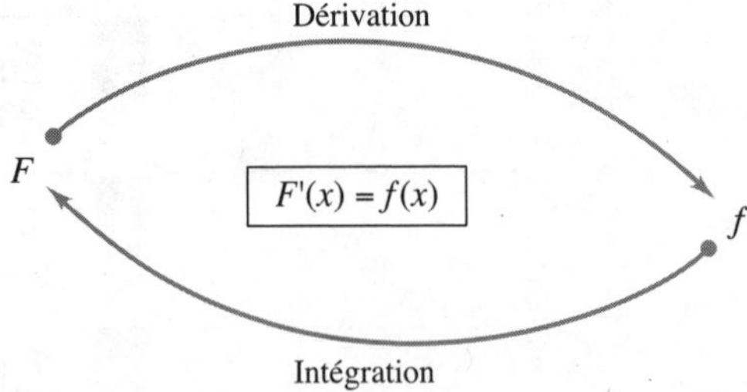

2.1 Définition et propriétés de l'intégrale indéfinie

2.1.1 Primitive et intégrale indéfinie

Considérons une fonction $y = f(x)$. S'il existe une fonction $y = F(x)$ telle que $F'(x) = f(x)$, alors la fonction F s'appelle une *primitive* de f.

Par exemple, si on considère la fonction $f(x) = 3x^2$, alors la fonction $F(x) = x^3$ est une primitive de $f(x)$ puisque $F'(x) = 3x^2$. Il est clair que les fonctions $G(x) = x^3 + 1/2$, $H(x) = x^3 + \sqrt{2}$, $J(x) = x^3 - 1$ et en fait une infinité d'autres fonctions de x ont cette même dérivée, soit $3x^2$. Toutefois, toutes ces fonctions ont un caractère commun : elles sont toutes de la forme $x^3 + K$ où K est une constante quelconque. Le corollaire 2 du théorème de Lagrange (voir section 1.2.7) nous rassure à ce sujet. En effet, toutes les primitives d'une même fonction $f(x)$ sont égales, à une constante près. Ainsi, elles ont, en tout point, la même dérivée, de sorte qu'elles ont exactement la même forme. Elles ne diffèrent que par une translation verticale.

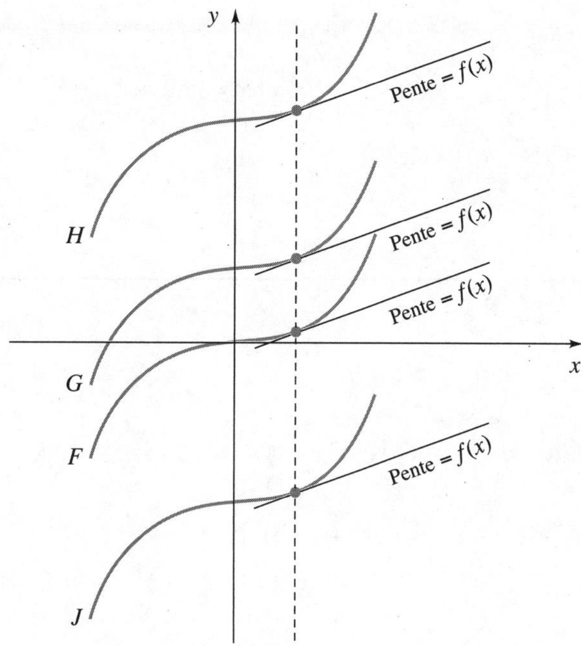

Regroupons toutes les primitives d'une fonction $f(x)$ dans une même famille de fonctions qui auront toutes la forme $F(x) + K$. On appelle *intégrale indéfinie* de $f(x)$ la famille de fonctions de la forme $F(x) + K$ où $F(x)$ est une primitive de $f(x)$ et K une constante arbitraire.

Nous utiliserons la notation suivante :

$$\int f(x)\, dx = F(x) + K$$

ce qui se lit : « l'intégrale de f de x dx est égale à grand F de x plus K ».

- $\int$ est le *signe d'intégration*; il indique notre intention de trouver une intégrale indéfinie.
- $f(x)$ est la *fonction à intégrer* ou l'*intégrande*.
- dx est l'*élément différentiel*; il indique par rapport à quelle variable on intègre. L'utilisation de la notation différentielle s'avérera très commode dans la technique d'intégration.
- $F(x)$ est une *primitive* de $f(x)$; essentiellement, c'est cette fonction que nous devons trouver.
- K est une constante arbitraire dite *constante d'intégration*.

EXEMPLE

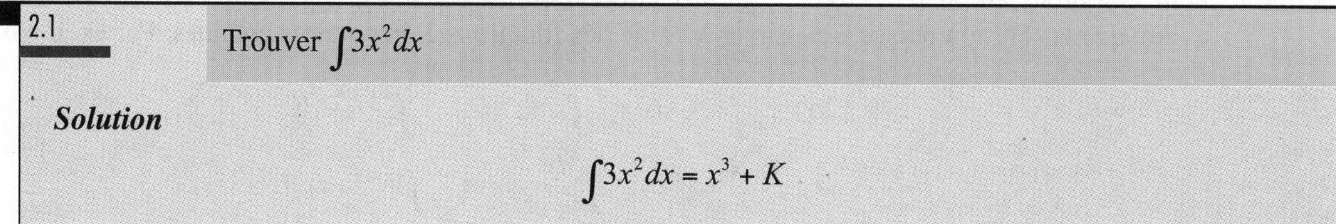

2.1 Trouver $\int 3x^2 dx$

Solution

$$\int 3x^2 dx = x^3 + K$$

Ce résultat correspond à la définition d'intégrale indéfinie puisque la différentielle de $(x^3 + K)$ est $3x^2dx$. Gardons bien à l'esprit qu'une intégrale indéfinie est une famille de primitives de *paramètre* K, c'est-à-dire contenant une constante arbitraire K.

EXEMPLE 2.2

Trouver $\int \cos x \, dx$

Solution

$$\int \cos x \, dx = \sin x + K$$

En effet, car $d(\sin x + K) = \cos x \, dx$

EXEMPLE 2.3

Trouver $\int (4x^3 + x + 1) \, dx$

Solution

$$\int (4x^3 + x + 1) \, dx = x^4 + \frac{x^2}{2} + x + K$$

En effet, car $d\left(x^4 + \frac{x^2}{2} + x + K\right) = (4x^3 + x + 1) \, dx$

Nous sommes encore ici au stade intuitif de la recherche d'une intégrale indéfinie. L'intuition, qui prend pour appui la connaissance des formules de dérivation, n'est pas une mauvaise conseillère. Au contraire, elle nous sera fort utile. Cependant, il faut qu'elle soit confirmée et vérifiée. Pour vérifier si une intégrale indéfinie est exacte, il suffit de la dériver ou de la différentier. Bien sûr, on doit retrouver la fonction à intégrer.

REMARQUE

En y regardant de près, on peut se demander pourquoi on utilise la notation avec la différentielle dans la définition de l'intégrale indéfinie et probablement se dire que la distinction entre primitive et intégrale indéfinie est insignifiante et ne vaut pas la peine d'être faite. Ce serait juste si le calcul intégral se limitait à cela. Dans les chapitres suivants, nous aurons toutefois à traiter des intégrales définies et cette notation servira à montrer le lien de parenté entre ces deux notions.

2.1.2 Fonctions intégrables

Lorsqu'une fonction $f(x)$ possède une intégrale indéfinie $F(x) + K$, on dit que la fonction $f(x)$ est *intégrable*. Bien que nous soyons encore au tout début de notre étude de l'intégrale, une question doit nous préoccuper. Est-ce que toutes les fonctions sont intégrables ? La réponse est non. En fait, nous établirons au chapitre 4 que toute fonction continue est intégrable; toutefois rien ne nous assure que la solution puisse s'exprimer à l'aide des fonctions élémentaires connues. Par exemple,

$$\int \sqrt{1+x^4} \, dx \ , \ \int e^{-x^2} dx \ , \ \int \sin x^2 dx \ , \ \int \frac{\sin x}{x} dx \ ,$$

$$\int \frac{\cos x}{x} dx \ , \ \int \frac{e^x}{x} dx \ , \ \int \frac{dx}{\ln x} \quad \text{et} \quad \int \ln(\ln x) \, dx$$

sont des intégrations qui peuvent sembler plutôt simples à faire et, pourtant, on ne peut trouver de solutions exprimées avec des fonctions élémentaires. Voilà qui n'est pas rassurant puisque, en principe, rien ne nous assure de l'existence d'une solution à une intégrale indéfinie. Cependant, il n'y a pas lieu d'être pessimiste ; bien qu'il n'existe pas une méthode générale d'intégration, nous trouverons plusieurs solutions selon les différentes catégories de fonctions. Ces solutions se fondent sur quelques formules et certaines techniques utilisables dans diverses circonstances. Quant au reste, avec un peu d'intuition et d'imagination, nous développerons une habileté et nous acquerrons une expérience qui demeureront précieuses, partout en mathématiques.

2.1.3 Propriétés de l'intégrale indéfinie

Avant d'aborder les formules d'intégration et les techniques utiles à l'intégration, donnons les propriétés fondamentales de l'intégrale indéfinie sous forme de règles à respecter dans la recherche d'une solution.

Dans la suite, u et v désignent des fonctions de x.

Règle 1	$\int du = u + K$	
Règle 2	$\int k\,u\,dx = k\int u\,dx$	où k est une constante quelconque
Règle 3	$\int (u+v)dx = \int u\,dx + \int v\,dx$	

Ces règles découlent directement de la définition d'une intégrale indéfinie. On les utilisera constamment dans les problèmes de recherche d'intégrales indéfinies. Voyons quelques exemples.

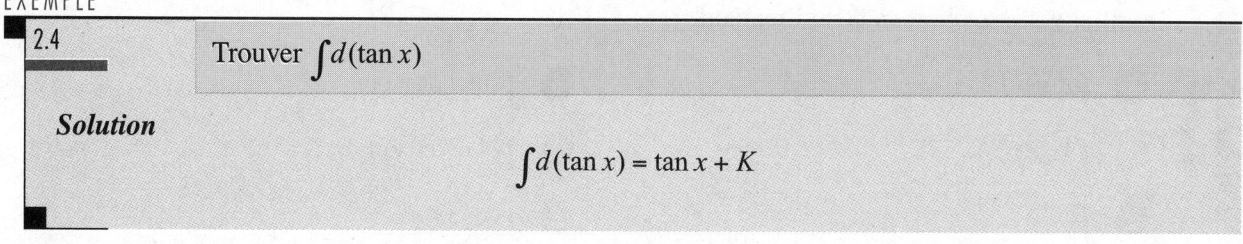

EXEMPLE 2.4

Trouver $\int d(\tan x)$

Solution

$$\int d(\tan x) = \tan x + K$$

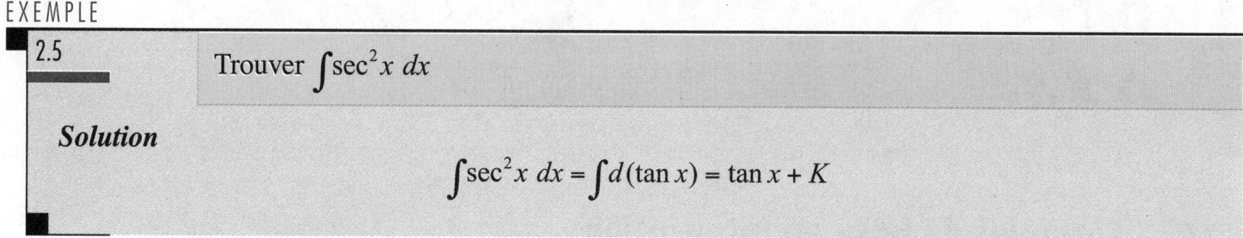

EXEMPLE 2.5

Trouver $\int \sec^2 x\,dx$

Solution

$$\int \sec^2 x\,dx = \int d(\tan x) = \tan x + K$$

Le dernier exemple suggère que, dans la fonction à intégrer, on cherche à reconnaître une dérivée (ou une différentielle). C'est un élément de stratégie qui sera souvent profitable.

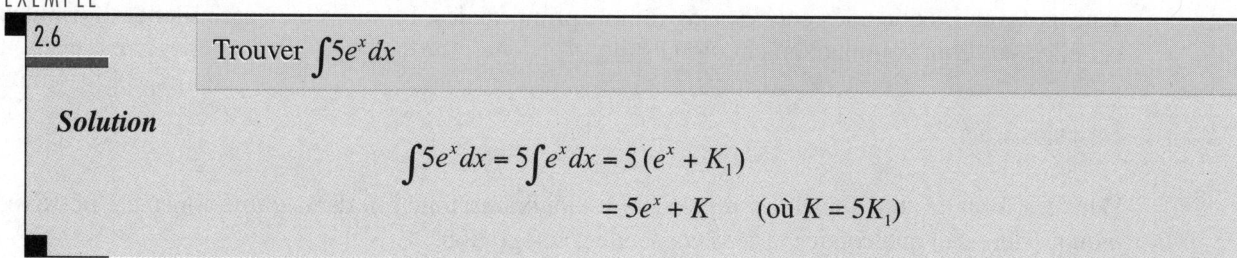

EXEMPLE 2.6

Trouver $\int 5e^x dx$

Solution

$$\int 5e^x dx = 5\int e^x dx = 5\,(e^x + K_1)$$
$$= 5e^x + K \qquad (\text{où } K = 5K_1)$$

EXEMPLE

2.7

Trouver $\int (3x^2 + \cos x + e^x)\, dx$

Solution

Selon la règle 3,

$$\int (3x^2 + \cos x + e^x)\, dx = \int 3x^2 dx + \int \cos x\, dx + \int e^x dx$$

Poursuivons avec les trois intégrations.

$$= x^3 + K_1 + \sin x + K_2 + e^x + K_3$$
$$= x^3 + \sin x + e^x + K$$

REMARQUE

Notez bien, dans ces deux derniers exemples, le traitement qu'on a fait subir aux constantes d'intégration. On peut toujours regrouper les constantes d'intégration et leur donner une forme simplifiée. En pratique, nous nous contenterons d'ajouter une seule constante *K* lorsque toutes les intégrations sont complétées. Remarquons également que les règles 1, 2 et 3 sont utilisées constamment et concurremment dans presque toutes les recherches d'une intégrale indéfinie.

EXERCICES 2.2

Trouver les intégrales indéfinies suivantes et vérifier votre solution en la différentiant.

1. $\int x^5 dx$
2. $\int 3x^4 dx$
3. $\int (x^3 + x^2 + x + 1)\, dx$
4. $\int e^{x+1} dx$
5. $\int \frac{1}{x} dx$
6. $\int \sin x\, dx$
7. $\int (4x - \cos x)\, dx$
8. $\int \cos 3x\, dx$
9. $\int \sqrt{x}\, dx$
10. $\int \frac{dx}{1 + x^2}$

2.3 Formules de base en intégration

Nous connaissons les trois règles fondamentales qu'il faut respecter dans la recherche d'une intégrale indéfinie. Nous allons compléter la base de la recherche d'une intégrale indéfinie en établissant six formules que nous considérons comme primordiales. Il faudra bien assimiler ces formules car elles serviront continuellement par la suite.

2.3.1 Formules 1 à 6

Dans les formules qui suivent, u représente toujours une fonction de x, a une constante positive, n un nombre réel quelconque et K la constante d'intégration.

Formule 1	$\int u^n du = \frac{u^{n+1}}{n+1} + K$	où $n \neq -1$
Formule 2	$\int \frac{du}{u} = \ln\lvert u\rvert + K$	
Formule 3	$\int a^u du = \frac{a^u}{\ln a} + K$	où $a \neq 1$
Formule 4	$\int e^u du = e^u + K$	
Formule 5	$\int \sin u \, du = -\cos u + K$	
Formule 6	$\int \cos u \, du = \sin u + K$	

Ces formules se démontrent assez facilement en dérivant la primitive par rapport à u. On retrouvera, bien sûr, la fonction à intégrer.

EXEMPLE 2.8

Trouver a) $\int x^8 dx$

b) $\int \sqrt{x}\, dx$

c) $\int \frac{dx}{x^3}$

Solution

a) Selon la formule 1 : $\int x^8 dx = \frac{x^{8+1}}{8+1} + K = \frac{x^9}{9} + K$

b) La formule 1 s'applique même lorsque n est une fraction.

$$\int \sqrt{x}\, dx = \int x^{1/2} dx = \frac{x^{3/2}}{3/2} + K = \frac{2}{3}x^{3/2} + K = \frac{2}{3}x\sqrt{x} + K$$

c) La formule 1 s'applique même lorsque n est négatif (sauf lorsque $n = -1$).

$$\int \frac{dx}{x^3} = \int x^{-3} dx = \frac{x^{-2}}{-2} + K = \frac{-1}{2x^2} + K$$

La formule 1, conjointement avec les règles de base, permet d'intégrer toute fonction polynomiale.

EXEMPLE 2.9

Trouver $\int (3x^5 - 2x^2 + 7x - 4)\, dx$

Solution

$$\begin{aligned}\int (3x^5 - 2x^2 + 7x - 4)\, dx &= 3\int x^5 dx - 2\int x^2 dx + 7\int x\, dx - 4\int dx \\ &= \frac{3x^6}{6} - \frac{2x^3}{3} + \frac{7x^2}{2} - 4x + K \\ &= \frac{x^6}{2} - \frac{2x^3}{3} + \frac{7x^2}{2} - 4x + K\end{aligned}$$

2.3.2 Intégration des puissances, des exponentielles et des fonctions trigonométriques

Ces six premières formules d'intégration permettent d'espérer intégrer les fonctions puissances (formules 1 et 2), les fonctions exponentielles (formules 3 et 4) et les fonctions trigonométriques (formules 5 et 6).

EXEMPLE 2.10

Trouver a) $\int\left(\frac{1}{x}+\frac{1}{x^2}\right)dx$

b) $\int(5^x-3\sin x)\,dx$

Solution

a) $\int\left(\frac{1}{x}+\frac{1}{x^2}\right)dx=\int\frac{1}{x}\,dx+\int\frac{1}{x^2}\,dx=\int\frac{dx}{x}+\int x^{-2}dx=\ln|x|+\frac{x^{-1}}{-1}+K=\ln|x|-\frac{1}{x}+K$

b) $\int(5^x-3\sin x)\,dx=\int 5^x dx-3\int\sin x\,dx=\frac{5^x}{\ln 5}-3(-\cos x)+K=\frac{5^x}{\ln 5}+3\cos x+K$

Dans la formule 2 (il en sera de même dans toutes les formules où l'on retrouve des logarithmes dans la primitive), on remarque la présence d'une valeur absolue. Cela peut nous sembler embarrassant et inutilement compliqué. C'est cependant nécessaire. Voici pourquoi. Rappelons la définition de la valeur absolue de u :

$$|u|=\begin{cases}u & \text{si } u\geq 0\\ -u & \text{si } u<0\end{cases}$$

La valeur absolue de u est donc une notation utilisée pour représenter deux situations, celle où $u>0$ et celle où $u<0$. Dans la formule 2, détachons les deux fonctions en présence, soit la fonction à intégrer $f(u)=1/u$ et la primitive $F(u)=\ln|u|$. On sait qu'une fonction logarithme n'est définie que pour des valeurs positives de l'argument. Or, la fonction à intégrer $1/u$ peut très bien être négative. Considérons les deux cas possibles selon le signe de u.

1. Si $u>0$, alors $d(\ln u)=\frac{1}{u}\,du=\frac{du}{u}$
2. Si $u<0$, il faut considérer $\ln(-u)$. Alors, $d(\ln(-u))=\frac{1}{-u}\,d(-u)=\frac{-du}{-u}=\frac{du}{u}$

Donc, la fonction

$$F(u)=\begin{cases}\ln u & \text{si } u>0\\ \ln(-u) & \text{si } u<0\end{cases}$$

a pour différentielle du/u quel que soit le signe de u. Pour simplifier l'écriture de la fonction primitive $F(u)$, on note simplement $\ln|u|$.

EXEMPLE 2.11

Trouver $\int\frac{x^4+5x+1}{3x^2}\,dx$

Solution

Les fonctions à intégrer ne sont pas toujours exactement de la même forme que les formules de base. Il faut parfois faire des transformations algébriques avant de reconnaître l'une ou l'autre de ces formules.

$$\int \frac{x^4+5x+1}{3x^2}\,dx = \int\left(\frac{x^4}{3x^2}+\frac{5x}{3x^2}+\frac{1}{3x^2}\right)dx$$

$$= \frac{1}{3}\int x^2\,dx + \frac{5}{3}\int\frac{dx}{x} + \frac{1}{3}\int\frac{dx}{x^2}$$

$$= \frac{1}{3}\left(\frac{x^3}{3}\right) + \frac{5}{3}\left(\ln|x|\right) + \frac{1}{3}\left(\frac{x^{-1}}{-1}\right) + K$$

$$= \frac{x^3}{9} + \frac{5}{3}\ln|x| - \frac{1}{3x} + K$$

EXERCICES

2.4

Trouver les intégrales indéfinies suivantes.

1. $\int x^7 dx$
2. $\int (3x^3+2x^2-5)\,dx$
3. $\int (e^x+3\cos x)\,dx$
4. $\int (2^x+x^2)\,dx$
5. $\int \frac{x^2+10}{x}\,dx$
6. $\int (5\sin x - 2e^x)\,dx$
7. $\int (2x+3)^2\,dx$
8. $\int \sqrt{5x}\,dx$
9. $\int \frac{3+x}{x^4}\,dx$
10. $\int \frac{dx}{4x}$

2.5 Changement de variable

2.5.1 L'importance de l'élément différentiel *du*

Considérons l'intégrale indéfinie suivante.

$$\int \cos x\,dx$$

Selon la formule 6, le résultat est $\sin x + K$. Ce résultat est tout à fait correct et on peut le vérifier en prenant la différentielle du résultat :

$$d(\sin x + K) = \cos x\,dx$$

Naturellement, on y retrouve la fonction à intégrer : $\cos x$.

Considérons maintenant l'intégrale indéfinie suivante.

$$\int \cos 2x\,dx$$

Supposons que l'on pressente la famille sin $2x + K$ comme solution, en se basant sur la formule 6. Cette solution est inexacte car :

$$d(\sin 2x + K) = (2)\cos 2x\, dx$$

et on ne retrouve pas exactement la fonction à intégrer. Cela est attribuable au fait qu'on n'a pas, dans la fonction à intégrer, le facteur (2) provenant de la différentielle de $2x$. Autrement dit, si on appelle u la fonction $2x$, la différentielle du n'est pas présente dans l'intégrale initiale. Ce du, provenant de la règle de la dérivation en chaîne, est absolument nécessaire pour appliquer la formule. Dans le cas présent, on peut compenser cette absence en procédant ainsi :

$$\int \cos 2x\, dx = \int \left(\frac{1}{2}\right)(2)\cos 2x\, dx = \frac{1}{2}\int 2\cos 2x\, dx = \frac{1}{2}(\sin 2x + K_1) = \frac{\sin 2x}{2} + K$$

Considérons maintenant l'intégrale indéfinie suivante.

$$\int \cos x^2 dx$$

Si on imagine sin $x^2 + K$ comme solution, cela s'avère inexact car :

$$d(\sin x^2 + K) = (2x)\cos x^2 + K$$

et on ne retrouve pas exactement la fonction à intégrer. En effet, le facteur $(2x)$ est absent. Ce facteur $(2x)$ est l'élément différentiel du lorsqu'on imagine que $u = x^2$. Dans ce cas, on ne peut pas compenser l'absence de l'élément différentiel du par des manipulations algébriques, car ce du contient la variable x. Il est donc impossible d'utiliser la formule 6 dans ce cas-ci. De fait, cette dernière intégrale s'avère impossible à trouver.

Comme on vient de le laisser entendre, la présence de l'élément différentiel du, lorsqu'on a une fonction de u, est essentielle au moment d'appliquer l'une ou l'autre des formules d'intégration. Ainsi, pour s'assurer que nous appliquons correctement les formules d'intégration, nous utiliserons fréquemment une opération qui consiste à *changer de variable*. Cette opération a pour but d'amener l'intégrale cherchée vers une formule connue.

EXEMPLE

2.12

Trouver $\int xe^{x^2+1}dx$

Solution

En regardant attentivement cette intégrale indéfinie, on peut penser l'amener vers la formule 4. Pour ce faire, faisons le changement de variable suivant.

Posons $u = x^2+1$; alors $du = 2x\, dx$. Ainsi, $x\, dx = \frac{1}{2}du$

Réécrivons maintenant l'intégrale avec la variable u :

$$\int xe^{x^2+1}dx = \int e^{x^2+1}(x\, dx) = \int e^u \left(\frac{1}{2}du\right) = \frac{1}{2}\int e^u du$$

Bien sûr, on applique la formule 4 :

$$= \frac{1}{2}(e^u + K_1) = \frac{e^u}{2} + K$$

et on revient à la variable originale x.

$$= \frac{e^{x^2+1}}{2} + K$$

2.5.2 Conditions pour effectuer un changement de variable

Le changement de variable est très fréquent et quasi indispensable dans bien des cas. Il est toutefois naturel de se demander dans quelles conditions il est permis de l'utiliser.

En fait, le changement de variable $x = g(u)$ est permis à la condition que g soit une fonction dérivable et qu'elle admette une fonction inverse dérivable $u = g^{-1}(x)$. Cette dernière condition est importante ; bien souvent, en pratique, on définit le changement de variable en posant $u = g^{-1}(x)$.

Démontrons que ces conditions sont requises pour effectuer un changement de variable dans une intégration. Soit à intégrer

$$\int f(x)\,dx$$

et supposons que l'on fasse le changement de variable $x = g(u)$ où g remplit les conditions énoncées au paragraphe précédent. Alors $dx = g'(u)\,du$, et on a :

$$\int f(g(u))g'(u)\,du$$

Supposons qu'on trouve une solution à cette intégrale, soit $h(u) + K$.

Alors :

$$d(h(u)+K) = h'(u)\,du = h'(u)\times\frac{1}{g'(u)}dx$$

$$d(h(u)+K) = f(g(u))g'(u)\times\frac{1}{g'(u)}dx$$

$$d(h(u)+K) = f(g(u))\,dx$$

$$d(h(g^{-1}(x))+K) = f(x)\,dx$$

$$\Rightarrow\quad h(g^{-1}(x))+K = \int f(x)\,dx$$

et ainsi, $h(g^{-1}(x)) + K$ est la solution cherchée.

EXEMPLE

2.13

Trouver $\int\sqrt{4x-3}\,dx$

Solution

Posons $u = 4x - 3$; alors $du = 4\,dx \quad\Rightarrow\quad dx = \frac{1}{4}du$

Ainsi :

$$\int\sqrt{4x-3}\,dx = \int\sqrt{u}\left(\frac{1}{4}du\right) = \frac{1}{4}\int\sqrt{u}\,du = \frac{1}{4}\int u^{1/2}du$$

$$= \frac{1}{4}\left(\frac{u^{3/2}}{3/2}\right)+K = \frac{1}{6}u^{3/2}+K = \frac{1}{6}(4x-3)^{3/2}+K$$

REMARQUE

Le changement de variable a généralement pour but de transformer la fonction à intégrer pour l'amener vers une formule de base ou une forme que l'on sait intégrer. Une grande partie de l'habileté à intégrer réside dans l'art de choisir convenablement un changement de variable. Un changement de variable judicieux permet de débusquer une formule d'intégration cachée.

EXEMPLE

2.14

Trouver $\int \frac{\cos x}{\sin^4 x}dx$

Solution

On peut ramener cette intégrale vers la formule 1 en faisant le changement de variable suivant.

Posons $u = \sin x$; alors $du = \cos x\, dx$.

Alors : $\int \frac{\cos x\, dx}{\sin^4 x} = \int \frac{du}{u^4} = \int u^{-4}du = \frac{u^{-3}}{-3} + K = \frac{-1}{3u^3} + K = \frac{-1}{3\sin^3 x} + K$

EXEMPLE

2.15

Trouver $\int (x^3 + 5)^3 x^2 dx$

Solution

En observant attentivement la fonction à intégrer, on constate que l'expression entre parenthèses a pour dérivée $3x^2$, ce qu'on retrouve presque dans le reste de la fonction à intégrer, puisqu'il n'y manque que le facteur 3. On peut facilement suppléer à l'absence d'une constante.

Posons $u = x^3 + 5$; alors $du = 3x^2\, dx \quad \Rightarrow \quad x^2 dx = \frac{1}{3}du$.

Alors : $\int (x^3 + 5)^3 x^2 dx = \int u^3 \left(\frac{1}{3}du\right) = \frac{1}{3}\int u^3 du = \frac{1}{3}\left(\frac{u^4}{4}\right) + K = \frac{u^4}{12} + K = \frac{(x^3 + 5)^4}{12} + K$

EXEMPLE

2.16

Trouver $\int (x^3 + 5)^3 x\, dx$

Solution

On peut être tenté ici de faire le changement de variable $u = x^3 + 5$. Dans ce cas, $du = 3x^2\, dx$. Or, on ne retrouve pas cette expression dans le reste de la fonction à intégrer. Il y manque un facteur $3x$. On ne peut pas suppléer à l'absence d'une variable. Ce changement de variable $u = x^3 + 5$ ne conduit à rien et il faut donc changer de stratégie. Nous procédons plutôt en développant le binôme.

$$\begin{aligned}\int (x^3 + 5)^3 x\, dx &= \int (x^9 + 15x^6 + 75x^3 + 125)x\, dx \\ &= \int (x^{10} + 15x^7 + 75x^4 + 125x)\, dx \\ &= \frac{x^{11}}{11} + \frac{15x^8}{8} + \frac{75x^5}{5} + \frac{125x^2}{2} + K \\ &= \frac{x^{11}}{11} + \frac{15x^8}{8} + 15x^5 + \frac{125x^2}{2} + K\end{aligned}$$

EXEMPLE

2.17

Trouver $\int \frac{dx}{2x+7}$

Solution

Posons $u = 2x + 7$; alors $du = 2\,dx \Rightarrow \quad dx = \frac{1}{2}du$

$$\int \frac{dx}{2x+7} = \int \frac{(1/2)\,du}{u} = \frac{1}{2}\int \frac{du}{u} = \frac{1}{2}\ln|u| + K = \frac{1}{2}\ln|2x+7| + K$$

$$= \ln|2x+7|^{1/2} + \ln k = \ln k\sqrt{|2x+7|}$$

EXEMPLE

2.18

Trouver $\int \frac{3x^2+3x+2}{x+1}dx$

Solution

Pour se ramener aux formules 1 et 2, effectuons la division de ces polynômes.

$$\frac{3x^2+3x+2}{x+1} \equiv 3x + \frac{2}{x+1}$$

Alors : $$\int \frac{3x^2+3x+2}{x+1}dx = \int\left(3x + \frac{2}{x+1}\right)dx = \int 3x\,dx + \int \frac{2\,dx}{x+1} = \frac{3x^2}{2} + 2\ln|x+1| + K$$

EXEMPLE

2.19

Trouver $\int \tan x\,dx$

Solution

Nous allons procéder selon deux méthodes différentes.

Première méthode

$$\int \tan x\,dx = \int \frac{\sin x}{\cos x}dx$$

Posons $u = \cos x$; alors $du = -\sin x\,dx \quad \Rightarrow \quad \sin x\,dx = -du$

$$\int \frac{\sin x}{\cos x}dx = \int \frac{-du}{u} = -\ln|u| + K = -\ln|\cos x| + K$$

Seconde méthode

$$\int \tan x\,dx = \int \frac{\sec x \tan x}{\sec x}dx$$

Posons $u = \sec x$; alors $du = \sec x \tan x\,dx$.

$$\int \frac{\sec x \tan x}{\sec x}dx = \int \frac{du}{u} = \ln|u| + K = \ln|\sec x| + K$$

L'apparente différence entre les deux réponses s'explique aisément. En effet, ce sont deux réponses équivalentes, comme le démontrent les transformations suivantes.

$$\ln|\sec x| = \ln|1/\cos x| = \ln|\cos x|^{-1} = -\ln|\cos x|$$

REMARQUE

Le chemin à suivre pour intégrer n'est généralement pas unique. Si en prenant deux chemins différents on arrive à deux résultats apparemment différents, il y a deux explications possibles. Ou bien les deux résultats sont équivalents et on peut alors le démontrer par des manipulations algébriques, ou bien les deux résultats diffèrent par une constante (voir le corollaire 2 du théorème de Lagrange).

EXEMPLE

2.20

Trouver $\int \sin x \cos x \, dx$

Solution

Nous pouvons utiliser deux méthodes différentes.

Première méthode

Posons $u = \sin x$; alors $du = \cos x \, dx$

$$\int \sin x \cos x \, dx = \int u \, du = \frac{u^2}{2} + K = \frac{\sin^2 x}{2} + K$$

Seconde méthode

Posons $u = \cos x$; alors $du = -\sin x \, dx$ et $\sin x \, dx = -du$

$$\int \sin x \cos x \, dx = \int \cos x \, (\sin x \, dx) = \int u \, (-du) = \frac{-u^2}{2} + K = \frac{-\cos^2 x}{2} + K$$

Ces deux réponses, en apparence fort différentes, se distinguent par une constante. En effet :

$$\frac{\sin^2 x}{2} \equiv \frac{1 - \cos^2 x}{2} \equiv \frac{1}{2} - \frac{\cos^2 x}{2}$$

EXEMPLE

2.21

Trouver a) $\int e^{x/2} dx$

b) $\int \sin 7x \, dx$

Solution

a) Posons $u = \frac{x}{2}$; alors $du = \frac{dx}{2} \Rightarrow dx = 2du$

$$\int e^{x/2} dx = \int e^u (2 \, du) = 2 \int e^u du = 2e^u + K = 2e^{x/2} + K$$

b) Posons $u = 7x$; alors $du = 7dx \Rightarrow dx = \frac{1}{7} du$

$$\int \sin 7x \, dx = \int \sin u \left(\frac{1}{7} du \right) = \frac{1}{7} \int \sin u \, du = \frac{1}{7}(-\cos u) + K = \frac{1}{7}(-\cos 7x) + K = \frac{-\cos 7x}{7} + K$$

REMARQUE

Lorsqu'on cherche une intégrale indéfinie, après quelques lignes d'écriture, on doit savoir vers quelle formule on se dirige. Dans les premières étapes de la solution, on a donc pour objectif de reconnaître une ou plusieurs formules. Il arrive parfois qu'on ait recours à quelques transformations pour y arriver. Lorsqu'on a reconnu la ou les formules vers lesquelles on se dirige, le reste du problème consiste à écrire pas à pas la solution correcte. Rappelons-nous qu'intégrer c'est une habileté à acquérir et que l'habileté croît avec l'usage.

EXERCICES

Pour chacune des intégrales indéfinies des numéros 1 à 14, repérer vers quelle formule de base on peut se diriger, poser le changement de variable requis puis effectuer l'intégration.

1. $\int \sqrt{2x+3}\,dx$
2. $\int e^{3x}dx$
3. $\int \frac{dx}{4x-1}$
4. $\int \sin(x+7)\,dx$
5. $\int \cos(7x+1)\,dx$
6. $\int \cos^4 3x \sin 3x\,dx$
7. $\int x^2\sqrt{x^3+4}\,dx$
8. $\int x^2 \sin(x^3+4)\,dx$
9. $\int \frac{x\,dx}{\sqrt{x^2+15}}$
10. $\int x\,2^{x^2+15}dx$
11. $\int \sin 6x\,dx$
12. $\int \frac{x+1}{x^2+2x}dx$
13. $\int (3-x)^{2/3}dx$
14. $\int \frac{x\,dx}{\sqrt{1-x^2}}$

Trouver les intégrales indéfinies suivantes.

15. $\int (x^3+1)^7 3x^2dx$
16. $\int (x^2-5)^3 x\,dx$
17. $\int (x^3-2)^2 dx$
18. $\int (x-7)^{12}dx$
19. $\int (2x+11)^5 dx$
20. $\int 7\sqrt{x}\,dx$
21. $\int 4x^{1/3}dx$
22. $\int x\sqrt{1-x^2}\,dx$
23. $\int \frac{2x\,dx}{\sqrt{1+2x^2}}$
24. $\int \frac{16}{3}\sqrt[3]{3+x^4} \times x^3 dx$
25. $\int \frac{dx}{x-3}$
26. $\int \frac{dx}{2x+15}$
27. $\int \frac{dx}{(2x+15)^2}$
28. $\int x\sqrt{x^2+9}\,dx$
29. $\int \frac{6x+1}{3x^2+x-1}dx$
30. $\int \frac{6x+1}{\sqrt{3x^2+x-1}}dx$
31. $\int \frac{6x+1}{(3x^2+x-1)^3}dx$
32. $\int \frac{x^3-2x^2+6x-1}{x^2}dx$
33. Démontrer les formules de base 1, 2, 3 et 4.

Trouver les intégrales indéfinies suivantes.

34. $\int \frac{(\ln x)^2}{x}dx$
35. $\int x^2 \sin x^3 dx$
36. $\int \frac{x-x^2+1}{1-x}dx$
37. $\int \frac{8x^2-2x-6}{4x-3}dx$
38. $\int \frac{e^{\sqrt{x}}}{2\sqrt{x}}dx$
39. $\int (x^{50}+3)^4 x^{49}dx$
40. $\int 3x\sin(x^2+1)\,dx$
41. $\int \tan 3x\,dx$
42. $\int \frac{dx}{5x+3}$

2.6

43 $\displaystyle\int \frac{dx}{(5x+3)^2}$

44 $\displaystyle\int \cot x\, dx$

45 $\displaystyle\int \frac{\cos x}{1+\sin x} dx$

46 $\displaystyle\int \frac{\cos x}{(1+\sin x)^2} dx$

47 $\displaystyle\int \frac{\cos x}{1+3\sin x+3\sin^2 x+\sin^3 x} dx$

48 $\displaystyle\int \left(\sqrt{x}+\frac{1}{\sqrt{x}}\right) dx$

49 $\displaystyle\int \frac{dx}{x\ln x}$

50 $\displaystyle\int \sin ax\, dx$

51 $\displaystyle\int \cos ax\, dx$

52 $\displaystyle\int e^{ax} dx$

53 $\displaystyle\int \frac{\sqrt{1+\sqrt{x}}}{\sqrt{x}} dx$

54 $\displaystyle\int x\sqrt{x+1}\, dx$

55 $\displaystyle\int e^x\sqrt{e^x+2}\, dx$

56 $\displaystyle\int \frac{(\arcsin x)^3}{\sqrt{1-x^2}} dx$

57 $\displaystyle\int \frac{\sec^2 2x}{3\tan 2x+5} dx$

58 $\displaystyle\int \frac{10x-3}{2x-1} dx$

59 $\displaystyle\int \frac{3\arctan x}{x^2+1} dx$

60 $\displaystyle\int \sqrt{8x^2-4x^4}\, dx$

61 $\displaystyle\int e^{7x} dx$

62 $\displaystyle\int \frac{\cos 3x}{\sin^2 3x} dx$

63 $\displaystyle\int e^{3x+5} dx$

64 $\displaystyle\int \tan 4x \sec^2 4x\, dx$

65 $\displaystyle\int 7^{2x+1} dx$

66 $\displaystyle\int \frac{x^{5/3}}{x^{8/3}+3} dx$

67 $\displaystyle\int 2x\cot x^2 dx$

68 $\displaystyle\int \frac{e^x}{e^x+1} dx$

69 $\displaystyle\int e^{\tan x}\sec^2 x\, dx$

70 Démontrer les formules de base 5 et 6.

2.7 Applications de l'intégrale indéfinie

La recherche d'intégrales indéfinies peut être utilisée dans certains problèmes pratiques où l'on connaît la vitesse, le taux d'accroissement, la pente, bref la dérivée d'une certaine variable par rapport à une autre. Les applications de l'intégrale indéfinie que nous ferons dans le présent ouvrage consistent tout simplement à ramener certaines situations, où l'on connaît la dérivée, à des recherches de primitives ou d'intégrales indéfinies. Nous aborderons quelques exemples choisis dans des domaines aussi variés que possible.

2.7.1 Équations différentielles à variables séparables

Lorsqu'on analyse une situation concrète, on cherche généralement à connaître le comportement d'une variable quelconque. Or, ce qu'on observe, c'est la variation de cette variable, plus précisément son taux de variation, sa vitesse ou sa pente, donc sa dérivée. Par cette observation, on imagine et on construit une équation contenant une ou des dérivées et une ou plusieurs variables. Une telle équation est une *équation différentielle*.

Par exemple :

$$3x + 5y\frac{dy}{dx} - 4 = 0$$

$$\left(\frac{dy}{dx}\right)^2 + y^2 = 1$$

$$x\frac{d^2y}{dx^2} + x^2\frac{dy}{dx} - y = 3$$

sont des équations différentielles.

Pour connaître le lien fonctionnel entre les variables x et y, il faut *résoudre l'équation différentielle*, c'est-à-dire se ramener à une équation ne contenant plus de dérivées. La résolution des équations différentielles est un champ d'étude très vaste. Nous limiterons notre étude aux *équations différentielles d'ordre 1 et de degré 1 à variables séparables*, c'est-à-dire où l'on n'a qu'une première dérivée affectée d'un exposant 1 et où l'on peut regrouper ensemble tous les termes en x de même que tous les termes en y. Une telle équation peut s'écrire sous la forme :

$$\frac{dy}{dx} = f(x)\,g(y)$$

Pour résoudre une telle équation, on regroupe d'un même côté de l'égalité tout ce qui est en x et de l'autre côté, tout ce qui est en y. Il reste alors à intégrer les deux membres de l'équation.

EXEMPLE

2.22

Résoudre l'équation différentielle suivante.

$$\frac{dy}{dx} = y^2 \cos x$$

Solution

Séparons les variables :

$$\frac{dy}{y^2} = \cos x\, dx$$

Intégrons :

$$\int \frac{dy}{y^2} = \int \cos x\, dx$$

$$\frac{-1}{y} = \sin x + K$$

$$y = \frac{-1}{\sin x + K}$$

Dans certains problèmes particuliers, on cherche une primitive particulière. Alors certaines données, qu'on appelle *conditions initiales*, permettent de fixer la constante d'intégration.

EXEMPLE

2.23

La pente de la tangente en tout point d'une courbe est égale au produit des coordonnées de ce point. Trouver l'équation de cette courbe, sachant qu'elle passe par le point (2, 1).

Solution

Soit $y = f(x)$, l'équation de la courbe cherchée. La pente de la tangente en un point quelconque (x, y) est dy/dx. Le produit des coordonnées de ce point est xy.

On a alors :

$$\frac{dy}{dx} = xy$$

C'est une équation différentielle à variables séparables. Séparons les variables et intégrons.

$$\frac{dy}{y} = x\,dx$$

$$\int \frac{dy}{y} = \int x\,dx$$

$$\ln|y| = \frac{x^2}{2} + K$$

$$y = e^{(x^2/2)+K}$$

Pour déterminer la constante K, nous utilisons la condition initiale, à savoir que la courbe passe par le point (2, 1). Les coordonnées de ce point vérifient donc l'équation, et on a :

$$1 = e^{(2^2/2)+K}$$

$$1 = e^{2+K}$$

$$\Rightarrow \quad 2 + K = 0 \quad \Rightarrow \quad K = -2$$

L'équation cherchée est donc :

$$y = e^{(x^2/2)-2}$$

2.7.2 Applications diverses

EXEMPLE

2.24

Sur la Terre, l'accélération causée par la force gravitationnelle est constante et vaut $-9{,}8$ m/s^2. À partir du sol, on lance une balle vers le haut à une vitesse de 30 m/s. Quelle hauteur maximale cette balle atteindra-t-elle ?

Solution

Désignons par a l'accélération ; a est une constante et égale $-9{,}8$. Désignons par v la vitesse de la balle et par y la hauteur de la balle au temps t.

On a :

$$v = \frac{dy}{dt} \qquad a = \frac{dv}{dt} = \frac{d^2y}{dt^2}$$

Partant de

$$\frac{dv}{dt} = a = -9,8$$

on a :

$$dv = -9,8\ dt$$
$$v = -9,8\ t + K$$

Au départ (au sol), $t = 0$ et $v = 30$. Ainsi :

$$30 = -9,8\ (0) + K$$
$$\Rightarrow \quad K = 30$$
$$\Rightarrow \quad v = -9,8t + 30$$

Lorsque la balle atteindra sa hauteur maximale, la vitesse de la balle sera 0. Si $v = 0$, que vaut t ?

$$0 = -9,8t + 30$$
$$\Rightarrow \quad t = 3,061 \text{ s}$$

Pour trouver la hauteur atteinte par la balle après 3,061 s, considérons :

$$v = \frac{dy}{dt} = -9,8t + 30$$
$$dy = (-9,8t + 30)\ dt$$
$$y = -9,8\frac{t^2}{2} + 30t + K_1$$
$$y = -4,9\ t^2 + 30t + K_1$$

Au départ (au sol), $t = 0$ et $y = 0$. Ainsi :

$$0 = 4,9\ (0)^2 + 30\ (0) + K_1$$
$$\Rightarrow \quad K_1 = 0$$

Donc : $$y = -4,9\ t^2 + 30t$$

Après 3,061 s, la hauteur maximale atteinte sera :

$$y_{max} = -4,9\ (3,061)^2 + 30\ (3,061)$$
$$y_{max} = 45,918 \text{ m}$$

EXEMPLE

2.25

Une certaine substance placée dans une solution se décompose selon un taux qui, en tout temps, est proportionnel à la quantité de substance présente à cet instant. Si on a placé 100 g d'une telle substance dans une solution et que deux heures plus tard il en reste 30 g, combien en restera-t-il une heure plus tard ?

Solution

Soit Q la quantité de substance présente au temps t. Selon l'énoncé,

$$\frac{dQ}{dt} = kQ$$

où k est une constante de proportionnalité. Les conditions initiales sont : si $t = 0$, alors $Q = 100$ et si $t = 2$, alors $Q = 30$.

Procédons :

$$\frac{dQ}{Q} = k\,dt$$

$$\ln|Q| = k\,t + K_0$$

Note : Comme il est certain que $Q \geq 0$, il n'est pas utile de conserver la valeur absolue.

Poursuivons :

$$Q = e^{kt + K_0}$$

Selon une condition initiale, $Q = 100$ lorsque $t = 0$.

$$100 = e^{k(0)+K_0} = e^{K_0}$$

Donc :

$$Q = e^{kt+K_0} = e^{kt}e^{K_0} = 100e^{kt}$$

Selon une autre condition initiale, $Q = 30$ lorsque $t = 2$.

$$30 = 100e^{k\,(2)}$$

$$\Rightarrow \quad e^{2k} = \frac{30}{100} = 0{,}3 \quad \Rightarrow \quad 2k = \ln 0{,}3 \quad \Rightarrow \quad k = \frac{1}{2}\ln 0{,}3$$

Finalement, on trouve l'équation :

$$Q = 100e^{(t/2)\ln 0{,}3} = 100e^{\ln 0{,}3^{t/2}} = 100\,(0{,}3)^{t/2}$$

Pour répondre à la question posée, il suffit de faire $t = 3$.

$$Q\,(3) = 100\,(0{,}3)^{3/2} = 16{,}432 \text{ g}$$

EXEMPLE

2.26

Un réservoir rempli initialement de 300 litres d'un mélange contient 10 kilogrammes de sel dissous. On y verse au taux constant de 5 litres par minute un mélange contenant 100 grammes de sel par litre de mélange. Le contenu du réservoir est gardé uniforme et on enlève 5 litres par minute. Déterminer la quantité de sel présente dans le réservoir après une heure.

Solution

Soit Q la quantité de sel (exprimée en kilogrammes) présente au temps t. Alors, le taux de variation de la quantité de sel est donné par :

taux de variation = (ce qui entre) – (ce qui sort)

$$\frac{dQ}{dt} = \frac{1}{10} \times 5 - \frac{Q}{300} \times 5$$

$$\frac{dQ}{dt} = \frac{1}{2} - \frac{Q}{60} = \frac{30 - Q}{60}$$

$$\frac{60\,dQ}{30-Q} = dt$$

$$60\int\frac{dQ}{30-Q} = \int dt$$

$$-60\ln|30-Q| = t + K$$

$$\ln|30-Q| = \frac{t+K}{-60}$$

$$30 - Q = e^{(-t-K)/60}$$

Note: On peut enlever la valeur absolue puisque, selon le contexte, il est clair que $Q < 30$, donc $30 - Q > 0$.

$$Q = 30 - e^{(-t-K)/60} = 30 - e^{-K/60}e^{-t/60}$$

Selon la condition initiale donnée dans l'énoncé, $Q = 10$ lorsque $t = 0$. Alors :

$$10 = 30 - e^{-K/60}e^{0}$$

$$\Rightarrow \quad e^{-K/60} = 20$$

Enfin :

$$Q = 30 - 20e^{-t/60}$$

Pour déterminer la quantité de sel présent dans le réservoir après une heure, il suffit de faire $t = 60$:

$$Q(60) = 30 - 20e^{-60/60} = 30 - \frac{20}{e} = 22{,}642 \text{ kg}$$

EXERCICES

2.8

Résoudre les équations différentielles suivantes.

1. $y\dfrac{dy}{dx} - 3x^2 + 5 = 0$
2. $\dfrac{dy}{dx} = \dfrac{2+y}{x}$
3. $x\,dy + y\,dx = 0$
4. $(x+1)\,dx + \cos y\,dy = 0$
5. $\dfrac{dy}{dx} = (2x+3)(y-1)$
6. $\dfrac{dy}{dx} - ye^{x+1} = 0$
7. $\dfrac{dy}{dx} = \dfrac{\sin x}{\cos y}$
8. $\dfrac{dy}{dx} = e^{x+y}$
9. $\dfrac{x\,dx}{\sqrt{1+x^2}} - \sin y\,dy = 0$
10. $\dfrac{dy}{y^2} + (x + e^x)\,dx = 0$
11. La pente de la tangente en tout point (x, y) d'une courbe est égale au quotient y/x. Trouver l'équation de cette courbe sachant qu'elle passe par le point $(3, 4)$.
12. À quelle vitesse un plongeur entre-t-il dans l'eau lorsqu'il se laisse tomber du plongeoir de 10 mètres ? (L'accélération causée par la force gravitationnelle est $a = -9{,}8$ m/s^2).
13. Un montant de 1 000 $ est déposé dans un compte où le taux d'intérêt est de 7 % par année composé continuellement. Que sera

2.8

devenu ce montant à la fin de la première année ? après 10 ans ? après 20 ans ? après 50 ans ?

14 Trouver l'équation d'une courbe passant par le point (0, 2) et dont la pente en tout point (x, y) est donnée par e^x/y.

15 Trouver l'équation d'une courbe passant par le point (0, 3) et dont la pente en tout point (x, y) est donnée par

$$\frac{xy}{1+x^2}$$

16 Trouver l'équation d'une courbe passant par le point $(3\pi/2\ , 0)$ et dont la pente en tout point (x, y) est donnée par

$$\frac{\cos x}{y^2+2}$$

17 Le radium se décompose à un taux proportionnel à la quantité de radium présente en tout temps. Un laboratoire en a acheté 300 milligrammes en 1900. En l'an 2000, il en reste 280 milligrammes. En quelle année en restera-t-il 150 milligrammes ?

18 Le nombre de bactéries dans une culture croît à un taux proportionnel au nombre de bactéries présentes au temps t. Si on place 1 000 bactéries dans une culture et que ce nombre a doublé en trois heures, combien y aura-t-il de bactéries après cinq heures ?

19 Stéphanie possède une fontaine cylindrique. Elle s'aperçoit que la fontaine coule à un taux proportionnel à la racine carrée de la hauteur du cylindre d'eau. Elle a observé que la hauteur d'eau est passée de 64 centimètres à 49 centimètres en une heure. Combien de temps reste-t-il avant que la fontaine soit vide ?

20 Le club Philatélo comptait 1 800 membres il y a 6 ans. Aujourd'hui, il ne compte que 1 600 membres. Sachant que le club perd continuellement des membres à un taux proportionnel au nombre de membres présents au temps t, combien restera-t-il de membres dans 5 ans ?

21 Une voiture accélère au taux de 0,5 m/s^2 à partir d'une position immobile. En combien de temps la voiture atteindra-t-elle la vitesse de 30 m/s ? Quelle sera alors la distance parcourue ?

22 Supposons qu'on investisse une certaine somme au taux annuel de 10 % composé continuellement. En combien de temps le capital investi aura-t-il doublé ?

23 La concentration d'un médicament dans l'organisme dépend du temps écoulé depuis l'ingestion. Soit Q la quantité de médicament présente dans l'organisme au temps t; supposons que le taux de variation est proportionnel à la quantité présente. Si une heure après l'ingestion de 50 milligrammes de médicament la concentration résiduelle est de 30 milligrammes, quelle sera-t-elle après une autre heure ?

EXERCICES

RÉVISION 2.9

Trouver les intégrales indéfinies suivantes.

1 $\int (x+7)^{1/3}\,dx$

2 $\int (x^2-7)^2\,dx$

3 $\int \frac{\cos 3x}{\sin^5 3x}\,dx$

4 $\int (2x+7)\sqrt{x^2+7x-5}\,dx$

5 $\int \frac{dx}{\sqrt{2x+7}}$

6 $\int \frac{x\,dx}{x^2+1}$

7 $\int \cos(3x+7)\,dx$

8 $\int (x^2+1)^2 x\,dx$

9 $\int \frac{2x+3}{x^2+3x-5}\,dx$

10 $\int x^2 e^{x^3}\,dx$

11 $\int \frac{\sin x}{\cos^8 x}\,dx$

12 $\int \frac{3x+2}{x+5}\,dx$

13 $\int (x^2+e^x)^2(2x+e^x)\,dx$

14 $\int \frac{6x+2}{3x^2+2x-5}\,dx$

15 $\int \frac{6x+2}{\sqrt{3x^2+2x-5}}\,dx$

16 $\int \frac{6x+2}{(3x^2+2x-5)^2}\,dx$

17 $\int \cos x\, e^{\sin x}\,dx$

18 $\int \frac{2x+1}{(x^2+x)^5}\,dx$

19 $\int \frac{\cos(\ln x)}{x}\,dx$

20 $\int \frac{e^x+1}{e^x+x}\,dx$

21 $\int e^x \cos e^x\,dx$

22 $\int 2^{3x}\,dx$

23 $\int \cos^2 x \sin x\,dx$

24 $\int \frac{\sin x}{\cos^2 x}\,dx$

25 $\int \sec x \tan x\,dx$

26 $\int \frac{\sin x}{\cos^3 x}\,dx$

27 $\int \frac{-\sin x}{5+\cos x}\,dx$

28 $\int \frac{x^2}{1+x^3}\,dx$

29 $\int \frac{x^3+1}{x^2}\,dx$

30 $\int \frac{x^2}{(1+x^3)^2}\,dx$

31 $\int 4x^2\sqrt{x^3-1}\,dx$

32 $\int (x^2+1+\cos 3x)\, e^{x^3+3x+\sin 3x}\,dx$

33 $\int x\sqrt{2x+3}\,dx$

34 $\int \frac{8x^3+18x^2+5x+28}{2x+5}\,dx$

35 $\int \frac{\ln x^4}{x}\,dx$

36 $\int \frac{3^x}{3^x+1}\,dx$

37 $\int \frac{-dx}{x^2-8x+16}$

38 $\int (2x+1)(x-1)\,dx$

39 $\int 2\tan x \ln\cos x\,dx$

40 $\int \frac{dx}{\sec x}$

41 $\int \left(2+\sqrt{x}\right)^2 x\,dx$

42 $\int \frac{\cot x\,dx}{\sin x}$

43 $\int \frac{e^{2x}\,dx}{e^x+1}$

44 $\int \frac{(x+1)(x-2)}{x+3}\,dx$

Résoudre les équations différentielles suivantes.

45 $\frac{dy}{dx} = 2y\cos 2x$

46 $\frac{dy}{dx} = \frac{e^x}{e^y-e^{-y}}$

47 $e^x\,dx + \cos y\,dy = 0$

48 $y\,e^x\,dx + (y+1)\,dy = 0$

49 $x\sqrt{1-y}\,dx - \sqrt{1-x^2}\,dy = 0$

50 $dx + (y^2+xy^2)\,dy = 0$

51 Trouver l'équation d'une courbe dont la pente en tout point (x, y) est donnée par x^2+x+1 si cette courbe passe par :

a) l'origine

b) le point $(1, 2)$

RÉVISION 2.9

RÉVISION 2.9

52 Trouver l'équation d'une courbe passant par $(1, 2)$ et telle que sa pente en tout point (x, y) est donnée par $-2xy/(x^2 + 1)$.

53 Une voiture qui roule à la vitesse de 40 m/s décélère au taux de 0,8 m/s^2. Quelle distance aura-t-elle parcourue avant de s'arrêter ?

54 Vous êtes dans un ballon dirigeable qui s'élève à la vitesse de 3 m/s. Vous échappez une balle lorsque vous êtes à 500 mètres du sol. À quelle vitesse la balle touchera-t-elle le sol ? (*Note* : l'accélération causée par la force gravitationnelle est $a = -9{,}8$ m/s^2).

55 Le taux de croissance de la population d'un village est proportionnel à la population présente au temps t. Si ce village comptait 1 250 habitants en 1975 et 1 750 habitants en 1990, quelle sera la population de ce village en l'an 2020 ?

56 Supposons que l'on investisse une somme d'argent au taux annuel de 12 % composé continuellement. En combien de temps cette somme aura-t-elle triplé ?

EXERCICES

DÉFIS 2.10

Trouver les intégrales indéfinies suivantes.

1 $\displaystyle\int \frac{x^3 + 2x - 1}{x - 2}\,dx$

2 $\displaystyle\int \frac{\sin x - \cos x}{\sin x + \cos x}\,dx$

3 $\displaystyle\int \frac{dx}{x + x\ln x}$

4 $\displaystyle\int \frac{dx}{x + \sqrt{x}}$

Résoudre les équations différentielles suivantes.

5 $dx + (xy + x + 2y + 2)\,dy = 0$

6 $\cos x \cos^2 y\,dx + \sin y \sec^2 x\,dy = 0$

7 $x^2\,dx + (xy^2 + 3x + y^2 + 3)\,dy = 0$

8 Un réservoir contient initialement 400 litres d'un mélange dans lequel 100 grammes de sel sont dissous. On verse dans le réservoir au taux constant de 5 litres par minute un mélange contenant 0,6 gramme de sel par litre de mélange. Le contenu du réservoir est gardé uniforme et on en enlève au taux constant de 5 litres par minute. Déterminer la quantité de sel qu'il y a dans le réservoir après 40 minutes.

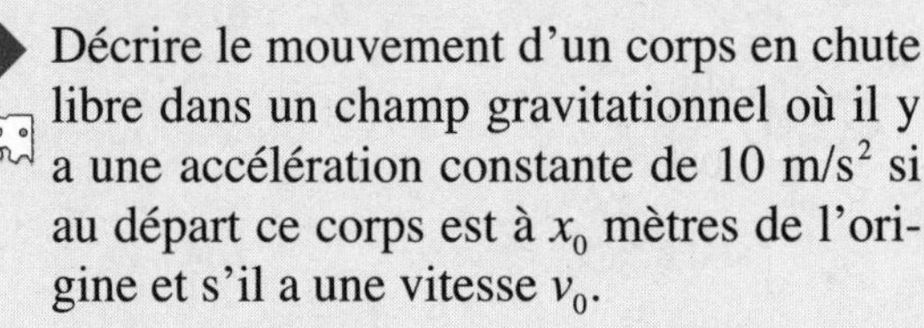

9 Décrire le mouvement d'un corps en chute libre dans un champ gravitationnel où il y a une accélération constante de 10 m/s^2 si au départ ce corps est à x_0 mètres de l'origine et s'il a une vitesse v_0.

RÉSUMÉ DU CHAPITRE

Intégrale indéfinie

$$\int f(x)\,dx = F(x) + K \qquad \text{où } F'(x) = f(x)$$

Règles de base

Règle 1	$\int du = u + K$	
Règle 2	$\int k\,u\,dx = k\int u\,dx$	où k est une constante quelconque
Règle 3	$\int (u+v)dx = \int u\,dx + \int v\,dx$	

Formules d'intégration (1 à 6)

Formule 1	$\int u^n du = \dfrac{u^{n+1}}{n+1} + K$	où $n \neq -1$
Formule 2	$\int \dfrac{du}{u} = \ln\lvert u\rvert + K$	
Formule 3	$\int a^u du = \dfrac{a^u}{\ln a} + K$	où $a \neq 1$
Formule 4	$\int e^u du = e^u + K$	
Formule 5	$\int \sin u\,du = -\cos u + K$	
Formule 6	$\int \cos u\,du = \sin u + K$	

Changement de variable

Pour ramener une intégrale à une forme connue ou à une forme plus simple à intégrer, on peut utiliser le changement de variable

$$x = g(u)$$

à la condition que g soit une fonction dérivable et qu'elle admette une fonction inverse dérivable.

Équations différentielles d'ordre 1 et de degré 1 à variables séparables

$$\frac{dy}{dx} = f(x)\,g(y)$$

On sépare les variables et on intègre.

Applications diverses

Dans toute situation que l'on peut modéliser avec une équation différentielle.

Sujet de réflexion et de discussion

Développer des arguments allant dans le sens et d'autres allant dans le sens contraire de l'énoncé suivant.

« Les mathématiques ne se développent plus de nos jours. Aucune nouveauté, aucune découverte récente n'a modifié sensiblement l'étude des mathématiques dans les dernières décennies. »

AI-JE ATTEINT MES OBJECTIFS ?

Je viens de terminer l'étude du chapitre 2 et j'estime être capable de :

- ☐ Différencier la notion de primitive et celle d'intégrale indéfinie.
- ☐ Utiliser la notation et le symbolisme reliés à l'intégrale indéfinie.
- ☐ Énoncer et utiliser les règles de base traduisant les propriétés de l'intégrale indéfinie.
- ☐ Trouver les primitives des fonctions usuelles simples.
- ☐ Énoncer et utiliser les formules d'intégration 1 à 6.
- ☐ Trouver des intégrales indéfinies se ramenant aux formules 1 à 6.
- ☐ Effectuer les manipulations algébriques requises pour trouver des intégrales indéfinies.
- ☐ Utiliser judicieusement la technique du changement de variable pour trouver des intégrales indéfinies.
- ☐ Résoudre des équations différentielles d'ordre 1 et de degré 1 à variables séparables.
- ☐ Résoudre des problèmes modélisés à l'aide d'une équation différentielle.

Notes personnelles

TEST SUR LE CHAPITRE 2

Trouver les intégrales indéfinies suivantes.

1. $\int (\sin x - 3)^7 \cos x\, dx$
2. $\int x \sqrt[3]{2x^2 + 3}\, dx$
3. $\int (x^3 - 3)^2 x\, dx$
4. $\int \frac{5x+2}{x-1}\, dx$
5. $\int \frac{\sec^2 x}{1 + \tan x}\, dx$
6. $\int x \cot (x^2 + 1)\, dx$
7. $\int \frac{(e^{\sqrt{x}} + 1)^2}{\sqrt{x}}\, dx$
8. Résoudre l'équation différentielle
$$(x^4y^2 - y^2)\, dx - (x^3y^3 + 3x^3)\, dy = 0$$
9. Trouver l'équation d'une courbe passant par l'origine et dont la pente en tout point (x, y) est donnée par $x\sqrt{1-x}$.
10. On plonge une plaque métallique chauffée à une température de 90°C dans un grand bassin d'eau à 10°C. Admettant que la température de l'eau demeure constante et sachant que la variation de température de la plaque est en tout temps proportionnelle à la différence entre T (la température de la plaque) et la température de l'eau, trouver :
    a) une équation différentielle décrivant ce phénomène;
    b) une équation exprimant T, la température de la plaque, en fonction du temps t, sachant qu'après 30 secondes on a $T = 50$°C;
    c) combien de temps il faut pour que la plaque atteigne une température de 11°C.

TEST

C H A P I T R E

Techniques d'intégration

L'atteinte des objectifs de ce chapitre conduit à l'acquisition de l'élément de compétence suivant.

« Déterminer l'intégrale indéfinie d'une fonction. »

Objectifs

A Énoncer et utiliser les principales formules d'intégration des fonctions trigonométriques.

B Effectuer des intégrations de fonctions trigonométriques.

C Utiliser la technique de l'intégration par substitution trigonométrique.

D Utiliser la complétion de carré pour intégrer des formes quadratiques.

E Énoncer et utiliser les principales formules d'intégration des fonctions contenant des formes quadratiques.

F Utiliser la technique de l'intégration par parties.

G Démontrer et utiliser des formules de réduction pour intégrer certaines formes.

H Utiliser la technique de l'intégration par fractions partielles.

I Utiliser certaines substitutions particulières pour intégrer certaines formes caractéristiques.

J Choisir judicieusement une technique d'intégration.

Préambule

Comme son titre l'indique, le présent chapitre est consacré à l'acquisition des techniques d'intégration et au développement de l'habileté à intégrer. On devient de plus en plus habile à trouver des intégrales indéfinies. Il n'y a pas de recette magique, il n'y a pas de secret autre que celui de s'exercer. Regardons le présent chapitre comme l'apprentissage d'un jeu où l'on devra respecter certaines règles et développer sa technique. Il faut bien admettre qu'intégrer c'est un peu plus difficile que dériver; d'ailleurs, on dit souvent « dérive qui veut, intègre qui peut ». Cependant, lorsqu'on constatera la puissance de l'outil, nos efforts seront récompensés.

3.1 Intégration des fonctions trigonométriques

Nous connaissons déjà deux formules d'intégration impliquant les fonctions trigonométriques sinus et cosinus. Du strict point de vue théorique, on pourrait s'appuyer sur ces deux seules formules et réussir à intégrer les fonctions trigonométriques. Cependant, le fait de toujours revenir à ces deux formules de base nous amènerait à recourir à beaucoup de manipulations dans la recherche de la solution, ce qui s'avère peu pratique. Nous allons donc établir quelques autres formules qui serviront de jalons et qui nous éviteront de refaire constamment certaines opérations de routine. Nous penserons également à différentes stratégies pour parvenir à intégrer certaines formes de fonctions trigonométriques.

3.1.1 Formules 7 à 14

Dans les formules qui suivent, u représente toujours une fonction de x et K, la constante d'intégration.

Formule 7	$\int \tan u \, du = \ln\lvert\sec u\rvert + K$
Formule 8	$\int \cot u \, du = \ln\lvert\sin u\rvert + K$
Formule 9	$\int \sec u \, du = \ln\lvert\sec u + \tan u\rvert + K$
Formule 10	$\int \operatorname{cosec} u \, du = \ln\lvert\operatorname{cosec} u - \cot u\rvert + K$
Formule 11	$\int \sec^2 u \, du = \tan u + K$
Formule 12	$\int \operatorname{cosec}^2 u \, du = -\cot u + K$
Formule 13	$\int \sec u \tan u \, du = \sec u + K$
Formule 14	$\int \operatorname{cosec} u \cot u \, du = -\operatorname{cosec} u + K$

REMARQUE

Les formules 11, 12, 13 et 14 découlent directement des formules de dérivation des fonctions tangente, cotangente, sécante et cosécante. La preuve de la formule 7 a été donnée à l'exemple 2.19. Nous avons démontré la formule 8 à l'exercice 44 de la section 2.6. Dans l'exemple qui suit, nous démontrons la formule 9. Nous démontrerons la formule 10 dans les exercices 3.2.

EXEMPLE

3.1

Montrer que $\int \sec x \, dx = \ln|\sec x + \tan x| + K$

Solution

La solution proposée ici fait appel à une astuce qui consiste à multiplier numérateur et dénominateur par sec x + tan x. Procédons :

$$\int \sec x \, dx = \int \sec x \times \frac{\sec x + \tan x}{\sec x + \tan x} dx = \int \frac{\sec^2 x + \sec x \tan x}{\sec x + \tan x} dx$$

Posons $u = \sec x + \tan x$; alors $du = (\sec x \tan x + \sec^2 x)\, dx$

Ainsi :

$$\int \frac{(\sec^2 x + \sec x \tan x)\, dx}{\sec x + \tan x} = \int \frac{du}{u} = \ln\,|u| + K = \ln\,|\sec x + \tan x| + K$$

Ce qui démontre la formule 9.

EXEMPLE

3.2

Trouver $\int x \sec(x^2 + 4)\, dx$

Solution

Posons $u = x^2 + 4$; alors $du = 2x\, dx \quad \Rightarrow \quad x\, dx = \frac{1}{2} du$

$$\int x \sec(x^2 + 4)\, dx = \int \sec(x^2 + 4)\, x\, dx = \int \sec u \left(\frac{1}{2} du\right)$$

$$= \frac{1}{2}\int \sec u\, du = \frac{1}{2}\ln\,|\sec u + \tan u| + K = \frac{1}{2}\ln\,|\sec(x^2 + 4) + \tan(x^2 + 4)| + K$$

EXEMPLE

3.3

Trouver $\int \frac{\tan 2x}{\cos 2x} dx$

Solution

$$\int \frac{\tan 2x}{\cos 2x} dx = \int \tan 2x \;\sec 2x\, dx$$

Posons $u = 2x$; alors $du = 2\, dx \quad \Rightarrow \quad dx = \frac{1}{2} du$

$$\int \tan 2x \;\sec 2x\, dx = \frac{1}{2}\int \tan u \;\sec u\, du = \frac{1}{2}\sec u + K = \frac{1}{2}\sec 2x + K$$

Remarquons encore ici qu'on pourrait emprunter un chemin différent pour arriver au résultat.

Par exemple :

$$\int \frac{\tan 2x}{\cos 2x} = \int \frac{\sin 2x}{\cos^2 2x} dx$$

Posons $u = \cos 2x$; alors $du = -2\sin 2x\,dx \Rightarrow \sin 2x\,dx = -\frac{1}{2}du$

$$\int \frac{\sin 2x}{\cos^2 2x}\,dx = \frac{-1}{2}\int \frac{du}{u^2} = \frac{-1}{2}\left(\frac{-1}{u}\right) + K = \frac{1}{2u} + K = \frac{1}{2\cos 2x} + K = \frac{1}{2}\sec 2x + K$$

EXEMPLE 3.4

Trouver $\int \frac{\tan x}{\sin 2x}\,dx$

Solution

$$\int \frac{\tan x}{\sin 2x}\,dx = \int \frac{\tan x}{2\sin x \cos x}\,dx = \int \frac{\sin x}{\cos x\,(2\sin x\cos x)}\,dx$$

$$= \int \frac{dx}{2\cos^2 x} = \frac{1}{2}\int \sec^2 x\,dx = \frac{1}{2}\tan x + K$$

EXEMPLE 3.5

Trouver $\int \frac{dx}{\sin x \cos x}$

Solution

$$\int \frac{dx}{\sin x\cos x} = \int \frac{2dx}{2\sin x\cos x} = \int \frac{2dx}{\sin 2x} = \int \operatorname{cosec} 2x\,(2dx)$$

Posons $u = 2x$; alors $du = 2\,dx$

$$\int \operatorname{cosec} 2x\,(2dx) = \int \operatorname{cosec} u\,du = \ln|\operatorname{cosec} u - \cot u| + K = \ln|\operatorname{cosec} 2x - \cot 2x| + K$$

Fondamentalement, les techniques d'intégration consistent à effectuer des transformations de manière à pouvoir se référer à l'une ou l'autre ou à plusieurs des formules d'intégration. Si le choix de ces transformations est parfois décrit comme un art, il y a cependant de nombreuses situations où la stratégie à employer est une technique qu'il faut connaître. Nous en verrons plusieurs dans le présent chapitre.

3.1.2 Produits et puissances de sinus et de cosinus

En transformant, au besoin, les fonctions trigonométriques concernées, beaucoup d'intégrales trigonométriques se ramènent à des produits et des puissances de sinus et de cosinus.

Pour étudier systématiquement les diverses possibilités, nous allons examiner trois cas. Dans les deux premiers cas, considérons des intégrales ayant la forme suivante.

$$\int \sin^m u \cos^n u\,du$$

Cas 1 : Un des exposants, m ou n, est impair

Supposons que m est un entier positif impair. Dans ce cas, on isole un facteur sin u. On transforme en cos u la puissance paire de sin u qui reste en utilisant l'identité $\sin^2 u \equiv 1 - \cos^2 u$. Maintenant, en posant $v = \cos u$, on aura une somme d'intégrales de la forme $\int v^p dv$ qu'on peut intégrer facilement à l'aide de la formule 1. Voyons un exemple.

EXEMPLE 3.6

Trouver $\int \sin^3 x \cos^2 x \, dx$

Solution

$$\int \sin^3 x \cos^2 x \, dx = \int \sin^2 x \cos^2 x \, (\sin x \, dx) = \int (1 - \cos^2 x) \cos^2 x \, (\sin x \, dx)$$

Posons $v = \cos x$; alors $dv = -\sin x \, dx \quad \Rightarrow \quad \sin x \, dx = -dv$

$$\int (1 - \cos^2 x) \cos^2 x \, (\sin x \, dx) = \int (1 - v^2) \, v^2 \, (-dv) = \int (-v^2 + v^4) \, dv$$

$$= \int (v^4 - v^2) \, dv = \frac{v^5}{5} - \frac{v^3}{3} + K = \frac{\cos^5 x}{5} - \frac{\cos^3 x}{3} + K$$

Bien sûr, si n est un entier positif impair, on procède de la même manière en isolant cette fois un facteur cos u, en transformant les cos u qui restent en sin u au moyen de l'identité $\cos^2 u \equiv 1 - \sin^2 u$ et en posant $v = \sin u$.

EXEMPLE 3.7

Trouver $\int \sqrt{\sin x} \cos^5 x \, dx$

Solution

$$\int \sqrt{\sin x} \cos^5 x \, dx = \int \sin^{1/2} x \cos^4 x \, (\cos x) \, dx = \int \sin^{1/2} x \, (\cos^2 x)^2 (\cos x \, dx)$$

$$= \int \sin^{1/2} x \, (1 - \sin^2 x)^2 (\cos x \, dx)$$

Posons $v = \sin x$; alors $dv = \cos x \, dx$

$$\int \sin^{1/2} x \, (1 - \sin^2 x)^2 (\cos x \, dx) = \int v^{1/2} \, (1 - v^2)^2 \, dv$$

$$= \int v^{1/2} (1 - 2v^2 + v^4) \, dv = \int (v^{1/2} - 2v^{5/2} + v^{9/2}) \, dv = \frac{v^{3/2}}{3/2} - 2\frac{v^{7/2}}{7/2} + \frac{v^{11/2}}{11/2} + K$$

$$= \frac{2}{3} \sin^{3/2} x - \frac{4}{7} \sin^{7/2} x + \frac{2}{11} \sin^{11/2} x + K$$

REMARQUE

Notons que, dans ce dernier exemple, l'exposant *m* n'est pas un entier. Rappelons que pour appliquer la méthode qu'on vient de décrire, il suffit qu'un des exposants soit un entier positif impair, sans aucune restriction sur l'autre exposant.

EXEMPLE 3.8

Trouver $\int \sin^7 7x \, dx$

Solution

$$\int \sin^7 7x \, dx = \int \sin^6 7x \, (\sin 7x \, dx) = \int (1 - \cos^2 7x)^3 (\sin 7x \, dx)$$

Posons $v = \cos 7x$; alors $dv = -7 \sin 7x \, dx \quad \Rightarrow \quad \sin 7x \, dx = -\frac{1}{7} dv$

$$\int (1 - \cos^2 7x)^3 (\sin 7x \, dx) = \int (1 - v^2)^3 \left(-\frac{1}{7} dv \right)$$

$$= -\frac{1}{7} \int (1 - 3v^2 + 3v^4 - v^6) \, dv = -\frac{1}{7} \left\{ v - v^3 + \frac{3v^5}{5} - \frac{v^7}{7} \right\} + K$$

$$= \frac{-v}{7} + \frac{v^3}{7} - \frac{3v^5}{35} + \frac{v^7}{49} + K = \frac{-\cos 7x}{7} + \frac{\cos^3 7x}{7} - \frac{3\cos^5 7x}{35} + \frac{\cos^7 7x}{49} + K$$

Cas 2 : Les deux exposants m et n sont pairs

Supposons maintenant que les deux exposants m et n sont des entiers positifs pairs. La méthode consiste alors à utiliser l'une ou l'autre des identités trigonométriques concernant les angles doubles, de manière à doubler l'argument (c'est-à-dire l'angle) des fonctions trigonométriques pour diminuer l'exposant. Rappelons ces identités trigonométriques.

$$\sin^2 u \equiv \frac{1 - \cos 2u}{2} \qquad \cos^2 u \equiv \frac{1 + \cos 2u}{2} \qquad \sin u \cos u \equiv \frac{\sin 2u}{2}$$

EXEMPLE 3.9

Trouver $\int \sin^2 x \, dx$

Solution

$$\int \sin^2 x \, dx = \int \left(\frac{1 - \cos 2x}{2} \right) dx = \frac{1}{2} \int (1 - \cos 2x) \, dx = \frac{1}{2} \left\{ x - \frac{\sin 2x}{2} \right\} + K = \frac{x}{2} - \frac{\sin 2x}{4} + K$$

EXEMPLE 3.10

Trouver $\int \sin^2 3x \cos^2 3x \, dx$

Solution

$$\int \sin^2 3x \cos^2 3x \, dx = \int (\sin 3x \cos 3x)^2 dx = \int \left(\frac{\sin 6x}{2} \right)^2 dx = \frac{1}{4} \int \sin^2 6x \, dx$$

$$= \frac{1}{4} \int \left(\frac{1 - \cos 12x}{2} \right) dx = \frac{1}{8} \int (1 - \cos 12x) \, dx = \frac{1}{8} \left\{ x - \frac{\sin 12x}{12} \right\} + K = \frac{x}{8} - \frac{\sin 12x}{96} + K$$

Cas 3 : Les arguments sont différents

Voyons maintenant le cas où les arguments (angles) des fonctions sinus et cosinus ne sont pas les mêmes. Dans cette situation, la stratégie d'intégration consiste à transformer les produits de sinus et de cosinus en sommes de sinus et de cosinus grâce aux identités suivantes.

$$\sin u \cos v \equiv \frac{1}{2}\big(\sin(u-v)+\sin(u+v)\big)$$

$$\sin u \sin v \equiv \frac{1}{2}\big(\cos(u-v)-\cos(u+v)\big)$$

$$\cos u \cos v \equiv \frac{1}{2}\big(\cos(u-v)+\cos(u+v)\big)$$

EXEMPLE 3.11

Démontrer l'identité $\sin u \sin v \equiv \frac{1}{2}\big(\cos(u-v)-\cos(u+v)\big)$

Solution

Partons des formules suivantes concernant les angles composés.

$$\cos(u+v) \equiv \cos u \cos v - \sin u \sin v$$
$$\cos(u-v) \equiv \cos u \cos v + \sin u \sin v$$

Soustrayons la première de la seconde. On obtient :

$$\cos(u-v)-\cos(u+v) \equiv 2\sin u \sin v$$

D'où $\sin u \sin v \equiv \frac{1}{2}\big(\cos(u-v)-\cos(u+v)\big)$

EXEMPLE 3.12

Trouver $\int \sin(x+1)\cos(x-1)\,dx$

Solution

$$\int \sin(x+1)\cos(x-1)\,dx = \int \frac{1}{2}\big(\sin((x+1)-(x-1))+\sin((x+1)+(x-1))\big)\,dx$$

$$= \frac{1}{2}\int(\sin 2+\sin 2x)\,dx = \frac{1}{2}\int \sin 2\,dx + \frac{1}{2}\int \sin 2x\,dx = \frac{\sin 2}{2}x - \frac{\cos 2x}{4} + K$$

EXEMPLE 3.13

Trouver $\int \cos^2 3x \cos x\,dx$

Solution

$$\int \cos^2 3x\ \cos x\,dx = \int\left(\frac{1+\cos 6x}{2}\right)\cos x\,dx = \frac{1}{2}\int(\cos x + \cos 6x \cos x)\,dx$$

$$= \frac{1}{2}\int \cos x \, dx + \frac{1}{2}\int \cos 6x \cos x \, dx = \frac{\sin x}{2} + \frac{1}{2}\int \frac{1}{2}\left(\cos 5x + \cos 7x\right) dx$$

$$= \frac{\sin x}{2} + \frac{1}{4}\int \cos 5x \, dx + \frac{1}{4}\int \cos 7x \, dx = \frac{\sin x}{2} + \frac{\sin 5x}{20} + \frac{\sin 7x}{28} + K$$

3.1.3 Produits et puissances de tangentes et de sécantes

Il est assez fréquent en intégration de retrouver des intégrales trigonométriques formées de produits et de puissances de tangentes et de sécantes. Ces intégrales ont la forme générale suivante.

$$\int \tan^m u \sec^n u \, du$$

Subdivisons notre étude en quatre cas.

Cas 1 : La sécante a un exposant pair

Supposons que n est un entier positif pair. La technique à utiliser consiste à isoler un facteur $\sec^2 u$. Ensuite, on transforme les sec u qui restent en fonction de tan u au moyen de l'identité $\sec^2 u \equiv 1 + \tan^2 u$. Finalement, on pose $v = \tan u$ et on obtient une somme d'intégrales de la forme $\int v^p dv$ qu'on intègre facilement à l'aide de la formule 1. Voici un exemple.

EXEMPLE 3.14

Trouver $\int \tan^2 x \sec^4 x \, dx$

Solution

$$\int \tan^2 x \sec^4 x \, dx = \int \tan^2 x \sec^2 x \, (\sec^2 x \, dx) = \int \tan^2 x \, (1 + \tan^2 x)\,(\sec^2 x \, dx)$$

Posons $v = \tan x$; alors $dv = \sec^2 x \, dx$

$$\int \tan^2 x \, (1 + \tan^2 x)\,(\sec^2 x \, dx) = \int v^2 (1 + v^2) \, dv = \int (v^2 + v^4) \, dv$$

$$= \frac{v^3}{3} + \frac{v^5}{5} + K = \frac{\tan^3 x}{3} + \frac{\tan^5 x}{5} + K$$

Cas 2 : La tangente a un exposant impair

Supposons que m est un entier positif impair. Dans ce cas, on isole un facteur sec u tan u, on exprime les tan u qui restent en fonction de sec u au moyen de l'identité $\tan^2 u \equiv \sec^2 u - 1$, on pose $v = \sec u$ et on obtient une somme d'intégrales de la forme $\int v^p dv$.

EXEMPLE 3.15

Trouver $\int \tan^3 2x \sec^3 2x \, dx$

Solution

$$\int \tan^3 2x \sec^3 2x \, dx = \int \tan^2 2x \sec^2 2x \, (\sec 2x \tan 2x \, dx)$$

$$= \int (\sec^2 2x - 1) \sec^2 2x \, (\sec 2x \tan 2x \, dx)$$

Posons $v = \sec 2x$; alors $dv = 2\sec 2x \tan 2x\, dx \Rightarrow \sec 2x \tan 2x\, dx = \frac{1}{2}dv$

$$\int(\sec^2 2x - 1)\sec^2 2x\,(\sec 2x \tan 2x\, dx) = \int(v^2 - 1)\, v^2 \left(\frac{1}{2}dv\right)$$

$$= \frac{1}{2}\int(v^4 - v^2)\, dv = \frac{1}{2}\left(\frac{v^5}{5} - \frac{v^3}{3}\right) + K = \frac{v^5}{10} - \frac{v^3}{6} + K = \frac{\sec^5 2x}{10} - \frac{\sec^3 2x}{6} + K$$

REMARQUE

Notons que les cas 1 et 2 ne sont pas mutuellement exclusifs. En effet, on peut très bien avoir une tangente avec un exposant impair avec une sécante ayant un exposant pair. Dans ce cas, on peut utiliser l'une ou l'autre des deux méthodes expliquées.

EXEMPLE 3.16

Trouver $\int \tan^3 x \sec^2 x\, dx$

Solution

Première méthode

$$\int \tan^3 x \sec^2 x\, dx = \int \tan^3 x\,(\sec^2 x\, dx)$$

Posons $u = \tan x$; alors $du = \sec^2 x\, dx$

$$\int \tan^3 x\,(\sec^2 x\, dx) = \int u^3 du = \frac{u^4}{4} + K = \frac{\tan^4 x}{4} + K$$

Seconde méthode

$$\int \tan^3 x \sec^2 x\, dx = \int \tan^2 x \sec x\,(\sec x \tan x\, dx)$$

Posons $v = \sec x$; alors $dv = \sec x \tan x\, dx$

$$\int \tan^2 x \sec x\,(\sec x \tan x\, dx) = \int(\sec^2 x - 1)\sec x\,(\sec x \tan x\, dx)$$

$$= \int(v^2 - 1)\, v\,(dv) = \int(v^3 - v)\, dv = \frac{v^4}{4} - \frac{v^2}{2} + K = \frac{\sec^4 x}{4} - \frac{\sec^2 x}{2} + K$$

Les deux réponses semblent distinctes. De fait, elles diffèrent par une constante, comme on peut le voir en transformant par exemple la première à l'aide de l'identité de base $\tan^2 x \equiv \sec^2 x - 1$:

$$\frac{\tan^4 x}{4} \equiv \frac{(\tan^2 x)^2}{4} \equiv \frac{(\sec^2 x - 1)^2}{4} \equiv \frac{\sec^4 x - 2\sec^2 x + 1}{4} \equiv \frac{\sec^4 x}{4} - \frac{\sec^2 x}{2} + \frac{1}{4}$$

Cas 3 : L'exposant $n = 0$, c'est-à-dire qu'il n'y a pas de sécante

Dans l'éventualité où l'on n'a pas de sécante, il suffit de remplacer un facteur $\tan^2 u$ par $\sec^2 u - 1$, et nous sommes ramenés à l'un des cas précédents.

EXEMPLE 3.17

Trouver $\int \tan^3 3x\,dx$

Solution

$$\int \tan^3 3x\,dx = \int \tan 3x \tan^2 3x\,dx = \int \tan 3x\,(\sec^2 3x - 1)\,dx$$

$$= \int \tan 3x \sec^2 3x\,dx - \int \tan 3x\,dx = \frac{\tan^2 3x}{6} - \frac{1}{3}\ln\left|\sec 3x\right| + K$$

EXEMPLE 3.18

Trouver $\int \tan^4 4x\,dx$

Solution

$$\int \tan^4 4x\,dx = \int \tan^2 4x \tan^2 4x\,dx = \int \tan^2 4x\,(\sec^2 4x - 1)\,dx$$

$$= \int \tan^2 4x \sec^2 4x\,dx - \int \tan^2 4x\,dx = \int \tan^2 4x \sec^2 4x\,dx - \int (\sec^2 4x - 1)\,dx$$

$$= \int \tan^2 4x \sec^2 4x\,dx - \int \sec^2 4x\,dx + \int dx = \frac{\tan^3 4x}{12} - \frac{\tan 4x}{4} + x + K$$

Cas 4 : L'exposant m est pair et l'exposant n est impair

Dans cette situation, on exprime $\tan^m u$ en fonction de $\sec u$ en utilisant l'identité $\tan^2 u \equiv \sec^2 u - 1$. On est alors conduit à des intégrales de la forme $\int \sec^p u\,du$ où p est impair. Une telle intégration se fait à l'aide d'une méthode qu'on appelle l'*intégration par parties*. Nous expliquerons cette méthode à la section 3.5.

EXERCICES 3.2

Trouver les intégrales indéfinies suivantes.

1. $\int \frac{\sin 5x}{\cos 5x}\,dx$
2. $\int x \operatorname{cosec}^2(3x^2 + 4)\,dx$
3. $\int \frac{dx}{\cos^2 6x}$
4. $\int x \cot x^2 dx$
5. $\int \frac{\cos x\,dx}{1 + \sin x}$
6. $\int \frac{1 + \sin x}{\cos x}\,dx$
7. $\int \frac{\cos 2x}{\sin x}\,dx$
8. $\int \frac{\sin 2x}{\cos^3 x \sin x}\,dx$
9. $\int \cos 2x \sin x\,dx$
10. $\int \cos^2 x \sin x\,dx$
11. $\int \cos^2 x \sin^3 x\,dx$
12. $\int \cos^2 x \sin^2 x\,dx$
13. $\int \sin 3x \sin 4x\,dx$
14. $\int \sin^4 x\,dx$
15. $\int \sin^6 x\,dx$

16 $\int \sin^2 x \cos 3x\, dx$

17 $\int \tan^4 x \sec^2 x\, dx$

18 $\int \tan^4 3x \sec^4 3x\, dx$

19 $\int \tan^3 x \sec^4 x\, dx$

20 $\int \tan^3 2x \sec^3 2x\, dx$

21 $\int \tan^5 x\, dx$

22 $\int \tan^4 (x+3)\, dx$

23 $\int \cos^2 x\, dx$

24 Démontrer la formule 10.

25 Démontrer que

$$\sin u \cos v \equiv \frac{1}{2}\left(\sin (u-v) + \sin (u+v)\right)$$

Trouver les intégrales indéfinies suivantes.

26 $\int 4 \sec^2 (2x+1)\, dx$

27 $\int \frac{\tan \sqrt{x} \sec \sqrt{x}}{\sqrt{x}}\, dx$

28 $\int \sec x \tan x\, e^{\sec x}\, dx$

29 $\int x \operatorname{cosec}^2 \left(\frac{x^2 - \pi}{3}\right) dx$

30 $\int x^2 \sec x^3\, dx$

31 $\int \frac{3 \sec^2 3x}{\tan 3x}\, dx$

32 $\int \frac{\tan x}{\cot x}\, dx$

33 $\int \frac{dx}{\tan (x+1)}$

34 $\int \sin x \sec x\, dx$

35 $\int \frac{x\, dx}{\cos (3x^2 + 1)}$

36 $\int (2 + \tan^2 5x)\, dx$

37 $\int e^x \cot^2 e^x\, dx$

38 $\int \frac{\cot 3x}{\sin 3x}\, dx$

39 $\int \frac{x \tan x^2}{\cos x^2}\, dx$

40 $\int \frac{\sec (x+5)}{\cot (x+5)}\, dx$

41 $\int \frac{dx}{1 - \cos^2 7x}$

42 $\int (\tan 3x + \sec 3x)^2\, dx$

43 $\int \frac{\sec x \tan x}{3 + 2 \sec x}\, dx$

44 $\int \sin^3 x\, dx$

45 $\int \sec^4 x\, dx$

46 $\int \operatorname{cosec}^2 7x \cot 7x\, dx$

47 $\int \frac{\operatorname{cosec} (1/x)}{\tan (1/x)} \frac{dx}{x^2}$

48 $\int \frac{\cos 2x\, dx}{\sin 4x}$

49 $\int \frac{\sin 2x + \cos 2x}{\sin 2x}\, dx$

50 Démontrer que

$$\cos u \cos v \equiv \frac{1}{2}\left(\cos (u-v) + \cos (u+v)\right)$$

51 Démontrer que

$$\operatorname{cosec} u - \cot u \equiv \tan\left(\frac{u}{2}\right)$$

Que devient alors la formule 10 si on utilise cette identité ?

52 Démontrer que

$$\sec u + \tan u \equiv \tan\left(\frac{\pi}{4} + \frac{u}{2}\right)$$

Peut-on modifier la formule 9 en utilisant cette identité ?

Trouver les intégrales indéfinies suivantes.

53 $\int \cos x \sin^6 x\, dx$

54 $\int \cos^6 x \sin x\, dx$

55 $\int \tan x \cos^2 x \sin x\, dx$

56 $\int \sin^3 2x \cos^2 2x\, dx$

3.2

57 $\int \sin^5 5x\,dx$

58 $\int \sin^{3/2} x \cos^7 x\,dx$

59 $\int \cos^7 7x\,dx$

60 $\int \sin^2 2x \cos^2 2x\,dx$

61 $\int \cos 8x \cos 9x\,dx$

62 $\int \sin^2 x \sin^2 3x\,dx$

63 $\int \sin^4 x \cos^4 x\,dx$

64 $\int \sin^7 x\,dx$

65 $\int \sin 7x \sin 3x\,dx$

66 $\int \sin 3x \cos 2x\,dx$

67 $\int \tan x \sec^4 x\,dx$

68 $\int \tan^3 3x \sec^5 3x\,dx$

69 $\int \tan^3 2x\,dx$

70 $\int \tan^4 5x\,dx$

71 $\int \sin 2x \sec^6 x\,dx$

72 $\int \sec^3 x \tan^5 x\,dx$

73 $\int \frac{1-\sin^2 x}{1+\cot^2 x}\,dx$

74 $\int \frac{\sec^4 x}{\sqrt{\tan x}}\,dx$

75 $\int \sec^2 5x \tan^3 5x\,dx$

76 $\int \sec^7 3x \sin^3 3x\,dx$

77 $\int \frac{1-2\sin^2 x}{\operatorname{cosec} 2x}\,dx$

78 $\int \cos^4 x \tan^2 x\,dx$

3.3 Substitutions trigonométriques

Les intégrales trigonométriques peuvent être très utiles pour remplacer des intégrales renfermant les formes

$$a^2 + u^2,\ a^2 - u^2,\ \sqrt{a^2 + u^2}\ ,\ \sqrt{a^2 - u^2}\ \text{ ou }\ \sqrt{u^2 - a^2}\ .$$

Pour obtenir ce remplacement, nous allons changer la variable u par une fonction trigonométrique. Pour bien comprendre et bien choisir ce changement de variable, partons des identités suivantes.

$$1 - \sin^2\theta \equiv \cos^2\theta$$
$$1 + \tan^2\theta \equiv \sec^2\theta$$
$$\sec^2\theta - 1 \equiv \tan^2\theta$$

Multiplions par a^2:

$$a^2 - a^2\sin^2\theta \equiv a^2\cos^2\theta$$
$$a^2 + a^2\tan^2\theta \equiv a^2\sec^2\theta$$
$$a^2\sec^2\theta - a^2 \equiv a^2\tan^2\theta$$

Nous pouvons facilement constater que le changement de variable

1) $u = a\sin\theta$ transforme $a^2 - u^2$ en $a^2\cos^2\theta$

2) $u = a\tan\theta$ transforme $a^2 + u^2$ en $a^2\sec^2\theta$

3) $u = a\sec\theta$ transforme $u^2 - a^2$ en $a^2\tan^2\theta$

Ces changements de variable qui transforment une expression binomiale $a^2 - u^2$, $a^2 + u^2$ ou $u^2 - a^2$ en un seul terme contenant une fonction trigonométrique s'appellent des *substitutions trigonométriques*.

3.3.1 La substitution $u = a \sin \theta$

Cette substitution trigonométrique est utilisée lorsqu'on a une forme

$$\left(a^2 - u^2\right)^n \text{ ou } \left(\sqrt{a^2 - u^2}\right)^n$$

où n est un entier positif quelconque.

EXEMPLE 3.19

Trouver $\int \sqrt{16 - x^2}\, dx$

Solution

Posons $x = 4 \sin \theta$; alors $dx = 4 \cos \theta\, d\theta$

$$\int \sqrt{16 - x^2}\, dx = \int \sqrt{16 - 16\sin^2\theta}\; 4\cos\theta\, d\theta = \int 4\sqrt{1 - \sin^2\theta}\; 4\cos\theta\, d\theta$$

$$= 16\int \cos^2\theta\, d\theta = 16\int \left(\frac{1 + \cos 2\theta}{2}\right) d\theta = 8\left\{\theta + \frac{\sin 2\theta}{2}\right\} + K$$

$$= 8\theta + 4\sin 2\theta + K = 8\theta + 4\,(2\sin\theta\cos\theta) + K = 8\theta + 8\sin\theta\cos\theta + K$$

Il faut maintenant revenir à la variable originale x. Rappelons-nous (*cf.* sous-section 2.5.2) qu'un changement de variable est possible lorsque la fonction utilisée est dérivable et inversible. Bien sûr, c'est le cas avec la fonction sinus utilisée ici. Ainsi :

$$x = 4\sin\theta \quad \Rightarrow \quad \frac{x}{4} = \sin\theta \quad \Rightarrow \quad \theta = \arcsin\left(\frac{x}{4}\right)$$

Pour obtenir la représentation des fonctions trigonométriques de l'angle θ exprimées avec la variable x, considérons le triangle rectangle suivant.

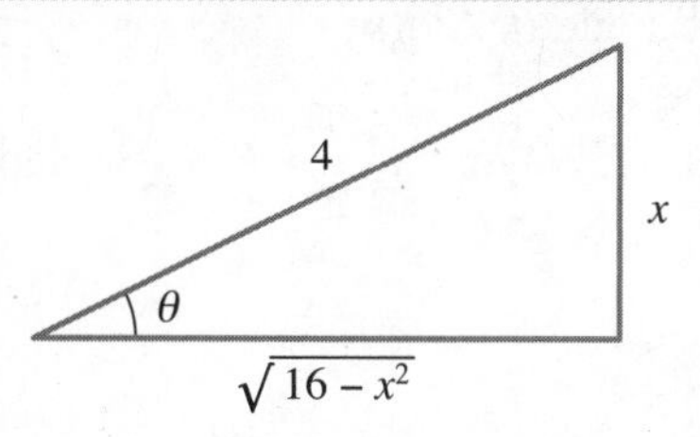

Appelons x le côté opposé à l'angle θ et 4, l'hypoténuse. Le côté adjacent à l'angle est donc $\sqrt{16 - x^2}$, selon le théorème de Pythagore. Avec ce triangle, on peut exprimer toutes les fonctions trigonométriques de l'angle θ avec la variable x. Reprenons le résultat de l'intégration.

$$8\theta + 8\sin\theta\cos\theta + K = 8\arcsin\frac{x}{4} + 8\left(\frac{x}{4}\right)\left(\frac{\sqrt{16 - x^2}}{4}\right) + K = 8\arcsin\frac{x}{4} + \frac{x\sqrt{16 - x^2}}{2} + K$$

3.3.2 La substitution $u = a \tan\theta$

Cette substitution trigonométrique est utilisée lorsqu'on a une forme

$$\left(a^2 + u^2\right)^n \text{ ou } \left(\sqrt{a^2 + u^2}\right)^n$$

où n est un entier positif quelconque.

EXEMPLE 3.20

Trouver $\int \frac{e^x dx}{4 + e^{2x}}$

Solution

Posons $u = e^x$; alors $du = e^x\, dx$

$$\int \frac{e^x dx}{4 + e^{2x}} = \int \frac{du}{4 + u^2}$$

Posons $u = 2 \tan \theta$; alors $du = 2 \sec^2\theta\, d\theta$.

$$\int \frac{du}{4 + u^2} = \int \frac{2\sec^2\theta\, d\theta}{4 + 4\tan^2\theta} = \frac{2}{4}\int \frac{\sec^2\theta}{1 + \tan^2\theta}\, d\theta = \frac{1}{2}\int \frac{\sec^2\theta}{\sec^2\theta}\, d\theta = \frac{1}{2}\theta + K$$

Pour revenir à la variable u, considérons le triangle suivant.

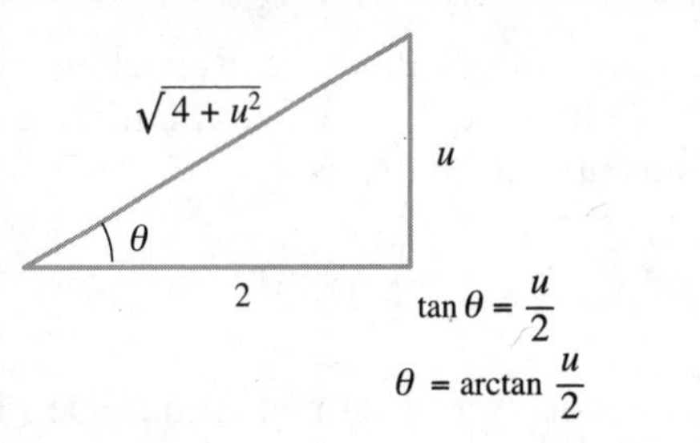

Ici, nous n'avons besoin que de l'angle θ. Alors :

$$\frac{1}{2}\theta + K = \frac{1}{2}\arctan\frac{u}{2} + K = \frac{1}{2}\arctan\frac{e^x}{2} + K$$

3.3.3 La substitution $u = a \sec\theta$

Cette substitution trigonométrique est utilisée lorsqu'on a une forme

$$\left(u^2 - a^2\right)^n \text{ ou } \left(\sqrt{u^2 - a^2}\right)^n$$

où n est un entier positif quelconque.

EXEMPLE

3.21

Trouver $\int \frac{x^3}{\sqrt{x^2-9}}\, dx$

Solution

Posons $x = 3 \sec \theta$; alors $dx = 3 \sec \theta \tan \theta \, d\theta$

$$\int \frac{x^3}{\sqrt{x^2-9}}\, dx = \int \frac{27\sec^3\theta}{\sqrt{9\sec^2\theta - 9}}\, 3\sec\theta \tan\theta \, d\theta$$

$$= \frac{81}{3}\int \frac{\sec^4\theta \tan\theta}{\tan\theta}\, d\theta = 27\int \sec^4\theta \, d\theta = 27\int \sec^2\theta \, (\sec^2\theta \, d\theta)$$

$$= 27\int (1+\tan^2\theta)\sec^2\theta \, d\theta = 27\left\{\tan\theta + \frac{\tan^3\theta}{3}\right\} + K = 27\tan\theta + 9\tan^3\theta + K$$

Pour revenir à la variable x, considérons le triangle suivant.

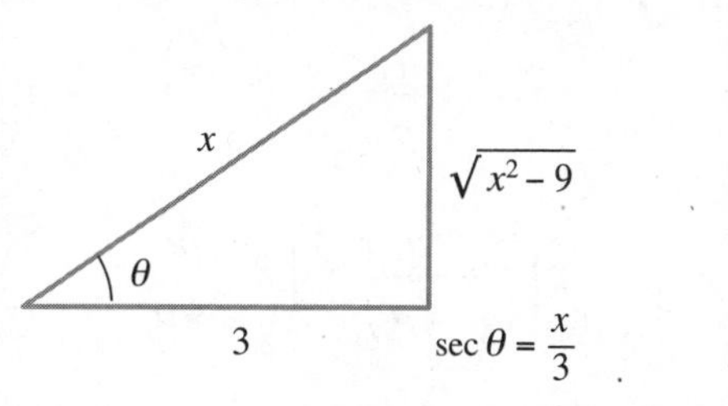

Alors :

$$27\tan\theta + 9\tan^3\theta + K = 27\frac{\sqrt{x^2-9}}{3} + 9\,\frac{(x^2-9)^{3/2}}{3^3} + K$$

$$= \sqrt{x^2-9}\left(\frac{27}{3} + \frac{9}{27}(x^2-9)\right) + K = \sqrt{x^2-9}\left(9 + \frac{x^2-9}{3}\right) + K = \frac{\sqrt{x^2-9}\,(18+x^2)}{3} + K$$

3.3.4 Expressions quadratiques

On appelle *expression quadratique* tout polynôme de degré deux, c'est-à-dire une expression de la forme suivante.

$$px^2 + qx + r$$

où x est la variable et p, q et r sont des constantes réelles ($p \neq 0$). Toute expression quadratique peut se réduire à une des formes $a^2 - u^2$, $a^2 + u^2$ ou $u^2 - a^2$. Voyons de quelle manière.

Considérons d'abord le cas particulier où l'on a l'expression quadratique $x^2 + kx$. Nous allons d'abord compléter le carré de ces deux termes en x, en ajoutant la moitié du coefficient du terme de degré 1 élevée au carré, soit $(k/2)^2$. Naturellement, pour ne pas modifier la valeur de l'expression quadratique, on soustrait le même nombre. Ainsi, de $x^2 + kx$ on passe à :

$$x^2 + kx + \left(\frac{k}{2}\right)^2 - \left(\frac{k}{2}\right)^2$$

Si on observe attentivement, les trois premiers termes forment un carré parfait, c'est-à-dire

$$\left(x+\frac{k}{2}\right)^2$$

L'expression peut alors s'écrire :

$$\left(x+\frac{k}{2}\right)^2-\left(\frac{k}{2}\right)^2$$

ce qui est de la forme $u^2 - a^2$, où $u = x + (k/2)$ et $a = k/2$.

Considérons maintenant le cas de l'expression quadratique générale $px^2 + qx + r$. Nous procédons ainsi :

$$px^2 + qx + r$$

$$p\left(x^2+\frac{q}{p}x\right)+r$$

$$p\left(x^2+\frac{q}{p}x+\left(\frac{q}{2p}\right)^2\right)+r-p\left(\frac{q}{2p}\right)^2$$

$$p\left(x+\frac{q}{2p}\right)^2+\left(r-\frac{pq^2}{4p^2}\right)$$

ce qui est une expression de la forme $u^2 + a^2$ ou $u^2 - a^2$ ou $a^2 - u^2$, selon les valeurs des constantes p, q et r.

EXEMPLE

3.22

Écrire sous la forme $u^2 + a^2$, $u^2 - a^2$ ou $a^2 - u^2$ les expressions quadratiques suivantes.

a) $x^2 + 6x - 1$

b) $2x^2 - 8x + 13$

Solution

a) $x^2 + 6x - 1$

$(x^2 + 6x + 9) - 9 - 1$

$(x + 3)^2 - 10$

$(x+3)^2-\left(\sqrt{10}\right)^2$

C'est une forme $u^2 - a^2$.

b) $2x^2 - 8x + 13$

$2\,(x^2 - 4x) + 13$

$2\,(x^2 - 4x + 4) - 2\,(4) + 13$

$2\,(x - 2)^2 + 5$

$\left(\sqrt{2}\,(x-2)\right)^2+\left(\sqrt{5}\right)^2$

C'est une forme $u^2 + a^2$.

Si toute expression quadratique peut se réduire à une forme $u^2 + a^2$, $u^2 - a^2$ ou $a^2 - u^2$, nous pouvons raisonnablement songer à une substitution trigonométrique lorsqu'une intégrale contient une expression quadratique.

EXEMPLE 3.23

Trouver $\int \frac{dx}{x^2+6x-1}$

Solution

$$\int \frac{dx}{x^2+6x-1} = \int \frac{dx}{x^2+6x+9-9-1} = \int \frac{dx}{(x+3)^2-10}$$

Posons $x+3 = \sqrt{10}\sec\theta$; alors $dx = \sqrt{10}\sec\theta\tan\theta\, d\theta$

$$\int \frac{dx}{(x+3)^2-10} = \int \frac{\sqrt{10}\sec\theta\tan\theta\, d\theta}{10\sec^2\theta-10} = \frac{\sqrt{10}}{10}\int \frac{\sec\theta\tan\theta\, d\theta}{\sec^2\theta-1} = \frac{\sqrt{10}}{10}\int \frac{\sec\theta\tan\theta}{\tan^2\theta}\, d\theta$$

$$= \frac{\sqrt{10}}{10}\int \frac{\sec\theta}{\tan\theta}\, d\theta = \frac{\sqrt{10}}{10}\int \frac{1}{\cos\theta}\,\frac{\cos\theta}{\sin\theta}\, d\theta = \frac{\sqrt{10}}{10}\int \operatorname{cosec}\theta\, d\theta = \frac{\sqrt{10}}{10}\ln\left|\operatorname{cosec}\theta - \cot\theta\right| + K$$

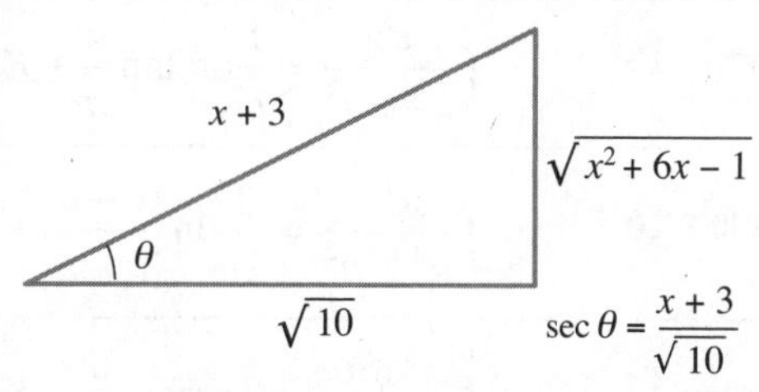

$$\int \frac{dx}{x^2+6x-1} = \frac{\sqrt{10}}{10}\ln\left|\frac{x+3}{\sqrt{x^2+6x-1}} - \frac{\sqrt{10}}{\sqrt{x^2+6x-1}}\right| + K = \frac{\sqrt{10}}{10}\ln\left|\frac{x+3-\sqrt{10}}{\sqrt{x^2+6x-1}}\right| + K$$

EXEMPLE 3.24

Trouver $\int \frac{x\, dx}{\sqrt{10x-x^2-24}}$

Solution

$$\int \frac{x\, dx}{\sqrt{10x-x^2-24}} = \int \frac{x\, dx}{\sqrt{-24-(x^2-10x)}} = \int \frac{x\, dx}{\sqrt{-24-(x^2-10x+25)+25}} = \int \frac{x\, dx}{\sqrt{1-(x-5)^2}}$$

Posons $x - 5 = \sin\theta$; alors $dx = \cos\theta\, d\theta$ et $x = 5 + \sin\theta$

$$\int \frac{x\, dx}{\sqrt{1-(x-5)^2}} = \int \frac{(5+\sin\theta)\cos\theta\, d\theta}{\sqrt{1-\sin^2\theta}} = \int \frac{(5+\sin\theta)\cos\theta\, d\theta}{\cos\theta} = \int (5+\sin\theta)\, d\theta = 5\theta - \cos\theta + K$$

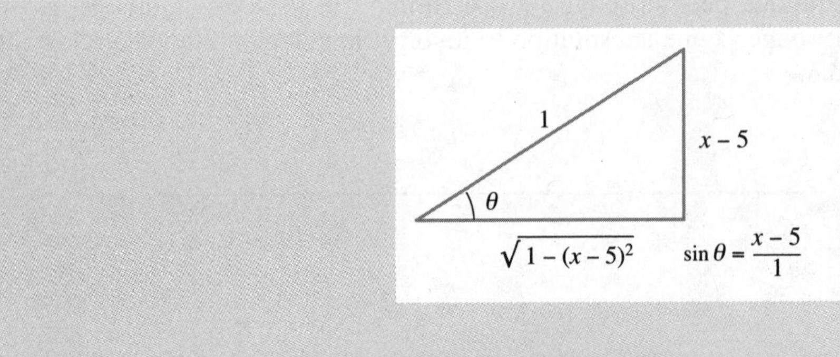

$$\int \frac{x\,dx}{\sqrt{10x - x^2 - 24}} = 5\arcsin(x-5) - \sqrt{1-(x-5)^2} + K = 5\arcsin(x-5) - \sqrt{10x - x^2 - 24} + K$$

3.3.5 Formules 15 à 19

Pour faciliter certaines intégrations dans lesquelles on trouve des expressions quadratiques, nous allons poser quelques jalons; ce sont les formules 15 à 19.

Formule 15	$\int \frac{du}{a^2 + u^2} = \frac{1}{a}\arctan\frac{u}{a} + K$
Formule 16	$\int \frac{du}{u^2 - a^2} = \frac{1}{2a}\ln\left\|\frac{u-a}{u+a}\right\| + K$
Formule 17	$\int \frac{du}{\sqrt{a^2 - u^2}} = \arcsin\frac{u}{a} + K$
Formule 18	$\int \frac{du}{\sqrt{u^2 - a^2}} = \ln\left\|u + \sqrt{u^2 - a^2}\right\| + K$
Formule 19	$\int \frac{du}{\sqrt{u^2 + a^2}} = \ln\left\|u + \sqrt{u^2 + a^2}\right\| + K$

Dans ces formules, u représente une fonction de x, a une constante positive et K la constante d'intégration. Ces cinq dernières formules se démontrent à l'aide d'une substitution trigonométrique.

EXEMPLE

3.25

Démontrer la formule 15 : $\int \frac{du}{a^2 + u^2} = \frac{1}{a}\arctan\frac{u}{a} + K$

Solution

Posons $u = a\tan\theta$; alors $du = a\sec^2\theta\,d\theta$

$$\int \frac{du}{a^2 + u^2} = \int \frac{a\sec^2\theta\,d\theta}{a^2 + a^2\tan^2\theta} = \int \frac{a\sec^2\theta\,d\theta}{a^2(1+\tan^2\theta)} = \frac{1}{a}\int \frac{\sec^2\theta}{\sec^2\theta}\,d\theta = \frac{1}{a}\int d\theta = \frac{1}{a}\theta + K$$

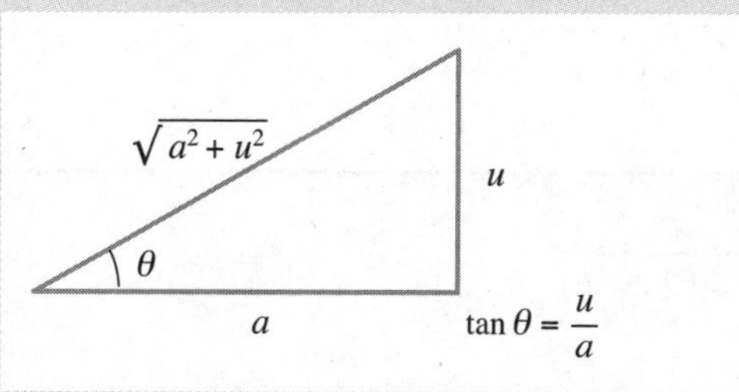

Finalement :

$$\int \frac{du}{a^2+u^2} = \frac{1}{a}\arctan\frac{u}{a} + K$$

EXEMPLE 3.26

Démontrer la formule 18 : $\int \frac{du}{\sqrt{u^2-a^2}} = \ln\left|u+\sqrt{u^2-a^2}\right| + K$

Solution

Posons $u = a \sec\theta$; alors $du = a \sec\theta \tan\theta \, d\theta$

$$\int \frac{du}{\sqrt{u^2-a^2}} = \int \frac{a\sec\theta\,\tan\theta\,d\theta}{\sqrt{a^2\sec^2\theta - a^2}} = \int \frac{a\sec\theta\,\tan\theta\,d\theta}{a\sqrt{\sec^2\theta-1}}$$

$$= \int \frac{a\sec\theta\,\tan\theta\,d\theta}{a\tan\theta} = \int \sec\theta\,d\theta = \ln\left|\sec\theta+\tan\theta\right| + K_1$$

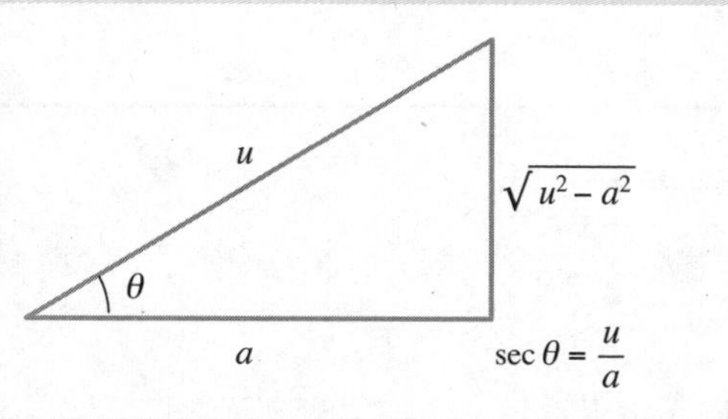

$$\int \frac{du}{\sqrt{u^2-a^2}} = \ln\left|\frac{u}{a}+\frac{\sqrt{u^2-a^2}}{a}\right| + K_1 = \ln\left|\frac{u+\sqrt{u^2-a^2}}{a}\right| + K_1$$

$$= \ln\left|u+\sqrt{u^2-a^2}\right| - \ln|a| + K_1 = \ln\left|u+\sqrt{u^2-a^2}\right| + K$$

Les autres démonstrations sont similaires. Nous les ferons comme exercices.

3.3.6 Intégration de certaines formes contenant des expressions quadratiques

Les formules 15 à 19 permettent d'intégrer les formes

$$\int \frac{\text{constante}}{\text{quadratique}}\,dx \qquad \text{et} \qquad \int \frac{\text{constante}}{\sqrt{\text{quadratique}}}\,dx$$

Il suffit de transformer l'expression quadratique présente dans l'intégrale en une forme $u^2 + a^2$, $u^2 - a^2$ ou $a^2 - u^2$.

EXEMPLE 3.27

Trouver $\int \frac{7dx}{4x^2+12x+11}$

Solution

$$\int \frac{7dx}{4x^2+12x+11} = 7\int \frac{dx}{4\left(x^2+3x+\frac{11}{4}\right)} = \frac{7}{4}\int \frac{dx}{x^2+3x+\frac{11}{4}}$$

$$= \frac{7}{4}\int \frac{dx}{x^2+3x+\frac{9}{4}-\frac{9}{4}+\frac{11}{4}} = \frac{7}{4}\int \frac{dx}{\left(x+\frac{3}{2}\right)^2+\frac{2}{4}} = \frac{7}{4}\int \frac{dx}{\left(x+\frac{3}{2}\right)^2+\left(\frac{\sqrt{2}}{2}\right)^2}$$

Posons $u = x + \frac{3}{2}$; alors $du = dx$

$$\frac{7}{4}\int \frac{dx}{\left(x+\frac{3}{2}\right)^2+\left(\frac{\sqrt{2}}{2}\right)^2} = \frac{7}{4}\int \frac{du}{u^2+\left(\frac{\sqrt{2}}{2}\right)^2} = \frac{7}{4}\times\frac{1}{\sqrt{2}/2}\arctan\frac{u}{\sqrt{2}/2}+K$$

$$= \frac{7}{2\sqrt{2}}\arctan\frac{x+(3/2)}{\sqrt{2}/2}+K = \frac{7\sqrt{2}}{4}\arctan\frac{2x+3}{\sqrt{2}}+K$$

EXEMPLE 3.28

Trouver $\int \frac{dx}{\sqrt{11-x^2-10x}}$

Solution

$$\int \frac{dx}{\sqrt{11-x^2-10x}} = \int \frac{dx}{\sqrt{11-(x^2+10x)}} = \int \frac{dx}{\sqrt{11+25-(x^2+10x+25)}} = \int \frac{dx}{\sqrt{36-(x+5)^2}}$$

$$= \int \frac{dx}{\sqrt{6^2-(x+5)^2}} = \arcsin\frac{x+5}{6}+K$$

On peut aussi intégrer les formes

$$\int \frac{\text{linéaire}}{\text{quadratique}}\,dx \quad \text{et} \quad \int \frac{\text{linéaire}}{\sqrt{\text{quadratique}}}\,dx$$

Dans ce cas, on exprime la forme linéaire au numérateur (appelons-la $hx + k$) en fonction de la dérivée de l'expression quadratique au dénominateur (disons $mx + n$).

$$hx + k \equiv \frac{h}{m}(mx+n) + \left(k - \frac{hn}{m}\right)$$

Par la suite, l'intégrale se divise en deux parties. Une d'elles a la forme du/u ou $du/\sqrt{u}$ et l'autre « constante/quadratique » ou « constante $/\sqrt{\text{quadratique}}$ ».

EXEMPLE 3.29

Trouver $\int \frac{x+2}{x^2+2x-3}\,dx$

Solution

Dans ce problème, on transforme le numérateur, $x + 2$, en fonction de la dérivée du dénominateur, $2x + 2$.

$$x+2 \equiv \frac{1}{2}(2x+2)+1$$

À partir de là on écrit :

$$\begin{aligned}\int \frac{x+2}{x^2+2x-3}\,dx = \int \frac{(1/2)\,(2x+2)+1}{x^2+2x-3}\,dx &= \frac{1}{2}\int \frac{2x+2}{x^2+2x-3}\,dx + \int \frac{dx}{x^2+2x-3}\\ &= \frac{1}{2}\ln\left|x^2+2x-3\right| + \int \frac{dx}{x^2+2x+1-4}\\ &= \frac{1}{2}\ln\left|x^2+2x-3\right| + \int \frac{dx}{(x+1)^2-2^2}\\ &= \frac{1}{2}\ln\left|x^2+2x-3\right| + \frac{1}{2\,(2)}\ln\left|\frac{x+1-2}{x+1+2}\right| + K\\ &= \frac{1}{2}\ln\left|(x-1)\,(x+3)\right| + \frac{1}{4}\ln\left|\frac{x-1}{x+3}\right| + K\\ &= \frac{1}{2}\ln|x-1| + \frac{1}{2}\ln|x+3| + \frac{1}{4}\ln|x-1| - \frac{1}{4}\ln|x+3| + K\\ &= \frac{3}{4}\ln|x-1| + \frac{1}{4}\ln|x+3| + K\end{aligned}$$

EXEMPLE 3.30

Trouver $\int \frac{x\,dx}{\sqrt{4x^2+4x+2}}$

Solution

Exprimons le numérateur en fonction de la dérivée de l'expression quadratique :

$$x \equiv \frac{1}{8}(8x+4) - \frac{1}{2}$$

Alors :

$$\begin{aligned}\int \frac{x\,dx}{\sqrt{4x^2+4x+2}} &= \frac{1}{8}\int \frac{8x+4}{\sqrt{4x^2+4x+2}}\,dx - \frac{1}{2}\int \frac{dx}{\sqrt{4x^2+4x+2}}\\ &= \frac{1}{8}\,\frac{\sqrt{4x^2+4x+2}}{1/2} - \frac{1}{2}\int \frac{dx}{\sqrt{4\,(x^2+x)+2}}\end{aligned}$$

$$= \frac{1}{4}\sqrt{4x^2+4x+2} - \frac{1}{2}\int \frac{dx}{\sqrt{4\,(x^2+x+(1/4))-1+2}}$$

$$= \frac{1}{4}\sqrt{4x^2+4x+2} - \frac{1}{2}\int \frac{dx}{\sqrt{4\,(x+(1/2))^2+1}}$$

$$= \frac{1}{4}\sqrt{4x^2+4x+2} - \frac{1}{2}\int \frac{dx}{2\,\sqrt{(x+(1/2))^2+1/4}}$$

$$= \frac{1}{4}\sqrt{4x^2+4x+2} - \frac{1}{4}\int \frac{dx}{\sqrt{(x+(1/2))^2+(1/2)^2}}$$

$$= \frac{1}{4}\sqrt{4x^2+4x+2} - \frac{1}{4}\ln\left|x+\frac{1}{2}+\sqrt{(x+(1/2))^2+(1/2)^2}\right| + K$$

$$= \frac{1}{4}\sqrt{4x^2+4x+2} - \frac{1}{4}\ln\left|x+\frac{1}{2}+\sqrt{x^2+x+(1/2)}\right| + K$$

$$= \frac{1}{4}\sqrt{4x^2+4x+2} - \frac{1}{4}\ln\left|2x+1+\sqrt{4x^2+4x+2}\right| + K$$

EXERCICES 3.4

Trouver les intégrales indéfinies suivantes.

1. $\int (16-x^2)^{-3/2}\,dx$
2. $\int \frac{\sqrt{16+x^2}}{x^4}\,dx$
3. $\int \frac{\sqrt{x^2-16}}{x}\,dx$
4. $\int \frac{dx}{x^2+8x+15}$
5. $\int \frac{x+3}{4x^2+12x+25}\,dx$
6. $\int \frac{dx}{\sqrt{24-9x^2-6x}}$
7. $\int \frac{x\,dx}{\sqrt{x^2+2x+37}}$
8. Démontrer la formule 17 :

$$\int \frac{du}{\sqrt{a^2-u^2}} = \arcsin\frac{u}{a} + K$$

Trouver les intégrales indéfinies suivantes.

9. $\int \frac{dx}{\sqrt{9-x^2}}$
10. $\int (9-x^2)^{3/2}\,dx$
11. $\int \sqrt{9-x^2}\,dx$
12. $\int \frac{x^2dx}{\sqrt{9-x^2}}$
13. $\int \frac{x\,dx}{\sqrt{9-x^2}}$
14. $\int \frac{dx}{x^2\sqrt{9-x^2}}$
15. $\int \frac{dx}{x\sqrt{9-x^2}}$
16. $\int \frac{x^2dx}{(9-x^2)^{3/2}}$
17. $\int \frac{dx}{\sqrt{9+x^2}}$

18 $\int \sqrt{9+x^2}\, dx$

19 $\int \frac{x^3 dx}{\sqrt{9+x^2}}$

20 $\int \frac{dx}{x^2\sqrt{9+x^2}}$

21 $\int \frac{dx}{\sqrt{x^2-9}}$

22 $\int \frac{dx}{x\sqrt{x^2-9}}$

23 $\int \frac{dx}{x^2+8x+1}$

24 $\int \frac{dx}{\sqrt{x^2+6x+3}}$

25 $\int \frac{3x+1}{x^2+4x+6}\, dx$

26 $\int \frac{x+1}{\sqrt{3-x^2}}\, dx$

27 $\int \frac{3x+4}{3x^2+5x-1}\, dx$

28 $\int \frac{x+3}{\sqrt{x^2+4x-5}}\, dx$

29 Démontrer la formule 16 :

$$\int \frac{du}{u^2-a^2} = \frac{1}{2a}\ln\left|\frac{u-a}{u+a}\right| + K$$

30 Démontrer la formule 19 :

$$\int \frac{du}{\sqrt{u^2+a^2}} = \ln\left|u+\sqrt{u^2+a^2}\right| + K$$

3.5 Intégration par parties

Essentiellement, les diverses méthodes d'intégration sont basées sur la technique du changement de variable. L'une d'entre elles se fonde sur un double changement de variables ; c'est l'*intégration par parties*.

3.5.1 La formule 20

L'intégration par parties est utilisée dans le cas où l'on a un produit de fonctions, généralement de natures différentes, pouvant donc être écrit sous la forme $u \times dv$. En voici le principe :

Formule 20	$\int u\, dv = uv - \int v\, du$

Cette formule provient de la formule de la différentielle d'un produit de fonctions u et v.

$$d(uv) = u\, dv + v\, du$$

$$\Rightarrow \quad u\, dv = d(uv) - v\, du$$

En intégrant, on obtient la formule 20.

$$\int u\, dv = uv - \int v\, du$$

La subtilité pratique dans l'utilisation de cette méthode d'intégration réside dans la séparation judicieuse de l'intégrale initiale en deux facteurs. Le facteur « u » doit être facilement différentiable, le facteur « dv » doit être facilement intégrable et, surtout, $\int v\, du$ doit être plus simple à intégrer que l'intégrale initiale ou, tout au moins, laisser entrevoir une possibilité de résolution.

REMARQUE

Préalablement à l'utilisation de cette méthode d'intégration, une question essentielle se pose : Quand doit-on songer à faire une intégration par parties ? Bien qu'on ne puisse donner une réponse absolue à cette question, on peut toutefois dire que la présence de deux types de fonctions de natures différentes est un indice qui doit nous amener à considérer l'intégration par parties. Par exemple, on doit songer à l'intégration par parties si l'on est en présence du produit d'une fonction polynomiale par une fonction trigonométrique, ou encore d'une fonction exponentielle multipliée par une fonction trigonométrique, etc.

3.5.2 Un exemple commenté

Supposons par exemple que nous ayons à trouver $\int x \sin x \, dx$. La présence, dans la fonction à intégrer, d'une partie polynomiale « x » et d'une partie trigonométrique « $\sin x$ » suggère de tenter l'intégration par parties. Les deux parties de la fonction à intégrer sont facilement intégrables et facilement différentiables. C'est donc l'intégrale résultante $\int v \, du$ qui nous indiquera si le choix de u et de dv est judicieux.

Posons $u = x$ et $dv = \sin x \, dx$; alors $du = dx$ et $v = -\cos x$. En appliquant la formule 20, on obtient :

$$\int x \sin x \, dx = x(-\cos x) - \int (-\cos x) \, dx$$
$$\int x \sin x \, dx = -x \cos x + \int \cos x \, dx$$

L'intégrale résultante, $\int \cos x \, dx$, se résout directement à partir de la formule 6. On a finalement :

$$\int x \sin x \, dx = -x \cos x + \sin x + K$$

Le problème est résolu. Revenons cependant sur certains aspects de la solution. D'abord, nous remarquons qu'en posant $dv = \sin x \, dx$ et en intégrant pour trouver v, on pose $v = -\cos x$ et non pas $v = -\cos x + K_0$. Avons-nous fait une erreur ? Pas vraiment, car si on pose $v = -\cos x + K_0$, alors :

$$\int x \sin x \, dx = x(-\cos x + K_0) - \int (-\cos x + K_0) \, dx$$
$$\int x \sin x \, dx = -x \cos x + K_0 x + \int \cos x \, dx - \int K_0 \, dx$$
$$\int x \sin x \, dx = -x \cos x + K_0 x + \int \cos x \, dx - K_0 x$$
$$\int x \sin x \, dx = -x \cos x + \int \cos x \, dx$$

On constate donc qu'on arrive au même point que lorsqu'on pose $v = -\cos x$. De façon générale :

$$\int u \, dv = u(v + K_0) - \int (v + K_0) \, du$$
$$\int u \, dv = uv + K_0 u - \int v \, du - K_0 u$$
$$\int u \, dv = uv - \int v \, du$$

Bref, il n'y a pas d'inconvénient à mettre une telle constante K_0, mais cela simplifie l'écriture de la faire égale à 0.

Revenons sur la manière de séparer l'intégrale en parties. Comment peut-on savoir si nous avons fait un bon choix pour u et dv ? Posons la question autrement : Que serait-il arrivé si l'on avait fait un choix différent pour u et dv ? Par exemple, supposons que $u = \sin x$ et $dv = x \, dx$; alors $du = \cos x \, dx$ et $v = x^2/2$. En appliquant la formule 20, on obtient :

$$\int x \sin x \, dx = (\sin x)\left(\frac{x^2}{2}\right) - \int \left(\frac{x^2}{2}\right) \cos x \, dx$$
$$\int x \sin x \, dx = \frac{x^2 \sin x}{2} - \frac{1}{2} \int x^2 \cos x \, dx$$

L'intégrale résultante, $\int x^2 \cos x \, dx$, est plus compliquée que l'intégrale initiale, ce qui indique un mauvais choix pour u et dv.

3.5.3 Quelques exemples typiques

Voici quelques exemples à l'intérieur desquels nous utiliserons les principales manœuvres généralement employées dans l'intégration par parties.

EXEMPLE

3.31 Trouver $\int (x^2+5)\, e^x dx$

Solution

La présence, dans la fonction à intégrer, de deux parties de natures bien distinctes suggère d'essayer une intégration par parties.

Posons $u = x^2 + 5$ et $dv = e^x\, dx$; alors $du = 2x\, dx$ et $v = e^x$

$$\int (x^2+5)\, e^x dx = (x^2+5)\, e^x - \int 2x\, e^x dx$$
$$\int (x^2+5)\, e^x dx = (x^2+5)\, e^x - 2\int x\, e^x dx$$

Nous n'avons pas immédiatement la solution pour l'intégrale résultante $\int x\, e^x dx$, mais elle semble plus simple que l'intégrale initiale puisque la partie polynomiale est de degré 1, cette fois. Pour terminer le problème, nous avons un sous-problème à résoudre, soit intégrer $\int x\, e^x dx$. Cette seconde intégrale se résout aussi par parties, en posant $u_1 = x$ et $dv_1 = e^x\, dx$. Alors $du_1 = dx$ et $v_1 = e^x$.

Ainsi : $\int x\, e^x dx = x\, e^x - \int e^x dx = x\, e^x - e^x + K_1$

Portant le résultat de ce sous-problème dans l'intégrale initiale, on a :

$$\int (x^2+5)\, e^x dx = (x^2+5)\, e^x - 2\left\{x\, e^x - e^x + K_1\right\}$$
$$\int (x^2+5)\, e^x dx = (x^2+5)\, e^x - 2x\, e^x + 2e^x - 2K_1$$
$$\int (x^2+5)\, e^x dx = e^x(x^2 - 2x + 7) + K$$

REMARQUE

Comme ce dernier exemple l'indique, il faut à l'occasion utiliser l'intégration par parties plus d'une fois dans un même problème. Nous noterons alors les divers *u* et *dv* avec des indices pour bien les démarquer.

EXEMPLE

3.32 Trouver $\int x \ln x\, dx$

Solution

Posons $u = \ln x$ et $dv = x\, dx$; alors $du = \dfrac{dx}{x}$ et $v = \dfrac{x^2}{2}$

Selon la formule 20 :

$$\int x \ln x\, dx = \frac{x^2 \ln x}{2} - \int \frac{x^2}{2}\,\frac{dx}{x} = \frac{x^2 \ln x}{2} - \frac{1}{2}\int x\, dx$$
$$\int x \ln x\, dx = \frac{x^2 \ln x}{2} - \frac{x^2}{4} + K$$

REMARQUE

L'intégration par parties peut être utilisée dans diverses circonstances. Notons toutefois qu'elle est de mise lorsqu'une des parties de la fonction à intégrer est un logarithme ou encore une fonction trigonométrique inverse.

EXEMPLE

3.33

Trouver $\int e^x \cos 2x \, dx$

Solution

Posons $u = e^x$ et $dv = \cos 2x \, dx$; alors $du = e^x \, dx$ et $v = \dfrac{\sin 2x}{2}$

$$\int e^x \cos 2x \, dx = \frac{e^x \sin 2x}{2} - \frac{1}{2}\int e^x \sin 2x \, dx \qquad \text{(A)}$$

On pourrait poursuivre en intégrant par parties l'intégrale résultante $\int e^x \sin 2x \, dx$. Nous allons plutôt procéder un peu différemment en reprenant l'intégrale initiale et en posant cette fois

$u_1 = \cos 2x$ et $dv_1 = e^x \, dx$; alors $du_1 = -2 \sin 2x \, dx$ et $v_1 = e^x$

$$\int e^x \cos 2x \, dx = e^x \cos 2x + 2\int e^x \sin 2x \, dx \qquad \text{(B)}$$

En comparant les deux équations A et B, nous constatons que l'intégrale résultante est la même ($\int e^x \sin 2x \, dx$), sauf que les coefficients la multipliant sont différents. Pour en sortir l'intégrale cherchée, faisons 4A + B.

Alors, de :

$$4\int e^x \cos 2x \, dx = 2e^x \sin 2x - 2\int e^x \sin 2x \, dx$$

$$+ \quad \int e^x \cos 2x \, dx = e^x \cos 2x + 2\int e^x \sin 2x \, dx$$

résulte :

$$5\int e^x \cos 2x \, dx = 2e^x \sin 2x + e^x \cos 2x + K_1$$

donc :

$$\int e^x \cos 2x \, dx = \frac{2e^x \sin 2x}{5} + \frac{e^x \cos 2x}{5} + K$$

Voyons maintenant un exemple qu'on peut qualifier de classique.

EXEMPLE

3.34

Trouver $\int \sec^3 x \, dx$

Solution

Réécrivons d'abord l'intégrale ainsi :

$$\int \sec^3 x \, dx = \int \sec x \sec^2 x \, dx$$

Posons $u = \sec x$ et $dv = \sec^2 x \, dx$; alors $du = \sec x \tan x \, dx$ et $v = \tan x$

$$\int \sec^3 x \, dx = \sec x \tan x - \int \sec x \tan x \tan x \, dx$$

$$\int \sec^3 x \, dx = \sec x \tan x - \int \sec x \tan^2 x \, dx$$

$$\int \sec^3 x \, dx = \sec x \tan x - \int \sec x \, (\sec^2 x - 1) \, dx$$

$$\int \sec^3 x\,dx = \sec x \tan x - \int \sec^3 x\,dx + \int \sec x\,dx$$

$$2\int \sec^3 x\,dx = \sec x \tan x + \int \sec x\,dx$$

$$2\int \sec^3 x\,dx = \sec x \tan x + \ln|\sec x + \tan x| + K_1$$

$$\int \sec^3 x\,dx = \frac{1}{2}\sec x \tan x + \frac{1}{2}\ln|\sec x + \tan x| + K$$

Cette intégrale $\int \sec^3 x\,dx$ revient assez fréquemment en intégration. Il peut donc être utile de retenir le résultat ; c'est pourquoi nous en faisons une formule, la formule 21.

Formule 21 $$\int \sec^3 u\,du = \frac{1}{2}\sec u \tan u + \frac{1}{2}\ln|\sec u + \tan u| + K$$

3.5.4 Formules de réduction

Supposons qu'on cherche l'intégrale indéfinie $\int x^6 e^x dx$

Nous procédons par parties en posant $u = x^6$ et $dv = e^x\,dx$. Alors $du = 6x^5\,dx$ et $v = e^x$

$$\int x^6 e^x dx = x^6 e^x - 6\int x^5 e^x dx$$

L'intégrale résultante est alors de la même forme que l'intégrale initiale, sauf que l'exposant de x a diminué de 1. Si l'on intègre par parties cette intégrale $\int x^5 e^x dx$, on aboutit à une forme $\int x^4 e^x dx$, c'est-à-dire que l'exposant de x a encore diminué de 1. Il faut donc refaire une troisième intégration par parties, puis une quatrième et ainsi de suite jusqu'à ce que l'exposant de x soit devenu 0. Plutôt que de répéter ce processus un grand nombre de fois, nous établirons une formule générale qui exprime $\int x^n e^x dx$ en fonction de $\int x^{n-1} e^x dx$. Par la suite, il suffit d'appliquer cette formule n fois pour obtenir le résultat désiré.

Soit $\int x^n e^x dx$ à intégrer par parties.

Posons $u = x^n$ et $dv = e^x\,dx$; alors $du = n\,x^{n-1}\,dx$ et $v = e^x$

$$\int x^n e^x dx = x^n e^x - n\int x^{n-1} e^x dx$$

Cette dernière formule s'appelle une *formule de réduction*. Elle exprime une intégrale en fonction d'une intégrale semblable où l'exposant de x est réduit. En l'appliquant six fois, on obtient :

$$\int x^6 e^x dx = x^6 e^x - 6\int x^5 e^x dx$$

$$\int x^6 e^x dx = x^6 e^x - 6\left\{x^5 e^x - 5\int x^4 e^x dx\right\}$$

$$\int x^6 e^x dx = x^6 e^x - 6x^5 e^x + 30\left\{x^4 e^x - 4\int x^3 e^x dx\right\}$$

$$\int x^6 e^x dx = x^6 e^x - 6x^5 e^x + 30x^4 e^x - 120\left\{x^3 e^x - 3\int x^2 e^x dx\right\}$$

$$\int x^6 e^x dx = x^6 e^x - 6x^5 e^x + 30x^4 e^x - 120x^3 e^x + 360\left\{x^2 e^x - 2\int x\,e^x dx\right\}$$

$$\int x^6 e^x dx = x^6 e^x - 6x^5 e^x + 30x^4 e^x - 120x^3 e^x + 360x^2 e^x - 720\left\{x\,e^x - \int e^x dx\right\}$$

$$\int x^6 e^x dx = x^6 e^x - 6x^5 e^x + 30x^4 e^x - 120x^3 e^x + 360x^2 e^x - 720x\,e^x + 720e^x + K$$

$$\int x^6 e^x dx = e^x(x^6 - 6x^5 + 30x^4 - 120x^3 + 360x^2 - 720x + 720) + K$$

EXEMPLE

3.35

Trouver une formule de réduction pour $\int \sin^n x\, dx$ et en déduire $\int \sin^6 x\, dx$

Solution

$$\int \sin^n x\, dx = \int \sin^{n-1} x\ \sin x\, dx$$

Posons $u = \sin^{n-1} x$ et $dv = \sin x\, dx$; alors $du = (n-1)\sin^{n-2} x \cos x\, dx$ et $v = -\cos x$

$$\int \sin^n x\, dx = -\sin^{n-1} x\ \cos x + \int (n-1)\sin^{n-2} x \cos x \cos x\, dx$$

$$\int \sin^n x\, dx = -\sin^{n-1} x \cos x + (n-1)\int \sin^{n-2} x \cos^2 x\, dx$$

$$\int \sin^n x\, dx = -\sin^{n-1} x \cos x + (n-1)\int \sin^{n-2} x\, (1-\sin^2 x)\, dx$$

$$\int \sin^n x\, dx = -\sin^{n-1} x \cos x + (n-1)\int \sin^{n-2} x\, dx - (n-1)\int \sin^n x\, dx$$

$$(1+(n-1))\int \sin^n x\, dx = -\sin^{n-1} x \cos x + (n-1)\int \sin^{n-2} x\, dx$$

$$n\int \sin^n x\, dx = -\sin^{n-1} x \cos x + (n-1)\int \sin^{n-2} x\, dx$$

$$\int \sin^n x\, dx = \frac{-\sin^{n-1} x \cos x}{n} + \frac{n-1}{n}\int \sin^{n-2} x\, dx$$

Voilà la formule de réduction cherchée. En l'appliquant trois fois, on a :

$$\int \sin^6 x\, dx = \frac{-\sin^5 x \cos x}{6} + \frac{5}{6}\int \sin^4 x\, dx$$

$$\int \sin^6 x\, dx = \frac{-\sin^5 x \cos x}{6} + \frac{5}{6}\left\{\frac{-\sin^3 x \cos x}{4} + \frac{3}{4}\int \sin^2 x\, dx\right\}$$

$$\int \sin^6 x\, dx = \frac{-\sin^5 x \cos x}{6} - \frac{5}{24}\sin^3 x \cos x + \frac{5}{8}\left\{\frac{-\sin x \cos x}{2} + \frac{1}{2}\int dx\right\}$$

$$\int \sin^6 x\, dx = \frac{-\sin^5 x \cos x}{6} - \frac{5}{24}\sin^3 x \cos x - \frac{5}{16}\sin x \cos x + \frac{5}{16}x + K$$

EXERCICES

3.6

Trouver les intégrales indéfinies suivantes.

1. $\int x \cos x\, dx$
2. $\int x^2 e^x dx$
3. $\int \ln^2 x\, dx$
4. $\int \arccos x\, dx$
5. $\int x \sec^2 x\, dx$
6. $\int e^{2x} \cos x\, dx$
7. En utilisant l'intégration par parties, trouver $\int \sin 2x \sin 3x\, dx$.
8. En utilisant l'intégration par parties, trouver $\int \sin \sqrt{x}\, dx$.

   (*Conseil* : posons d'abord $y = \sqrt{x}$.)
9. Trouver une formule de réduction pour $\int \sec^n x\, dx$ et en déduire $\int \sec^5 x\, dx$.
10. Trouver une formule de réduction pour $\int x^n \sin x\, dx$ et en déduire $\int x^4 \sin x\, dx$.

3.6

Trouver les intégrales indéfinies suivantes.

11 $\int x\, e^x dx$

12 $\int (2x+3) \sin x\, dx$

13 $\int x^4 \ln x\, dx$

14 $\int (4x-1)\, e^x dx$

15 $\int (x^2+1)\, e^x dx$

16 $\int (3x^2+2) \sin x\, dx$

17 $\int x^2 \ln 3x\, dx$

18 $\int x \cos 2x\, dx$

19 $\int 4x \ln x\, dx$

20 $\int \ln^3 x\, dx$

21 $\int (2x^2+3) \sin 3x\, dx$

22 $\int x^2 \cos x\, dx$

23 $\int \sin x \sin 3x\, dx$

24 $\int \cos(\ln x)\, dx$

25 $\int x \arctan x\, dx$

26 $\int \arcsin x\, dx$

27 $\int x\, 3^x dx$

28 $\int x \ln(x+1)\, dx$

29 $\int e^{2x} \sin x\, dx$

30 $\int e^{2x} \sin 5x\, dx$

31 $\int x \arccos x\, dx$

32 $\int e^{-x/2} \sin 3x\, dx$

Démontrer les formules de réduction suivantes.

33 $\int x^n e^{ax} dx = \dfrac{x^n e^{ax}}{a} - \dfrac{n}{a}\int x^{n-1} e^{ax} dx$

34 $\int \ln^n x\, dx = x \ln^n x - n\int \ln^{n-1} x\, dx$

3.7 Intégration par fractions partielles

Considérons une *fonction rationnelle*, c'est-à-dire une fonction de la forme $p(x)/q(x)$ où $p(x)$ et $q(x)$ sont des polynômes entiers en x. Une telle fonction possède toujours une intégrale indéfinie. Bien sûr, d'un point de vue pratique, on peut avoir des calculs longs et fastidieux, mais nous sommes certains que la solution existe. Expliquons la marche à suivre.

3.7.1 Méthode d'intégration par fractions partielles

D'abord, si $p(x)$ est un polynôme de degré supérieur à celui de $q(x)$ nous effectuons la division de ces polynômes : $p(x) \div q(x)$:

$$\frac{p(x)}{q(x)} \equiv s(x) + \frac{r(x)}{q(x)}$$

Le quotient $s(x)$ est un polynôme, ce que nous savons intégrer, et le reste $r(x)$ divisé par $q(x)$ constitue une *fraction rationnelle* où le numérateur est un polynôme de degré inférieur à celui du dénominateur. Une telle fraction rationnelle est dite *régulière* ou *propre*. Pour la suite de l'explication de la méthode d'intégration par fractions partielles, nous supposons que $r(x)/q(x)$ est une fraction régulière.

Ensuite, on peut décomposer le polynôme $q(x)$ en facteurs linéaires et/ou en facteurs quadratiques. De là, la fraction rationnelle $r(x)/q(x)$ se décompose en fractions partielles selon un procédé décrit dans le théorème suivant.

Théorème 3.7.1 (Théorème sur les fractions partielles)

Si $r(x)/q(x)$ est un quotient de polynômes où $r(x)$ est de degré inférieur à celui de $q(x)$, alors ce quotient peut être décomposé en une somme de fractions partielles de la manière suivante.

I. Si $q(x)$ a un facteur linéaire $(ax + b)$ non répété, alors à ce facteur correspond une fraction partielle de la forme

$$\frac{A}{ax+b}$$

où A est une constante.

II. Si $q(x)$ a un facteur linéaire $(ax + b)$ qui apparaît n fois dans la décomposition de $q(x)$, alors à ce facteur correspondent n fractions partielles de la forme

$$\frac{A_1}{ax+b}+\frac{A_2}{(ax+b)^2}+\frac{A_3}{(ax+b)^3}+\ \cdots\ +\frac{A_n}{(ax+b)^n}$$

où $A_1, A_2, A_3, \ldots, A_n$ sont des constantes.

III. Si $q(x)$ a un facteur quadratique indécomposable non répété $(ax^2 + bx + c)$, c'est-à-dire où $b^2 - 4ac < 0$, alors à ce facteur correspond une fraction partielle de la forme

$$\frac{Ax+B}{ax^2+bx+c}$$

où A et B sont des constantes.

IV. Si $q(x)$ a un facteur quadratique indécomposable $(ax^2 + bx + c)$ qui apparaît n fois dans la décomposition de $q(x)$, alors à ce facteur correspondent n fractions partielles de la forme

$$\frac{A_1x+B_1}{ax^2+bx+c}+\frac{A_2x+B_2}{(ax^2+bx+c)^2}+\ \cdots\ +\frac{A_nx+B_n}{(ax^2+bx+c)^n}$$

Enfin, puisque nous savons intégrer chacune des fractions partielles décrites dans le théorème sur les fractions partielles, on peut donc intégrer toute fraction rationnelle $r(x)/q(x)$.

3.7.2 Décomposition en fractions partielles

Pour expliquer la technique de décomposition en fractions partielles, procédons à partir d'un exemple. Soit ce qui suit à décomposer en fractions partielles :

$$\frac{9x^2-17x+6}{x^3-3x^2+2x}$$

C'est une fraction rationnelle régulière puisque le degré du numérateur est inférieur à celui du dénominateur. Décomposons le dénominateur en facteurs. On a :

$$\frac{9x^2-17x+6}{x\,(x-1)\,(x-2)}$$

Selon le théorème sur les fractions partielles, il y a trois fractions partielles :

$$\frac{A}{x}+\frac{B}{x-1}+\frac{C}{x-2}$$

Pour déterminer les constantes A, B et C, nous utilisons les propriétés des polynômes identiques. On a :

$$\frac{9x^2-17x+6}{x(x-1)(x-2)} \equiv \frac{A}{x}+\frac{B}{x-1}+\frac{C}{x-2}$$

Recomposons la fraction rationnelle du côté droit en mettant à un dénominateur commun

$$\frac{9x^2-17x+6}{x(x-1)(x-2)} \equiv \frac{A(x-1)(x-2)+Bx(x-2)+Cx(x-1)}{x(x-1)(x-2)}$$

Puisque les dénominateurs sont identiques, les numérateurs le sont également :

$$9x^2-17x+6 \equiv A(x-1)(x-2)+Bx(x-2)+Cx(x-1)$$

À partir d'ici, on peut poursuivre la recherche des constantes A, B et C de deux manières différentes.

Première manière

Puisque les polynômes sont identiques, c'est-à-dire que l'égalité est vérifiée pour toute valeur de x, on remplace x par des valeurs convenablement choisies, ce qui nous permet de trouver les constantes A, B et C.

$$9x^2-17x+6 \equiv A(x-1)(x-2)+Bx(x-2)+Cx(x-1)$$

Faisons $x = 0$:

$$9(0)^2-17(0)+6 \equiv A(0-1)(0-2)+B(0)(0-2)+C(0)(0-1)$$
$$6 = 2A$$
$$A = 3$$

Faisons $x = 1$:

$$9(1)^2-17(1)+6 \equiv A(1-1)(1-2)+B(1)(1-2)+C(1)(1-1)$$
$$-2 = -B$$
$$B = 2$$

Faisons $x = 2$:

$$9(2)^2-17(2)+6 \equiv A(2-1)(2-2)+B(2)(2-2)+C(2)(2-1)$$
$$8 = 2C$$
$$C = 4$$

D'ou la décomposition en fractions partielles

$$\frac{9x^2-17x+6}{x(x-1)(x-2)} \equiv \frac{3}{x}+\frac{2}{x-1}+\frac{4}{x-2}$$

Deuxième manière

Lorsque deux polynômes entiers en x sont identiques, les coefficients des mêmes puissances de x sont égaux. Ainsi :

$$9x^2-17x+6 \equiv A(x-1)(x-2)+Bx(x-2)+Cx(x-1)$$
$$9x^2-17x+6 \equiv A(x^2-3x+2)+B(x^2-2x)+C(x^2-x)$$
$$9x^2-17x+6 \equiv (A+B+C)x^2+(-3A-2B-C)x+2A$$

On en tire donc :

$$\begin{aligned} A + B + C &= 9 \\ -3A - 2B - C &= -17 \\ 2A &= 6 \end{aligned}$$

En résolvant ce système de trois équations à trois inconnues, on trouve $A = 3$, $B = 2$ et $C = 4$. D'où la décomposition en fractions partielles :

$$\frac{9x^2 - 17x + 6}{x(x-1)(x-2)} \equiv \frac{3}{x} + \frac{2}{x-1} + \frac{4}{x-2}$$

3.7.3 Intégration de fonctions rationnelles

Voyons quelques exemples d'intégration par fractions partielles.

EXEMPLE

3.36

Trouver $\int \frac{3x^3 + 4x^2 + 4x + 4}{x^3 + x}\, dx$

Solution

La fonction à intégrer est formée du quotient d'un polynôme de degré 3 divisé par un polynôme de degré 3. Effectuons d'abord la division polynomiale :

$$\frac{3x^3 + 4x^2 + 4x + 4}{x^3 + x} \equiv 3 + \frac{4x^2 + x + 4}{x^3 + x}$$

Décomposons maintenant en fractions partielles la fraction régulière $\frac{4x^2 + x + 4}{x^3 + x}$

$$\frac{4x^2 + x + 4}{x^3 + x} \equiv \frac{4x^2 + x + 4}{x(x^2 + 1)} \equiv \frac{A}{x} + \frac{Bx + C}{x^2 + 1}$$

$$4x^2 + x + 4 \equiv A(x^2 + 1) + (Bx + C)x$$

Faisons $x = 0$: $4 = A(0 + 1) \Rightarrow A = 4$

Faisons $x = 1$: $9 = 2(A) + B + C \Rightarrow B + C = 1$

Faisons $x = -1$: $7 = 2A + B - C \Rightarrow B - C = -1$

Des deux dernières équations, on tire que $B = 0$ et $C = 1$.

Ainsi :

$$\frac{4x^2 + x + 4}{x^3 + x} \equiv \frac{4}{x} + \frac{1}{x^2 + 1}$$

Revenons à l'intégrale :

$$\begin{aligned} \int \frac{3x^3 + 4x^2 + 4x + 4}{x^3 + x}\, dx &= \int \left(3 + \frac{4}{x} + \frac{1}{x^2 + 1}\right) dx \\ &= 3\int dx + 4\int \frac{dx}{x} + \int \frac{dx}{x^2 + 1} \\ &= 3x + 4\ln|x| + \arctan x + K \end{aligned}$$

EXEMPLE

3.37

Trouver $\int \frac{8x^3 - 42x^2 + 76x - 49}{(x-1)(x-2)^3} \, dx$

Solution

La fonction à intégrer est une fraction régulière. Décomposons-la en fractions partielles :

$$\frac{8x^3 - 42x^2 + 76x - 49}{(x-1)(x-2)^3} \equiv \frac{A}{x-1} + \frac{B}{x-2} + \frac{C}{(x-2)^2} + \frac{D}{(x-2)^3}$$

$$8x^3 - 42x^2 + 76x - 49 \equiv A(x-2)^3 + B(x-1)(x-2)^2 + C(x-1)(x-2) + D(x-1)$$

$$8x^3 - 42x^2 + 76x - 49 \equiv A(x^3 - 6x^2 + 12x - 8) + B(x^3 - 5x^2 + 8x - 4) + C(x^2 - 3x + 2) + D(x-1)$$

$$8x^3 - 42x^2 + 76x - 49 \equiv (A+B)x^3 + (-6A - 5B + C)x^2 + (12A + 8B - 3C + D)x + (-8A - 4B + 2C - D)$$

De là, on tire :

$$\begin{aligned} A + B &= 8 \\ -6A - 5B + C &= -42 \\ 12A + 8B - 3C + D &= 76 \\ -8A - 4B + 2C - D &= -49 \end{aligned}$$

En résolvant ce système de quatre équations à quatre inconnues, on trouve : $A = 7$, $B = 1$, $C = 5$ et $D = -1$.

L'intégrale devient :

$$\int \frac{8x^3 - 42x^2 + 76x - 49}{(x-1)(x-2)^3} \, dx = \int \frac{7}{x-1} \, dx + \int \frac{dx}{x-2} + \int \frac{5}{(x-2)^2} \, dx + \int \frac{-1}{(x-2)^3} \, dx$$

$$= 7 \ln|x-1| + \ln|x-2| - \frac{5}{x-2} + \frac{1}{2(x-2)^2} + K = \ln|x-1|^7 |x-2| + \frac{21 - 10x}{2(x-2)^2} + K$$

EXEMPLE

3.38

Trouver $\int \frac{x^4 + 4x^2 + 1}{x(x^2+1)^2} \, dx$

Solution

$$\frac{x^4 + 4x^2 + 1}{x(x^2+1)^2} \equiv \frac{A}{x} + \frac{Bx + C}{x^2 + 1} + \frac{Dx + E}{(x^2+1)^2}$$

$$x^4 + 4x^2 + 1 \equiv A(x^2+1)^2 + (Bx + C)x(x^2+1) + (Dx + E)x$$

$$x^4 + 4x^2 + 1 \equiv A(x^4 + 2x^2 + 1) + (Bx^2 + Cx)(x^2 + 1) + Dx^2 + Ex$$

$$x^4 + 4x^2 + 1 \equiv (A+B)x^4 + Cx^3 + (2A + B + D)x^2 + (C + E)x + A$$

De là :

$$A+B=1$$
$$C=0$$
$$2A+B+D=4$$
$$C+E=0$$
$$A=1$$

Donc : $A=1, B=0, C=0, D=2$ et $E=0$.

L'intégrale devient :

$$\int \frac{x^4+4x^2+1}{x\,(x^2+1)^2}\,dx = \int \frac{1}{x}\,dx + \int \frac{2x}{(x^2+1)^2}\,dx = \ln|x| - \frac{1}{x^2+1} + K$$

Certains changements de variables peuvent parfois amener certaines fonctions à des fonctions rationnelles. Il faut juger selon la forme de l'expression à intégrer.

EXEMPLE

3.39

Trouver $\int \frac{3e^{2x+2}+7e^{x+1}}{e^{2x+2}+e^{x+1}-2}dx$

Solution

Posons $u=e^{x+1}$; alors, $du = e^{x+1}dx \quad \Rightarrow \quad dx = \frac{du}{u}$

$$\int \frac{3e^{2x+2}+7e^{x+1}}{e^{2x+2}+e^{x+1}-2}dx = \int \frac{3u^2+7u}{u^2+u-2}\,\frac{du}{u} = \int \frac{3u+7}{u^2+u-2}du$$

Décomposons en fractions partielles

$$\frac{3u+7}{u^2+u-2} \equiv \frac{A}{u+2} + \frac{B}{u-1}$$
$$3u+7 \equiv A\,(u-1) + B\,(u+2) \equiv (A+B)\,u + (-A+2B)$$

Donc :

$$A+B=3 \qquad \text{et} \qquad -A+2B=7$$

d'où l'on tire $A=-1/3$ et $B=10/3$.

$$\int \frac{3u+7}{u^2+u-2}du = -\frac{1}{3}\int \frac{du}{u+2} + \frac{10}{3}\int \frac{du}{u-1}$$
$$= -\frac{1}{3}\ln|u+2| + \frac{10}{3}\ln|u-1| + K = \ln\left|k\,\frac{(u-1)^{10}}{(u+2)}\right|^{1/3} = \ln\left|k\,\frac{(e^{x+1}-1)^{10}}{(e^{x+1}+2)}\right|^{1/3}$$

REMARQUE

Si on a fait un changement de variable dans une intégration, il ne faut pas oublier de revenir à la variable initiale.

EXERCICES

Trouver les intégrales indéfinies suivantes.

1. $\int \frac{5x-17}{(x-4)(x-3)} dx$
2. $\int \frac{8x^2-11x-4}{x^3-x^2-2x} dx$
3. $\int \frac{(x+1)^2}{x^3+x^2+x} dx$
4. $\int \frac{5x^2+8}{x^4+4x^2} dx$
5. $\int \frac{e^x(2e^x+14)}{(e^x+1)(e^x-3)(2e^x-1)} dx$
6. $\int \frac{5x-23}{x^2-11x+10} dx$
7. $\int \frac{5x-13}{x^2-5x+6} dx$
8. $\int \frac{8x-8}{x^3-4x} dx$
9. $\int \frac{x^2-2x+6}{x^2-x-2} dx$
10. $\int \frac{2x-3}{x^3-4x} dx$
11. $\int \frac{x^3-4x^2+6x-7}{x^2-5x+6} dx$
12. $\int \frac{9x-35}{x^2-5x} dx$
13. $\int \frac{3x^2+16x+1}{x^3+8x^2+x-42} dx$
14. $\int \frac{8x^2-9x+6}{x^3-x^2} dx$
15. $\int \frac{5x^3+14x^2+10x-8}{(x+1)^3(x-2)} dx$
16. $\int \frac{x-1}{x(x+2)^3} dx$
17. $\int \frac{x^2-3x+1}{(x-1)^2(x-2)} dx$
18. $\int \frac{5x^2+3}{x^4+x^2} dx$
19. $\int \frac{2-x^2}{x^4+x^2} dx$
20. $\int \frac{6x^2+x+3}{2x^3+x} dx$
21. $\int \frac{8x^3-37x^2+39x-18}{x^4-6x^3+9x^2} dx$
22. $\int \frac{2\,dx}{x^4+2x^2}$
23. $\int \frac{(x+1)^2}{(x^2+1)^2} dx$
24. $\int \frac{5x^3+45x^2+125x+108}{x(x+3)^3} dx$
25. $\int \frac{dx}{x(x^2+1)}$
26. $\int \frac{dx}{x(x^2+1)^2}$
27. $\int \frac{x}{(x^2+1)(x^2+2)} dx$
28. $\int \frac{x^2+x+1}{x^4+x^3-2x} dx$
29. $\int \frac{3x^4+x^3+44x^2+7x+147}{x(x^2+7)^2} dx$
30. $\int \frac{3x^2-x-3}{(x+1)(x^2+x+1)} dx$
31. $\int \frac{5x^3+11x^2+12x-5}{x^4+3x^3+5x^2} dx$
32. $\int \frac{6x^3-19x^2+23x-28}{(x-1)(x-4)(x^2+x+4)} dx$
33. $\int \frac{x^5-x^4+6x^3+16x^2+3x+23}{(x^2+1)(x^2+x-2)} dx$
34. $\int \frac{10\sqrt{x}-7}{x\sqrt{x}-x} dx$
35. $\int \frac{2x^{1/2}+x^{1/4}+1}{x^{3/2}-x^{5/4}+x-x^{3/4}} dx$
36. $\int \frac{\sqrt{x}\,dx}{1+\sqrt[3]{x}}$
37. $\int \frac{7\sqrt{x-3}-3}{2(x-4)\sqrt{x-3}} dx$

3.9 Substitutions particulières

Certaines intégrales peuvent être résolues par des changements de variable particuliers. Considérons quelques cas.

3.9.1 La substitution $u^n = f(x)$

Cette substitution a pour but de se défaire d'un exposant fractionnaire dans la fonction à intégrer. La forme de l'intégrale suggère la substitution à choisir. Voyons deux exemples.

EXEMPLE

3.40

Trouver $\int \frac{x\,dx}{(x+1)^{2/3}}$

Solution

Posons $u^3 = x + 1$; alors $x = u^3 - 1$ et $dx = 3u^2\,du$.

De plus $(x + 1)^{1/3} = u$ et $(x + 1)^{2/3} = u^2$. Il est donc clair que cette substitution permet de se défaire des exposants fractionnaires.

$$\int \frac{x\,dx}{(x+1)^{2/3}} = \int \frac{(u^3-1)\,3u^2du}{u^2} = 3\int (u^3-1)\,du = 3\left(\frac{u^4}{4}-u\right)+K = 3u\left(\frac{u^3}{4}-1\right)+K$$

$$= 3\,(x+1)^{1/3}\left(\frac{x+1}{4}-1\right)+K = \frac{3}{4}(x+1)^{1/3}(x-3)+K$$

EXEMPLE

3.41

Trouver $\int \frac{\sqrt[4]{x}}{1+\sqrt{x}}\,dx$

Solution

Posons $u^4 = x$; alors $4u^3\,du = dx$, $\sqrt{x} = u^2$ et $\sqrt[4]{x} = u$.

$$\int \frac{\sqrt[4]{x}}{1+\sqrt{x}}\,dx = \int \frac{u}{1+u^2}\,4u^3du = 4\int \frac{u^4}{1+u^2}\,du$$

$$= 4\int\left(u^2-1+\frac{1}{1+u^2}\right)du = 4\left\{\frac{u^3}{3}-u+\arctan u\right\}+K$$

$$= 4u\left(\frac{u^2}{3}-1\right)+4\arctan u+K = 4\,\sqrt[4]{x}\left(\frac{\sqrt{x}-3}{3}\right)+4\arctan\sqrt[4]{x}+K$$

3.9.2 La substitution réciproque $u = 1/x$

La substitution réciproque $u = 1/x$ ou, ce qui est équivalent, $x = 1/u$ est surtout utilisée pour résoudre des intégrales de la forme :

$$\int \frac{dx}{x\sqrt{\text{quadratique}}} \qquad \text{ou} \qquad \int \frac{dx}{x^2\sqrt{\text{quadratique}}}$$

Comme nous le verrons dans les exemples suivants, la substitution réciproque transforme ces intégrales en des intégrales de la forme :

$$\int \frac{\text{constante}}{\sqrt{\text{quadratique}}}\,du \qquad \text{ou} \qquad \int \frac{\text{linéaire}}{\sqrt{\text{quadratique}}}\,du$$

Nous savons intégrer ces deux dernières formes d'intégrales.

EXEMPLE 3.42

Trouver $\int \frac{dx}{x\sqrt{x^2+2x-1}}$

Solution

Posons $x = 1/u$; alors $dx = -du/u^2$.

$$\int \frac{dx}{x\sqrt{x^2+2x-1}} = \int \frac{-du/u^2}{\frac{1}{u}\sqrt{\frac{1}{u^2}+\frac{2}{u}-1}} = -\int \frac{du}{u^2\,\frac{1}{u}\sqrt{\frac{1+2u-u^2}{u^2}}} = -\int \frac{du}{\sqrt{1+2u-u^2}}$$

$$= -\int \frac{du}{\sqrt{1-(u^2-2u)}} = -\int \frac{du}{\sqrt{1+1-(u^2-2u+1)}} = -\int \frac{du}{\sqrt{2-(u-1)^2}}$$

$$= -\arcsin\left(\frac{u-1}{\sqrt{2}}\right) + K = -\arcsin\left(\frac{(1/x)-1}{\sqrt{2}}\right) + K = -\arcsin\left(\frac{1-x}{\sqrt{2}x}\right) + K$$

EXEMPLE 3.43

Trouver $\int \frac{dx}{x^2\sqrt{5x^2+4x+1}}$

Solution

Posons $x = 1/u$; alors $dx = -du/u^2$.

$$\int \frac{dx}{x^2\sqrt{5x^2+4x+1}} = \int \frac{-du}{u^2\,\frac{1}{u^2}\sqrt{\frac{5}{u^2}+\frac{4}{u}+1}} = -\int \frac{du}{\sqrt{\frac{5+4u+u^2}{u^2}}}$$

$$= -\int \frac{u\,du}{\sqrt{u^2+4u+5}} = -\int \frac{(1/2)(2u+4)-2}{\sqrt{u^2+4u+5}}\,du = -\frac{1}{2}\int \frac{2u+4}{\sqrt{u^2+4u+5}}\,du + 2\int \frac{du}{\sqrt{u^2+4u+5}}$$

$$= -\sqrt{u^2+4u+5} + 2\int \frac{du}{\sqrt{(u+2)^2+1}} = -\sqrt{u^2+4u+5} + 2\ln\left|u+2+\sqrt{u^2+4u+5}\right| + K$$

$$= -\sqrt{\frac{1}{x^2}+\frac{4}{x}+5} + 2\ln\left|\frac{1}{x}+2+\sqrt{\frac{1}{x^2}+\frac{4}{x}+5}\right| + K$$

$$= -\frac{\sqrt{1+4x+5x^2}}{x} + 2\ln\left|\frac{1+2x+\sqrt{1+4x+5x^2}}{x}\right| + K$$

3.9.3 La substitution magique $u = \tan(x/2)$

Cette substitution est moins évidente que toutes celles que nous avons étudiées jusqu'ici. Elle est utile lorsqu'on a une fonction rationnelle de sin x et de cos x. Elle transforme l'intégrale originale en un quotient de polynômes en u. La substitution magique est aussi valable, mais moins fréquemment utilisée pour les fonctions trigonométriques autres que sin x et cos x.

La technique consiste à exprimer les fonctions trigonométriques présentes en fonction de la tangente du demi-angle, c'est-à-dire de u. Cette valeur particulière présente l'avantage de ne pas insérer de radicaux. Voyons de plus près comment chacune des fonctions trigonométriques s'exprime à l'aide de la variable u.

D'abord :

$$\sin x \equiv 2\,\sin(x/2)\cos(x/2)$$

$$\sin x \equiv \frac{2\,\sin(x/2)\cos(x/2)}{\cos^2(x/2)+\sin^2(x/2)}$$

$$\sin x \equiv \frac{\dfrac{2\,\sin(x/2)\cos(x/2)}{\cos^2(x/2)}}{\dfrac{\cos^2(x/2)+\sin^2(x/2)}{\cos^2(x/2)}}$$

$$\sin x \equiv \frac{2\,\dfrac{\sin(x/2)}{\cos(x/2)}}{1+\dfrac{\sin^2(x/2)}{\cos^2(x/2)}}$$

$$\sin x \equiv \frac{2\,\tan(x/2)}{1+\tan^2(x/2)}$$

$$\sin x \equiv \frac{2u}{1+u^2}$$

De même, on a :

$$\cos x \equiv \cos^2(x/2)-\sin^2(x/2)$$

$$\cos x \equiv \frac{\cos^2(x/2)-\sin^2(x/2)}{\cos^2(x/2)+\sin^2(x/2)}$$

$$\cos x \equiv \frac{\dfrac{\cos^2(x/2)-\sin^2(x/2)}{\cos^2(x/2)}}{\dfrac{\cos^2(x/2)+\sin^2(x/2)}{\cos^2(x/2)}}$$

$$\cos x \equiv \frac{1-\tan^2(x/2)}{1+\tan^2(x/2)}$$

$$\cos x \equiv \frac{1-u^2}{1+u^2}$$

De ces deux premiers résultats, on tire :

$$\tan x \equiv \frac{2u}{1-u^2} \qquad \cot x \equiv \frac{1-u^2}{2u} \qquad \sec x \equiv \frac{1+u^2}{1-u^2} \qquad \operatorname{cosec} x \equiv \frac{1+u^2}{2u}$$

Ajoutons également que :

$$u = \tan\left(\frac{x}{2}\right) \quad \Rightarrow \quad \frac{x}{2} = \arctan u \quad \Rightarrow \quad x = 2\arctan u \quad \Rightarrow \quad dx = \frac{2\,du}{1+u^2}$$

En bref, retenons ce qui suit :

$$u = \tan\left(\frac{x}{2}\right) \;;\quad \sin x \equiv \frac{2u}{1+u^2} \;;\quad \cos x \equiv \frac{1-u^2}{1+u^2} \;;\quad dx = \frac{2\,du}{1+u^2}$$

Voilà tout ce qu'il nous faut pour compléter le changement de variable dans une substitution magique.

EXEMPLE 3.44

Trouver $\int \frac{dx}{2+\cos x}$

Solution

Posons $u = \tan(x/2)$; alors $\cos x = \frac{1-u^2}{1+u^2}$ et $dx = \frac{2\,du}{1+u^2}$

$$\int \frac{dx}{2+\cos x} = \int \frac{2\,du/(1+u^2)}{2+\frac{1-u^2}{1+u^2}} = 2\int \frac{du}{2+2u^2+1-u^2} = 2\int \frac{du}{3+u^2}$$

$$= 2 \times \frac{1}{\sqrt{3}} \arctan\left(\frac{u}{\sqrt{3}}\right) + K = \frac{2}{\sqrt{3}} \arctan\left(\frac{\tan(x/2)}{\sqrt{3}}\right) + K$$

EXERCICES

3.10

Trouver les intégrales indéfinies suivantes.

1. $\int \frac{x-4+2\sqrt{x-2}}{2(x-2)^2-2(x-2)^{3/2}}\,dx$
2. $\int x^5\sqrt{x^3-1}\,dx$
3. $\int \frac{dx}{x\sqrt{x^2-1}}$
4. $\int \frac{dx}{x^2\sqrt{x^2+x+1}}$
5. $\int \frac{\cos x\,dx}{1+\cos x}$
6. $\int \frac{9x-\sqrt{x}-2}{2x^2-2x}\,dx$
7. $\int \frac{x+1}{\sqrt{x}}\,dx$
8. $\int \frac{(x^2-4)^{3/2}}{x}\,dx$
9. $\int \frac{(x^2+7)^{3/2}}{x}\,dx$
10. $\int x\sqrt{1-x}\,dx$
11. $\int \frac{\sqrt[3]{x+3}}{x+2}\,dx$
12. $\int x\sqrt{3x+5}\,dx$
13. $\int \frac{x\,dx}{\sqrt{5+2x}}$
14. $\int x^3\sqrt{5-x^2}\,dx$
15. $\int \frac{\sqrt{1-x^3}}{x^4}\,dx$
16. $\int \frac{dx}{x\sqrt{x^2+4x-1}}$

3.10

17 $\int \frac{dx}{x\sqrt{x^2+16x-1}}$

18 $\int \frac{dx}{x^2\sqrt{2x^2-x+3}}$

19 $\int \frac{dx}{x^2\sqrt{x^2-x+1}}$

20 $\int \frac{dx}{x\sqrt{6x-x^2}}$

21 $\int \frac{dx}{x^2\sqrt{x^2-2}}$

22 $\int \frac{dx}{(x-1)\sqrt{x^2-2x+5}}$

23 $\int \frac{dx}{(x+1)\sqrt{3-2x-x^2}}$

24 $\int \frac{dx}{x\sqrt{x^2-5}}$ en posant $x=\frac{1}{u}$

25 $\int \frac{dx}{x\sqrt{x^2-5}}$ en posant $u=\sqrt{x^2-5}$

26 $\int \frac{dx}{x\sqrt{x^2-5}}$ en posant $x=\sqrt{5}\sec\theta$

27 Expliquer les différences entre les réponses obtenues dans les trois numéros qui précèdent.

28 $\int \frac{dx}{3-\sin x}$

29 $\int \frac{dx}{\sin x}$ en posant $u=\tan\left(\frac{x}{2}\right)$

30 $\int \frac{dx}{4-5\cos x}$

31 $\int \frac{dx}{5-3\cos x}$

32 $\int \frac{dx}{2\sin x-\cos x}$

33 $\int \frac{dx}{\cot x+\operatorname{cosec} x}$

Exercices

Révision 3.11

Trouver les intégrales indéfinies suivantes.

1 $\int x\sqrt{x^2+9}\,dx$

2 $\int \frac{5dx}{9\sqrt{x}+\sqrt{x^3}}$

3 $\int \frac{e^{5x}dx}{\sqrt{1-e^{10x}}}$

4 $\int \frac{\sin x\,dx}{\sqrt{10-\cos^2 x}}$

5 $\int \frac{dx}{\sqrt{2x^2-8x+9}}$

6 $\int \frac{4x+7}{\sqrt{x^2-3x+2}}dx$

7 $\int \frac{\sin\sqrt{x}\,\cos\sqrt{x}+1}{\sqrt{x}\,\cos\sqrt{x}}dx$

8 $\int \frac{\cos x-\cos^2 x+1}{\sin x\cos x}dx$

9 $\int \frac{3x^3+4x^2+6x+2}{x^2+x+1}dx$

10 $\int \frac{3x^4-8x^3+20x^2-11x+8}{x^2-2x+5}dx$

11 Uniquement en considérant les énoncés des exercices 12 à 20 et sans chercher à résoudre, indiquer selon quel moyen, selon quelle méthode ou avec quelle substitution ou quelle transformation on peut trouver les intégrales indéfinies de ces numéros.

Trouver les intégrales indéfinies suivantes.

12 $\int (2x+1)\cos(x^2+x+3)\,dx$

13 $\int (3x^2+4x-1)\,e^x\,dx$

14 $\int \frac{x^4+x^3-x^2-2}{x^3(x^2+1)}\,dx$

15 $\int \sin^4(x+1)\,dx$

16 $\int \frac{\sqrt{x}}{x+1}\,dx$

17 $\int \frac{2x+6-\sqrt{2x+5}}{2x+5-\sqrt{2x+5}}\,dx$

18 $\int \frac{\sqrt{3+2x-x^2}}{(x-1)^2}\,dx$

19 $\int \frac{10x^2-23x+9}{x^3-4x^2+3x}\,dx$

20 $\int \arctan x\,dx$

21 Uniquement en considérant les énoncés des exercices 22 à 30 et sans chercher à résoudre, indiquer selon quel moyen, selon quelle méthode ou avec quelle substitution ou quelle transformation on peut trouver les intégrales indéfinies de ces numéros.

Trouver les intégrales indéfinies suivantes.

22 $\int \frac{x+4}{x^2-2x+3}\,dx$

23 $\int e^{2x}(x^3+1)\,dx$

24 $\int (6x^2+7x)\ln x\,dx$

25 $\int \tan^3 5x\,dx$

26 $\int \frac{12x^2-27x+3}{(x-1)(x+2)(x-3)}\,dx$

27 $\int \frac{\sin^3 2x}{\sec 2x}\,dx$

28 $\int (x+1)\arcsin x\,dx$

29 $\int \sqrt{x^2+36}\,dx$

30 $\int e^{2x}\tan(e^{2x}+2)\,dx$

31 Uniquement en considérant les énoncés des exercices 32 à 40 et sans chercher à résoudre, indiquer selon quel moyen, selon quelle méthode ou avec quelle substitution ou quelle transformation on peut trouver les intégrales indéfinies de ces numéros.

Trouver les intégrales indéfinies suivantes.

32 $\int \frac{3x^3-4x^2+6x-1}{x(x-1)^3}\,dx$

33 $\int (2x^2+3x-1)\,e^{3x}\,dx$

34 $\int \sqrt{4-x^2}\,dx$

35 $\int \frac{2x^5+3x^4+3x^3+3x^2-2}{2x^2+3x+1}\,dx$

36 $\int \frac{dx}{2+3\sin x}$

37 $\int \frac{x\,dx}{\sqrt{x+7}}$

38 $\int \arccos 6x\,dx$

39 $\int \sqrt{x^2-4}\,dx$

40 $\int (3x^2-5)\ln^2 x\,dx$

41 Uniquement en considérant les énoncés des exercices 42 à 50 et sans chercher à résoudre, indiquer selon quel moyen, selon quelle méthode ou avec quelle substitution ou quelle transformation on peut trouver les intégrales indéfinies de ces numéros.

Trouver les intégrales indéfinies suivantes.

42 $\int (2x+1)\arctan x\,dx$

43 $\int \frac{\sqrt{16-x^2}}{x}\,dx$

44 $\int \tan^3 4x\sec^3 4x\,dx$

45 $\int \frac{dx}{x\sqrt{3+x^2}}$

46 $\int (4x^3-x)\sin 2x\,dx$

47 $\int \sin 4x\sin 5x\,dx$

48 $\int e^x\cos 7x\,dx$

RÉVISION 3.11

49 $\int \frac{2\,dx}{x^3 + x}$

50 $\int (1 - x^2)^{3/2}\,dx$

Trouver les intégrales indéfinies suivantes.

51 $\int \sqrt{x^2 - 2}\,dx$

52 $\int \frac{dx}{x^3\sqrt{x^2 - 1}}$

53 $\int \frac{\left(5 + 2\sqrt{x}\right)^2}{\sqrt{x}}\,dx$

54 $\int \sqrt{\sin 2x}\,\cos^3 2x\,dx$

55 $\int \frac{6e^{2x} - 7e^x + 4}{(e^x - 1)^2}\,dx$

56 $\int \frac{\sec^4 2x}{\tan 2x}\,dx$

57 $\int \sqrt{16 - x^2}\,dx$

58 $\int (16x^2 - 1)\cos 4x\,dx$

59 $\int \frac{\sqrt{10 - x^2}}{x^2}\,dx$

60 $\int e^{5x}\sin 3x\,dx$

61 $\int \sqrt{x^2 + 4}\,dx$

62 $\int x\,e^x \sin x\,dx$

63 $\int \frac{x\,dx}{2\,(x + 3)^{3/2}}$

64 $\int (x^3 + x + 2)^2\,(3x + 1)\,dx$

65 Trouver une formule de réduction pour $\int x^3 \ln^n x\,dx$ et en déduire $\int x^3 \ln^4 x\,dx$.

66 Trouver l'équation d'une courbe passant par $(2, 0)$ et dont la pente de la tangente en tout point (x, y) est donnée par

$$\frac{1}{x^2\sqrt{x^2 - 1}}$$

Trouver les intégrales indéfinies suivantes.

67 $\int \frac{\ln x^3}{x}\,dx$

68 $\int \frac{x^2 + 2x}{x^3 + 3x^2 - 6}\,dx$

69 $\int \frac{3x - 1}{x - 2}\,dx$

70 $\int \frac{e^{\arcsin x}}{\sqrt{1 - x^2}}\,dx$

71 $\int \frac{dx}{15 - 4x - 4x^2}$

72 $\int \frac{5\,dx}{25x^2 - 30x + 8}$

73 $\int \frac{\sqrt{3}\,dx}{(3x + 2)\sqrt{3x^2 + 4x + 1}}$

74 $\int 2x\,\frac{\cot (x^2 + 1)}{\sin (x^2 + 1)}\,dx$

75 $\int \sqrt{9 - 4x^2}\,dx$

76 $\int \frac{dx}{(7 + 5x)^{1/3}}$

77 $\int \frac{3x^3 - 12x^2 + 18x - 5}{x^2 - 4x + 3}\,dx$

78 $\int \frac{dx}{5x^2 - 7}$

79 $\int x^7 \ln x\,dx$

80 $\int e^{7x}\sin 8x\,dx$

81 $\int \frac{4x^3 - 30x^2 + 70x - 50}{x^4 - 10x^3 + 35x^2 - 50x + 24}\,dx$

82 $\int \frac{dx}{3\sqrt[3]{x^2}\left(\sqrt[3]{x} - 3\right)\left(\sqrt[3]{x^2} + 3\right)}$

83 $\int \sin^2 (7x + 1)\cos^4 (7x + 1)\,dx$

84 $\int \sin^2 3x \cos^3 3x\,dx$

85 $\int \sec^7 x\,dx$

86 $\int \frac{dx}{\sqrt{x + 2}\,(x + 27)}$

87 $\int \cos^5 4x\,dx$

88 $\int \frac{dx}{\sin^6 3x}$

RÉVISION 3.11

89 $\int \cos 8x \cos 6x \, dx$

90 $\int \frac{x^3 + x - 3}{(x^2 + 2x + 2)^2} \, dx$

91 $\int \frac{dx}{\left(10x - x^2\right)^{3/2}}$

92 $\int \frac{x^2 dx}{\sqrt{x^2 - 16}}$

93 $\int \frac{(x+1)\, dx}{x\left(x^2 + 1\right)^2}$

94 $\int \frac{4e^{2x} - 9e^x - 10}{e^{2x} - 7e^x + 10} dx$

95 $\int \frac{13 \sin x \cos x + 45 \cos x}{\sin^2 x + 3 \sin x} dx$

96 $\int \frac{\tan x \sec^2 x + 23 \sec^2 x}{\sec^2 x - 3 \tan x - 11} dx$

97 $\int \tan^2 x \sec x \, dx$

98 $\int \frac{\sqrt{\sec x}}{\cot^3 x} dx$

99 $\int (\sin x + \cos x)^2 dx$

100 $\int (\tan x + \cot x)^2 dx$

101 $\int e^x \cos^3 e^x \sin^2 e^x dx$

102 $\int \frac{dx}{\sqrt{e^x + 1}}$

103 $\int \frac{e^x (e^x + 4)}{e^x - 2} dx$

104 $\int \ln (1 - \sqrt{x}) \, dx$

105 $\int \frac{\sin x \cos x}{4 - 5 \cos x} dx$

106 $\int \frac{dx}{(x+1)(5 - \ln |x+1|)^3}$

107 $\int \sqrt{x^2 + 2x + 2} \, dx$

108 $\int \sqrt{x^2 - 1} \, dx$

109 $\int \sin^{2/5} x \cos^3 x \, dx$

110 $\int \cos^4 4x \, dx$

111 $\int \sin^2 x \cos^4 x \, dx$

112 $\int \frac{dx}{(x^2 - 4x + 13)^2}$

113 $\int \frac{x^2 + 1}{(x^2 + 4x + 5)^2} dx$

114 $\int \frac{x^4 - 2x^3 + 7x^2 - 10x + 11}{(2x+1)(x^2 + 4)^2} dx$

115 $\int \frac{dx}{x^4 \sqrt{x^2 - 1}}$

116 $\int \frac{dx}{(x+2)^4 \sqrt{5 - 4x - x^2}}$

117 $\int \sqrt{100 - x^2} \, dx$

118 $\int \sqrt{x^2 - 100} \, dx$

119 $\int \sqrt{x^2 + 100} \, dx$

EXERCICES

DÉFIS 3.12

1 $\int \frac{dx}{e^x + e^{-x}}$

2 $\int \frac{x \, dx}{7 + 3x^4}$

3 $\int \frac{dx}{\sqrt{9x^2 - 18x - 216}}$

4 $\int \frac{4x^4 + 16x^2 + x + 16}{x(x^2 + 2)^2} dx$

5 $\int \frac{\sqrt{x-6} - 7}{8x - 48 + 2(x-3)\sqrt{x-6}} dx$

6 $\int \frac{4x\sqrt{2x+1} + 6\sqrt{2x+1} + 2x + 2}{(2x+1)(2x+3)\sqrt{2x+1}} dx$

7 $\int \frac{dx}{1 - \sin\left(\frac{x}{3}\right)}$

DÉFIS 3.12

Démontrer les formules de réduction suivantes.

8. $\int \text{cosec}^n x\,dx = \dfrac{-\text{cosec}^{n-2} x \cot x}{n-1} + \dfrac{n-2}{n-1}\int \text{cosec}^{n-2} x\,dx$

9. $\int x^m \ln^n x\,dx = \dfrac{x^{m+1}\ln^n x}{m+1} - \dfrac{n}{m+1}\int x^m \ln^{n-1} x\,dx$

10. $\int \cos^n x\,dx = \dfrac{\cos^{n-1} x \sin x}{n} + \dfrac{n-1}{n}\int \cos^{n-2} x\,dx$

11. $\int x^n \sin ax\,dx = \dfrac{-x^n \cos ax}{a} + \dfrac{n}{a}\int x^{n-1}\cos ax\,dx$

12. $\int x^n \cos ax\,dx = \dfrac{x^n \sin ax}{a} - \dfrac{n}{a}\int x^{n-1}\sin ax\,dx$

13. $\int \tan^n x\,dx = \dfrac{\tan^{n-1} x}{n-1} - \int \tan^{n-2} x\,dx$

14. $\int x^n \arctan x\,dx = \dfrac{x^{n+1}\arctan x}{n+1} - \dfrac{1}{n+1}\int \dfrac{x^{n+1}}{1+x^2}dx$

15. $\int x^n \sqrt{x+1}\,dx = \dfrac{2x^n}{2n+3}(x+1)^{3/2} - \dfrac{2n}{2n+3}\int x^{n-1}\sqrt{x+1}\,dx$

RÉSUMÉ DU CHAPITRE 3

Regroupement des formules d'intégration

Formule 1	$\int u^n\,du$	$= \dfrac{u^{n+1}}{n+1} + K \quad (n \neq -1)$
Formule 2	$\int \dfrac{du}{u}$	$= \ln\lvert u\rvert + K$
Formule 3	$\int a^u\,du$	$= \dfrac{a^u}{\ln a} + K \quad (a \neq 1)$
Formule 4	$\int e^u\,du$	$= e^u + K$
Formule 5	$\int \sin u\,du$	$= -\cos u + K$
Formule 6	$\int \cos u\,du$	$= \sin u + K$
Formule 7	$\int \tan u\,du$	$= \ln\lvert\sec u\rvert + K$
Formule 8	$\int \cot u\,du$	$= \ln\lvert\sin u\rvert + K$
Formule 9	$\int \sec u\,du$	$= \ln\lvert\sec u + \tan u\rvert + K$
Formule 10	$\int \operatorname{cosec} u\,du$	$= \ln\lvert\operatorname{cosec} u - \cot u\rvert + K$
Formule 11	$\int \sec^2 u\,du$	$= \tan u + K$
Formule 12	$\int \operatorname{cosec}^2 u\,du$	$= -\cot u + K$
Formule 13	$\int \sec u \tan u\,du$	$= \sec u + K$
Formule 14	$\int \operatorname{cosec} u \cot u\,du$	$= -\operatorname{cosec} u + K$
Formule 15	$\int \dfrac{du}{a^2 + u^2}$	$= \dfrac{1}{a}\arctan\dfrac{u}{a} + K$
Formule 16	$\int \dfrac{du}{u^2 - a^2}$	$= \dfrac{1}{2a}\ln\left\lvert\dfrac{u-a}{u+a}\right\rvert + K$
Formule 17	$\int \dfrac{du}{\sqrt{a^2 - u^2}}$	$= \arcsin\dfrac{u}{a} + K$

Formule 18	$\int \frac{du}{\sqrt{u^2 - a^2}}$	$= \ln\left\|u + \sqrt{u^2 - a^2}\right\| + K$
Formule 19	$\int \frac{du}{\sqrt{u^2 + a^2}}$	$= \ln\left\|u + \sqrt{u^2 + a^2}\right\| + K$
Formule 20	$\int u\, dv$	$= uv - \int v\, du$
Formule 21	$\int \sec^3 u\, du$	$= \frac{1}{2}\sec u \tan u + \frac{1}{2}\ln\left\|\sec u + \tan u\right\| + K$

Intégration des fonctions trigonométriques

Voici un tableau résumant les cas d'intégrales trigonométriques étudiés ; comme aide-mémoire, on y trouve l'élément principal du processus de solution à utiliser.

Forme d'intégrale	Aide-mémoire solution
$\int \sin^m u \cos^n u\, du$	
a) m impair	$v = \cos u$ et $dv = -\sin u\, du$
b) n impair	$v = \sin u$ et $dv = \cos u\, du$
c) m et n pairs	$\sin u \cos u \equiv \frac{\sin 2u}{2}$ $\cos^2 u \equiv \frac{1 + \cos 2u}{2}$ $\sin^2 u \equiv \frac{1 - \cos 2u}{2}$
d) arguments (angles) différents	$\sin u \cos v \equiv \frac{1}{2}\left(\sin(u - v) + \sin(u + v)\right)$ $\sin u \sin v \equiv \frac{1}{2}\left(\cos(u - v) - \cos(u + v)\right)$ $\cos u \cos v \equiv \frac{1}{2}\left(\cos(u - v) + \cos(u + v)\right)$
$\int \tan^m u \sec^n u\, du$	
a) n pair	$v = \tan u$ et $dv = \sec^2 u\, du$
b) m impair	$v = \sec u$ et $dv = \sec u \tan u\, du$
c) $n = 0$	$\tan^2 u \equiv \sec^2 u - 1$
d) n impair et m pair	$\tan^2 u \equiv \sec^2 u - 1$ et $\int \sec^p u\, du$ se fait par parties

Substitutions trigonométriques

La substitution $u = a \sin \theta$ utilisée lorsqu'on a une forme

$$\left(a^2 - u^2\right)^n \quad \text{ou} \quad \left(\sqrt{a^2 - u^2}\right)^n$$

La substitution $u = a \tan \theta$ utilisée lorsqu'on a une forme

$$\left(a^2+u^2\right)^n \quad \text{ou} \quad \left(\sqrt{a^2+u^2}\right)^n$$

La substitution $u = a \sec \theta$ utilisée lorsqu'on a une forme

$$\left(u^2-a^2\right)^n \quad \text{ou} \quad \left(\sqrt{u^2-a^2}\right)^n$$

Intégration de certaines formes contenant des expressions quadratiques

Les formules 15 à 19 nous permettent d'intégrer les formes suivantes.

$$\int \frac{\text{constante}}{\text{quadratique}}\,dx \quad \text{et} \quad \int \frac{\text{constante}}{\sqrt{\text{quadratique}}}\,dx$$

Il suffit de ramener l'expression quadratique à une des formes $u^2 + a^2$, $u^2 - a^2$ ou $a^2 - u^2$.

On peut aussi intégrer les formes

$$\int \frac{\text{linéaire}}{\text{quadratique}}\,dx \quad \text{et} \quad \int \frac{\text{linéaire}}{\sqrt{\text{quadratique}}}\,dx$$

en transformant l'expression linéaire du numérateur en fonction de la dérivée de l'expression quadratique au dénominateur.

Intégration par parties

$$\int u\,dv = uv - \int v\,du$$

Cette méthode d'intégration par parties peut servir dans diverses circonstances. Voici quelques formes où elle est de mise ainsi que ce qui est posé pour u et pour dv dans chacun des cas.

Dans ce tableau, a et b sont des constantes, r un entier positif et $P_m(x)$ un polynôme entier en x d'ordre m.

Forme	On pose
$\int e^{ax} P_m(x)\,dx$	$u = P_m(x)$ et $dv = e^{ax}\,dx$
$\int P_m(x)\,(\ln x)^r\,dx$	$u = (\ln x)^r$ et $dv = P_m(x)\,dx$
$\int P_m(x) \arctan x\,dx$	$u = \arctan x$ et $dv = P_m(x)\,dx$
$\int P_m(x) \arcsin x\,dx$	$u = \arcsin x$ et $dv = P_m(x)\,dx$
$\int P_m(x) \arccos x\,dx$	$u = \arccos x$ et $dv = P_m(x)\,dx$
$\int P_m(x) \sin ax\,dx$	$u = P_m(x)$ et $dv = \sin ax\,dx$
$\int P_m(x) \cos ax\,dx$	$u = P_m(x)$ et $dv = \cos ax\,dx$
$\int e^{ax} \sin bx\,dx$	indifféremment $u = e^{ax}$ ou $u = \sin bx$
$\int e^{ax} \cos bx\,dx$	indifféremment $u = e^{ax}$ ou $u = \cos bx$

Cette liste n'est pas exhaustive et l'intégration par parties s'utilise dans bien d'autres cas. Citons par exemple les formes $\int \sin ax \sin bx\, dx$, $\int \sin ax \cos bx\, dx$, $\int \cos ax \cos bx\, dx$, ainsi que la grande majorité des formules de réduction.

On peut aussi, par exemple, intégrer les formes $\int \sqrt{a^2 \pm x^2}\, dx$ en multipliant d'abord numérateur et dénominateur par la même expression $\sqrt{a^2 \pm x^2}$ et en procédant par parties en posant $u = x$ et

$$dv = \frac{x\, dx}{\sqrt{a^2 \pm x^2}}$$

On préfère toutefois utiliser une substitution trigonométrique dans ce dernier cas.

Intégration par fractions partielles

La méthode consiste à décomposer une fonction rationnelle régulière

$$\frac{p(x)}{q(x)}$$

en autant de fractions partielles qu'il y a de facteurs dans la décomposition du polynôme $q(x)$. Ces fractions partielles ont l'une ou l'autre des formes suivantes.

$$\frac{A}{ax+b} + \ldots + \frac{B}{(ax+b)^n} + \ldots + \frac{Cx+D}{ax^2+bx+c} + \ldots + \frac{Ex+F}{(ax^2+bx+c)^n}$$

Substitutions particulières

a) $u^n = f(x)$ pour se défaire d'un exposant fractionnaire

b) $u = \dfrac{1}{x}$ pour les formes $\displaystyle\int \frac{dx}{x\sqrt{\text{quadratique}}}$ ou $\displaystyle\int \frac{dx}{x^2\sqrt{\text{quadratique}}}$

c) $u = \tan\left(\dfrac{x}{2}\right)$ pour les formes contenant des fonctions rationnelles de $\sin x$ et $\cos x$.

$$\sin x \equiv \frac{2u}{1+u^2} \qquad \cos x \equiv \frac{1-u^2}{1+u^2} \qquad dx = \frac{2\,du}{1+u^2}$$

Sujet de réflexion et de discussion

Développer des arguments allant dans le sens et d'autres allant dans le sens contraire de l'énoncé suivant.

« Les mathématiques constituent la discipline "intégratrice" par excellence (comparée à l'histoire, la philosophie,...) puisque toutes les sciences (pures, appliquées, humaines, ...) les utilisent. »

AI-JE ATTEINT MES OBJECTIFS ?

Je viens de terminer l'étude du chapitre 3 et j'estime être capable de :

- ☐ Énoncer les principales formules d'intégration.
- ☐ Effectuer des intégrations de fonctions trigonométriques.
- ☐ Effectuer des intégrations en utilisant une substitution trigonométrique.
- ☐ Effectuer des intégrations de certaines formes contenant des expressions quadratiques.
- ☐ Effectuer des intégrations par parties.
- ☐ Démontrer des formules de réduction.
- ☐ Décomposer une fonction rationnelle régulière en fractions partielles.
- ☐ Utiliser une substitution pour intégrer une fonction contenant un exposant fractionnaire.
- ☐ Utiliser la substitution réciproque pour intégrer certaines formes particulières.
- ☐ Utiliser la substitution magique pour intégrer une fonction rationnelle de fonctions trigonométriques.
- ☐ Choisir judicieusement la technique d'intégration appropriée à chaque intégrale.

Notes personnelles

TEST SUR LE CHAPITRE 3

Trouver les intégrales indéfinies suivantes.

1. $\int \sin^3 2x \sqrt{\cos 2x}\, dx$
2. $\int \tan^4 x\, dx$
3. $\int \sqrt{4+x^2}\, dx$
4. $\int \frac{5x+3}{x^2+4x+6}\, dx$
5. $\int x^2 \ln^2 x\, dx$
6. $\int \frac{x^2-6x-3}{(x+3)^2(x^2+3)}\, dx$
7. $\int \frac{dx}{x\sqrt{1+x^2}}$
8. $\int \frac{\sin x\, dx}{1+\sin x}$
9. $\int \frac{\sqrt[3]{x+1}}{x}\, dx$
10. Démontrer la formule de réduction
$$\int x^n \cos x\, dx = x^n \sin x - n\int x^{n-1} \sin x\, dx$$

TEST

C H A P I T R E

4 L'intégrale définie

L'atteinte des objectifs de ce chapitre conduit à l'acquisition de l'élément de compétence suivant.

« Calculer l'intégrale définie d'une fonction sur un intervalle. »

Objectifs

- **A** Définir le concept d'aire et énoncer une méthode générale de calcul d'une aire.
- **B** Utiliser la notation sigma.
- **C** Établir des preuves par induction.
- **D** Définir et interpréter graphiquement les termes somme intégrale inférieure, somme intégrale supérieure, somme de Riemann et intégrale définie.
- **E** Énoncer, démontrer et appliquer le théorème fondamental du calcul intégral.
- **F** Évaluer des aires à l'aide d'une intégrale définie.

Préambule

Nous connaissons maintenant la technique d'intégration. On peut sans doute se demander pourquoi il est important d'apprendre cette technique. En fait, la meilleure justification viendra à la section 4.5 lorsque nous énoncerons le théorème fondamental du calcul. On verra alors que la limite d'une somme d'infiniment petits peut se calculer en utilisant la notion d'intégrale. Beaucoup de problèmes dont le calcul d'aires planes, le calcul d'aires de surfaces, le calcul de longueurs d'arcs, le calcul de volumes, le calcul de travail, le calcul de moments d'inertie, le calcul de pression, le calcul de centre de masse et plusieurs autres se ramènent à trouver une intégrale. Ce chapitre aborde un nouveau concept, celui de l'intégrale définie.

4.0 Introduction

Au tout début de l'étude du calcul, nous avons introduit une notion fondamentale, celle de limite. La limite a servi à définir la dérivée. À l'aide de cette notion, nous pouvons résoudre tout problème se ramenant au calcul d'une pente, d'une vitesse ou d'un taux d'accroissement. Nous connaissons déjà plusieurs utilisations de la dérivée. La notion de limite va de nouveau servir à définir un autre concept fondamental, celui d'*intégrale définie*, concept qui permet de résoudre tout problème se ramenant au calcul d'une aire plane. Nous verrons aussi plusieurs autres utilisations de l'intégrale définie.

Attaquons le problème de l'introduction de la notion d'intégrale définie en essayant de calculer des aires de figures bornées par des courbes. Si la notion de dérivée est associée au concept géométrique qu'est la pente, la notion d'intégrale définie est associée au concept géométrique d'aire d'une surface. Depuis l'Antiquité, on sait calculer des aires lorsque les figures sont bornées par des droites ou des segments de droites. Archimède a même réussi à calculer des aires de surfaces bornées par des courbes simples. Il utilisait implicitement des notions de limites même s'il ne connaissait évidemment pas le calcul différentiel et intégral. Sa technique pouvait servir dans les cas simples et elle était longue et fastidieuse. Newton et Leibniz ont toutefois introduit un résultat qui rend cette technique simple à utiliser et d'une puissance jusqu'alors insoupçonnée; c'est le théorème fondamental du calcul intégral.

4.1 Le concept d'aire

Pour comparer des surfaces ayant des formes différentes, on a imaginé mesurer l'étendue de ces surfaces. On appelle l'*aire* d'une surface la mesure de l'étendue de cette surface. Si cette définition de l'aire d'une surface semble assez simple, le calcul de l'aire est en revanche parfois assez complexe.

4.1.1 Aires de figures bornées par des lignes droites

Choisissons une unité de mesure de surface, soit un carré qui a pour côté une unité de longueur.

On dit que c'est une unité carrée. Pour mesurer la surface, il s'agit de déterminer combien de ces unités de surface on peut placer à l'intérieur de la surface. Par exemple, la surface suivante,

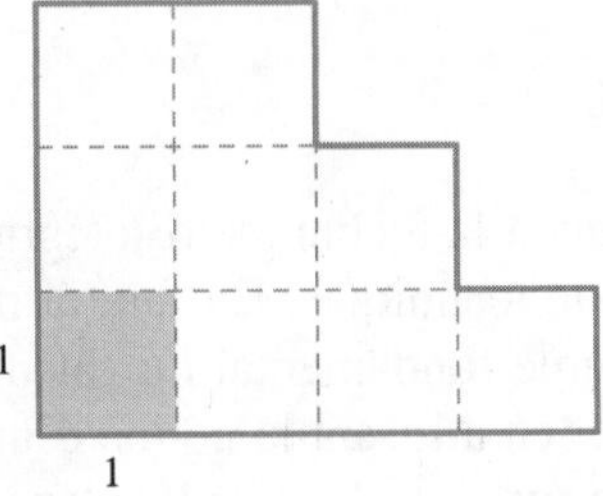

mesure 9 unités carrées, car on peut y inscrire 9 carrés de côté 1. On dit que l'aire de cette surface est 9 unités carrées. Deux surfaces sont dites *équivalentes* si elles ont la même mesure, c'est-à-dire la même aire. Par exemple, les deux surfaces suivantes sont équivalentes.

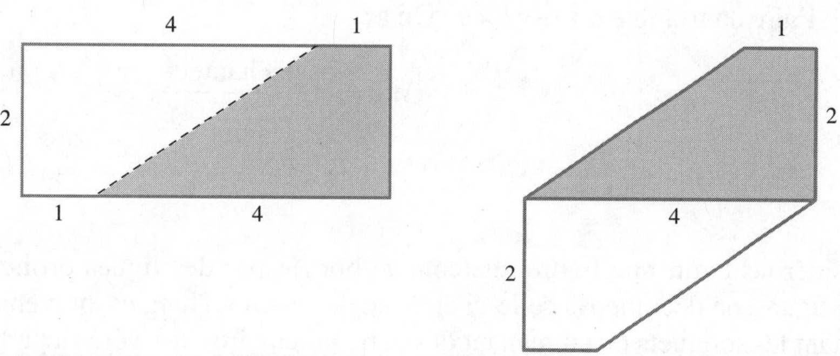

On peut constater l'équivalence si l'on découpe le rectangle de gauche selon la ligne pointillée et si l'on déplace la partie ombrée au-dessus de la partie claire. Les deux figures ont pour aire 10 unités carrées.

D'un point de vue pratique, pour mesurer l'aire d'une surface, on ne cherche pas à vérifier combien on peut y inscrire de carrés-unités. On cherche plutôt à établir des liens algébriques entre l'aire de la surface et certaines des dimensions de celle-ci. On obtient ainsi des formules qu'il sera utile de mémoriser.

Considérons d'abord un rectangle dont la base mesure b unités de longueur et la hauteur h unités de longueur.

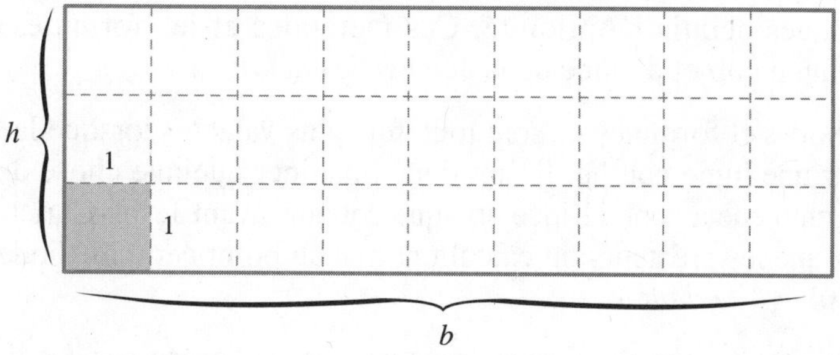

On peut alors inscrire dans le rectangle h bandes horizontales contenant chacune b carrés-unités. Ainsi, on aura au total $b \times h$ carrés-unités à l'intérieur de la surface, de sorte que l'aire du rectangle est donnée par $b \times h$, soit le produit de la base par la hauteur. On a :

$$\text{Aire} = \text{base} \times \text{hauteur}$$

$$A = b \times h$$

Cette formule demeure valable même si les nombres b et h ne sont pas des entiers mais des nombres réels quelconques.

Considérons maintenant un triangle de base b et de hauteur h. La figure suivante illustre bien que le triangle constitue la moitié d'un rectangle de même base et de même hauteur.

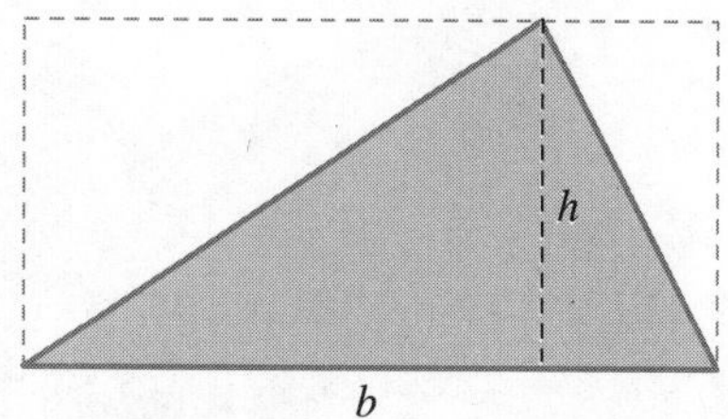

Ainsi, l'aire du triangle est $\frac{1}{2} \times b \times h$. On a :

$$\text{Aire} = \frac{\text{base} \times \text{hauteur}}{2}$$

$$A = \frac{b \times h}{2}$$

Considérons enfin une figure quelconque bornée par des lignes droites. Pour mesurer l'aire de cette figure, on décompose celle-ci en triangles et en rectangles en menant des segments de droite joignant les sommets ou en menant des perpendiculaires aux côtés à partir des sommets.

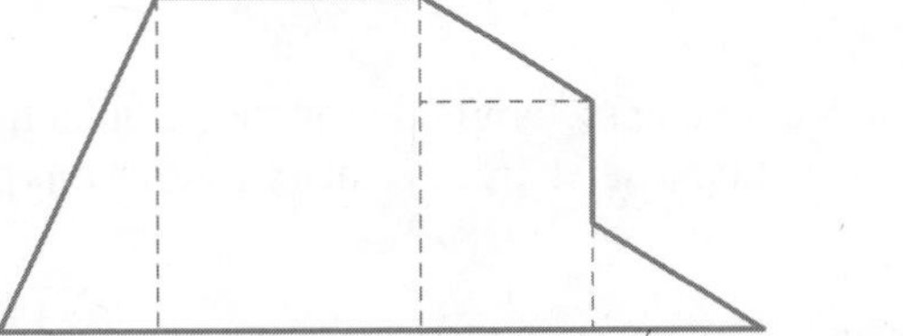

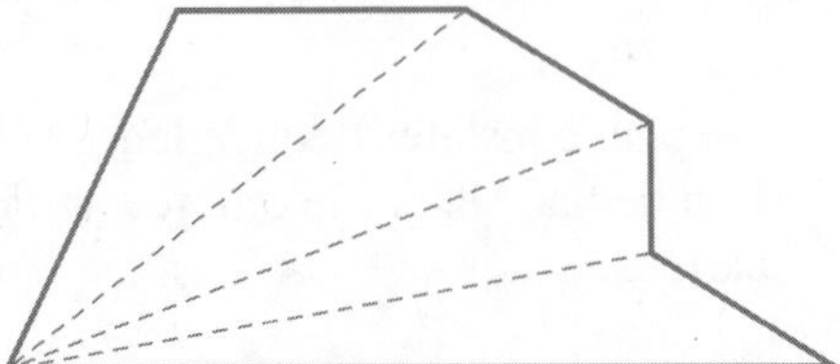

Bien sûr, ce découpage n'est pas unique. Toutefois, dans tous les cas, on peut calculer l'aire des rectangles et des triangles et, en faisant la somme, on obtient l'aire de la figure globale.

4.1.2 Aires de figures bornées par des courbes

Les méthodes géométriques utilisées pour calculer l'aire d'une figure bornée par des lignes droites sont connues depuis l'Antiquité. Ces méthodes et les formules qu'on en déduit sont encore aujourd'hui un objet d'étude de la *géométrie euclidienne*.

Ces méthodes et formules ne sont toutefois plus valables lorsque la figure est bornée en tout ou en partie par une ligne courbe. Il faut donc imaginer quelque chose de différent, une méthode différente. Archimède a conçu l'idée quelque 250 ans avant Jésus-Christ. Ce n'est que plus de 1800 ans plus tard que les créateurs du calcul ont mis au point cette méthode et en ont fait un concept précieux : l'*intégrale définie*.

L'idée de base est simple. Considérons une figure bornée par des lignes courbes. Plaçons à l'intérieur de cette figure des rectangles juxtaposés qui recouvrent le mieux possible la surface.

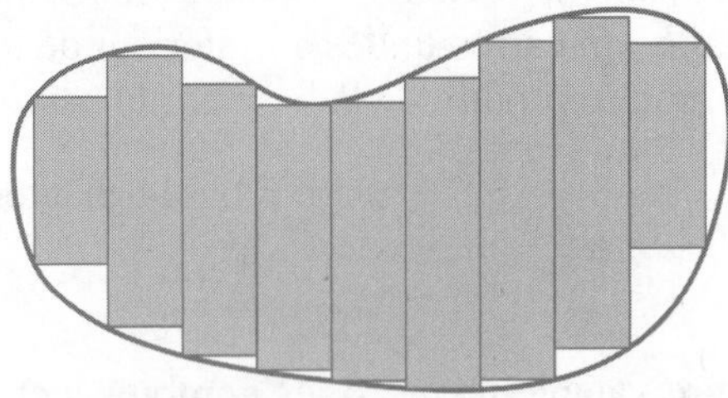

En faisant la somme des aires de ces rectangles, on obtient une approximation de l'aire de la figure étudiée. Cette approximation sera meilleure si l'on utilise des rectangles plus petits (plus étroits) mais plus nombreux.

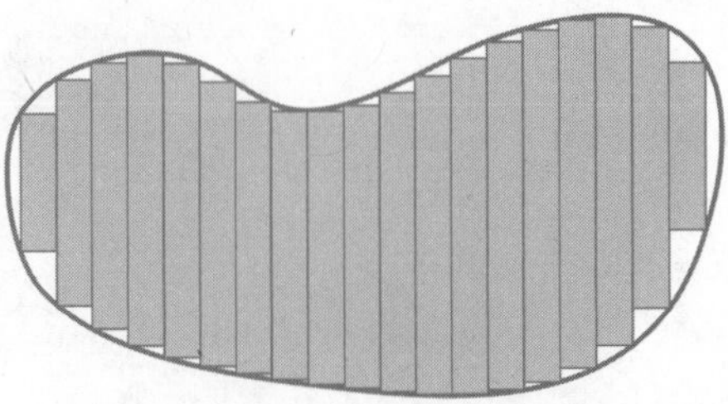

On peut poursuivre l'amélioration de cette approximation en considérant des rectangles encore plus étroits et encore plus nombreux. Il est clair que les rectangles recouvrent de mieux en mieux la figure considérée.

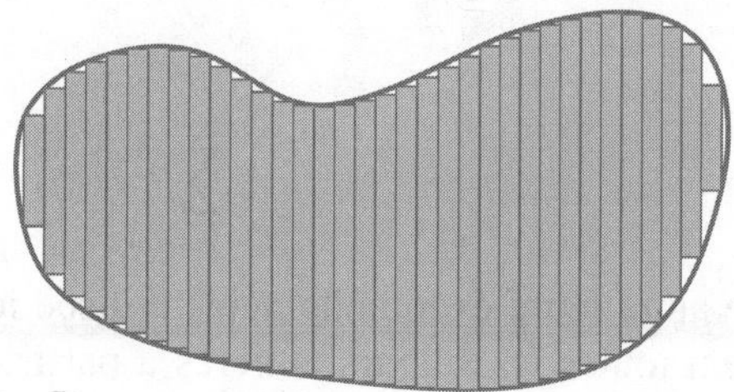

Voilà l'idée, conçue d'abord par Archimède, qui sera précisée et formalisée par les créateurs du calcul.

EXEMPLE 4.1

Pour évaluer approximativement l'aire d'un lac, on a mesuré la distance entre les deux rives à des intervalles de 30 mètres. On obtient :

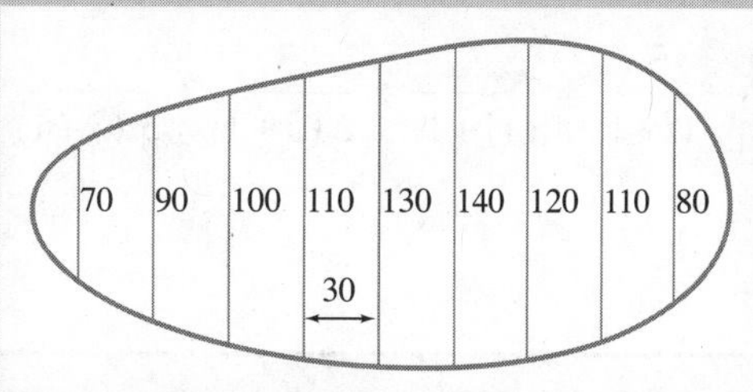

Trouver cette approximation de l'aire du lac.

Solution

La méthode la plus simple consiste à imaginer des rectangles de base 30 et de hauteurs égales à chacune des distances mesurées entre les deux rives. Ainsi, l'approximation cherchée est :

$$70 \times 30 + 90 \times 30 + 100 \times 30 + 110 \times 30 + 130 \times 30 + 140 \times 30 + 120 \times 30 + 110 \times 30 + 80 \times 30$$
$$= 30\,(70 + 90 + 100 + 110 + 130 + 140 + 120 + 110 + 80)$$
$$= 30\,(950) = 28\,500 \text{ m}^2$$

REMARQUE

On verra plus loin qu'avec ces mesures, on pourrait obtenir une meilleure approximation en utilisant des trapèzes au lieu de rectangles.

4.1.3 Notation sigma

Pour représenter une somme de nombreux termes ou une somme où le nombre de termes est indéfini, on utilise une notation abrégée qui s'avère souvent très commode. C'est la notation *somme* ou la notation *sigma*, ainsi appelée puisqu'on utilise la lettre grecque majuscule sigma $\sum$. Par exemple, on note

$$a_1 + a_2 + a_3 + a_4 + a_5 + a_6 + a_7 + a_8$$

par

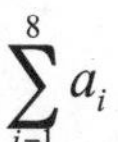

$$\sum_{i=1}^{8} a_i$$

ou encore

$$\frac{1}{1}+\frac{1}{2}+\frac{1}{3}+\frac{1}{4}+\frac{1}{5}+\ldots+\frac{1}{n}$$

par

$$\sum_{i=1}^{n}\frac{1}{i}$$

La lettre i (ou toute autre lettre éventuellement) utilisée ici s'appelle l'*indice de sommation*. Elle prend successivement toutes les valeurs entières à partir de l'entier noté sous le $\sum$ jusqu'à celui noté au-dessus du $\sum$.

EXEMPLE 4.2

Écrire tous les termes de la somme $\sum_{i=1}^{5}\frac{3}{i\,(i+1)}$

Solution

$$\sum_{i=1}^{5}\frac{3}{i\,(i+1)}=\frac{3}{1\,(1+1)}+\frac{3}{2\,(2+1)}+\frac{3}{3\,(3+1)}+\frac{3}{4\,(4+1)}+\frac{3}{5\,(5+1)}$$

EXEMPLE 4.3

Écrire avec la notation sigma la somme suivante.

$$3+4+5+6+7$$

Solution

$$3+4+5+6+7=(2+1)+(3+1)+(4+1)+(5+1)+(6+1)$$

$$\text{ou} \quad (1+2)+(2+2)+(3+2)+(4+2)+(5+2)$$

$$=\sum_{i=3}^{7}i=\sum_{i=2}^{6}(i+1) \quad \text{ou} \quad =\sum_{i=1}^{5}(i+2)$$

Pour manipuler avec efficacité la notation sigma, observons les propriétés énoncées dans le théorème suivant.

Théorème 4.1.3

Si k est une constante quelconque :

(1) $\sum_{i=1}^{n} k\,a_i = k\sum_{i=1}^{n} a_i$

(2) $\sum_{i=1}^{n} (a_i + b_i) = \sum_{i=1}^{n} a_i + \sum_{i=1}^{n} b_i$

(3) $\sum_{i=1}^{n} k = n\,k$

Esquissons la preuve de la partie (1) du théorème 4.1.3.

$$\sum_{i=1}^{n} k\, a_i = k\, a_1 + k\, a_2 + k\, a_3 + \ldots + k\, a_{n-1} + k\, a_n$$

$$\sum_{i=1}^{n} k\, a_i = k\left\{a_1 + a_2 + a_3 + \ldots + a_{n-1} + a_n\right\}$$

$$\sum_{i=1}^{n} k\, a_i = k \sum_{i=1}^{n} a_i$$

Les deux autres parties du théorème se démontrent d'une manière semblable.

EXEMPLE 4.4

Démontrer par induction que $\sum_{i=1}^{n} i^2 = \frac{n\,(n+1)\,(2n+1)}{6}$ pour tout n entier positif.

Solution

Écrivons la somme détaillée :

$$\sum_{i=1}^{n} i^2 = 1^2 + 2^2 + 3^2 + 4^2 + \;\ldots\; + (n-1)^2 + n^2 = \frac{n\,(n+1)\,(2n+1)}{6}$$

La preuve par induction comporte deux parties :

a) La formule est vraie pour $n = 1$; en effet :

$$\sum_{i=1}^{n} i^2 = 1^2 = \frac{1\,(1+1)\,(2\,(1)+1)}{6} = \frac{1\,(2)\,(3)}{6} = 1$$

b) Si la formule est vraie pour un entier positif quelconque k, alors elle est vraie pour l'entier positif suivant $k + 1$. En effet, supposons la formule vraie lorsque $n = k$

$$\sum_{i=1}^{k} i^2 = 1^2 + 2^2 + 3^2 + \;\ldots\; + k^2 = \frac{k\,(k+1)\,(2k+1)}{6}$$

Ajoutons $(k + 1)^2$.

$$\sum_{i=1}^{k} i^2 + (k+1)^2 = 1^2 + 2^2 + 3^2 + \;\ldots\; + k^2 + (k+1)^2 = \frac{k\,(k+1)\,(2k+1)}{6} + (k+1)^2$$

$$\sum_{i=1}^{k+1} i^2 = 1^2 + 2^2 + 3^2 + \;\ldots\; + k^2 + (k+1)^2 = (k+1)\left(\frac{k\,(2k+1)}{6} + (k+1)\right)$$

$$\sum_{i=1}^{k+1} i^2 = 1^2 + 2^2 + 3^2 + \;\ldots\; + k^2 + (k+1)^2 = (k+1)\left(\frac{2k^2 + k + 6\,(k+1)}{6}\right)$$

$$\sum_{i=1}^{k+1} i^2 = 1^2 + 2^2 + 3^2 + \;\ldots\; + k^2 + (k+1)^2 = (k+1)\left(\frac{2k^2 + 7k + 6}{6}\right)$$

$$\sum_{i=1}^{k+1} i^2 = 1^2 + 2^2 + 3^2 + \;\ldots\; + k^2 + (k+1)^2 = (k+1)\left(\frac{(k+2)\,(2k+3)}{6}\right)$$

$$\sum_{i=1}^{k+1} i^2 = 1^2 + 2^2 + 3^2 + \;\ldots\; + k^2 + (k+1)^2 = \frac{(k+1)\,(k+2)\,(2k+3)}{6}$$

$$\sum_{i=1}^{k+1} i^2 = 1^2 + 2^2 + 3^2 + \;\ldots\; + k^2 + (k+1)^2 = \frac{(k+1)\,((k+1)+1)\,(2\,(k+1)+1)}{6}$$

Ainsi, la formule est vraie lorsque $n = k + 1$.

Donc, selon le principe d'induction, la formule est vraie pour tout entier positif n.

EXEMPLE

4.5

Évaluer $\sum_{i=1}^{n}(3i^2+2)$

Solution

$$\sum_{i=1}^{n}(3i^2+2)=\sum_{i=1}^{n}3i^2+\sum_{i=1}^{n}2=3\sum_{i=1}^{n}i^2+n\,(2)$$

$$=3\,\frac{n\,(n+1)\,(2n+1)}{6}+2n=\frac{n\,(n+1)\,(2n+1)}{2}+2n$$

$$=\frac{n\,(n+1)\,(2n+1)+4n}{2}=\frac{2n^3+3n^2+5n}{2}$$

4.1.4 Un problème d'Archimède

Nous allons reconstituer, à l'aide d'une notation bien moderne, un problème qu'Archimède aurait résolu. Bien sûr, celui-ci ne connaissait pas la géométrie analytique (inventée par Descartes), ni la notion de limite, du moins pas formellement. Le problème consiste à trouver l'aire d'une figure bornée par une parabole.

Précisons l'énoncé du problème. Il s'agit de trouver l'aire plane bornée par la parabole $y=x^2$, l'axe des x et la verticale $x = 1$. Voici d'abord une représentation graphique de la surface dont on veut évaluer l'aire :

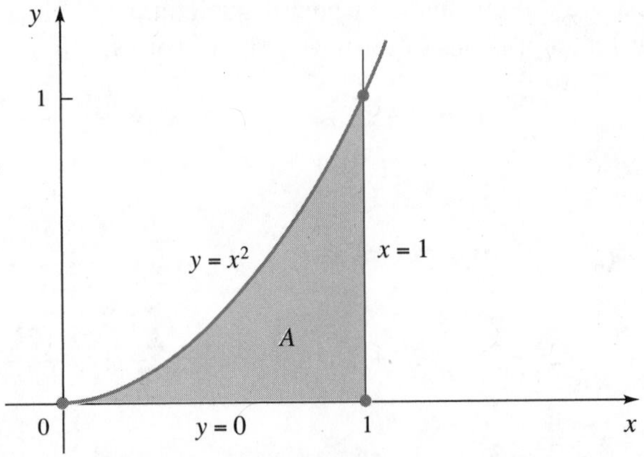

Notons par A l'aire cherchée. Divisons d'abord l'intervalle [0, 1] en deux parties égales.

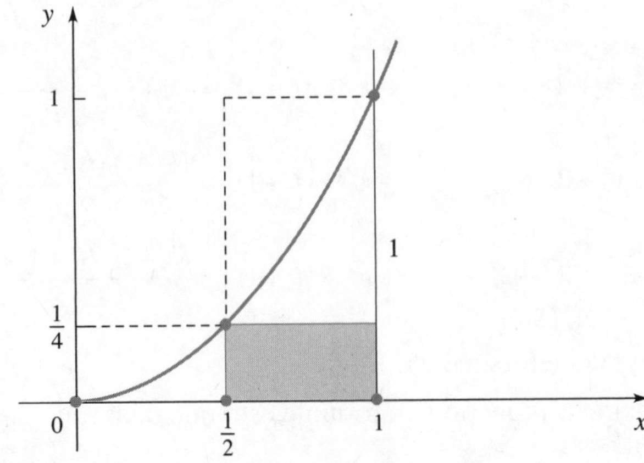

L'aire cherchée, A, est supérieure à l'aire du rectangle inscrit et inférieure à la somme des aires des rectangles circonscrits. Alors :

$$\frac{1}{2}\times\frac{1}{4} < A < \frac{1}{2}\times\frac{1}{4}+\frac{1}{2}\times 1$$

$$\frac{1}{8} < A < \frac{5}{8}$$

$$0{,}125 < A < 0{,}625$$

Divisons maintenant l'intervalle [0, 1] en trois parties égales.

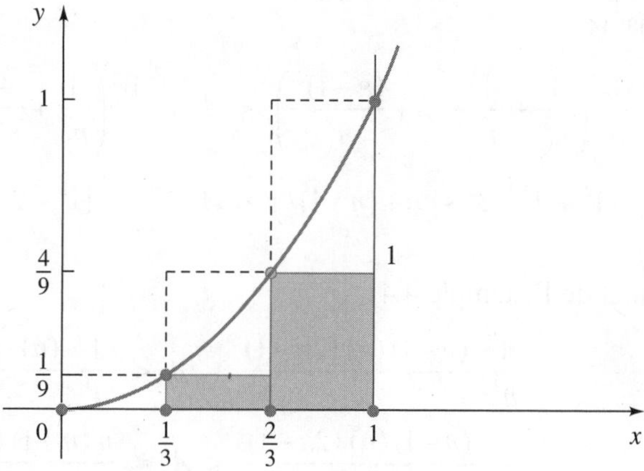

L'aire cherchée, A, est supérieure à la somme des aires des rectangles inscrits et inférieure à la somme des aires des rectangles circonscrits. Alors :

$$\frac{1}{3}\times\frac{1}{9}+\frac{1}{3}\times\frac{4}{9} < A < \frac{1}{3}\times\frac{1}{9}+\frac{1}{3}\times\frac{4}{9}+\frac{1}{3}\times\frac{9}{9}$$

$$\frac{5}{27} < A < \frac{14}{27}$$

$$0{,}185 < A < 0{,}518$$

Divisons maintenant l'intervalle [0, 1] en quatre parties égales.

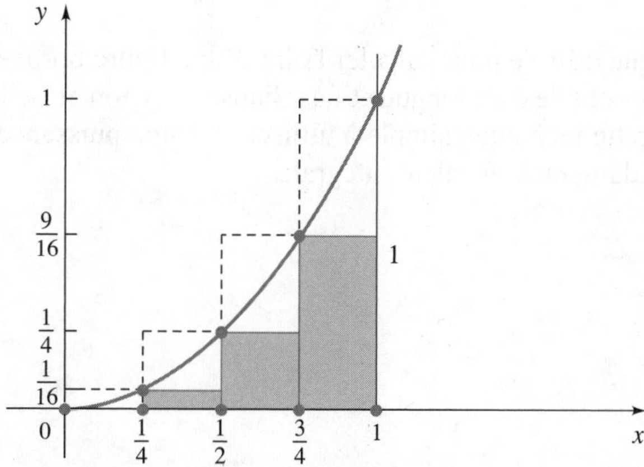

L'aire cherchée, A, est supérieure à la somme des aires des rectangles inscrits et inférieure à la somme des aires des rectangles circonscrits. Alors :

$$\frac{1}{4}\times\frac{1}{16}+\frac{1}{4}\times\frac{4}{16}+\frac{1}{4}\times\frac{9}{16} < A < \frac{1}{4}\times\frac{1}{16}+\frac{1}{4}\times\frac{4}{16}+\frac{1}{4}\times\frac{9}{16}+\frac{1}{4}\times\frac{16}{16}$$

$$\frac{14}{64} < A < \frac{30}{64}$$

$$0{,}219 < A < 0{,}469$$

Si on poursuit le processus en divisant l'intervalle $[0, 1]$ en n parties égales, on obtient :

$$\frac{1}{n}\times\frac{1}{n^2}+\frac{1}{n}\times\frac{4}{n^2}+\frac{1}{n}\times\frac{9}{n^2}+\ldots+\frac{1}{n}\times\frac{(n-1)^2}{n^2} < A < \frac{1}{n}\times\frac{1}{n^2}+\frac{1}{n}\times\frac{4}{n^2}+\ldots+\frac{1}{n}\times\frac{(n-1)^2}{n^2}+\frac{1}{n}\times\frac{n^2}{n^2}$$

En transformant :

$$\frac{1}{n}\left(\frac{1}{n^2}+\frac{4}{n^2}+\ldots+\frac{(n-1)^2}{n^2}\right) < A < \frac{1}{n}\left(\frac{1}{n^2}+\frac{4}{n^2}+\ldots+\frac{(n-1)^2}{n^2}+\frac{n^2}{n^2}\right)$$

$$\frac{1}{n^3}\left(1^2+2^2+3^2+\ldots+(n-1)^2\right) < A < \frac{1}{n^3}\left(1^2+2^2+3^2+\ldots+(n-1)^2+n^2\right)$$

Selon le résultat de l'exemple 4.4 :

$$\frac{1}{n^3}\,\frac{(n-1)\,(n)\,(2n-1)}{6} < A < \frac{1}{n^3}\,\frac{(n)\,(n+1)\,(2n+1)}{6}$$

$$\frac{(n-1)\,(n)\,(2n-1)}{6n^3} < A < \frac{n\,(n+1)\,(2n+1)}{6n^3}$$

Si on subdivise l'intervalle $[0, 1]$ en un nombre de parties de plus en plus grand, c'est-à-dire si $n \to \infty$, la somme des aires des rectangles (aussi bien les inscrits que les circonscrits) approche de plus en plus l'aire de la surface.

$$\lim_{n\to\infty}\frac{(n-1)\,(n)\,(2n-1)}{6n^3} = \lim_{n\to\infty}\frac{2n^3-3n^2+n}{6n^3} = \frac{1}{3}$$

$$\lim_{n\to\infty}\frac{n\,(n+1)\,(2n+1)}{6n^3} = \lim_{n\to\infty}\frac{2n^3+3n^2+n}{6n^3} = \frac{1}{3}$$

Donc A, qui est coincée entre ces deux valeurs, tend aussi vers $1/3$. D'où : $A = 1/3$.

REMARQUE

Dans ce problème d'Archimède, on retrouve essentiellement l'idée de base de l'intégrale définie.

Cette technique utilisée pour calculer l'aire d'une figure bornée par une courbe pouvait servir dans les cas simples et elle était longue et fastidieuse. Newton et Leibniz ont toutefois introduit un résultat qui rend cette technique simple à utiliser et d'une puissance jusqu'alors insoupçonnée ; c'est le théorème fondamental du calcul intégral.

NOTE *historique*

Archimède
287 av. J.C. – 212 av. J.C.

Né et mort à Syracuse (Sicile), ce savant grec est considéré par certains comme le plus grand géomètre de l'Antiquité. À Alexandrie, il profita des enseignements d'Euclide. Il fut le premier à trouver une valeur approximative du rapport de la circonférence d'un cercle sur son diamètre, c'est-à-dire de π *. Il imagina un système de numération permettant d'exprimer simplement les très grands nombres. Il calcula les aires de surfaces bornées par des paraboles et des spirales. Il évalua le volume de solides engendrés par la rotation autour de certains axes de diverses coniques. Il démontra que le volume d'une sphère est égal au deux tiers du volume du plus petit cylindre circonscrit à cette sphère. Pour arriver à démontrer ce résultat, il imagina une méthode de découpage en tranches que l'on peut qualifier d'ancêtre lointain de l'intégrale définie.*

Le génie inventif d'Archimède ne se limite pas à la géométrie. On lui doit l'invention des poulies mobiles, des moufles, des roues dentées, des vis sans fin, des vis creuses ou vis d'Archimède. Il utilisa ses inventions pour dessécher les marais égyptiens et il construisit des digues pour protéger des crues les terres voisines du Nil. Il découvrit le principe du levier ce dont il était tellement fier qu'il disait : « Donnez-moi un point d'appui et je soulève le monde ». On considère aussi qu'il est le créateur de l'hydrostatique puisqu'on lui doit le principe fondamental appelé principe d'Archimède. « Tout corps plongé dans un liquide y subit une poussée verticale dirigée de bas en haut et égale au poids du liquide déplacé ». On raconte que l'idée de ce principe lui vint en prenant son bain. Dans son enthousiasme, il se leva et courut tout nu dans les rues de Syracuse en criant : « Eurêka ! Eurêka ! », c'est-à-dire : « J'ai trouvé ».

Lorsque les Romains attaquent Syracuse en 215 av. J.C., Archimède est chargé de diriger la défense de la ville. Par son génie, il repousse les puissants Romains pendant trois ans en inventant des miroirs ardents qui brûlent les vaisseaux romains, en construisant des lance-projectiles et diverses autres armes. Malgré tout, les troupes du consul romain Marcellus arrivent à prendre la ville et lors de la bataille décisive, Archimède est tué par un soldat malgré les ordres contraires de Marcellus. Admiratif du génie d'Archimède, le consul fit élever un tombeau à sa mémoire sur lequel on grava une sphère inscrite dans un cylindre avec les nombres exprimant le rapport de ces deux solides. Par la suite, les Romains se sont intéressés à ses machines et ses inventions, mais pas à ses idées mathématiques.

4.2 Approche géométrique de l'aire sous une courbe

4.2.1 Résultats préliminaires

Reprenons l'idée d'Archimède et proposons-nous de calculer l'aire d'une figure bornée au-dessus par une courbe d'équation $y = f(x)$, au-dessous par l'axe des x et latéralement par les verticales $x = a$ et $x = b$.

Tout en essayant d'être aussi rigoureux que possible dans ce chapitre, nous tiendrons compte qu'une trop grande rigueur rendrait les explications longues et inextricables, ce qui ne convient pas à une première approche de la notion d'intégrale définie. Ainsi, dans la plupart des cas, nous baserons nos affirmations sur des résultats connus ou sur des interprétations géométriques. Nous admettons aussi intuitivement quelques résultats, dont les suivants.

Théorème 4.2.1.1

Toute fonction continue sur un intervalle fermé $[a, b]$ est bornée dans $[a, b]$.

Théorème 4.2.1.2

Une fonction continue sur un intervalle fermé $[a, b]$ atteint un maximum et un minimum dans $[a, b]$.

Théorème 4.2.1.3

a) Toute suite non décroissante qui est bornée (supérieurement par M) converge, c'est-à-dire a une limite qui est au plus égale à M.

b) Toute suite non croissante qui est bornée (inférieurement par m) converge, c'est-à-dire a une limite qui est au moins égale à m.

Nous ne cherchons pas, à ce stade, à démontrer ces résultats ni à définir plus précisément les termes utilisés.

4.2.2 Sommes intégrales

Considérons une fonction $y = f(x)$ continue sur $[a, b]$ et, pour nous faciliter l'interprétation géométrique, supposons-la positive sur cet intervalle. Cela ne nuit en rien à la généralité du processus que nous allons maintenant utiliser.

Faisons une *partition* de l'intervalle $[a, b]$, c'est-à-dire divisons l'intervalle $[a, b]$ en sous-intervalles de longueur $\Delta x_1, \Delta x_2, \Delta x_3, \ldots, \Delta x_n$ où

$$\Delta x_1 = x_1 - a, \Delta x_2 = x_2 - x_1, \Delta x_3 = x_3 - x_2, \ldots, \Delta x_n = b - x_{n-1}$$

avec

$$a < x_1 < x_2 < x_3 < \ldots < x_{n-1} < b$$

Notons que ces sous-intervalles ne sont pas nécessairement de longueur égale.

Soit M, le maximum de la fonction sur $[a, b]$ et soit m, le minimum de la fonction sur $[a, b]$. M et m existent selon le théorème 4.2.1.2. Voyons une représentation graphique :

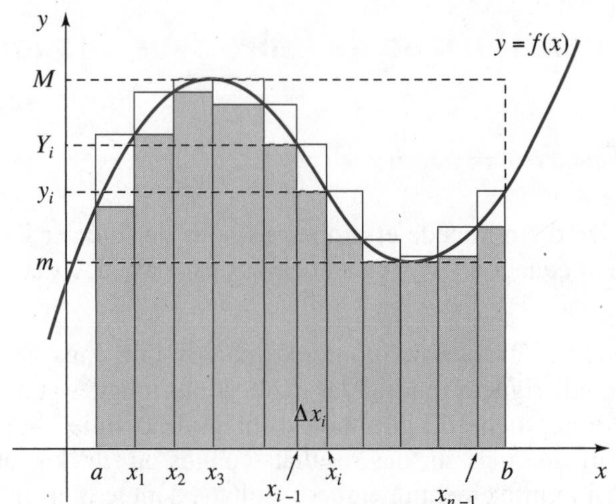

Dans l'intervalle $[x_{i-1}, x_i]$ de longueur Δx_i, appelons y_i l'ordonnée du point minimum et Y_i l'ordonnée du point maximum. Considérons

$$s_n = y_1 \Delta x_1 + y_2 \Delta x_2 + y_3 \Delta x_3 + \ldots + y_n \Delta x_n$$

Ce que l'on note :

$$s_n = \sum_{i=1}^{n} y_i \Delta x_i$$

et que l'on nomme *somme intégrale inférieure*. Géométriquement, c'est la somme des aires des rectangles ombrés.

De la même façon, considérons

$$S_n = Y_1 \Delta x_1 + Y_2 \Delta x_2 + Y_3 \Delta x_3 + \ldots + Y_n \Delta x_n$$

Ce que l'on note :

$$S_n = \sum_{i=1}^{n} Y_i \Delta x_i$$

et que l'on nomme *somme intégrale supérieure*. Géométriquement, c'est la somme des aires des rectangles ombrés auxquels on ajoute les petits rectangles blancs au-dessus des rectangles ombrés. On a :

$$m\,(b - a) \leq s_n \leq S_n \leq M\,(b - a)$$

Remarquons que chacune des quatre expressions que l'on trouve dans cette dernière ligne représente l'aire d'un ou de plusieurs rectangles. Localisez-les bien dans la figure.

Maintenant, dans chacun des sous-intervalles formés, choisissons un point quelconque $\bar{x}_1, \bar{x}_2, \bar{x}_3, ..., \bar{x}_n$. En chacun de ces points considérons la valeur de la fonction, c'est-à-dire $f(\bar{x}_1), f(\bar{x}_2), f(\bar{x}_3), ..., f(\bar{x}_n)$.

Considérons, les rectangles ayant pour base $\Delta x_1, \Delta x_2, \Delta x_3, \ldots, \Delta x_n$ et pour hauteur $f(\bar{x}_1), f(\bar{x}_2), f(\bar{x}_3), ..., f(\bar{x}_n)$. Notons que

$$y_i \leq f(\bar{x}_i) \leq Y_i$$

c'est-à-dire que la hauteur des rectangles ici considérée est bien sûr comprise entre le minimum et le maximum considérés dans les sommes intégrales.

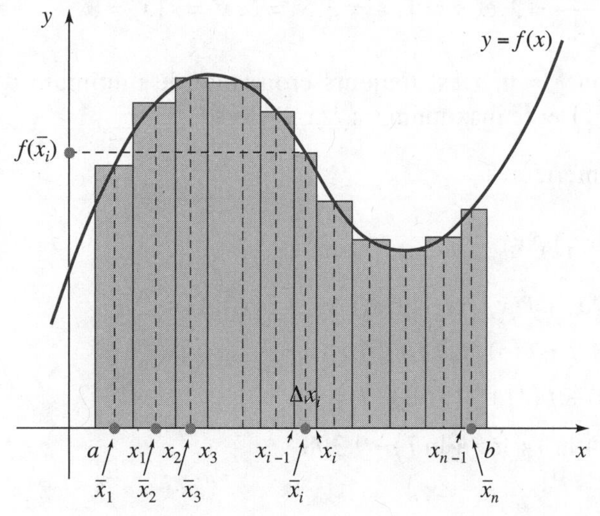

Calculons les aires de ces n rectangles et formons-en la somme ; on obtient alors :

$$f(\overline{x}_1)\,\Delta x_1 + f(\overline{x}_2)\,\Delta x_2 + f(\overline{x}_3)\,\Delta x_3 + \;\ldots\; + f(\overline{x}_n)\,\Delta x_n$$

Ce que l'on note :

$$\mathrm{S_R} = \sum_{i=1}^{n} f(\overline{x}_i)\,\Delta x_i$$

Une telle somme s'appelle une *somme de Riemann* de f sur $[a, b]$.

Cette somme des aires des n rectangles considérés peut être interprétée comme une approximation de l'aire A sous la courbe $y = f(x)$ entre les verticales $x = a$ et $x = b$.

EXEMPLE

4.6

Considérons la fonction $y = \ln x$ sur l'intervalle $[1, 9]$. En subdivisant cet intervalle en quatre sous-intervalles d'égale longueur, trouver la somme intégrale inférieure, la somme intégrale supérieure et la somme de Riemann lorsqu'on utilise le point milieu de chacun des sous-intervalles.

Solution

Esquissons d'abord une représentation graphique :

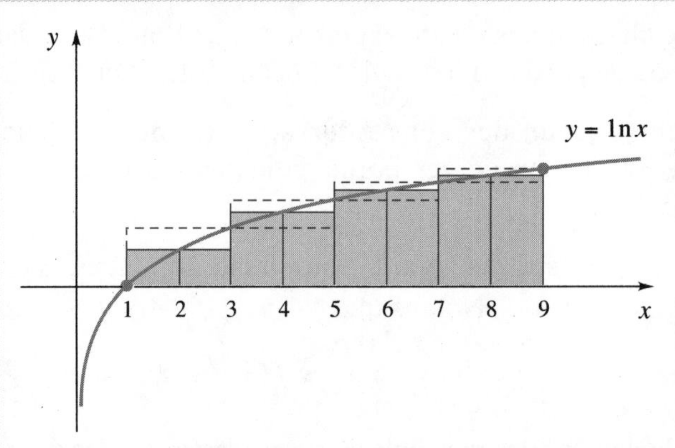

Pour tout i, $\Delta x_i = \dfrac{9-1}{4} = 2$ et $x_0 = 1, x_1 = 3, x_2 = 5, x_3 = 7, x_4 = 9$.

Comme la fonction $y = \ln x$ est toujours croissante, le minimum de la fonction sur un intervalle $[x_{i-1}, x_i]$ est $f(x_{i-1})$ et le maximum est $f(x_i)$. Alors :

Somme intégrale inférieure :

$$s_4 = \sum_{i=1}^{4} f(x_{i-1})\,\Delta x_i$$

$$s_4 = f(x_0)\,\Delta x_1 + f(x_1)\,\Delta x_2 + f(x_2)\,\Delta x_3 + f(x_3)\,\Delta x_4$$

$$s_4 = f(1) \times 2 + f(3) \times 2 + f(5) \times 2 + f(7) \times 2$$

$$s_4 = 2\big(f(1) + f(3) + f(5) + f(7)\big)$$

$$s_4 = 2\big(\ln 1 + \ln 3 + \ln 5 + \ln 7\big) = 9{,}308$$

Somme intégrale supérieure :

$$S_4 = \sum_{i=1}^{4} f(x_i)\,\Delta x_i$$

$$S_4 = f(x_1)\,\Delta x_1 + f(x_2)\,\Delta x_2 + f(x_3)\,\Delta x_3 + f(x_4)\,\Delta x_4$$

$$S_4 = f(3) \times 2 + f(5) \times 2 + f(7) \times 2 + f(9) \times 2$$

$$S_4 = 2\big(f(3) + f(5) + f(7) + f(9)\big)$$

$$S_4 = 2\big(\ln 3 + \ln 5 + \ln 7 + \ln 9\big) = 13{,}702$$

Somme de Riemann :

$$S_R = \sum_{i=1}^{4} f\left(\frac{x_{i-1} + x_i}{2}\right)\Delta x_i$$

$$S_R = f(2) \times 2 + f(4) \times 2 + f(6) \times 2 + f(8) \times 2$$

$$S_4 = 2\big(\ln 2 + \ln 4 + \ln 6 + \ln 8\big) = 11{,}901$$

Note : Nous vérifierons plus loin que l'aire exacte sous la courbe est 9 ln 9 – 8 = 11,775.

REMARQUE

Bien que ce ne soit pas du tout nécessaire dans ce genre de calcul, on considérera très souvent des sous-intervalles de longueur égale; de plus, on prendra la plupart du temps le point milieu comme point dans cet intervalle.

4.2.3 Définition de l'intégrale définie

Les sommes intégrales et les sommes de Riemann constituent des approximations de l'aire sous la courbe de $y = f(x)$ entre les verticales $x = a$ et $x = b$.

L'approximation s'améliore si l'on divise l'intervalle $[a, b]$ plus finement, c'est-à-dire si l'on augmente le nombre n de sous-intervalles et si l'on fait chacun de ces sous-intervalles de plus en plus petit.

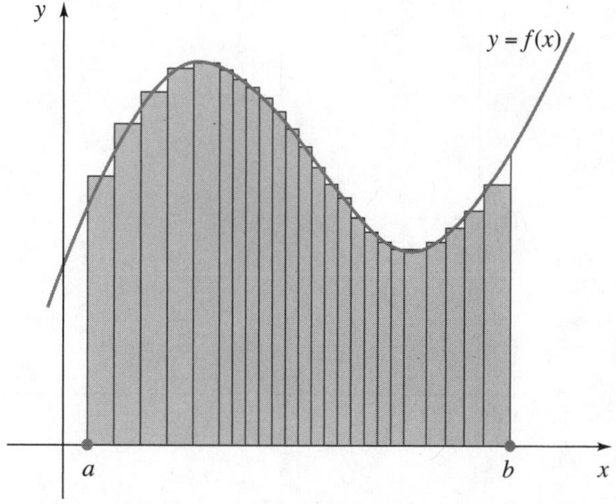

Soit $n \to \infty$ et $\max \Delta x_i \to 0$. Si

$$\lim_{\substack{n\to\infty \\ \max \Delta x_i \to 0}} \sum_{i=1}^{n} f(\overline{x}_i)\,\Delta x_i$$

existe, on dit que la fonction est *intégrable* (au sens de Riemann) sur $[a, b]$ et cette limite s'appelle l'*intégrale définie* de f sur $[a, b]$. On la notera par :

$$\int_a^b f(x)\,dx$$

Donc, par définition :

$$\int_a^b f(x)\,dx = \lim_{\substack{n\to\infty \\ \max \Delta x_i \to 0}} \sum_{i=1}^{n} f(\bar{x}_i)\,\Delta x_i$$

Dans cette notation :

a	s'appelle la *limite inférieure d'intégration* ou la *borne d'intégration inférieure*;
b	s'appelle la *limite supérieure d'intégration* ou la *borne d'intégration supérieure*;
$[a, b]$	s'appelle l'*intervalle* ou le *domaine d'intégration*;
$f(x)$	est la *fonction à intégrer*;
x	est la *variable d'intégration*;
dx	est l'*élément différentiel* (c'est un infiniment petit);
$\int$	est le signe « somme » ou *signe d'intégration*.

Ajoutons que géométriquement :

$$\int_a^b f(x)\,dx = A$$

puisque la somme de Riemann, qui est une approximation de A, devient exactement A si l'on pousse le procédé de subdivision de l'intervalle à l'infini, c'est-à-dire si $n \to \infty$ et $\max \Delta x_i \to 0$.

EXEMPLE 4.7

Calculer $\int_1^5 x\,dx$ en utilisant la définition de l'intégrale définie.

Solution

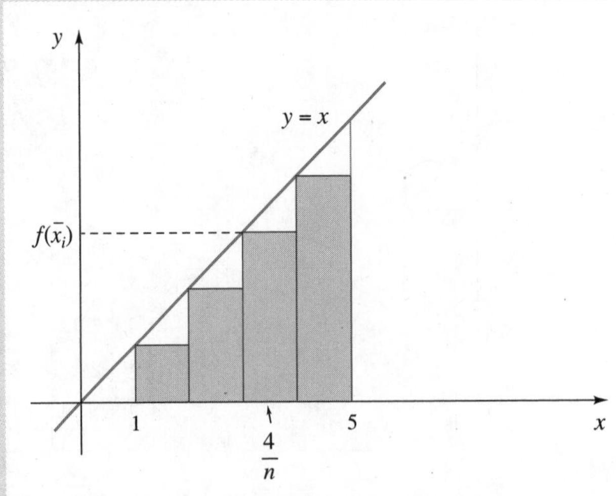

Divisons l'intervalle $[1, 5]$ en n parties égales. Chaque sous-intervalle aura comme longueur

$$\Delta x_i = \frac{5-1}{n} = \frac{4}{n} = \Delta x$$

Formons la somme de Riemann :

$$\sum_{i=1}^{n} f(\overline{x}_i)\,\Delta x_i = S_R = f(\overline{x}_1)\,\Delta x + f(\overline{x}_2)\,\Delta x + f(\overline{x}_3)\,\Delta x + \ldots + f(\overline{x}_n)\,\Delta x$$

Comme valeur de $\overline{x}_i$ choisissons l'extrémité gauche de chacun des segments, c'est-à-dire :

$$\overline{x}_1 = 1 \,;\, \overline{x}_2 = 1 + \Delta x \,;\, \overline{x}_3 = 1 + 2\Delta x \,;\ldots;\, \overline{x}_n = 1 + (n-1)\,\Delta x$$

Et du fait que la fonction $f(x) = x$, la somme de Riemann devient :

$$S_R = 1\,\Delta x + (1+\Delta x)\,\Delta x + (1+2\,\Delta x)\,\Delta x + \ldots + \big(1+(n-1)\,\Delta x\big)\,\Delta x$$

$$S_R = \big\{1 + (1+\Delta x) + (1+2\,\Delta x) + \ldots + \big(1+(n-1)\,\Delta x\big)\big\}\,\Delta x$$

$$S_R = \{n + \Delta x + 2\,\Delta x + \ldots + (n-1)\,\Delta x\}\,\Delta x$$

$$S_R = \big\{n + \big(1+2+\ldots+(n-1)\big)\Delta x\big\}\,\Delta x$$

$$S_R = \left\{n + \frac{n\,(n-1)}{2}\,\Delta x\right\}\Delta x$$

NB : Dans la transformation effectuée à la dernière ligne, nous utilisons le fait que la progression arithmétique $1 + 2 + \ldots + (n-1)$ a pour somme $n\,(n-1)/2$. Nous démontrerons ce résultat par induction dans les exercices 4.3.

En reprenant cette somme de Riemann, on a :

$$S_R = \left\{n + \frac{n\,(n-1)}{2}\,\Delta x\right\}\Delta x$$

$$S_R = \left\{n + \frac{n\,(n-1)}{2} \times \frac{4}{n}\right\} \times \frac{4}{n}$$

$$S_R = \{n + 2\,(n-1)\} \times \frac{4}{n} = (3n-2) \times \frac{4}{n}$$

$$S_R = 12 - \frac{8}{n}$$

Et, passant à la limite, on a :

$$\int_1^5 x\,dx = \lim_{n\to\infty}\left(12 - \frac{8}{n}\right) = 12$$

Notons que l'intégrale que l'on vient de calculer dans l'exemple 4.7 représente l'aire d'un trapèze dont les dimensions sont celles représentées ci-dessous. Or, selon la formule connue de la géométrie élémentaire, l'aire d'un trapèze est donnée par (voir annexe B) :

$$\frac{(B+b)\,h}{2}$$

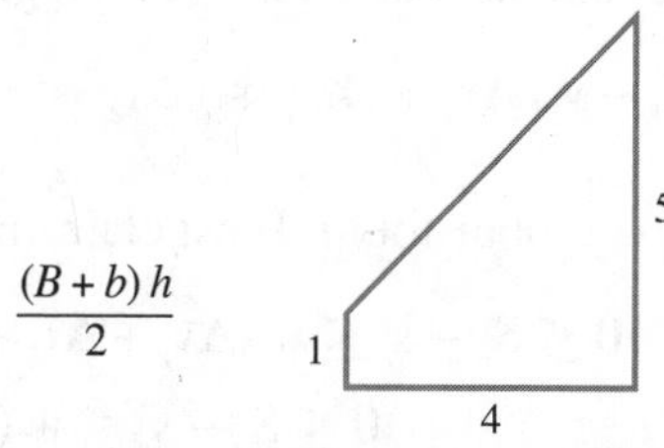

où B est la grande base, b la petite base et h la hauteur. Dans le cas présent, on a :

$$\text{Aire} = \frac{(5+1)\,4}{2} = 12$$

Ce qui correspond bien au résultat trouvé.

REMARQUE

Dans l'exemple qui précède, la fonction considérée est fort simple, $f(x) = x$, et pourtant le calcul de l'intégrale définie est déjà assez lourd. On peut facilement imaginer que si la fonction en cause était un peu plus compliquée, le calcul de l'intégrale définie deviendrait pratiquement inaccessible. Pour pouvoir utiliser cette notion d'intégrale définie de façon efficace, il nous faudra un moyen plus simple de l'évaluer. C'est ce que nous donnerons à la section 4.5; ce moyen, c'est le théorème fondamental du calcul intégral.

4.2.4 Conditions d'existence d'une intégrale définie

Revenons à la définition que nous avons donnée de l'intégrale définie et posons-nous deux questions à ce sujet :

a) Quand une telle limite existe-t-elle ?

b) Si cette limite existe, est-elle indépendante du choix des $\overline{x}_i$ dans chacun des sous-intervalles ?

En réponse à la première question, on peut affirmer que, pour toute fonction f continue sur $[a, b]$, une telle limite existe. La réponse à la deuxième question est oui.

Pour expliquer ces deux réponses, rappelons que $y_i \leq f(\overline{x}_i) \leq Y_i$ pour tout i et pour toute valeur $\overline{x}_i \in [x_{i-1}, x_i]$. De cela découlent

$$\sum_{i=1}^{n} y_i\,\Delta x_i \;\leq\; \sum_{i=1}^{n} f(\overline{x}_i)\,\Delta x_i \;\leq\; \sum_{i=1}^{n} Y_i\,\Delta x_i$$

et

$$m\,(b-a) \;\leq\; \mathrm{s}_n \;\leq\; \sum_{i=1}^{n} f(\overline{x}_i)\,\Delta x_i \;\leq\; \mathrm{S}_n \leq M(b-a)$$

Si l'on raffine maintenant la subdivision de l'intervalle $[a, b]$, s_n croît tout en demeurant inférieure à $M\,(b - a)$, c'est-à-dire que s_n est bornée; donc, selon le théorème 4.2.1.3 :

$$\lim_{\substack{n\to\infty \\ \max \Delta x_i \to 0}} \mathrm{s}_n$$

existe. Par un raisonnement analogue, S_n décroît tout en demeurant supérieure à $m\,(b - a)$, donc :

$$\lim_{\substack{n\to\infty \\ \max \Delta x_i \to 0}} \mathrm{S}_n$$

existe. Comparons maintenant ces deux sommes intégrales en faisant la différence :

$$\mathrm{S}_n - \mathrm{s}_n = (Y_1 - y_1)\,\Delta x_1 + (Y_2 - y_2)\,\Delta x_2 + (Y_3 - y_3)\,\Delta x_3 + \ldots + (Y_n - y_n)\,\Delta x_n$$

Soit w, le maximum de $Y_i - y_i$ pour tout i. Il est clair que $Y_i \geq y_i$ pour tout i, donc $\mathrm{S}_n \geq \mathrm{s}_n$. On a :

$$0 \leq \mathrm{S}_n - \mathrm{s}_n \leq w\,(\Delta x_1 + \Delta x_2 + \Delta x_3 + \ldots + \Delta x_n)$$
$$0 \leq \mathrm{S}_n - \mathrm{s}_n \leq w\,(b-a)$$

Si l'on admet que la fonction $y = f(x)$ est continue, alors $w \to 0$ lorsque $\max \Delta x_i \to 0$ et $n \to \infty$. Ainsi, passant à la limite, on a :

$$0 \leq \lim_{\substack{n \to \infty \\ \max \Delta x_i \to 0}} (S_n - s_n) \leq \lim_{\substack{n \to \infty \\ \max \Delta x_i \to 0}} w(b-a)$$

$$0 \leq \lim_{\substack{n \to \infty \\ \max \Delta x_i \to 0}} (S_n - s_n) \leq 0$$

Selon le théorème du sandwich, on en déduit que :

$$\lim_{\substack{n \to \infty \\ \max \Delta x_i \to 0}} (S_n - s_n) = 0$$

donc :

$$\lim_{\substack{n \to \infty \\ \max \Delta x_i \to 0}} S_n = \lim_{\substack{n \to \infty \\ \max \Delta x_i \to 0}} s_n$$

En vertu de l'inégalité

$$s_n \leq \sum_{i=1}^{n} f(\overline{x}_i)\, \Delta x_i \leq S_n$$

ainsi que du théorème du sandwich et de la dernière égalité, on a :

$$\lim_{\substack{n \to \infty \\ \max \Delta x_i \to 0}} s_n = \lim_{\substack{n \to \infty \\ \max \Delta x_i \to 0}} \sum_{i=1}^{n} f(\overline{x}_i)\, \Delta x_i = \lim_{\substack{n \to \infty \\ \max \Delta x_i \to 0}} S_n$$

Donc, cette limite (qui est l'intégrale définie) existe quand f est continue et ce, indépendamment du choix des points $\overline{x}_i$ dans les intervalles $[x_{i-1}, x_i]$. Voilà qui explique les réponses aux deux questions posées.

Bernhard Riemann
1826-1866

Né à Breselenz, Hanovre (Allemagne) en 1826, ce fils de pasteur luthérien se destinait lui aussi à devenir pasteur. Jusqu'à l'âge de 10 ans, son père assuma seul son éducation. Au lycée, il fut un bon élève sans plus. Toutefois il démontra beaucoup d'intérêt et de facilité pour les mathématiques. Avec la permission de son père, il changea d'orientation et il étudia les mathématiques à l'Université de Göttingen (alors peu connue mais aujourd'hui célèbre notamment pour les grands mathématiciens qui y sont passés). Il étudia aussi à Berlin où il eut la chance d'avoir pour professeurs des mathématiciens célèbres tels Gauss, Jacobi, Dirichlet, Steiner et Eisenstein. Dans sa thèse de doctorat en 1851, il étudia la théorie des variables complexes et il introduisit ce qu'on appelle aujourd'hui les surfaces de Riemann. *En 1854, il publia un mémoire dans lequel il refait la théorie de l'intégrale définie en donnant une définition qui est essentiellement celle qu'on utilise aujourd'hui. Voilà pourquoi on appelle parfois l'intégrale définie* l'intégrale de Riemann ; *on dit également, lorsque cette intégrale existe, que la fonction est intégrable au sens de Riemann. Il travailla aussi sur les géométries non euclidiennes (géométrie elliptique), sur la théorie des nombres (fonction zêta), sur la géométrie différentielle et sur plusieurs aspects de la physique. Dans tous ses travaux on retrouve à la base un raisonnement intuitif, de sorte que certains lui reprochaient un manque de rigueur. En 1862, il se marie ; à l'automne de la même année il tombe malade atteint de la tuberculose. Il ira souvent en Italie pour profiter d'un climat plus doux mais cette maladie l'emportera finalement à l'âge de 39 ans après qu'il aura consacré toute sa trop courte vie aux mathématiques.*

EXERCICES

4.3

1 Trouver l'aire de la figure plane suivante.

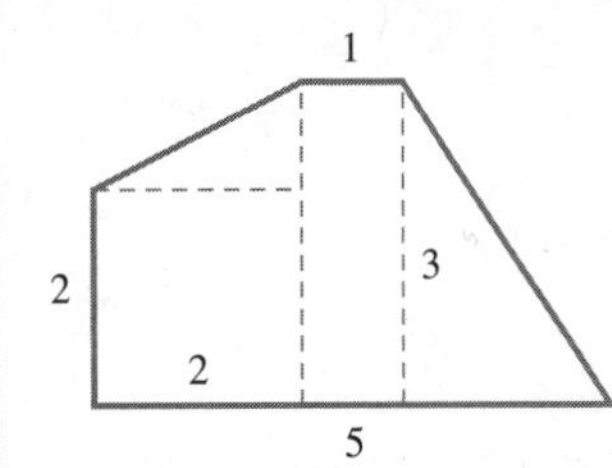

2 Évaluer approximativement l'aire d'un terrain représenté par le schéma suivant.

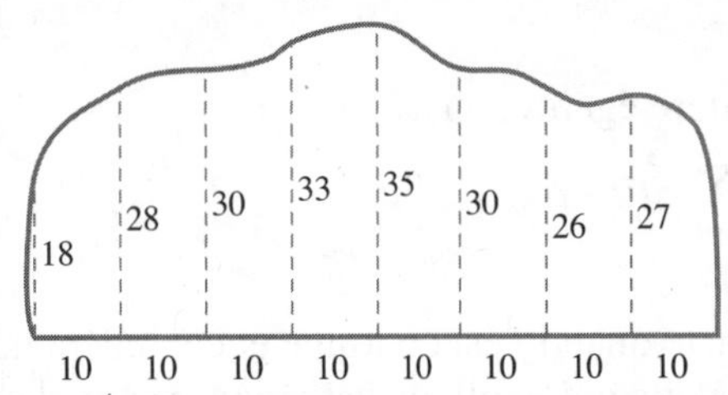

3 Écrire tous les termes des sommes suivantes.

a) $\sum_{i=5}^{11} i\, a_i$

b) $\sum_{i=1}^{6} \frac{i}{i^2+3}$

4 Écrire avec la notation sigma les sommes suivantes.

a) $5 + 8 + 11 + 14 + 17 + \ldots + (3n + 2)$

b) $\frac{1}{2}+\frac{2}{3}+\frac{3}{4}+\frac{4}{5}+\frac{5}{6}+\frac{6}{7}+\frac{7}{8}$

5 Démontrer par induction que

$$\sum_{i=1}^{n} i = \frac{n\,(n+1)}{2}$$

pour tout entier positif n.

6 Évaluer $\sum_{i=1}^{n} (i^2 + 3i)$.

7 Considérer la fonction $y = e^x + 1$ sur l'intervalle $[-1, 2]$. En subdivisant cet intervalle en six sous-intervalles d'égale longueur, trouver la somme intégrale inférieure, la somme intégrale supérieure et la somme de Riemann lorsqu'on utilise le point milieu de chacun des sous-intervalles.

8 En utilisant une somme de Riemann, trouver une approximation de l'aire sous la courbe de $y = x^2 + 1$ entre les verticales $x = 0$ et $x = 2$.

9 En utilisant la définition de l'intégrale définie, calculer $\int_0^1 (x+2)\,dx$. (*Conseil* : voir l'exemple 4.7).

4.4 Approche analytique de l'aire sous une courbe

4.4.1 L'aire sous la courbe et l'intégrale indéfinie

Dans la section 4.2, nous avons défini l'intégrale définie $\int_a^b f(x)\,dx$ comme étant la limite d'une somme d'infiniment petits. Nous avons aussi établi que cette limite représente l'aire sous la courbe de $y = f(x)$ entre les verticales $x = a$ et $x = b$. Nous allons maintenant exprimer l'aire sous la courbe en utilisant le concept d'intégrale indéfinie.

Soit une fonction réelle continue $y = f(x)$. Cette fonction est représentée dans le plan par une courbe. Supposons que cette fonction soit positive sur l'intervalle fermé $[a, b]$. Nous nous intéressons à la région du plan bornée par la courbe $y = f(x)$, la verticale $x = a$, l'axe des x et la verticale $x = b$.

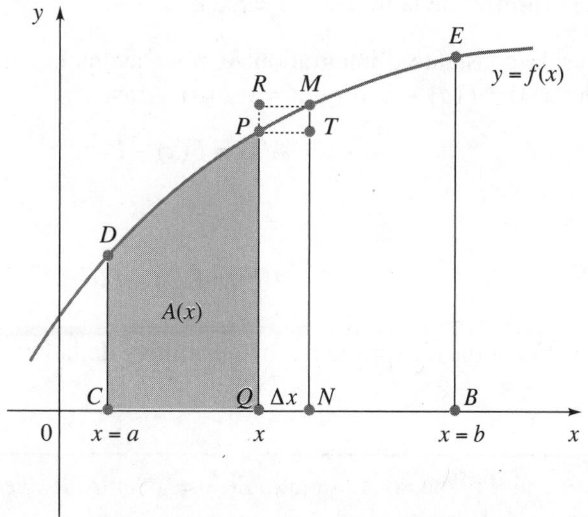

Soit x, l'abscisse d'un point quelconque Q sur l'axe des x tel que $a \leq x \leq b$. Une verticale menée à partir de ce point Q coupe la courbe de $y = f(x)$ au point P. Soit :

$$A(x) = \text{aire de la région } CDPQ$$

Bien sûr, cette aire dépend de la position de la verticale variable d'abscisse x et c'est pourquoi on note $A(x)$.

Donnons à x un certain accroissement Δx pour se retrouver au point N; alors selon y correspond un certain accroissement Δy représenté par MT et la fonction $A(x)$ subit un certain accroissement ΔA.

$$\Delta A = \text{aire de } QPMN$$

Géométriquement, on a :

$$\text{Aire du rectangle } QPTN \leq \Delta A \leq \text{aire du rectangle } QRMN$$

Notons qu'ici le problème est simplifié par le fait que nous avons choisi une fonction croissante. Si tel n'est pas le cas, il faut alors considérer le maximum et le minimum de la fonction sur l'intervalle $[x, x + \Delta x]$ dans cette dernière inégalité. Si la fonction est décroissante, les inégalités changent de sens. Poursuivons le raisonnement :

$$QP \times QN \leq \Delta A \leq MN \times QN$$
$$f(x) \times \Delta x \leq \Delta A \leq f(x + \Delta x) \times \Delta x$$
$$f(x) \leq \Delta A/\Delta x \leq f(x + \Delta x)$$

Lorsque $\Delta x \to 0$, alors $f(x + \Delta x) \to f(x)$ puisque f est continue et on a :

$$\lim_{\Delta x \to 0} f(x) \leq \lim_{\Delta x \to 0} \frac{\Delta A}{\Delta x} \leq \lim_{\Delta x \to 0} f(x + \Delta x)$$
$$f(x) \leq \lim_{\Delta x \to 0} \frac{\Delta A}{\Delta x} \leq f(x)$$
$$\frac{dA}{dx} = f(x)$$

Donc, la fonction $y = f(x)$ est la dérivée de la fonction $A(x)$. Résolvons cette équation différentielle à variables séparables.

$$dA = f(x)\, dx$$
$$A = \int dA = \int f(x)\, dx = F(x) + K$$

où $F(x)$ est une primitive de la fonction $y = f(x)$.

Pour déterminer la constante d'intégration K, nous avons la condition initiale suivante : si $x = a$, alors $A = 0$. Donc : $0 = F(a) + K$, d'où $K = -F(a)$. Ainsi :

$$A(x) = F(x) - F(a)$$

et en particulier :

$$A(b) = F(b) - F(a)$$

Bref, l'aire sous la courbe s'exprime par une primitive de la fonction représentée par cette courbe.

EXEMPLE 4.8

Trouver l'aire plane sous la parabole $y = x^2$ entre les verticales $x = 0$ et $x = 1$. (Voir la section 4.1.4, le problème d'Archimède).

Solution

On a $f(x) = x^2$. On trouve facilement une primitive $F(x) = x^3/3$. L'aire cherchée A est donnée par :

$$A = F(1) - F(0) = \frac{1}{3} - 0 = \frac{1}{3}$$

EXEMPLE 4.9

Trouver l'aire plane sous la courbe de $y = \ln x$ entre les verticales $x = 1$ et $x = 9$. (Voir l'exemple 4.6).

Solution

On a $f(x) = \ln x$. On trouve une primitive $F(x) = x \ln x - x$ grâce à une intégration par parties. L'aire cherchée A est donnée par :

$$A = F(9) - F(1) = 9 \ln 9 - 9 - (1 \ln 1 - 1) = 9 \ln 9 - 8 = 11{,}775$$

EXEMPLE 4.10

Trouver l'aire plane sous la courbe de $y = x$ entre les verticales $x = 1$ et $x = 5$. (Voir l'exemple 4.7).

Solution

On a $f(x) = x$. On trouve une primitive $F(x) = x^2/2$. L'aire cherchée A est donnée par :

$$A = F(5) - F(1) = \frac{25}{2} - \frac{1}{2} = 12$$

REMARQUE

On constate, dans les trois derniers exemples, que la méthode utilisée pour calculer l'aire sous la courbe est fort simple comparativement aux méthodes utilisées précédemment.

4.4.2 Lien entre l'intégrale définie et l'intégrale indéfinie

Résumons la situation. Dans la section 4.2, on définit l'intégrale définie

$$\int_a^b f(x)\,dx = \lim_{\substack{n\to\infty \\ \max \Delta x_i \to 0}} \sum_{i=1}^{n} f(\overline{x}_i)\,\Delta x_i$$

puis, on observe que, si la fonction f est positive, cette valeur représente l'aire sous la courbe de $y = f(x)$ entre les verticales $x = a$ et $x = b$. Dans la section 4.4.1, on démontre que l'aire sous une courbe représentant une fonction positive entre les verticales $x = a$ et $x = b$ s'évalue sans trop de mal en trouvant une primitive de cette fonction que l'on évalue en $x = a$ et $x = b$, puis en faisant la différence entre ces deux valeurs. Il n'y a qu'un pas à franchir pour arriver à calculer une intégrale définie en se servant de primitives, c'est-à-dire de l'intégrale indéfinie, et ainsi relier la notion d'intégrale indéfinie à celle d'intégrale définie. Ce lien est donné par le théorème fondamental du calcul intégral.

4.5 Théorème fondamental du calcul intégral

4.5.1 Énoncé du théorème fondamental

Newton et Leibniz ont donné les éléments d'un résultat qui a permis au calcul de faire un pas de géant. Ce résultat établit un lien entre l'intégrale définie et l'intégrale indéfinie, et ainsi entre la dérivation et l'intégration. Ce résultat qui, d'un point de vue pratique, nous permet d'évaluer une intégrale définie est le ***théorème fondamental du calcul intégral***.

Théorème 4.5.1

Si f est une fonction continue sur l'intervalle $[a, b]$ et s'il existe une fonction F telle que $F'(x) = f(x)$ alors :

$$\int_a^b f(x)\,dx = F(b) - F(a)$$

4.5.2 Preuve du théorème fondamental

Essentiellement, nous avons démontré ce théorème en établissant que les deux parties de l'égalité, $\int_a^b f(x)\,dx$ et $F(b) - F(a)$, représentent toutes deux l'aire sous la courbe de $y = f(x)$ entre les verticales $x = a$ et $x = b$. Toutefois, nous allons donner maintenant une preuve analytique qui ne fait pas intervenir le concept d'aire.

Considérons la fonction $y = f(x)$ continue sur $[a, b]$. Divisons l'intervalle $[a, b]$ en n sous-intervalles $[x_{i-1}, x_i]$ de longueur Δx_i, $i = 1, 2, 3, \ldots, n$. Soit $y = F(x)$, une primitive (donc dérivable) continue de $y = f(x)$. F est une fonction dérivable sur tout intervalle $]x_{i-1}, x_i[$ et continue sur tout intervalle $[x_{i-1}, x_i]$.

Selon le théorème de Lagrange, il existe une valeur $\overline{x}_i \in]x_{i-1}, x_i[$ telle que

$$F(x_i) - F(x_{i-1}) = F'(\overline{x}_i)\,\Delta x_i \qquad \text{pour tout } i = 1, 2, 3, \ldots, n$$

$$F(x_i) - F(x_{i-1}) = f(\overline{x}_i)\,\Delta x_i \qquad \text{pour tout } i = 1, 2, 3, \ldots, n$$

Alors :

$$\sum_{i=1}^{n} f(\overline{x}_i)\ \Delta x_i = \sum_{i=1}^{n} \left(F(x_i) - F(x_{i-1})\right)$$

$$\sum_{i=1}^{n} f(\overline{x}_i)\ \Delta x_i = \left\{\left(F(x_n) - F(x_{n-1})\right) + \left(F(x_{n-1}) - F(x_{n-2})\right) + \ldots + \left(F(x_2) - F(x_1)\right) + \left(F(x_1) - F(x_0)\right)\right\}$$

$$\sum_{i=1}^{n} f(\overline{x}_i)\ \Delta x_i = \left\{F(x_n) - F(x_0)\right\}$$

$$\sum_{i=1}^{n} f(\overline{x}_i)\ \Delta x_i = F(b) - F(a)$$

$$\lim_{\substack{n\to\infty \\ \max \Delta x_i \to 0}} \sum_{i=1}^{n} f(\overline{x}_i)\ \Delta x_i = F(b) - F(a)$$

$$\int_a^b f(x)\ dx = F(b) - F(a)$$

Ce qui démontre le théorème.

REMARQUE

Nous noterons souvent *F*(*b*) – *F*(*a*) par $F(x)\Big|_a^b$ **ou par** $\left[F(x)\right]_a^b$.

Ainsi, on a $F(x)\Big|_a^b = F(b) - F(a)$ **ou** $\left[F(x)\right]_a^b = F(b) - F(a)$.

4.5.3 Utilité du théorème fondamental

De toute évidence, le théorème fondamental du calcul intégral nous fournit un moyen d'évaluer une intégrale définie sans avoir recours au processus utilisé à l'exemple 4.7. De plus, nous verrons au chapitre 6 certains problèmes qui se ramènent à la recherche de la limite d'une somme infinie d'infiniment petits, c'est-à-dire à l'évaluation d'une intégrale définie, ce qui exige essentiellement, selon le théorème fondamental, la recherche d'une primitive.

EXEMPLE

4.11

Évaluer $\int_2^4 (x^2 + 3x + 1)\ dx$

Solution

Selon le théorème fondamental :

$$\int_2^4 (x^2 + 3x + 1)\ dx = \left[\frac{x^3}{3} + \frac{3x^2}{2} + x\right]_2^4 = \left(\frac{64}{3} + \frac{48}{2} + 4\right) - \left(\frac{8}{3} + \frac{12}{2} + 2\right) = \frac{116}{3}$$

EXEMPLE

4.12

Évaluer $\int_0^2 (x+1)\ e^x\ dx$

Solution

Trouvons d'abord l'intégrale indéfinie $\int (x+1)\ e^x dx$ en procédant par parties.

Posons $u = x + 1$ et $dv = e^x\ dx$. Alors $du = dx$ et $v = e^x$.

$$\int (x+1)\ e^x dx = (x+1)\ e^x - \int e^x dx = (x+1)\ e^x - e^x + K = x\,e^x + K$$

Revenons à l'intégrale définie que nous évaluons grâce au théorème fondamental.

$$\int_0^2 (x+1)\,e^x\,dx = x\,e^x \Big|_0^2 = 2\,e^2 - 0\,e^0 = 2\,e^2 = 14{,}778$$

REMARQUE

Lorsqu'on évalue une intégrale définie en passant par le théorème fondamental, il n'est pas utile d'ajouter la constante arbitraire K à la primitive. Reprenons par exemple le calcul de l'intégrale définie $\int_0^2 (x+1)\,e^x dx$ et choisissons comme primitive la fonction $x\,e^x + K$. Alors :

$$\int_0^2 (x+1)\,e^x dx = (x\,e^x + K)\Big|_0^2 = (2\,e^2 + K) - (0\,e^0 + K) = 2\,e^2 + K - K = 2\,e^2$$

Comme on peut le constater, la constante K disparaît et il est clair qu'il en est toujours ainsi.

4.5.4 Aire algébrique

En définissant l'intégrale définie $\int_a^b f(x)\,dx$, nous avons dit que cette intégrale représentait l'aire sous la courbe de $y = f(x)$ entre les verticales $x = a$ et $x = b$. Mais rappelons-nous que nous avons supposé la fonction $y = f(x)$ positive. Dans le cas où la fonction $y = f(x)$ est négative, la définition et le calcul de l'intégrale définie restent semblables mais, évidemment, le résultat sera négatif.

Ainsi :

$$\text{Si } y = f(x) \geq 0 \quad \text{sur} \quad [a, b] \quad \text{alors} \quad \int_a^b f(x)\,dx \geq 0$$

$$\text{Si } y = f(x) \leq 0 \quad \text{sur} \quad [a, b] \quad \text{alors} \quad \int_a^b f(x)\,dx \leq 0$$

L'intégrale définie garde son sens géométrique, c'est-à-dire qu'elle représente l'aire bornée par la courbe $y = f(x)$, l'axe des x et les verticales $x = a$ et $x = b$, mais cette aire est affectée d'un signe, soit le signe positif lorsque la courbe est au-dessus de l'axe des x et le signe négatif lorsque la courbe est au-dessous de l'axe des x. C'est donc une *aire algébrique*.

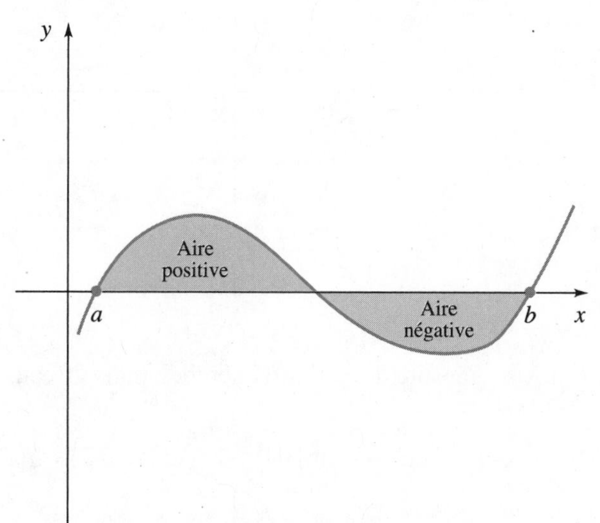

EXEMPLE

4.13

Trouver l'aire de la figure plane bornée par la courbe $y = \sqrt{x+1}$, l'axe des x, l'axe des y et la verticale $x = 3$.

Solution

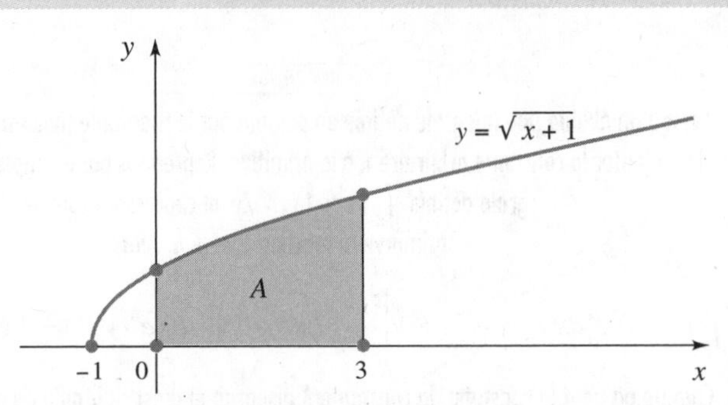

La fonction $y = \sqrt{x+1}$ est positive sur l'intervalle [0, 3]. L'aire cherchée A est donc donnée par l'intégrale définie

$$A = \int_0^3 \sqrt{x+1}\,dx = \frac{2}{3}(x+1)^{3/2}\Big|_0^3 = \frac{2}{3}(8) - \frac{2}{3}(1) = \frac{14}{3} = 4,\dot{6}$$

EXEMPLE

4.14

Trouver l'aire de la figure plane bornée par la courbe $y = 1/x$, l'axe des x et les verticales $x = -2$ et $x = -1$.

Solution

La fonction $y = 1/x$ est négative sur l'intervalle [−2, −1].

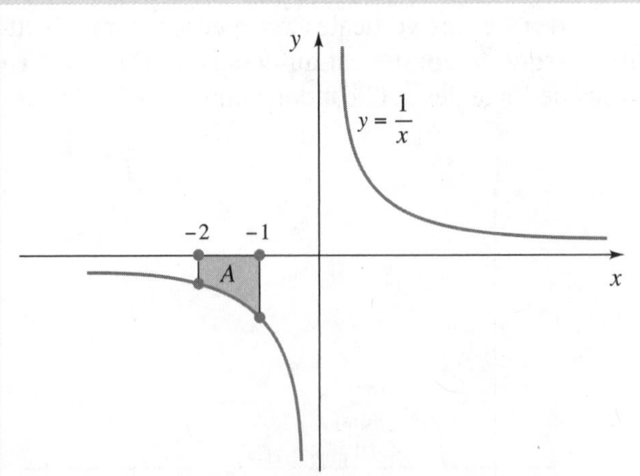

L'intégrale définie $\int_{-2}^{-1} \frac{1}{x}\,dx$ mesure donc l'aire cherchée mais affectée d'un signe négatif. Ainsi :

$$A = -\int_{-2}^{-1} \frac{1}{x}\,dx = -\left[\ln|x|\right]_{-2}^{-1} = -\left(\ln 1 - \ln 2\right) = \ln 2 = 0,693$$

EXEMPLE

4.15

Trouver l'aire de la figure plane bornée par la courbe $y = x^3 - x$, l'axe des x et les verticales $x = -1$ et $x = 2$.

Solution

La fonction $y = x^3 - x = x(x^2 - 1) = x(x - 1)(x + 1)$ n'est pas toujours du même signe sur l'intervalle $[-1, 2]$. Elle est négative entre 0 et 1, positive entre -1 et 0 et entre 1 et 2. Pour trouver l'aire cherchée, il faut donc procéder en trois parties.

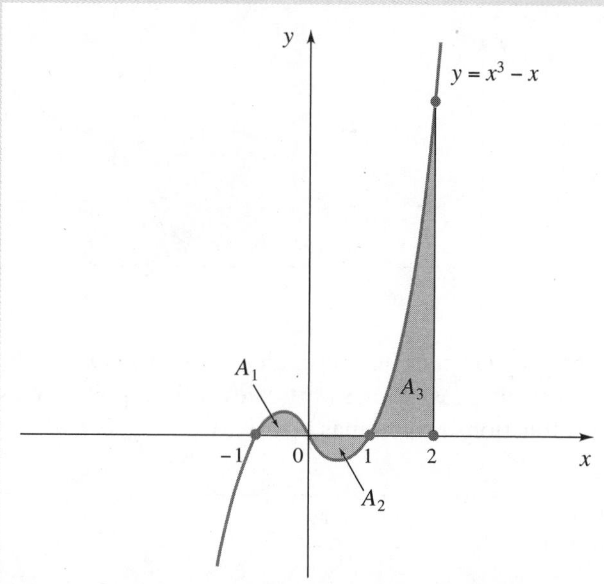

$$A_1 = \int_{-1}^{0} (x^3 - x)\, dx = \left[\frac{x^4}{4} - \frac{x^2}{2}\right]_{-1}^{0} = (0) - \left(\frac{1}{4} - \frac{1}{2}\right) = \frac{1}{4}$$

$$A_2 = -\int_{0}^{1} (x^3 - x)\, dx = -\left[\frac{x^4}{4} - \frac{x^2}{2}\right]_{0}^{1} = -\left(\left(\frac{1}{4} - \frac{1}{2}\right) - 0\right) = \frac{1}{4}$$

$$A_3 = \int_{1}^{2} (x^3 - x)\, dx = \left[\frac{x^4}{4} - \frac{x^2}{2}\right]_{1}^{2} = \left(\frac{16}{4} - \frac{4}{2}\right) - \left(\frac{1}{4} - \frac{1}{2}\right) = \frac{9}{4}$$

Alors, l'aire cherchée A est $A_1 + A_2 + A_3$

$$A = \frac{1}{4} + \frac{1}{4} + \frac{9}{4} = \frac{11}{4}$$

Notons que $\int_{-1}^{2} (x^3 - x)\, dx$ ne donnerait pas le résultat escompté puisque la partie A_2 serait alors soustraite de la somme $A_1 + A_3$.

4.5.5 Fonction intégrable

Nous terminons l'étude de ce chapitre en énonçant et en démontrant quelques propositions qui constituent des résultats de fond du calcul intégral.

Théorème 4.5.5.1

Si $a < b$ et si $f(x) \leq g(x)$ pour tout $x \in [a, b]$, alors :

$$\int_a^b f(x)\,dx \leq \int_a^b g(x)\,dx$$

La preuve de ce théorème découle directement de la définition de l'intégrale définie. Si les deux fonctions considérées sont positives, ce résultat s'interprète géométriquement d'une manière très simple.

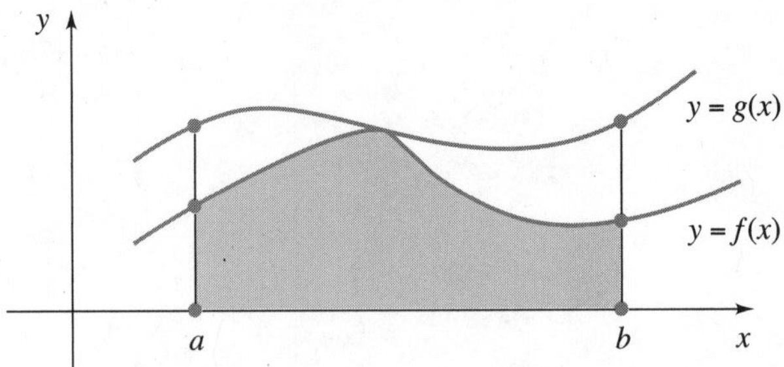

L'aire sous la courbe $y = f(x)$ entre les verticales $x = a$ et $x = b$ est alors inférieure ou égale à l'aire sous la courbe $y = g(x)$ entre les mêmes verticales. L'interprétation est un peu moins directe quoique semblable si les fonctions ne sont pas positives.

Théorème 4.5.5.2

Soit m et M le minimum et le maximum de f sur $[a, b]$. Alors :

$$m(b-a) \leq \int_a^b f(x)\,dx \leq M(b-a)$$

La preuve est simple. En effet, puisque $m \leq f(x) \leq M$ pour tout $x \in [a, b]$, selon le théorème précédent, on a :

$$\int_a^b m\,dx \leq \int_a^b f(x)\,dx \leq \int_a^b M\,dx$$

C'est-à-dire :

$$m(b-a) \leq \int_a^b f(x)\,dx \leq M(b-a)$$

Ce qui démontre le théorème.

Si la fonction f est positive sur $[a, b]$, ce théorème se visualise très bien.

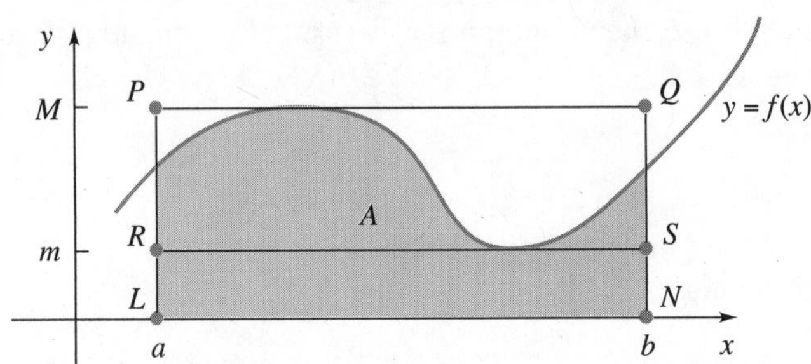

Aire du rectangle $LRSN \leq$ aire $A \leq$ aire du rectangle $LPQN$

Théorème 4.5.5.3 (Théorème de la moyenne du calcul intégral)

Si $y = f(x)$ est continue sur $[a, b]$, il existe une valeur $c \in\,]a, b[$ telle que

$$\int_a^b f(x)\, dx = f(c) \times (b-a)$$

En effet, selon le théorème précédent

$$m\,(b-a) \leq \int_a^b f(x)\, dx \leq M\,(b-a)$$

où m et M représentent respectivement le minimum et le maximum de $f(x)$ sur $[a, b]$. Le théorème 4.2.1.2 nous assure de l'existence de m et de M. Ainsi :

$$m \leq \frac{1}{(b-a)} \int_a^b f(x)\, dx \leq M$$

Si la fonction f est une fonction constante, le résultat est trivial, car toute valeur $c \in\,]a, b[$ est telle que $f(c) = m = M$ et satisfait le théorème. Autrement, la fonction f étant continue sur $[a, b]$, elle prend toutes les valeurs possibles entre m et M et, en particulier, elle prend la valeur

$$\frac{1}{(b-a)} \int_a^b f(x)\, dx$$

en un point d'abscisse c entre a et b. Donc :

$$\frac{1}{(b-a)} \int_a^b f(x)\, dx = f(c)$$

D'où :

$$\int_a^b f(x)\, dx = f(c) \times (b-a)$$

Ce qui démontre le théorème.

Graphiquement, ce théorème assure qu'il existe au moins une valeur c où le rectangle de base $(b - a)$ et de hauteur $f(c)$ a la même aire que l'aire sous la courbe.

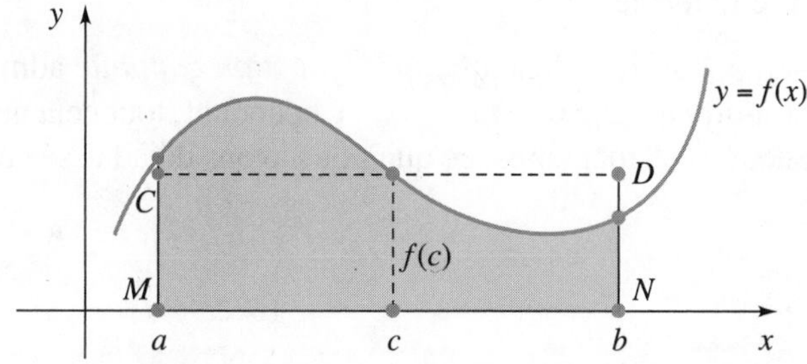

Aire $MCDN$ = aire sous la courbe

Notons la similitude entre ce dernier théorème et le théorème de Lagrange. En effet, en utilisant le théorème fondamental, on passe facilement de

$$\int_a^b f(x)\, dx = f(c) \times (b-a)$$

à

$$F(b) - F(a) = F'(c) \times (b-a)$$

Théorème 4.5.5.4

Si f est une fonction continue et si l'on définit $F(x) = \int_a^x f(t)\,dt$, alors $F'(x) = f(x)$.

Notons d'abord que dans une intégrale définie la variable d'intégration est une forme vide, c'est-à-dire qu'on peut la remplacer par tout autre symbole ou lettre et que cela ne change en rien le résultat de l'intégrale. Ainsi, il est clair que $\int_a^x f(t)\,dt$ ne dépend pas de t mais de x et ainsi cette intégrale est bel et bien une fonction de x.

Pour démontrer le théorème, il suffit de dériver $F(x)$.

$$\Delta F = F(x + \Delta x) - F(x)$$

$$\Delta F = \int_a^{x+\Delta x} f(t)\,dt - \int_a^x f(t)\,dt$$

$$\Delta F = \int_a^x f(t)\,dt + \int_x^{x+\Delta x} f(t)\,dt - \int_a^x f(t)\,dt$$

$$\Delta F = \int_x^{x+\Delta x} f(t)\,dt$$

Selon le théorème 4.5.5.3, il existe une valeur $c \in]x, x + \Delta x[$ telle que

$$\int_x^{x+\Delta x} f(t)\,dt = f(c) \times \Delta x$$

Donc :

$$\Delta F = f(c) \times \Delta x$$

$$\frac{\Delta F}{\Delta x} = f(c)$$

$$\lim_{\Delta x \to 0} \frac{\Delta F}{\Delta x} = \lim_{\Delta x \to 0} f(c)$$

Si $\Delta x \to 0$, alors $c \to x$ car f est continue. Finalement,

$$\frac{dF}{dx} = \lim_{c \to x} f(c) = f(x)$$

$$F'(x) = f(x)$$

Ce qui démontre le théorème.

Ce théorème 4.5.5.4 affirme donc que *toute fonction continue* **admet une primitive ou une intégrale indéfinie, c'est-à-dire qu'elle est** *intégrable*. **Cependant, tout cela ne dit pas que $F(x)$ peut s'exprimer à l'aide des fonctions élémentaires, ce que nous avons déjà laissé entendre au début du chapitre 2.**

Exercices 4.6

1. Trouver l'aire sous la courbe $y = 3x^2$ entre les verticales $x = 1$ et $x = 2$.

2. Trouver l'aire de la surface plane bornée par la courbe $y = x^2 - 1$ et l'axe des x.

3. Trouver l'aire de la surface plane bornée par l'axe des x, la courbe $y = x^2 + 2x$ et les verticales $x = -1$ et $x = 1$. Expliquer votre démarche.

Évaluer les intégrales définies suivantes.

4. $\int_0^4 x\,dx$

5. $\int_1^6 \sqrt{x+3}\,dx$

6 $\int_{-1}^{1}\frac{dx}{\sqrt{1-x^2}}$

7 $\int_{0}^{1}\frac{x\,dx}{\sqrt{2-x^2}}$

8 $\int_{\pi/6}^{\pi/4}\cos x\sin^2 x\,dx$

9 $\int_{0}^{3}\frac{dx}{3x+1}$

10 $\int_{-1}^{1}x\,e^x dx$

11 $\int_{-2}^{2}\frac{dx}{x^2+4}$

EXERCICES

1 Considérons $\int_0^4 x^2 dx$

En divisant l'intervalle [0, 4] en quatre sous-intervalles, calculer la somme intégrale inférieure, la somme intégrale supérieure, une somme de Riemann en utilisant les points milieux des sous-intervalles et finalement, calculer l'intégrale à l'aide du théorème fondamental.

2 En utilisant une somme de Riemann pour laquelle l'intervalle considéré est divisé en quatre sous-intervalles et où l'on considère le point milieu de chacun de ces sous-intervalles, trouver une valeur approximative de :

a) $\int_0^2 (x^2-2x+2)\,dx$

b) $\int_1^3 \frac{8\,dx}{x}$

3 À l'aide du théorème fondamental du calcul intégral, calculer les intégrales du problème précédent.

4 Trouver l'aire sous la courbe $y = 3x^2 + 1$ entre les verticales $x = 1$ et $x = 2$.

5 Trouver l'aire de la figure plane bornée par l'axe des x, la courbe $y = x^2 - 7x + 6$ et les verticales $x = 2$ et $x = 5$.

6 Évaluer l'aire bornée par la courbe $y = \sqrt{x}$, l'axe des x et les verticales $x = 1$ et $x = 4$.

7 Trouver l'aire sous la courbe

$$y = \frac{5}{x+5}$$

entre les verticales $x = -4$ et $x = 0$.

8 Évaluer $\int_0^{2\pi}\sin x\,dx$. Expliquer le résultat.

9 Évaluer $\int_0^{2\pi}\sin(x/2)\,dx$. Expliquer le résultat.

Évaluer les intégrales définies suivantes.

10 $\int_0^3 (x^2+x+5)\,dx$

11 $\int_0^1 e^{3x}dx$

12 $\int_1^2 \frac{x\,dx}{x+6}$

13 $\int_1^2 \left(\frac{3}{x}-\frac{4}{x^2}\right)dx$

14 $\int_0^4 \sqrt{x}\,(x+2)\,dx$

15 $\int_0^{\pi/6}\sin 3x\,dx$

16 $\int_2^3 \frac{dx}{x^2+x}$

17 $\int_1^5 \sqrt{2x-1}\,dx$

18 $\int_0^8 \frac{dx}{x^2+64}$

19 $\int_0^1 \frac{x^2dx}{\left(1+x^3\right)^3}$

20 $\int_0^{\pi/2}\sin^5 x\cos x\,dx$

21 $\int_1^3 \frac{dx}{3x+5}$

22 Évaluer l'aire limitée par l'axe des x et la courbe de $y = 7x - x^2 - 10$, entre les verticales $x = 1$ et $x = 3$.

RÉVISION 4.7

23 En utilisant une somme de Riemann pour laquelle l'intervalle considéré est divisé en quatre sous-intervalles et où l'on considère le point milieu de chacun de ces sous-intervalles, trouver une valeur approximative de :

$$\int_0^8 \sqrt{x+1}\, dx$$

24 À l'aide du théorème fondamental du calcul intégral, évaluer $\int_0^8 \sqrt{x+1}\, dx$

25 Évaluer $\int_1^2 \frac{x\, dx}{x^2+2}$

26 Évaluer $\int_0^3 \sqrt{9-x^2}\, dx$

27 Trouver l'aire de la surface bornée par :

$$y = 3x - x^2 \quad \text{et} \quad y = 0$$

28 Trouver l'aire de la surface bornée par :

$$y = 1 - x^3, \quad x = 0 \quad \text{et} \quad y = 0$$

29 Trouver l'aire de la surface bornée par :

$$y = x^3 + x, \ x = 2, \ x = 3 \quad \text{et} \quad y = 0$$

Évaluer les intégrales définies suivantes.

30 $\int_0^1 e^{2x} dx$

31 $\int_0^{\pi/6} \cos 3x\, dx$

32 $\int_2^{\sqrt{20}} 3x\sqrt{x^2+5}\, dx$

33 $\int_2^3 \frac{5x-2}{x^2-x}\, dx$

34 $\int_0^1 x\, e^x dx$

35 $\int_{-1}^0 \frac{dx}{x^2+2x+2}$

36 $\int_1^2 x \ln x\, dx$

37 $\int_0^{\pi/2} \sin^2 x\, dx$

38 $\int_0^{\pi/4} \sin^2 x\, dx$

39 $\int_0^{\pi/2} \cos^2 x\, dx$

40 $\int_0^{\pi/4} \cos^2 x\, dx$

41 $\int_{\pi/6}^{\pi/4} \sin 2x \sec^6 x\, dx$

EXERCICES

DÉFIS 4.8

Évaluer les intégrales définies suivantes.

1 $\int_0^4 \sqrt{16-x^2}\, dx$

2 $\int_0^7 \frac{x\, dx}{(x+1)^{2/3}}$

3 $\int_3^4 \frac{9x^2-17x+6}{x(x-1)(x-2)}\, dx$

4 $\int_0^1 \frac{(x+1)^2}{(x^2+1)^2} dx$

5 Trouver l'aire bornée par la courbe $y = x\sqrt{4-x}$, l'axe des x et la verticale $x = -1$.

À partir des résultats de l'exemple 4.4 et de l'exercice 5 de la section 4.3, évaluer les sommes suivantes.

6 $\sum_{i=1}^{20} (2i+5)$

7 $\sum_{i=1}^{100} (i^2+i)$

8 $\sum_{i=1}^{50} (i+4)^2$

9 $\sum_{i=30}^{60} (i^2-i+2)$

Démontrer par induction les formules suivantes.

10 $\sum_{i=1}^{n} (2i-1) = n^2$

11 $\sum_{i=1}^{n} \frac{1}{2^i} = 1 - \frac{1}{2^n}$

DÉFIS 4.8

12. $\displaystyle\sum_{i=1}^{n} \frac{1}{i\,(i+1)} = \frac{n}{n+1}$

13. $\displaystyle\sum_{i=1}^{n} i^3 = \frac{n^2(n+1)^2}{4}$

14. $\displaystyle\sum_{i=1}^{n+1} r^{i-1} = \frac{1-r^{n+1}}{1-r}$

En partant de la définition d'une intégrale définie et à l'aide d'une méthode semblable à celle utilisée dans l'exemple 4.7 ou dans l'exercice 9 de la section 4.3, calculer ce qui suit.

15. $\displaystyle\int_0^4 x\,dx$

16. $\displaystyle\int_0^3 x^2 dx$

17. $\displaystyle\int_0^1 (5x+1)\,dx$

18. $\displaystyle\int_1^3 4x^3 dx$, sachant que

$$1^3 + 2^3 + 3^3 + \ldots + n^3 = \frac{n^2(n+1)^2}{4}$$

19. $\displaystyle\int_0^4 x^4 dx$, sachant que

$$1^4 + 2^4 + 3^4 + \ldots + n^4 = \frac{n\,(n+1)\,(2n+1)\,(3n^2+3n-1)}{30}$$

RÉSUMÉ DU CHAPITRE

Concept d'aire

$$\text{Aire d'un rectangle} = b \times h$$

$$\text{Aire d'un triangle} = \frac{b \times h}{2}$$

Notation sigma

$$\sum_{i=1}^{n} a_i = a_1 + a_2 + a_3 + \ldots + a_n$$

$$\sum_{i=1}^{n} k\, a_i = k \sum_{i=1}^{n} a_i$$

$$\sum_{i=1}^{n} (a_i + b_i) = \sum_{i=1}^{n} a_i + \sum_{i=1}^{n} b_i$$

$$\sum_{i=1}^{n} k = n\, k$$

Principe d'induction

Considérons une proposition :

a) vraie pour $n = 1$

b) si elle est vraie pour $n = k$, alors elle est vraie pour $n = k + 1$

Cette proposition est alors vraie pour tout entier positif n.

Somme intégrale inférieure

$$s_n = \sum_{i=1}^{n} y_i\, \Delta x_i$$

Somme intégrale supérieure

$$S_n = \sum_{i=1}^{n} Y_i\, \Delta x_i$$

Somme de Riemann

$$S_R = \sum_{i=1}^{n} f(\overline{x}_i)\, \Delta x_i$$

Intégrale définie

$$\int_a^b f(x)\,dx = \lim_{\substack{n\to\infty \\ \max \Delta x_i \to 0}} \sum_{i=1}^{n} f(\overline{x}_i)\,\Delta x_i$$

Interprétation géométrique de l'intégrale définie

Aire *algébrique* sous la courbe

Théorème fondamental du calcul intégral

$$\int_a^b f(x)\,dx = F(b) - F(a) \qquad \text{où } F'(x) = f(x)$$

Résultats découlant de la définition de l'intégrale définie

Si $a < b$ et $f(x) \leq g(x)$ sur $[a, b]$ alors :

$$\int_a^b f(x)\,dx \leq \int_a^b g(x)\,dx$$

Si m et M représentent le minimum et le maximum de f sur $[a, b]$, alors :

$$m\,(b-a) \leq \int_a^b f(x)\,dx \leq M\,(b-a)$$

Si f est continue sur $[a, b]$, il existe une valeur $c \in\,]a, b[$ telle que

$$\int_a^b f(x)\,dx = f(c) \times (b-a)$$

Si f est continue et si $F(x) = \int_a^x f(t)\,dt$, alors $F'(x) = f(x)$

Sujet de réflexion et de discussion

Développer des arguments allant dans le sens et d'autres allant dans le sens contraire de l'énoncé suivant.

« Le calcul différentiel et intégral date du XVIIe siècle. C'est un sujet périmé, dépassé et vidé. Pourquoi les mathématiques n'étudient pas des sujets plus modernes comme le font les autres sciences ? ».

AI-JE ATTEINT MES OBJECTIFS ?

Je viens de terminer l'étude du chapitre 4 et j'estime être capable de :

- ☐ Calculer l'aire d'un triangle et d'un rectangle.
- ☐ Utiliser la notation sigma.
- ☐ Établir une preuve par induction.
- ☐ Définir, calculer et interpréter graphiquement une somme intégrale inférieure, une somme intégrale supérieure et une somme de Riemann.
- ☐ Énoncer et appliquer le théorème fondamental du calcul intégral.
- ☐ Évaluer une intégrale définie à l'aide du théorème fondamental.
- ☐ Évaluer des aires planes à l'aide d'une intégrale définie.

Notes personnelles

TEST

TEST SUR LE CHAPITRE 4

1. Considérons $\int_1^7 (x^3 - 1)\, dx$. En subdivisant l'intervalle [1, 7] en six sous-intervalles calculer :
   a) la somme intégrale inférieure
   b) la somme intégrale supérieure
   c) une somme de Riemann en utilisant les points milieux des sous-intervalles
   d) l'intégrale définie à l'aide du théorème fondamental du calcul.

À l'aide du théorème fondamental du calcul intégral, évaluer :

2. $\int_0^4 x\sqrt{16 - x^2}\, dx$

3. $\int_0^{\pi/4} \tan x \sec^2 x\, dx$

4. $\int_0^{\pi/2} \sin^3 x\, dx$

5. $\int_0^{\pi/6} x \sin x\, dx$

6. $\int_1^2 \frac{\ln x^3}{x}\, dx$

7. Trouver l'aire bornée par la courbe
   $$y = x^2 - 5x + 4,$$
   l'axe des x, l'axe des y et la verticale $x = 2$.

8. (*facultatif*) Démontrer par induction que
   $$\sum_{i=1}^{n+1} i = \frac{(n+1)(n+2)}{2}$$
   pour tout entier positif n.

C H A P I T R E

Évaluation d'une intégrale définie

L'atteinte des objectifs de ce chapitre conduit à l'acquisition de l'élément de compétence suivant.

« Calculer l'intégrale définie et l'intégrale impropre d'une fonction sur un intervalle. »

Objectifs

- **A** Énoncer, démontrer et interpréter les principales propriétés de l'intégrale définie.
- **B** Calculer une intégrale définie en utilisant les propriétés appropriées.
- **C** Définir et interpréter géométriquement une intégrale impropre.
- **D** Identifier et évaluer une intégrale impropre.
- **E** Utiliser la méthode des rectangles, la méthode des trapèzes et la méthode de Simpson pour effectuer le calcul approché d'une intégrale définie.

Préambule

Comme nous l'avons fait avec l'intégrale indéfinie en étudiant en détail les techniques d'intégration, nous allons maintenant approfondir notre étude de l'intégrale définie afin de développer notre habileté à évaluer une telle intégrale définie. Nous allons également aborder le cas où l'intervalle considéré n'est pas limité, le cas où la fonction n'est pas continue et le cas où l'on ne peut trouver de primitive.

5.1 Propriétés de l'intégrale définie

Au chapitre précédent, nous avons défini l'intégrale définie par :

$$\int_a^b f(x)\,dx = \lim_{\substack{n\to\infty \\ \max \Delta x_i \to 0}} \sum_{i=1}^{n} f(\overline{x}_i)\,\Delta x_i$$

et nous en avons évalué quelques-unes à partir de cette définition. Cette façon d'évaluer une intégrale définie s'avère lourde, fastidieuse et même inabordable lorsque la fonction f n'est pas une fonction très simple. Nous avons donc introduit un résultat qui permet d'évaluer un très grand nombre d'intégrales définies assez facilement. C'est le théorème fondamental du calcul. Pour faciliter ces calculs et les manipulations qu'ils requièrent, nous allons maintenant observer quelques propriétés du concept d'intégrale définie. Selon le théorème fondamental du calcul, le calcul d'une intégrale définie se ramène, à toutes fins utiles, à la recherche d'une primitive. On doit donc s'attendre à retrouver ici des propriétés analogues à celles de l'intégrale indéfinie. Nous en aurons toutefois quelques-unes de plus. Nous démontrerons ces propriétés à l'aide du théorème fondamental, bien que ces preuves puissent aussi se faire à partir de la définition même de l'intégrale définie.

5.1.1 Propriétés 1 à 3

Les trois premières propriétés correspondent aux trois règles de base de l'intégrale indéfinie. Elles sont simples et on peut considérer qu'on les applique instinctivement au point où l'on est rendu dans l'étude de l'intégrale.

Théorème 5.1.1

Propriété 1	$\int_a^b dx = b - a$
Propriété 2	$\int_a^b k\,f(x)\,dx = k\int_a^b f(x)\,dx$ où k est une constante quelconque
Propriété 3	$\int_a^b \big(f(x)+g(x)\big)dx = \int_a^b f(x)\,dx + \int_a^b g(x)\,dx$

EXEMPLE 5.1

Évaluer $\int_2^5 (x^2+3)^2 dx$

Solution

En utilisant les propriétés 1 à 3 de l'intégrale définie, on a :

$$\int_2^5 (x^2+3)^2 dx = \int_2^5 (x^4+6x^2+9)\,dx = \int_2^5 x^4 dx + \int_2^5 6x^2 dx + \int_2^5 9\,dx$$

$$= \int_2^5 x^4 dx + 6\int_2^5 x^2 dx + 9\int_2^5 dx = \left[\frac{x^5}{5}\right]_2^5 + 6\left[\frac{x^3}{3}\right]_2^5 + 9\,(5-2)$$

$$= \frac{5^5}{5} - \frac{2^5}{5} + 6\left(\frac{5^3}{3} - \frac{2^3}{3}\right) + 27 = 5^4 - \frac{32}{5} + 2\,(5)^3 - 2^4 + 27 = \frac{4\,398}{5} = 879{,}6$$

EXEMPLE

5.2

Démontrer la propriété 2 : $\int_a^b k\,f(x)\,dx = k\int_a^b f(x)\,dx$

(où k est une constante quelconque)

Solution

Soit $F(x)$ une primitive de $f(x)$. Alors $k\,F(x)$ est une primitive de $k\,f(x)$ car $\left(k\,F(x)\right)' = k\,F'(x) = k\,f(x)$. Donc, selon le théorème fondamental du calcul intégral,

$$\int_a^b k\,f(x)\,dx = k\,F(x)\Big|_a^b = k\,F(b) - k\,F(a) = k\left(F(b) - F(a)\right) = k\int_a^b f(x)\,dx$$

5.1.2 Propriétés 4 à 6

Les trois propriétés suivantes concernent les bornes d'intégration d'une intégrale définie.

Théorème 5.1.2

Propriété 4	$\int_a^a f(x)\,dx = 0$
Propriété 5	$\int_b^a f(x)\,dx = -\int_a^b f(x)\,dx$
Propriété 6	$\int_a^b f(x)\,dx = \int_a^c f(x)\,dx + \int_c^b f(x)\,dx$

EXEMPLE

5.3

Démontrer la propriété 5 : $\int_b^a f(x)\,dx = -\int_a^b f(x)\,dx$

Solution

Soit $F(x)$ une primitive de $f(x)$. Alors :

$$\int_b^a f(x)\,dx = F(x)\Big|_b^a = F(a) - F(b) = -\left(F(b) - F(a)\right) = -\left[F(x)\right]_a^b = -\int_a^b f(x)\,dx$$

REMARQUE

On peut dire de la propriété 5 qu'elle n'est en fait qu'une question de notation. Cela est juste, car en supposant $a < b$, les sommes de Riemann des $f(\overline{x}_i)\,\Delta x_i$ se font de gauche à droite et c'est le sens positif, par convention. Si on change le sens de la sommation, il est naturel que le signe soit changé.

EXEMPLE

5.4

Supposons que $\int_1^3 f(x)\,dx = 5$, $\int_3^4 f(x)\,dx = 2$ et $\int_1^4 g(x)\,dx = 7$, alors trouver

$$\int_1^4 \left(f(x) + 3\,g(x)\right)dx$$

Solution

$$\int_1^4 \left(f(x) + 3\,g(x)\right)dx = \int_1^4 f(x)\,dx + \int_1^4 3\,g(x)\,dx = \int_1^4 f(x)\,dx + 3\int_1^4 g(x)\,dx$$
$$= \int_1^3 f(x)\,dx + \int_3^4 f(x)\,dx + 3\int_1^4 g(x)\,dx = 5 + 2 + 3\,(7) = 28$$

Notons que nous avons déjà utilisé implicitement la propriété 6 dans la solution de l'exercice 3 de la section 4.6.

5.1.3 Propriétés 7 à 9

Les trois dernières propriétés permettent, dans certains cas, d'accélérer les calculs requis pour évaluer une intégrale définie.

Théorème 5.1.3

Propriété 7	Si f est une fonction *paire* dans l'intervalle $[-a, a]$, alors $$\int_{-a}^{a} f(x)\,dx = 2\int_{0}^{a} f(x)\,dx$$
Propriété 8	Si f est une fonction *impaire* dans l'intervalle $[-a, a]$, alors $$\int_{-a}^{a} f(x)\,dx = 0$$
Propriété 9	Soit à évaluer $\int_a^b f(x)\,dx$ où f est continue sur $[a, b]$. Considérons le changement de variable $x = g(u)$, où, sur l'intervalle $[g^{-1}(a), g^{-1}(b)]$, $g(u)$ est dérivable et inversible, $g'(u)$ est continue et $f(g(u))$ est continue. Alors $$\int_a^b f(x)\,dx = \int_{g^{-1}(a)}^{g^{-1}(b)} f(g(u))\,g'(u)\,du$$

Démontrons d'abord la propriété 9. Soit $F(x)$ une primitive de $f(x)$ et soit $x = g(u)$.

Alors $u = g^{-1}(x)$ et

$$\int_a^b f(x)\,dx = F(x)\Big|_a^b = F(b) - F(a) = F(g(g^{-1}(b))) - F(g(g^{-1}(a)))$$

$$= F(g(u))\Big|_{g^{-1}(a)}^{g^{-1}(b)} = \int_{g^{-1}(a)}^{g^{-1}(b)} (F(g(u)))'du = \int_{g^{-1}(a)}^{g^{-1}(b)} f(g(u))\,g'(u)\,du$$

Ce qui démontre la propriété 9.

En bref, cela démontre qu'un changement de variable est permis dans les conditions énoncées en tenant compte, bien sûr, des changements dans les bornes d'intégration.

EXEMPLE 5.5

Évaluer $\int_0^1 \sqrt{4 - x^2}\,dx$

Solution

La forme de la fonction à intégrer suggère une substitution trigonométrique. Posons $x = 2 \sin \theta$. Alors $dx = 2 \cos \theta\, d\theta$ et $\theta = \arcsin (x/2)$.

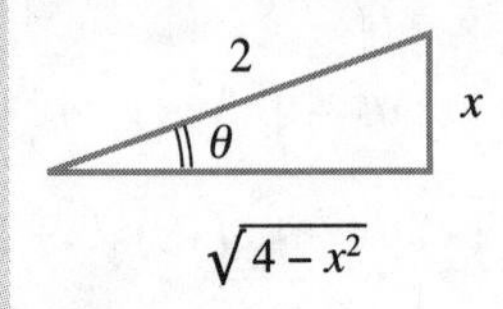

La borne $x = 0$ change pour $\theta = \arcsin(0/2) = \arcsin 0 = 0$
La borne $x = 1$ change pour $\theta = \arcsin(1/2) = \pi/6$

Avec ce changement de variable, on a :

$$\int_0^1 \sqrt{4-x^2}\,dx = \int_0^{\pi/6} \sqrt{4-4\sin^2\theta}\;2\cos\theta\,d\theta = \int_0^{\pi/6} 2\sqrt{1-\sin^2\theta}\;2\cos\theta\,d\theta$$

$$= 4\int_0^{\pi/6} \cos^2\theta\,d\theta = 4\int_0^{\pi/6} \frac{1+\cos 2\theta}{2}\,d\theta = 2\int_0^{\pi/6} (1+\cos 2\theta)\,d\theta$$

$$= 2\left[\theta + \frac{\sin 2\theta}{2}\right]_0^{\pi/6} = 2\left(\frac{\pi}{6} + \frac{\sin(\pi/3)}{2} - 0 - 0\right) = \frac{\pi}{3} + \sin\frac{\pi}{3} = \frac{\pi}{3} + \frac{\sqrt{3}}{2} = 1{,}913$$

REMARQUE

La technique que nous avons utilisée ici est simple et assez courte. On pourrait cependant procéder au même changement de variable sans trop se soucier des changements de bornes, mais alors il faudra revenir à la variable initiale x. Remarquez bien la notation utilisée pour les bornes d'intégration.

Ainsi :

$$\int_0^1 \sqrt{4-x^2}\,dx = \int_{x=0}^{x=1} \sqrt{4-4\sin^2\theta}\;2\cos\theta\,d\theta = \int_{x=0}^{x=1} 4\cos^2\theta\,d\theta$$

$$= 2\int_{x=0}^{x=1} (1+\cos 2\theta)\,d\theta = 2\left[\theta + \frac{\sin 2\theta}{2}\right]_{x=0}^{x=1} = 2\left[\arcsin\frac{x}{2} + \frac{2\sin\theta\cos\theta}{2}\right]_{x=0}^{x=1}$$

$$= 2\left[\arcsin\frac{x}{2} + \left(\frac{x}{2}\right)\left(\frac{\sqrt{4-x^2}}{2}\right)\right]_0^1 = 2\left(\arcsin\frac{1}{2} + \frac{(1)(\sqrt{3})}{(2)(2)} - 0 - 0\right) = 2\left(\frac{\pi}{6} + \frac{\sqrt{3}}{4}\right) = 1{,}913$$

EXEMPLE 5.6

Évaluer $\displaystyle\int_0^5 \frac{x\,dx}{\sqrt{x^2+11}}$

Solution

Posons $u = x^2 + 11$. Alors $du = 2x\,dx \Rightarrow x\,dx = (1/2)\,du$. La borne $x = 0$ change pour $u = 11$ et la borne $x = 5$ change pour $u = 36$. On a :

$$\int_0^5 \frac{x\,dx}{\sqrt{x^2+11}} = \int_{11}^{36} \frac{(1/2)\,du}{\sqrt{u}} = \frac{1}{2}\int_{11}^{36} u^{-1/2}\,du = \sqrt{u}\,\Big|_{11}^{36} = \sqrt{36} - \sqrt{11} = 6 - \sqrt{11} = 2{,}683$$

Démontrons maintenant la propriété 7. Rappelons qu'une fonction f est *paire* dans l'intervalle $[-a, a]$ si, pour tout $x \in [-a, a]$, $f(-x) = f(x)$. Ainsi, selon la propriété 6, on peut écrire :

$$\int_{-a}^{a} f(x)\,dx = \int_{-a}^{0} f(x)\,dx + \int_0^a f(x)\,dx$$

Dans la première intégrale du second membre, changeons x en $-x$; alors dx devient $-dx$, a devient $-a$ et $-a$ devient a. On a donc :

$$\int_{-a}^{a} f(x)\,dx = \int_a^0 f(-x)(-dx) + \int_0^a f(x)\,dx$$

$$= -\int_a^0 f(x)\,dx + \int_0^a f(x)\,dx = \int_0^a f(x)\,dx + \int_0^a f(x)\,dx = 2\int_0^a f(x)\,dx$$

Ce qui démontre la propriété 7.

L'interprétation géométrique de cette propriété est simple. Une fonction paire est symétrique par rapport à l'axe des y.

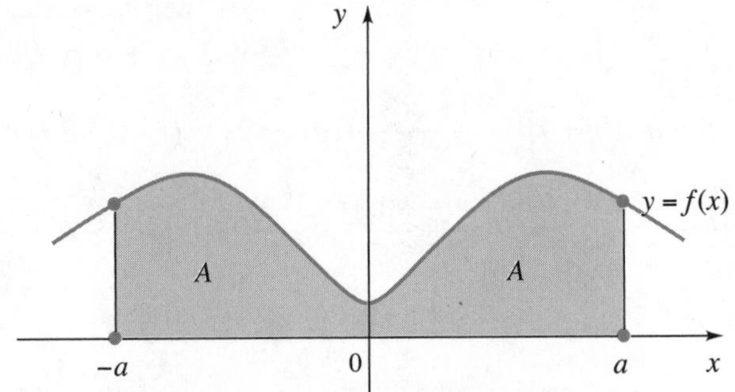

Alors, l'intégrale de $-a$ à a est le double de l'intégrale de 0 à a.

EXEMPLE 5.7

Évaluer $\int_{-1}^{1} \frac{x^2}{1+x^2}\, dx$

Solution

Remarquons que la fonction à intégrer est paire. En effet :

$$f(-x) = \frac{(-x)^2}{1+(-x)^2} = \frac{x^2}{1+x^2} = f(x)$$

Alors :

$$\int_{-1}^{1} \frac{x^2}{1+x^2}\, dx = 2\int_{0}^{1} \frac{x^2}{1+x^2}\, dx = 2\int_{0}^{1} \left(1 - \frac{1}{1+x^2}\right) dx$$

$$= 2\left[x - \arctan x\right]_0^1 = 2\left(1 - \arctan 1 - 0 - 0\right) = 2\left(1 - \frac{\pi}{4}\right) = 0{,}429$$

De la même manière, démontrons maintenant la propriété 8. Rappelons qu'une fonction f est *impaire* dans l'intervalle $[-a, a]$ si, pour tout $x \in [-a, a]$, $f(-x) = -f(x)$. Ainsi, selon la propriété 6, on peut écrire :

$$\int_{-a}^{a} f(x)\, dx = \int_{-a}^{0} f(x)\, dx + \int_{0}^{a} f(x)\, dx$$

Dans la première intégrale du second membre, changeons x en $-x$; alors dx devient $-dx$ et $-a$ devient a. Alors :

$$\int_{-a}^{a} f(x)\, dx = \int_{a}^{0} f(-x)\,(-dx) + \int_{0}^{a} f(x)\, dx$$

$$= \int_{a}^{0} f(x)\, dx + \int_{0}^{a} f(x)\, dx = -\int_{0}^{a} f(x)\, dx + \int_{0}^{a} f(x)\, dx = 0$$

Géométriquement, une fonction impaire est symétrique par rapport à l'origine. Dans ce cas, les aires des deux surfaces séparées par l'origine sont égales géométriquement mais s'annulent algébriquement.

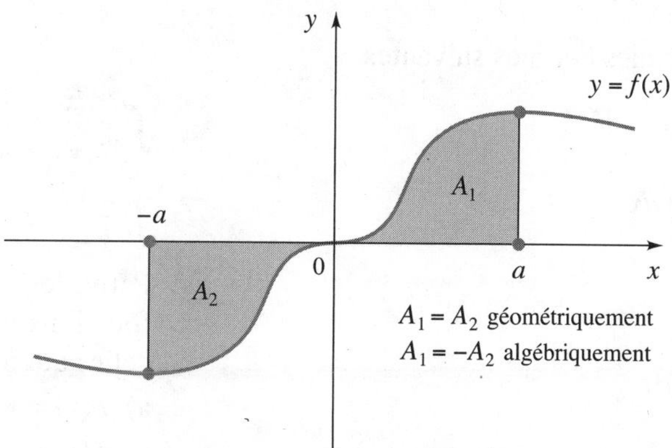

EXEMPLE

5.8

Évaluer $\int_{-3}^{3} \frac{x^3}{\sqrt{1+x^4}}\,dx$

Solution

Observons que la fonction à intégrer est impaire. En effet,

$$f(-x) = \frac{(-x)^3}{\sqrt{1+(-x)^4}} = \frac{-x^3}{\sqrt{1+x^4}} = -f(x)$$

Ainsi :

$$\int_{-3}^{3} \frac{x^3}{\sqrt{1+x^4}}\,dx = 0$$

Remarquons qu'on pourrait effectuer le calcul en détail et aboutir au même résultat.

Posons $u = 1 + x^4$; alors $du = 4x^3dx \Rightarrow x^3dx = \frac{1}{4}\,du$.

$$\int_{-3}^{3} \frac{x^3}{\sqrt{1+x^4}}\,dx = \int_{x=-3}^{x=3} \frac{(1/4)\,du}{\sqrt{u}} = \frac{1}{4}\int_{x=-3}^{x=3} u^{-1/2}\,du = \frac{1}{4}\left[\frac{u^{1/2}}{1/2}\right]_{x=-3}^{x=3}$$

$$= \frac{1}{2}\left[\sqrt{u}\,\right]_{x=-3}^{x=3} = \frac{1}{2}\left[\sqrt{1+x^4}\,\right]_{x=-3}^{x=3} = \frac{1}{2}\left(\sqrt{82}-\sqrt{82}\,\right) = 0$$

EXERCICES

5.2

1 Démontrer la propriété 1 :

$$\int_a^b dx = b - a$$

2 Démontrer la propriété 3 :

$$\int_a^b \left(f(x)+g(x)\right)dx = \int_a^b f(x)\,dx + \int_a^b g(x)\,dx$$

3 Démontrer la propriété 4 :

$$\int_a^a f(x)\,dx = 0$$

4 Démontrer la propriété 6 et interpréter géométriquement le résultat :

$$\int_a^b f(x)\,dx = \int_a^c f(x)\,dx + \int_c^b f(x)\,dx$$

5.2

Évaluer les intégrales définies suivantes.

5 $\int_0^{\pi/6} \sin^3 x \, dx$

6 $\int_0^4 (6x - x^3) \, dx$

7 $\int_0^1 \frac{dx}{9 - x^2}$

8 $\int_3^3 \frac{7x\sqrt{x}}{x+1} dx$

9 $\int_{-2}^2 \sqrt{4 - x^2} \, dx$

10 $\int_1^6 x\sqrt{x+3} \, dx$

11 $\int_{-3}^3 (x^2 + 3\cos x) \, dx$

12 $\int_0^2 \frac{dx}{\left(x^2+4\right)^{3/2}}$

13 $\int_2^3 \frac{dx}{x\sqrt{x^2-1}}$

14 $\int_0^{\pi/4} x \sin x \, dx$

15 Calculer l'aire totale bornée par l'axe des x, la courbe de $y = 3x - x^2$ et les verticales $x = -1$ et $x = 4$.

Évaluer les intégrales définies suivantes.

16 $\int_{-2}^3 (7 - 3x) \, dx$

17 $\int_{-1}^1 (3x + x^3) \, dx$

18 $\int_{-3}^3 (4 - x^2) \, dx$

19 $\int_{-2}^2 (e^{2x} + e^{-2x}) \, dx$

20 $\int_{-5}^5 (x^3 + \sin x) \, dx$

21 $\int_{-1}^1 \cos(x+1) \, dx$

22 $\int_4^4 x^2 \sin^2 x \, dx$

23 $\int_{-2}^3 \frac{dx}{x+5}$

24 $\int_2^3 \frac{x+1}{x-1} dx$

25 Parmi les fonctions suivantes, indiquer les fonctions paires, les fonctions impaires et celles qui ne sont ni paires, ni impaires.

a) $f(x) = x^2 + \cos 4x$

b) $f(x) = x^3 - \sin 2x$

c) $f(x) = 4x^4 - 2x^3 + 1$

d) $f(x) = e^x - e^{-x}$

e) $f(x) = \arcsin x$

f) $f(x) = x^2 \ln x$

g) $f(x) = \sqrt{x^2 - 7}$

Évaluer les intégrales définies suivantes.

26 $\int_0^{\pi/2} \sin^4 x \, dx$

27 $\int_0^{3/2} \sqrt{9 - x^2} \, dx$

28 $\int_2^3 \frac{dx}{\sqrt{9x^2 + 6x}}$

29 $\int_1^2 \frac{9x^2 + 16x + 4}{x^3 + 3x^2 + 2x} dx$

30 $\int_1^4 x^3 \ln x \, dx$

31 $\int_1^2 \frac{x^3 dx}{\sqrt{16 - x^2}}$

32 $\int_0^1 \frac{e^{2x}}{e^x + 1} dx$

33 $\int_0^1 \frac{dx}{\left(1 + x^2\right)^2}$

34 $\int_0^2 x^2 e^x dx$

35 $\int_0^{\pi/2} \cos 4x \cos x \, dx$

5.3 Intégrales impropres

Le concept d'intégrale définie a été introduit pour une fonction continue (donc bornée) sur un intervalle fermé $[a, b]$ fini et limité. À l'aide de la notion de limite, nous étendrons cette définition au cas où l'intervalle est infini, c'est-à-dire pour des intervalles $[a, \infty[$, $]-\infty, b]$ ou $]-\infty, \infty[$ et également au cas où la fonction f est discontinue en un nombre fini de points sur l'intervalle considéré. Nous définirons ainsi les intégrales impropres, que nous subdivisons en deux grandes catégories : celles où l'intervalle est illimité et celles où la fonction est discontinue.

5.3.1 Intervalle illimité

Définissons ce qu'est l'*intégrale impropre* dans chacune des trois situations possibles.

Définition 1 (où la borne supérieure est infinie)

$$\int_a^\infty f(x)\,dx = \lim_{b\to\infty} \int_a^b f(x)\,dx$$

si cette dernière limite existe dans $\mathbb{R}$. Lorsque cette limite existe dans $\mathbb{R}$, on dit que l'intégrale *existe* ou qu'elle *converge*. Sinon, on dit qu'elle *n'existe pas* ou qu'elle *diverge*.

EXEMPLE 5.9

Évaluer $\displaystyle\int_1^\infty \frac{dx}{(x+2)^2}$

Solution

Par définition : $\displaystyle\int_1^\infty \frac{dx}{(x+2)^2} = \lim_{b\to\infty} \int_1^b \frac{dx}{(x+2)^2}$

$$= \lim_{b\to\infty} \left[\frac{-1}{x+2}\right]_1^b = \lim_{b\to\infty} \left(\frac{-1}{b+2}\right) - \left(\frac{-1}{1+2}\right) = \frac{-1}{\infty+2} + \frac{1}{3} = 0 + \frac{1}{3} = \frac{1}{3}$$

Pour obtenir une interprétation géométrique simple de

$$\int_a^\infty f(x)\,dx$$

supposons la fonction f positive et considérons les deux figures suivantes.

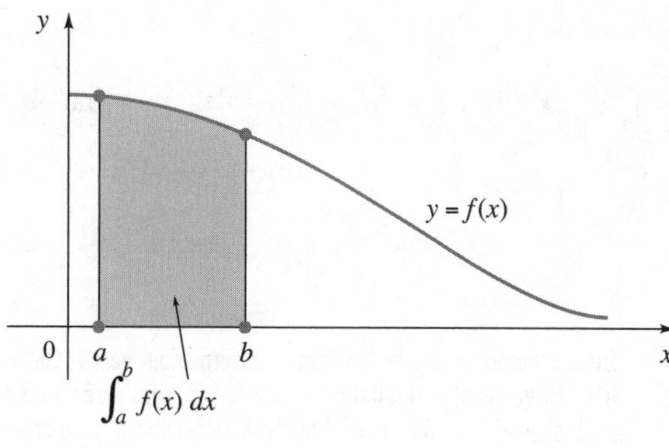

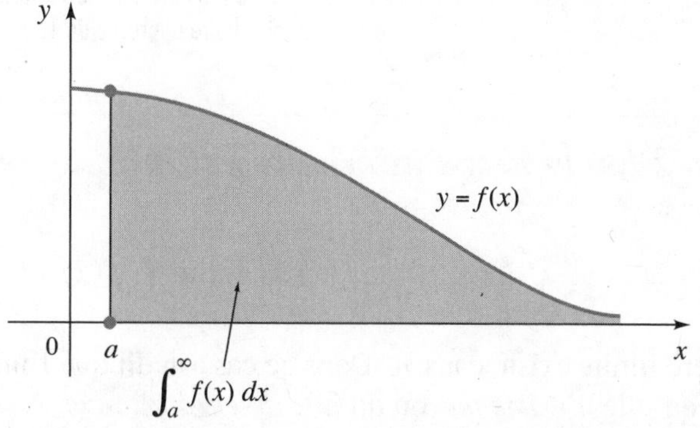

À partir de l'interprétation géométrique de

$$\int_a^b f(x)\,dx$$

l'interprétation géométrique de

$$\int_a^\infty f(x)\,dx$$

devient naturelle. C'est l'aire sous la courbe à droite de $x = a$. Remarquons finalement que si $F(x)$ est une primitive de $f(x)$, alors :

$$\int_a^\infty f(x)\,dx = \lim_{b\to\infty} \left[F(x)\right]_a^b = \lim_{b\to\infty} F(b) - F(a)$$

EXEMPLE

5.10 Trouver l'aire sous la courbe de $y = e^{-x}$ dans le premier quadrant.

Solution

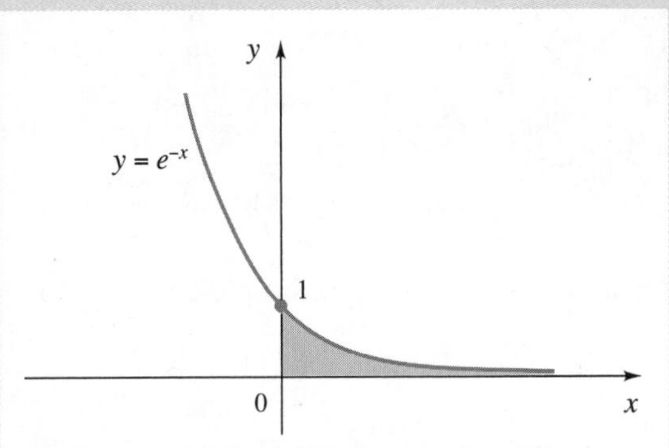

L'aire cherchée est donnée par $\int_0^\infty e^{-x}dx$.

$$\int_0^\infty e^{-x}dx = \lim_{b\to\infty}\int_0^b e^{-x}dx = \lim_{b\to\infty}\left[-e^{-x}\right]_0^b = \lim_{b\to\infty}(-e^{-b}) - (-e^0)$$
$$= \lim_{b\to\infty}(-e^{-b}) + 1 = -e^{-\infty} + 1 = 0 + 1 = 1$$

REMARQUE

Dans ce dernier exemple, l'intégrale converge donc vers 1. Comment doit-on interpréter géométriquement ce résultat puisque la surface considérée n'est pas fermée, c'est-à-dire qu'elle s'étend jusqu'à l'infini ? Il faut voir ce résultat « 1 » comme une borne et une limite, c'est-à-dire que toute surface allant de 0 à *b* aura une aire inférieure à 1, mais plus *b* est grand, plus l'aire approche de 1.

Définition 2 (où la borne inférieure est infinie)

$$\int_{-\infty}^b f(x)\,dx = \lim_{a\to-\infty}\int_a^b f(x)\,dx$$

si cette dernière limite existe dans $\mathbb{R}$. Dans ce cas, on dit que l'intégrale *existe* ou qu'elle *converge*. Sinon, on dit qu'elle *n'existe pas* ou qu'elle *diverge*.

Comme dans le cas précédent, on a :

$$\int_{-\infty}^{b} f(x)\,dx = \lim_{a\to-\infty} \left[F(x)\right]_a^b = F(b) - \lim_{a\to-\infty} F(a)$$

EXEMPLE

5.11

Évaluer $\int_{-\infty}^{1} \frac{x}{\sqrt{1+x^2}}\,dx$

Solution

Par définition : $\int_{-\infty}^{1} \frac{x}{\sqrt{1+x^2}}\,dx = \lim_{a\to-\infty} \int_{a}^{1} \frac{x}{\sqrt{1+x^2}}\,dx$

$$= \lim_{a\to-\infty} \left[\sqrt{1+x^2}\right]_a^1 = \sqrt{1+(1)^2} - \lim_{a\to-\infty} \left[\sqrt{1+a^2}\right] = \sqrt{2} - \infty = -\infty$$

Donc, l'intégrale diverge.

Définition 3 (où les deux bornes sont infinies)

On définit

$$\int_{-\infty}^{\infty} f(x)\,dx = \lim_{\substack{a\to-\infty \\ b\to\infty}} \int_{a}^{b} f(x)\,dx$$

c'est-à-dire, si l'on suppose que $F(x)$ est une primitive de $f(x)$:

$$\int_{-\infty}^{\infty} f(x)\,dx = \lim_{\substack{a\to-\infty \\ b\to\infty}} \left(F(b) - F(a)\right)$$

ou encore

$$\int_{-\infty}^{\infty} f(x)\,dx = \lim_{b\to\infty} F(b) - \lim_{a\to-\infty} F(a)$$

L'intégrale *existe* ou *converge* **si et seulement si** ces deux dernières limites existent dans $\mathbb{R}$. Sinon l'intégrale *n'existe pas* ou *diverge*.

EXEMPLE

5.12

Évaluer $\int_{-\infty}^{\infty} x^3 e^{-x^4}\,dx$

Solution

Par définition : $\int_{-\infty}^{\infty} x^3 e^{-x^4}\,dx = \lim_{\substack{a\to-\infty \\ b\to\infty}} \int_{a}^{b} x^3 e^{-x^4}\,dx = \lim_{\substack{a\to-\infty \\ b\to\infty}} \left[-\frac{1}{4} e^{-x^4}\right]_a^b$

$$= \lim_{b\to\infty} \left(-\frac{1}{4} e^{-b^4}\right) - \lim_{a\to-\infty} \left(-\frac{1}{4} e^{-a^4}\right) = \left(-\frac{1}{4} e^{-\infty}\right) - \left(-\frac{1}{4} e^{-\infty}\right) = 0 - 0 = 0$$

Donc, l'intégrale converge vers 0.

EXEMPLE

5.13

Évaluer $\int_{-\infty}^{\infty} x^5 dx$

Solution

Par définition : $\int_{-\infty}^{\infty} x^5 dx = \lim_{\substack{a\to-\infty \\ b\to\infty}} \int_a^b x^5 dx$

$$= \lim_{\substack{a\to-\infty \\ b\to\infty}} \left[\frac{x^6}{6}\right]_a^b = \lim_{b\to\infty} \frac{b^6}{6} - \lim_{a\to-\infty} \frac{a^6}{6} = \infty - \infty$$

Donc, l'intégrale diverge.

REMARQUE

Dans ce dernier exemple, notons que $\int_{-a}^{a} x^5 dx = 0$ et ce, pour tout nombre réel a. Ainsi,

$$\lim_{a\to\infty} \int_{-a}^{a} x^5 dx = 0$$

ce qui explique pourquoi nous n'avons pas défini $\int_{-\infty}^{\infty} f(x)\,dx$ par $\lim_{a\to\infty} \int_{-a}^{a} f(x)\,dx$. En effet, cela reviendrait à définir $\infty - \infty = 0$, ce que nous ne pouvons pas faire.

5.3.2 Fonction discontinue

Définissons maintenant une *intégrale impropre* dans les trois situations où l'on a une discontinuité.

Définition 4 (où il y a une discontinuité à la borne inférieure)

Si f est une fonction discontinue en $x = a$, on définit

$$\int_a^b f(x)\,dx = \lim_{\lambda\to a^+} \int_\lambda^b f(x)\,dx$$

si cette limite existe dans $\mathbb{R}$. On dit alors que l'intégrale *existe* ou qu'elle *converge*. Sinon, on dit qu'elle *n'existe pas* ou qu'elle *diverge*.

Si $F(x)$ est une primitive de $f(x)$, alors :

$$\int_a^b f(x)\,dx = \lim_{\lambda\to a^+} \big(F(b) - F(\lambda)\big) = F(b) - \lim_{\lambda\to a^+} F(\lambda)$$

Illustrons la situation géométriquement en considérant le cas particulier où $f(x) \to \infty$ quand $x \to a^+$.

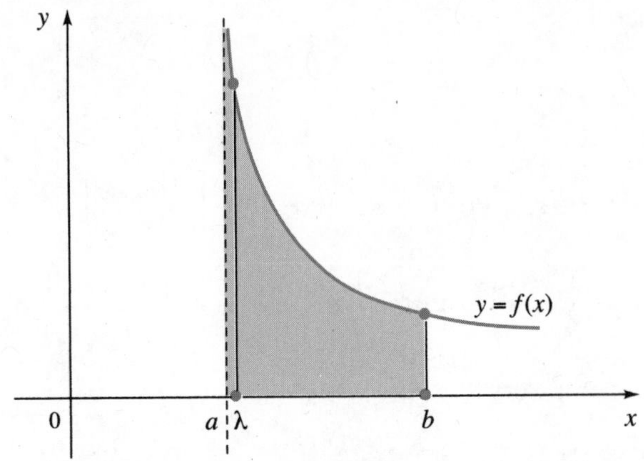

L'intégrale représente l'aire sous la courbe entre les verticales $x = a$ et $x = b$, bien que la surface considérée ne soit pas fermée.

EXEMPLE

5.14

Trouver l'aire dans le premier quadrant sous la courbe de $y = 2/\sqrt{x}$ et à gauche de la verticale $x = 4$.

Solution

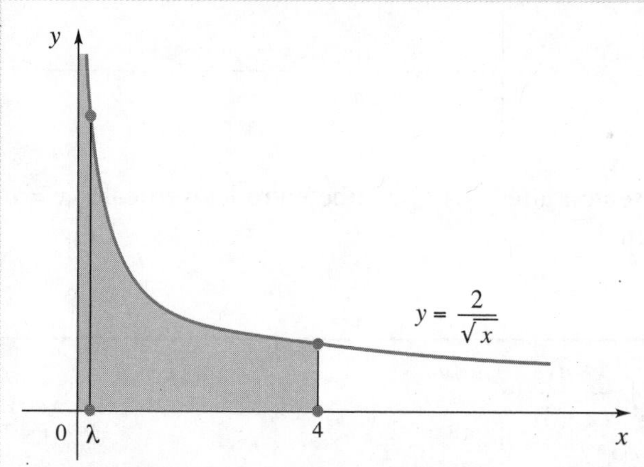

L'aire cherchée est donnée par $\int_0^4 \left(2/\sqrt{x}\right) dx$. Or, la fonction est discontinue en $x = 0$. Il y a là un comportement asymptotique vertical. Alors :

$$\int_0^4 \frac{2}{\sqrt{x}} dx = \lim_{\lambda \to 0^+} \int_\lambda^4 \frac{2}{\sqrt{x}} dx = \lim_{\lambda \to 0^+} \left[4\sqrt{x}\right]_\lambda^4 = 4\sqrt{4} - \lim_{\lambda \to 0^+} 4\sqrt{\lambda} = 8 - 4\sqrt{0^+} = 8 - 0 = 8$$

Définition 5 (où il y a une discontinuité à la borne supérieure)

Si f est une fonction discontinue en $x = b$, on définit

$$\int_a^b f(x)\,dx = \lim_{\lambda \to b^-} \int_a^\lambda f(x)\,dx$$

si cette limite existe dans $\mathbb{R}$. On dit alors que l'intégrale *existe* ou qu'elle *converge*. Sinon, on dit qu'elle *n'existe pas* ou qu'elle *diverge*.

Si $F(x)$ est une primitive de $f(x)$, alors :

$$\int_a^b f(x)\,dx = \lim_{\lambda \to b^-} \left(F(\lambda) - F(a)\right) = \lim_{\lambda \to b^-} F(\lambda) - F(a)$$

Voici l'illustration de la situation géométrique lorsqu'on considère le cas où $f(x) \to \infty$ quand $x \to b^-$.

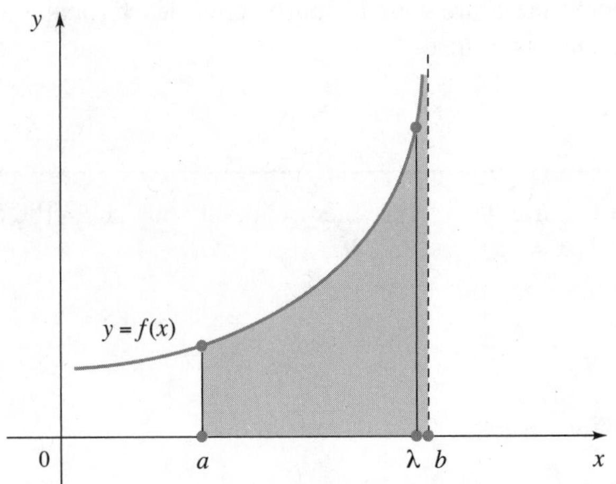

L'intégrale représente l'aire sous la courbe entre les verticales $x = a$ et $x = b$; cette surface n'est cependant pas fermée.

EXEMPLE 5.15

Évaluer $\int_1^3 \frac{dx}{(x-3)^{2/3}}$

Solution

Ici, il faut observer que la fonction $\frac{1}{(x-3)^{2/3}}$ est discontinue en $x = 3$. Alors, par définition :

$$\begin{aligned}\int_1^3 \frac{dx}{(x-3)^{2/3}} &= \lim_{\lambda \to 3^-} \int_1^{\lambda} \frac{dx}{(x-3)^{2/3}} = \lim_{\lambda \to 3^-} \left[3\,(x-3)^{1/3}\right]_1^{\lambda} \\ &= \lim_{\lambda \to 3^-} 3\,(\lambda-3)^{1/3} - 3\,(1-3)^{1/3} = 3\,(0) - 3\left(\sqrt[3]{-2}\right) = 3{,}780\end{aligned}$$

Définition 6 (où il y a une discontinuité entre les bornes d'intégration)

Si f est une fonction discontinue en $x = x_0$ où $a < x_0 < b$, on définit alors :

$$\int_a^b f(x)\,dx = \lim_{\lambda_1 \to x_0^-} \int_a^{\lambda_1} f(x)\,dx + \lim_{\lambda_2 \to x_0^+} \int_{\lambda_2}^b f(x)\,dx$$

L'intégrale existe **si et seulement si** ces deux dernières limites existent dans $\mathbb{R}$. On dit alors que l'intégrale *existe* ou qu'elle *converge*. Dans le cas contraire, on dit qu'elle *n'existe pas* ou qu'elle *diverge*.

Si $F(x)$ est une primitive de $f(x)$, on aura :

$$\begin{aligned}\int_a^b f(x)\,dx &= \lim_{\lambda_1 \to x_0^-} \left(F(\lambda_1) - F(a)\right) + \lim_{\lambda_2 \to x_0^+} \left(F(b) - F(\lambda_2)\right) \\ &= \lim_{\lambda_1 \to x_0^-} F(\lambda_1) - F(a) + F(b) - \lim_{\lambda_2 \to x_0^+} F(\lambda_2) \\ &= F(b) - F(a) + \lim_{\lambda_1 \to x_0^-} F(\lambda_1) - \lim_{\lambda_2 \to x_0^+} F(\lambda_2)\end{aligned}$$

Illustrons géométriquement en considérant le cas où $f(x) \to \infty$ lorsque $x \to x_0^+$ et lorsque $x \to x_0^-$.

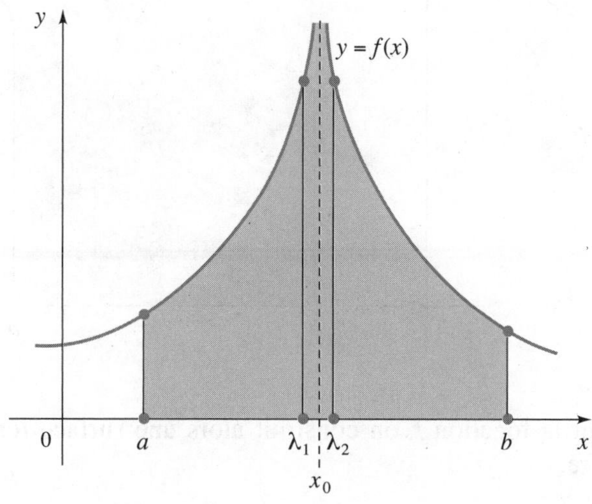

Encore ici, l'intégrale représente l'aire sous la courbe entre les verticales $x = a$ et $x = b$ bien que cette surface ne soit pas fermée.

Toujours dans la situation où la fonction est discontinue en $x = x_0$, considérons le cas particulier où $\lim\limits_{x \to x_0} f(x)$ existe.

On définit alors

$$\int_a^b f(x)\,dx = \int_a^b g(x)\,dx$$

où

$$g(x) = \begin{cases} f(x) & \text{si } x \neq x_0 \\ \lim\limits_{x \to x_0} f(x) & \text{si } x = x_0 \end{cases}$$

Cette fonction g est donc le prolongement continu de la fonction f. Ces deux fonctions ne diffèrent que par un point.

Illustrons géométriquement en considérant une fonction f présentant une discontinuité *non essentielle* en $x = x_0$.

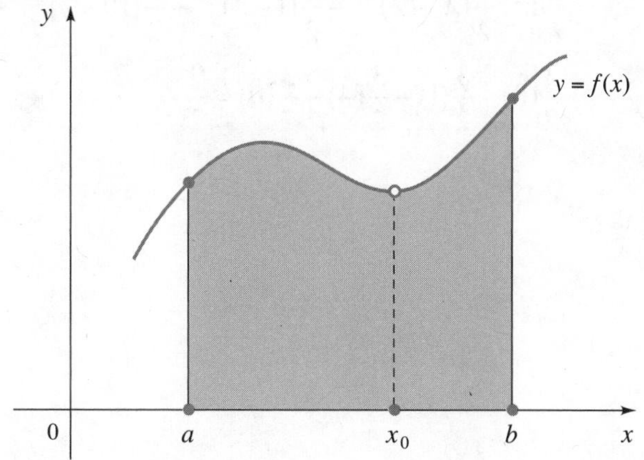

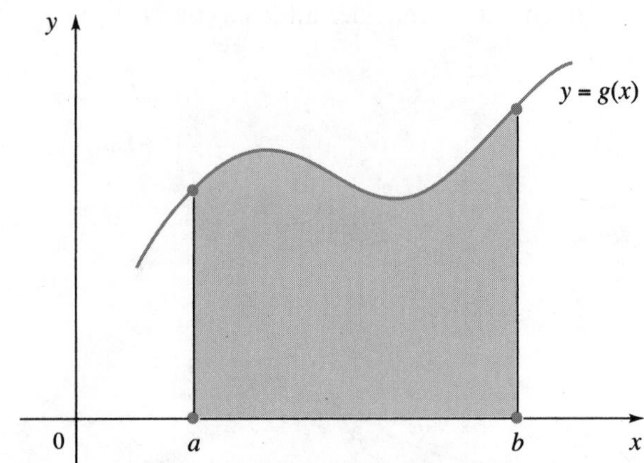

En prolongeant la fonction f, on construit alors une surface fermée et l'intégrale considérée en représente l'aire.

Ces considérations nous montrent que si

$$F(x) = \int f(x)\,dx$$

est continue sur $[a, b]$, alors

$$\int_a^b f(x)\,dx = F(b) - F(a)$$

et ce, même si f présente un nombre fini de points de discontinuité sur $[a, b]$.

EXEMPLE

5.16

Évaluer $\int_1^{10} \frac{dx}{\sqrt[3]{x-2}}$

Solution

Il faut observer la discontinuité en $x = 2$. Alors :

$$\int_1^{10} \frac{dx}{\sqrt[3]{x-2}} = \lim_{\lambda_1 \to 2^-} \int_1^{\lambda_1} \frac{dx}{\sqrt[3]{x-2}} + \lim_{\lambda_2 \to 2^+} \int_{\lambda_2}^{10} \frac{dx}{\sqrt[3]{x-2}}$$

$$= \lim_{\lambda_1 \to 2^-} \left[\frac{3}{2}(x-2)^{2/3}\right]_1^{\lambda_1} + \lim_{\lambda_2 \to 2^+} \left[\frac{3}{2}(x-2)^{2/3}\right]_{\lambda_2}^{10}$$

$$= \lim_{\lambda_1 \to 2^-} \frac{3}{2}(\lambda_1 - 2)^{2/3} - \frac{3}{2}(1-2)^{2/3} + \frac{3}{2}(10-2)^{2/3} - \lim_{\lambda_2 \to 2^+} \frac{3}{2}(\lambda_2 - 2)^{2/3}$$

$$= \frac{3}{2}(0) - \frac{3}{2}(1) + \frac{3}{2}(4) - \frac{3}{2}(0) = \frac{9}{2}$$

5.4

EXERCICES

Trouver les intégrales définies suivantes.

1. $\int_3^{\infty} \frac{dx}{x-2}$
2. $\int_{-\infty}^{0} e^{x+1}\,dx$
3. $\int_{-\infty}^{\infty} x\,e^{-x^2}\,dx$
4. $\int_2^{\infty} \frac{dx}{(x-1)^3}$
5. $\int_3^{\infty} \frac{dx}{x^2+4}$
6. $\int_{-\infty}^{\infty} \frac{dx}{x^2-10x+29}$
7. $\int_{-\infty}^{\infty} \frac{x\,dx}{x^2+9}$
8. $\int_0^1 \frac{dx}{x^2}$
9. $\int_0^{\pi/4} \operatorname{cosec} x\,dx$
10. $\int_0^9 \frac{dx}{\sqrt{x}}$
11. $\int_0^3 \frac{dx}{\sqrt{3-x}}$
12. $\int_0^1 \frac{x\,dx}{\sqrt{1-x^2}}$
13. $\int_0^1 \frac{dx}{\sqrt{1-x^2}}$
14. $\int_0^1 \frac{dx}{1-x^2}$
15. $\int_0^2 \frac{dx}{1-x}$
16. $\int_{-1}^1 \frac{dx}{x^{2/3}}$

Dire si les intégrales impropres suivantes convergent ou divergent et, si elles convergent, trouver vers quel nombre.

17. $\int_2^{\infty} \frac{dx}{x^2}$
18. $\int_2^{\infty} \frac{dx}{\sqrt{2x-3}}$
19. $\int_{-\infty}^{2} \frac{2x\,dx}{\left(4+x^2\right)^2}$
20. $\int_{-\infty}^{0} e^{3x}\,dx$
21. $\int_{-\infty}^{\infty} (x+1)\,e^x\,dx$
22. $\int_{-\infty}^{\infty} \frac{dx}{x^2+9}$
23. $\int_{-2}^{0} \frac{dx}{\sqrt{4-x^2}}$
24. $\int_5^6 \frac{dx}{(x-5)^2}$
25. $\int_1^3 \frac{5x-6}{x^2-3x}\,dx$
26. $\int_0^7 \frac{dx}{\sqrt{7-x}}$
27. $\int_0^4 \frac{dx}{(x-3)^2}$
28. $\int_0^2 \frac{x\,dx}{(x^2-1)^{4/5}}$
29. $\int_5^{\infty} \frac{dx}{\sqrt{x-3}}$
30. $\int_{-\infty}^{1} \frac{dx}{(4-x)^2}$
31. $\int_{-\infty}^{2} \frac{dx}{\sqrt{5-x}}$
32. $\int_0^4 \frac{dx}{x^{4/5}}$
33. $\int_4^{\infty} \frac{dx}{x^2-4}$
34. $\int_0^4 \frac{dx}{(x-3)^3}$
35. $\int_0^1 x\ln x\,dx$
36. $\int_0^3 \frac{(2x+1)}{\sqrt[4]{x^2+x}}\,dx$
37. $\int_{\pi/4}^{\pi/2} \sec x\,dx$

5.4

38 $\displaystyle\int_{\pi/4}^{3\pi/4} \tan x \, dx$

39 $\displaystyle\int_0^2 \frac{dx}{x^3 + x}$

40 $\displaystyle\int_2^\infty \frac{dx}{x^3\sqrt{x^2 - 1}}$

41 $\displaystyle\int_0^{\pi/3} \frac{\sec^2 x \, dx}{\sqrt{\tan x}}$

42 $\displaystyle\int_0^3 \frac{x^2 dx}{\sqrt{9 - x^2}}$

43 $\displaystyle\int_3^\infty \frac{x \, dx}{\sqrt{x^2 - 9}}$

44 $\displaystyle\int_1^\infty \frac{\cos x}{e^x} dx$

45 $\displaystyle\int_{-\infty}^\infty \frac{dx}{e^x + e^{-x}}$

46 $\displaystyle\int_1^\infty \frac{dx}{x^2 + x^4}$

5.5 Calcul approché d'une intégrale définie

Toutes les évaluations d'une intégrale définie que nous avons faites jusqu'ici étaient basées sur le théorème fondamental du calcul intégral. Ce dernier suppose que l'on peut trouver une primitive à la fonction à intégrer. Or, on sait que cela peut s'avérer difficile, voire impossible, pour certaines fonctions. Dans ces cas, l'intégrale définie conserve quand même son sens et son interprétation géométrique. La difficulté est alors de l'évaluer numériquement. Dans la présente section, nous allons examiner trois méthodes pour évaluer numériquement une intégrale définie sans passer par le théorème fondamental du calcul. Ces méthodes nous donnent une approximation de l'intégrale définie, mais dans chaque cas, on peut faire en sorte que cette approximation soit aussi bonne qu'on voudra. Ce sont la *méthode des rectangles*, la *méthode des trapèzes* et la *méthode de Simpson*.

5.5.1 Méthode des rectangles

Soit à évaluer :

$$\int_a^b f(x) \, dx$$

Supposons, pour faciliter l'interprétation géométrique, que la fonction $f(x)$ est positive sur l'intervalle $[a, b]$. Alors, l'intégrale cherchée s'interprète géométriquement comme l'aire sous la courbe entre les verticales $x = a$ et $x = b$.

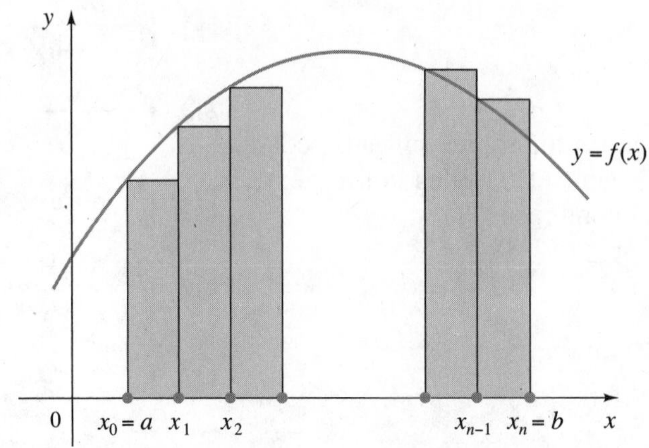

Par des points $x_0 = a, x_1, x_2, ..., x_{n-1}, x_n = b$ équidistants l'un de l'autre, divisons l'intervalle $[a, b]$ en n sous-intervalles de longueur $(b - a)/n$. Considérons des rectangles dont la base est formée par ces sous-intervalles de longueur $(b - a)/n$ et dont la hauteur est respectivement $f(x_0), f(x_1), f(x_2), ..., f(x_{n-1})$. La somme des aires de ces rectangles constitue une approximation de l'intégrale. On a :

$$\int_a^b f(x)\,dx \cong \left(\frac{b-a}{n}\right)\left(f(x_0) + f(x_1) + f(x_2) + ... + f(x_{n-1})\right)$$

Nous noterons cette approximation calculée avec la méthode des rectangles par A_R.

$$A_R = \left(\frac{b-a}{n}\right)\left(f(x_0) + f(x_1) + f(x_2) + ... + f(x_{n-1})\right)$$

Plus le nombre de rectangles considérés sera grand, meilleure sera l'approximation. Sur la dernière figure, on peut voir que chaque calcul d'aire d'un rectangle provoque une erreur, en plus ou en moins. Les erreurs peuvent s'accumuler ou s'annuler selon la fonction considérée. L'interprétation graphique est tout aussi simple si la fonction $f(x)$ est négative dans l'intervalle considéré.

EXEMPLE

5.17

Par la méthode des rectangles, évaluer approximativement l'intégrale définie

$$\int_0^4 \sqrt{1+x^3}\,dx$$

Solution

Divisons l'intervalle $[0, 4]$ en 8 parties de longueur $(4 - 0)/8 = 1/2$. On a alors :

$$\int_0^4 \sqrt{1+x^3}\,dx \cong A_R = \left(\frac{4-0}{8}\right)\left(f(0) + f(1/2) + f(1) + f(3/2) + f(2) + f(5/2) + f(3) + f(7/2)\right)$$

$$A_R = \frac{1}{2}(1 + 1{,}061 + 1{,}414 + 2{,}092 + 3 + 4{,}077 + 5{,}292 + 6{,}624)$$

$$A_R = 12{,}280$$

Il est difficile, à ce stade-ci, d'estimer la précision de ce calcul. Il y a certainement une erreur. On peut diminuer l'erreur en utilisant un plus grand nombre de sous-intervalles. Par exemple, si l'on subdivise l'intervalle $[0, 4]$ en 16 parties, on trouve $A_R = 13{,}116$.

5.5.2 Méthode des trapèzes

Cette deuxième méthode donne généralement un meilleur résultat que la méthode des rectangles. Replaçons-nous dans la même situation que précédemment, c'est-à-dire à la phase de l'évaluation de :

$$\int_a^b f(x)\,dx$$

Supposons que nous ayons subdivisé l'intervalle $[a, b]$ en n sous-intervalles de longueur égale $(b - a)/n$.

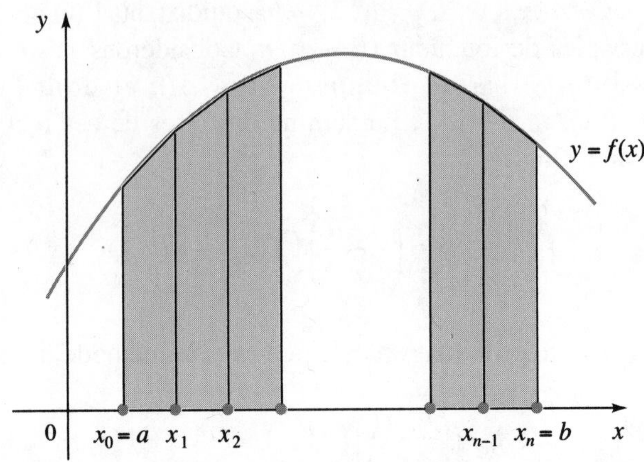

En utilisant les mêmes bases que dans le cas précédent, considérons plutôt des trapèzes en joignant les points sur la courbe de $y = f(x)$. Intuitivement, on peut tout de suite savoir qu'en calculant la somme des aires de ces trapèzes, on devrait avoir une meilleure approximation que celle du cas précédent où l'on utilisait des rectangles.

Considérons le premier de ces trapèzes :

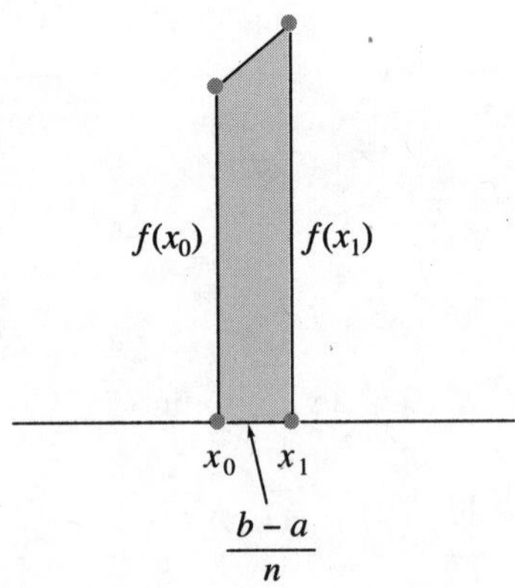

Aire d'un trapèze = base moyenne × hauteur

L'aire de ce trapèze est donnée par :

$$\frac{f(x_0)+f(x_1)}{2} \times \left(\frac{b-a}{n}\right)$$

L'aire du second trapèze sera :

$$\frac{f(x_1)+f(x_2)}{2} \times \left(\frac{b-a}{n}\right)$$

L'aire du troisième trapèze sera :

$$\frac{f(x_2)+f(x_3)}{2} \times \left(\frac{b-a}{n}\right)$$

L'aire du n^e trapèze sera :

$$\frac{f(x_{n-1})+f(x_n)}{2} \times \left(\frac{b-a}{n}\right)$$

En faisant la somme des aires de ces n trapèzes, on aura l'approximation suivante de l'intégrale

$$\int_a^b f(x)\,dx \cong \left(\frac{b-a}{n}\right)\times\frac{1}{2}\big(f(x_0)+2f(x_1)+2f(x_2)+\ \ldots\ +2f(x_{n-1})+f(x_n)\big)$$

Nous noterons cette approximation calculée avec la méthode des trapèzes par A_T.

$$A_T=\left(\frac{b-a}{n}\right)\frac{1}{2}\big(f(x_0)+2f(x_1)+2f(x_2)+\ \ldots\ +2f(x_{n-1})+f(x_n)\big)$$

Bien sûr, plus le nombre de subdivisions de $[a, b]$ sera grand, meilleure sera l'approximation.

Si on note $(b-a)/n = r$, on peut alors écrire la formule donnant l'approximation d'une intégrale définie en utilisant la *méthode des trapèzes* par :

$$\int_a^b f(x)\,dx \cong \frac{r}{2}\big(f(a)+2f(a+r)+2f(a+2r)+\ \ldots\ +2f(a+(n-1)\,r)+f(b)\big)$$

ou

$$A_T=\frac{r}{2}\big(f(a)+2f(a+r)+2f(a+2r)+\ \ldots\ +2f(a+(n-1)\,r)+f(b)\big)$$

EXEMPLE 5.18

Par la méthode des trapèzes, évaluer $\int_0^4 \sqrt{1+x^3}\,dx$

Solution

Comme dans l'exemple précédent, divisons l'intervalle $[0, 4]$ en 8 portions de longueur $1/2$.

On a alors :

$$\int_0^4 \sqrt{1+x^3}\,dx \cong A_T=\left(\frac{4-0}{8}\right)\left(\frac{1}{2}\right)\big(f(0)+2f(1/2)+2f(1)+2f(3/2)+2f(2)$$
$$+2f(5/2)+2f(3)+2f(7/2)+f(4)\big)$$

$$A_T=\left(\frac{1}{2}\right)\left(\frac{1}{2}\right)\big(1+2{,}122+2{,}828+4{,}184+6+8{,}154+10{,}584+13{,}248+8{,}062\big)$$

$$A_T=14{,}046$$

Notons que si l'on subdivise l'intervalle $[0, 4]$ en 16 parties, on trouve $A_T = 13{,}999$. Cela nous donne déjà une indication sur la précision du calcul.

5.5.3 Méthode de Simpson

On peut espérer améliorer encore l'approximation d'une intégrale en remplaçant les segments de droite joignant les points sur la courbe délimitant le haut des trapèzes par des courbes paraboliques. C'est la *méthode de Simpson*.

Soit à évaluer :

$$\int_a^b f(x)\,dx$$

Supposons que l'on divise l'intervalle $[a, b]$ en un nombre pair $n = 2m$ de sous-intervalles de longueur égale $(b-a)/n$.

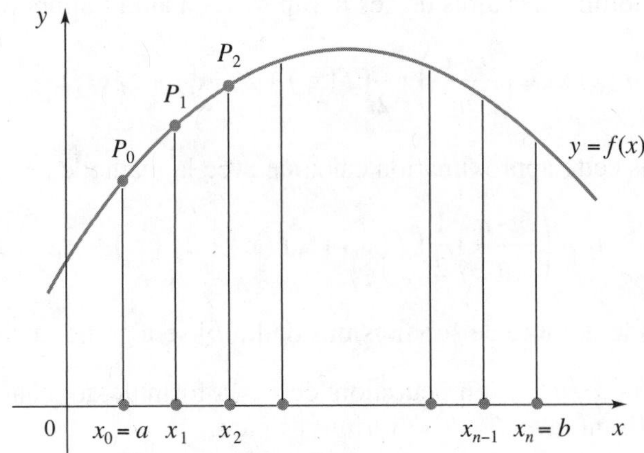

Considérons les deux premiers sous-intervalles $[x_0, x_1]$ et $[x_1, x_2]$ ainsi que les points correspondants aux abscisses x_0, x_1, x_2 sur la courbe; appelons-les P_0, P_1 et P_2.

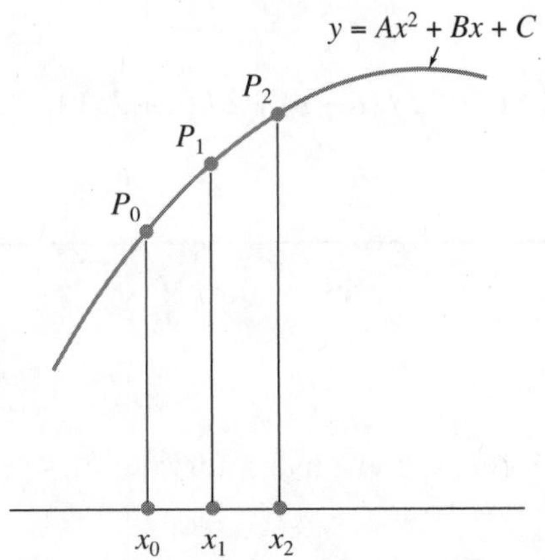

Imaginons que l'on fasse passer par ces points une parabole d'équation

$$y = g\ (x) = Ax^2 + Bx + C$$

où les coefficients A, B et C sont ajustés de façon à ce que la parabole passe par les points P_0, P_1 et P_2. Proposons-nous de calculer l'aire sous la parabole et au-dessus de l'axe des x. Pour simplifier la tâche, plaçons un système d'axes de façon que l'axe des y soit au centre de la figure. Alors :

$$x_0 = -r$$
$$x_1 = 0$$
$$x_2 = r$$

où $r = \dfrac{b-a}{n}$

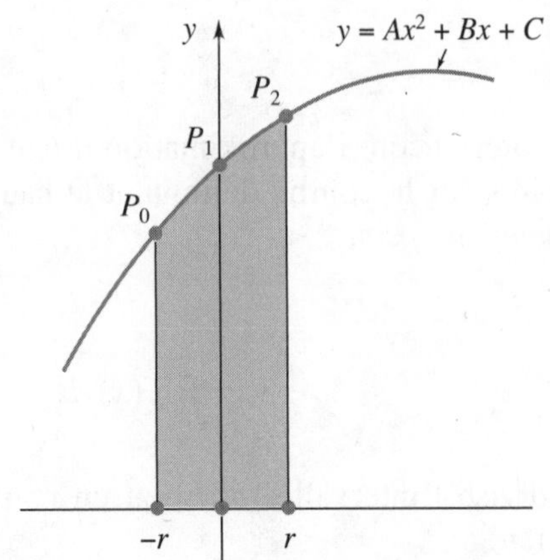

$$f(x_0) = g(-r) = Ar^2 - Br + C$$
$$f(x_1) = g(0) = C$$
$$f(x_2) = g(r) = Ar^2 + Br + C$$

D'où l'on tire que $f(x_0) + 4f(x_1) + f(x_2) = 2Ar^2 + 6C$

L'aire cherchée est donnée par :

$$\int_{-r}^{r} (Ax^2 + Bx + C)\,dx = \left[\frac{Ax^3}{3} + \frac{Bx^2}{2} + Cx\right]_{-r}^{r}$$
$$= \frac{Ar^3}{3} + \frac{Br^2}{2} + Cr + \frac{Ar^3}{3} - \frac{Br^2}{2} + Cr = \frac{2}{3}Ar^3 + 2Cr = \frac{r}{3}(2Ar^2 + 6C)$$
$$= \frac{r}{3}\big(f(x_0) + 4f(x_1) + f(x_2)\big) = \left(\frac{b-a}{3n}\right)\big(f(x_0) + 4f(x_1) + f(x_2)\big)$$

Cette dernière expression constitue donc une approximation de :

$$\int_{x_0}^{x_2} f(x)\,dx \cong \left(\frac{b-a}{3n}\right)\big(f(x_0) + 4f(x_1) + f(x_2)\big)$$

Si l'on considère les deux sous-intervalles suivants, c'est-à-dire $[x_2, x_3]$ et $[x_3, x_4]$, par un même processus, on aura :

$$\int_{x_2}^{x_4} f(x)\,dx \cong \left(\frac{b-a}{3n}\right)\big(f(x_2) + 4f(x_3) + f(x_4)\big)$$

En continuant ce processus avec les sous-intervalles pris deux à la fois, on aura finalement :

$$\int_{x_{n-2}}^{x_n} f(x)\,dx \cong \left(\frac{b-a}{3n}\right)\big(f(x_{n-2}) + 4f(x_{n-1}) + f(x_n)\big)$$

Si on fait la somme de ces approximations, on aura :

$$\int_a^b f(x)\,dx \cong \left(\frac{b-a}{n}\right)\frac{1}{3}\big(f(x_0) + 4f(x_1) + 2f(x_2) + 4f(x_3) + 2f(x_4) + \ldots + 2f(x_{n-2}) + 4f(x_{n-1}) + f(x_n)\big)$$

C'est ce qu'on appelle la *formule de Simpson*.

Cette formule peut aussi s'écrire :

$$\int_a^b f(x)\,dx \cong \frac{r}{3}\big(f(a) + 4f(a+r) + 2f(a+2r) + 4f(a+3r) + \ldots + 4f(a+(n-1)r) + f(b)\big)$$

Nous noterons cette approximation de l'intégrale calculée avec la méthode de Simpson par A_S.

$$A_S = \frac{r}{3}\big(f(a) + 4f(a+r) + 2f(a+2r) + 4f(a+3r) + 2f(a+4r) + \ldots$$
$$+ 2f(a+(n-2)r) + 4f(a+(n-1)r) + f(b)\big)$$

EXEMPLE 5.19

Par la méthode de Simpson, évaluer $\int_0^4 \sqrt{1+x^3}\,dx$

Solution

Comme dans les deux exemples précédents, divisons l'intervalle [0, 4] en 8 portions de longueur 1/2. On a alors :

$$\int_0^4 \sqrt{1+x^3}\,dx \cong A_S = \left(\frac{4-0}{8}\right)\left(\frac{1}{3}\right)\big(f(0)+4f(1/2)+2f(1)+4f(3/2)+2f(2)$$
$$+\,4f(5/2)+2f(3)+4f(7/2)+f(4)\big)$$
$$A_S = \left(\frac{1}{2}\right)\left(\frac{1}{3}\right)\big(1+4{,}244+2{,}828+8{,}368+6+16{,}308+10{,}584+26{,}496+8{,}062\big)$$
$$A_S = 13{,}982$$

Notons que si on subdivise l'intervalle [0, 4] en 16 parties, on trouve $A_S = 13{,}983$. Voilà qui nous rassure sur la précision du calcul. ■

NOTE historique

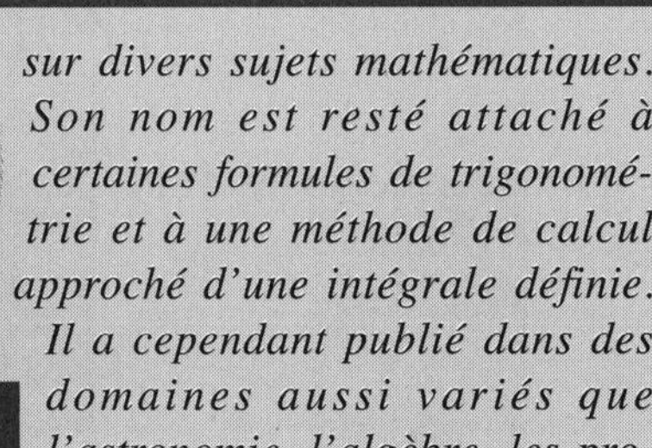

Thomas Simpson 1710-1761

Ce mathématicien anglais, fils d'un tisserand, eut pour premier emploi un travail de tisserand. Il manifesta beaucoup d'intérêt pour les mathématiques et consacra beaucoup d'efforts à lire et à améliorer ses connaissances en cette matière. Il s'intéressa aux questions et aux problèmes que soulevaient depuis peu les grands du calcul infinitésimal. On le considère d'ailleurs comme un disciple de Newton. Il devint professeur de mathématiques et à partir de 1737 il publia plusieurs textes sur divers sujets mathématiques. Son nom est resté attaché à certaines formules de trigonométrie et à une méthode de calcul approché d'une intégrale définie. Il a cependant publié dans des domaines aussi variés que l'astronomie, l'algèbre, les probabilités, la géométrie, la physique, etc. En 1745, il est élu à la Société royale de Londres. Ce génie autodidacte eut une vie turbulente qui se termina à l'âge de 50 ans.

EXERCICES

5.6

1 En utilisant la méthode de Simpson, trouver une valeur approximative de $\int_0^1 e^{-x^2}\,dx$

a) en utilisant 2 sous-intervalles;

b) en utilisant 4 sous-intervalles;

c) en utilisant 8 sous-intervalles.

2 Considérons l'intégrale définie $\int_0^4 (x^2 + x)\,dx$

Évaluer cette intégrale:

a) par le théorème fondamental du calcul;

b) par la méthode des rectangles en utilisant 8 sous-intervalles;

c) par la méthode des trapèzes en utilisant 8 sous-intervalles;

d) par la méthode de Simpson en utilisant 8 sous-intervalles.

3 En utilisant la méthode des rectangles avec 16 sous-intervalles, évaluer $\int_0^4 (x^2 + x)\,dx$

4 En utilisant la méthode des trapèzes avec 16 sous-intervalles, évaluer $\int_0^4 (x^2 + x)\,dx$

5 En utilisant la méthode de Simpson avec 4 sous-intervalles, évaluer $\int_0^{\pi/2} \sin x\,dx$

6 Trouver une valeur approximative de:

$$\int_0^3 \sqrt{1+e^x}\,dx$$

a) par la méthode des rectangles (6 sous-intervalles);

b) par la méthode des trapèzes (6 sous-intervalles);

c) par la méthode de Simpson (6 sous-intervalles).

7 Trouver une valeur approximative de :

$$\int_0^{\pi} \sqrt{1+\sin^2 x}\, dx$$

a) par la méthode des rectangles (6 sous-intervalles) ;

b) par la méthode des trapèzes (6 sous-intervalles) ;

c) par la méthode de Simpson (6 sous-intervalles).

8 Par la méthode de Simpson, trouver une valeur approximative de :

$$\int_0^{8} \frac{dx}{1+x^4}$$

a) en utilisant 2 sous-intervalles ;

b) en utilisant 4 sous-intervalles ;

c) en utilisant 8 sous-intervalles ;

d) en utilisant 16 sous-intervalles ;

e) en utilisant 32 sous-intervalles.

5.6

EXERCICES

RÉVISION 5.7

Évaluer les intégrales définies suivantes.

1 $\displaystyle\int_1^1 \frac{x}{\sqrt{x+3}}\, dx$

2 $\displaystyle\int_{-1}^1 \frac{\sin x}{\sqrt{1+x^2}}\, dx$

3 $\displaystyle\int_0^1 \frac{\left(\sqrt{x}+1\right)^2}{\sqrt{x}}\, dx$

4 $\displaystyle\int_0^1 \frac{x^2 \ln(x^3+1)}{x^3+1}\, dx$

5 $\displaystyle\int_1^2 \frac{x+4}{x^2-2x+3}\, dx$

6 $\displaystyle\int_0^{\pi/20} \tan^3 5x\, dx$

7 $\displaystyle\int_1^9 \frac{dx}{\sqrt{1+\sqrt{x}}}$

8 $\displaystyle\int_1^4 \frac{3x^3-x+2}{x^2}\, dx$

9 $\displaystyle\int_0^1 \arctan x\, dx$

10 $\displaystyle\int_0^{\pi/2} x^2 \sin x\, dx$

11 $\displaystyle\int_0^1 \frac{\sqrt{x}}{x+1}\, dx$

12 $\displaystyle\int_1^2 \frac{\sqrt{4-x^2}}{x^2}\, dx$

Trouver l'aire de la surface bornée par :

13 $y = \sin x$ et $y = 0$ (première arche)

14 $y = \ln x$, $x = e$ et $y = 0$

15 $y = e^{-x}$, $x = 0$, $x = 100$ et $y = 0$

16 $y = \sqrt{1-x^2}$, $x = 0$ et $y = 0$

17 Parmi les fonctions suivantes, indiquer les fonctions paires, les fonctions impaires et celles qui ne sont ni paires, ni impaires.

a) $f(x) = 3$

b) $f(x) = \dfrac{x-2}{x+1}$

c) $f(x) = 3 \sin x$

d) $f(x) = \sqrt[3]{x}$

e) $f(x) = x^2 + 4$

f) $f(x) = x + \dfrac{1}{x^3}$

g) $f(x) = \sin x^2$

h) $f(x) = \cos 5x$

i) $f(x) = x^4 - 6x^2 + 1$

j) $f(x) = x^3 - x$

k) $f(x) = \tan x + x^5$

l) $f(x) = \dfrac{e^x}{3x}$

Évaluer les intégrales définies suivantes.

18 $\displaystyle\int_2^3 \frac{dx}{\sqrt{3x^2+4x-7}}$

19 $\displaystyle\int_0^1 e^{2x} \cos 7x\, dx$

20 $\displaystyle\int_0^2 x\, e^x dx$

21 $\int_1^2 \frac{8x^3 - 9x^2 + 8x - 8}{x^4 - 3x^3 + x^2 - 3x}dx$

22 $\int_9^{16} \frac{7\sqrt{x} - 19}{2x\sqrt{x} - 6x + 4\sqrt{x}}dx$

23 $\int_1^2 \tan^3(x-1)\,dx$

24 $\int_1^2 \frac{dx}{x\sqrt{x^2 + 4x - 1}}$

25 $\int_{1/7}^{2/7} x\sqrt{7x-1}\,dx$

26 $\int_{\sqrt{2}}^{3\sqrt{2}} x^3\sqrt{x^2 - 2}\,dx$

27 $\int_0^1 \frac{x^2 dx}{\sqrt{4 - x^2}}$

28 $\int_1^3 \frac{(2x+1)\,dx}{\sqrt[4]{x^2 + x}}$

29 $\int_{1/5}^4 \frac{dx}{(7+5x)^{1/3}}$

30 $\int_0^{\pi/4} \frac{\sin^3 2x}{\sec 2x}dx$

Dire si les intégrales impropres suivantes convergent et, si tel est le cas, vers quel nombre.

31 $\int_0^\infty \frac{dx}{1+x^2}$

32 $\int_8^\infty \frac{dx}{x}$

33 $\int_0^\infty e^{-3x}dx$

34 $\int_{-\infty}^0 x\,e^x dx$

35 $\int_1^\infty x\,e^{-x^2}dx$

36 $\int_{-\infty}^{-2} \frac{dx}{x^2\sqrt{4+x^2}}$

37 $\int_{3/2}^5 \frac{dx}{2x-3}$

38 $\int_0^3 \frac{dx}{(x-1)^{2/3}}$

39 $\int_0^6 \frac{dx}{(x-5)^2}$

40 $\int_5^\infty \frac{dx}{\sqrt{4x-5}}$

41 $\int_0^\infty \cos x\,dx$

42 $\int_0^\infty 2\,e^{-x}\sin x\,dx$

43 $\int_1^\infty e^{-x}\sin x\,dx$

44 $\int_{-2}^2 \frac{dx}{\sqrt{4-x^2}}$

45 $\int_0^3 \frac{x\,dx}{\left(x^2-1\right)^{2/3}}$

46 $\int_0^3 \frac{dx}{(2-x)^3}$

47 $\int_0^{\pi/2} (\tan x + \cot x)^2\,dx$

48 $\int_{-\infty}^\infty \frac{x\,dx}{4+5x^2}$

49 $\int_{-\infty}^\infty \frac{x\,dx}{\left(4+5x^2\right)^2}$

50 $\int_{-5/2}^1 \frac{dx}{\sqrt{6-5x-x^2}}$

51 $\int_0^\pi \frac{\sin x\,dx}{\sqrt{1+\cos x}}$

En utilisant chacune des trois méthodes décrites à la section 5.5, trouver une valeur approchée des intégrales suivantes.

52 $\int_1^9 x^2 dx$ (Utiliser n = 16 sous-intervalles)

53 $\int_2^3 (4x-5)\,dx$ (Utiliser n = 4 sous-intervalles)

54 $\int_0^4 \frac{dx}{3x+1}$ (Utiliser n = 8 sous-intervalles)

55 $\int_{-2}^1 \sqrt{3+x}\,dx$ (Utiliser n = 6 sous-intervalles)

56 $\int_1^{17} \frac{dx}{\sqrt{x^2+6x+23}}$ (Utiliser n = 16 sous-intervalles)

57 $\int_0^{\pi/2} \frac{\sin x}{x}dx$ (Utiliser n = 6 sous-intervalles)

58 $\int_1^5 \frac{x\,dx}{x+\ln x}$ (Utiliser n = 8 sous-intervalles)

EXERCICES

DÉFIS 5.8

1. Démontrer la propriété 6 sans utiliser le théorème fondamental, c'est-à-dire à partir de la définition de l'intégrale définie.

2. Que devient l'interprétation géométrique de la propriété 6 si le point d'abscisse c est à l'extérieur de l'intervalle $[a, b]$?

3. Trouver l'aire totale bornée par l'axe des x, la courbe $y = x/(x - 2)$ et les verticales $x = -2$ et $x = 1$.

4. Évaluer $\int_{-1}^{1} \sqrt{\frac{1+x}{1-x}}\,dx$

5. On sait que $4\int_{0}^{1} \frac{dx}{1+x^2} = \pi$
Se servir de ce fait pour trouver une approximation de la valeur numérique de π en évaluant l'intégrale par la méthode de Simpson. (Utiliser $n = 10$)

6. Si une fonction f est telle que $f(0) = 5$, $f(1) = 2, f(2) = -3, f(3) = 6$ et $f(4) = 11$, trouver une approximation de $\int_0^4 f(x)\,dx$.

7. Démontrer la propriété 2 à partir de la définition de l'intégrale définie.

8. Démontrer la propriété 3 à partir de la définition de l'intégrale définie.

RÉSUMÉ DU CHAPITRE 5

Propriétés de l'intégrale définie

Propriété 1	$\int_a^b dx = b - a$
Propriété 2	$\int_a^b k\, f(x)\, dx = k \int_a^b f(x)\, dx$ où k est une constante quelconque
Propriété 3	$\int_a^b \big(f(x) + g(x)\big)\, dx = \int_a^b f(x)\, dx + \int_a^b g(x)\, dx$
Propriété 4	$\int_a^a f(x)\, dx = 0$
Propriété 5	$\int_a^b f(x) = -\int_b^a f(x)\, dx$
Propriété 6	$\int_a^b f(x)\, dx = \int_a^c f(x)\, dx + \int_c^b f(x)\, dx$
Propriété 7	Si f est une fonction *paire* dans l'intervalle $[-a, a]$, alors $\int_{-a}^a f(x)\, dx = 2\int_0^a f(x)\, dx$
Propriété 8	Si f est une fonction *impaire* dans l'intervalle $[-a, a]$, alors $\int_{-a}^a f(x)\, dx = 0$
Propriété 9	On peut effectuer le changement de variable $x = g\,(u)$ si, sur l'intervalle $[g^{-1}(a), g^{-1}(b)]$, $g\,(u)$ est dérivable et inversible, $g\,'(u)$ est continue et $f\,(g\,(u))$ est continue. Alors : $\int_a^b f(x)\, dx = \int_{g^{-1}(a)}^{g^{-1}(b)} f(g(u))\, g'(u)\, du$

Intégrales impropres

Intervalle illimité	Borne supérieure infinie	$\int_a^{\infty} f(x)\,dx = \lim\limits_{b\to\infty}\int_a^b f(x)\,dx = \lim\limits_{b\to\infty} F(b) - F(a)$	Si ces limites existent dans $\mathbb{R}$	Sinon, l'intégrale diverge
	Borne inférieure infinie	$\int_{-\infty}^{b} f(x)\,dx = \lim\limits_{a\to-\infty}\int_a^b f(x)\,dx = F(b) - \lim\limits_{a\to-\infty} F(a)$		
	Deux bornes infinies	$\int_{-\infty}^{\infty} f(x)\,dx = \lim\limits_{\substack{a\to-\infty \\ b\to\infty}}\int_a^b f(x)\,dx = \lim\limits_{b\to\infty} F(b) - \lim\limits_{a\to-\infty} F(a)$		
Discontinuité	À la borne inférieure	$\int_a^b f(x)\,dx = \lim\limits_{\lambda\to a^+}\int_{\lambda}^b f(x)\,dx = F(b) - \lim\limits_{\lambda\to a^+} F(\lambda)$		
	À la borne supérieure	$\int_a^b f(x)\,dx = \lim\limits_{\lambda\to b^-}\int_a^{\lambda} f(x)\,dx = \lim\limits_{\lambda\to b^-} F(\lambda) - F(a)$		
	Entre les bornes, en $x = x_0$	$\int_a^b f(x)\,dx = \lim\limits_{\lambda_1\to x_0^-}\int_a^{\lambda_1} f(x)\,dx + \lim\limits_{\lambda_2\to x_0^+}\int_{\lambda_2}^b f(x)\,dx$		

Calcul approché d'une intégrale définie

$a = x_0,\ x_1,\ x_2,\ x_3,\ \ldots,\ x_{n-2},\ x_{n-1},\ b = x_n$

$\int_a^b f(x)\,dx \cong$	Rectangles	$A_R = \left(\dfrac{b-a}{n}\right)\big(f(x_0) + f(x_1) + f(x_2) + f(x_3) + \ldots + f(x_{n-2}) + f(x_{n-1})\big)$
	Trapèzes	$A_T = \left(\dfrac{b-a}{n}\right)\left(\dfrac{1}{2}\right)\big(f(x_0) + 2f(x_1) + 2f(x_2) + \ldots + 2f(x_{n-1}) + f(x_n)\big)$
	Simpson	$A_S = \left(\dfrac{b-a}{n}\right)\left(\dfrac{1}{3}\right)\big(f(x_0) + 4f(x_1) + 2f(x_2) + 4f(x_3) + \ldots + 2f(x_{n-2}) + 4f(x_{n-1}) + f(x_n)\big)$

Sujet de réflexion et de discussion

Répondre aux interrogations suivantes.

« Est-ce que ça existe la bosse des mathématiques ? Pourquoi certaines personnes ont une facilité particulière en mathématiques alors que d'autres, par ailleurs très intelligentes, n'ont pas cette facilité vis-à-vis les mathématiques ? »

AI-JE ATTEINT MES OBJECTIFS ?

Je viens de terminer l'étude du chapitre 5 et j'estime être capable de :

- ☐ Énoncer les propriétés de l'intégrale définie.
- ☐ Démontrer quelques propriétés de l'intégrale définie.
- ☐ Calculer une intégrale définie en utilisant les propriétés appropriées.
- ☐ Identifier une intégrale impropre.
- ☐ Évaluer une intégrale impropre en utilisant la définition et la notion de limite.
- ☐ Évaluer approximativement une intégrale définie par la méthode des rectangles.
- ☐ Évaluer approximativement une intégrale définie par la méthode des trapèzes.
- ☐ Évaluer approximativement une intégrale définie par la méthode de Simpson.

Notes personnelles

TEST SUR LE CHAPITRE 5

Évaluer les intégrales définies suivantes.

1. $\int_{-4}^{4} (6x - x^3)\, dx$
2. $\int_{2}^{2} \frac{x^2 + 2}{x^2 + 4}\, dx$
3. $\int_{0}^{2} \frac{x^2\, dx}{\sqrt{1 + x^3}}$
4. $\int_{0}^{7} \sqrt{49 - x^2}\, dx$
5. $\int_{2}^{\infty} \frac{x^2\, dx}{(x^3 - 4)^2}$
6. $\int_{0}^{\infty} x\, e^{-x}\, dx$
7. $\int_{-\infty}^{\infty} \frac{1 + e^x}{x + e^x}\, dx$
8. $\int_{4}^{5} \frac{dx}{(x - 4)^{4/3}}$
9. Évaluer approximativement
$$\int_{0}^{4} \frac{dx}{x + e^x}$$
en subdivisant l'intervalle [0, 4] en huit sous-intervalles et en utilisant :
   a) la méthode des rectangles
   b) la méthode des trapèzes
   c) la méthode de Simpson
10. En utilisant la méthode de Simpson (avec $n = 6$) évaluer approximativement
$$\int_{0}^{2} \frac{dx}{1 + x^5}$$

CHAPITRE

Applications de l'intégrale définie

L'atteinte des objectifs de ce chapitre conduit à l'acquisition de l'élément de compétence suivant.

« Calculer des aires, des volumes et des longueurs et construire des représentations graphiques dans le plan et dans l'espace. »

Objectifs

A Modéliser des situations à l'aide de l'intégrale définie.

B Faire une représentation graphique adéquate de la figure et des paramètres pertinents aux diverses situations.

C Au moyen de l'intégrale définie, calculer des aires de surfaces planes.

D Au moyen de la méthode des disques, calculer des volumes de solides de révolution.

E Au moyen de la méthode des rondelles (disques troués), calculer des volumes de solides de révolution.

F Au moyen de la méthode des tubes (couches cylindriques), calculer des volumes de solides de révolution.

G Au moyen de la méthode des tranches (sections connues), calculer des volumes de certains solides de sections connues.

H Au moyen de l'intégrale définie, calculer des longueurs d'arcs de courbes.

I Au moyen de l'intégrale définie, calculer des aires de surfaces de révolution.

Préambule

Il serait illusoire de penser aborder ici toutes les applications possibles de l'intégrale. Nous allons donc nous concentrer sur quelques applications simples qui ne feront pas appel à des concepts précis des autres disciplines. Notre objectif consiste à bien comprendre le sens et à bien utiliser l'intégrale. Les applications étudiées dans ce chapitre sont à caractère géométrique et le lecteur aura certes l'occasion de transposer ces connaissances et habiletés au cours de l'étude des autres disciplines.

6.1 Introduction

L'intégrale trouve des applications dans une multitude de disciplines. L'étude détaillée de plusieurs concepts de la physique est impensable sans la notion d'intégrale; qu'il suffise de parler de vitesse, d'accélération, de centre de masse, de centre de gravité, de moment d'inertie, de pression des fluides, de travail et de combien d'autres notions pour évoquer aussitôt le concept d'intégrale. D'ailleurs, l'histoire des sciences nous apprend que le développement des mathématiques et l'élaboration des théories de la physique ont souvent emprunté des routes parallèles sinon communes. Mais l'intégrale ne se limite pas à être l'instrument de base de l'étude de la physique. La chimie, la biologie, les sciences de l'ingénieur constituent aussi des domaines d'application. De plus, le champ d'utilisation de cette notion ne se limite plus de nos jours aux disciplines dites scientifiques. L'économique, l'administration, les sciences humaines empruntent l'intégrale dans la résolution de leurs problèmes.

6.2 Aires planes

La première utilisation de l'intégrale définie qui nous vient à l'esprit est tout naturellement le calcul des aires planes. Une chose devrait cependant être précisée dès le départ : qu'est-ce que l'aire ? On peut répondre à cette question de deux manières. D'abord, on peut admettre comme axiome qu'à toute surface on peut associer un nombre réel (appelé *aire* de la surface) qui possède les propriétés que l'on connaît. Ensuite, on peut définir l'aire limitée par une ou plusieurs courbes à l'aide de la limite d'une somme de Riemann, c'est-à-dire par une intégrale définie. Pour éviter de plonger dans l'analyse à outrance, il sera plus élégant d'admettre intuitivement le concept d'aire, en tenant pour acquis que l'aire mesure l'étendue d'une surface.

6.2.1 Aire d'une surface bornée par deux courbes

Considérons une surface bornée par deux courbes et supposons cette surface fermée. À l'intérieur de cette surface, considérons n rectangles placés côte à côte.

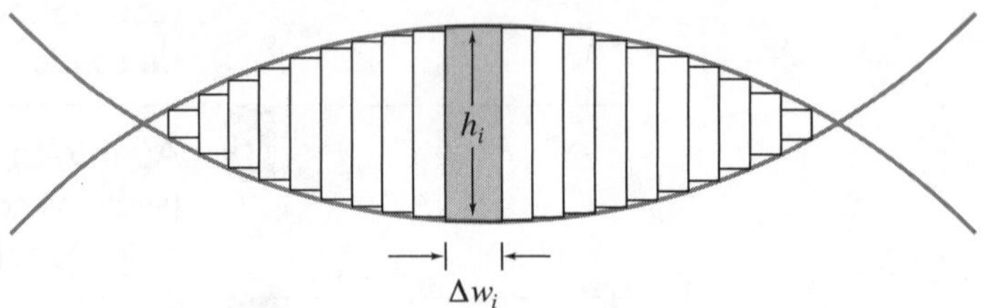

Considérons un rectangle quelconque, le i^e; alors, l'aire de ce i^e rectangle est donnée par $h_i\ \Delta w_i$ où h_i représente sa hauteur et Δw_i sa largeur. Faisons la somme des aires des n rectangles. On a :

$$S_n = \sum_{i=1}^{n} h_i\ \Delta w_i$$

Cette somme, S_n, constitue une approximation de l'aire réelle A de la surface formée par les courbes frontières. En faisant ces rectangles de plus en plus nombreux, chacun devenant de plus en plus mince, c'est-à-dire en passant à la limite lorsque $n \to \infty$ et $\max \Delta w_i \to 0$, alors cette somme S_n devient l'aire cherchée A.

$$A = \lim_{\substack{n\to\infty \\ \max \Delta w_i \to 0}} \sum_{i=1}^{n} h_i \, \Delta w_i$$

et, selon la notation conventionnelle de l'intégrale définie

$$A = \int_a^b h \, dw$$

où a et b sont les bornes d'intégration, h est une fonction donnant la hauteur h_i des rectangles en fonction de la valeur de la variable w_i, soit $h_i = h\,(w_i)$, c'est-à-dire que h représente la distance entre les courbes frontières et, finalement, dw représente la largeur du rectangle. On dira que

$$dA = h \, dw$$

est un *élément différentiel d'aire*, c'est-à-dire qu'il représente l'aire d'un rectangle de largeur infiniment petite. Intégrer consiste à faire une somme infinie de ces rectangles infiniment minces.

En quelque sorte, on peut considérer que cette intégrale constitue la définition de l'aire de la surface considérée.

REMARQUE

D'un point de vue pratique, poser le problème consiste à déterminer l'élément différentiel de largeur selon lequel on intégrera, à déterminer la fonction « hauteur » qui est la distance entre les courbes frontières et, enfin, à déterminer les bornes d'intégration a et b selon les points d'intersection des deux courbes.

6.2.2 Rectangles verticaux

Reprenons le problème dans un système de coordonnées cartésiennes où nous considérons deux courbes $y = y_2(x)$ et $y = y_1(x)$ qui se rencontrent aux points (a, c) et (b, d). Considérons également que $y_2(x) \geq y_1(x)$ sur l'intervalle $[a, b]$.

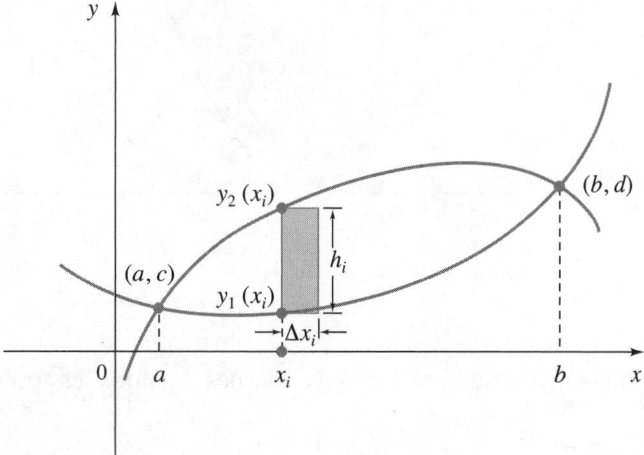

Considérons un i^e rectangle placé verticalement, c'est-à-dire de manière que sa dimension qui n'est pas un infiniment petit soit selon la verticale. Alors,

$$h_i = y_2\,(x_i) - y_1\,(x_i)$$

et

$$\Delta w_i = \Delta x_i$$

sont les dimensions longueur et largeur de ce i^e rectangle. Si on fait la somme des aires de ces rectangles et qu'on passe à la limite, on a :

$$A = \lim_{\substack{n\to\infty \\ \max \Delta w_i \to 0}} \sum_{i=1}^{n} h_i \, \Delta w_i$$

$$A = \lim_{\substack{n\to\infty \\ \max \Delta x_i \to 0}} \sum_{i=1}^{n} \left(y_2(x_i) - y_1(x_i) \right) \Delta x_i$$

et, selon la notation conventionnelle :

$$A = \int_a^b \left(y_2(x) - y_1(x) \right) dx$$

Dans cette dernière formule, $\left(y_2(x) - y_1(x) \right) dx$ est un élément différentiel d'aire, c'est-à-dire l'aire d'un rectangle infiniment mince dont la hauteur est $y_2(x) - y_1(x)$ et la largeur dx. Il faut bien noter que la somme ou l'intégrale se fait selon la dimension qui est infiniment petite, soit x dans ce cas-ci.

EXEMPLE

6.1

Trouver l'aire de la surface plane bornée par les courbes $y = \sqrt{x}$ et $y = x^3$.

Solution

Esquissons une représentation graphique de cette surface.

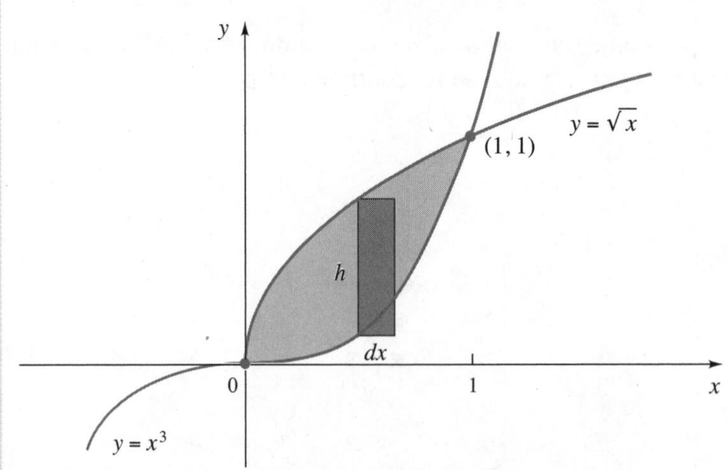

Pour trouver les points d'intersection des deux courbes, égalons les y des deux équations.

$$x^3 = \sqrt{x}$$

$$x^6 = x$$

$$x^6 - x = 0$$

$$x(x^5 - 1) = 0$$

On obtient deux solutions : $x = 0$ et $x = 1$. Les points de rencontre des deux courbes sont : $(0, 0)$ et $(1, 1)$. Dans la surface considérée, plaçons verticalement un « rectangle type », c'est-à-dire un rectangle qui sert de modèle, qui représente tous les autres rectangles qu'on pourrait placer dans cette surface. La hauteur h de ce rectangle est limitée en haut par la courbe $y = \sqrt{x}$ et en bas par la courbe $y = x^3$. Alors :

$$h = \sqrt{x} - x^3$$

La largeur de ce rectangle type est dx.

Ainsi :

$$A = \int_0^1 h\, dx = \int_0^1 \left(\sqrt{x} - x^3\right) dx = \left[\frac{2}{3}x^{3/2} - \frac{x^4}{4}\right]_0^1 = \left(\frac{2}{3} - \frac{1}{4}\right) - 0 = \frac{5}{12}$$

6.2.3 Rectangles horizontaux

On peut procéder de la même façon en considérant des rectangles horizontaux. Considérons deux courbes $x = x_2(y)$ et $x = x_1(y)$ qui se rencontrent aux points (a, c) et (b, d). Considérons $x_2(y) \geq x_1(y)$ sur l'intervalle $[c, d]$.

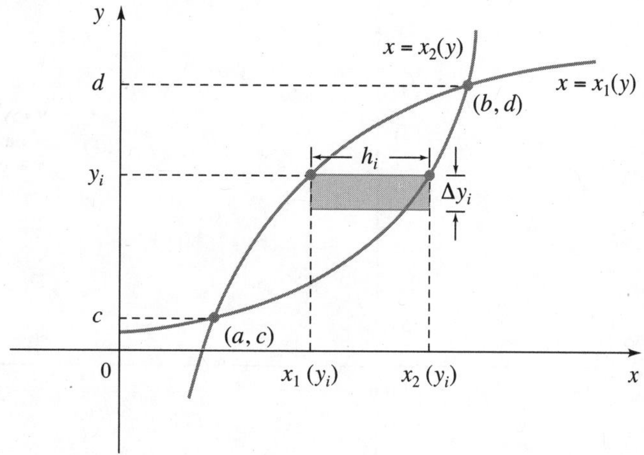

Considérons un i^e rectangle placé horizontalement, c'est-à-dire de manière que sa dimension qui n'est pas un infiniment petit soit selon l'horizontale. Alors,

$$h_i = x_2(y_i) - x_1(y_i)$$

et

$$\Delta w_i = \Delta y_i$$

sont les dimensions longueur et largeur de ce i^e rectangle.

Si on fait la somme des aires de ces rectangles et qu'on passe à la limite, on a :

$$A = \lim_{\substack{n \to \infty \\ \max \Delta w_i \to 0}} \sum_{i=1}^{n} h_i\, \Delta w_i$$

$$A = \lim_{\substack{n \to \infty \\ \max \Delta y_i \to 0}} \sum_{i=1}^{n} \left(x_2(y_i) - x_1(y_i)\right) \Delta y_i$$

et selon la notation conventionnelle

$$A = \int_c^d \left(x_2(y) - x_1(y)\right) dy$$

Dans cette dernière équation, $\left(x_2(y) - x_1(y)\right) dy$ est un élément différentiel d'aire, c'est-à-dire l'aire d'un rectangle infiniment mince dont la longueur est $x_2(y) - x_1(y)$ et la largeur dy. Notons que la somme, ou l'intégration, se fait dans le sens de y, c'est-à-dire selon la dimension qui est infiniment petite.

EXEMPLE

6.2

En procédant avec des rectangles horizontaux, trouver l'aire de la surface plane bornée par les courbes $y = \sqrt{x}$ et $y = x^3$.

Solution

Dans la surface considérée, plaçons horizontalement un « rectangle type ». Alors la longueur de ce rectangle est

$$h = x_2(y) - x_1(y) = y^{1/3} - y^2$$

et la largeur est dy.

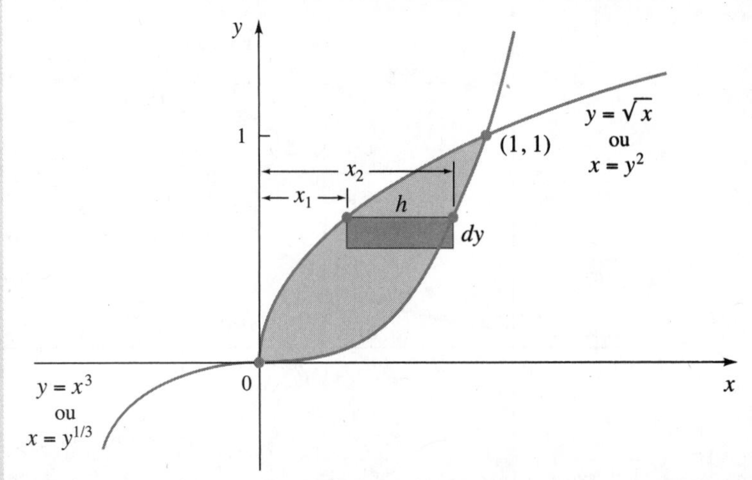

Ainsi :

$$A = \int_0^1 h\,dy = \int_0^1 \left(y^{1/3} - y^2\right) dy = \left[\frac{3}{4}y^{4/3} - \frac{y^3}{3}\right]_0^1 = \left(\frac{3}{4} - \frac{1}{3}\right) - 0 = \frac{5}{12}$$

REMARQUE

On peut sans doute se demander quelle est l'importance d'une représentation graphique dans un problème de ce genre. D'un point de vue strict, une représentation graphique n'est pas absolument nécessaire, mais d'un point de vue pratique, cela sera fort utile pour déterminer si $h = y^{1/3} - y^2$ ou si $h = y^2 - y^{1/3}$, et pour fixer les bornes d'intégration.

REMARQUE

Il faut bien noter que dans ce dernier exemple, l'intégration se fait selon y ; ainsi, les limites d'intégration vont de l'ordonnée du point le plus bas à l'ordonnée du point le plus haut.

6.2.4 Choix des rectangles

Le choix de rectangles verticaux ou horizontaux est théoriquement indifférent. Cependant, d'un point de vue pratique, une des deux manières de procéder peut s'avérer plus difficile que l'autre. Constatons ce phénomène dans l'exemple suivant.

EXEMPLE 6.3

Trouver l'aire de la surface plane bornée par les courbes $y = x^{1/3}$, $2y = x - 4$ et $y = 0$.

Solution

Esquissons d'abord une représentation graphique de la surface considérée.

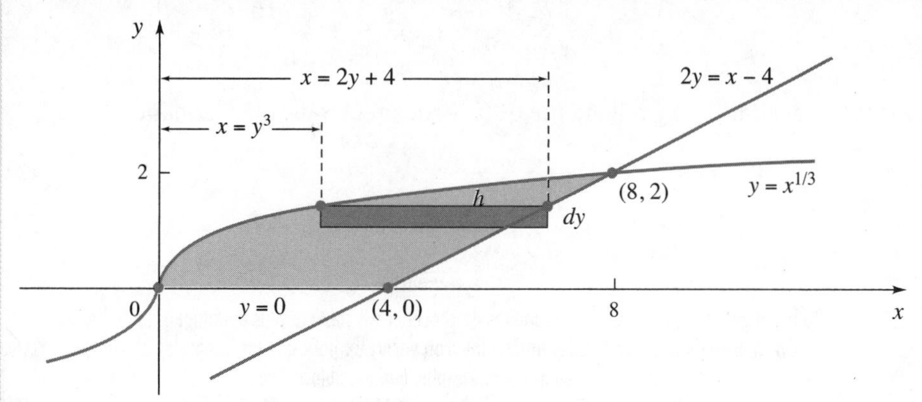

a) *Rectangles horizontaux*

Plaçons horizontalement un « rectangle type ». Alors :

$$A = \int_0^2 h\, dy = \int_0^2 \left((2y+4) - y^3\right) dy = \left[y^2 + 4y - \frac{y^4}{4} \right]_0^2 = (4 + 8 - 4) - 0 = 8$$

b) *Rectangles verticaux*

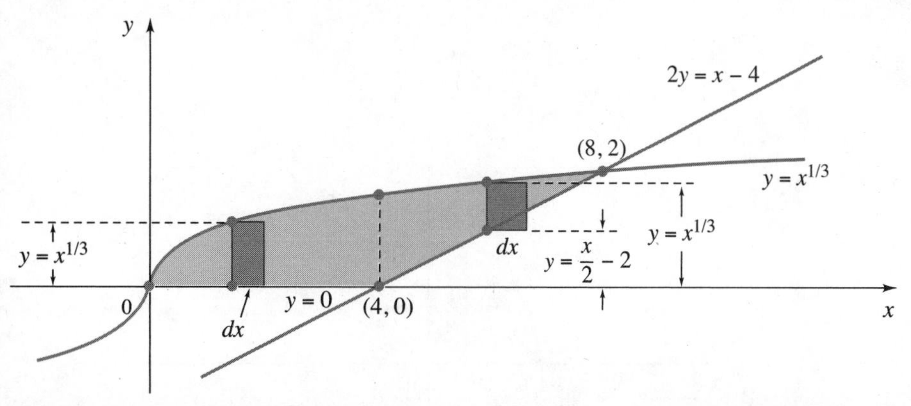

Lorsqu'on procède avec des rectangles verticaux, on rencontre une difficulté. L'expression de la hauteur h d'un « rectangle type » n'est pas la même selon qu'on est à gauche du point $(4, 0)$ ou à droite de celui-ci. Dans un cas,

$$h = x^{1/3} - 0$$

et dans l'autre cas,

$$h = x^{1/3} - \left(\frac{x}{2} - 2\right)$$

Pour calculer l'aire cherchée, il faut procéder en deux parties, c'est-à-dire calculer la portion de l'aire à gauche de la verticale $x = 4$ et y additionner la portion de l'aire à droite de $x = 4$. Ainsi :

$$A = \int_0^4 x^{1/3}\,dx + \int_4^8 \left(x^{1/3} - \frac{x}{2} + 2\right) dx$$

$$A = \left[\frac{3}{4}x^{4/3}\right]_0^4 + \left[\frac{3}{4}x^{4/3} - \frac{x^2}{4} + 2x\right]_4^8$$

$$A = \frac{3}{4}\,4^{4/3} + \frac{3}{4}\,8^{4/3} - \frac{64}{4} + 16 - \frac{3}{4}\,4^{4/3} + \frac{16}{4} - 8 = 8$$

Naturellement, le résultat final est le même qu'avec les rectangles horizontaux.

REMARQUE

De façon générale, une des deux manières de procéder est souvent plus avantageuse que l'autre. On choisira donc des rectangles horizontaux ou verticaux pour que les intégrales à évaluer soient aussi simples que possible.

S'il devait s'avérer que, dans un sens comme dans l'autre, l'évaluation de l'intégrale ne puisse se faire en utilisant le théorème fondamental du calcul intégral, nous ferons cette évaluation par une méthode numérique, le plus souvent par la méthode de Simpson.

EXEMPLE 6.4

Trouver l'aire de la surface plane bornée par $x = 0$, $y = 0$ et $y = \sqrt{1 + x^3}$.

Solution

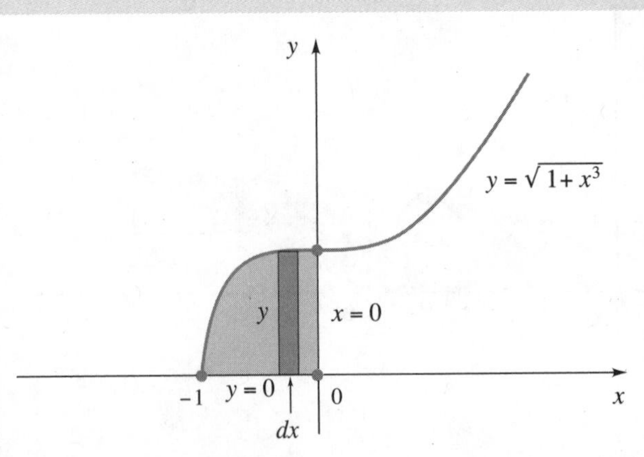

L'aire cherchée est donnée par :

$$A = \int_{-1}^{0} \sqrt{1 + x^3}\,dx$$

Pour évaluer cette intégrale, utilisons la méthode de Simpson avec 8 sous-intervalles.

$$\int_{-1}^{0} \sqrt{1+x^3}\, dx \cong \left(\frac{0-(-1)}{8}\right)\left(\frac{1}{3}\right)\big(f(-1)+4f(-0{,}875)+2f(-0{,}75)+4f(-0{,}625)$$
$$+2f(-0{,}5)+4f(-0{,}375)+2f(-0{,}25)+4f(-0{,}125)+f(0)\big)$$

$$A_S = \frac{1}{24}\left(0+2{,}300+1{,}520+3{,}476+1{,}870+3{,}892+1{,}984+3{,}996+1\right)$$

$$\int_{-1}^{0} \sqrt{1+x^3}\, dx \cong 0{,}835$$

6.2.5 Équations paramétriques

Abordons maintenant le problème du calcul de l'aire sous une courbe donnée par des équations paramétriques. Soit une telle courbe donnée par les équations paramétriques suivantes.

$$x = x\,(t) \qquad \text{et} \qquad y = y\,(t)$$

Graphiquement, on a :

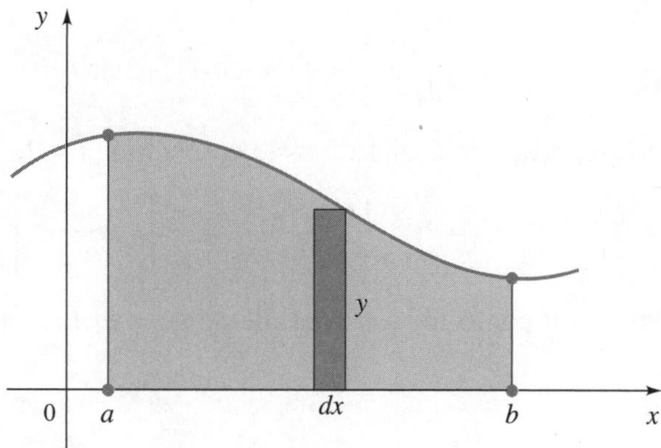

L'élément différentiel d'aire est $dA = y\, dx$. Si on transforme à l'aide de nos équations paramétriques, le problème est analogue à celui d'un changement de variable. On a :

$$dA = y\,(t) \times x'(t)\, dt$$

d'où l'on tire :

$$A = \int_{t_a}^{t_b} y\,(t) \times x'(t)\, dt$$

où t_a et t_b sont les bornes d'intégration ; ces bornes d'intégration sont les valeurs de la variable t qui correspondent aux valeurs de x qui délimitent la surface considérée, en l'occurrence a et b.

EXEMPLE 6.5

Trouver l'aire de la surface dans le premier quadrant limitée par le quart de cercle

$$x = 3\cos t \qquad \text{et} \qquad y = 3\sin t$$

Solution

On peut noter que ces équations paramétriques peuvent se transformer en une équation cartésienne reliant les variables x et y. En effet :

$$\frac{x}{3} = \cos t \qquad \text{et} \qquad \frac{y}{3} = \sin t$$

D'où :

$$\left(\frac{x}{3}\right)^2 + \left(\frac{y}{3}\right)^2 = \cos^2 t + \sin^2 t$$

$$\frac{x^2}{9} + \frac{y^2}{9} = 1$$

$$x^2 + y^2 = 9$$

Esquissons une représentation graphique de la surface considérée :

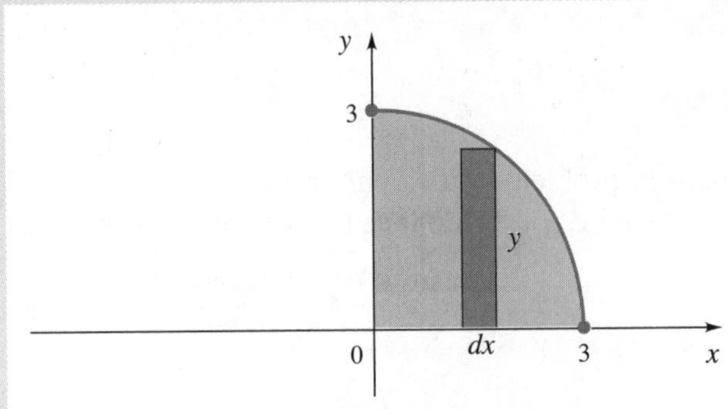

$$A = \int_0^3 y\ dx = \int_{\pi/2}^0 (3\sin t)\,(-3\sin t\ dt)$$

Notons qu'à $x = 0$ correspond $t = \pi/2$ et qu'à $x = 3$ correspond $t = 0$.

$$A = -9\int_{\pi/2}^0 \sin^2 t\ dt = 9\int_0^{\pi/2} \sin^2 t\ dt = 9\int_0^{\pi/2} \frac{1-\cos 2t}{2} dt = \frac{9}{2}\left[t - \frac{\sin 2t}{2}\right]_0^{\pi/2} = \frac{9}{2}\left(\frac{\pi}{2} - 0 - 0 + 0\right) = \frac{9\pi}{4}$$

Naturellement, le résultat est conforme à la formule de géométrie bien connue concernant l'aire d'un cercle.

EXEMPLE

6.6

Calculer l'aire sous une arche de la *cycloïde* suivante.

$$x = a\,(\theta - \sin\theta) \qquad y = a\,(1 - \cos\theta)$$

Cette courbe s'appelle aussi la *roulette de Pascal*.

Solution

Précisons qu'une cycloïde est une courbe engendrée par le déplacement d'un point situé sur un cercle lorsque le cercle roule sans glisser sur une droite.

Soit a, le rayon du cercle. Plaçons le point précité à l'origine et faisons tourner le cercle en roulant sur l'axe des x d'un angle θ.

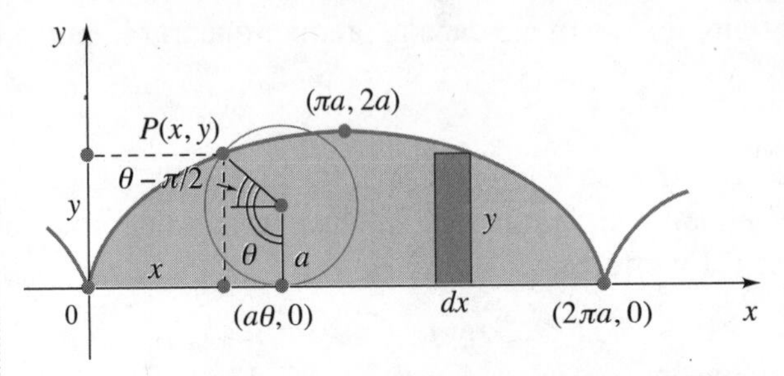

Alors :

$$x = a\theta - a\cos\left(\theta - \frac{\pi}{2}\right) = a\theta - a\sin\theta = a(\theta - \sin\theta)$$

$$y = a + a\sin\left(\theta - \frac{\pi}{2}\right) = a - a\cos\theta = a(1 - \cos\theta)$$

En ce qui concerne le calcul d'aire proprement dit, on a :

$$A = \int_0^{2\pi a} y\, dx$$

$$A = \int_0^{2\pi} a(1-\cos\theta)\, a(1-\cos\theta)\, d\theta$$

$$A = a^2\int_0^{2\pi} (1-\cos\theta)^2 d\theta$$

$$A = a^2\int_0^{2\pi} (1-2\cos\theta+\cos^2\theta)\, d\theta$$

$$A = a^2\int_0^{2\pi} \left(1-2\cos\theta+\frac{1}{2}+\frac{\cos 2\theta}{2}\right) d\theta$$

$$A = a^2\int_0^{2\pi} \left(\frac{3}{2}-2\cos\theta+\frac{\cos 2\theta}{2}\right) d\theta$$

$$A = a^2\left[\frac{3\theta}{2}-2\sin\theta+\frac{\sin 2\theta}{4}\right]_0^{2\pi}$$

$$A = a^2(3\pi) = 3\pi a^2$$

C'est-à-dire trois fois l'aire du cercle générateur.

EXERCICES

6.3

Pour chacun des problèmes proposés dans cette section, esquisser une représentation graphique de la surface considérée, placer un rectangle type et inscrire ses dimensions, soit sa longueur et sa largeur.

1 Trouver l'aire de la surface plane bornée par les courbes $y = x^2/4$ et $y = (x/2) + 2$.

2 Trouver l'aire de la surface plane bornée par les courbes $y = 4/(1 + x^2)$ et $y = 0{,}4$.

3 Trouver l'aire sous la courbe $y = 1 + \sin x$ entre $x = 0$ et $x = 3\pi/2$.

4 Trouver l'aire de la surface plane bornée par les courbes $y^2 = x + 1$ et $y = x - 1$.

5 En utilisant des rectangles horizontaux, trouver l'aire de la surface plane bornée par les courbes $y = x^2/4$ et $y = (x/2) + 2$.

6 Trouver l'aire sous la courbe de $y = e^x$, au-dessus de l'axe des x et à gauche de l'axe des y.

7 Trouver l'aire de la surface plane bornée par les courbes de $y = x^2 - 3x + 2$ et $y = \ln x$.

8 Trouver l'aire à l'intérieur de l'ellipse décrite par les équations paramétriques $x = a\cos t$ et $y = b\sin t$.

9 Trouver l'aire de la surface plane bornée par l'axe des x et l'arche parabolique dont les équations paramétriques sont :

$$x = 1 + \cos t \quad \text{et} \quad y = 1 - \cos 2t.$$

10 Trouver l'aire de la surface plane bornée par les courbes $y = x^2$ et $y = e^{-x^2}$.

11 Trouver l'aire de la surface plane fermée bornée par les courbes suivantes.

$$y = x^2 - 2x + 1 \quad \text{et} \quad y = x + 1.$$

6.3

12 Trouver l'aire de la surface plane limitée par les deux paraboles suivantes.

$$y = x^2 + x - 1 \quad \text{et} \quad y = 3 - x - x^2$$

13 Trouver l'aire de la surface plane bornée par les courbes $y = \sqrt{x}$ et $3y = x$.

14 Trouver l'aire de la surface plane bornée par les courbes $y = x$ et $x = y^2 - 2y$.

15 Trouver l'aire de la surface plane bornée par les courbes $y = x^2 - 2x - 1$ et $y = 5 - x$.

16 Trouver l'aire de la surface plane bornée par $y = 7 - x^2$, $x = 0$ et $3y + 2x = 0$ (partie de droite).

17 Trouver l'aire de la surface plane bornée par $y = e^x$, $y = \sin x$, $x = 0$ et $x = \pi$.

18 Trouver l'aire de la surface plane bornée par les courbes $y = 2 - x^2$ et $y = x^2 - 4x + 2$.

19 Trouver l'aire de la surface plane située au-dessus de l'axe des x et au-dessous de la courbe d'équations paramétriques $x = t + 2$ et $y = 6 + t - t^2$.

20 Trouver l'aire de la surface plane bornée par les courbes $y = x^3 + 1$, $y = 3 - x^2$ et $x = 0$.

21 Trouver l'aire de la surface plane bornée par les courbes $y = 4 - x^2$ et $y = x^2$.

22 Trouver l'aire de la surface plane bornée par les courbes $y = 4x - x^2$ et $y = x^2 - 4x + 4$.

23 Trouver l'aire de la surface plane bornée par les courbes $x = y^2$ et $xy^2 + 4x = 5$.

24 Trouver l'aire de la surface plane bornée par les courbes $x = 5 - y^2$ et $x = 1$.

25 Trouver l'aire de la portion de l'ellipse $x = 1 + 2 \cos \theta$, $y = 5 \sin \theta$ située au-dessus de l'axe des x.

26 Trouver l'aire de la portion du plan bornée par l'axe des x et la courbe d'équations paramétriques $x = \sin \theta$ et $y = e^{2\theta}$ entre $\theta = 0$ et $\theta = \pi/4$.

27 Trouver l'aire de la portion du plan bornée par la verticale $x = 2$ et la courbe d'équations paramétriques $x = \sec \theta$ et $y = \tan \theta$.

28 Trouver l'aire de la surface dans le premier quadrant limitée par $y = 1/\sqrt{1 + x^3}$, $x + y = 1$ et $x = 1$. (*Conseil*: utiliser la méthode de Simpson avec $n = 10$.)

29 Trouver l'aire de la surface plane bornée par les courbes $y = \sqrt{x}$ et $y = \sqrt{x} \sin x$. (*Conseil*: utiliser la méthode de Simpson avec $n = 8$.)

30 Trouver l'aire de la surface plane dans le premier quadrant limitée par $x = 2$, $x + 4y = 2$ et $y = 1/(1 + x^4)$. (*Conseil*: utiliser la méthode de Simpson avec $n = 4$.)

6.4 Volumes

Bien que l'on puisse définir le volume comme une mesure de l'espace occupé par un solide, nous appuierons nos calculs sur une notion intuitive de volume.

Considérons d'abord le problème du calcul de volumes des solides de révolution; ensuite, nous étendrons notre processus aux solides à sections planes connues.

Un *solide de révolution* est un solide engendré par la révolution d'une surface plane autour d'un axe l. En utilisant les propriétés de l'intégrale définie et le théorème fondamental du calcul intégral, nous pouvons évaluer le volume de ces solides. Dans certains cas, nous pouvons même évaluer le volume de solides qui ne sont pas de révolution si on connaît l'aire d'une surface plane obtenue en « tranchant » ce solide. C'est ce que nous ferons dans la troisième partie de cette section en étudiant la méthode des tranches. Dans les deux premières parties, nous verrons deux méthodes pour le calcul du volume des solides de révolution; la *méthode des disques* et la *méthodes des tubes*.

6.4.1 Méthode des disques (ou rondelles)

Nous divisons l'étude de cette méthode en deux cas.

Disques pleins

Étudions d'abord le cas où la surface génératrice S est fixée à l'axe l.

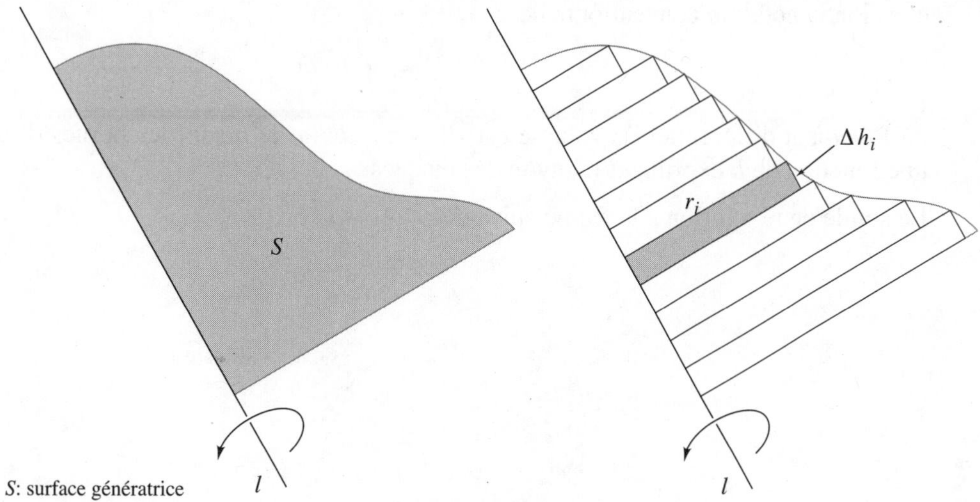

Plaçons, perpendiculairement à l'axe de révolution, n rectangles inscrits dans la surface génératrice. Chacun de ces rectangles engendre un disque par une rotation complète autour de l'axe l; ce disque est un cylindre circulaire droit de rayon r_i et de hauteur Δh_i:

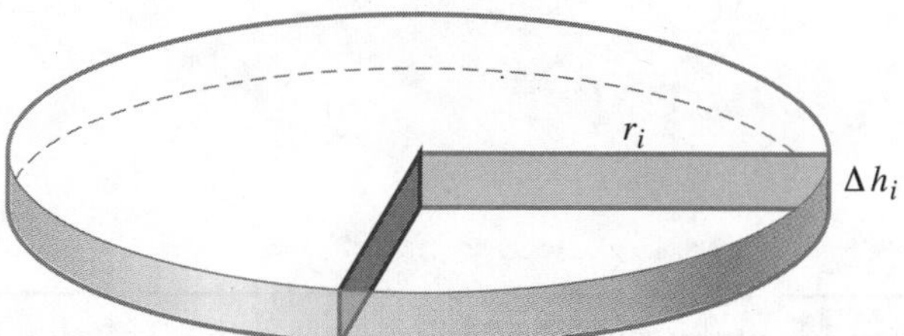

Le volume du i^e disque est donné par $\pi r_i^2 \Delta h_i$. Formons la somme des n disques engendrés par les n rectangles à l'intérieur de la surface génératrice:

$$\sum_{i=1}^{n} \pi r_i^2 \Delta h_i$$

Cela constitue une approximation du volume cherché. Cette somme, c'est le volume de l'ensemble des disques empilés les uns sur les autres.

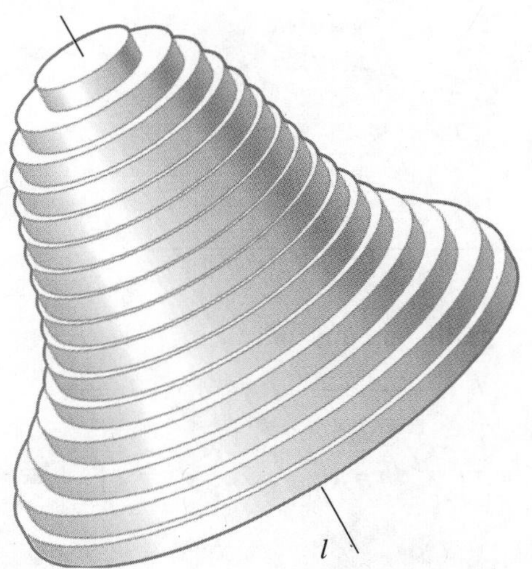

L'approximation s'améliore quand les disques deviennent plus nombreux et plus minces, c'est-à-dire quand $n \to \infty$ et max $\Delta h_i \to 0$.

Donc :

$$V = \lim_{\substack{n\to\infty \\ \max \Delta h_i \to 0}} \sum_{i=1}^{n} \pi r_i^2 \Delta h_i$$

et, selon la notation conventionnelle :

$$V = \pi \int_a^b r^2 dh$$

où l'élément différentiel de volume est $dV = \pi r^2 dh$, a et b sont les bornes d'intégration et r est une fonction de h exprimant le rayon des disques.

Le solide de révolution a la forme suivante.

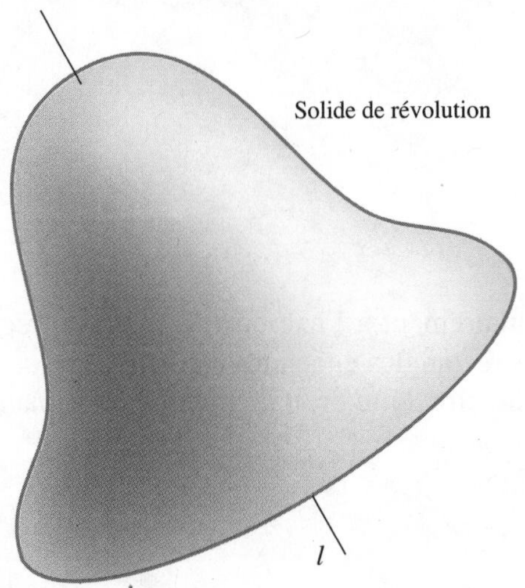

EXEMPLE 6.7

Trouver le volume du solide engendré par la révolution autour de l'axe des x de la surface plane bornée par $y = \sqrt{x}$, $y = 0$ et $x = 2$.

Solution

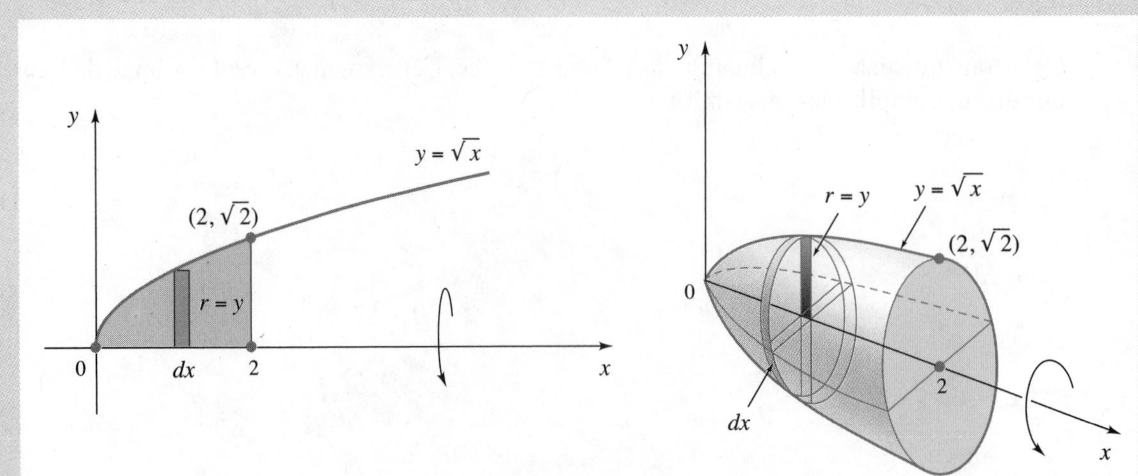

$$V = \pi \int_0^2 r^2 dh = \pi \int_0^2 \left(\sqrt{x}\right)^2 dx = \pi \int_0^2 x\, dx = \pi \left[\frac{x^2}{2}\right]_0^2 = 2\pi$$

EXEMPLE 6.8

Trouver le volume du solide engendré par la révolution autour de l'axe des y de la surface plane dans le deuxième quadrant bornée par $x = y^2 - y - 2$, $x = 0$ et $y = 0$.

Solution

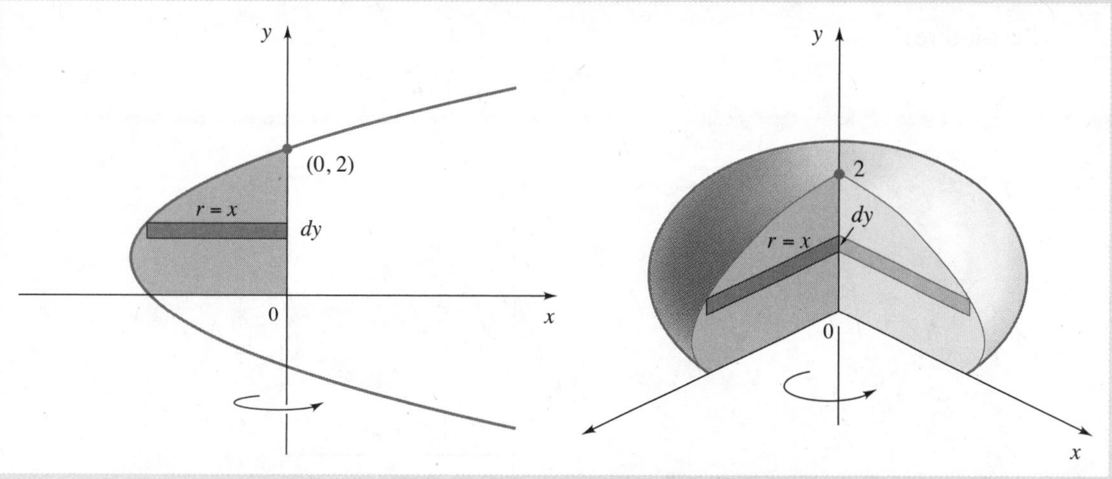

$$V = \pi\int_0^2 r^2 dh = \pi\int_0^2 (x)^2 dy = \pi\int_0^2 (y^2 - y - 2)^2 dy = \pi\int_0^2 (y^4 - 2y^3 - 3y^2 + 4y + 4)\, dy$$

$$= \pi\left[\frac{y^5}{5} - \frac{2y^4}{4} - \frac{3y^3}{3} + \frac{4y^2}{2} + 4y\right]_0^2 = \pi\left(\frac{32}{5} - 8 - 8 + 8 + 8\right) = \frac{32\pi}{5}$$

REMARQUE

Notons encore ici qu'il est très pratique de faire une représentation graphique de la surface génératrice et d'essayer de s'imaginer le solide obtenu par la révolution de cette surface.

Disques troués

Toujours avec la méthode des disques, considérons maintenant le cas où la surface génératrice ne touche pas à l'axe de révolution.

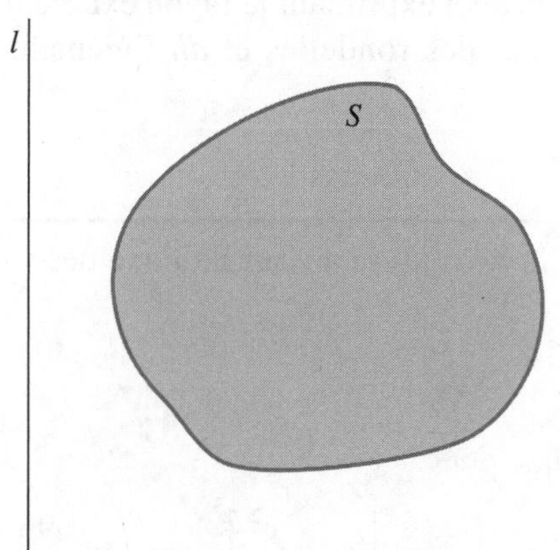

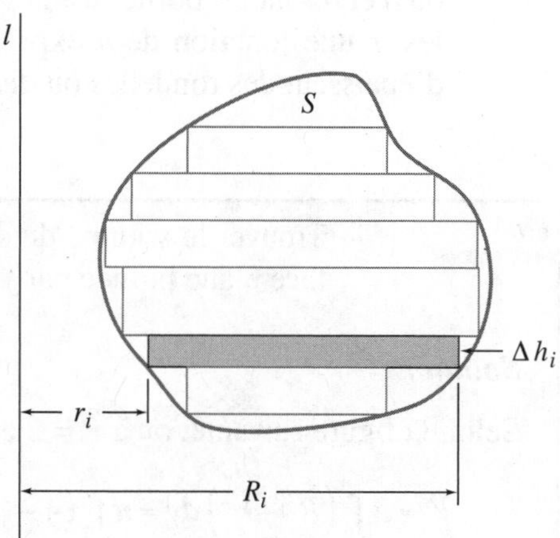

Divisons la surface génératrice en n rectangles perpendiculaires à l'axe de révolution l, c'est-à-dire où la plus grande dimension est perpendiculaire à l'axe de révolution l. La révolution d'un de ces rectangles autour de l'axe l engendre une *rondelle* ou un *disque troué*. Le volume de la i^e rondelle engendrée par le i^e rectangle est donné par :

$$\pi R_i^2 \Delta h_i - \pi r_i^2 \Delta h_i$$

C'est-à-dire :

$$\pi \left(R_i^2 - r_i^2 \right) \Delta h_i$$

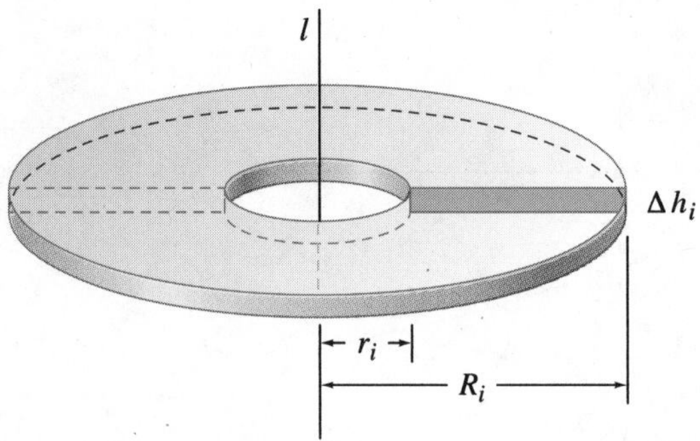

Le volume des n rondelles engendrées par la révolution autour de l'axe l des n rectangles construits dans S est donné par :

$$\sum_{i=1}^{n} \pi \left(R_i^2 - r_i^2 \right) \Delta h_i$$

Cela constitue une approximation du volume cherché. Cette approximation s'améliore si les rondelles deviennent plus nombreuses et plus minces, c'est-à-dire si $n \to \infty$ et si $\max \Delta h_i \to 0$.

Donc :

$$V = \lim_{\substack{n \to \infty \\ \max \Delta h_i \to 0}} \sum_{i=1}^{n} \pi \left(R_i^2 - r_i^2 \right) \Delta h_i$$

et, selon la notation conventionnelle :

$$V = \pi \int_a^b \left(R^2 - r^2 \right) dh$$

où a et b sont les bornes d'intégration, R une fonction de h exprimant le rayon extérieur des rondelles, r une fonction de h exprimant le rayon intérieur des rondelles et dh l'élément différentiel d'épaisseur des rondelles ou disques troués.

EXEMPLE

6.9

Trouver le volume du solide engendré par la révolution autour de l'axe des y de la surface plane bornée par $y = x^2 - 1$, $y = 0$ et $x = 2$.

Solution

Selon la figure suivante, on a $R = 2$ et $r = x = \sqrt{y+1}$. Alors :

$$V = \pi \int_0^3 \left(R^2 - r^2 \right) dy = \pi \int_0^3 \left(4 - (y+1) \right) dy = \pi \int_0^3 (3 - y)\, dy = \pi \left[3y - \frac{y^2}{2} \right]_0^3 = \pi \left(9 - \frac{9}{2} \right) = \frac{9\pi}{2}$$

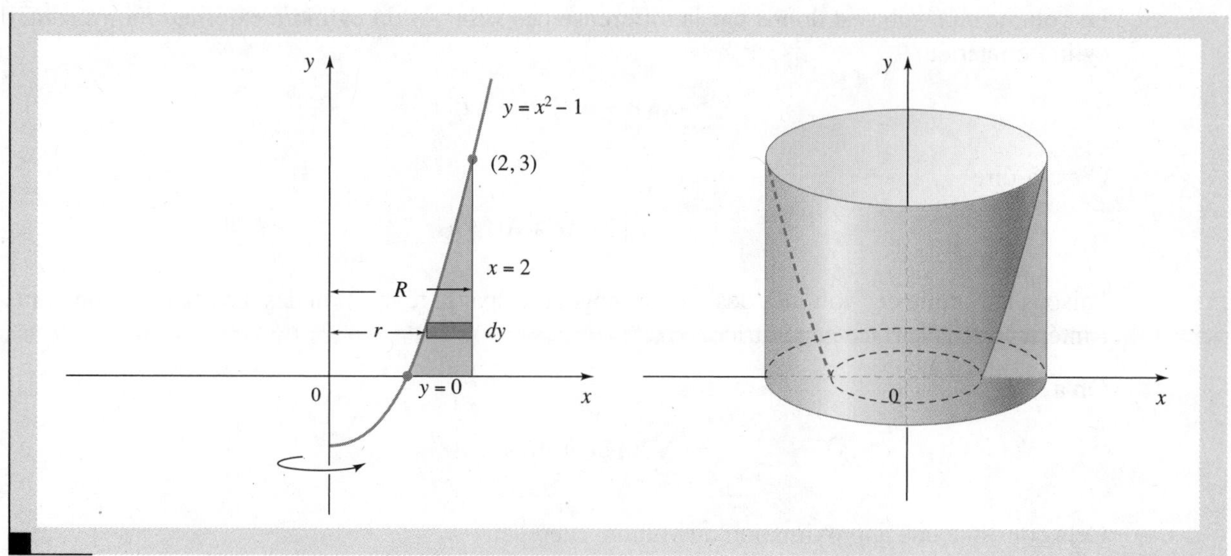

6.4.2 Méthode des tubes (ou couches cylindriques)

Dans cette méthode, il n'y a pas à distinguer les cas où l'axe de révolution est une borne ou non de la surface génératrice.

Soit une surface S qui tourne autour de l'axe l.

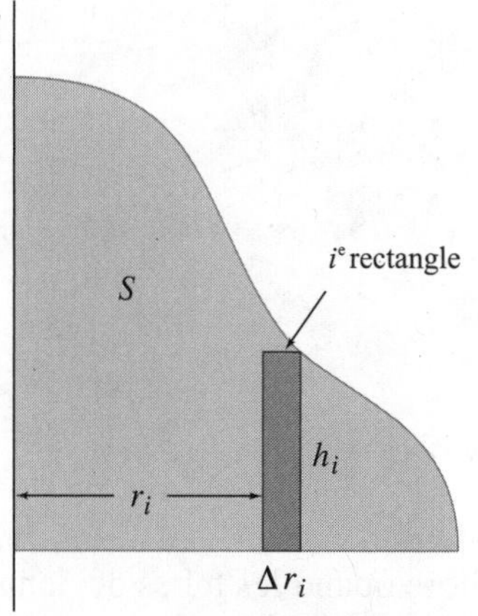

À l'intérieur de la surface S, plaçons n rectangles de manière que leur côté qui n'est pas infiniment petit soit parallèle à l'axe de révolution l. Le i^e rectangle a pour hauteur h_i, pour largeur Δr_i et est situé à une distance r_i de l'axe l. Chacun de ces n rectangles, par une révolution autour de l'axe l, engendre un *tube* ou une *couche cylindrique*.

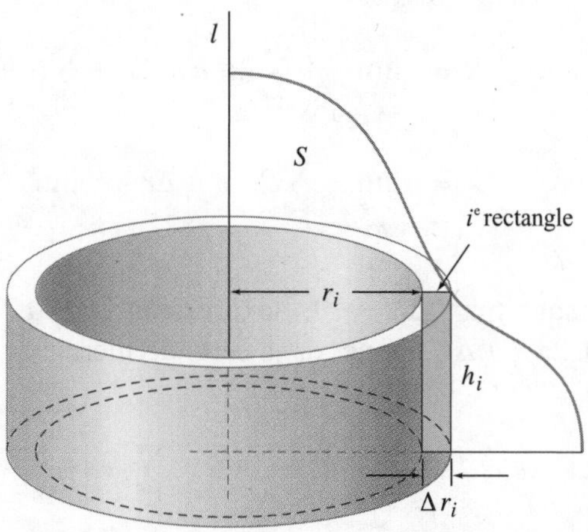

Le volume du i^e tube est donné par la différence des volumes du cylindre extérieur moins celui du cylindre intérieur.

$$\pi\left(r_i + \Delta r_i\right)^2 h_i - \pi r_i^2 h_i$$

C'est-à-dire :

$$\pi\left(2r_i \Delta r_i + \Delta r_i^2\right) h_i$$

Faisons la somme des volumes des n tubes engendrés par la révolution des n rectangles construits à l'intérieur de la surface génératrice.

On a :

$$\sum_{i=1}^{n} \pi\left(2r_i h_i \Delta r_i + h_i \Delta r_i^2\right)$$

Cela constitue une approximation du volume cherché.

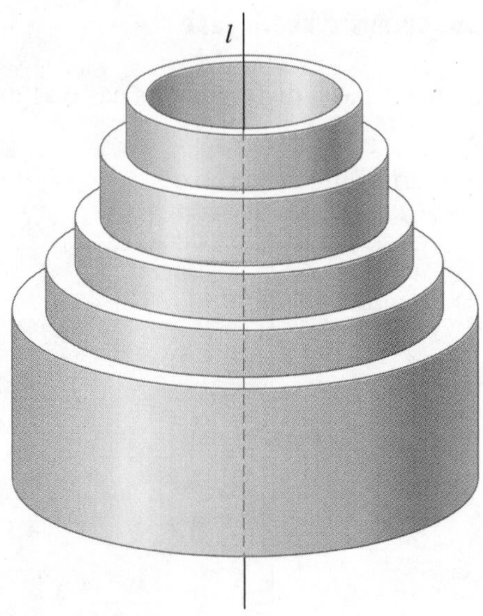

L'approximation s'améliore quand les tubes deviennent plus nombreux et plus minces, c'est-à-dire quand $n \to \infty$ et $\max \Delta r_i \to 0$.

Ainsi :

$$V = \lim_{\substack{n\to\infty \\ \max \Delta r_i \to 0}} \sum_{i=1}^{n} \pi\left(2r_i h_i \Delta r_i + h_i \Delta r_i^2\right)$$

$$V = \lim_{\substack{n\to\infty \\ \max \Delta r_i \to 0}} \left(\sum_{i=1}^{n} 2\pi r_i h_i \Delta r_i + \sum_{i=1}^{n} \pi h_i \Delta r_i^2\right)$$

$$V = \lim_{\substack{n\to\infty \\ \max \Delta r_i \to 0}} \sum_{i=1}^{n} 2\pi r_i h_i \Delta r_i + \lim_{\substack{n\to\infty \\ \max \Delta r_i \to 0}} \sum_{i=1}^{n} \pi h_i \Delta r_i^2$$

Notons ici que lorsque $\max \Delta r_i \to 0$, l'expression $\pi h_i \Delta r_i^2$ est un infiniment petit d'ordre supérieur par rapport à $2\pi r_i h_i \Delta r_i$. Donc, dans cette dernière expression de V, la seconde limite est 0. Il reste donc :

$$V = \lim_{\substack{n\to\infty \\ \max \Delta r_i \to 0}} \sum_{i=1}^{n} 2\pi r_i h_i \Delta r_i$$

et, selon la notation conventionnelle :

$$V = \int_a^b 2\pi\, r\, h\, dr$$

où a et b sont les bornes d'intégration et $dV = 2\pi\, r\, h\, dr$ est l'élément différentiel de volume dans lequel $2\pi\, r$ représente la circonférence du tube, h sa hauteur et dr son épaisseur.

Pour se représenter et mémoriser aisément cette expression d'un élément différentiel de volume, on peut associer un tube très mince à une feuille enroulée en forme de cylindre.

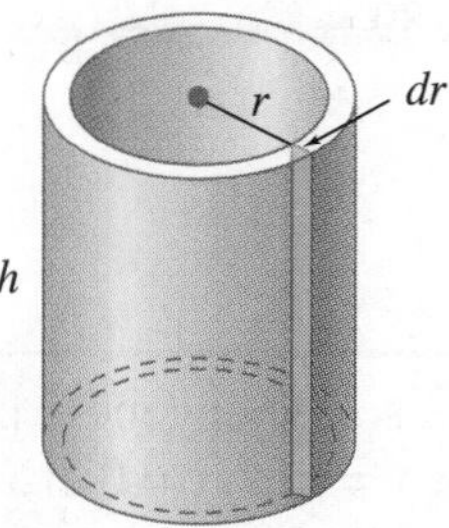

Imaginons qu'on découpe cette feuille dans le sens de la hauteur et qu'on la déplie pour obtenir une feuille plane.

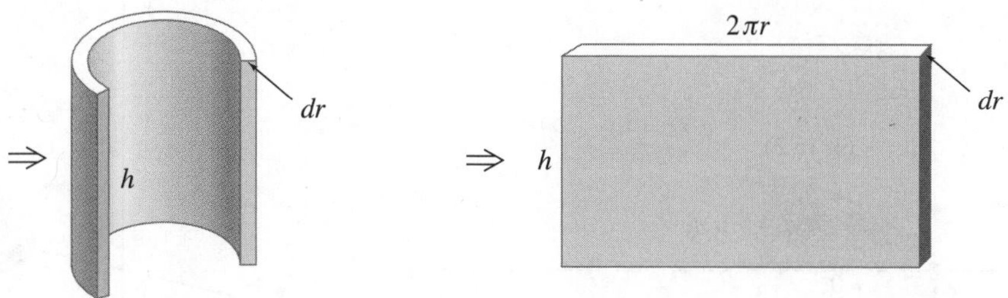

L'expression du volume de cette feuille est :

$$dV = 2\pi r \times h \times dr$$

EXEMPLE

6.10

Trouver le volume du solide engendré par la révolution autour de l'axe des y de la surface plane bornée par l'axe des x et la première arche de $y = x \sin x$.

Solution

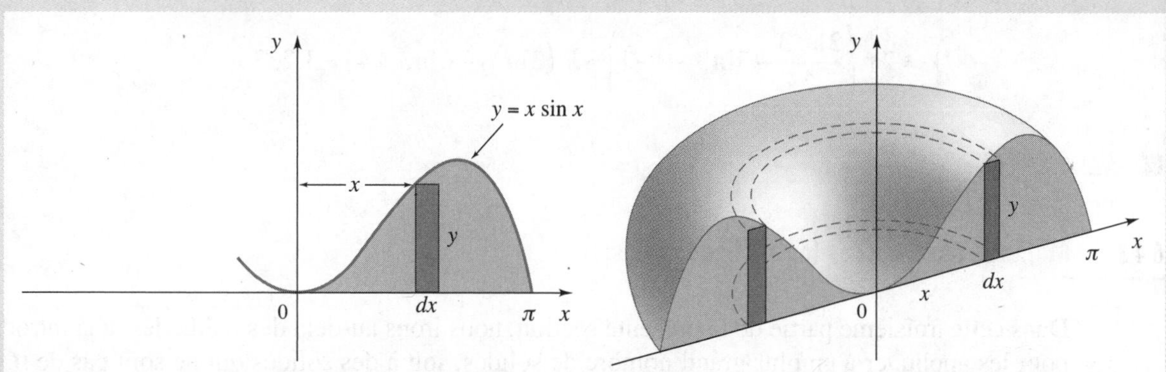

Procédons avec la méthodes des tubes. Notons que la méthode des rondelles s'avérerait impraticable puisqu'il faudrait isoler x dans l'équation $y = x \sin x$.

On a $r = x$, $h = y = x \sin x$ et $dr = dx$.

$$V = 2\pi \int_0^{\pi} r\,h\,dr = 2\pi \int_0^{\pi} x\,(x \sin x)\,dx = 2\pi \int_0^{\pi} x^2 \sin x\,dx$$

En procédant à une intégration par parties, on trouve que $-x^2 \cos x + 2\,x \sin x + 2 \cos x$ est une primitive de $x^2 \sin x$. Alors :

$$V = 2\pi\,\left[-x^2 \cos x + 2x \sin x + 2\cos x\right]_0^{\pi} = 2\pi\left(-\pi^2(-1) + 0 - 2 - (0 + 0 + 2)\right)$$

$$V = 2\pi\left(\pi^2 - 4\right) = 36{,}880$$

EXEMPLE

6.11

Trouver le volume du solide engendré par la révolution autour de l'axe des x de la surface plane bornée par $y = \ln x$, $y = 0$ et $x = 3$.

Solution

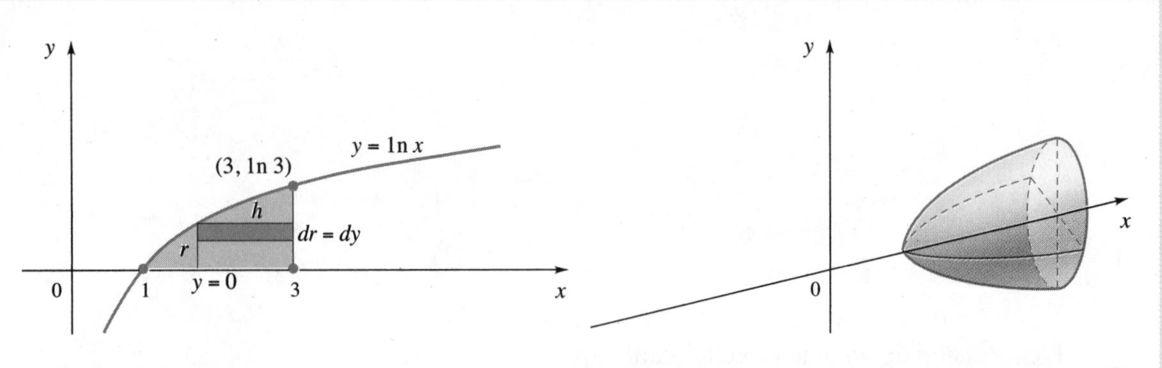

Notons qu'on pourrait procéder ici par la méthode des disques. Utilisons plutôt la méthode des tubes.

On a $r = y$, $h = 3 - x = 3 - e^y$ et $dr = dy$.

$$V = 2\pi \int_0^{\ln 3} r\,h\,dr = 2\pi \int_0^{\ln 3} y\,(3 - e^y)\,dy = 2\pi \int_0^{\ln 3} (3y - ye^y)\,dy$$

$$V = 2\pi\left[\frac{3y^2}{2} - e^y(y-1)\right]_0^{\ln 3} = 2\pi\left(\frac{3\ln^2 3}{2} - 3\,(\ln 3 - 1) - (0 - e^0(-1))\right)$$

$$V = 2\pi\left(\frac{3\ln^2 3}{2} - 3\ln 3 + 3 - 1\right) = \pi\left(3\ln^2 3 - 6\ln 3 + 4\right) = 3{,}233$$

6.4.3 Méthode des tranches (ou sections connues)

Dans cette troisième partie de la présente section, nous irons au-delà des méthodes déjà introduites pour les appliquer à un plus grand nombre de solides, soit à des solides qui ne sont pas de révolution, plus précisément à des solides dont on connaît une section plane. Cette méthode que nous introduisons maintenant se nomme la *méthode des tranches* ou la *méthode des sections connues*.

Considérons un solide divisé en tranches perpendiculairement à un axe Ox.

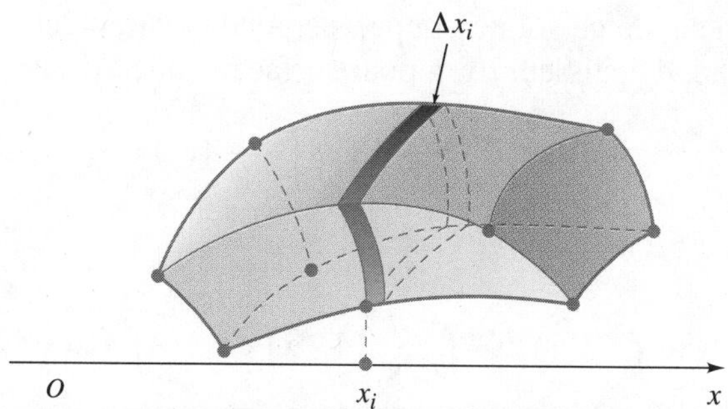

Nous avons n tranches déterminées par des plans perpendiculaires à Ox. Supposons que l'on puisse déterminer l'aire de la surface latérale de ces tranches par une fonction $A = A(x)$. Par exemple, appelons $A(x_i)$ l'aire latérale de la i^e tranche. Alors, $A(x_i)\,\Delta x_i$ représente le volume de cette i^e tranche si Δx_i en est l'épaisseur. Faisons la somme des volumes de ces n tranches. On a :

$$\sum_{i=1}^{n} A(x_i)\,\Delta x_i$$

Cela constitue une approximation du volume du solide considéré. L'approximation s'améliore à mesure que les tranches amincissent et que leur nombre augmente; bref, passant à la limite, on a :

$$V = \lim_{\substack{n\to\infty \\ \max \Delta x_i \to 0}} \sum_{i=1}^{n} A(x_i)\,\Delta x_i$$

et, en utilisant la notation conventionnelle de l'intégrale définie, on obtient :

$$V = \int_a^b A(x)\,dx$$

où a et b sont les bornes d'intégration et $dV = A(x)\,dx$ est l'élément différentiel de volume dans lequel $A(x)$ représente une fonction de x donnant l'aire latérale d'une tranche du solide coupée perpendiculairement à l'axe des x.

EXEMPLE 6.12

Un solide a pour base le triangle formé par les droites $x = 0$, $y = 0$ et $x + y = 4$. Toute tranche perpendiculaire à l'axe des x est un quart d'ellipse dont le grand axe est dans le plan xOy et le petit axe, égal à la moitié du grand axe, est perpendiculaire au plan xOy. Trouver le volume de ce solide.

Solution

Esquissons d'abord une représentation graphique de ce solide dans un système d'axes cartésien à trois dimensions.

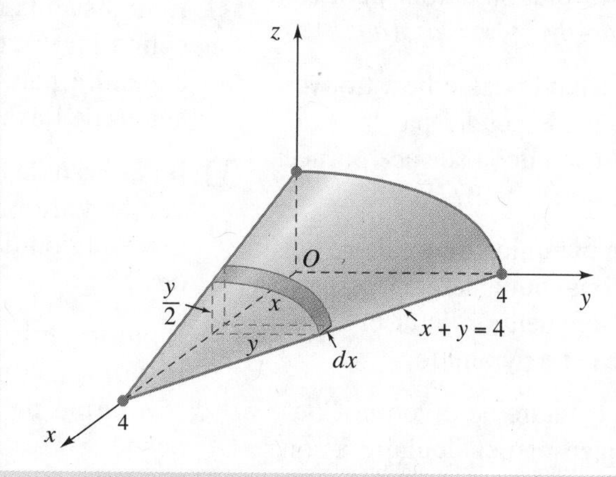

Considérons une tranche de ce solide coupée perpendiculairement à l'axe des x à une distance x de l'origine. Cette tranche, d'épaisseur dx, a pour surface le quart d'une ellipse. Alors :

$$A(x) = \frac{1}{4}\pi\,(y)\left(\frac{y}{2}\right) = \frac{\pi}{8}\,(y^2) = \frac{\pi}{8}\,(4-x)^2$$

Ainsi :

$$V = \int_0^4 A(x)\,dx = \int_0^4 \frac{\pi}{8}\,(4-x)^2 dx = \frac{\pi}{8}\int_0^4 (16 - 8x + x^2)\,dx$$

$$V = \frac{\pi}{8}\left[16x - 4x^2 + \frac{x^3}{3}\right]_0^4 = \frac{\pi}{8}\left(64 - 64 + \frac{64}{3} - 0\right) = \frac{8\pi}{3}$$

EXERCICES

6.5

Pour chacun des problèmes proposés dans cette section, esquisser une représentation graphique de la surface génératrice, du solide engendré et des paramètres pertinents (rayons, hauteur, dx, ...).

1. En considérant le demi-cercle $y = \sqrt{a^2 - x^2}$ et en le faisant tourner autour de l'axe des x, calculer le volume d'une sphère de rayon a.
2. En utilisant la méthode des disques, calculer le volume du solide engendré par la révolution autour de la droite $x = a$, de la surface limitée par la parabole $y^2 = 4ax$ et par la droite $x = a$, $(a > 0)$.
3. Considérons le triangle formé par les points (1, 0), (1, 1) et (2, 0). Trouver le volume du solide engendré par la révolution de ce triangle autour de l'axe des y.
4. Trouver le volume d'un *tore* (beignet) engendré par la révolution autour de l'axe des y du cercle $(x - b)^2 + y^2 = a^2$, $(a < b)$.
5. En utilisant la méthode des tubes, trouver le volume du solide engendré par la révolution autour de $x = a$ de la surface bornée par $y^2 = 4ax$ et $x = a$, $(a > 0)$.
6. Considérons une pyramide triangulaire qui a trois de ses arêtes mutuellement perpendiculaires et de longueurs a, b et c. Trouver le volume de cette pyramide.
7. Considérons un cylindre de rayon a. Coupons-le par un plan perpendiculaire à son axe de symétrie. La courbe d'intersection est, bien sûr, un cercle de rayon a. Coupons à nouveau le cylindre par un plan faisant un angle α avec le premier plan et passant par un diamètre du cercle découpé précédemment. Trouver le volume du solide ainsi découpé.

Pour les exercices 8 à 19, la surface dont il est question est la surface plane bornée par les courbes $xy = 3$ et $x + y = 4$.

8. En utilisant des rectangles verticaux, trouver l'aire de la surface.
9. En utilisant des rectangles horizontaux, trouver l'aire de la surface.
10. En utilisant la méthode des rondelles (disques troués), trouver le volume du solide engendré par la révolution de la surface autour de l'axe des x.
11. En utilisant la méthode des tubes (couches cylindriques), trouver le volume du solide engendré par la révolution de la surface autour de l'axe des x.
12. En utilisant la méthode des rondelles, trouver le volume du solide engendré par la révolution de la surface autour de l'axe des y.
13. En utilisant la méthode des tubes, trouver le volume du solide engendré par la révolution de la surface autour de l'axe des y.

14 En utilisant la méthode des rondelles, trouver le volume du solide engendré par la révolution de la surface autour de la droite $x = 1$.

15 En utilisant la méthode des tubes, trouver le volume du solide engendré par la révolution de la surface autour de la droite $x = 1$.

16 En utilisant la méthode des rondelles, trouver le volume du solide engendré par la révolution de la surface autour de la droite $y = 3$.

17 En utilisant la méthode des tubes, trouver le volume du solide engendré par la révolution de la surface autour de la droite $y = 3$.

18 En utilisant la méthode des rondelles, trouver le volume du solide engendré par la révolution de la surface autour de la droite $x = 4$.

19 En utilisant la méthode des tubes, trouver le volume du solide engendré par la révolution de la surface autour de la droite $x = 4$.

Pour les exercices 20 à 32, trouver le volume du solide engendré par la révolution de la surface bornée par les courbes données, autour de l'axe mentionné :

20 $y = 6x - x^2$ et $y = 0$, autour de l'axe des x.

21 $y = x^3$, $y = 0$ et $x = 2$, autour de l'axe des x.

22 $y = x^3$, $y = 0$ et $x = 2$, autour de l'axe des y.

23 La partie supérieure de l'ellipse

$$x^2 + \frac{y^2}{9} = 1,$$

autour de l'axe des x.

24 $2y^2 = x^3$, $x = 2$ et $y = 0$, autour de l'axe des x.

25 La première arche de $y = \sin x$, autour de l'axe des x.

26 $y = e^x$, $y = 2$ et $x = 0$, autour de l'axe des y.

27 $y = x - 1$ et $y = 2x^2 - 7x + 5$, autour de l'axe des y.

28 $y = x^2$ et $y = x + 2$, autour de l'axe des x.

29 $y^2 = 4x$ et $x = 1$, autour de l'axe des y.

30 $y = 2 - x^2$ et $y = 1$, autour de l'axe des x.

31 $x = 1 + y^2$ et $x = 3$, autour de l'axe des y.

32 Le cercle $x^2 + y^2 = 9$, autour de la droite $x = 4$.

33 Considérons une pyramide régulière à base carrée. Si sa hauteur est h et si le côté du carré de la base est a, montrer que le volume de cette pyramide est $ha^2/3$. Rappelons que dans une pyramide régulière, le sommet est situé sur l'axe vertical passant par le centre de la base.

34 Un solide a une base circulaire de rayon 5. Toute tranche perpendiculaire à un diamètre fixe est un rectangle dont la hauteur est égale à la moitié de la base. Trouver le volume de ce solide.

35 Un solide a pour base la surface plane bornée par $y = x^2 + 1$ et $y = 3$. Toute tranche perpendiculaire à l'axe des y est un carré. Trouver le volume de ce solide.

36 Considérons la courbe $y = 2e^x$ où $x \leq 0$. Faisons-la tourner autour de l'axe des x. Trouver le volume du solide ainsi engendré.

6.6 Longueur d'arc

6.6.1 Définition et formules

Nous mesurons la longueur d'un segment de droite en calculant combien de fois on peut placer un segment de droite d'une longueur arbitraire, choisie comme unité, dans ce premier segment de droite. On ne peut toutefois pas procéder de cette façon pour mesurer la longueur d'une courbe non rectiligne.

Définissons la longueur d'un arc comme étant la limite de la longueur d'une ligne brisée qui a ses points sommets sur l'arc, lorsque cette ligne brisée comprend de plus en plus de segments et que chacun d'eux devient de plus en plus petit.

Soit une fonction $y = f(x)$ continue et dérivable sur l'intervalle $[a, b]$. Proposons-nous de calculer la longueur de l'arc de la courbe entre le point d'abscisse $x = a$ et le point d'abscisse $x = b$.

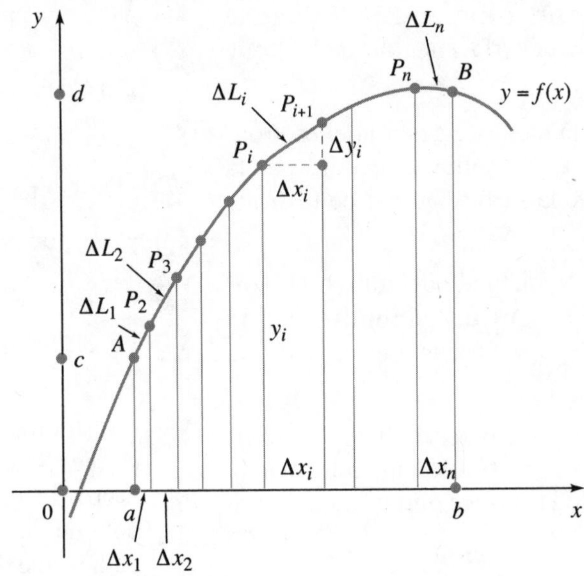

Divisons l'intervalle $[a, b]$ en n sous-intervalles de longueurs $\Delta x_1, \Delta x_2, \ldots, \Delta x_i, \ldots, \Delta x_n$. Ces intervalles déterminent sur la courbe les points $P_1 = A, P_2, P_3, \ldots, P_i, \ldots, P_n, P_{n+1} = B$. Joignons ces points par des segments de droite. On obtient alors une ligne polygonale qui constitue une approximation de la longueur d'arc cherchée.

La longueur du i^e segment de cette ligne brisée est donnée par :

$$\Delta L_i = \sqrt{(\Delta x_i)^2 + (\Delta y_i)^2}$$

$$\Delta L_i = \sqrt{1 + \left(\frac{\Delta y_i}{\Delta x_i}\right)^2} \times \Delta x_i$$

En faisant la somme des longueurs des n segments de droite, on obtient ainsi la longueur de la ligne polygonale :

$$\sum_{i=1}^{n} \sqrt{1 + \left(\frac{\Delta y_i}{\Delta x_i}\right)^2} \times \Delta x_i$$

Cela constitue une approximation de la longueur d'arc L. Cette approximation s'améliore à mesure que le nombre de segments de la ligne polygonale augmente et que la longueur de chacun de ces segments diminue. En passant à la limite, on a

$$L = \lim_{\substack{n \to \infty \\ \max \Delta x_i \to 0}} \sum_{i=1}^{n} \sqrt{1 + \left(\frac{\Delta y_i}{\Delta x_i}\right)^2} \times \Delta x_i$$

et, selon la notation conventionnelle de l'intégrale définie :

$$L = \int_a^b \sqrt{1 + \left(\frac{dy}{dx}\right)^2} \times dx$$

où a et b sont les bornes d'intégration et où l'élément différentiel de longueur d'arc est :

$$dL = \sqrt{1+\left(\frac{dy}{dx}\right)^2} \times dx$$

De la même façon, on peut déduire que :

$$L = \int_c^d \sqrt{\left(\frac{dx}{dy}\right)^2 + 1} \times dy$$

EXEMPLE

6.13 Trouver la longueur de la courbe $y = x^{2/3}$ entre les points $(1, 1)$ et $(8, 4)$.

Solution

On a $y = x^{2/3}$, donc $\frac{dy}{dx} = \frac{2}{3}x^{-1/3} = \frac{2}{3x^{1/3}}$. Alors :

$$L = \int_1^8 \sqrt{1+\frac{4}{9x^{2/3}}}\, dx = \int_1^8 \sqrt{\frac{9x^{2/3}+4}{9x^{2/3}}}\, dx = \int_1^8 \frac{\sqrt{9x^{2/3}+4}}{3x^{1/3}}\, dx = \frac{1}{3}\int_1^8 \sqrt{9x^{2/3}+4}\, \frac{dx}{x^{1/3}}$$

Posons $u = 9x^{2/3} + 4$; alors $du = 9\left(\frac{2}{3}\right) x^{-1/3}dx = 6\frac{dx}{x^{1/3}}$

Donc : $\frac{dx}{x^{1/3}} = \frac{1}{6}\, du$; $x = 1 \Rightarrow u = 13$; $x = 8 \Rightarrow u = 40$

$$L = \frac{1}{3}\int_{13}^{40} \sqrt{u}\, \frac{du}{6} = \frac{1}{18}\int_{13}^{40} \sqrt{u}\, du = \frac{1}{18}\left[\frac{2}{3}u^{3/2}\right]_{13}^{40} = \frac{1}{27}\left(40^{3/2} - 13^{3/2}\right) = 7{,}634$$

Il est parfois plus commode de projeter l'élément différentiel dL sur l'axe des y en utilisant :

$$dL = \sqrt{\left(\frac{dx}{dy}\right)^2 + 1} \times dy$$

EXEMPLE

6.14 Trouver la longueur de la courbe $x = 2e^{y/2}$ entre les points $(2, 0)$ et $(2e, 2)$.

Solution

On a $x = 2e^{y/2}$, donc $\frac{dx}{dy} = e^{y/2}$. Alors :

$$L = \int_0^2 \sqrt{1+\left(e^{y/2}\right)^2}\, dy = \int_0^2 \sqrt{1+e^y}\, dy$$

Posons $u^2 = 1 + e^y$; alors $2u\, du = e^y dy \Rightarrow dy = \frac{2u\, du}{e^y}$

Donc $dy = \frac{2u\, du}{u^2-1}$; $y = 0 \Rightarrow u = \sqrt{2}$; $y = 2 \Rightarrow u = \sqrt{1+e^2}$

$$L = \int_{y=0}^{y=2} u\, \frac{2u\, du}{u^2-1} = 2\int_{y=0}^{y=2} \frac{u^2}{u^2-1}\, du = 2\int_{y=0}^{y=2} \left(1 + \frac{1}{u^2-1}\right) du$$

$$L = 2\left[u + \frac{1}{2}\ln\left|\frac{u-1}{u+1}\right|\right]_{y=0}^{y=2} = 2\left[\sqrt{1+e^y} + \frac{1}{2}\ln\left|\frac{\sqrt{1+e^y}-1}{\sqrt{1+e^y}+1}\right|\right]_0^2$$

$$L = 4{,}007$$

REMARQUE

Le calcul de longueur d'arc conduit souvent à une intégrale dont la primitive est difficile à trouver et souvent même impossible à trouver. Bien sûr, nous évaluons alors l'intégrale par une méthode de calcul approché, le plus souvent par la méthode de Simpson.

EXEMPLE

6.15 Trouver la longueur de la courbe $y = 1/x$ entre les points (1, 1) et (3, 1/3).

Solution

On a $y = 1/x$, donc $\dfrac{dy}{dx} = -\dfrac{1}{x^2}$. Alors :

$$L = \int_1^3 \sqrt{1 + \left(-\frac{1}{x^2}\right)^2}\ dx = \int_1^3 \sqrt{1 + \frac{1}{x^4}}\ dx$$

Pour évaluer cette intégrale, utilisons la méthode de Simpson avec $n = 8$ sous-intervalles. Alors :

$$L \cong \left(\frac{3-1}{8}\right)\left(\frac{1}{3}\right)\left(f(1) + 4f\left(\frac{5}{4}\right) + 2f\left(\frac{3}{2}\right) + 4f\left(\frac{7}{4}\right) + 2f(2) + 4f\left(\frac{9}{4}\right) + 2f\left(\frac{5}{2}\right) + 4f\left(\frac{11}{4}\right) + f(3)\right)$$

$$L \cong \frac{1}{12}(1{,}414 + 4{,}749 + 2{,}189 + 4{,}208 + 2{,}062 + 4{,}077 + 2{,}025 + 4{,}035 + 1{,}006)$$

$$L \cong 2{,}147$$

6.6.2 Longueur d'arc avec des équations paramétriques

Considérons maintenant une courbe donnée par les équations paramétriques suivantes.

$$x = x(t) \qquad \text{et} \qquad y = y(t)$$

On peut supposer qu'on a une représentation graphique semblable à celle que l'on avait au début de la section. Considérons le i^e segment de la ligne brisée reliant les points A et B. Ce segment correspond à un accroissement Δt_i donné à t. En effet, un accroissement Δt_i entraîne un accroissement Δx_i et un accroissement Δy_i. Cela détermine la longueur ΔL_i de ce segment.

$$\Delta L_i = \sqrt{(\Delta x_i)^2 + (\Delta y_i)^2}$$

$$\Delta L_i = \sqrt{\left(\frac{\Delta x_i}{\Delta t_i}\right)^2 + \left(\frac{\Delta y_i}{\Delta t_i}\right)^2} \times \Delta t_i$$

En faisant la somme des longueurs de ces segments et en considérant la limite de cette somme lorsque le nombre de segments tend vers l'infini et que la longueur de chacun d'eux tend vers zéro, on obtient la longueur de la courbe entre les points A et B.

$$L = \lim_{\substack{n \to \infty \\ \max \Delta t_i \to 0}} \sum_{i=1}^{n} \sqrt{\left(\frac{\Delta x_i}{\Delta t_i}\right)^2 + \left(\frac{\Delta y_i}{\Delta t_i}\right)^2} \times \Delta t_i$$

et, selon la notation conventionnelle :

$$L = \int_{t_a}^{t_b} \sqrt{\left(\frac{dx}{dt}\right)^2 + \left(\frac{dy}{dt}\right)^2} \times dt$$

où t_a et t_b sont les valeurs du paramètre t correspondant aux points d'abscisses $x = a$ et $x = b$ et l'élément différentiel de longueur d'arc est :

$$dL = \sqrt{\left(\frac{dx}{dt}\right)^2 + \left(\frac{dy}{dt}\right)^2} \times dt$$

EXEMPLE

6.16

Trouver la longueur de la courbe donnée par les équations paramétriques suivantes pour θ allant de 0 à $\pi/2$.

$$x = 4\sin^2\theta \quad \text{et} \quad y = 3\cos^2\theta$$

Solution

$$\frac{dx}{d\theta} = 8\sin\theta\cos\theta \qquad \text{et} \qquad \frac{dy}{d\theta} = -6\cos\theta\sin\theta$$

Alors :

$$L = \int_0^{\pi/2} \sqrt{(8\sin\theta\cos\theta)^2 + (-6\cos\theta\sin\theta)^2}\, d\theta = \int_0^{\pi/2} \sqrt{100\sin^2\theta\cos^2\theta}\, d\theta$$

$$L = 10\int_0^{\pi/2} \sin\theta\cos\theta\, d\theta = 10\left[\frac{\sin^2\theta}{2}\right]_0^{\pi/2} = 5$$

EXERCICES

6.7

1. Trouver la longueur de la parabole $y = x^2/2$ entre l'origine et le point (2, 2).

2. Trouver la longueur de la courbe
$$x = \frac{2}{3}y^{3/2} - 1$$
entre les points (–1, 0) et (17, 9).

3. Trouver la longueur de la courbe $y = \sqrt{x^2 - 1}$ entre les points $(3/2, \sqrt{5}/2)$ et $(4, \sqrt{15})$. (*Conseil* : pour évaluer l'intégrale, utiliser la méthode de Simpson avec $n = 10$.)

4. Trouver la longueur de la courbe définie par les équations paramétriques suivantes lorsque t va de 0 à 2.
$$x = \frac{3t^2}{2} - 2 \qquad \text{et} \qquad y = (1 + 2t)^{3/2}.$$

5. Trouver la longueur de la courbe définie par les équations paramétriques suivantes lorsque t va de 1 à 2.
$$x = e^t - t \qquad \text{et} \qquad y = 4\, e^{t/2}$$

6. Trouver la longueur de la courbe $y = \ln|\sec x|$ entre $x = 0$ et $x = \pi/4$.

7. En utilisant la technique de la section 6.6, trouver la longueur du segment de la droite $y = 4x + 1$ compris entre les points (0, 1) et (2, 9).

8. Trouver la longueur totale de la circonférence d'un cercle de rayon a.

9. Trouver la longueur totale de la boucle de la courbe $9y^2 = x(x - 3)^2$.

10. Trouver la longueur totale de la courbe $y = 2x\sqrt{x}$ entre $x = 0$ et $x = 7$.

11. Trouver la longueur de la courbe $y^2 = 16x$ entre les points (4, 8) et (4, –8).

12. Trouver la longueur de la *chaînette* suivante entre $x = 0$ et $x = 1$.
$$y = \frac{e^x + e^{-x}}{2}$$

13. Trouver la longueur de l'arc de la parabole $x = y - y^2$ situé à droite de l'axe des y.

6.7

14 Trouver la longueur de la courbe suivante donnée par des équations paramétriques entre $t = 0$ et $t = \pi/2$.

$$x = 2\cos t + 1 \quad \text{et} \quad y = 2\sin t - 3$$

15 Trouver la longueur de la courbe suivante donnée par des équations paramétriques pour les valeurs de t entre $t = 0$ et $t = 3$.

$$x = e^t \sin t \quad \text{et} \quad y = e^t \cos t$$

16 Trouver la longueur de la courbe

$$y = \ln\left(x + \sqrt{x^2 + 1}\right)$$

entre $x = 0$ et $x = 2$. (*Conseil*: utiliser la méthode de Simpson avec $n = 8$.)

17 Trouver la longueur totale de l'ellipse $x^2 + 4y^2 = 4$. (*Conseil*: transformer en équations paramétriques et utiliser la méthode de Simpson avec $n = 6$.)

6.8 Aire d'une surface de révolution

On appelle *surface de révolution* une surface engendrée par la révolution d'un arc de courbe autour d'un axe l situé dans le plan de la courbe. C'est la surface d'un solide de révolution.

6.8.1 Aire de la surface latérale d'un tronc de cône

Avant d'aborder le problème du calcul de l'aire d'une surface de révolution, rappelons un résultat préliminaire, soit la formule permettant de trouver l'aire latérale d'un tronc de cône. En premier lieu, considérons un cône circulaire droit de hauteur h, de hauteur latérale t et dont le rayon de la base est r. Si on imagine qu'on coupe la surface selon la hauteur latérale et qu'on déplie la surface pour en faire une surface plane qui a la forme d'un secteur circulaire, on peut alors évaluer l'aire de cette surface latérale.

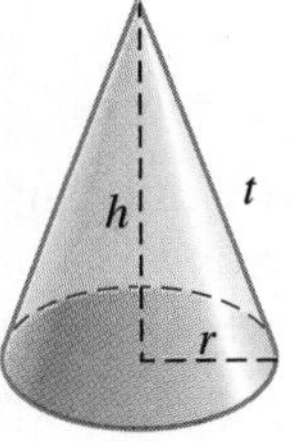

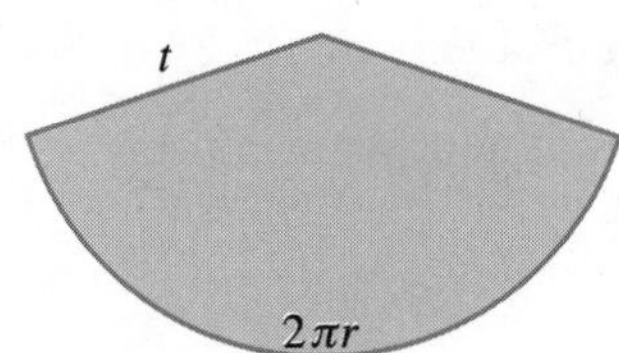

$$\text{aire} = \frac{2\pi rt}{2} = \pi rt$$

L'aire latérale d'un cône est donnée par $\pi r t$.

Considérons maintenant un tronc de cône et voyons-le comme la différence de deux cônes. Ce tronc de cône a comme rayon de sa grande base, R, comme rayon de sa petite base, r et comme hauteur latérale, T.

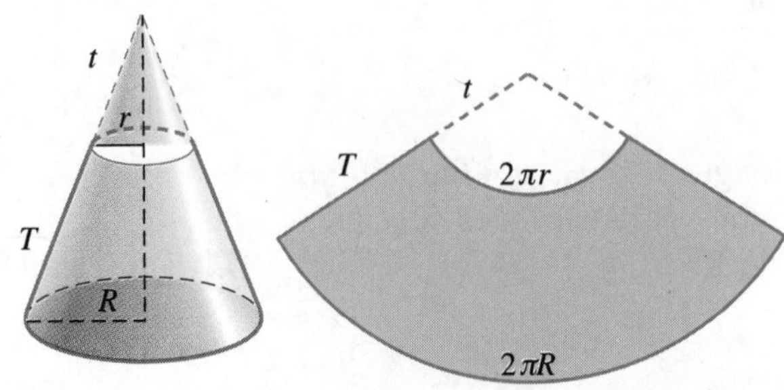

La similitude des triangles rectangles permet d'écrire ce qui suit :

$$\frac{r}{t} = \frac{R}{t+T}$$

$$R\,t = r\,t + r\,T$$

L'aire latérale du tronc de cône est donc :

$$\begin{aligned} \pi\, R\,(t+T) - \pi\, r\, t &= \pi\, R\, t + \pi\, R\, T - \pi\, r\, t \\ &= \pi\,(r\,t + r\,T) + \pi\, R\, T - \pi\, r\, t \\ &= \pi\, r\, T + \pi\, R\, T \\ &= \pi\,(r+R)\,T = 2\pi\left(\frac{r+R}{2}\right)T \\ &= 2\pi \times \text{rayon moyen} \times \text{hauteur latérale} \end{aligned}$$

En utilisant cette formule qui permet de trouver l'aire de la surface latérale d'un tronc de cône et la notation d'intégrale définie, nous pouvons maintenant évaluer l'aire d'une surface de révolution.

6.8.2 Calcul de l'aire d'une surface de révolution

Considérons, dans un même plan, un axe l et un arc de courbe quelconque.

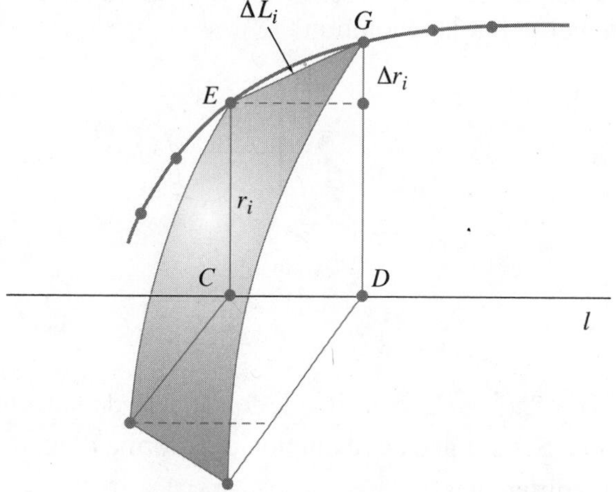

Divisons l'arc en n sous-arcs. Considérons le i^e de ces sous-arcs ; ΔL_i est la corde correspondante. Pour un sous-arc très petit, la corde EG a approximativement la même longueur que l'arc EG. La corde EG, par une révolution autour de l'axe l, engendre un tronc de cône. L'aire latérale de ce i^e tronc de cône est donnée par :

$$2\pi\left(\frac{CE + DG}{2}\right)EG$$

C'est-à-dire :

$$\begin{aligned} \pi\,(CE + DG)\;EG &= \pi\,(r_i + r_i + \Delta r_i)\,\Delta L_i \\ &= 2\pi\, r_i\,\Delta L_i + \pi\,\Delta r_i\,\Delta L_i \end{aligned}$$

Faisons la somme des aires latérales de ces n troncs de cône. On a :

$$\sum_{i=1}^{n}(2\pi\, r_i\,\Delta L_i + \pi\,\Delta r_i\,\Delta L_i)$$

Cela constitue une approximation de l'aire désirée; elle s'améliore lorsque le nombre de troncs de cône augmente et que leur épaisseur diminue. À la limite, on aura l'aire cherchée.

$$\mathrm{a} = \lim_{\substack{n\to\infty \\ \max \Delta L_i \to 0}} \sum_{i=1}^{n} (2\pi\, r_i\, \Delta L_i + \pi\, \Delta r_i\, \Delta L_i)$$

$$\mathrm{a} = \lim_{\substack{n\to\infty \\ \max \Delta L_i \to 0}} \left(\sum_{i=1}^{n} 2\pi\, r_i\, \Delta L_i + \sum_{i=1}^{n} \pi\, \Delta r_i\, \Delta L_i \right)$$

$$\mathrm{a} = \lim_{\substack{n\to\infty \\ \max \Delta L_i \to 0}} \sum_{i=1}^{n} 2\pi\, r_i\, \Delta L_i + \lim_{\substack{n\to\infty \\ \max \Delta L_i \to 0}} \sum_{i=1}^{n} \pi\, \Delta r_i\, \Delta L_i$$

Dans cette dernière ligne, on doit remarquer que, lorsque max $\Delta L_i \to 0$ l'expression $\pi\, \Delta r_i\, \Delta L_i$ est un infiniment petit d'ordre supérieur par rapport à $2\pi\, r_i\, \Delta L_i$ car si $\Delta L_i \to 0$, alors $\Delta r_i \to 0$. Ainsi,

$$\mathrm{a} = \lim_{\substack{n\to\infty \\ \max \Delta L_i \to 0}} \sum_{i=1}^{n} 2\pi\, r_i\, \Delta L_i$$

et, selon la notation conventionnelle de l'intégrale définie

$$\mathrm{a} = \int_a^b 2\pi\, r\, dL$$

où a et b sont les bornes d'intégration et où $2\pi\, r\, dL$ est l'élément différentiel d'aire; on peut voir cet élément différentiel d'aire comme l'aire d'un ruban circulaire de rayon r, donc de circonférence $2\pi\, r$ et d'épaisseur dL. Ici, r représente une fonction donnant la distance entre l'arc de courbe et l'axe autour duquel se fait la révolution.

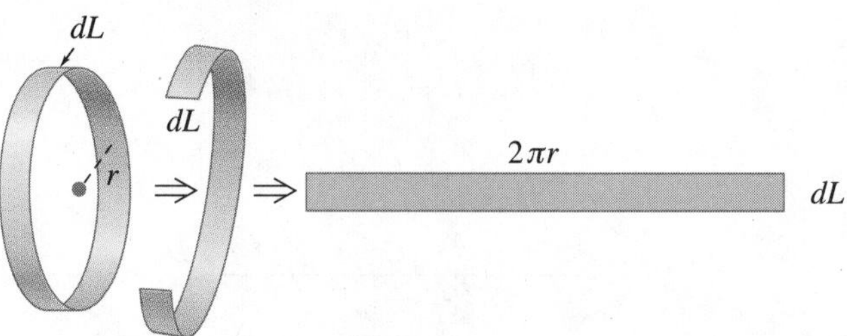

Cette formule, $\mathrm{a} = 2\pi \int_a^b r\, dL$, constitue le fondement de la technique de calcul de l'aire d'une surface de révolution. Selon l'axe de révolution et la forme d'expression de l'arc de courbe, la formule prend des formes différentes.

6.8.3 Révolution autour de l'axe des *x*

Si l'axe de révolution est l'axe des x, alors $r = y$, et la formule peut prendre l'une ou l'autre des trois formes suivantes selon la forme selon laquelle est donnée la courbe qui engendre la surface de révolution.

a) Forme de la courbe : $y = f(x)$; alors :

$$dL = \sqrt{1 + \left(\frac{dy}{dx}\right)^2}\, dx \quad \text{et} \quad \mathrm{a} = 2\pi \int_a^b f(x) \sqrt{1 + \left(\frac{dy}{dx}\right)^2}\, dx$$

b) Forme de la courbe : $x = g(y)$; alors :

$$dL = \sqrt{\left(\frac{dx}{dy}\right)^2 + 1}\, dy \quad \text{et} \quad \mathrm{a} = 2\pi \int_c^d y \sqrt{\left(\frac{dx}{dy}\right)^2 + 1}\, dy$$

c) Forme de la courbe : $x = x(t)$ et $y = y(t)$; alors :

$$dL = \sqrt{\left(\frac{dx}{dt}\right)^2 + \left(\frac{dy}{dt}\right)^2}\, dt \qquad \text{et} \qquad \mathrm{a} = 2\pi \int_{t_a}^{t_b} y(t) \sqrt{\left(\frac{dx}{dt}\right)^2 + \left(\frac{dy}{dt}\right)^2}\, dt$$

EXEMPLE

6.17

Trouver l'aire de la surface engendrée par la révolution autour de l'axe des x de l'arc de courbe $y = x^2/2$ entre $x = 0$ et $x = 1$.

Solution

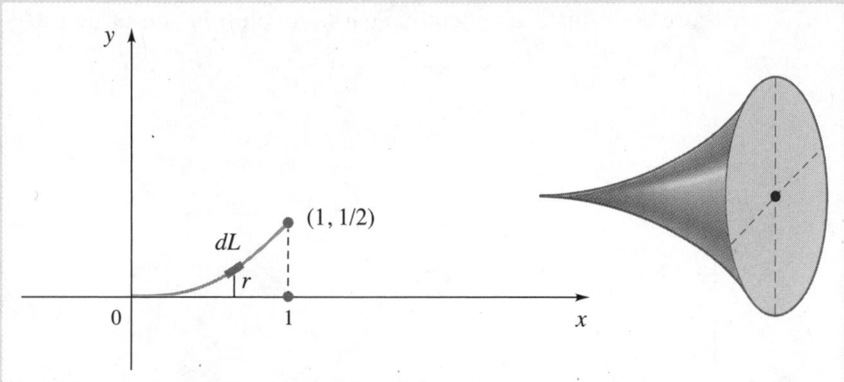

On a $y = \dfrac{x^2}{2} \Rightarrow \dfrac{dy}{dx} = x$; de plus, $r = y = \dfrac{x^2}{2}$. Ainsi :

$$\mathrm{a} = 2\pi \int_0^1 \frac{x^2}{2} \sqrt{1 + (x)^2}\, dx = \pi \int_0^1 x^2 \sqrt{1 + x^2}\, dx$$

Pour résoudre cette dernière intégrale, posons $x = \tan\theta$; alors $dx = \sec^2\theta\, d\theta$. De plus, $x = 0 \Rightarrow \theta = 0$ et $x = 1 \Rightarrow \theta = \pi/4$.

$$\mathrm{a} = \pi \int_0^{\pi/4} \tan^2\theta \sqrt{1 + \tan^2\theta}\, \sec^2\theta\, d\theta = \pi \int_0^{\pi/4} \tan^2\theta\, \sec^3\theta\, d\theta$$

$$\mathrm{a} = \pi \int_0^{\pi/4} (\sec^2\theta - 1)\sec^3\theta\, d\theta = \pi \int_0^{\pi/4} (\sec^5\theta - \sec^3\theta)\, d\theta$$

Note : On peut ici intégrer par parties ou utiliser la formule de réduction pour $\int \sec^n x\, dx$.

$$\mathrm{a} = \pi \left[\frac{1}{4}\sec^3\theta\, \tan\theta - \frac{1}{8}\sec\theta\, \tan\theta - \frac{1}{8}\ln|\sec\theta + \tan\theta|\right]_0^{\pi/4}$$

$$\mathrm{a} = \pi \left(\frac{2\sqrt{2}}{4} - \frac{\sqrt{2}}{8} - \frac{1}{8}\ln\left|\sqrt{2} + 1\right|\right) = 1{,}320$$

6.8.4 Révolution autour de l'axe des *y*

Si l'axe de révolution est l'axe des y, alors $r = x$, et la formule peut prendre l'une ou l'autre des trois formes suivantes selon la forme selon laquelle on connaît la courbe qui engendre la surface de révolution.

a) Forme de la courbe : $y = f(x)$; alors :

$$dL = \sqrt{1 + \left(\frac{dy}{dx}\right)^2}\, dx \qquad \text{et} \qquad \mathrm{a} = 2\pi \int_a^b x \sqrt{1 + \left(\frac{dy}{dx}\right)^2}\, dx$$

b) Forme de la courbe : $x = g(y)$; alors :

$$dL = \sqrt{\left(\frac{dx}{dy}\right)^2 + 1}\, dy \qquad \text{et} \qquad \mathsf{a} = 2\pi \int_c^d g(y) \sqrt{\left(\frac{dx}{dy}\right)^2 + 1}\, dy$$

c) Forme de la courbe : $x = x\,(t)$ et $y = y\,(t)$; alors :

$$dL = \sqrt{\left(\frac{dx}{dt}\right)^2 + \left(\frac{dy}{dt}\right)^2}\, dt \qquad \text{et} \qquad \mathsf{a} = 2\pi \int_{t_c}^{t_d} x(t) \sqrt{\left(\frac{dx}{dt}\right)^2 + \left(\frac{dy}{dt}\right)^2}\, dt$$

EXEMPLE

6.18

Trouver l'aire de la surface engendrée par la révolution autour de l'axe des y de l'arc de courbe $y = \ln\left(x + \sqrt{x^2 - 1}\right)$ entre $x = 2$ et $x = 3$.

Solution

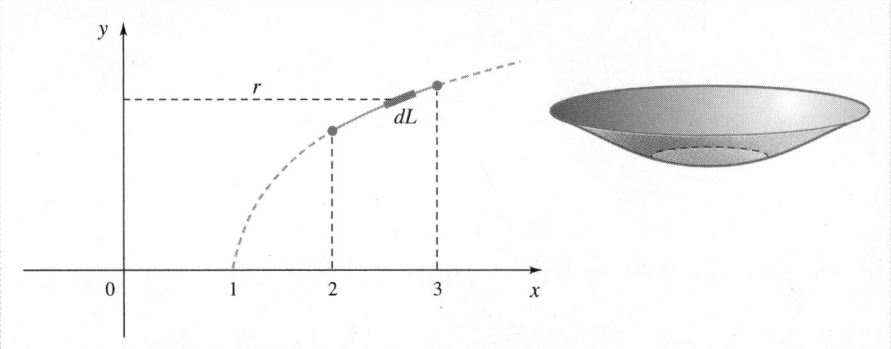

On a $y = \ln\left(x + \sqrt{x^2 - 1}\right) \Rightarrow \frac{dy}{dx} = \frac{1}{\sqrt{x^2 - 1}}$; de plus, $r = x$. Ainsi :

$$\mathsf{a} = 2\pi \int_2^3 x \sqrt{1 + \frac{1}{x^2 - 1}}\, dx = 2\pi \int_2^3 x \sqrt{\frac{x^2}{x^2 - 1}}\, dx = 2\pi \int_2^3 \frac{x^2}{\sqrt{x^2 - 1}}\, dx$$

Posons $x = \sec\theta$; $dx = \sec\theta \tan\theta\, d\theta$

$$\mathsf{a} = 2\pi \int_{x=2}^{x=3} \frac{\sec^2\theta}{\sqrt{\sec^2\theta - 1}} \sec\theta \tan\theta\, d\theta = 2\pi \int_{x=2}^{x=3} \sec^3\theta\, d\theta$$

$$\mathsf{a} = 2\pi \left[\frac{1}{2}\sec\theta \tan\theta + \frac{1}{2}\ln\left|\sec\theta + \tan\theta\right|\right]_{x=2}^{x=3}$$

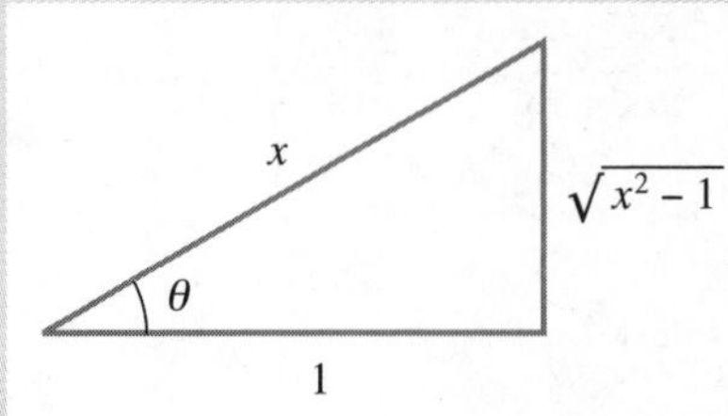

$$\mathsf{a} = 2\pi \left[\frac{1}{2}\, x \sqrt{x^2 - 1} + \frac{1}{2}\ln\left|x + \sqrt{x^2 - 1}\right|\right]_2^3$$

$$\mathsf{a} = \pi \left(3\sqrt{8} + \ln\left|3 + \sqrt{8}\right| - 2\sqrt{3} - \ln\left|2 + \sqrt{3}\right|\right)$$

$$\mathsf{a} = 17{,}175$$

EXEMPLE

6.19

Considérons la portion de l'ellipse $x = \cos\theta$ et $y = 2\sin\theta$ située dans le premier quadrant. Trouver l'aire de la surface engendrée par la révolution de cet arc de courbe autour de l'axe des y.

Solution

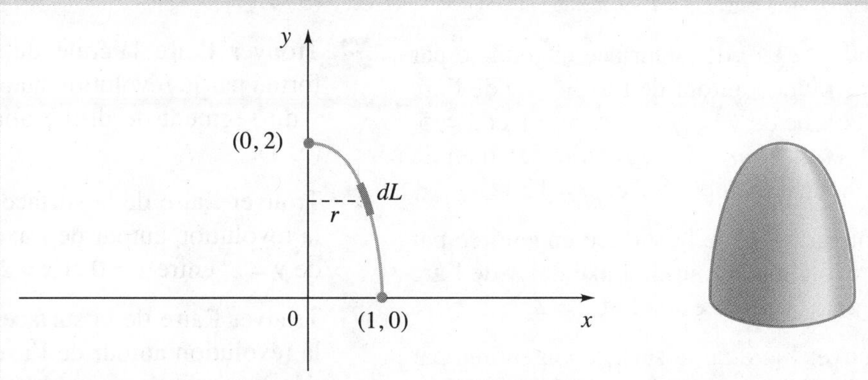

On a $\dfrac{dx}{d\theta} = -\sin\theta$ et $\dfrac{dy}{d\theta} = 2\cos\theta$; de plus, $r = x = \cos\theta$. Ainsi :

$$\text{a} = 2\pi\int_0^{\pi/2}\cos\theta\,\sqrt{(-\sin\theta)^2+(2\cos\theta)^2}\,d\theta = 2\pi\int_0^{\pi/2}\cos\theta\,\sqrt{\sin^2\theta+4\cos^2\theta}\,d\theta$$

$$= 2\pi\int_0^{\pi/2}\cos\theta\,\sqrt{\sin^2\theta+4\,(1-\sin^2\theta)}\,d\theta = 2\pi\int_0^{\pi/2}\cos\theta\,\sqrt{4-3\sin^2\theta}\,d\theta$$

Posons $u = \sin\theta$; alors $du = \cos\theta\,d\theta$; $\theta = 0 \Rightarrow u = 0$ et $\theta = \pi/2 \Rightarrow u = 1$. Ainsi :

$$\text{a} = 2\pi\int_0^1\sqrt{4-3u^2}\,du$$

Posons $u = \dfrac{2}{\sqrt{3}}\sin t$; alors $du = \dfrac{2}{\sqrt{3}}\cos t\,dt$

$u = 0 \Rightarrow t = 0$ et $u = 1 \Rightarrow \sin t = \dfrac{\sqrt{3}}{2} \Rightarrow t = \dfrac{\pi}{3}$. Ainsi :

$$\text{a} = 2\pi\int_0^{\pi/3}\sqrt{4-3\left(\frac{4}{3}\sin^2 t\right)}\;\frac{2}{\sqrt{3}}\cos t\,dt = 2\pi\int_0^{\pi/3}\frac{4}{\sqrt{3}}\cos^2 t\,dt = \frac{8\pi}{\sqrt{3}}\int_0^{\pi/3}\cos^2 t\,dt$$

$$= \frac{8\pi}{\sqrt{3}}\int_0^{\pi/3}\frac{1+\cos 2t}{2}\,dt = \frac{4\pi}{\sqrt{3}}\left[t+\frac{\sin 2t}{2}\right]_0^{\pi/3} = \frac{4\pi}{\sqrt{3}}\left(\frac{\pi}{3}+\frac{\sqrt{3}}{4}\right) = \frac{4\pi^2}{3\sqrt{3}}+\pi = 10{,}739$$

EXERCICES

6.9

1 Trouver l'aire de la surface engendrée par la révolution autour de l'axe des x de l'arc de courbe $y = \sqrt{x}$ entre $x = 0$ et $x = 2$.

2 Trouver l'aire de la surface engendrée par la révolution autour de l'axe des y du même arc de courbe que celui de l'exercice précédent.

6.9

3. Trouver l'aire de la surface engendrée par la révolution autour de l'axe des x de l'arc de courbe défini par

$$x = \frac{1}{6}(4t+1)^{3/2}$$

et $y = t^2 + 2$ entre $t = 0$ et $t = 2$.

4. Trouver l'aire de la surface engendrée par la révolution autour de l'axe des y de l'arc de courbe de $y = 1/x$ entre $x = 1$ et $x = 5$. (*Conseil pour l'intégration*: utiliser la méthode de Simpson avec $n = 12$.)

5. Trouver l'aire de la surface engendrée par la révolution autour de l'axe des y de l'arc de $y = x^2 - 1$ entre $x = 1$ et $x = 2$.

6. Trouver l'aire de la surface engendrée par la révolution autour de l'axe des y de l'arc de $x = \sqrt{y+1}$ entre $y = 0$ et $y = 3$.

7. Trouver l'aire de la surface engendrée par la révolution autour de l'axe des x de l'arc de $y = e^x$ entre $x = 0$ et $x = 1$.

8. Trouver l'aire de la surface engendrée par la révolution autour de l'axe des x de l'arc de $y = \sin x$ entre $x = 0$ et $x = \pi/2$.

9. Trouver l'aire de la surface engendrée par la révolution autour de l'axe des y de l'arc de

$$y = \frac{e^x + e^{-x}}{2}$$

entre $x = 0$ et $x = 1$.

10. Trouver l'aire de la surface d'une sphère de rayon a.

11. Trouver l'aire latérale du tronc de cône formé par la révolution autour de l'axe des x du segment de droite allant de (1, 1) à (5, 4).

12. Trouver l'aire latérale du tronc de cône formé par la révolution autour de l'axe des y du segment de droite allant de (1, 1) à (5, 4).

13. Trouver l'aire de la surface engendrée par la révolution autour de l'axe des x de l'arc de $y = x^3$ entre $x = 0$ et $x = 2$.

14. Trouver l'aire de la surface engendrée par la révolution autour de l'axe des y de l'arc décrit au numéro précédent.

15. Trouver l'aire de la surface engendrée par la révolution autour de l'axe des x de l'arc de $x = 3 + \cos\theta$ et $y = 3 + \sin\theta$ pour θ allant de 0 à $\pi/2$.

16. Trouver l'aire de la surface engendrée par la révolution autour de l'axe des y de la courbe $y = e^{-x}$ entre $x = 0$ et $x = 4$. (*Conseil*: utiliser la méthode de Simpson avec $n = 8$.)

Exercices

Révision 6.10

1. Trouver l'aire de la surface fermée dans le premier quadrant bornée par les courbes $y = x$ et $y = x^2$.

2. Trouver l'aire de la surface fermée contenue dans le premier quadrant et limitée par les courbes $y = x$ et $y = x^3$.

3. En utilisant des rectangles verticaux, trouver l'aire de la surface fermée bornée par les courbes $y^2 = x + 1$ et $y = x - 1$.

4. Trouver l'aire de la surface fermée bornée par les courbes $y = \sqrt{x+1}$ et $2y = x + 1$.

5. Trouver l'aire de la surface fermée bornée par les paraboles suivantes.

$$y = 7 - x^2 \quad \text{et} \quad y = x^2 - 1$$

6. Trouver l'aire de la surface fermée bornée par la courbe $y = x^{2/3}$ et la droite $y = 4$.

7. Trouver l'aire à l'intérieur de la boucle de la courbe $y^2 = x^2(2 - x)$.

8. Trouver l'aire intérieure du cercle $x^2 + y^2 = a^2$.

9. Trouver l'aire intérieure de l'ellipse

$$\frac{x^2}{a^2} + \frac{y^2}{b^2} = 1.$$

10 Trouver l'aire sous une arche de la courbe $y = \sin x$.

11 Trouver l'aire du quadrilatère formé en joignant les points (0, 0), (3, 5), (11, 5) et (8, 0). Utiliser des rectangles horizontaux pour intégrer.

12 Trouver l'aire de la plus petite partie du cercle $x^2 + y^2 = 16$ découpée par la droite $x + y = 4$.

13 Trouver l'aire de la surface fermée (premier quadrant) bornée par $y = 3x - x^2$ et $xy = 2$.

14 Trouver l'aire sous une arche de la cycloïde $x = 2\theta - 2 \sin \theta$ et $y = 2 - 2 \cos\theta$.

15 Trouver l'aire à l'intérieur de la boucle de $y^2 = 4x (x - 5)^2$.

16 Calculer le volume d'une sphère de rayon a obtenue en faisant tourner un demi-cercle autour de l'axe des y.

17 Calculer le volume du solide engendré par la révolution autour de l'axe des x de la surface dans le premier quadrant bornée par $y^2 = 4ax$, $x = a$ et l'axe des x.

18 Considérons la surface bornée par une arche de la cycloïde $x = a (\theta - \sin \theta)$, $y = a (1 - \cos \theta)$, la droite $y = 2a$, l'axe des y et la droite $x = 2\pi a$. Trouver le volume du solide engendré par la révolution de cette surface autour de la droite $y = 2a$.

19 En faisant tourner autour de l'axe des y un triangle rectangle de base r et de hauteur h appuyée sur l'axe des y, on engendre un cône circulaire droit de hauteur h et de rayon de la base r. Quel en est le volume ?

20 En faisant tourner autour de l'axe des y un rectangle de base r et de hauteur h appuyée sur l'axe des y, on engendre un cylindre circulaire de hauteur h et de rayon de la base r. Quel en est le volume ?

21 En faisant tourner autour d'un axe une demie de l'ellipse suivante

$$\frac{x^2}{a^2} + \frac{y^2}{b^2} = 1$$

on engendre un *ellipsoïde de révolution*. Quel en est le volume ?

22 Trouver le volume du tore engendré par la révolution du cercle $x^2 + y^2 = 4$ autour de la droite $x = 4$.

23 Trouver le volume du solide engendré par la révolution autour de l'axe des y de la surface fermée bornée par $y^2 = 4ax$ et $x = a$.

24 Soit le triangle formé par les points (0, 8), (4, 3) et (7, 3). Calculer le volume du solide engendré par la révolution de ce triangle autour de l'axe des y.

25 Trouver le volume du solide engendré par la révolution autour de l'axe des y de la surface dans le premier quadrant bornée par les paraboles $y = x^2$ et $4y = 3x^2 + 1$.

26 La surface sous la courbe $y = 2 \sin (x/2)$ dans l'intervalle $[0, 2\pi]$ tourne autour de l'axe des y. Trouver le volume du solide ainsi engendré.

27 Soit le triangle rectangle formé par les points (2, 3), (5, 3) et (2, 6). Calculer le volume du solide engendré par la révolution de ce triangle autour de l'axe des y.

28 Dans le plan xOy, considérons le cercle $x^2 + y^2 = a^2$. Soit D une droite parallèle au plan xOy et située à une hauteur h au-dessus de ce plan. Imaginons D parallèle à l'axe des x, plus précisément dans le plan xOz. Une droite se déplaçant parallèlement au plan yOz, passant par le cercle et perpendiculaire à D décrit un solide appelé *conoïde*. Calculer le volume de ce conoïde de cercle.

29 Trouver le volume du conoïde du carré de côté a, de hauteur h.

30 La base d'une pyramide est un rectangle de côtés 8 et 6 respectivement. Le sommet est directement au-dessus d'un des coins de la base à une hauteur 12. Trouver le volume de cette pyramide.

31 La base d'un solide est la surface bornée par $y = \sqrt{x - 1}$, $x = 3$ et l'axe des x. Toute section perpendiculaire à l'axe des x est un triangle équilatéral. Trouver le volume de ce solide.

32 En utilisant la technique de la section 6.6, trouver la longueur du segment de droite compris entre les points (1, 2) et (3, 8).

RÉVISION 6.10

33 Trouver la longueur de la courbe $y = \ln x$ entre $x = 1$ et $x = 2$.

34 Trouver, à l'aide de l'intégrale, la longueur d'un quart de cercle de rayon 2.

35 Trouver la longueur de la courbe $x = 12t^2 + 5, y = 24t$ entre $t = 0$ et $t = 2$.

36 Trouver la longueur totale de l'*astroïde* $x^{2/3} + y^{2/3} = a^{2/3}$.

37 Trouver la longueur d'une arche de la cycloïde suivante.

$$x = a\,(\theta - \sin\theta), y = a\,(1 - \cos\theta)$$

38 Trouver la longueur d'arc de la courbe paramétrique suivante entre $t = 0$ et $t = 1$.

$$x = t - 3,\ y = \ln|\cos t|$$

39 Trouver la longueur de la courbe

$$6y = x^3 + \frac{3}{x}$$

entre les points d'abscisse $x = 2$ et $x = 4$.

40 Trouver l'aire de la surface engendrée par la révolution autour de l'axe des y de l'arc de la courbe $x = (y - 1)^3$ entre $y = 1$ et $y = 2$.

41 Considérons un cercle de centre (3, 3) et de rayon 1. Dans ce cercle, considérons l'arc joignant les points (3, 2) et (4, 3). Trouver l'aire de la surface engendrée par la révolution de cet arc :

a) autour de l'axe des x.

b) autour de l'axe des y.

42 Trouver l'aire de la surface d'un tore circulaire engendré par la révolution autour de l'axe des x du cercle $x^2 + (y - b)^2 = a^2$, $(a \leq b)$.

43 Trouver l'aire de la surface engendrée par la révolution autour de l'axe des x de l'astroïde $x^{2/3} + y^{2/3} = a^{2/3}$.

44 Trouver l'aire de la surface engendrée par la révolution autour de l'axe des x d'une boucle de la *lemniscate*

$$y^2 = \frac{x^2}{32}(2 - x)\,(2 + x)$$

45 Considérons l'ellipse dont les équations paramétriques sont $x = 3\cos\theta$ et $y = 2\sin\theta$ et faisons-la tourner autour de l'axe des x. Trouver l'aire de la surface ainsi engendrée.

EXERCICES

DÉFIS 6.11

1 Trouver l'aire de la surface au-dessus de l'axe des x et sous la courbe $y = 3 - t^4 + 2t^2$, $x = t^2 - 1$.

2 Trouver l'aire à l'intérieur de l'astroïde $x = a\cos^3\theta, y = a\sin^3\theta$.

3 Trouver l'aire à l'intérieur d'une boucle de la *lemniscate de Bernoulli*

$$x = a\cos\theta\,\sqrt{\cos 2\theta}\ ,\ y = a\sin\theta\,\sqrt{\cos 2\theta}\ .$$

4 Trouver le volume du *tore elliptique* engendré par la révolution autour de l'axe des y de l'ellipse suivante.

$$\frac{(x-5)^2}{9} + \frac{y^2}{4} = 1$$

5 Considérons une sphère solide de rayon 6. Un trou de forme cylindrique doit être percé dans cette sphère et l'axe du trou doit passer par le centre de la sphère. Quel doit être le rayon de ce trou si la moitié du volume de la sphère doit rester ?

6 Soit $a > 0$. Considérons deux cylindres circulaires droits de rayon a dont les axes de symétrie sont pour l'un, l'axe des x, et pour l'autre, l'axe des y. Trouver le volume commun aux deux cylindres.

7 Trouver le volume sous le *dôme parabolique* $z = 8 - x^2 - (y^2/9)$ et au-dessus du plan xOy.

8 Trouver le volume de l'*ellipsoïde*

$$\frac{x^2}{a^2} + \frac{y^2}{b^2} + \frac{z^2}{c^2} = 1\,.$$

9 Trouver l'aire de la surface engendrée par la révolution autour de l'axe des x de l'arc de la courbe $y = e^x - e^{-x}$ entre $x = 0$ et $x = 1$.

10 Considérons une arche de la cycloïde $x = a\,(\theta - \sin\theta)$, $y = a\,(1 - \cos\theta)$ et faisons-la tourner autour de l'axe des x. Trouver l'aire de la surface ainsi engendrée.

RÉSUMÉ DU CHAPITRE

Aires planes

Rectangles verticaux : $A = \int_a^b \left(y_2(x) - y_1(x)\right) dx$

Rectangles horizontaux : $A = \int_c^d \left(x_2(y) - x_1(y)\right) dy$

Équations paramétriques : $A = \int_{t_a}^{t_b} y(t)\, x'(t)\, dt$

Volumes

Méthode des disques (rondelles) :

disques pleins : $V = \pi \int_a^b r^2 dh$

disques troués : $V = \pi \int_a^b \left(R^2 - r^2\right) dh$

Méthode des tubes (couches cylindriques) :

$$V = 2\pi \int_a^b r\, h\, dr$$

Méthode des tranches (sections connues) :

$$V = \int_a^b A(x)\, dx$$

Longueur d'arc

$$L = \int_a^b \sqrt{1 + \left(\frac{dy}{dx}\right)^2}\, dx$$

ou

$$L = \int_c^d \sqrt{\left(\frac{dx}{dy}\right)^2 + 1}\, dy$$

ou

$$L = \int_{t_a}^{t_b} \sqrt{\left(\frac{dx}{dt}\right)^2 + \left(\frac{dy}{dt}\right)^2}\, dt$$

Aire d'une surface de révolution

Aire latérale d'un cône : πrt

Aire latérale d'un tronc de cône : $2\pi\left(\frac{r+R}{2}\right)T$

Aire d'une surface de révolution : $\mathrm{a} = 2\pi\int_a^b r\,dL$

Cette dernière formule peut prendre diverses formes selon les diverses formes d'expression de la courbe et selon l'axe de révolution utilisé.

Sujet de réflexion et de discussion

Développer des arguments allant dans le sens et d'autres allant dans le sens contraire de l'énoncé suivant.

« Les mathématiques modernes sont un pur jeu de l'esprit, un jeu pour intellectuels. Plusieurs des notions abordées n'ont aucune application pratique. Cette branche des mathématiques dévie de l'objet premier des mathématiques, soit d'expliquer et d'être le langage des autres sciences. »

AI-JE ATTEINT MES OBJECTIFS ?

Je viens de terminer l'étude du chapitre 6 et j'estime être capable de :

- ☐ Modéliser des situations à l'aide de l'intégrale définie.
- ☐ Représenter graphiquement une figure et les paramètres pertinents à la situation à modéliser.
- ☐ Calculer l'aire d'une surface plane au moyen de l'intégrale définie.
- ☐ Calculer le volume d'un solide de révolution au moyen de la méthode des disques, pleins ou troués.
- ☐ Calculer le volume d'un solide de révolution au moyen de la méthode des tubes.
- ☐ Calculer le volume d'un solide de sections connues.
- ☐ Calculer la longueur d'un arc de courbe au moyen de l'intégrale définie.
- ☐ Calculer l'aire d'une surface de révolution au moyen de l'intégrale définie.

Notes personnelles

TEST SUR LE CHAPITRE 6

1. Trouver l'aire de la surface fermée dans le premier quadrant bornée par les courbes $y = x^3$, $y = x^2 + x + 2$ et $x = 0$. Tracer d'abord le graphique et donner les points d'intersection de ces courbes.

2. Trouver l'aire de la surface plane fermée bornée par les deux paraboles suivantes.

   $x = y^2 - 2y + 3$ et $x = -3y^2 + 6y + 3$

3. Trouver l'aire au-dessus de l'axe des x et sous l'arche parabolique définie par les équations paramétriques $x = \cos \theta$ et $y = 1 - \cos 2\theta$.

4. En utilisant la méthode des disques, trouver le volume du solide engendré par la révolution autour de l'axe des y de la surface plane bornée par $x = y^2 - 2y - 3$, $y = 0$ et $x = 0$.

5. En utilisant la méthode des tubes, trouver le volume du tore engendré par la révolution du cercle $x^2 + y^2 = 1$ autour de la droite $x = 3$.

6. Trouver la longueur de la courbe de $y = \sin x$ entre $x = 0$ et $x = \pi$. Pour évaluer l'intégrale, utiliser la méthode de Simpson avec $n = 6$.

7. Calculer l'aire de la surface engendrée par la révolution autour de l'axe des x de la courbe de $y = \sin x$ comprise entre $x = 0$ et $x = \pi$.

TEST

CHAPITRE 7

Les séries

L'atteinte des objectifs de ce chapitre conduit à l'acquisition de l'élément de compétence suivant.

« **Analyser la convergence des séries.** »

Objectifs

A Énoncer la définition d'une suite et utiliser la notation appropriée pour la représenter.

B Déterminer le terme général d'une suite.

C Déterminer si une suite est bornée ou non, si elle est croissante ou décroissante.

D Trouver la limite d'une suite.

E Déterminer si une suite est convergente ou divergente.

F Énoncer la définition d'une série et utiliser la notation appropriée pour la représenter.

G Déterminer le terme général d'une série.

H Reconnaître et déterminer la convergence ou la divergence d'une série arithmétique, d'une série géométrique, d'une série de Riemann.

I Déterminer la convergence ou la divergence d'une série à termes constants positifs à l'aide des définitions, des divers tests de convergence et des propriétés.

J Déterminer la convergence ou la divergence d'une série à termes constants alternés à l'aide du test de Leibniz.

K Déterminer la convergence, la convergence absolue, la convergence conditionnelle ou la divergence d'une série à termes constants de signes quelconques.

L Déterminer le rayon et l'intervalle de convergence d'une série à termes variables.

M Développer une fonction en série de MacLaurin et en série de Taylor.

N Effectuer des calculs numériques, des approximations, des intégrales définies à l'aide de développements en série.

Préambule

Dans ce chapitre, nous examinons les fonctions sous un angle totalement différent. En étudiant les notions de suites et de séries, nous voulons en arriver à exprimer une fonction réelle par une somme de fonctions simples et, de cette façon, effectuer les calculs habituels sur cette somme de fonctions, appelée *série*, au lieu de les faire sur la fonction elle-même. Les séries sont à la base des méthodes de calcul utilisées dans les calculatrices et les ordinateurs.

7.1 Suites

En calcul différentiel et intégral, nous avons le plus souvent travaillé avec des fonctions réelles, c'est-à-dire avec des fonctions dont le domaine et l'image sont des sous-ensembles de $\mathbb{R}$. Dans la présente section, nous allons étudier des fonctions de $\mathbb{N}^*$ dans $\mathbb{R}$.

7.1.1 Définition et représentation graphique

Une fonction dont le domaine est l'ensemble des entiers positifs et l'image un sous-ensemble de $\mathbb{R}$ s'appelle une *suite de nombres réels* ou simplement une *suite*.

Pour bien marquer la différence entre une fonction réelle et une suite, nous utilisons, dans le cas d'une suite, la lettre n pour désigner la variable indépendante. Par exemple, $f(x) = x + 2$ désigne une fonction réelle où le domaine est $\mathbb{R}$, alors que $f(n) = n + 2$ désigne une suite où le domaine est $\mathbb{N}^*$. Ainsi, pour noter une suite, nous employons le symbolisme suivant.

$$f(n) = s_n \qquad \text{ou} \qquad \{s_n\}$$

où s_n représente une expression décrivant le n^e terme de la suite, c'est-à-dire le correspondant de n par cette fonction f.

Par exemple, si l'on considère la suite dont les quelques premiers termes sont

$$1, \frac{1}{2}, \frac{1}{3}, \frac{1}{4}, \frac{1}{5}, \frac{1}{6}, \ldots$$

nous la noterons par $f(n) = \dfrac{1}{n}$ ou encore $\left\{\dfrac{1}{n}\right\}$ où, bien sûr, le n^e terme s_n est $\dfrac{1}{n}$.

Ainsi, par exemple,

$$f(4) = \frac{1}{4} \quad \text{ou} \quad s_4 = \frac{1}{4}$$

$$f(12) = \frac{1}{12} \quad \text{ou} \quad s_{12} = \frac{1}{12}$$

et en général,

$$f(n) = \frac{1}{n} \quad \text{ou} \quad s_n = \frac{1}{n}$$

pour tout entier positif n.

Ces deux notations, $f(n) = 1/n$ et $\{1/n\}$, représentent évidemment la même suite. Dans le langage courant, on confondra souvent la suite elle-même avec son n^e terme, c'est-à-dire qu'on dira la suite s_n pour désigner la suite $\{s_n\}$. En général, cela ne risque pas de créer de confusion.

Une suite $f(n)$ est un sous-ensemble particulier d'une fonction $f(x)$ de $\mathbb{R}$ dans $\mathbb{R}$. Ainsi, $f(n) = 1/n$ est un sous-ensemble de la fonction réelle $f(x) = 1/x$. Graphiquement, voici une illustration de la fonction $f(x) = 1/x$ et du sous-ensemble $f(n) = 1/n$. Les points sur le graphique représentent les éléments de la suite; les ordonnées de ces points en sont les termes.

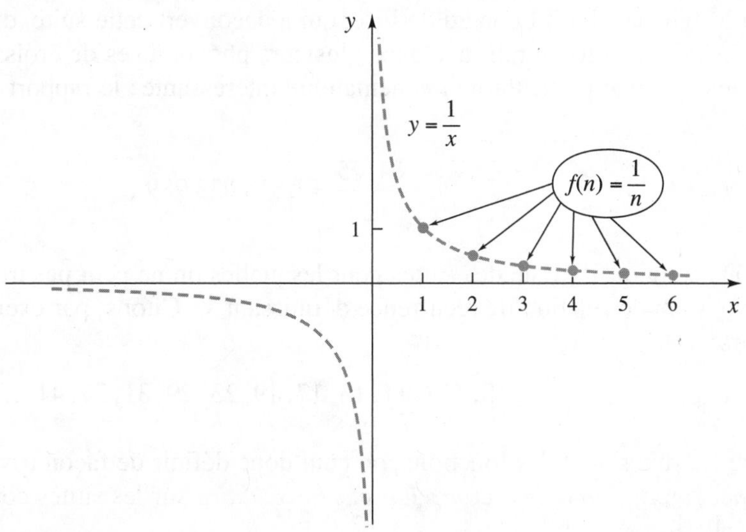

EXEMPLE

7.1 Écrire les cinq premiers termes et esquisser une représentation graphique de la suite

$$\left\{\frac{n-1}{n+1}\right\}$$

Solution

Les cinq premiers termes s'obtiennent en remplaçant successivement n par 1, 2, 3, 4 et 5 dans l'expression $\dfrac{n-1}{n+1}$:

$$0, \frac{1}{3}, \frac{2}{4}, \frac{3}{5}, \frac{4}{6}, \ldots$$

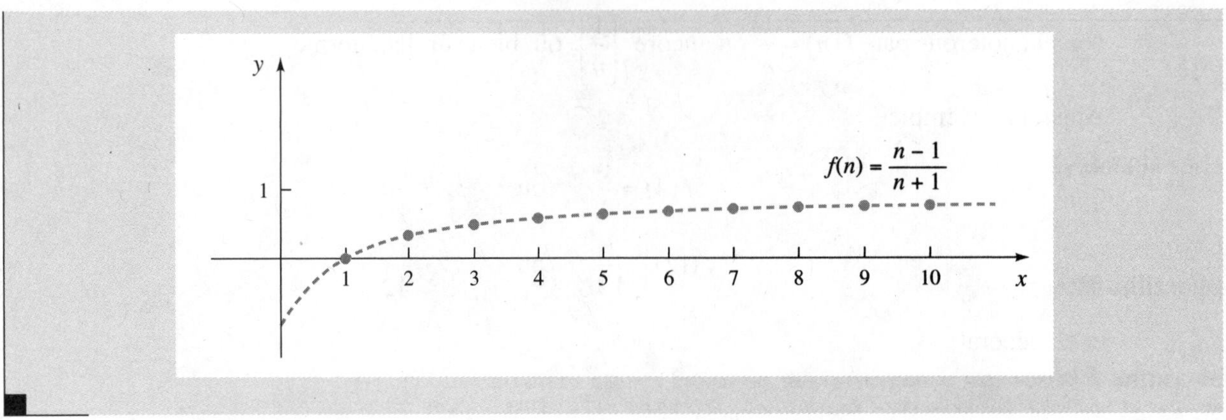

On peut aussi définir une suite *par récurrence*, c'est-à-dire en fixant un ou quelques termes puis en définissant le terme général par une relation avec les termes précédents.

Par exemple, soit $s_1 = 1$

$s_2 = 1$

et $s_n = s_{n-1} + s_{n-2}$ pour $n \geq 3$

Les premiers termes de cette suite sont donc :

$$1, 1, 2, 3, 5, 8, 13, 21, 34, \ldots$$

Cette suite porte un nom particulier, c'est la *suite de Fibonacci*. C'est le mathématicien italien Leonardo Fibonacci, dit Léonard de Pise, qui a découvert cette suite, dit-on, en étudiant l'élevage des lapins. Cette suite se retrouve dans plusieurs phénomènes de croissance en biologie. La suite de Fibonacci a une particularité mathématique intéressante : le rapport s_{n+1}/s_n tend vers le *nombre d'or* :

$$\frac{1+\sqrt{5}}{2} = 1{,}618\,033\,989\ldots$$

Précisons enfin qu'il existe des suites pour lesquelles on ne peut pas trouver d'expression analytique pour s_n ou de relation de récurrence définissant s_n. Citons, par exemple, la suite des nombres premiers :

$$2, 3, 5, 7, 11, 13, 17, 19, 23, 29, 31, 37, 41, \ldots$$

Puisque les suites sont des fonctions, on peut donc définir de façon triviale les opérations *somme*, *différence*, *produit*, *quotient* et *produit par un scalaire* sur les suites comme dans le cas des fonctions réelles.

Par exemple, si l'on considère la suite $\{n^3\}$, ou $f(n) = n^3$, dont les quelques premiers termes sont :

$$1, 8, 27, 64, 125, \ldots$$

de même que la suite $\{n + 1\}$, ou $g(n) = n + 1$, dont les quelques premiers termes sont :

$$2, 3, 4, 5, 6, \ldots$$

on peut additionner ces suites en faisant l'addition terme à terme :

$$1 + 2, 8 + 3, 27 + 4, 64 + 5, 125 + 6, \ldots$$

Ce qui donne :

$$3, 11, 31, 69, 131, \ldots$$

C'est-à-dire la suite $\{n^3 + n + 1\}$. On note ainsi :

$$\{n^3\} + \{n + 1\} = \{n^3 + n + 1\}$$

ou encore :

$$(f + g)(n) = f(n) + g(n) = n^3 + (n + 1) = n^3 + n + 1$$

Évidemment, il en est de même pour les autres opérations.

Si l'on peut composer des suites, on peut imaginer qu'on peut aussi les décomposer. Cela s'avère utile lorsqu'on veut trouver le *terme général* d'une suite.

EXEMPLE

7.2

Trouver le terme général d'une suite dont les cinq premiers termes sont :

a) $\frac{2}{5}, \frac{3}{7}, \frac{4}{9}, \frac{5}{11}, \frac{6}{13}, \ldots$

b) $10, 21, 36, 55, 78, \ldots$

Solution

Il n'y a pas de règle générale pour trouver le terme général d'une suite dont on connaît quelques termes. Il faut observer les variations d'un terme à l'autre, dissocier numérateur et dénominateur, parfois réécrire autrement les termes et utiliser son intuition.

a) Au numérateur, on a une suite d'entiers positifs commençant à 2, donc il s'agit de $n + 1$. Au dénominateur, on a une suite d'entiers impairs commençant à 5, donc $2n + 3$. On obtient ainsi :

$$s_n = \frac{n+1}{2n+3}$$

Il est facile de vérifier que cette solution proposée est bonne en remplaçant successivement n par 1, 2, 3, 4, 5 dans l'expression s_n.

b) Réécrivons les termes de cette suite ainsi :

$$2 \times 5, 3 \times 7, 4 \times 9, 5 \times 11, 6 \times 13, \ldots$$

D'où l'on tire :

$$s_n = (n + 1)(2n + 3) = 2n^2 + 5n + 3$$

NB : La solution à ce genre de problème n'est pas nécessairement unique.

Afin de guider notre intuition dans la recherche du terme général d'une suite, il peut être utile d'observer quelques suites élémentaires avec les premiers termes de celles-ci. En voici quelques-unes.

$\{n\}$:	$1, 2, 3, 4, 5, \ldots$
$\{n^2\}$:	$1, 4, 9, 16, 25, \ldots$
$\{n^3\}$:	$1, 8, 27, 64, 125, \ldots$
$\{n^4\}$:	$1, 16, 81, 256, 625, \ldots$
$\{n!\}$:	$1, 2, 6, 24, 120, \ldots$
$\{2n\}$:	$2, 4, 6, 8, 10, \ldots$
$\{2n - 1\}$:	$1, 3, 5, 7, 9, \ldots$
$\{2^n\}$:	$2, 4, 8, 16, 32, \ldots$

7.1.2 Suites bornées

Une suite $\{s_n\}$ est dite *bornée supérieurement* s'il existe un nombre réel Q tel que

$$s_n \leq Q$$

pour tout entier positif n. Q s'appelle alors une *borne supérieure*.

Une suite $\{s_n\}$ est dite *bornée inférieurement* s'il existe un nombre réel P tel que

$$P \leq s_n$$

pour tout entier positif n. P s'appelle alors une *borne inférieure*.

Une suite $\{s_n\}$ est dite *bornée* si elle est à la fois bornée inférieurement et bornée supérieurement, c'est-à-dire s'il existe deux nombres réels P et Q tels que

$$P \leq s_n \leq Q$$

pour tout entier positif n.

Par exemple, la suite $\{1/n\}$ est bornée inférieurement par 0 car

$$0 \leq \frac{1}{n}$$

pour tout entier positif n.

Cette même suite est bornée supérieurement par 1 car

$$\frac{1}{n} \leq 1$$

pour tout entier positif n.

De ce fait, la suite $\{1/n\}$ est bornée car

$$0 \leq \frac{1}{n} \leq 1$$

pour tout entier positif n.

N'oublions pas qu'une suite est une fonction. Nous allons utiliser notre connaissance des fonctions pour la transposer aux suites. Nous pouvons utiliser notamment les méthodes de recherche des MIN et des MAX absolus pour déterminer si une suite est bornée ou non. Voyons de quelle manière dans l'exemple suivant.

EXEMPLE 7.3

Dire si la suite $\left\{\frac{n-2}{n^2}\right\}$ est bornée.

Solution

Écrivons les premiers termes de cette suite :

$$-1, 0, \frac{1}{9}, \frac{1}{8}, \frac{3}{25}, \frac{1}{9}, \frac{5}{49}, \ldots$$

Cette suite est un sous-ensemble de points de la fonction $f(x) = \frac{x-2}{x^2}$.

Cherchons le MIN et le MAX absolus de cette fonction sur l'intervalle $[1, \infty[$.

$$f'(x) = \frac{1\,(x^2) - (x-2)\,2x}{x^4} = \frac{-x^2 + 4x}{x^4} = \frac{-x+4}{x^3}$$

On a une valeur critique : $x = 4$.

Les extrémités de l'intervalle sont $x = 1$ et $x \to \infty$. Il y a une discontinuité en $x = 0$, mais elle est extérieure à l'intervalle considéré.

Comparons :

$$f(1) = -1$$

$$f(4) = 1/8$$

$$f(\infty) = \lim_{x\to\infty} \frac{x-2}{x^2} = \lim_{x\to\infty} \frac{1}{2x} = 0$$

On a un MIN absolu en $x = 1$; c'est le point $(1, -1)$. On a un MAX absolu en $x = 4$; c'est le point $(4, 1/8)$.

Esquissons une représentation graphique de cette suite.

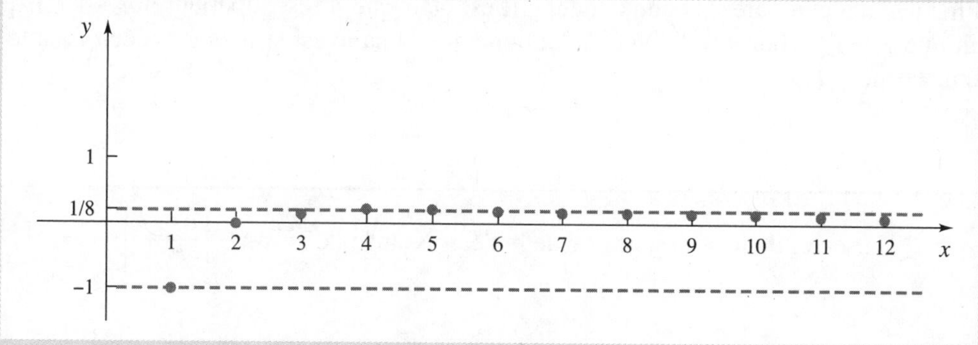

La suite est bornée inférieurement par -1 et supérieurement par $1/8$.

7.1.3 Suites croissantes ou décroissantes

Une suite $\{s_n\}$ est dite :

croissante	si et seulement si	$s_n \leq s_{n+1}$	pour tout entier positif n.
strictement croissante	si et seulement si	$s_n < s_{n+1}$	pour tout entier positif n.
décroissante	si et seulement si	$s_n \geq s_{n+1}$	pour tout entier positif n.
strictement décroissante	si et seulement si	$s_n > s_{n+1}$	pour tout entier positif n.
monotone	si l'une de ces quatre propriétés est satisfaite.		

Ces définitions nous amènent à comparer s_n et s_{n+1} afin de déterminer si une suite est croissante ou décroissante ou ni l'un ni l'autre.

EXEMPLE 7.4

Étudier la croissance et la décroissance de la suite $\left\{\frac{n}{(n-1)!}\right\}$.

Solution

Écrivons les premiers termes de cette suite :

$$1, 2, \frac{3}{2}, \frac{4}{6}, \frac{5}{24}, \frac{6}{120}, \frac{7}{720}, \ldots$$

Comparons s_n et s_{n+1}.

$$s_n = \frac{n}{(n-1)!} \qquad s_{n+1} = \frac{n+1}{n!} = \frac{n+1}{n\,(n-1)!}$$

Pour faciliter la comparaison, ramenons les deux expressions à un dénominateur commun.

On a :

$$s_n = \frac{n}{(n-1)!} \times \frac{n}{n} = \frac{n^2}{n\,(n-1)!} \qquad \text{et} \qquad s_{n+1} = \frac{n+1}{n\,(n-1)!}$$

Il faut maintenant comparer les numérateurs. Il est clair que n^2 est supérieur à $n + 1$ lorsque $n \geq 2$. Il s'ensuit que $s_n > s_{n+1}$ pour $n \geq 2$. On conclut donc que la suite est strictement décroissante à partir du deuxième terme.

EXEMPLE 7.5

Discuter de la croissance ou de la décroissance de la suite $\left\{\frac{n^2+1}{2^n}\right\}$.

Solution

Écrivons les premiers termes de cette suite :

$$1, \frac{5}{4}, \frac{5}{4}, \frac{17}{16}, \frac{13}{16}, \frac{37}{64}, \frac{25}{64}, \ldots$$

Comparons s_n et s_{n+1}. On a :

$$s_n = \frac{n^2+1}{2^n} \qquad \text{et} \qquad s_{n+1} = \frac{(n+1)^2+1}{2^{n+1}}$$

$$s_n = \frac{2\,(n^2+1)}{2\,(2^n)} = \frac{2n^2+2}{2^{n+1}} = \frac{n^2+n^2+2}{2^{n+1}} \qquad s_{n+1} = \frac{n^2+2n+1+1}{2^{n+1}} = \frac{n^2+2n+2}{2^{n+1}}$$

En comparant les numérateurs, on constate que, pour $n \geq 3$, $s_n > s_{n+1}$. Donc, à partir du troisième terme, la suite est strictement décroissante.

La question de la croissance ou de la décroissance d'une suite peut être vue d'une autre façon, soit comme l'étude de la croissance ou de la décroissance d'une fonction.

Pour illustrer, si on reprend l'exemple de la suite $\{1/n\}$, on peut dire que cette suite est un cas particulier (un sous-ensemble) de la fonction $f(x) = 1/x$. On peut aisément vérifier à l'aide de la dérivée première que cette fonction est toujours strictement décroissante. On peut donc en conclure que la suite $\{1/n\}$ est aussi strictement décroissante. On peut appliquer ce processus à presque toutes les suites.

EXEMPLE
7.6

Étudier la croissance et la décroissance de la suite $\left\{\frac{n-1}{n+1}\right\}$.

Solution

Nous avons déjà rencontré cette suite à l'exemple 7.1. Considérons cette suite comme un sous-ensemble de la fonction

$$f(x)=\frac{x-1}{x+1}$$

On a :

$$f'(x)=\frac{(1)\ (x+1)-(x-1)\ (1)}{(x+1)^2}=\frac{2}{(x+1)^2}$$

Il est clair que $f'(x)>0$ pour toute valeur de $x \in [1,\ \infty\ [$. Donc, la fonction f est strictement croissante sur cet intervalle, d'où l'on conclut que la suite

$$\left\{\frac{n-1}{n+1}\right\}$$

est strictement croissante.

7.1.4 Suites convergentes

Puisqu'une suite est une fonction, il semble assez naturel de vouloir étudier la limite d'une suite. Il est clair que la seule limite intéressante dans le cas d'une suite, c'est la limite à l'infini. C'est de cette façon que nous allons définir la limite d'une suite.

Une suite $\{s_n\}$ possède une limite s et on note $\lim\limits_{n\to\infty} s_n = s$ si et seulement si pour tout $\varepsilon > 0$, il existe un entier positif k tel que :

$$n \geq k \quad \Rightarrow \quad |s-s_n| < \varepsilon$$

Si cette limite existe, la suite est dite *convergente*, sinon elle est dite *divergente*.

Cette définition de limite d'une suite est tout à fait analogue à celle que nous connaissons pour les fonctions réelles; en y regardant de près, on constate que cette définition de limite signifie qu'il existe un entier positif k à partir duquel tous les termes de la suite (les s_n) sont aussi près qu'on veut (à une distance inférieure à ε) de la limite s.

En poursuivant l'analogie, il semble naturel de calculer les limites de suites de la même manière que les limites de fonctions réelles.

EXEMPLE
7.7

Trouver la limite de la suite $\left\{\frac{n-1}{n+1}\right\}$.

Solution

$$\lim_{n\to\infty} s_n = \lim_{n\to\infty}\frac{n-1}{n+1} = \text{(R.H.)} = \lim_{n\to\infty}\frac{1}{1} = 1$$

Cette suite converge vers 1.

EXEMPLE 7.8

Étudier la convergence de la suite $\left\{\frac{\ln n}{n}\right\}$.

Solution

$$\lim_{n\to\infty} s_n = \lim_{n\to\infty}\frac{\ln n}{n} = (\text{R.H.}) = \lim_{n\to\infty}\frac{1/n}{1} = \frac{0}{1} = 0$$

Cette suite converge vers 0.

REMARQUE

On note que dans ces deux derniers exemples, on a utilisé la règle de L'Hospital comme s'il s'agissait de fonctions de $\mathbb{R}$ dans $\mathbb{R}$. Cette technique est utilisée fréquemment pour trouver la limite d'une suite. Le théorème 7.1.4.10 présenté un peu plus loin confirme la validité de cette technique.

EXEMPLE 7.9

Étudier la convergence de la suite $\left\{\frac{3^n}{n}\right\}$.

Solution

$$\lim_{n\to\infty} s_n = \lim_{n\to\infty}\frac{3^n}{n} = (\text{R.H.}) = \lim_{n\to\infty}\frac{3^n \ln 3}{1} = \infty$$

Donc, cette suite diverge.

EXEMPLE 7.10

Étudier la convergence de la suite $\{(-1)^n\}$.

Solution

Écrivons d'abord les quelques premiers termes de cette suite :

$$-1, 1, -1, 1, -1, 1, -1, 1, \ldots$$

$$\lim_{n\to\infty} s_n = \lim_{n\to\infty} (-1)^n \text{ n'existe pas}$$

Cette suite diverge. En revoyant la définition de la limite d'une suite, on voit que cette limite n'existe pas car en progressant dans cette suite, les termes n'ont pas tendance à se rapprocher d'une valeur fixe ; la différence entre deux termes consécutifs est toujours 2.

REMARQUE

Notons ici qu'il y a deux sortes de divergence : la divergence à l'infini lorsque $\lim_{n\to\infty} s_n = \infty$, et la divergence lorsque $\lim_{n\to\infty} s_n$ n'existe pas.

EXEMPLE
7.11

Considérons la suite $\{r^n\}$. Montrer que cette suite diverge si $r > 1$ et qu'elle converge si $0 \leq r \leq 1$.

Solution

Posons $y = r^n$. Alors : $\ln y = n \ln r$

Si $r > 1$, alors $\ln r > 0$ et

$$\lim_{n\to\infty} \ln y = \lim_{n\to\infty} n \ln r = \infty$$

Par la suite :

$$\lim_{n\to\infty} s_n = \lim_{n\to\infty} y = e^{\infty} = \infty$$

Donc la suite diverge si $r > 1$.

Si $0 < r < 1$, alors $\ln r < 0$ et

$$\lim_{n\to\infty} \ln y = \lim_{n\to\infty} n \ln r = -\infty$$

Par la suite :

$$\lim_{n\to\infty} s_n = \lim_{n\to\infty} y = e^{-\infty} = \frac{1}{e^{\infty}} = 0$$

Donc, la suite converge vers 0 si $0 < r < 1$.

Finalement, si $r = 0$, la suite devient : 0, 0, 0, 0, 0, … et évidemment converge vers 0 et si $r = 1$, la suite devient : 1, 1, 1, 1, 1, … et donc, converge vers 1.

Voici maintenant les principaux théorèmes concernant les suites convergentes. On doit s'attendre à retrouver ici des résultats et des preuves analogues à ce qu'on avait dans le cas des limites d'une fonction. La démonstration de ces résultats est laissée comme exercices. Toutefois, il est assez facile de comprendre intuitivement le sens des énoncés.

Théorème 7.1.4.1

La limite d'une suite est unique.

Théorème 7.1.4.2

Toute suite convergente est bornée.

Théorème 7.1.4.3

Toute suite non bornée est divergente.

Théorème 7.1.4.4

Une suite bornée croissante converge (vers la plus petite borne supérieure).

Théorème 7.1.4.5

Une suite bornée décroissante converge (vers la plus grande borne inférieure).

Théorème 7.1.4.6

Une suite convergente (divergente) demeure convergente (divergente) si l'on enlève ou modifie un ou plusieurs de ses n premiers termes.

Théorème 7.1.4.7

Soit $\{s_n\}$ une suite qui converge vers s et soit $\{t_n\}$ une suite qui converge vers t. Alors :

$\{s_n + t_n\}$ converge vers $s + t$

$\{k\, s_n\}$ converge vers $k\, s$ (k est une constante)

$\{s_n \times t_n\}$ converge vers $s\, t$

$\{s_n/t_n\}$ converge vers s/t ($t \neq 0$; $t_n \neq 0$ pour tout n)

$\{s_n - s\}$ converge vers 0

Théorème 7.1.4.8 (Sandwich)

Soit $\{s_n\}$ une suite qui converge vers s et $\{t_n\}$ une suite qui converge aussi vers s. Si, à partir d'un certain nombre n, on a $s_n \leq u_n \leq t_n$ alors la suite $\{u_n\}$ converge vers s.

Théorème 7.1.4.9

Soit $\{s_n\}$, une suite qui converge vers s et f, une fonction définie pour tous les s_n et continue en s, alors la suite $\{f(s_n)\}$ converge vers $f(s)$.

Théorème 7.1.4.10

Soit $\{s_n\}$, une suite où $s_n = f(n)$ et où $f(x)$ est une fonction réelle définie pour tout x, à partir d'un certain nombre n. Si $\lim_{x\to\infty} f(x) = s$, alors $\lim_{n\to\infty} s_n = s$, c'est-à-dire que la suite $\{s_n\}$ converge vers s.

EXEMPLE

7.12

Montrer que toute suite convergente est bornée (théorème 7.1.4.2).

Solution

Soit $\{s_n\}$, une suite qui converge vers s. Par définition, pour tout $\varepsilon > 0$, il existe un entier positif k tel que

$$|s_n - s| < \varepsilon \qquad \text{pour tout } n \geq k$$

Donnons une valeur arbitraire mais fixe à ε par exemple $\varepsilon = 1$. Alors :

$$\begin{aligned} &|s_n - s| < 1 && \text{pour tout } n \geq k \\ &|s_n| - |s| \leq |s_n - s| < 1 && \text{pour tout } n \geq k \\ &|s_n| \leq 1 + |s| && \text{pour tout } n \geq k \end{aligned}$$

Et ainsi,

$$|s_n| \leq \max \{|s_1|, |s_2|, |s_3|, \ldots, |s_{n-1}|, 1 + |s|\}$$

et ce pour tout n. Ce qui montre que la suite $\{s_n\}$ est bornée.

EXEMPLE

7.13

Démontrer le théorème 7.1.4.10.

Solution

Soit $\lim\limits_{x \to \infty} f(x) = s$ et $\varepsilon > 0$ quelconque. Alors il existe un nombre M tel que

$$x > M \quad \Rightarrow \quad |f(x) - s| < \varepsilon$$

Donc, si n est un entier positif à partir duquel $s_n = f(n)$ et que $n > M$, on a :

$$|s_n - s| = |f(n) - s| < \varepsilon$$

ce qui prouve que la suite $\{s_n\}$ converge vers s.

7.1.5 Quelques suites remarquables

Voici quelques suites qui peuvent être utiles puisqu'on les rencontre à l'occasion. Nous donnons aussi la limite de ces suites.

1. $\{r^{1/n}\} \to 1 \qquad (r > 0)$
2. $\{n^{1/n}\} \to 1$
3. $\left\{\dfrac{r^n}{n!}\right\} \to 0 \qquad$ (pour tout r)
4. $\left\{\dfrac{1}{n^r}\right\} \to 0 \qquad (r > 0)$
5. $\left\{\left(1 + \dfrac{r}{n}\right)^n\right\} \to e^r \qquad$ (pour tout r)
6. $\left\{\dfrac{n^r}{e^n}\right\} \to 0 \qquad (r > 0)$

EXEMPLE

7.14 Montrer que la suite $\{n^{1/n}\}$ converge vers 1.

Solution

Considérons $\ln s_n = \ln n^{1/n} = \dfrac{1}{n}\ln n$

$$\lim_{n\to\infty} \ln s_n = \lim_{n\to\infty} \frac{\ln n}{n} = 0 \qquad \text{(voir exemple 7.8)}$$

Selon le théorème 7.1.4.9 :

$$\lim_{n\to\infty} s_n = \lim_{n\to\infty} e^{\ln s_n} = e^{\lim\limits_{n\to\infty} \ln s_n} = e^0 = 1$$

Donc, la suite $\{n^{1/n}\}$ converge vers 1.

EXEMPLE

7.15 Montrer que la suite $\left\{\dfrac{r^n}{n!}\right\}$ converge vers 0, pour tout nombre réel r.

Solution

Puisque $\dfrac{-|r|^n}{n!} \le \dfrac{r^n}{n!} \le \dfrac{|r|^n}{n!}$ le problème se ramène à démontrer que $\dfrac{|r|^n}{n!} \to 0$. Choisissons un entier $k > |r|$, de sorte que $\dfrac{|r|}{k} < 1$ et $\left(\dfrac{|r|}{k}\right)^n \to 0$ (voir l'exemple 7.11).

Pour les valeurs de $n > k$, on a :

$$0 \le \frac{|r|^n}{n!} = \frac{|r|^n}{1\times 2\times \ldots \times k \underbrace{(k+1)(k+2)\times \ldots n}_{(n-k)\text{ facteurs}}} \le \frac{|r|^n}{k!\,k^{n-k}} = \frac{|r|^n\,k^k}{k!\,k^n} = \frac{k^k}{k!}\left(\frac{|r|}{k}\right)^n$$

Or, $\dfrac{k^k}{k!}\left(\dfrac{|r|}{k}\right)^n \to 0$ de sorte que $\dfrac{|r|^n}{n!} \to 0$ selon le théorème 7.1.4.8, ce qui démontre le résultat.

EXERCICES

7.2

1 Écrire les cinq premiers termes de la suite $\{n^2 - 2\}$.

2 Considérons les suites définies par $f(n) = n - 1$ et $g(n) = n^2$. Trouver les suites $f + g, f - g, f \times g, f/g$ et $3f$.

3 Représenter graphiquement la suite

$$\left\{\frac{3n}{1+n}\right\}$$

4 Écrire les sept premiers termes de la suite définie par $s_1 = 1$, $s_2 = 2$ et

$$s_n = \frac{s_{n-1} + s_{n-2}}{2}$$

pour $n \ge 3$.

5 Trouver le terme général d'une suite dont les cinq premiers termes sont :

a) 0, 1, 5, 23, 119, …

b) $3, 8, 15, 24, 35, \ldots$

c) $\frac{1}{1}, \frac{3}{3}, \frac{5}{7}, \frac{7}{15}, \frac{9}{31}, \ldots$

6 Dire si la suite $\{n^2 - 4n + 3\}$ est bornée.

7 Montrer que la suite $\{1/n\}$ est strictement décroissante.

8 Montrer que la suite $\left\{\frac{1}{(n-1)!}\right\}$ est décroissante.

9 Discuter de la croissance ou de la décroissance de la suite

$$\left\{\frac{3^n - 2}{3^n}\right\}$$

10 Montrer que la suite $\left\{\frac{n-5}{n+3}\right\}$ est strictement croissante.

11 Trouver la limite de la suite $\{1/n\}$.

12 Dire si la suite $\left\{\frac{n}{n+6}\right\}$ converge ou non.

13 Dire si la suite $\left\{\frac{n}{\sqrt{n+3}}\right\}$ converge ou non.

14 Dire si la suite $\left\{\left(\frac{3}{5}\right)^n\right\}$ converge ou non.

15 Étudier la convergence de la suite $\{(-n)^n\}$.

16 Étudier la convergence de la suite

$$\left\{\left(\frac{4}{3}\right)^n\right\}$$

Écrire les cinq premiers termes de chacune des suites suivantes.

17 $\left\{\frac{1}{n+1}\right\}$

18 $\left\{\frac{2}{n^2+1}\right\}$

19 $\{n + 4\} + \{n^2\}$

20 $6\{n^2 + 1\}$

21 $\{n-1\}\left\{\frac{1}{n}\right\}$

22 $\frac{\{\sqrt{n}\}}{\{2^n\}}$

23 Dire si les suites suivantes sont bornées.

a) $\{2n - 1\}$

b) $\{4n^2 - 16n + 7\}$

c) $\left\{\frac{n}{n+2}\right\}$

d) $\{\sin n\}$

e) $\left\{\frac{3}{n}\right\}$

f) $\left\{\frac{(n+1)^2}{n^2+1}\right\}$

24 Montrer que :

a) $\{2^{n+1}\}$ est strictement croissante ;

b) $\left\{\frac{n}{n+2}\right\}$ est strictement croissante ;

c) $\left\{\frac{(n+1)^2}{n^2+1}\right\}$ est strictement décroissante ;

d) $\left\{\frac{n}{2^n}\right\}$ est décroissante ;

e) $\left\{\frac{n!}{2^n}\right\}$ est croissante.

Trouver une suite dont les cinq premiers termes sont :

25 $1, 4, 9, 16, 25, \ldots$

26 $4, 9, 16, 25, 36, \ldots$

27 $0, 2, 6, 12, 20, \ldots$

28 $\frac{2}{3}, 1, \frac{4}{3}, \frac{5}{3}, 2, \ldots$

29 $-1, 6, 25, 62, 123, \ldots$

30 $0, 6, 24, 60, 120, \ldots$

31 $\frac{1}{2}, \frac{1}{3}, \frac{1}{4}, \frac{1}{5}, \frac{1}{6}, \ldots$

32 $\frac{1}{2}, \frac{1}{5}, \frac{1}{10}, \frac{1}{17}, \frac{1}{26}, \ldots$

33 $2, 4, 8, 16, 32, \ldots$

34 $\frac{1}{2}, \frac{2}{3}, \frac{3}{4}, \frac{4}{5}, \frac{5}{6}, \ldots$

35 $\frac{1}{4}, \frac{2}{9}, \frac{3}{16}, \frac{4}{25}, \frac{5}{36}, \ldots$

36 $3, 7, 13, 21, 31, \ldots$

7.2

37 $2, \frac{5}{2}, \frac{10}{3}, \frac{17}{4}, \frac{26}{5}, \ldots$

38 $\frac{1}{2}, \frac{3}{5}, \frac{2}{3}, \frac{5}{7}, \frac{3}{4}, \ldots$

39 $1, \frac{3}{2}, \frac{7}{3}, \frac{15}{4}, \frac{31}{5}, \ldots$

40 $0, \frac{7}{4}, \frac{26}{5}, \frac{63}{6}, \frac{124}{7}, \ldots$

41 $6, 11, 18, 27, 38, \ldots$

Dire si les suites suivantes sont strictement croissantes, strictement décroissantes, croissantes ou décroissantes. Trouver, s'il y a lieu, une borne inférieure et une borne supérieure.

42 $\left\{\frac{3}{n}\right\}$

43 $\left\{\sqrt{n+1}\right\}$

44 $\left\{\frac{n^2+1}{n+1}\right\}$

45 $\{5^{1/n}\}$

46 $\left\{\frac{n+3}{n+5}\right\}$

47 $\left\{\frac{(-1)^n}{\sqrt{n}}\right\}$

48 $\left\{\frac{2^n-1}{2^n+3}\right\}$

49 $\left\{\frac{n^2-3n+2}{n}\right\}$

50 $\left\{\frac{4n+1}{n^4}\right\}$

51 $\left\{\frac{(n+1)^2}{n^2+1}\right\}$

Dire si les suites suivantes convergent, et trouver la limite le cas échéant.

52 $\left\{\frac{3}{n}\right\}$

53 $\left\{\sqrt{n+1}\right\}$

54 $\left\{\frac{n^2+1}{n+1}\right\}$

55 $\left\{\frac{n+2}{n+3}\right\}$

56 $\left\{\frac{(-1)^n}{\sqrt{n}}\right\}$

57 $\left\{\frac{(n-2)\ln n}{n^2}\right\}$

58 $\left\{\ln\left(\frac{3n^2-1}{n^2+1}\right)\right\}$

59 $\left\{\frac{2^n-1}{2^n+3}\right\}$

60 $\{5^{1/n}\}$

61 $\{n^{1/n}\}$

62 $\left\{\frac{n^8}{e^n}\right\}$

63 $\left\{\frac{\sin n}{n}\right\}$

64 $\left\{\left(\frac{1}{4}\right)^n\right\}$

65 $\left\{\frac{n^3+n^2}{n^2+4}\right\}$

66 $\left\{\sqrt{7-(7/n)}\right\}$

67 $\left\{(1+(1/n))^n\right\}$

68 $\left\{\frac{3n^4+6n-1}{n^4+1}\right\}$

69 $\left\{\sqrt{n+1}-\sqrt{n-1}\right\}$

70 $\left\{\frac{2^n}{5^n}\right\}$

71 $\left\{\frac{n+6}{\sqrt{n+5}}\right\}$

72 $\left\{\sin\left((\pi/6)-(2/n)\right)\right\}$

73 $\left\{\dfrac{2n^3+6n+7}{5n^4+n+2}\right\}$

74 $\left\{\dfrac{3^n}{2^n+6^6}\right\}$

75 $\left\{\sqrt{3+\left(2/n^2\right)}\right\}$

76 $\left\{\dfrac{\ln n}{n}\right\}$

7.3 Séries

7.3.1 Définition

Soit $\{u_n\}$, une suite quelconque. La somme des termes de cette suite s'appelle une *série* et on la note par

$$\sum_{i=1}^{\infty} u_i \text{ ou } \sum_{n=1}^{\infty} u_n$$

Nous utilisons la lettre i ou, le plus souvent, la lettre n comme *indice de sommation*, c'est-à-dire pour indiquer une variable prenant successivement toutes les valeurs entières positives de 1 à ∞.

$$\sum_{n=1}^{\infty} u_n = \sum_{i=1}^{\infty} u_i = u_1 + u_2 + u_3 + \ldots + u_n + \ldots$$

Les nombres $u_1, u_2, \ldots, u_n$ s'appellent les *termes* de la série. Par exemple, si

$$1, \frac{1}{2}, \frac{1}{4}, \frac{1}{8}, \ldots, \frac{1}{2^{n-1}}, \ldots \text{ est une suite, alors}$$

$$1 + \frac{1}{2} + \frac{1}{4} + \frac{1}{8} + \ldots + \frac{1}{2^{n-1}} + \ldots \text{ est une série.}$$

La somme des n premiers termes d'une série s'appelle une *somme partielle de la série*, et on la notera par s_n.

Ainsi :

$$s_1 = u_1$$
$$s_2 = u_1 + u_2$$
$$s_3 = u_1 + u_2 + u_3$$
$$s_4 = u_1 + u_2 + u_3 + u_4$$
$$s_5 = u_1 + u_2 + u_3 + u_4 + u_5$$
$$\ldots \ldots$$
$$s_n = u_1 + u_2 + u_3 + \ldots + u_n = \sum_{i=1}^{n} u_i$$

7.3.2 Convergence d'une série

Les sommes partielles d'une série forment une suite $\{s_n\}$. Si cette suite converge, c'est-à-dire si

$$\lim_{n\to\infty} s_n$$

existe et est finie, on l'appellera la *somme* de la série et on dira que la série *converge*. Si cette limite n'existe pas, on dira que la série *diverge* ou qu'elle n'a pas de somme.

Cette notion de convergence d'une série est centrale dans l'étude et l'utilité des séries.

EXEMPLE

7.16 Étudier la convergence de la série $\sum_{n=1}^{\infty} \frac{1}{2^{n-1}}$.

Solution

Cette série peut s'écrire :

$$1+\frac{1}{2}+\frac{1}{4}+\frac{1}{8}+\ldots+\frac{1}{2^{n-1}}+\ldots$$

Alors :

$$s_1 = 1$$
$$s_2 = 1+\frac{1}{2}=\frac{3}{2}$$
$$s_3 = 1+\frac{1}{2}+\frac{1}{4}=\frac{7}{4}$$
$$s_4 = 1+\frac{1}{2}+\frac{1}{4}+\frac{1}{8}=\frac{15}{8}$$
$$s_5 = 1+\frac{1}{2}+\frac{1}{4}+\frac{1}{8}+\frac{1}{16}=\frac{31}{16}$$
$$s_6 = 1+\frac{1}{2}+\frac{1}{4}+\frac{1}{8}+\frac{1}{16}+\frac{1}{32}=\frac{63}{32}$$

La suite $\{s_n\}$ a donc comme premiers termes :

$$1, \frac{3}{2}, \frac{7}{4}, \frac{15}{8}, \frac{31}{16}, \frac{63}{32}, \ldots$$

Intuitivement, on peut voir que le n^e terme de cette suite est $\frac{2^n-1}{2^{n-1}}$

Et puisque $\lim_{n\to\infty}\frac{2^n-1}{2^{n-1}} = 2$, on en conclut que cette série converge vers 2.

EXEMPLE

7.17 Étudier la convergence de la série $\sum_{n=1}^{\infty} n$

Solution

Cette série peut s'écrire :

$$1+2+3+4+5+6+\ldots+n+\ldots$$

Alors :

$$s_1 = 1$$
$$s_2 = 1 + 2 = 3$$
$$s_3 = 1 + 2 + 3 = 6$$
$$s_4 = 1 + 2 + 3 + 4 = 10$$
$$s_5 = 1 + 2 + 3 + 4 + 5 = 15$$
$$s_6 = 1 + 2 + 3 + 4 + 5 + 6 = 21$$

La suite $\{s_n\}$ a comme premiers termes :

$$1, 3, 6, 10, 15, 21, \ldots$$

On peut voir intuitivement que le n^e terme de cette suite est $\dfrac{n(n+1)}{2}$

Et, comme $\lim\limits_{n\to\infty} \dfrac{n(n+1)}{2} = \infty$, on en conclut que cette série diverge.

REMARQUE

Il n'est pas toujours possible de déterminer la convergence ou la divergence d'une série en utilisant la suite des sommes partielles, comme nous l'avons fait dans les deux exemples précédents. En effet, cette suite des sommes partielles n'a pas toujours une expression simple et identifiable pour son terme général s_n. Il faut donc développer d'autres façons de faire qui dépendent de la nature même des séries.

7.3.3 Séries arithmétiques

Une série de la forme $\sum\limits_{n=1}^{\infty} \big(a + (n-1)\,d\big)$, c'est-à-dire

$$a + (a + d) + (a + 2d) + (a + 3d) + \ldots + \big(a + (n-1)d\big) + \ldots$$

où a et d sont des constantes quelconques, s'appelle une *série arithmétique*.

Par exemple,

$$2 + 7 + 12 + 17 + 22 + 27 + \ldots + \big(2 + (n-1)5\big) + \ldots$$

est une série arithmétique. Chaque terme (sauf le premier) est obtenu en additionnant 5 au terme précédent.

Dans une série arithmétique, la différence entre deux termes consécutifs quelconques est une constante, notée d. C'est grâce à cette caractéristique qu'on reconnaît immédiatement une série arithmétique. Dans la présente étude, la question qui nous intéresse est celle de la convergence d'une série arithmétique.

Considérons la somme partielle s_n :

$$s_n = a + (a + d) + (a + 2d) + \ldots + \big(a + (n-1)d\big)$$

ou, écrite autrement, c'est-à-dire en commençant par le dernier terme :

$$s_n = \big(a + (n-1)d\big) + \big(a + (n-2)d\big) + \ldots + a$$

En additionnant, on trouve :

$$2s_n = n\big(2a + (n-1)\,d\big)$$
$$s_n = \frac{n}{2}\big(2a + (n-1)\,d\big)$$

Donc :

$$\lim_{n\to\infty} s_n = \infty$$

Ainsi, une série arithmétique est toujours divergente.

EXEMPLE 7.18

Trouver la somme d'une série dont les premiers termes sont :

$$\frac{1}{4} + 1 + \frac{7}{4} + \frac{5}{2} + \frac{13}{4} + 4 + \ldots$$

Solution

On peut écrire cette série ainsi :

$$\frac{1}{4} + \left(\frac{1}{4} + \frac{3}{4}\right) + \left(\frac{1}{4} + 2\left(\frac{3}{4}\right)\right) + \left(\frac{1}{4} + 3\left(\frac{3}{4}\right)\right) + \left(\frac{1}{4} + 4\left(\frac{3}{4}\right)\right) + \ldots = \sum_{n=1}^{\infty}\left(\frac{1}{4} + (n-1)\frac{3}{4}\right)$$

On reconnaît donc une série arithmétique où $d = 3/4$. Donc, la série est divergente, et ainsi la somme est infinie.

REMARQUE

Rappelons-nous qu'on reconnaît aisément une série arithmétique en observant que la différence entre deux termes consécutifs est toujours la même, la constante *d*.

7.3.4 Séries géométriques

Une série de la forme

$$\sum_{n=1}^{\infty} a\,r^{n-1}$$

c'est-à-dire

$$a + ar + ar^2 + ar^3 + \ldots + ar^{n-1}$$

où a et r sont des constantes quelconques, s'appelle une *série géométrique*. Le nombre a est le premier terme de la série et r la *raison*.

Par exemple,

$$2 + \frac{4}{3} + \frac{8}{9} + \frac{16}{27} + \frac{32}{81} + \ldots + \frac{2^n}{3^{n-1}} + \ldots$$

est une série géométrique. Chaque terme (sauf le premier) est obtenu en multipliant par 2/3 le terme précédent. Dans une série géométrique, le quotient de deux termes consécutifs quelconques est une constante, notée r. C'est grâce à cette caractéristique qu'on reconnaît facilement une série géométrique. Étudions maintenant la question de la convergence d'une série géométrique.

Considérons la somme partielle s_n :

$$s_n = a + ar + ar^2 + ar^3 + \ldots + ar^{n-2} + ar^{n-1}$$

qui peut être multipliée par r pour trouver

$$rs_n = ar + ar^2 + ar^3 + ar^4 \ldots + ar^{n-1} + ar^n$$

En soustrayant ces deux équations, on trouve :

$$s_n - rs_n = a - ar^n$$

$$s_n = \frac{a\,(1-r^n)}{1-r} = \frac{a}{1-r} - \frac{ar^n}{1-r}$$

Pour étudier la convergence de la suite des sommes partielles $\{s_n\}$ il faut tenir compte de la valeur de r (voir l'exemple 7.11).

Si $r > 1$, alors $\lim\limits_{n\to\infty} s_n = \lim\limits_{n\to\infty} \dfrac{a\,(1-r^n)}{1-r} = \infty$; donc la série diverge.

Si $r = 1$, la série devient $\sum\limits_{n=1}^{\infty} a$ et $s_n = na$; alors $\lim\limits_{n\to\infty} s_n = \infty$; donc la série diverge.

Si $0 < r < 1$, alors $\lim\limits_{n\to\infty} s_n = \lim\limits_{n\to\infty}\left(\dfrac{a}{1-r} - \dfrac{ar^n}{1-r}\right) = \dfrac{a}{1-r} - \lim\limits_{n\to\infty} \dfrac{ar^n}{1-r} = \dfrac{a}{1-r} - 0 = \dfrac{a}{1-r}$

et la série converge vers $\dfrac{a}{1-r}$.

Si $r = 0$, la série devient : $a + 0 + 0 + 0 + 0 + \ldots$ et alors elle converge vers a; bien sûr, en pratique, cette série présente peu d'intérêt.

Si $-1 < r < 0$, alors $\lim\limits_{n\to\infty} s_n = \lim\limits_{n\to\infty}\left(\dfrac{a}{1-r} - \dfrac{ar^n}{1-r}\right) = \dfrac{a}{1-r} - \lim\limits_{n\to\infty}\dfrac{ar^n}{1-r} = \dfrac{a}{1-r} - \dfrac{a}{1-r}\lim\limits_{n\to\infty} r^n$

$$= \frac{a}{1-r} - \frac{a}{1-r}\lim_{n\to\infty}(-1)^n\left(|r|\right)^n = \frac{a}{1-r} - \frac{a}{1-r}(0) = \frac{a}{1-r}$$

Donc, la série converge vers $\dfrac{a}{1-r}$.

Si $r = -1$, la série devient : $a - a + a - a + a - \ldots$ et alors la série *diverge par oscillation*.

Si $r < -1$, alors :

$$\lim_{n\to\infty} s_n = \lim_{n\to\infty}\frac{a\,(1-r^n)}{1-r} = \frac{a}{1-r}\lim_{n\to\infty}(1-r^n) = \frac{a}{1-r}\lim_{n\to\infty}\left(1-(-1)^n|r|^n\right) = \frac{a}{1-r}(1-(\pm\infty))$$

Donc, la série diverge par oscillation.

Nous venons donc de démontrer le théorème suivant.

Théorème 7.3.4

La série géométrique $\sum\limits_{n=1}^{\infty} ar^{n-1}$ converge vers $\dfrac{a}{1-r}$ si $-1 < r < 1$; autrement, elle diverge.

EXEMPLE

7.19

Étudier la convergence et trouver la somme d'une série dont les premiers termes sont :

$$7+\frac{14}{3}+\frac{28}{9}+\frac{56}{27}+\frac{112}{81}+\frac{224}{243}+\dots$$

Solution

En examinant attentivement cette série, on reconnaît une série géométrique où le premier terme est $a = 7$ et où la raison $r = 2/3$.

Puisque $-1 < r < 1$, la série converge et la somme est :

$$s=\frac{a}{1-r}=\frac{7}{1-(2/3)}=21$$

EXEMPLE

7.20

Étudier la convergence et trouver la somme d'une série dont les premiers termes sont :

$$\frac{1}{2}+\frac{5}{8}+\frac{25}{32}+\frac{125}{128}+\frac{625}{512}+\dots$$

Solution

C'est une série géométrique où $a = 1/2$ et $r = 5/4$. Puisque $r > 1$, la série diverge et la somme est infinie.

REMARQUE

Notons que la série de l'exemple 7.16 est une série géométrique où $a = 1$ et $r = 1/2$.

Elle converge donc vers $\frac{1}{1-(1/2)}$, c'est-à-dire vers 2.

7.3.5 Théorèmes sur la convergence des séries

Il pourrait être intéressant de mettre au point des méthodes pour trouver la somme d'une série. Toutefois, on s'apercevra assez rapidement que ce n'est pas toujours aussi facile de trouver la somme d'une série quelconque par des méthodes du genre de celles que nous avons utilisées pour les séries arithmétiques et les séries géométriques. Nous contournerons le problème en nous attardant plutôt à déterminer si une série converge ou non. Lorsqu'elle converge on pourra trouver une approximation de la somme, aussi bonne qu'on le désirera, en additionnant un nombre fini mais suffisant de termes. Ce qui est important, c'est donc de déterminer si une série converge ou diverge.

Voici maintenant, sous forme de théorèmes, quelques résultats qui nous aideront à déterminer la convergence d'une série.

Théorème 7.3.5.1

La convergence ou la divergence d'une série n'est pas touchée en ajoutant, ou en supprimant, un nombre fini de termes.

Preuve

Un nombre fini de termes a une somme finie, ce qui explique le résultat.

Théorème 7.3.5.2

La somme d'une série convergente est unique.

Preuve

La somme d'une série est une limite, donc elle est unique.

Théorème 7.3.5.3

Si la série $\sum_{n=1}^{\infty} u_n$ converge vers s et si k est une constante quelconque, alors la série $\sum_{n=1}^{\infty} ku_n$ est convergente et a pour somme ks. Si $k \neq 0$ et si $\sum_{n=1}^{\infty} u_n$ diverge, alors $\sum_{n=1}^{\infty} ku_n$ diverge aussi.

Preuve

Soit $s_n = \sum_{i=1}^{n} u_i$; alors $\sum_{i=1}^{n} ku_i = ks_n$. Ainsi : si $\lim_{n\to\infty} s_n = s$, alors $\lim_{n\to\infty} \sum_{i=1}^{n} ku_i = \lim_{n\to\infty} ks_n = ks$

Théorème 7.3.5.4

Si les séries $\sum_{n=1}^{\infty} u_n$ et $\sum_{n=1}^{\infty} v_n$ convergent vers s et t, alors les séries $\sum_{n=1}^{\infty}(u_n + v_n)$ et $\sum_{n=1}^{\infty}(u_n - v_n)$ convergent également vers $s + t$ et $s - t$ respectivement.

Preuve

La preuve est laissée comme exercice.

Théorème 7.3.5.5

(condition *nécessaire* de convergence d'une série)

Si une série converge, son terme général u_n tend vers 0.

Preuve

Considérons la série $\sum_{n=1}^{\infty} u_n$ qui converge vers s. Soit $s_n = \sum_{i=1}^{n} u_i$; alors $\lim_{n\to\infty} s_n = s$. Il est clair qu'on a également $\lim_{n\to\infty} s_{n-1} = s$. Donc $\lim_{n\to\infty} s_n - \lim_{n\to\infty} s_{n-1} = 0$, c'est-à-dire $\lim_{n\to\infty}(s_n - s_{n-1}) = 0$ et ainsi $\lim_{n\to\infty} u_n = 0$ d'où la preuve.

REMARQUE

Cette condition de convergence est nécessaire mais *non suffisante*, c'est-à-dire, si on veut illustrer schématiquement :

$$\text{convergence} \Rightarrow u_n \to 0$$

$$u_n \to 0 \not\Rightarrow \text{convergence}$$

Théorème 7.3.5.6

Si le terme général u_n d'une série ne tend pas vers zéro, alors la série diverge.

Preuve

C'est la contraposition du théorème précédent.

EXEMPLE 7.21

Montrer que la série $\sum_{n=1}^{\infty} \frac{n}{4n-1}$ diverge.

Solution

Cette série peut s'écrire $\frac{1}{3}+\frac{2}{7}+\frac{3}{11}+\frac{4}{15}+\frac{5}{19}+\ldots+\frac{n}{4n-1}+\ldots$

Son terme général est $u_n = \frac{n}{4n-1}$ et $\lim_{n\to\infty} u_n = \lim_{n\to\infty}\frac{n}{4n-1} = \frac{1}{4} \neq 0$

Puisque le terme général ne tend pas vers 0, la série diverge.

EXEMPLE 7.22

Étudier la convergence de la série $\sum_{n=1}^{\infty} 4\left(\frac{2}{7}\right)^{n-1}$.

Solution

Cette série peut s'écrire $4+\frac{8}{7}+\frac{16}{49}+\frac{32}{343}+\frac{64}{2\,401}+\ldots+4\left(\frac{2}{7}\right)^{n-1}+\ldots$

Son terme général est $u_n = 4\left(\frac{2}{7}\right)^{n-1}$ et $\lim_{n\to\infty} u_n = \lim_{n\to\infty} 4\left(\frac{2}{7}\right)^{n-1} = 0$ (voir l'exemple 7.11)

Donc, le terme général u_n tend vers 0. Ceci n'est toutefois pas suffisant pour conclure que la série converge. Il faut scruter davantage cette série.

Dans le cas présent, on observe que c'est une série géométrique où $a = 4$ et $r = 2/7$. On peut alors conclure que la série converge vers

$$\frac{4}{1-(2/7)} = \frac{28}{5}$$

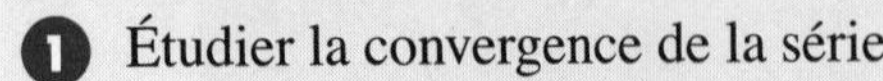

EXERCICES 7.4

1. Étudier la convergence de la série
$$\sum_{n=1}^{\infty}(2n-1)$$

2. Trouver la somme d'une série dont les premiers termes sont:
$$2+\frac{7}{3}+\frac{8}{3}+3+\frac{10}{3}+\frac{11}{3}+\ldots$$

3. Étudier la convergence et trouver la somme d'une série dont les premiers termes sont:
$$4+\frac{8}{5}+\frac{16}{25}+\frac{32}{125}+\frac{64}{625}+\ldots$$

4. Montrer que la série $\sum_{n=1}^{\infty}\frac{2n}{3n+4}$ diverge.

5 La série $\sum_{n=1}^{\infty} 2\left(\frac{3}{5}\right)^{n-1}$ converge.

Montrer que son terme général tend vers 0.

6 Étudier la convergence de la série

$$\sum_{n=1}^{\infty} \frac{n^2+1}{3n^2-1}$$

7 Étudier la convergence de la série

$$\sum_{n=1}^{\infty} \frac{5}{6^n}$$

Trouver la somme d'une série géométrique dont les cinq premiers termes sont :

8 $3+\frac{3}{2}+\frac{3}{4}+\frac{3}{8}+\frac{3}{16}+\ldots$

9 $3+\frac{9}{5}+\frac{27}{25}+\frac{81}{125}+\frac{243}{625}+\ldots$

10 $1+\frac{2}{7}+\frac{4}{49}+\frac{8}{343}+\frac{16}{2\,401}+\ldots$

11 $7+\frac{7}{4}+\frac{7}{16}+\frac{7}{64}+\frac{7}{256}+\ldots$

12 $\frac{1}{2}+\frac{1}{6}+\frac{1}{18}+\frac{1}{54}+\frac{1}{162}+\ldots$

13 $1+\frac{3}{2}+\frac{9}{4}+\frac{27}{8}+\frac{81}{16}+\ldots$

14 $3-\frac{9}{2}+\frac{27}{4}-\frac{81}{8}+\frac{243}{16}-\ldots$

Montrer que les séries suivantes, dont on donne les cinq premiers termes, divergent.

15 $1+\frac{4}{3}+\frac{5}{3}+2+\frac{7}{3}+\ldots$

16 $\frac{3}{7}+\frac{6}{9}+\frac{9}{11}+\frac{12}{13}+1+\ldots$

17 $\frac{1}{3}+\frac{2}{5}+\frac{3}{7}+\frac{4}{9}+\frac{5}{11}+\ldots$

18 $\frac{1}{4}+\frac{2}{9}+\frac{3}{14}+\frac{4}{19}+\frac{5}{24}+\ldots$

7.5 Séries à termes positifs

Dans l'étude des séries, la question-clé est celle de la convergence ou de la divergence des séries. Comme nous l'avons vu à la section 7.3, le fait que le terme général d'une série tende vers 0 n'est pas suffisant pour conclure à la convergence de la série. Pour conclure à la convergence, la série doit satisfaire d'autres conditions, c'est-à-dire rencontrer certains autres critères. Pour vérifier la convergence, nous soumettons alors la série à l'un ou l'autre des *tests de convergence*. Notons que ces tests de convergence sont des *conditions suffisantes* de convergence, c'est-à-dire qu'il suffit qu'un seul de ces tests soit vérifié pour pouvoir conclure.

Nous étudierons maintenant un certain nombre de tests de convergence pour les séries à termes positifs (ou nuls). Il est clair que ces résultats sont les mêmes pour une série où tous les termes sont négatifs (avec, bien sûr, un signe de différence), mais on ne peut dire la même chose des séries où les termes sont tantôt positifs, tantôt négatifs. Concentrons-nous d'abord sur les séries à termes positifs pour lesquelles nous étudierons cinq tests. Nous énoncerons ces tests, les démontrerons et donnerons ensuite quelques exemples de leur utilisation.

7.5.1 Test de comparaison

Énoncé

Soit $\sum_{n=1}^{\infty} u_n$ et $\sum_{n=1}^{\infty} v_n$, deux séries à termes positifs et soit $u_n \leq v_n$ pour toute valeur de n.

a) Si la série $\sum_{n=1}^{\infty} v_n$ converge, alors la série $\sum_{n=1}^{\infty} u_n$ converge aussi.

b) Si la série $\sum_{n=1}^{\infty} u_n$ diverge, alors la série $\sum_{n=1}^{\infty} v_n$ diverge aussi.

Preuve

a) Soit $\sum_{n=1}^{\infty} v_n$, une série convergente vers t. Puisque pour tout n, $0 \le u_n \le v_n$, alors pour tout entier positif n :

$$s_n = \sum_{i=1}^{n} u_i \le \sum_{i=1}^{n} v_i \le \sum_{i=1}^{\infty} v_i = t$$

$\{s_n\}$ est donc une suite bornée supérieurement. De plus, $s_{n+1} = s_n + u_{n+1} \ge s_n$. Donc, $\{s_n\}$ est une suite croissante.

Ainsi, $\{s_n\}$ converge, donc la série $\sum_{n=1}^{\infty} u_n$ converge.

b) Soit $\sum_{n=1}^{\infty} u_n$, une série divergente. Si $\sum_{n=1}^{\infty} v_n$ converge, alors selon la partie a), $\sum_{n=1}^{\infty} u_n$ converge aussi. On contredit ainsi l'hypothèse que $\sum_{n=1}^{\infty} u_n$ diverge. Il faut donc rejeter la supposition que $\sum_{n=1}^{\infty} v_n$ converge et admettre que $\sum_{n=1}^{\infty} v_n$ diverge. Cela complète la preuve.

REMARQUE

En bref, l'énoncé de ce test stipule qu'une série plus petite qu'une série convergente converge aussi alors qu'une série plus grande qu'une série divergente diverge également.

EXEMPLE

7.23

Déterminer la convergence ou la divergence de la série suivante.

$$\frac{5}{2}+\frac{5}{4}+\frac{5}{10}+\frac{5}{28}+\frac{5}{82}+\ldots+\frac{5}{3^{n-1}+1}+\ldots=\sum_{n=1}^{\infty}\frac{5}{3^{n-1}+1}$$

Solution

Le terme général de cette série, $u_n = \dfrac{5}{3^{n-1}+1}$, tend vers 0, mais ce n'est pas suffisant pour conclure à la convergence de la série. Cette série ressemble à la série $\sum_{n=1}^{\infty} \dfrac{5}{3^{n-1}}$. On les compare facilement si l'on observe que pour tout $n \ge 1$:

$$\frac{5}{3^{n-1}+1} < \frac{5}{3^{n-1}}$$

Or, la série $\sum_{n=1}^{\infty} \dfrac{5}{3^{n-1}} = 5 + \dfrac{5}{3} + \dfrac{5}{9} + \dfrac{5}{27} + \dfrac{5}{81} + \ldots + \dfrac{5}{3^{n-1}} + \ldots$ est une série géométrique de raison $r = 1/3$, donc elle converge. Selon le test de comparaison, la série $\sum_{n=1}^{\infty} \dfrac{5}{3^{n-1}+1}$ converge aussi.

EXEMPLE

7.24

Montrer que la *série harmonique* $\sum_{n=1}^{\infty} \dfrac{1}{n}$ diverge.

Solution

Cette série, que l'on peut écrire

$$1+\frac{1}{2}+\frac{1}{3}+\frac{1}{4}+\frac{1}{5}+\ldots+\frac{1}{n}+\ldots,$$

diverge même si son terme général $1/n$ tend vers 0 (voir le théorème 7.3.5.5 et la remarque qui suit).

Nous montrerons que cette série diverge en la comparant à une série arithmétique.

$$1+\frac{1}{2}+\left(\frac{1}{3}+\frac{1}{4}\right)+\left(\frac{1}{5}+\frac{1}{6}+\frac{1}{7}+\frac{1}{8}\right)+\left(\frac{1}{9}+\frac{1}{10}+\ldots+\frac{1}{16}\right)+\ldots >$$

$$1+\frac{1}{2}+\left(\frac{1}{4}+\frac{1}{4}\right)+\left(\frac{1}{8}+\frac{1}{8}+\frac{1}{8}+\frac{1}{8}\right)+\left(\frac{1}{16}+\frac{1}{16}+\ldots+\frac{1}{16}\right)+\ldots$$

Cette dernière série peut s'écrire en additionnant les groupes de termes semblables.

$$1+\frac{1}{2}+\frac{1}{2}+\frac{1}{2}+\frac{1}{2}+\ldots$$

C'est la série arithmétique $1+\sum_{n=1}^{\infty}\frac{1}{2}$ qui diverge. Selon le test de comparaison, on en conclut que la série harmonique $\sum_{n=1}^{\infty}\frac{1}{n}$ diverge.

EXEMPLE

7.25

Étudier la convergence de la *série «p» de Riemann*:

$$1+\frac{1}{2^p}+\frac{1}{3^p}+\frac{1}{4^p}+\frac{1}{5^p}+\ldots+\frac{1}{n^p}+\ldots=\sum_{n=1}^{\infty}\frac{1}{n^p}$$

Solution

Écrivons la série de Riemann ainsi :

$$1+\left(\frac{1}{2^p}+\frac{1}{3^p}\right)+\left(\frac{1}{4^p}+\frac{1}{5^p}+\frac{1}{6^p}+\frac{1}{7^p}\right)+\left(\frac{1}{8^p}+\frac{1}{9^p}+\ldots+\frac{1}{15^p}\right)+\ldots$$

et comparons-la à la série suivante.

$$1+\left(\frac{1}{2^p}+\frac{1}{2^p}\right)+\left(\frac{1}{4^p}+\frac{1}{4^p}+\frac{1}{4^p}+\frac{1}{4^p}\right)+\left(\frac{1}{8^p}+\frac{1}{8^p}+\ldots+\frac{1}{8^p}\right)+\ldots$$

$$=1+\frac{2}{2^p}+\frac{4}{4^p}+\frac{8}{8^p}+\frac{16}{16^p}+\ldots$$

$$=1+\frac{1}{2^{p-1}}+\frac{1}{2^{2(p-1)}}+\frac{1}{2^{3(p-1)}}+\frac{1}{2^{4(p-1)}}+\ldots$$

Si $p > 1$, la série de Riemann est inférieure à l'autre série, qui est une série géométrique de raison $1/2^{p-1} < 1$, donc convergente. Dans ce cas, la série de Riemann converge.

Si $p = 1$, la série de Riemann devient la série harmonique et est donc divergente (Voir exemple précédent).

Si $p < 1$, la série de Riemann est supérieure à la série harmonique, donc elle diverge.

En bref, la série de Riemann converge si $p > 1$ et elle diverge si $p \leq 1$.

REMARQUE

Les séries géométriques, la série harmonique et la série « p » de Riemann constituent des séries de comparaison commodes.

EXEMPLE

7.26

Étudier la convergence de la série $\frac{1}{\ln 2}+\frac{1}{\ln 3}+\frac{1}{\ln 4}+\frac{1}{\ln 5}+\frac{1}{\ln 6}+\ldots+\frac{1}{\ln (n+1)}+\ldots$

Solution

Le terme général de cette série, $u_n = 1/\ln (n + 1)$, tend vers 0. Ce n'est toutefois pas suffisant pour conclure à la convergence de la série.

On sait que (voir l'exercice 46 de la section 1.4)

$$\ln (n+1) < n \qquad \text{pour tout } n \geq 1$$

Donc :

$$\frac{1}{\ln (n+1)} > \frac{1}{n} \qquad \text{pour tout } n \geq 1$$

Il s'ensuit que :

$$\sum_{n=1}^{\infty} \frac{1}{\ln (n+1)} > \sum_{n=1}^{\infty} \frac{1}{n}$$

Donc, la série étudiée ici est plus grande que la série harmonique qui diverge. Donc, elle diverge aussi.

EXEMPLE

7.27

Étudier la convergence de la série $\sum_{n=1}^{\infty} \frac{n+1}{n\sqrt{n}}$.

Solution

Le terme général de cette série tend vers 0. En effet :

$$\lim_{n\to\infty} u_n = \lim_{n\to\infty} \frac{n+1}{n\sqrt{n}} = \lim_{n\to\infty} \frac{n+1}{n^{3/2}} = \lim_{n\to\infty} \frac{1}{(3/2)\, n^{1/2}} = \lim_{n\to\infty} \frac{1}{(3/2)\sqrt{n}} = \lim_{n\to\infty} \frac{2}{3\sqrt{n}} = \frac{2}{\infty} = 0$$

On sait que pour tout $n \geq 1$:

$$\frac{(n+1)}{n\sqrt{n}} = \frac{n+1}{n^{3/2}} > \frac{n}{n^{3/2}} = \frac{1}{n^{1/2}}$$

Il s'ensuit que :

$$\sum_{n=1}^{\infty} \frac{n+1}{n\sqrt{n}} > \sum_{n=1}^{\infty} \frac{1}{n^{1/2}}$$

Cette série, $\sum_{n=1}^{\infty} \frac{1}{n^{1/2}}$, est une série de Riemann où $p = 1/2$. Donc, elle diverge.

Alors la série $\sum_{n=1}^{\infty} \frac{n+1}{n\sqrt{n}}$ diverge aussi.

7.5.2 Test de D'Alembert (ou test du ratio)

Énoncé

Soit $\sum_{n=1}^{\infty} u_n$, une série à termes positifs et soit $\lim_{n\to\infty} \frac{u_{n+1}}{u_n} = r$.

Alors la série converge si $r < 1$, diverge si $r > 1$, et le test est non concluant si $r = 1$.

Preuve

Soit $\lim_{n\to\infty}\frac{u_{n+1}}{u_n} = r < 1$; soit q, un nombre quelconque tel que $r < q < 1$.

Alors il existe un entier positif k, tel que pour tout $n \geq k$

$$\frac{u_{n+1}}{u_n} < q$$

Ainsi : $\frac{u_{k+1}}{u_k} < q$; $\frac{u_{k+2}}{u_{k+1}} < q$; $\frac{u_{k+3}}{u_{k+2}} < q$; $\frac{u_{k+4}}{u_{k+3}} < q$; ...

$$\begin{aligned}
&u_{k+1} < q\, u_k \\
&u_{k+2} < q\, u_{k+1} < q^2\, u_k \\
&u_{k+3} < q\, u_{k+2} < q^3\, u_k \\
&u_{k+4} < q\, u_{k+3} < q^4\, u_k \\
&\ldots \quad \ldots \quad \ldots
\end{aligned}$$

Considérons la série

$$u_k + u_{k+1} + u_{k+2} + u_{k+3} + u_{k+4} + \ldots$$

Cette série est inférieure à la série

$$\begin{aligned}
&u_k + q\, u_k + q^2\, u_k + q^3\, u_k + q^4\, u_k + \ldots \\
&= u_k\,(1 + q + q^2 + q^3 + q^4 + \ldots)
\end{aligned}$$

Cette dernière série est une série géométrique de raison $q < 1$, donc elle converge; et, par comparaison, la série

$$u_k + u_{k+1} + u_{k+2} + u_{k+3} + u_{k+4} + \ldots$$

converge aussi.

En ajoutant à cette dernière série un nombre fini de termes $(u_1 + u_2 + u_3 + \ldots + u_{k-1})$, on n'altère pas la convergence de la série et ainsi la série

$$\sum_{n=1}^{\infty} u_n$$

converge. Cela démontre la première partie du résultat.

Si $\lim_{n\to\infty}\frac{u_{n+1}}{u_n} = r > 1$, on reprend le même raisonnement en changeant le sens des inégalités et la convergence pour la divergence.

Finalement, pour montrer que le test est non concluant lorsque $r = 1$, donnons un contre-exemple. Considérons la série harmonique $\sum_{n=1}^{\infty}\frac{1}{n}$ et la série de Riemann $\sum_{n=1}^{\infty}\frac{1}{n^2}$.

Dans les deux cas $\lim_{n\to\infty}\frac{u_{n+1}}{u_n} = 1$, et pourtant l'une diverge alors que l'autre converge.

EXEMPLE

7.28

Étudier la convergence de la série

$$\frac{11}{9}+\frac{12}{27}+\frac{13}{81}+\frac{14}{243}+\frac{15}{729}+\ldots+\frac{n+10}{3^{n+1}}+\ldots=\sum_{n=1}^{\infty}\frac{n+10}{3^{n+1}}$$

Solution

Le terme général tend vers 0. En effet :

$$\lim_{n\to\infty}u_n=\lim_{n\to\infty}\frac{n+10}{3^{n+1}}=\lim_{n\to\infty}\frac{1}{3^{n+1}(\ln 3)}=\frac{1}{\infty}=0$$

Pour conclure à la convergence ou à la divergence de cette série, appliquons le test de D'Alembert.

$$u_n=\frac{n+10}{3^{n+1}}\qquad u_{n+1}=\frac{(n+1)+10}{3^{(n+1)+1}}=\frac{n+11}{3^{n+2}}$$

$$\lim_{n\to\infty}\frac{u_{n+1}}{u_n}=\lim_{n\to\infty}\frac{(n+11)}{3^{n+2}}\times\frac{3^{n+1}}{(n+10)}=\lim_{n\to\infty}\frac{(n+11)}{3\,(n+10)}=\frac{1}{3}$$

Comme $\frac{1}{3}<1$, on conclut que la série est convergente.

EXEMPLE

7.29

Étudier la convergence de la série $\sum_{n=1}^{\infty}\frac{n^2+2}{(n+2)!}$.

Solution

Le terme général tend vers 0. En effet :

$$\lim_{n\to\infty}\frac{n^2+2}{(n+2)!}=\lim_{n\to\infty}\frac{n^2+2}{(n+2)\,(n+1)\,n!}=\lim_{n\to\infty}\frac{n^2+2}{(n^2+3n+2)\,n!}=\lim_{n\to\infty}\frac{n^2+2}{n^2+3n+2}\times\lim_{n\to\infty}\frac{1}{n!}=1\times 0=0$$

Appliquons maintenant le test de D'Alembert.

$$u_n=\frac{n^2+2}{(n+2)!}\qquad u_{n+1}=\frac{(n+1)^2+2}{(n+1+2)!}=\frac{n^2+2n+3}{(n+3)!}$$

$$\begin{aligned}\lim_{n\to\infty}\frac{u_{n+1}}{u_n}&=\lim_{n\to\infty}\frac{n^2+2n+3}{(n+3)!}\times\frac{(n+2)!}{n^2+2}=\lim_{n\to\infty}\frac{(n^2+2n+3)\,(n+2)!}{(n+3)\,(n+2)!\,(n^2+2)}\\&=\lim_{n\to\infty}\frac{n^2+2n+3}{(n+3)\,(n^2+2)}=\lim_{n\to\infty}\frac{n^2+2n+3}{n^3+3n^2+2n+6}\\&=\lim_{n\to\infty}\frac{2n+2}{3n^2+6n+2}=\lim_{n\to\infty}\frac{2}{6n+6}=\frac{2}{\infty}=0\end{aligned}$$

Puisque $0<1$, la série converge.

7.5.3 Test de l'intégrale de Cauchy

Énoncé

Soit $\sum_{n=1}^{\infty} u_n$ une série à termes positifs décroissants. Soit $f(x)$, une fonction continue décroissante telle que $f(n) = u_n$ pour toute valeur de n; alors la série $\sum_{n=1}^{\infty} u_n$ et l'intégrale $\int_1^{\infty} f(x)\,dx$ convergent ou divergent ensemble.

Preuve

Représentons graphiquement la fonction continue décroissante $y = f(x)$ et proposons-nous d'évaluer l'aire sous la courbe entre les verticales $x = 1$ et $x = n + 1$.

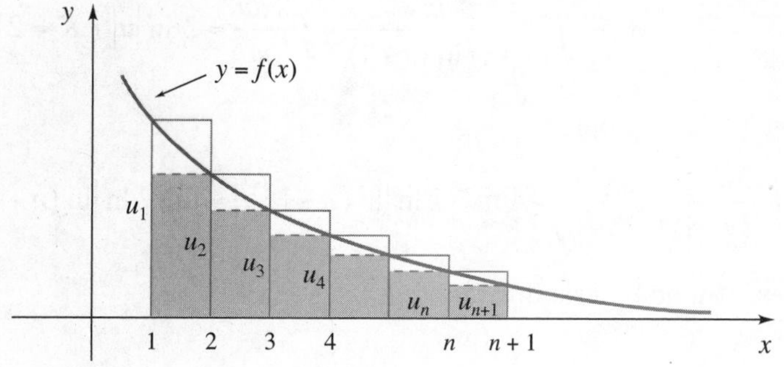

L'aire cherchée est bornée supérieurement par la somme des aires des rectangles supérieurs et inférieurement par la somme des aires des rectangles inférieurs. Ainsi :

$$u_2 + u_3 + \ldots + u_{n+1} \le \int_1^{n+1} f(x)\,dx \le u_1 + u_2 + u_3 + \ldots + u_n$$

$$s_{n+1} - u_1 \le \int_1^{n+1} f(x)\,dx \le s_n$$

Faisons $n \to \infty$. Si l'intégrale converge, c'est-à-dire si $\int_1^{\infty} f(x)\,dx = \lim_{n\to\infty} \int_1^{n+1} f(x)\,dx$ existe, alors :

$$s_{n+1} \le u_1 + \int_1^{n+1} f(x)\,dx \le u_1 + \int_1^{\infty} f(x)\,dx$$

et ainsi, $\{s_{n+1}\}$ est une suite croissante bornée, donc convergente; il s'ensuit que la série $\sum_{n=1}^{\infty} u_n$ converge.

Si l'intégrale diverge, $f(x)$ étant positif, $\int_1^{\infty} f(x)\,dx = \infty$, et comme $s_n \ge \int_1^{n+1} f(x)\,dx$:

$$\lim_{n\to\infty} s_n \ge \lim_{n\to\infty} \int_1^{n+1} f(x)\,dx = \int_1^{\infty} f(x)\,dx = \infty$$

Donc, la suite $\{s_n\}$ diverge et ainsi la série $\sum_{n=1}^{\infty} u_n$ diverge.

Finalement, en sens inverse, si la série converge, alors un raisonnement analogue avec l'inégalité $\int_1^{n+1} f(x)\,dx \le s_n$ permet de conclure que l'intégrale converge et si la série diverge, l'inégalité $\int_1^{n+1} f(x)\,dx \ge s_{n+1} - u_1$ permet de conclure que l'intégrale diverge.

EXEMPLE

7.30

Étudier la convergence de la série $\sum_{n=1}^{\infty} \frac{2}{(n+1)\ln(n+1)}$.

Solution

Le terme général $u_n = \frac{2}{(n+1)\ln(n+1)}$ tend vers 0. Appliquons le test de l'intégrale de Cauchy en considérant l'intégrale

$$\int_1^{\infty} \frac{2}{(x+1)\ln(x+1)}dx = \lim_{n\to\infty} \int_1^n \frac{2\,dx}{(x+1)\ln(x+1)}$$

Cherchons d'abord l'intégrale indéfinie $\int \frac{2\,dx}{(x+1)\ln(x+1)}$ en posant $u = \ln(x+1)$; alors

$$du = \frac{dx}{x+1} \qquad \text{et} \qquad \int \frac{2\,dx}{(x+1)\ln(x+1)} = \int \frac{2\,du}{u} = 2\ln|u| + K = 2\ln|\ln(x+1)| + K$$

Revenons à l'intégrale impropre :

$$\lim_{n\to\infty} \int_1^n \frac{2\,dx}{(x+1)\ln(x+1)} = \lim_{n\to\infty} \left[2\ln|\ln(x+1)|\right]_1^n = \lim_{n\to\infty} 2\ln|\ln(n+1)| - 2\ln|\ln 2| = \infty$$

L'intégrale diverge, donc la série diverge.

7.5.4 Test de la racine n^e de Cauchy

Énoncé

Soit $\sum_{n=1}^{\infty} u_n$ une série à termes positifs et soit $\lim_{n\to\infty} \sqrt[n]{u_n} = r$. Alors la série converge si $r < 1$, diverge si $r > 1$ et le test est non concluant si $r = 1$.

Preuve

Soit

$$\lim_{n\to\infty} \sqrt[n]{u_n} = r < 1$$

Soit q, un nombre quelconque tel que $r < q < 1$. Alors il existe un entier positif k tel que pour tout $n \geq k$, $\sqrt[n]{u_n} < q$ c'est-à-dire $u_n < q^n$

Ainsi :

$$u_k + u_{k+1} + u_{k+2} + \ldots < q^k + q^{k+1} + q^{k+2} + \ldots$$

La série de droite converge puisque c'est une série géométrique de raison $q < 1$. Donc, la série de gauche converge. À cette série de gauche, ajoutons un nombre fini de termes $u_1 + u_2 + \ldots + u_{k-1}$, ce qui ne change pas la convergence de la série. On obtient alors la série $\sum_{n=1}^{\infty} u_n$ qui est convergente.

Supposons maintenant que $\lim_{n\to\infty} \sqrt[n]{u_n} = r > 1$ et soit q, un nombre quelconque tel que $1 < q < r$. Alors il existe un entier positif k tel que pour tout $n \geq k$:

$$\sqrt[n]{u_n} > q$$
$$u_n > q^n$$

Ainsi :

$$u_k + u_{k+1} + u_{k+2} + \ldots > q^k + q^{k+1} + q^{k+2} + \ldots$$

À droite, on a une série géométrique de raison $q > 1$, donc divergente ; ainsi, la série de gauche est aussi divergente et a fortiori, la série $\sum_{n=1}^{\infty} u_n$ diverge.

Dans le cas où $\lim_{n\to\infty} \sqrt[n]{u_n} = r = 1$ le test est non concluant. Pour s'en convaincre, prenons le cas de la série harmonique et de la série de Riemann où $p = 2$, l'une divergente et l'autre convergente et dans les deux cas $\lim_{n\to\infty} \sqrt[n]{u_n} = 1$.

EXEMPLE 7.31

Étudier la convergence de la série $\sum_{n=1}^{\infty} \left(\frac{2n}{3n+4}\right)^n$.

Solution

Écrivons quelques termes de cette série :

$$\frac{2}{7} + \left(\frac{4}{10}\right)^2 + \left(\frac{6}{13}\right)^3 + \left(\frac{8}{16}\right)^4 + \left(\frac{10}{19}\right)^5 + \ldots + \left(\frac{2n}{3n+4}\right)^n + \ldots$$

Le terme général $u_n = \left(\frac{2n}{3n+4}\right)^n$ tend vers 0. En effet, si on pose $y = \left(\frac{2n}{3n+4}\right)^n$, alors :

$$\ln y = n \ln\left(\frac{2n}{3n+4}\right)$$

$$\lim_{n\to\infty} \ln y = \lim_{n\to\infty} n \ln\left(\frac{2n}{3n+4}\right) = \infty \times \ln\left(\frac{2}{3}\right) = \infty\ (-0{,}405\ldots) = -\infty \qquad \text{et} \qquad \lim_{n\to\infty} u_n = e^{-\infty} = 0$$

Appliquons maintenant le test de la racine n^e de Cauchy :

$$\lim_{n\to\infty} \sqrt[n]{u_n} = \lim_{n\to\infty} \sqrt[n]{\left(\frac{2n}{3n+4}\right)^n} = \lim_{n\to\infty} \frac{2n}{3n+4} = \frac{2}{3} < 1$$

Donc, la série converge.

7.5.5 Test du polynôme

Énoncé

Soit $P(n)$ et $Q(n)$, deux polynômes entiers en n de degrés p et q respectivement. Alors la série $\sum_{n=1}^{\infty} u_n$ où $u_n = \frac{P(n)}{Q(n)}$ converge si $q > p + 1$; autrement, elle diverge.

Preuve

Soit $P(n) = a_p n^p + a_{p-1} n^{p-1} + \ldots + a_1 n + a_0$ et $Q(n) = b_q n^q + b_{q-1} n^{q-1} + \ldots + b_1 n + b_0$ deux polynômes de degrés p et q respectivement.

En effectuant la division polynomiale, on obtient :

$$\frac{P(n)}{Q(n)} = \frac{a_p}{b_q} n^{p-q} \quad + \quad \text{d'autres termes de degrés} < p - q$$

La convergence dépend donc du premier terme. Si $q > p + 1$, on a alors une série de Riemann convergente. Autrement, on a une série harmonique ou une série arithmétique, donc divergente.

EXEMPLE 7.32

Étudier la convergence d'une série dont les premiers termes sont :

$$\frac{2}{3}+\frac{6}{10}+\frac{12}{29}+\frac{20}{66}+\frac{30}{127}+\ldots$$

Solution

Une observation attentive permet de trouver le terme général :

$$u_n = \frac{n^2+n}{n^3+2}$$

Le terme général u_n tend vers 0. Il a la forme du quotient de deux polynômes :

$$\frac{\text{degré } 2}{\text{degré } 3}$$

Selon le test du polynôme, cette série diverge.

7.5.6 Études de convergence

Rappelons qu'il y a une condition nécessaire pour conclure à la convergence d'une série, à savoir que le terme général u_n tende vers 0. Cependant, ce n'est pas suffisant pour conclure. C'est pourquoi nous avons développé les tests de convergence. Rappelons aussi que ces tests sont des conditions suffisantes pour conclure à la convergence ou à la divergence d'une série. Il peut arriver que plus d'un test permette de tirer une conclusion concernant une même série même si un seul suffit. Si les cinq tests étudiés ici permettent de conclure pour un très grand nombre de séries, dont les plus courantes, on ne peut toutefois pas prétendre qu'ils couvrent toutes les situations possibles. Il existe d'autres tests plus complexes que nous n'étudierons pas dans ce texte. Terminons cette section avec quelques autres exemples d'étude de convergence.

EXEMPLE 7.33

Étudier la convergence de la série $\sum_{n=1}^{\infty} \frac{2^n-1}{3^n}$.

Solution

Cette série peut s'écrire :

$$\frac{1}{3}+\frac{3}{9}+\frac{7}{27}+\frac{15}{81}+\frac{31}{243}+\ldots+\frac{2^n-1}{3^n}+\ldots$$

Le terme général u_n tend vers 0. En effet,

$$\lim_{n\to\infty}\frac{2^n-1}{3^n}=\lim_{n\to\infty}\frac{2^n\ln 2}{3^n\ln 3}=\frac{\ln 2}{\ln 3}\lim_{n\to\infty}\left(\frac{2}{3}\right)^n=0 \qquad \text{(voir l'exemple 7.11)}$$

Pour tirer une conclusion concernant la convergence, on peut comparer cette série à la série géométrique $\sum_{n=1}^{\infty}(2/3)^n$. Pour tout $n \geq 1$:

$$\frac{2^n-1}{3^n}<\frac{2^n}{3^n}=\left(\frac{2}{3}\right)^n$$

La série géométrique est de raison $r = 2/3$, donc elle converge. Par comparaison, la série $\sum_{n=1}^{\infty} \frac{2^n - 1}{3^n}$ converge aussi.

EXEMPLE

7.34

Étudier la convergence de la série $\sum_{n=1}^{\infty} \frac{3^n}{(n+1)!}$.

Solution

Cette série peut s'écrire :

$$\frac{3}{2!} + \frac{9}{3!} + \frac{27}{4!} + \frac{81}{5!} + \frac{243}{6!} + \ldots + \frac{3^n}{(n+1)!} + \ldots$$

Appliquons le test de D'Alembert.

$$u_n = \frac{3^n}{(n+1)!} \qquad u_{n+1} = \frac{3^{n+1}}{(n+2)!}$$

$$\lim_{n\to\infty} \frac{u_{n+1}}{u_n} = \lim_{n\to\infty} \frac{3^{n+1}}{(n+2)!} \times \frac{(n+1)!}{3^n} = \lim_{n\to\infty} \frac{3^n\, 3\,(n+1)!}{(n+2)\,(n+1)!\, 3^n} = \lim_{n\to\infty} \frac{3}{n+2} = 0$$

Donc, la série converge.

EXEMPLE

7.35

Étudier la convergence de la série $\sum_{n=1}^{\infty} \frac{3}{2n+1}$.

Solution

Cette série peut s'écrire :

$$\frac{3}{3} + \frac{3}{5} + \frac{3}{7} + \frac{3}{9} + \frac{3}{11} + \ldots + \frac{3}{2n+1} + \ldots$$

Appliquons le test de l'intégrale de Cauchy en considérant l'intégrale suivante.

$$\int_1^{\infty} \frac{3\,dx}{2x+1} = \lim_{n\to\infty} \int_1^{n} \frac{3\,dx}{2x+1} = \lim_{n\to\infty} \left[\frac{3}{2} \ln|2x+1|\right]_1^n = \lim_{n\to\infty} \frac{3}{2} \ln|2n+1| - \frac{3}{2}\ln 3 = \infty - \frac{3}{2}\ln 3 = \infty$$

L'intégrale diverge de sorte que la série diverge aussi.

EXEMPLE

7.36

Étudier la convergence de la série $\sum_{n=1}^{\infty} \frac{n^4}{(n+3)^n}$.

Solution

Cette série peut s'écrire :

$$\frac{1}{4} + \frac{2^4}{5^2} + \frac{3^4}{6^3} + \frac{4^4}{7^4} + \frac{5^4}{8^5} + \ldots + \frac{n^4}{(n+3)^n} + \ldots$$

Appliquons le test de la racine n^e de Cauchy :

$$\lim_{n\to\infty}\sqrt[n]{u_n} = \lim_{n\to\infty}\sqrt[n]{\frac{n^4}{(n+3)^n}} = \lim_{n\to\infty}\frac{n^{4/n}}{n+3} = \lim_{n\to\infty}\frac{(n^{1/n})^4}{n+3} = \frac{1^4}{\infty} = 0 \quad \text{(Note : voir exercice 7.2.61)}$$

Donc, la série converge.

EXEMPLE

7.37

Étudier la convergence de la série $\sum_{n=1}^{\infty}\frac{n^3+2n}{n^4+3n^2-1}$.

Solution

Cette série peut s'écrire :

$$\frac{3}{3}+\frac{12}{27}+\frac{33}{107}+\frac{72}{303}+\frac{135}{699}+\ldots+\frac{n^3+2n}{n^4+3n^2-1}+\ldots$$

Appliquons le test du polynôme.

$$\frac{\text{degré } 3}{\text{degré } 4}$$

Donc, la série diverge.

REMARQUE

Nous avons ici cinq tests pour déterminer la convergence ou la divergence d'une série à termes constants positifs. Une question subsiste : lequel de ces tests puis-je utiliser face à une série donnée ? Il n'y a pas de réponse générale à cette question. On peut essayer l'un ou l'autre jusqu'à ce que l'un d'eux permette de conclure. Le flair et l'expérience nous conduisent à trouver le test approprié plus rapidement.

NOTE *historique*

Jean Le Rond D'Alembert
1717-1783

D'Alembert est le fils naturel de Claudine Alexandrine Guérin marquise de Tencin. Cette dernière était une ancienne religieuse qui, après avoir obtenu une dispense papale la relevant de ses vœux, mena une brillante carrière sociale où se mêlent les intrigues politiques et de multiples liaisons amoureuses. Une de ces liaisons, avec le chevalier Louis-Camus Destouches, un général d'artillerie conduit à la naissance d'un fils illégitime. Au moment de la naissance de cet enfant, le père est à l'extérieur du pays. La mère décide alors d'abandonner son fils sur les marches de l'église St-Jean-le-Rond près de Notre-Dame. L'enfant est aussitôt recueilli, conduit dans un orphelinat et baptisé Jean Le Rond, du nom de l'église où il a été trouvé. À son retour à Paris, le chevalier Destouches retrouve son fils et le confie à la femme d'un modeste verrier, Mme Rousseau. Cette dernière sera toujours considérée par D'Alembert comme sa mère. Lorsque D'Alembert devient célèbre, Mme de Tencin veut se rapprocher de lui et celui-ci la repousse avec mépris. Même après la mort de son père en 1726, la famille de ce dernier continue de veiller à son éducation. À l'âge de douze ans, il quitte sa mère adoptive pour s'inscrire au collège des Quatre Nations sous le nom de Jean-Baptiste Daremberg. Avec le temps, son nom s'est transformé en celui de Jean D'Alembert. Il fait des études étendues et diversifiées en sciences, en théologie, en droit et en médecine, mais il manifeste toujours un enthousiasme particulier pour les mathématiques. À 21 ans, il présente un mémoire à l'Académie des sciences de Paris dans lequel il relève quelques erreurs dans le texte de Reyneau « Analyse démontrée ». Ceci devait lancer une brillante carrière. On lui doit des ouvrages sur la dynamique, l'équilibre et le mouvement des fluides, la théorie générale des vents et bien d'autres sujets en mathématiques et en philosophie. Toutefois, son œuvre la plus célèbre demeure sa collaboration à la célèbre Encyclopédie *dont il est, avec Denis Diderot, un des principaux auteurs. D'Alembert est l'auteur du fameux* Discours préliminaire *et de presque toute la partie mathématique et de nombreux articles scientifiques et philosophiques. C'est notamment dans un des articles sur le calcul différentiel qu'il fait part de ses idées concernant la notion de limite et cela le conduit à imaginer le test de convergence connu aujourd'hui sous le vocable de « test du ratio » ou « test de D'Alembert ». À 23 ans, il devient membre de l'Académie des sciences et à 37 ans, il devient membre de l'Académie française dont il devient le secrétaire perpétuel en 1772. Esprit indépendant, brillant causeur, il manifeste beaucoup d'animosité contre la religion. Les dernières années de sa vie sont marquées par une santé chancelante. Son intérêt se tourne alors vers la littérature et la philosophie. Étant un incroyant notoire, il sera enterré dans une fosse commune sans épitaphe.*

EXERCICES

7.6

Étudier la convergence des séries suivantes.

1. $\displaystyle\sum_{n=1}^{\infty}\frac{1}{7^n}$
2. $\frac{1}{3}+\frac{1}{5}+\frac{1}{9}+\frac{1}{17}+\frac{1}{33}+\ldots$
3. $\displaystyle\sum_{n=1}^{\infty}\frac{4}{n\sqrt{n}}$
4. $\frac{2}{3}+\frac{4}{10}+\frac{6}{29}+\frac{8}{66}+\frac{10}{127}+\ldots$
5. $\frac{2}{2}+\frac{3}{4}+\frac{4}{8}+\frac{5}{16}+\frac{6}{32}+\ldots$
6. $\displaystyle\sum_{n=1}^{\infty}\frac{n}{e^n}$
7. $\displaystyle\sum_{n=1}^{\infty}\frac{3^n}{n^3}$
8. $1+\frac{9}{17}+\frac{28}{82}+\frac{65}{257}+\frac{126}{626}+\ldots$
9. $\displaystyle\sum_{n=1}^{\infty}\frac{2\times 3^{n-1}-1}{5^{n-1}}$
10. $\displaystyle\sum_{n=1}^{\infty}\frac{n^2+3}{2^n}$
11. $\displaystyle\sum_{n=1}^{\infty}\frac{2^n}{n!}$
12. $\displaystyle\sum_{n=1}^{\infty}\frac{1}{(n+1)(n+2)}$
13. $\displaystyle\sum_{n=1}^{\infty}\left(\frac{n}{3n-2}\right)^n$
14. $\displaystyle\sum_{n=1}^{\infty}\frac{n^2+n+1}{n^3+2}$
15. $2+1+\frac{2}{3}+\frac{1}{2}+\frac{2}{5}+\ldots$
16. $1+\frac{1}{\sqrt{2}}+\frac{1}{\sqrt{3}}+\frac{1}{2}+\frac{1}{\sqrt{5}}+\ldots$

7.6

Déterminer la convergence ou la divergence des séries suivantes.

17 $\sum_{n=1}^{\infty} \frac{5}{n}$

18 $\sum_{n=1}^{\infty} \frac{3}{n^2+1}$

19 $\sum_{n=1}^{\infty} \frac{n}{3}$

20 $\sum_{n=1}^{\infty} \frac{2}{2n-1}$

21 $\sum_{n=1}^{\infty} 2^{1-n}$

22 $\sum_{n=1}^{\infty} \frac{2}{(n+1)(n+3)}$

23 $\sum_{n=1}^{\infty} \frac{1}{n^3}$

24 $\sum_{n=1}^{\infty} \frac{1}{\sqrt{n^2+n}}$

25 $\sum_{n=1}^{\infty} \frac{1}{\sqrt[3]{n}}$

26 $\sum_{n=1}^{\infty} \frac{1}{n^n}$

27 $\sum_{n=1}^{\infty} \frac{n(n+3)}{4^n}$

28 $\sum_{n=1}^{\infty} \frac{n!}{2^n}$

29 $\sum_{n=1}^{\infty} \frac{n^5+n^4+n+2}{n^6+n-1}$

30 $\sum_{n=1}^{\infty} n^2\left(\frac{2}{3}\right)^n$

31 $\sum_{n=1}^{\infty} \frac{1}{4n^2-2n}$

32 $\sum_{n=1}^{\infty} \frac{n+1}{\left(2n+n^2\right)^{3/4}}$

Déterminer la convergence ou la divergence des séries suivantes dont on donne les cinq premiers termes.

33 $1+\frac{3}{8}+\frac{5}{27}+\frac{7}{64}+\frac{9}{125}+\ldots$

34 $1+\left(\frac{4}{5}\right)^2+\left(\frac{6}{8}\right)^3+\left(\frac{8}{11}\right)^4+\left(\frac{10}{14}\right)^5+\ldots$

35 $\frac{3}{2}+\frac{4}{5}+\frac{5}{10}+\frac{6}{17}+\frac{7}{26}+\ldots$

36 $3+\frac{3}{2^2}+\frac{3}{3^3}+\frac{3}{4^4}+\frac{3}{5^5}+\ldots$

37 $1+\left(\frac{1}{2}\right)^2+\left(\frac{1}{3}\right)^3+\left(\frac{1}{4}\right)^4+\left(\frac{1}{5}\right)^5+\ldots$

38 $\frac{1}{2^3-1}+\frac{1}{3^3-2^3}+\frac{1}{4^3-3^3}+\frac{1}{5^3-4^3}+\frac{1}{6^3-5^3}+\ldots$

39 $\frac{1}{1+2\,000}+\frac{2^2}{2^3+3\,000}+\frac{3^2}{3^3+4\,000}+\frac{4^2}{4^3+5\,000}+\frac{5^2}{5^3+6\,000}+\ldots$

40 $\frac{5}{6}+2\left(\frac{5}{6}\right)^2+3\left(\frac{5}{6}\right)^3+4\left(\frac{5}{6}\right)^4+5\left(\frac{5}{6}\right)^5+\ldots$

41 $2+1+\frac{8}{7}+\frac{16}{10}+\frac{32}{13}+\ldots$

42 $\frac{1}{2\times3}+\frac{1}{2\times3\times4}+\frac{1}{3\times4\times5}+\frac{1}{4\times5\times6}+\frac{1}{5\times6\times7}+\ldots$

43 $1+\frac{1}{2}+\frac{1}{6}+\frac{1}{24}+\frac{1}{120}+\ldots$

44 $1+1+\frac{3}{4}+\frac{1}{2}+\frac{5}{16}+\ldots$

45 $\frac{1}{3}+\frac{4}{11}+\frac{9}{31}+\frac{16}{69}+\frac{25}{131}+\ldots$

46 $\frac{3}{2}+\frac{5}{3}+\frac{7}{7}+\frac{9}{25}+\frac{11}{121}+\ldots$

47 $\frac{1}{5}+\frac{2}{21}+\frac{3}{45}+\frac{4}{77}+\frac{5}{117}+\ldots$

48 $3+9+\frac{27}{2}+\frac{81}{6}+\frac{243}{24}+\ldots$

49 $\frac{1}{2}+\left(\frac{2}{5}\right)^2+\left(\frac{3}{8}\right)^3+\left(\frac{4}{11}\right)^4+\left(\frac{5}{14}\right)^5+\ldots$

50 $\frac{1}{2}+\frac{2}{3+\sqrt{2}}+\frac{2}{3+\sqrt{3}}+\frac{2}{5}+\frac{2}{3+\sqrt{5}}+\ldots$

51 $\frac{1}{\sqrt{3}}+\frac{1}{\sqrt{10}}+\frac{1}{\sqrt{29}}+\frac{1}{\sqrt{66}}+\frac{1}{\sqrt{127}}+\ldots$

52 $4+\frac{11}{2}+\frac{30}{6}+\frac{67}{24}+\frac{128}{120}+\ldots$

53 $\frac{1}{4\ln 2}+\frac{1}{6\ln 3}+\frac{1}{8\ln 4}+\frac{1}{10\ln 5}+\frac{1}{12\ln 6}+\ldots$

54 $\frac{3}{4}+\frac{7}{15}+\frac{13}{40}+\frac{21}{85}+\frac{31}{156}+\ldots$

7.7 Séries à termes positifs et négatifs

Considérons maintenant le cas de séries dont les termes sont tantôt positifs, tantôt négatifs. Voyons d'abord le cas le plus courant, celui des séries alternées.

7.7.1 Séries alternées

On appelle *série alternée* une série de la forme :

$$\sum_{n=1}^{\infty}(-1)^{n+1}u_n \quad \text{ou} \quad \sum_{n=1}^{\infty}(-1)^n u_n$$

c'est-à-dire une série où les signes alternent. On peut écrire :

$$u_1 - u_2 + u_3 - u_4 + \ldots + (-1)^{n+1}u_n + \ldots$$

ou encore :

$$-u_1 + u_2 - u_3 + u_4 - \ldots + (-1)^n u_n + \ldots$$

où chaque u_n est positif.

Pour les séries alternées, nous avons un critère de convergence fort simple connu sous l'appellation de théorème de Leibniz.

Théorème 7.1.1 (Théorème de Leibniz ou test de convergence des séries alternées)

Énoncé

Soit $\sum_{n=1}^{\infty}(-1)^{n+1}u_n$ ou $\sum_{n=1}^{\infty}(-1)^n u_n$ une série alternée et supposons que les termes u_n vont en décroissant à partir d'un certain n, c'est-à-dire $u_{n+1} \leq u_n$ pour toute valeur de n. Si $\lim_{n\to\infty} u_n = 0$, alors la série converge.

Preuve

L'illustration suivante aidera à suivre le raisonnement de la preuve.

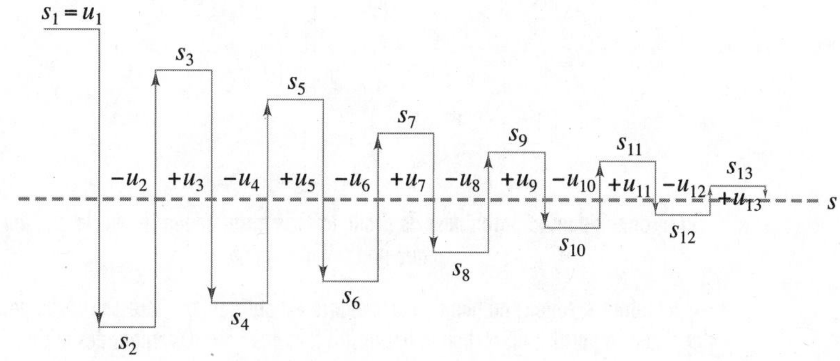

Considérons d'abord les sommes partielles paires :

$$s_{2n} = (u_1 - u_2) + (u_3 - u_4) + (u_5 - u_6) + \ldots + (u_{2n-1} - u_{2n})$$

Comme les termes vont en décroissant, il en résulte que chaque expression entre parenthèses est positive ou nulle. Donc, la suite $\{s_{2n}\}$ est croissante. Réécrivons cette somme partielle :

$$s_{2n} = u_1 - (u_2 - u_3) - (u_4 - u_5) - \ldots - (u_{2n-2} - u_{2n-1}) - u_{2n}$$

Les expressions entre parenthèses et le terme u_{2n} étant positifs ou nuls, on en tire que $s_{2n} < u_1$. Ainsi, la suite $\{s_{2n}\}$ est croissante et bornée supérieurement, donc elle converge vers une limite s.

$$\lim_{n\to\infty} s_{2n} = s$$

Considérons maintenant les sommes partielles impaires : $s_{2n+1} = s_{2n} + u_{2n+1}$

Alors : $\lim\limits_{n\to\infty} s_{2n+1} = \lim\limits_{n\to\infty} s_{2n} + \lim\limits_{n\to\infty} u_{2n+1} = s + 0 = s$

Les sommes partielles impaires convergent donc également vers s, ce qui veut dire que $\{s_n\}$ converge vers s, que n soit pair ou impair, et ainsi la série converge.

EXEMPLE

7.38

Montrer que la *série harmonique alternée* converge : $\sum_{n=1}^{\infty} (-1)^{n+1}\left(\frac{1}{n}\right)$

Solution

Cette série peut s'écrire $1 - \frac{1}{2} + \frac{1}{3} - \frac{1}{4} + \frac{1}{5} - \frac{1}{6} + \ldots + (-1)^{n+1}\left(\frac{1}{n}\right) + \ldots$

On a $u_{n+1} < u_n$ car $\frac{1}{n+1} < \frac{1}{n}$ et, de plus, $\lim\limits_{n\to\infty} u_n = \lim\limits_{n\to\infty} \frac{1}{n} = 0$

Donc, la série converge.

REMARQUE

Il est utile de remarquer que, dans le théorème de Leibniz, pour conclure à la convergence d'une série alternée, la condition de décroissance des termes est absolument nécessaire. Pour illustrer cette remarque, considérons la série :

$$\frac{1}{2} - \frac{1}{4} + \frac{1}{3} - \frac{1}{6} + \frac{1}{4} - \frac{1}{8} + \frac{1}{5} - \frac{1}{10} + \ldots$$

C'est une série alternée où le terme général tend vers 0, mais où les termes ne vont pas en décroissant. Or, cette série alternée diverge, comme on peut le constater en réécrivant ainsi :

$$\left(\frac{1}{2} - \frac{1}{4}\right) + \left(\frac{1}{3} - \frac{1}{6}\right) + \left(\frac{1}{4} - \frac{1}{8}\right) + \left(\frac{1}{5} - \frac{1}{10}\right) + \ldots$$
$$= \left(\frac{1}{4}\right) + \left(\frac{1}{6}\right) + \left(\frac{1}{8}\right) + \left(\frac{1}{10}\right) + \ldots$$
$$= \frac{1}{2}\left(\frac{1}{2} + \frac{1}{3} + \frac{1}{4} + \frac{1}{5} + \ldots\right)$$

On reconnaît dans la parenthèse de droite la série harmonique (moins le premier terme) que l'on sait divergente.

Toutefois, si cette condition de décroissance est absolument nécessaire, elle pourrait s'appliquer à partir d'un certain entier positif k et pas nécessairement dès le premier terme (théorème 7.3.5.1).

EXEMPLE

7.39

Étudier la convergence de la série $\sum_{n=1}^{\infty}(-1)^{n+1}\frac{n}{n+1}$.

Solution

C'est une série alternée dont les premiers termes sont :

$$\frac{1}{2}-\frac{2}{3}+\frac{3}{4}-\frac{4}{5}+\frac{5}{6}-\ldots+(-1)^{n+1}\frac{n}{n+1}+\ldots$$

Vérifions si les termes sont décroissants en comparant u_n et u_{n+1} :

$$u_n=\frac{n}{n+1} \qquad u_{n+1}=\frac{n+1}{n+2}$$

$$u_n=\frac{n\,(n+2)}{(n+1)\,(n+2)} \qquad u_{n+1}=\frac{(n+1)\,(n+1)}{(n+2)\,(n+1)}$$

$$u_n=\frac{n^2+2n}{(n+1)\,(n+2)} \qquad u_{n+1}=\frac{n^2+2n+1}{(n+2)\,(n+1)}$$

Il est clair que, pour tout $n \geq 1$, $u_{n+1} > u_n$. Ainsi, les termes ne sont pas décroissants et la série diverge. D'ailleurs, le terme général u_n ne tend pas vers 0.

EXEMPLE

7.40

Étudier la convergence de la série $\sum_{n=1}^{\infty}(-1)^{n}\frac{\ln n}{n}$.

Solution

Cette série alternée peut s'écrire $0+\frac{\ln 2}{2}-\frac{\ln 3}{3}+\frac{\ln 4}{4}-\frac{\ln 5}{5}+\ldots+(-1)^n\frac{\ln n}{n}$

Pour vérifier si les termes u_n vont en décroissant, considérons la fonction $f(x)=\frac{\ln x}{x}$.

La dérivée $f'(x)=\frac{1-\ln x}{x^2}$ est négative pour $x > e = 2{,}718\ldots$ Ainsi, les termes $u_n=\frac{\ln n}{n}$ sont décroissants pour $n \geq 3$. De plus, $\lim\limits_{n\to\infty}\frac{\ln n}{n}=\lim\limits_{n\to\infty}\frac{1/n}{1}=0$

Donc, la série converge.

REMARQUE

Remarquons que si l'on évalue approximativement la somme d'une série alternée convergente en considérant un nombre fini de termes, l'erreur commise ne peut excéder la valeur absolue du premier des termes négligés. Cette remarque se comprend bien si l'on regarde l'illustration du début de la preuve du théorème de Leibniz.

7.7.2 Séries à termes de signes quelconques

Considérons maintenant un cas un peu plus général que celui des séries alternées, soit celui des séries où les signes des termes sont tantôt positifs, tantôt négatifs, sans nécessairement alterner. Comme depuis le début du chapitre, nous noterons ces séries par :

$$\sum_{n=1}^{\infty}u_n$$

où l'on admettra cependant que u_n peut être positif ou négatif.

Les séries alternées font partie de la catégorie des séries à termes de signes quelconques, mais ce ne sont pas les seules. Par exemple, la série

$$\sin\frac{\pi}{4}+\frac{\sin(3\pi/4)}{3^2}+\frac{\sin(5\pi/4)}{5^2}+\frac{\sin(7\pi/4)}{7^2}+\frac{\sin(9\pi/4)}{9^2}+\frac{\sin(11\pi/4)}{11^2}+\ldots$$

est une série à termes de signes quelconques. En effet, si l'on remplace les sinus par leurs valeurs numériques, on obtient :

$$\frac{\sqrt{2}}{2}+\frac{\sqrt{2}}{2(3^2)}-\frac{\sqrt{2}}{2(5^2)}-\frac{\sqrt{2}}{2(7^2)}+\frac{\sqrt{2}}{2(9^2)}+\frac{\sqrt{2}}{2(11^2)}-\ldots$$

ce qui n'est pas une série alternée puisqu'on retrouve deux « + », deux « – », deux « + », …

Pour étudier la convergence d'une série à termes de signes quelconques, on étudie dans un premier temps la série des valeurs absolues.

Définition de la convergence absolue

La série $\sum_{n=1}^{\infty} u_n$ est dite *absolument convergente* si la série des valeurs absolues $\sum_{n=1}^{\infty} |u_n|$ est convergente.

Par exemple, la série alternée $\sum_{n=1}^{\infty}(-1)^{n+1}\left(\frac{1}{n^2}\right)$ dont les premiers termes sont

$$1-\frac{1}{4}+\frac{1}{9}-\frac{1}{16}+\frac{1}{25}-\ldots$$

est une série absolument convergente puisque la série $\sum_{n=1}^{\infty}\left(\frac{1}{n^2}\right)$, c'est-à-dire :

$$1+\frac{1}{4}+\frac{1}{9}+\frac{1}{16}+\frac{1}{25}+\ldots+\frac{1}{n^2}+\ldots$$

est convergente (série de Riemann où $p = 2$).

Le résultat qui suit, exprimé sous forme de théorème, explique pourquoi, face à une série à termes de signes quelconques, on étudie d'abord la série des valeurs absolues.

Théorème 7.7.2

Énoncé

Toute série absolument convergente est convergente.

Preuve

Considérons une série $\sum_{n=1}^{\infty} u_n$ absolument convergente, c'est-à-dire que $\sum_{n=1}^{\infty} |u_n|$ est convergente.

On a, pour tout n :

$$u_n \leq |u_n|$$

donc :

$$u_n + |u_n| \leq 2\ |u_n|$$

Puisque $\sum_{n=1}^{\infty} |u_n|$ est convergente, $\sum_{n=1}^{\infty} 2\ |u_n|$ est convergente.

Et par comparaison, $\sum_{n=1}^{\infty} (u_n + |u_n|)$ est convergente.

Maintenant, $u_n = (u_n + |u_n|) - |u_n|$ et $\sum_{n=1}^{\infty} u_n = \sum_{n=1}^{\infty}(u_n + |u_n|) - \sum_{n=1}^{\infty} |u_n|$.

On en conclut que $\sum_{n=1}^{\infty} u_n$ est convergente puisqu'elle est la différence de deux séries convergentes.

Cela complète la preuve.

EXEMPLE

7.41

Étudier la convergence de la série suivante.

$$\cos\frac{\pi}{3} + \frac{\cos(2\pi/3)}{2^2} + \frac{\cos(3\pi/3)}{3^2} + \frac{\cos(4\pi/3)}{4^2} + \frac{\cos(5\pi/3)}{5^2} + \ldots + \frac{\cos(n\pi/3)}{n^2} + \ldots$$

Solution

Considérons la série des valeurs absolues, c'est-à-dire la série $\sum_{n=1}^{\infty} \left| \frac{\cos(n\pi/3)}{n^2} \right|$.

C'est maintenant une série à termes positifs et nous étudions la convergence en utilisant le test de comparaison.

$$\left| \frac{\cos(n\pi/3)}{n^2} \right| \leq \frac{1}{n^2}$$

La série $\sum_{n=1}^{\infty} \frac{1}{n^2}$ est la série de Riemann où $p = 2$, donc elle converge.

Ainsi la série $\sum_{n=1}^{\infty} \left| \frac{\cos(n\pi/3)}{n^2} \right|$ converge.

Donc, la série $\sum_{n=1}^{\infty} \frac{\cos(n\pi/3)}{n^2}$ est absolument convergente. Par conséquent elle est convergente.

Comprenons bien le sens du dernier théorème; la convergence absolue implique la convergence, mais la réciproque n'est pas vraie, c'est-à-dire qu'une série peut être convergente sans être absolument convergente. C'est le cas de la série harmonique alternée

$$1 - \frac{1}{2} + \frac{1}{3} - \frac{1}{4} + \frac{1}{5} - \frac{1}{6} + \ldots$$

qui converge, alors que la série harmonique

$$1 + \frac{1}{2} + \frac{1}{3} + \frac{1}{4} + \frac{1}{5} + \frac{1}{6} + \ldots$$

diverge. Une telle série sera dite *conditionnellement convergente*.

Définition de la convergence conditionnelle

Si la série $\sum_{n=1}^{\infty} u_n$ est convergente et si la série des valeurs absolues $\sum_{n=1}^{\infty} |u_n|$ diverge, alors la série est dite *conditionnellement convergente* ou *semi-convergente*.

Bien sûr, les tests de convergence déjà donnés pour les séries à termes positifs restent utilisables pour les séries de valeurs absolues.

Tout cela suggère une procédure à suivre dans l'étude de la convergence des séries à termes de signes quelconques. D'abord, on vérifie si la série est absolument convergente. Si c'est le cas, la série est convergente et le problème est résolu. Sinon, on vérifie si la série à termes de signes quelconques converge; pour les séries alternées, on utilise le test de convergence des séries alternées (théorème de Leibniz). Si la série à termes de signes quelconques converge sans être absolument convergente, alors on dit qu'elle est conditionnellement convergente ou semi-convergente.

EXEMPLE 7.42

Étudier la convergence de la série $\sum_{n=1}^{\infty} (-1)^n \frac{3n}{4n^2-1}$.

Solution

Cette série peut s'écrire :

$$-1+\frac{6}{15}-\frac{9}{35}+\frac{12}{63}-\frac{15}{99}+\ldots+(-1)^n\;\frac{3n}{4n^2-1}+\ldots$$

Considérons la série des valeurs absolues

$$\sum_{n=1}^{\infty} \frac{3n}{4n^2-1}$$

Selon le test du polynôme, cette série diverge.

Considérons maintenant la série alternée :

$$|u_n| = \frac{3n}{4n^2-1} \qquad |u_{n+1}| = \frac{3(n+1)}{4(n+1)^2-1}$$

$$|u_n| = \frac{3n(4n^2+8n+3)}{(4n^2-1)(4n^2+8n+3)} \qquad |u_{n+1}| = \frac{(3n+3)(4n^2-1)}{(4n^2+8n+3)(4n^2-1)}$$

$$|u_n| = \frac{12n^3+24n^2+9n}{(4n^2-1)(4n^2+8n+3)} \qquad |u_{n+1}| = \frac{12n^3+12n^2-3n-3}{(4n^2+8n+3)(4n^2-1)}$$

On constate que $|u_{n+1}| < |u_n|$ et donc, les termes (en valeur absolue) vont en décroissant.

De plus :

$$\lim_{n\to\infty} |u_n| = \lim_{n\to\infty} \frac{3n}{4n^2-1} = \lim_{n\to\infty} \frac{3}{8n} = 0$$

Donc, la série alternée est convergente et comme la série des valeurs absolues diverge, la série originale est dite conditionnellement convergente ou semi-convergente.

7.7.3 Résumé des tests de convergence

Voici, sous forme de tableau aide-mémoire, un résumé des tests de convergence pour les séries à termes constants.

Séries à termes positifs	*Comparaison* : $u_n \leq v_n$ $\sum_{n=1}^{\infty} v_n$ converge $\Rightarrow$ $\sum_{n=1}^{\infty} u_n$ converge $\sum_{n=1}^{\infty} u_n$ diverge $\Rightarrow$ $\sum_{n=1}^{\infty} v_n$ diverge *D'Alembert* : Soit $\lim_{n\to\infty} \frac{u_{n+1}}{u_n} = r$. Si $r \begin{cases} <1 & \text{converge} \\ >1 & \text{diverge} \\ =1 & \text{non concluant} \end{cases}$ *Intégrale de Cauchy* : $\sum_{n=1}^{\infty} u_n$ et $\int_1^{\infty} f(x)\,dx$ où $f(n) = u_n$ convergent ou divergent ensemble. *Racine n^e de Cauchy* : Soit $\lim_{n\to\infty} \sqrt[n]{u_n} = r$. Si $r \begin{cases} <1 & \text{converge} \\ >1 & \text{diverge} \\ =1 & \text{non concluant} \end{cases}$ *Polynôme* : Soit $\sum_{n=1}^{\infty} \frac{P(n)}{Q(n)}$. Si $\begin{cases} q > p+1 & \text{converge} \\ q \leq p+1 & \text{diverge} \end{cases}$
Séries alternées	*Théorème de Leibniz* : $u_{n+1} \leq u_n$ et $\lim_{n\to\infty} u_n = 0 \quad \Rightarrow$ convergence
Séries à termes de signes quelconques	Si $\sum_{n=1}^{\infty} \lvert u_n \rvert$ converge, alors $\sum_{n=1}^{\infty} u_n$ converge absolument. Si $\sum_{n=1}^{\infty} \lvert u_n \rvert$ diverge et que $\sum_{n=1}^{\infty} u_n$ converge, alors $\sum_{n=1}^{\infty} u_n$ est semi-convergente ou conditionnellement convergente.

EXERCICES

7.8

Étudier la convergence des séries suivantes.

1. $\frac{1}{13}-\frac{2}{18}+\frac{3}{23}-\frac{4}{28}+\frac{5}{33}-\ldots$
2. $1+\frac{1}{4}+\frac{1}{9}-\frac{1}{16}-\frac{1}{25}-\frac{1}{36}+\frac{1}{49}+\frac{1}{64}+\frac{1}{81}-\ldots$
3. $\sum_{n=1}^{\infty}(-1)^n\frac{2n}{5n^2-4}$
4. $\sum_{n=1}^{\infty}(-1)^{n+1}\frac{\ln n}{n^2}$
5. $\sum_{n=1}^{\infty}(-1)^n\frac{n^3}{n!}$
6. $\sum_{n=1}^{\infty}(-1)^{n+1}\frac{2\times4\times6\times\ldots\times(2n)}{1\times5\times9\times\ldots\times(4n-3)}$
7. $\sum_{n=1}^{\infty}(-1)^n\left(\frac{3n+1}{5n+4}\right)$
8. $\sum_{n=1}^{\infty}(-1)^{n+1}\left(\frac{n^2}{n^3+1}\right)$
9. $\sum_{n=1}^{\infty}(-1)^{n-1}\left(\frac{n^2}{n!}\right)$
10. $\sum_{n=1}^{\infty}(-1)^n\left(\frac{1}{n(n+5)}\right)$
11. $\sum_{n=1}^{\infty}(-1)^n\left(\frac{3}{\sqrt{n+3}}\right)$
12. $1-\frac{2}{3}+\frac{4}{9}-\frac{8}{27}+\frac{16}{81}-\ldots$
13. $9-\frac{27}{2}+\frac{81}{6}-\frac{243}{24}+\frac{729}{120}-\ldots$
14. $-\sin1+\frac{\sin2}{2!}-\frac{\sin3}{3!}+\frac{\sin4}{4!}-\frac{\sin5}{5!}+\ldots$
15. $\ln1-\ln2+\ln3-\ln4+\ln5-\ldots$
16. $\frac{1}{\ln2}-\frac{1}{\ln3}+\frac{1}{\ln4}-\frac{1}{\ln5}+\frac{1}{\ln6}-\ldots$
17. $1-\frac{3}{9}+\frac{4}{28}-\frac{5}{65}+\frac{6}{126}-\ldots$
18. $\frac{1}{3}-\frac{2}{7}+\frac{3}{15}-\frac{4}{31}+\frac{5}{63}-\ldots$
19. $-\frac{1}{\sqrt{3}}+\frac{1}{\sqrt{8}}-\frac{1}{\sqrt{15}}+\frac{1}{\sqrt{24}}-\frac{1}{\sqrt{35}}+\ldots$
20. $\frac{1}{100}-\frac{2}{1\,000}+\frac{6}{10\,000}-\frac{24}{100\,000}+\frac{120}{1\,000\,000}-\ldots$
21. $\frac{1\times3}{3}-\frac{2\times4}{3^2}+\frac{3\times5}{3^3}-\frac{4\times6}{3^4}+\frac{5\times7}{3^5}-\ldots$
22. $\sum_{n=1}^{\infty}\frac{\sin(n\pi/3)}{n^3}$
23. $\sum_{n=1}^{\infty}(-1)^n\frac{n^4+1}{(2n+1)^4}$
24. $\sum_{n=1}^{\infty}(-1)^{n+1}n\left(\frac{3}{4}\right)^n$
25. $\sum_{n=1}^{\infty}(-1)^n\frac{\ln(n+1)}{(n+1)}$
26. $\frac{1}{2}-\frac{1}{2\times2^3}-\frac{1}{2\times3^3}+\frac{1}{2\times4^3}+\frac{1}{2\times5^3}+\frac{1}{2\times6^3}-\ldots$
    (NB : Un « + », deux « – », trois « + », quatre « – », ...)

7.9 Séries à termes variables

7.9.1 Définition

Nous avons examiné jusqu'ici des séries dont les termes étaient des nombres constants. Envisageons maintenant le cas où les termes d'une série peuvent être variables. Ce sont les séries à termes variables.

On appelle *série à termes variables* ou *série de fonctions* une série de la forme :

$$\sum_{n=1}^{\infty} u_n(x)$$

où $u_n(x)$ est une fonction de x.

Par exemple,

$$\sum_{n=1}^{\infty} nx = x + 2x + 3x + 4x + 5x + \ldots + nx + \ldots$$

est une série à termes variables. Si l'on donne à x la valeur 2, la série devient une série à termes constants :

$$\sum_{n=1}^{\infty} 2n = 2 + 4 + 6 + 8 + 10 + \ldots + 2n + \ldots$$

Si l'on donne à x la valeur $1/3$, la série devient une autre série à termes constants :

$$\sum_{n=1}^{\infty} \frac{n}{3} = \frac{1}{3} + \frac{2}{3} + \frac{3}{3} + \frac{4}{3} + \frac{5}{3} + \ldots + \frac{n}{3} + \ldots$$

Dans les deux cas, ce sont des séries divergentes, comme on peut facilement le vérifier (le terme général ne tend pas vers 0).

En considérant une série à termes variables et selon les valeurs que l'on donne à x, on obtient des séries à termes constants différentes qui peuvent converger ou diverger. Étudions par exemple la série à termes variables

$$\sum_{n=1}^{\infty} \frac{x^n}{n} = \frac{x}{1} + \frac{x^2}{2} + \frac{x^3}{3} + \frac{x^4}{4} + \frac{x^5}{5} + \ldots + \frac{x^n}{n} + \ldots$$

Si l'on fait $x = 2$, on obtient la série à termes constants

$$\sum_{n=1}^{\infty} \frac{2^n}{n} = \frac{2}{1} + \frac{2^2}{2} + \frac{2^3}{3} + \frac{2^4}{4} + \frac{2^5}{5} + \ldots + \frac{2^n}{n} + \ldots$$

Cette série est divergente, comme on peut le constater en utilisant le test de D'Alembert :

$$\lim_{n\to\infty} \frac{u_{n+1}}{u_n} = \lim_{n\to\infty} \frac{2^{n+1}}{n+1} \times \frac{n}{2^n} = \lim_{n\to\infty} \frac{2n}{n+1} = 2$$

Si l'on fait maintenant $x = 1/5$ dans cette même série à termes variables, on obtient la série à termes constants

$$\sum_{n=1}^{\infty} \frac{1}{n\,5^n} = \frac{1}{1\times 5} + \frac{1}{2\times 5^2} + \frac{1}{3\times 5^3} + \frac{1}{4\times 5^4} + \frac{1}{5\times 5^5} + \ldots + \frac{1}{n\times 5^n} + \ldots$$

Cette dernière série est convergente, comme on peut le vérifier en utilisant le test de D'Alembert :

$$\lim_{n\to\infty} \frac{u_{n+1}}{u_n} = \lim_{n\to\infty} \frac{1}{(n+1)\,5^{n+1}} \times n\,5^n = \lim_{n\to\infty} \frac{n}{5n+5} = \frac{1}{5}$$

EXEMPLE

7.43

Considérons la série à termes variables $\sum_{n=1}^{\infty} \frac{(x-2)^n}{n\,(2^n)}$.

a) Écrire les cinq premiers termes de cette série ;

b) Étudier la convergence lorsque $x = 1$;

c) Étudier la convergence lorsque $x = 5$.

Solution

a) $$\sum_{n=1}^{\infty} \frac{(x-2)^n}{n\,(2^n)} = \frac{(x-2)}{2} + \frac{(x-2)^2}{2\,(2^2)} + \frac{(x-2)^3}{3\,(2^3)} + \frac{(x-2)^4}{4\,(2^4)} + \frac{(x-2)^5}{5\,(2^5)} + \ldots$$

b) Si l'on fait $x = 1$, on obtient la série :

$$\sum_{n=1}^{\infty} \frac{(-1)^n}{n(2^n)} = -\frac{1}{2} + \frac{1}{2(2^2)} - \frac{1}{3(2^3)} + \frac{1}{4(2^4)} - \ldots + \frac{(-1)^n}{n(2^n)} + \ldots$$

Utilisons le théorème de Leibniz pour étudier la convergence de cette série alternée.

Puisque, pour tout $n \geq 1$, on a

$$(n+1)\,2^{n+1} > n(2^n)$$
$$\frac{1}{(n+1)\,2^{n+1}} < \frac{1}{n(2^n)}$$
$$u_{n+1} < u_n$$

et que $\lim_{n\to\infty} \frac{1}{n(2^n)} = 0$, la série est convergente.

c) Si l'on fait $x = 5$, on obtient la série :

$$\sum_{n=1}^{\infty} \frac{3^n}{n(2^n)} = \frac{3}{2} + \frac{3^2}{2(2^2)} + \frac{3^3}{3(2^3)} + \frac{3^4}{4(2^4)} + \ldots + \frac{3^n}{n(2^n)} + \ldots$$

Utilisons le test de D'Alembert.

$$\lim_{n\to\infty} \frac{u_{n+1}}{u_n} = \lim_{n\to\infty} \frac{3^{n+1}}{(n+1)\,2^{n+1}} \times \frac{n\,2^n}{3^n} = \lim_{n\to\infty} \frac{3n}{2(n+1)} = \frac{3}{2}$$

Donc, la série diverge.

7.9.2 Intervalle de convergence

À cette étape-ci, une question vient tout naturellement à l'esprit : pour quelles valeurs de x une série à termes variables devient-elle une série à termes constants convergente ?

L'ensemble des valeurs de x pour lesquelles la série à termes variables devient une série à termes constants convergente s'appelle l'*intervalle de convergence* de cette série. Pour déterminer cet intervalle de convergence, nous utiliserons principalement le test de D'Alembert. On peut utiliser les autres tests, comme celui de la racine n^e de Cauchy ou celui de l'intégrale, mais celui de D'Alembert s'avère être le plus commode, particulièrement dans le cas des séries de puissances et des séries entières que nous étudions dans la suite.

EXEMPLE 7.44

Déterminer l'intervalle de convergence de la série $\sum_{n=1}^{\infty} \frac{(x-2)^n}{n(2^n)}$.

Solution

Procédons avec le test de D'Alembert :

$$\lim_{n\to\infty} \left|\frac{u_{n+1}}{u_n}\right| = \lim_{n\to\infty} \left|\frac{(x-2)^{n+1}}{(n+1)(2^{n+1})} \times \frac{n(2^n)}{(x-2)^n}\right| = \lim_{n\to\infty} \left|\frac{(x-2)\,n}{(n+1)\,2}\right|$$
$$= |x-2| \lim_{n\to\infty} \left|\frac{n}{2(n+1)}\right| = |x-2| \times \frac{1}{2} = \frac{|x-2|}{2}$$

Notons ici que x demeure ce qu'il est lorsque $n \to \infty$.

Selon le test de D'Alembert, cette série converge lorsque

$$\frac{|x-2|}{2} < 1$$
$$|x-2| < 2$$
$$-2 < x-2 < 2$$
$$0 < x < 4$$

Pour les valeurs $x < 0$ ou $x > 4$, la série diverge. Pour les valeurs $x = 0$ et $x = 4$, le test de D'Alembert est non concluant. Pour ces deux valeurs de x, nous devons procéder autrement.

Pour $x = 0$, la série devient $\sum_{n=1}^{\infty} \frac{(-2)^n}{n\,(2^n)} = \sum_{n=1}^{\infty} \frac{(-1)^n\,(2^n)}{n\,(2^n)} = \sum_{n=1}^{\infty} \frac{(-1)^n}{n}$.

C'est la série harmonique alternée, donc elle converge.

Pour $x = 4$, la série devient $\sum_{n=1}^{\infty} \frac{2^n}{n\,(2^n)} = \sum_{n=1}^{\infty} \frac{1}{n}$.

C'est la série harmonique, donc elle diverge. Globalement, l'intervalle de convergence est $[0, 4\,[$.

REMARQUE

Si l'on pose la question : « Pourquoi utiliser des valeurs absolues avec le test de D'Alembert dans ce dernier exemple ? », c'est qu'on a oublié que x peut prendre toutes les valeurs réelles, donc qu'il peut prendre des valeurs qui font que le terme général de la série est négatif.

EXEMPLE

7.45

En utilisant le test de la racine n^e de Cauchy, déterminer l'intervalle de convergence de la série

$$\sum_{n=1}^{\infty} \frac{x^n}{5\,(3^n)}$$

Solution

Écrivons les premiers termes de cette série :

$$\frac{x}{5\,(3)} + \frac{x^2}{5\,(3^2)} + \frac{x^3}{5\,(3^3)} + \frac{x^4}{5\,(3^4)} + \frac{x^5}{5\,(3^5)} + \ldots + \frac{x^n}{5\,(3^n)} + \ldots$$

On a : $|u_n| = \left|\frac{x^n}{5\,(3^n)}\right|$. Évaluons $\lim_{n\to\infty} \sqrt[n]{|u_n|}$:

$$\lim_{n\to\infty} \sqrt[n]{|u_n|} = \lim_{n\to\infty} \sqrt[n]{\left|\frac{x^n}{5\,(3^n)}\right|} = \lim_{n\to\infty} \frac{|x|}{5^{1/n}\,(3)} = \frac{|x|}{3}$$

La série converge lorsque :

$$\frac{|x|}{3} < 1$$
$$|x| < 3$$
$$-3 < x < 3$$

La série diverge lorsque $x < -3$ ou $x > 3$. Pour les valeurs $x = -3$ et $x = 3$, le test de la racine n^e est non concluant. Considérons pour ces deux valeurs de x les séries à termes constants générées en remplaçant x par ces valeurs dans la série à termes variables.

Pour $x = -3$, la série devient $\sum_{n=1}^{\infty} \frac{(-3)^n}{5\,(3)^n} = \sum_{n=1}^{\infty} \frac{(-1)^n}{5}$. Cette série diverge par oscillation.

Pour $x = 3$, la série devient $\sum_{n=1}^{\infty} \frac{3^n}{5\,(3^n)} = \sum_{n=1}^{\infty} \frac{1}{5}$. Cette série diverge puisque le terme général ne tend pas vers 0.

Globalement, l'intervalle de convergence est $]-3, 3[$.

EXEMPLE

7.46

Étudier l'intervalle de convergence de la série à termes variables $\sum_{n=1}^{\infty} \frac{1+\sin nx}{n^2}$.

Solution

Pour toute valeur de x et pour tout $n \geq 1$, on a :

$$\left|\frac{1+\sin nx}{n^2}\right| \leq \frac{2}{n^2}$$

La série de Riemann $2\sum_{n=1}^{\infty} \frac{1}{n^2}$ est convergente, donc la série à termes variables est aussi convergente et ce, pour tout $x \in \mathbb{R}$.

Donc, l'intervalle de convergence est $\mathbb{R}$.

7.9.3 Séries de puissances et séries entières

Un cas particulier intéressant de séries à termes variables est la série de puissances.

Une série à termes variables de la forme

$$\sum_{n=0}^{\infty} a_n (x-b)^n$$

où b est une constante, de même que les coefficients a_n, s'appelle une *série de puissances*. Si, en particulier, $b = 0$, alors la série de puissances est de la forme :

$$\sum_{n=0}^{\infty} a_n\, x^n$$

et elle est dite *série entière* en x.

L'intervalle de convergence d'une série entière est simple à trouver si l'on admet le théorème suivant.

Théorème 7.9.3 (Théorème d'Abel)

Énoncé

Si une série entière converge pour une certaine valeur $x = c$, alors elle converge absolument pour toute valeur de x telle que $|x| < |c|$. Si la série diverge pour une certaine valeur $x = d$, alors elle diverge pour toute valeur de x telle que $|x| > |d|$.

Preuve

Soit $\sum_{n=0}^{\infty} a_n x^n$, une série entière qui converge lorsque $x = c$, c'est-à-dire $\sum_{n=0}^{\infty} a_n c^n$ est une série à termes constants qui converge.

Si cette série converge, le terme général $a_n\, c^n \to 0$ lorsque $n \to \infty$. La suite $\{a_n\, c^n\}$ est alors une suite convergente, donc bornée (théorème 7.1.4.2). Ainsi, il existe un nombre réel P tel que, pour tout n, $a_n\, c^n \leq P$.

La série des valeurs absolues

$$\sum_{n=0}^{\infty} \left|a_n x^n\right| = |a_0| + |a_1 x| + \left|a_2 x^2\right| + \left|a_3 x^3\right| + \left|a_4 x^4\right| + \ldots + \left|a_n x^n\right| + \ldots$$

peut s'écrire

$$|a_0| + |a_1 c|\left|\frac{x}{c}\right| + \left|a_2 c^2\right|\left|\frac{x}{c}\right|^2 + \left|a_3 c^3\right|\left|\frac{x}{c}\right|^3 + \ldots + \left|a_n c^n\right|\left|\frac{x}{c}\right|^n + \ldots$$

Cette série est inférieure à la série :

$$P + P\left|\frac{x}{c}\right| + P\left|\frac{x}{c}\right|^2 + P\left|\frac{x}{c}\right|^3 + \ldots + P\left|\frac{x}{c}\right|^n + \ldots$$

Cette dernière série est une série géométrique qui converge si $\left|\frac{x}{c}\right| < 1$, c'est-à-dire si $|x| < |c|$. Donc, la série des valeurs absolues converge et ainsi la série entière $\sum_{n=0}^{\infty} a_n x^n$ est absolument convergente pour toute valeur de x telle que $|x| < |c|$. Pour la deuxième partie du théorème, raisonnons par l'absurde. Supposons que la série entière $\sum_{n=0}^{\infty} a_n x^n$ diverge pour $x = d$. Si la série convergeait en un point x tel que $|x| > |d|$, alors selon la première partie du théorème, elle convergerait pour la valeur $x = d$, ce qui contredit l'hypothèse que la série diverge en $x = d$. Ainsi, nécessairement la série diverge pour $|x| > |d|$. Cela complète la preuve du théorème d'Abel.

EXEMPLE

7.47

Trouver l'intervalle de convergence de la série entière $\sum_{n=1}^{\infty} \frac{x^n}{n}$.

Solution

Selon le test de D'Alembert :

$$\lim_{n\to\infty}\left|\frac{u_{n+1}}{u_n}\right| = \lim_{n\to\infty}\left|\frac{x^{n+1}}{n+1} \times \frac{n}{x^n}\right| = |x| \lim_{n\to\infty}\left|\frac{n}{n+1}\right| = |x|$$

La série converge lorsque $|x| < 1$, c'est-à-dire lorsque $-1 < x < 1$. La série diverge pour $x < -1$ ou $x > 1$.

Pour $x = -1$, la série devient $\sum_{n=1}^{\infty} \frac{(-1)^n}{n}$. C'est la série harmonique alternée, donc elle est convergente.

Pour $x = 1$, la série devient $\sum_{n=1}^{\infty} \frac{1}{n}$. C'est la série harmonique, donc elle diverge.

Donc, l'intervalle de convergence est $[-1, 1[$.

Selon le théorème d'Abel, il est clair que l'intervalle de convergence d'une série entière sera un intervalle centré à l'origine et qui s'étendra sur une même distance de part et d'autre de l'origine. Cet intervalle aura l'une ou l'autre des formes suivantes.

$$[-r, r] \qquad]-r, r] \qquad [-r, r[\qquad]-r, r[$$

Dans tous les cas, r s'appelle le *rayon de convergence*. L'appartenance ou la non-appartenance des points $x = -r$ et $x = r$ à l'intervalle de convergence doit faire l'objet d'une étude particulière à chaque série. Généralement, on utilisera le test de D'Alembert pour déterminer le rayon de convergence et l'intervalle de convergence d'une série entière.

EXEMPLE

7.48

Trouver l'intervalle de convergence de la série entière $\sum_{n=1}^{\infty} \frac{n x^n}{1+n^2}$.

Solution

Selon le test de D'Alembert :

$$\lim_{n\to\infty}\left|\frac{u_{n+1}}{u_n}\right| = \lim_{n\to\infty}\left|\frac{(n+1)\,x^{n+1}}{1+(n+1)^2}\times\frac{1+n^2}{n\,x^n}\right| = |x|\lim_{n\to\infty}\left|\frac{(n+1)\,(1+n^2)}{(2+2n+n^2)\,n}\right|$$

$$= |x|\lim_{n\to\infty}\left|\frac{n^3+n^2+n+1}{n^3+2n^2+2n}\right| = |x|\times 1 = |x|$$

La série converge lorsque $|x| < 1$, c'est-à-dire lorsque $-1 < x < 1$. La série diverge pour $x < -1$ ou $x > 1$. Le rayon de convergence est donc $r = 1$.

Pour $x = -1$, la série devient $\sum_{n=1}^{\infty} \frac{(-1)^n\, n}{1+n^2}$. C'est une série alternée convergente car

$$\frac{n}{1+n^2} > \frac{n+1}{1+(n+1)^2} \text{ pour tout } n \geq 1 \text{ et } \lim_{n\to\infty} \frac{n}{1+n^2} = 0\,.$$

Pour $x = 1$, la série devient $\sum_{n=1}^{\infty} \frac{n}{1+n^2}$. C'est une série divergente selon le test du polynôme.

Globalement, l'intervalle de convergence est $[-1, 1[$.

Le cas d'une série de puissances de la forme suivante est tout aussi simple.

$$\sum_{n=0}^{\infty} a_n\,(x-b)^n$$

On se ramène à une série entière par une translation $y = x - b$. Cette série entière $\sum_{n=0}^{\infty} a_n\, y^n$ a un rayon de convergence r, de sorte que la série de puissances $\sum_{n=0}^{\infty} a_n\,(x-b)^n$ a aussi un rayon de convergence r et un intervalle de convergence centré au point $x = b$. Dans ce cas, l'intervalle de convergence aura l'une ou l'autre des formes suivantes.

$$[b-r, b+r] \qquad]b-r, b+r] \qquad [b-r, b+r[\qquad]b-r, b+r[$$

EXEMPLE 7.49

Trouver l'intervalle de convergence de la série de puissances $\sum_{n=1}^{\infty} \frac{n(x-3)^n}{5^n}$.

Solution

Selon le test de D'Alembert :

$$\lim_{n\to\infty}\left|\frac{u_{n+1}}{u_n}\right| = \lim_{n\to\infty}\left|\frac{(n+1)(x-3)^{n+1}}{5^{n+1}} \times \frac{5^n}{n(x-3)^n}\right| = \left|\frac{x-3}{5}\right| \lim_{n\to\infty}\left|\frac{n+1}{n}\right| = \left|\frac{x-3}{5}\right| \times 1 = \left|\frac{x-3}{5}\right|$$

La série converge lorsque $\left|\frac{x-3}{5}\right| < 1$, c'est-à-dire :

$$|x-3| < 5$$
$$-5 < x-3 < 5$$
$$-2 < x < 8$$

La série diverge lorsque $x < -2$ ou $x > 8$. Le rayon de convergence est $r = 5$.

Pour $x = -2$, la série devient $\sum_{n=1}^{\infty} \frac{n(-5)^n}{5^n} = \sum_{n=1}^{\infty} (-1)^n n$. Cette série diverge puisque le terme général ne tend pas vers 0.

Pour $x = 8$, la série devient $\sum_{n=1}^{\infty} \frac{n(5)^n}{5^n} = \sum_{n=1}^{\infty} n$. C'est une série arithmétique, donc elle diverge et l'intervalle de convergence est $]-2, 8[$.

EXEMPLE 7.50

Trouver l'intervalle de convergence de la série $\sum_{n=1}^{\infty} \frac{(n-1)(x-1)^n}{(n+1)!}$.

Solution

Selon le test de D'Alembert :

$$\lim_{n\to\infty}\left|\frac{u_{n+1}}{u_n}\right| = \lim_{n\to\infty}\left|\frac{n(x-1)^{n+1}}{(n+2)!} \times \frac{(n+1)!}{(n-1)(x-1)^n}\right| = |x-1| \lim_{n\to\infty}\left|\frac{n}{(n+2)(n-1)}\right| = |x-1|(0) = 0$$

Donc, la série converge sur $\mathbb{R}$.

NOTE historique

Niels Henrik Abel
1802-1829

Niels Henrik Abel est l'un des sept enfants d'un pasteur luthérien d'un petit village de Norvège. Il commence à fréquenter l'école à l'âge de 13 ans, mais il a la chance à l'âge de 16 ans d'avoir un professeur qui reconnaît son talent et qui croit qu'il a le potentiel pour devenir le plus grand mathématicien. À l'âge de 18 ans, son père meurt et il devient le soutien de sa famille. L'année suivante, il croit avoir résolu l'équation générale du cinquième degré par radicaux, problème que les mathématiciens cherchent à résoudre depuis deux siècles. En 1824, il découvre lui-même qu'il a commis une erreur et il démontre qu'une telle solution est impossible. À la même époque, il publie aussi des résultats importants qui auraient pu lui apporter la renommée et un poste de professeur. Malheureusement pour lui, ces travaux sont écrits en norvégien et les grands mathématiciens de l'heure publient en français ou en allemand. Il consacre deux ans à apprendre ces langues et décide ensuite de voyager dans les grandes villes d'Europe. À Berlin, il rencontre Auguste Leopold Crelle, un ingénieur allemand qui accepte de publier les textes d'Abel dans son journal mathématique. Paris s'avère très inhospitalier pour Abel. Aucun mathématicien ne porte attention à ce jeune étranger. Abel soumet un travail considérable sur les fonctions elliptiques à l'Académie des sciences de Paris. On en confie l'étude à Legendre et Cauchy. Le premier déclare qu'il ne peut déchiffrer l'écriture et le second prétend qu'il a égaré le texte. Après la mort d'Abel, ce travail est reconnu comme un chef-d'œuvre et il mérite à son auteur le grand prix de l'Académie. Il est publié seulement en 1841, plus de 12 ans après la mort d'Abel. Malgré plusieurs publications d'importance, Abel n'obtient aucune reconnaissance. En 1829, atteint de tuberculose, il retourne dans son pays natal où il meurt à l'âge de 26 ans. Deux jours après sa mort, Crelle lui envoie une lettre dans laquelle il lui annonce que l'université de Berlin lui offre un poste de professeur. Abel demeure le plus grand mathématicien norvégien et, si la maladie ne l'avait pas fauché à un si jeune âge, qui sait si son premier professeur de mathématiques n'aurait pas eu raison.

EXERCICES

7.10

1 Considérons la série à termes variables

$$\sum_{n=1}^{\infty} \frac{(x-3)^{2n}}{4^n}$$

a) Étudier la convergence lorsque $x = 0$.
b) Étudier la convergence lorsque $x = 2$.
c) Trouver l'intervalle de convergence.

Trouver l'intervalle de convergence des séries suivantes.

2 $\displaystyle\sum_{n=1}^{\infty} \frac{(x+2)^n}{n\,3^n}$

3 $\displaystyle\sum_{n=1}^{\infty} \left(\frac{x-1}{2}\right)^n$

4 $\displaystyle\sum_{n=1}^{\infty} \frac{\cos nx}{n^3}$

5 $\displaystyle\sum_{n=1}^{\infty} \left(\frac{5n}{2n+1}\right) x^n$

6 $\displaystyle\frac{(x-3)}{2} + \frac{2\,(x-3)^2}{5} + \frac{3\,(x-3)^3}{10} + \ldots + \frac{n\,(x-3)^n}{n^2+1} + \ldots$

7 $\sum_{n=1}^{\infty} \frac{7}{3\times 6\times 9\times \ldots \times (3n)} (x-2)^n$

8 $\sum_{n=1}^{\infty} \frac{(7x)^n}{(n-1)!}$

9 $\sum_{n=1}^{\infty} \frac{5^n \sin^n x}{n^2}$

10 Considérons la série à termes variables

$$\sum_{n=1}^{\infty} \frac{x^{2n}}{n\,2^n}$$

a) Si l'on donne à x la valeur $x = 1$, on obtient une série à termes positifs. Cette dernière série est-elle convergente ou divergente ?

b) Même question si l'on fait $x = 2$.

Trouver l'intervalle de convergence des séries à termes variables suivantes.

11 $\sum_{n=1}^{\infty} \frac{x^n}{4^n}$

12 $\sum_{n=1}^{\infty} \frac{(x+2)^n}{n}$

13 $\sum_{n=1}^{\infty} \frac{n\,(x-1)^n}{(n-1)!}$

14 $\sum_{n=1}^{\infty} \frac{(x+3)^n}{\sqrt{n}}$

15 $\sum_{n=1}^{\infty} \frac{n+2}{x^n}$

16 $\sum_{n=1}^{\infty} \left(\frac{2x-7}{x+3}\right)^n$

17 $\sum_{n=1}^{\infty} (-1)^n \frac{x^{2n+1}}{2n+3}$

18 $(2x+1) + \frac{(2x+1)^2}{2} + \frac{(2x+1)^3}{3} + \frac{(2x+1)^4}{4} + \ldots + \frac{(2x+1)^n}{n} + \ldots$

19 $\frac{x^2}{2} + \frac{x^4}{2\,(2^2)} + \frac{x^6}{3\,(2^3)} + \frac{x^8}{4\,(2^4)} + \ldots + \frac{x^{2n}}{n\,(2^n)} + \ldots$

20 $\frac{x^2}{1\times 3} - \frac{x^3}{2\times 4} + \frac{x^4}{3\times 5} - \frac{x^5}{4\times 6} + \frac{x^6}{5\times 7} - \ldots$

21 $\frac{x^2-1}{8^2} + \frac{(x^2-1)^2}{8^3} + \frac{(x^2-1)^3}{8^4} + \frac{(x^2-1)^4}{8^5} + \frac{(x^2-1)^5}{8^6} + \ldots$

7.11 Séries de MacLaurin et séries de Taylor

7.11.1 Séries de MacLaurin

Il est tout naturel de s'interroger sur l'utilité et le sens exact des séries de puissances et des séries entières. On peut se demander si les séries à termes variables sont des fonctions ou plutôt, à l'inverse, si les fonctions habituelles peuvent se représenter par des séries à termes variables. La réponse à cette question n'est pas simple. Nous pouvons cependant affirmer que, sous certaines conditions, les fonctions usuelles peuvent se représenter par des séries entières ou des séries de puissances.

Admettons que nous ayons une fonction $y = f(x)$ que l'on peut représenter par une série entière, c'est-à-dire :

$$f(x) = a_0 + a_1x + a_2x^2 + a_3x^3 + \ldots + a_nx^n + \ldots$$

Proposons-nous alors de déterminer les coefficients a_n de cette série. Faisons $x = 0$; alors, on a $a_0 = f(0)$. Dérivons la fonction et la série :

$$f'(x) = a_1 + 2a_2x + 3a_3x^2 + \ldots + na_nx^{n-1} + \ldots$$

et, faisons encore $x = 0$; alors on a $a_1 = f'(0)$. Dérivons à nouveau :

$$f''(x) = 2a_2 + 3 \times 2a_3x + 4 \times 3a_4x^2 + \ldots + n(n-1)a_nx^{n-2} + \ldots$$

Et, encore une fois, faisons $x = 0$; on obtient $a_2 = f''(0)/2$. Répétons le processus :

$$f'''(x) = 3 \times 2 \times 1a_3 + 4 \times 3 \times 2a_4x + \ldots + n(n-1)(n-2)a_nx^{n-3} + \ldots$$

Ainsi $a_3 = f'''(0)/3\,!$. Et, ainsi de suite; de façon générale, on trouve :

$$a_n = \frac{f^{(n)}(0)}{n!}$$

En reprenant l'équation première et en remplaçant les coefficients a_n par les valeurs que l'on vient de trouver, on a :

$$f(x) = f(0) + f'(0)\,x + \frac{f''(0)}{2!}x^2 + \frac{f'''(0)}{3!}x^3 + \ldots + \frac{f^{(n)}(0)}{n!}x^n + \ldots$$

C'est ce qu'on appelle un *développement en série de MacLaurin* d'une fonction $y = f(x)$.

Une telle série peut s'écrire dès que la fonction $y = f(x)$ est définie au point $x = 0$ et qu'elle a des dérivées de tout ordre en ce point. Cette série converge dans un certain rayon de convergence (que l'on sait calculer), mais il pourrait arriver qu'elle ne converge pas vers la fonction. Nous ne nous inquiéterons pas cependant de ces cas très particuliers.

EXEMPLE

7.51

Développer en série de MacLaurin la fonction $y = \dfrac{x}{1-x}$.

Solution

$$f(x) = \frac{x}{1-x} \qquad f(0) = 0$$

$$f'(x) = \frac{1}{(1-x)^2} \qquad f'(0) = 1$$

$$f''(x) = \frac{2}{(1-x)^3} \qquad f''(0) = 2$$

$$f'''(x) = \frac{2 \times 3}{(1-x)^4} \qquad f'''(0) = 2 \times 3 = 3\,!$$

$$f^{(4)}(x) = \frac{2 \times 3 \times 4}{(1-x)^5} \qquad f^{(4)}(0) = 2 \times 3 \times 4 = 4\,!$$

$$f^{(5)}(x) = \frac{2 \times 3 \times 4 \times 5}{(1-x)^6} \qquad f^{(5)}(0) = 5\,!$$

$$\ldots \qquad \ldots$$

Donc, selon la formule de la série de MacLaurin :

$$\frac{x}{1-x} = 0 + 1x + \frac{2}{2!}x^2 + \frac{3!}{3!}x^3 + \frac{4!}{4!}x^4 + \frac{5!}{5!}x^5 + \ldots$$

$$\frac{x}{1-x} = x + x^2 + x^3 + x^4 + x^5 + \ldots + x^n + \ldots$$

Déterminons l'intervalle de convergence en calculant

$$\lim_{n\to\infty}\left|\frac{u_{n+1}}{u_n}\right| = \lim_{n\to\infty}\left|\frac{x^{n+1}}{x^n}\right| = |x|$$

La série converge lorsque $|x| < 1$, soit pour $-1 < x < 1$.

Si $x = -1$, la série devient : $-1 + 1 - 1 + 1 - 1 + \ldots$ et, naturellement, elle diverge par oscillation. Si $x = 1$, la série devient : $1 + 1 + 1 + 1 + 1 + \ldots$ et, bien sûr, elle diverge. Notons que la fonction f n'est pas définie pour $x = 1$. Donc, la série de MacLaurin de cette fonction f converge sur $]-1, 1[$.

REMARQUE

Notons que dans ce dernier exemple on aurait pu obtenir le développement en série de MacLaurin en effectuant simplement la division polynomiale $x \div (1 - x)$. Il s'agit cependant d'un cas particulier et l'on ne peut en faire une méthode générale.

REMARQUE

Notons également que lors du développement d'une fonction en série de MacLaurin, nous nous assurerons toujours qu'elle converge et nous déterminerons l'intervalle de convergence.

EXEMPLE

7.52 Développer en série de MacLaurin la fonction $y = \ln(1 + x)$.

Solution

$$f(x) = \ln(1 + x) \qquad f(0) = 0$$

$$f'(x) = \frac{1}{1+x} \qquad f'(0) = 1$$

$$f''(x) = \frac{-1}{(1+x)^2} \qquad f''(0) = -1$$

$$f'''(x) = \frac{2}{(1+x)^3} \qquad f'''(0) = 2$$

$$f^{(4)}(x) = \frac{-2\times 3}{(1+x)^4} \qquad f^{(4)}(0) = -3\,!$$

$$f^{(5)}(x) = \frac{2\times 3\times 4}{(1+x)^5} \qquad f^{(5)}(0) = 4\,!$$

$$f^{(6)}(x) = \frac{-2\times 3\times 4\times 5}{(1+x)^6} \qquad f^{(6)}(0) = -5\,!$$

$$\ldots \qquad \ldots$$

On a :

$$\ln(1+x) = 0 + 1x + \frac{(-1)}{2!}x^2 + \frac{2}{3!}x^3 + \frac{(-3!)}{4!}x^4 + \frac{(4!)}{5!}x^5 + \frac{(-5!)}{6!}x^6 + \ldots$$

$$\ln(1+x) = x - \frac{x^2}{2} + \frac{x^3}{3} - \frac{x^4}{4} + \frac{x^5}{5} - \frac{x^6}{6} + \ldots + (-1)^{n+1}\frac{x^n}{n} + \ldots$$

Déterminons l'intervalle de convergence en calculant

$$\lim_{n\to\infty}\left|\frac{u_{n+1}}{u_n}\right| = \lim_{n\to\infty}\left|\frac{x^{n+1}}{n+1} \times \frac{n}{x^n}\right| = |x| \lim_{n\to\infty}\left|\frac{n}{n+1}\right| = |x|$$

La série converge lorsque $|x| < 1$, soit pour $-1 < x < 1$.

Si $x = -1$, la série devient :

$$-1 - \frac{1}{2} - \frac{1}{3} - \frac{1}{4} - \frac{1}{5} - \ldots$$

C'est la série harmonique négative, donc elle diverge.

Si $x = 1$, la série devient :

$$1 - \frac{1}{2} + \frac{1}{3} - \frac{1}{4} + \frac{1}{5} - \ldots$$

C'est la série harmonique alternée, donc elle converge. L'intervalle de convergence est donc]–1, 1].

7.11.2 Séries de Taylor

Dans certains cas, il ne sera pas possible, ou il ne sera pas commode, d'exprimer une fonction par une série de MacLaurin. Dans un tel cas, on pourra procéder à un développement en série de puissances de $x - a$. Le problème est tout à fait analogue à celui de la section précédente sauf que cette fois, on sera centré sur la valeur $x = a$.

Soit une fonction $y = f(x)$ qui peut être représentée par une série de puissances, c'est-à-dire :

$$f(x) = a_0 + a_1(x-a) + a_2(x-a)^2 + a_3(x-a)^3 + \ldots + a_n(x-a)^n + \ldots$$

Proposons-nous de déterminer les coefficients a_n de cette série. Faisons $x = a$; alors on trouve :

$$a_0 = f(a)$$

Dérivons la fonction et la série

$$f'(x) = a_1 + 2a_2(x-a) + 3a_3(x-a)^2 + \ldots + na_n(x-a)^{n-1} + \ldots$$

et, faisons encore $x = a$; on trouve : $a_1 = f'(a)$

Dérivons à nouveau :

$$f''(x) = 2a_2 + 3 \times 2a_3(x-a) + 4 \times 3a_4(x-a)^2 + \ldots + n(n-1)\, a_n\, (x-a)^{n-2} + \ldots$$

et, encore une fois, faisons $x = a$ pour trouver $a_2 = \dfrac{f''(a)}{2}$

Répétons le processus :

$$f'''(x) = 3 \times 2a_3 + 4 \times 3 \times 2a_4(x - a) + \ldots + n(n - 1)(n - 2)\, a_n\, (x - a)^{n-3} + \ldots$$

et, ainsi : $a_3 = \dfrac{f'''(a)}{3!}$

et ainsi de suite ; de façon générale, on trouve :

$$a_n = \frac{f^{(n)}(a)}{n!}$$

En reprenant l'équation première et en remplaçant les coefficients a_n par les valeurs que l'on vient de trouver, on a :

$$f(x) = f(a) + f'(a)\,(x - a) + \frac{f''(a)}{2!}(x - a)^2 + \ldots + \frac{f^{(n)}(a)}{n!}(x - a)^n + \ldots$$

C'est ce qu'on appelle un *développement en série de Taylor* d'une fonction $y = f(x)$.

REMARQUE

Il est clair qu'une série de MacLaurin est un cas particulier d'une série de Taylor où $a = 0$. L'avantage d'utiliser parfois une série de Taylor, c'est qu'elle converge beaucoup plus rapidement lorsque x est près de a.

EXEMPLE

7.53

Développer la fonction $f(x) = \dfrac{1}{x}$ en série de Taylor autour de $a = 1$.

Solution

Notons que cette fonction $f(x) = \dfrac{1}{x}$ ne peut se développer en série de MacLaurin puisque $f(0), f'(0), f''(0), \ldots, f^{(n)}(0), \ldots$ n'existent pas.

$$f(x) = \frac{1}{x} = x^{-1} \qquad f(1) = 1$$

$$f'(x) = -x^{-2} = \frac{-1}{x^2} \qquad f'(1) = -1$$

$$f''(x) = 2x^{-3} = \frac{2}{x^3} \qquad f''(1) = 2$$

$$f'''(x) = -2 \times 3x^{-4} = \frac{-3!}{x^4} \qquad f'''(1) = -3\,!$$

$$f^{(4)}(x) = 2 \times 3 \times 4x^{-5} = \frac{4!}{x^5} \qquad f^{(4)}(1) = 4\,!$$

$$f^{(5)}(x) = -2 \times 3 \times 4 \times 5x^{-6} = \frac{-5!}{x^6} \qquad f^{(5)}(1) = -5\,!$$

$$\ldots \qquad \ldots$$

Alors, selon la formule de la série de Taylor :

$$\frac{1}{x} = 1 + (-1)\,(x - 1) + \frac{2}{2!}(x - 1)^2 + \frac{(-3!)}{3!}(x - 1)^3 + \frac{4!}{4!}(x - 1)^4 + \frac{(-5!)}{5!}(x - 1)^5 + \ldots$$

$$\frac{1}{x} = 1 - (x - 1) + (x - 1)^2 - (x - 1)^3 + (x - 1)^4 - (x - 1)^5 + \ldots + (-1)^{n+1}(x - 1)^{n-1} + \ldots$$

Déterminons l'intervalle de convergence en calculant

$$\lim_{n\to\infty}\left|\frac{u_{n+1}}{u_n}\right| = \lim_{n\to\infty}\left|\frac{(x-1)^n}{(x-1)^{n-1}}\right| = |x-1|$$

La série converge lorsque $|x-1|<1$, c'est-à-dire $0 < x < 2$.

Si $x = 0$ la série devient $1 + 1 + 1 + 1 + 1 + \ldots$, donc elle diverge.

Si $x = 2$, la série devient $1 - 1 + 1 - 1 + 1 - 1 + \ldots$, donc elle diverge.

Globalement, la série converge pour $x \in \,]\, 0, 2\, [$.

NOTE *historique*

Colin MacLaurin
1698-1746

Colin MacLaurin est né à Kilmodan en Écosse en 1698. Orphelin de père à l'âge de deux mois, il perd sa mère à l'âge de neuf ans. Un de ses oncles prend en charge son éducation. Très jeune, il démontre des qualités remarquables pour l'étude des mathématiques. À l'âge de 19 ans, il devient professeur dans un collège d'Aberdeen et en 1725, il devient professeur à l'Université d'Édimbourg. On le considère comme le plus brillant mathématicien britannique de la génération qui a suivi celle de Newton. Il est d'ailleurs un disciple et un grand admirateur de Newton. En 1720, il publie Geometrica organica, *une étude sur les coniques, cubiques et autres courbes. En 1742, en réponse aux attaques de Berkeley relatives au manque de rigueur et de fondement des méthodes de Newton, MacLaurin veut défendre ce dernier et publie son* Traité des fluxions, *un exposé rigoureux et systématique du calcul différentiel et intégral. C'est dans cet ouvrage qu'on retrouve le développement en série auquel le nom de MacLaurin est resté attaché. Il faut dire que Brook Taylor avait déjà présenté une idée semblable dans une publication antérieure. MacLaurin a aussi écrit un* Traité d'algèbre *qui fut publié en 1748, deux ans après sa mort.*

EXERCICES

7.12

1 Développer la fonction $y = e^x$ en série de MacLaurin.

2 Développer la fonction $y = \sin x$ en série de MacLaurin.

3 Développer la fonction $y = (1 + x)^{3/2}$ en série de MacLaurin.

4 Développer la fonction $y = \ln x$ en série de Taylor autour de $a = 1$.

5 Développer la fonction $y = \sqrt{x}$ en série de Taylor autour de $a = 4$.

Développer en série de MacLaurin les fonctions suivantes et déterminer l'intervalle de convergence.

6 a) $f(x) = \dfrac{1}{1+x}$

b) $f(x) = \dfrac{1}{1+x^2}$

7 $f(x) = \cos x$

8 $f(x) = e^{-x}$

9 $f(x) = e^{x^2}$

⑩ $f(x) = \dfrac{1}{x+5}$

Développer en série de Taylor autour de la valeur « a » donnée les fonctions suivantes et déterminer l'intervalle de convergence.

⑪ $f(x) = e^x$; $a = 2$

⑫ $f(x) = \sqrt{x}$; $a = 1$

⑬ $f(x) = \ln x$; $a = 3$

⑭ $f(x) = \sin x$; $a = \dfrac{\pi}{4}$

⑮ $f(x) = \cos x$; $a = \dfrac{\pi}{3}$

7.13 Calculs à l'aide de séries

Si l'on identifie certaines fonctions à des séries entières ou à des séries de puissances, c'est que, dans certaines circonstances, les séries remplacent avantageusement les fonctions.

7.13.1 Calculs numériques

Une des principales utilisations des développements de fonctions en séries de MacLaurin et de Taylor est le calcul numérique de certaines expressions. Voici quelques exemples.

EXEMPLE 7.54

En utilisant le développement en série de l'exercice 1 de la section 7.12, calculer e.

Solution

Le développement en série est le suivant.

$$e^x = 1 + x + \frac{x^2}{2!} + \frac{x^3}{3!} + \frac{x^4}{4!} + \frac{x^5}{5!} + \ldots + \frac{x^{n-1}}{(n-1)!} + \ldots$$

et cette série converge sur $\mathbb{R}$.

Pour obtenir e, c'est-à-dire e^1, il suffit de remplacer x par 1 et de calculer un nombre suffisant de termes selon la précision voulue.

$$e = 1 + 1 + \frac{1}{2!} + \frac{1}{3!} + \frac{1}{4!} + \frac{1}{5!} + \frac{1}{6!} + \frac{1}{7!} + \frac{1}{8!} + \frac{1}{9!} + \frac{1}{10!} + \ldots$$

$$e = 1 + 1 + 0{,}5 + 0{,}16666 + 0{,}04166 + 0{,}00833 + 0{,}00138 + 0{,}00019 + 0{,}00002 + 0{,}00000\ldots$$

$$e = 2{,}7182\ldots$$

EXEMPLE 7.55

En utilisant le développement en série de l'exemple 7.52, calculer ln 2.

Solution

Le développement en série est le suivant.

$$\ln(1+x) = x - \frac{x^2}{2} + \frac{x^3}{3} - \frac{x^4}{4} + \frac{x^5}{5} - \frac{x^6}{6} + \ldots + (-1)^{n+1}\,\frac{x^n}{n} + \ldots$$

et cette série converge pour $x \in\,]-1, 1]$.

Pour obtenir ln 2, soit ln (1 + 1), il suffit de remplacer x par 1 et de calculer un nombre suffisant de termes selon la précision voulue :

$$\ln 2 = 1 - \frac{1}{2} + \frac{1}{3} - \frac{1}{4} + \frac{1}{5} - \frac{1}{6} + \frac{1}{7} - \frac{1}{8} + \frac{1}{9} - \frac{1}{10} + \frac{1}{11} - \frac{1}{12} + \ldots$$

$$\ln 2 = 1 - 0{,}5 + 0{,}3333 - 0{,}2500 + 0{,}2000 - 0{,}1666 + 0{,}1428 - 0{,}1250 + 0{,}1111 - 0{,}1000 + 0{,}0909 - 0{,}0833 + \ldots$$

$$\ln 2 = 0{,}693\ldots$$

REMARQUE

Par ces deux derniers exemples, on se rend compte que, dans certains cas, des séries convergent rapidement alors que, dans d'autres cas, bien que la série converge, il faut inclure beaucoup de termes pour avoir la précision souhaitée. Pour être utile, une série doit converger rapidement. Évidemment, on ne peut utiliser une série de MacLaurin ou de Taylor que dans son intervalle de convergence. Mais, si l'on veut que cette série converge assez rapidement, il faut travailler aussi près que possible du centre de l'intervalle de convergence, c'est-à-dire de 0 dans le cas des séries de MacLaurin et de *a* dans le cas des séries de Taylor. Bref, il faut que *x*, dans les séries de MacLaurin, ou *x* – *a*, dans les séries de Taylor, soient petits pour que la série converge rapidement. On choisira donc une série de MacLaurin ou de Taylor selon que l'on est près ou loin de l'origine *x* = 0.

EXEMPLE

7.56 À l'aide d'une série appropriée, calculer sin 65°.

Solution

On cherche $\sin 65° = \sin(60° + 5°) = \sin\left(\frac{\pi}{3} + \frac{\pi}{36}\right)$.

Pour avoir une série qui converge rapidement, développons la fonction $y = \sin x$ en série de Taylor autour de $a = \pi/3$.

$$\begin{array}{ll} f(x) = \sin x & f(\pi/3) = \sqrt{3}/2 \\ f'(x) = \cos x & f'(\pi/3) = 1/2 \\ f''(x) = -\sin x & f''(\pi/3) = -\sqrt{3}/2 \\ f'''(x) = -\cos x & f'''(\pi/3) = -1/2 \\ f^{(4)}(x) = \sin x & f^{(4)}(\pi/3) = \sqrt{3}/2 \\ f^{(5)}(x) = \cos x & f^{(5)}(\pi/3) = 1/2 \\ \ldots & \ldots \end{array}$$

Ainsi :

$$\sin x = \frac{\sqrt{3}}{2} + \frac{1}{2}\left(x - \frac{\pi}{3}\right) - \frac{\sqrt{3}}{2}\frac{(x-(\pi/3))^2}{2!} - \frac{1}{2}\frac{(x-(\pi/3))^3}{3!} + \ldots \pm \left(\frac{\sqrt{3}}{2} \text{ ou } \frac{1}{2}\right)\frac{(x-(\pi/3))^{n-1}}{(n-1)!} + \ldots$$

Cette série converge sur $\mathbb{R}$, comme on peut le vérifier par le test de D'Alembert :

$$\lim_{n\to\infty}\left|\frac{u_{n+1}}{u_n}\right| = \lim_{n\to\infty}\left|\frac{\pm\left(\frac{\sqrt{3}}{2} \text{ ou } \frac{1}{2}\right)\left(x-\frac{\pi}{3}\right)^n}{n!} \times \frac{(n-1)!}{\pm\left(\frac{\sqrt{3}}{2} \text{ ou } \frac{1}{2}\right)\left(x-\frac{\pi}{3}\right)^{n-1}}\right| = \lim_{n\to\infty}\left|\frac{\pm\left(\frac{\sqrt{3}}{2} \text{ ou } \frac{1}{2}\right)}{\pm\left(\frac{\sqrt{3}}{2} \text{ ou } \frac{1}{2}\right)} \times \frac{\left(x-\frac{\pi}{3}\right)}{n}\right| = 0$$

Pour obtenir $\sin 65° = \sin\left(\frac{\pi}{3}+\frac{\pi}{36}\right)$, on remplace x par $\frac{\pi}{3}+\frac{\pi}{36}$, c'est-à-dire $x-\frac{\pi}{3}$ par $\frac{\pi}{36}$.

Alors :

$$\sin 65° = \frac{\sqrt{3}}{2}+\frac{1}{2}\left(\frac{\pi}{36}\right)-\frac{\sqrt{3}}{2}\frac{(\pi/36)^2}{2!}-\frac{1}{2}\frac{(\pi/36)^3}{3!}+\frac{\sqrt{3}}{2}\frac{(\pi/36)^4}{4!}+\ldots$$

$$\sin 65° = 0{,}8660+0{,}0436-0{,}0033-0{,}0001+0{,}0000+\ldots$$

$$\sin 65° = 0{,}9062\ldots$$

REMARQUE

Dans ce dernier exemple, on constate que le fait de choisir un développement en série de Taylor autour de $\pi/3$ donne une série qui converge rapidement.

7.13.2 Opérations sur les séries

Admettons que, dans leurs intervalles de convergence, on peut additionner, soustraire, multiplier, diviser, dériver et intégrer des séries entières ou des séries de puissances. Les détails rigoureux et l'analyse mathématique liés à ces résultats se situent bien au-delà des objectifs du présent texte.

Dès lors, on peut créer et utiliser des développements en séries pour effectuer, notamment, l'approximation de certaines intégrales définies, particulièrement dans les cas où la primitive s'avère difficile ou même impossible à trouver.

EXEMPLE

7.57 Trouver un développement en série de MacLaurin de la fonction $y = e^x + \sin x$.

Solution

Utilisons les résultats déjà connus des exercices 1 et 2 de la section 7.12 :

$$e^x = 1+x+\frac{x^2}{2!}+\frac{x^3}{3!}+\frac{x^4}{4!}+\frac{x^5}{5!}+\ldots+\frac{x^{n-1}}{(n-1)!}+\ldots$$

$$\sin x = x-\frac{x^3}{3!}+\frac{x^5}{5!}-\frac{x^7}{7!}+\frac{x^9}{9!}-\ldots+(-1)^{n+1}\frac{x^{2n-1}}{(2n-1)!}+\ldots$$

Pour trouver le développement en série de MacLaurin de la fonction $y = e^x + \sin x$, il suffit d'additionner ces deux séries :

$$e^x+\sin x = 1+2x+\frac{x^2}{2!}+\frac{x^4}{4!}+\frac{2x^5}{5!}+\frac{x^6}{6!}+\frac{x^8}{8!}+\frac{2x^9}{9!}+\frac{x^{10}}{10!}+\frac{x^{12}}{12!}+\ldots+k\frac{x^{n-1}}{(n-1)!}+\ldots$$

$$\text{où } k = \begin{cases} 0 & \text{si } n-1 \text{ est de la forme } 4p-1 \text{ où } p\in\mathbb{N}^* \\ 1 & \text{si } n-1 \text{ est de la forme } 4p \text{ ou } 4p-2 \text{ où } p\in\mathbb{N}^* \\ 2 & \text{si } n-1 \text{ est de la forme } 4p-3 \text{ où } p\in\mathbb{N}^* \end{cases}$$

L'intervalle de convergence est $\mathbb{R}$ puisque les deux séries de e^x et de $\sin x$ convergent sur $\mathbb{R}$.

REMARQUE

Dans ce genre de situation, l'expression du terme général est parfois complexe ou même indéchiffrable. La série n'en demeure pas moins utilisable dans son intervalle de convergence. Il suffit de considérer alors un nombre suffisant de termes.

EXEMPLE

7.58

Évaluer $\int_0^1 \frac{\sin x}{1+x}dx$.

Solution

Partons du développement de sin x en série de MacLaurin :

$$\sin x = x - \frac{x^3}{3!} + \frac{x^5}{5!} - \frac{x^7}{7!} + \frac{x^9}{9!} - \ldots$$

$$\sin x = x - \frac{x^3}{6} + \frac{x^5}{120} - \frac{x^7}{5\,040} + \frac{x^9}{362\,880} - \ldots$$

Effectuons la division polynomiale par $1 + x$.

On obtient :

$$\frac{\sin x}{1+x} = x - x^2 + \frac{5x^3}{6} - \frac{5x^4}{6} + \frac{101}{120}x^5 - \frac{101}{120}x^6 + \frac{4\,241}{5\,040}x^7 - \frac{4\,241}{5\,040}x^8 + \frac{305\,353}{362\,880}x^9 - \frac{305\,353}{362\,880}x^{10} + \ldots$$

Le terme général est pratiquement indéchiffrable.

Intégrons :

$$\int \frac{\sin x}{1+x}dx = \frac{x^2}{2} - \frac{x^3}{3} + \frac{5x^4}{24} - \frac{x^5}{6} + \frac{101x^6}{720} - \frac{101x^7}{840} + \frac{4\,241x^8}{40\,320} - \frac{4\,241x^9}{45\,360} + \frac{305\,353x^{10}}{3\,628\,800} - \frac{305\,353x^{11}}{3\,991\,680} + \ldots$$

Évaluons l'intégrale définie :

$$\int_0^1 \frac{\sin x}{1+x}dx = \frac{1}{2} - \frac{1}{3} + \frac{5}{24} - \frac{1}{6} + \frac{101}{720} - \frac{101}{840} + \frac{4\,241}{40\,320} - \frac{4\,241}{45\,360} + \frac{305\,353}{3\,628\,800} - \frac{305\,353}{3\,991\,680} + \ldots$$

$$\int_0^1 \frac{\sin x}{1+x}dx \cong 0{,}247\ldots$$

REMARQUE

Dans l'exemple précédent, il faudrait utiliser plusieurs termes pour obtenir assez de précision. Avec la méthode de Simpson, on vérifie que le résultat est 0,284 …

Brook Taylor
1685-1731

Ce mathématicien anglais fut l'un des grands admirateurs de Newton. En 1712, il devint membre de la Royal Society dont il sera le secrétaire un peu plus tard. Sa plus célèbre publication est Methodus incrementorum directa et inversa *(1715), ouvrage dans lequel il présente une nouvelle branche des mathématiques, le calcul des différences finies. C'est également dans cet ouvrage qu'on retrouve le développement en série auquel son nom est resté rattaché. Il semble cependant que bien avant lui, James Gregory et même Jean Bernoulli connaissait ces développements en série. Taylor ignorait toutefois ce fait. C'est aussi à Taylor qu'on doit l'intégration par parties. Il s'est aussi intéressé à la physique, à la philosophie, à la musique et à la peinture. En 1719, il démissionna de son poste de secrétaire de la Royal Society et il abandonna l'étude des mathématiques.*

EXERCICES

1 En utilisant une série de MacLaurin, calculer sin 10°.

2 En utilisant le développement en série de l'exercice 4 de la section 7.12, évaluer

$$\ln\frac{3}{2}$$

3 À l'aide d'une série appropriée, calculer cos 31°.

4 Trouver un développement en série de MacLaurin pour la fonction $y = e^x \sin x$.

5 Évaluer $\int_0^{\pi/2} \frac{\sin x}{x}\,dx$.

En utilisant les développements en série de MacLaurin connus, trouver une série entière pour représenter les fonctions suivantes.

6 $f(x) = e^{3x}$

7 $f(x) = \dfrac{e^x + e^{-x}}{2}$

8 $f(x) = \cos 3x$

9 $f(x) = \dfrac{e^x - e^{-x}}{2}$

10 $f(x) = \sin x + \cos x$

11 $f(x) = \tan x$

12 $f(x) = \sec x$

13 $f(x) = \dfrac{x}{x+5}$

En utilisant un développement en série approprié, évaluer numériquement (Précision : cinq décimales) :

14 e^2

15 cos 5°

16 $e^{-1} = \dfrac{1}{e}$

17 $\dfrac{1}{6}$

18 $e + e^{-1}$

19 $e - e^{-1}$

20 sin 20° + cos 20°

21 tan 9°

22 sec 10°

23 $\dfrac{2}{7}$

24 $\int_0^1 \dfrac{dx}{x+5}$

25 $\int_0^1 e^{x^2}\,dx$

26 $\int_0^{1/2} x \sec x\,dx$

27 $\int_{1/2}^1 \dfrac{e^x}{x}\,dx$

En utilisant un développement en série approprié, évaluer numériquement (Précision : cinq décimales) :

28 e^3

29 $\sqrt{1{,}2}$

30 ln 3,5

31 sin 50°

32 cos 50°

33 À partir du développement en série de MacLaurin de l'exercice 6a de la section 7.12, trouver un développement en série de MacLaurin pour la fonction

$$f(x) = \ln(1+x)$$

34 À partir du développement en série de MacLaurin de l'exercice 6b de la section 7.12, trouver d'abord un développement en série de MacLaurin pour la fonction $f(x) = \arctan x$, évaluer ensuite l'intégrale

$$\int_0^1 \frac{dx}{1+x^2}$$

et en déduire le calcul de π.

RÉVISION 7.15

EXERCICES

Pour les numéros 1 à 20, on donne les cinq premiers termes d'une suite. Dans chaque cas :

a) trouver le terme général;
b) dire si la suite converge;
c) étudier la croissance ou la décroissance;
d) trouver, s'il y a lieu, les bornes.

1. $\frac{1}{2}, \frac{4}{5}, 1, \frac{8}{7}, \frac{5}{4}, \ldots$

2. $0, \frac{3}{2}, \frac{8}{3}, \frac{15}{4}, \frac{24}{5}, \ldots$

3. $\frac{5}{2}, \frac{7}{3}, \frac{9}{4}, \frac{11}{5}, \frac{13}{6}, \ldots$

4. $2, \frac{7}{3}, \frac{5}{2}, \frac{13}{5}, \frac{8}{3}, \ldots$

5. $-\frac{1}{2}, -1, -\frac{5}{4}, -\frac{7}{5}, -\frac{3}{2}, \ldots$

6. $\frac{2}{3}, 2, 4, \frac{20}{3}, 10, \ldots$

7. $1, \frac{6}{11}, \frac{1}{3}, \frac{8}{35}, \frac{9}{53}, \ldots$

8. $\frac{e}{5}, \frac{e^2}{12}, \frac{e^3}{31}, \frac{e^4}{68}, \frac{e^5}{129}, \ldots$

9. $3, \frac{9}{4}, \frac{27}{16}, \frac{81}{64}, \frac{243}{256}, \ldots$

10. $\frac{1}{2}, \frac{2}{3}, \frac{3}{4}, \frac{4}{5}, \frac{5}{6}, \ldots$

11. $\frac{1}{3}, \frac{1}{3}, \frac{3}{11}, \frac{2}{9}, \frac{5}{27}, \ldots$

12. $\frac{3}{2}, 2, \frac{9}{4}, \frac{12}{5}, \frac{5}{2}, \ldots$

13. $-2, 4, -8, 16, -32, \ldots$

14. $2, \sqrt{5}, \sqrt{6}, \sqrt{7}, 2\sqrt{2}, \ldots$

15. $2, \sqrt{2}, \sqrt[3]{2}, \sqrt[4]{2}, \sqrt[5]{2}, \ldots$

16. $3, \frac{9}{2}, \frac{9}{2}, \frac{27}{8}, \frac{81}{40}, \ldots$

17. $\frac{1}{2}, 1, \frac{9}{8}, 1, \frac{25}{32}, \ldots$

18. $0, \frac{\ln 2}{2}, \frac{\ln 3}{3}, \frac{\ln 4}{4}, \frac{\ln 5}{5}, \ldots$

19. $2, \left(\frac{3}{2}\right)^2, \left(\frac{4}{3}\right)^3, \left(\frac{5}{4}\right)^4, \left(\frac{6}{5}\right)^5, \ldots$

20. $0, 0, \frac{\ln 3}{9}, \frac{2\ln 4}{16}, \frac{3\ln 5}{25}, \ldots$

Pour les numéros 21 à 50, étudier la convergence de la série à termes constants.

21. $\sum_{n=1}^{\infty} 4\left(\frac{2}{3}\right)^n$

22. $\sum_{n=1}^{\infty} \frac{n^2 - 2n}{n^3 + n + 5}$

23. $\sum_{n=1}^{\infty} \frac{7^n}{n!}$

24. $\sum_{n=1}^{\infty} \left(\frac{2n-1}{3n+4}\right)^n$

25. $\sum_{n=1}^{\infty} \frac{2}{n^{3/2} + 1}$

26. $\sum_{n=1}^{\infty} \frac{(-1)^{n+1} n}{2^n}$

27. $\sum_{n=1}^{\infty} \frac{(-1)^n n}{n^2 + 3n}$

28. $\sum_{n=1}^{\infty} \frac{4}{\sqrt{n+1}}$

29. $\sum_{n=1}^{\infty} \frac{5n+1}{(n-1)(n^2+3)}$

30. $\sum_{n=1}^{\infty} \frac{(-1)^{n+1}}{3n-2}$

31. $\frac{1}{1001} + \frac{2}{1004} + \frac{3}{1009} + \frac{4}{1016} + \frac{5}{1025} + \ldots$

32. $1 + \frac{4}{2!} + \frac{9}{3!} + \frac{16}{4!} + \frac{25}{5!} + \ldots$

33. $\frac{1}{3} + \frac{2}{3^2} + \frac{3}{3^3} + \frac{4}{3^4} + \frac{5}{3^5} + \ldots$

34. $\frac{1}{\sqrt{5}} + \frac{1}{\sqrt{7}} + \frac{1}{3} + \frac{1}{\sqrt{11}} + \frac{1}{\sqrt{13}} + \ldots$

35. $-\frac{1}{9} + \frac{1}{13} + \frac{3}{19} + \frac{5}{27} + \frac{7}{37} + \ldots$

36 $\frac{1}{2}+\frac{1}{2}+\frac{3}{8}+\frac{1}{4}+\frac{5}{32}+\ldots$

37 $1-2+\frac{3}{2}-\frac{2}{3}+\frac{5}{24}-\ldots$

38 $\frac{2}{3}+1+\frac{6}{5}+\frac{4}{3}+\frac{10}{7}+\ldots$

39 $1+\frac{2}{2!}+\frac{3}{3!}+\frac{4}{4!}+\frac{5}{5!}+\ldots$

40 $-1+\frac{4}{11}-\frac{3}{13}+\frac{8}{47}-\frac{5}{37}+\ldots$

41 $\frac{1}{2}+\frac{2}{3}+\frac{3}{8}+\frac{2}{15}+\frac{5}{144}+\ldots$

42 $6-\frac{27}{2}+18-\frac{135}{8}+\frac{243}{20}-\ldots$

43 $\frac{5}{2}+\frac{7}{6}+\frac{3}{4}+\frac{11}{20}+\frac{13}{30}+\ldots$

44 $\frac{\sin 2}{2}+\frac{\sin 3}{5}+\frac{\sin 4}{10}+\frac{\sin 5}{17}+\frac{\sin 6}{26}+\ldots$

45 $\frac{1}{3}+\frac{1\times 3}{3\times 6}+\frac{1\times 3\times 5}{3\times 6\times 9}+\frac{1\times 3\times 5\times 7}{3\times 6\times 9\times 12}+\frac{1\times 3\times 5\times 7\times 9}{3\times 6\times 9\times 12\times 15}+\ldots$

46 $\frac{5}{7}+2\left(\frac{5}{7}\right)^2+3\left(\frac{5}{7}\right)^3+4\left(\frac{5}{7}\right)^4+5\left(\frac{5}{7}\right)^5+\ldots$

47 $-\frac{1}{\sqrt[3]{2}}+\frac{1}{\sqrt[3]{5}}-\frac{1}{\sqrt[3]{10}}+\frac{1}{\sqrt[3]{17}}-\frac{1}{\sqrt[3]{26}}+\ldots$

48 $2+\frac{4+\sqrt{2}}{8}+\frac{9+\sqrt{3}}{27}+\frac{9}{32}+\frac{25+\sqrt{5}}{125}+\ldots$

49 $1+\frac{2}{3}-\frac{2}{3}-\frac{4}{5}+\frac{16}{15}+\frac{32}{21}-\ldots$

50 $\frac{1}{2\ln 2}-\frac{1}{3\ln 3}+\frac{1}{4\ln 4}-\frac{1}{5\ln 5}+\frac{1}{6\ln 6}-\ldots$

Pour les numéros 51 à 56, trouver l'intervalle de convergence des séries à termes variables.

51 $\sum_{n=1}^{\infty}\frac{(-1)^{n+1}x^n}{n}$

52 $\sum_{n=1}^{\infty}\frac{(x-3)^n}{4^n\,n^2}$

53 $\sum_{n=1}^{\infty}\frac{(x-5)^n}{n^3}$

54 $\sum_{n=1}^{\infty}\frac{n\,x^n}{3^n\,4^{n+1}}$

55 $\sum_{n=1}^{\infty}\frac{2\,(x-2)^n}{n^2}$

56 $\sum_{n=1}^{\infty}\frac{(x-2)^n}{3^n\,n^2}$

57 Trouver l'intervalle de convergence de la série

$$1+x+\frac{x^2}{2!}+\frac{x^3}{3!}+\frac{x^4}{4!}+\ldots+\frac{x^n}{n!}+\ldots$$

58 Trouver l'intervalle de convergence de la série

$$\frac{x}{1\times 3}+\frac{x^2}{2\times 3^2}+\frac{x^3}{3\times 3^3}+\ldots+\frac{x^n}{n\times 3^n}+\ldots$$

59 Trouver l'intervalle de convergence de la série

$$1+x+x^2+x^3+x^4+\ldots+x^n+\ldots$$

60 Trouver l'intervalle de convergence de la série

$$1+(x+5)+(x+5)^2+(x+5)^3+\ldots+(x+5)^n+\ldots$$

61 Trouver l'intervalle de convergence de la série

$$\frac{(x-3)}{1\times 2}+\frac{(x-3)^2}{3\times 2^2}+\frac{(x-3)^3}{5\times 2^3}+\ldots+\frac{(x-3)^n}{(2n-1)\,2^n}+\ldots$$

62 Trouver l'intervalle de convergence de la série

$$(3x-5)+\frac{(3x-5)^2}{2}+\frac{(3x-5)^3}{3}+\ldots+\frac{(3x-5)^n}{n}+\ldots$$

Développer en série de MacLaurin les fonctions suivantes et déterminer l'intervalle de convergence.

63 $f(x)=e^{2x}$

64 $f(x)=\cos 2x$

65 $f(x)=a^x$

66 $f(x)=\frac{1}{1+x^2}$

RÉVISION 7.15

67 $f(x) = \dfrac{e^x - 1}{x}$

68 $f(x) = \arcsin x$

69 $f(x) = \arctan x$

70 $f(x) = \sin 5x$

71 En développant en série de MacLaurin $y = \ln|1+x|$ puis $y = \ln|1-x|$, trouver une série entière pour représenter :

$$y = \ln\left|\frac{1+x}{1-x}\right|$$

72 Trouver une série entière représentant la fonction $y = e^x \cos x$.

73 Trouver une série entière représentant la fonction $y = \sin x \cos x$.

74 Développer la fonction $y = \sin x$ en série de Taylor autour de $a = \pi/6$.

75 Développer la fonction $y = e^x$ en série de Taylor autour de $a = 1$.

76 Développer la fonction $y = \cos 3x$ en puissance de

$$\left(x - \frac{\pi}{6}\right)$$

77 Développer la fonction $y = \ln x$ en puissance de $(x - 8)$.

En utilisant un développement en série approprié, évaluer numériquement, à cinq décimales près :

78 e

79 $\cos 10°$

80 $\cos 93°$

81 $\ln 5$

82 π

83 $\sin 58°$

84 $\sqrt[3]{2}$

85 $\arcsin\dfrac{1}{3}$

86 $\arctan 3$

(*Note* : Pour $|x| > 1$, $\arctan x = \dfrac{\pi}{2} - \arctan\dfrac{1}{x}$)

87 $\displaystyle\int_0^{1/2} e^{-x^2}\,dx$

88 $\displaystyle\int_0^{1/2} \frac{\ln(1+x)}{x}\,dx$

89 $\displaystyle\int_0^{1/2} \sin x^2\,dx$

90 $\displaystyle\int_0^{1/2} \sqrt{1+x^4}\,dx$

91 $\displaystyle\int_0^{1/2} \frac{e^{-x} - 1}{x}\,dx$

DÉFIS 7.16

EXERCICES

1 Démontrer le théorème 7.1.4.1 (preuve par l'absurde).

2 Démontrer le théorème 7.1.4.4.

3 Démontrer que la suite $\{r^{1/n}\}$ converge vers 1 pour tout nombre réel $r > 0$.

4 Démontrer que la suite

$$\left\{\left(1 + \frac{r}{n}\right)^n\right\}$$

converge vers e^r pour tout nombre réel r.

5 Démontrer que la suite

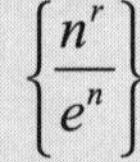

$$\left\{\frac{n^r}{e^n}\right\}$$

converge vers 0 pour tout nombre réel $r > 0$.

6 *Test de Raabe* :

Lorsque $\displaystyle\lim_{n\to\infty}\left|\frac{u_{n+1}}{u_n}\right| = 1$

et que $\displaystyle\lim_{n\to\infty} n\left\{\left|\frac{u_{n+1}}{u_n}\right| - 1\right\} = -1 - c$

où $c > 0$, alors la série converge absolument.

En utilisant le test de Raabe, montrer que :

a) la série de MacLaurin de $y = (1 + x)^{3/2}$ converge lorsque $x = 1$. (Voir l'exercice 3 de la section 7.12)

b) l'intervalle de convergence de la série de Taylor de l'exercice 12 de la section 7.12 est l'intervalle fermé [0, 2].

c) l'intervalle de convergence de la série de l'exercice 68 de la section 7.15 est [–1, 1].

7. Démontrer le théorème 7.1.4.3.

8. Démontrer le théorème 7.1.4.5.

9. Démontrer le théorème 7.1.4.6.

10. Démontrer le théorème 7.1.4.7.

11. Démontrer le théorème 7.1.4.8.

12. Une suite $\{s_n\}$ telle que pour tout $\varepsilon > 0$, il existe un entier positif k tel que

$$n, m \geq k \quad \Rightarrow \quad |s_n - s_m| < \varepsilon$$

s'appelle une *suite de Cauchy*.

Montrer que toute suite convergente est une suite de Cauchy.

13. Montrer que toute suite de Cauchy est convergente.

14. Démontrer le théorème 7.3.5.4.

RÉSUMÉ DU CHAPITRE 7

Suites

$$f(n) = s_n \quad \text{ou} \quad \{s_n\}$$

bornée supérieurement : $s_n \leq Q$

bornée inférieurement : $s_n \geq P$

bornée : $P \leq s_n \leq Q$

croissante : $s_n \leq s_{n+1}$

strictement croissante : $s_n < s_{n+1}$

décroissante : $s_n \geq s_{n+1}$

strictement décroissante : $s_n > s_{n+1}$

convergente : $\lim_{n \to \infty} s_n = s$

Séries

$$\sum_{i=1}^{\infty} u_i \quad \text{ou} \quad \sum_{n=1}^{\infty} u_n$$

Somme partielle $s_n = \sum_{i=1}^{n} u_i$

La série $\sum_{i=1}^{\infty} u_i$ ou $\sum_{n=1}^{\infty} u_n$ converge si la suite $\{s_n\}$ converge c'est-à-dire si $\lim_{n \to \infty} s_n = s$ et $s \in \mathbb{R}$.

Séries arithmétiques

$$\sum_{n=1}^{\infty} \big(a + (n+1)\, d\big) = a + (a+d) + (a+2d) + \ldots + \big(a + (n-1)\, d\big) + \ldots$$

Toute série arithmétique diverge.

Séries géométriques

$$\sum_{n=1}^{\infty} a\, r^{n-1} = a + ar + ar^2 + \ldots + ar^{n-1} + \ldots$$

Une série géométrique converge vers $\frac{a}{1-r}$ si $-1 < r < 1$; autrement, elle diverge.

Convergence des séries

Si une série converge, alors $u_n \to 0$

Si $u_n \not\to 0$, alors la série diverge

Convergence des séries à termes positifs

Test de comparaison : Soit $u_n \leq v_n$ pour tout n

$$\sum_{n=1}^{\infty} v_n \text{ converge } \Rightarrow \sum_{n=1}^{\infty} u_n \text{ converge}$$

$$\sum_{n=1}^{\infty} u_n \text{ diverge } \Rightarrow \sum_{n=1}^{\infty} v_n \text{ diverge}$$

Test de D'Alembert

$$\lim_{n\to\infty} \frac{u_{n+1}}{u_n} = r \begin{cases} <1 & \Rightarrow \text{série converge} \\ >1 & \Rightarrow \text{série diverge} \\ =1 & \text{test non concluant} \end{cases}$$

Test de l'intégrale de Cauchy

$$\sum_{n=1}^{\infty} u_n \text{ et } \int_1^{\infty} f(x)\,dx \text{ où } f(n) = u_n \text{ convergent ou divergent ensemble.}$$

Test de la racine n^e de Cauchy

$$\lim_{n\to\infty} \sqrt[n]{u_n} = r \begin{cases} <1 & \Rightarrow \text{série converge} \\ >1 & \Rightarrow \text{série diverge} \\ =1 & \text{test non concluant} \end{cases}$$

Test du polynôme

Soit $\sum_{n=1}^{\infty} \frac{P(n)}{Q(n)}$

p : degré du polynôme $P(n)$

q : degré du polynôme $Q(n)$

$q > p+1 \Rightarrow$ série converge

$q \leq p+1 \Rightarrow$ série diverge

Quelques séries particulières

Série harmonique : $\sum_{n=1}^{\infty} \frac{1}{n}$ diverge

Série « p » de Riemann : $\sum_{n=1}^{\infty} \frac{1}{n^p}$ converge si $p > 1$ et diverge si $p \leq 1$

Série harmonique alternée : $\sum_{n=1}^{\infty} (-1)^{n+1} \left(\frac{1}{n}\right)$ converge

Séries alternées

Critère de convergence de Leibniz :

$$u_{n+1} \leq u_n \quad \text{et} \quad \lim_{n\to\infty} u_n = 0 \;\Rightarrow\; \text{convergence}$$

Séries à termes de signes quelconques

Si $\sum_{n=1}^{\infty} |u_n|$ converge $\Rightarrow$ $\sum_{n=1}^{\infty} u_n$ converge absolument.

Si $\sum_{n=1}^{\infty} |u_n|$ diverge et $\sum_{n=1}^{\infty} u_n$ converge $\Rightarrow$ $\sum_{n=1}^{\infty} u_n$ est semi-convergente ou conditionnellement convergente.

Séries à termes variables

$$\sum_{n=1}^{\infty} u_n(x)$$

Pour trouver l'intervalle de convergence, on utilise le test de D'Alembert (ou le test de la racine n^e ou le test de l'intégrale).

Séries de MacLaurin

$$f(x) = f(0) + f'(0)\,x + \frac{f''(0)}{2!}x^2 + \frac{f'''(0)}{3!}x^3 + \ldots + \frac{f^{(n)}(0)}{n!}x^n + \ldots$$

Séries de Taylor

$$f(x) = f(a) + f'(a)\,(x-a) + \frac{f''(a)}{2!}(x-a)^2 + \frac{f'''(a)}{3!}(x-a)^3 + \ldots + \frac{f^{(n)}(a)}{n!}(x-a)^n + \ldots$$

Calculs à l'aide des séries

Toutes les opérations habituelles sont généralement possibles avec les séries entières et les séries de puissances.

Sujet de réflexion et de discussion

Développer des arguments allant dans le sens et d'autres allant dans le sens contraire de l'énoncé suivant.

« Les mathématiques du calcul différentiel et intégral devraient faire partie du curriculum de toute bonne formation générale. »

AI-JE ATTEINT MES OBJECTIFS ?

Je viens de terminer l'étude du chapitre 7 et j'estime être capable de :

- ☐ Reconnaître une suite, d'en trouver le terme général et de la représenter graphiquement.
- ☐ Déterminer si une suite est bornée ou non, si elle est croissante ou décroissante.
- ☐ Trouver la limite d'une suite.
- ☐ Déterminer si une suite est convergente ou divergente.
- ☐ Reconnaître une série et en trouver le terme général.
- ☐ Déterminer la convergence ou la divergence d'une série arithmétique, d'une série géométrique et d'une série de Riemann.
- ☐ Déterminer la convergence ou la divergence d'une série à termes constants positifs à l'aide des définitions, des propriétés et des tests de convergence.
- ☐ Déterminer la convergence ou la divergence d'une série alternée à l'aide du théorème de Leibniz.
- ☐ Déterminer la convergence, la convergence absolue, la convergence conditionnelle ou la divergence d'une série à termes constants de signes quelconques.
- ☐ Déterminer le rayon et l'intervalle de convergence d'une série à termes variables.
- ☐ Développer une fonction en série de MacLaurin.
- ☐ Développer une fonction en série de Taylor.
- ☐ Effectuer des calculs numériques et des approximations à l'aide de développements en série.
- ☐ Évaluer des intégrales définies à l'aide de développements en série.

Notes personnelles

TEST SUR LE CHAPITRE 7

1. Trouver le terme général, étudier la croissance, la convergence et les bornes d'une suite dont les cinq premiers termes sont :
$$\frac{7}{3}, \frac{9}{4}, \frac{11}{5}, \frac{13}{6}, \frac{15}{7}, \ldots$$

2. Trouver le terme général, étudier la croissance, la convergence et les bornes d'une suite dont les cinq premiers termes sont :
$$\frac{1}{3}, \frac{4}{5}, \frac{7}{7}, \frac{10}{9}, \frac{13}{11}, \ldots$$

3. Étudier la convergence de la série
$$\sum_{n=1}^{\infty} \frac{4(2^{n+1})}{n!}$$

4. Étudier la convergence de la série
$$\sum_{n=1}^{\infty} \frac{(-1)^{n+1} \ln n}{n}$$

5. Étudier la convergence de la série
$$\frac{1}{3} + \frac{3}{5} + \frac{5}{9} + \frac{7}{17} + \frac{9}{33} + \ldots$$

6. Déterminer l'intervalle de convergence de la série
$$\sum_{n=1}^{\infty} \frac{(n+1)(x-1)^n}{n^2\, 4^n}$$

7. Déterminer l'intervalle de convergence de la série
$$\sum_{n=1}^{\infty} \frac{3x^n}{(n+1)(n+2)}$$

8. Développer la fonction
$$f(x) = \frac{1}{1+x}$$
en série de Taylor autour de $a = 1$, et déterminer son intervalle de convergence.

9. Développer en série de MacLaurin la fonction $f(x) = e^{3x}$, déterminer l'intervalle de convergence et à l'aide de cette série, évaluer e^3. (Précision exigée : quatre décimales)

10. À l'aide de la série de MacLaurin de $f(x) = \cos x$, évaluer l'intégrale suivante.
$$\int_0^1 \frac{\cos x - 1}{x}\, dx$$
(Précision exigée : quatre décimales)

TEST

ANNEXES

Formules de dérivation

Formule 1	$\frac{d(k)}{dx} = 0$
Formule 2	$\frac{d(x)}{dx} = 1$
Formule 3	$\frac{d(x^n)}{dx} = nx^{n-1}$
Formule 3A	$\frac{d(u^n)}{dx} = nu^{n-1}\frac{du}{dx}$
Formule 4	$\frac{d(ku)}{dx} = k\frac{du}{dx}$
Formule 5	$\frac{d(u+v)}{dx} = \frac{du}{dx} + \frac{dv}{dx}$
Formule 6	$\frac{d(uv)}{dx} = u\frac{dv}{dx} + v\frac{du}{dx}$
Formule 7	$\frac{d\left(\frac{u}{v}\right)}{dx} = \frac{v\frac{du}{dx} - u\frac{dv}{dx}}{v^2}$
Formule 8	$\frac{dy}{dt} = \frac{dy}{dx} \times \frac{dx}{dt}$
Formule 8A	$\frac{dy}{dx} = \frac{dy/dt}{dx/dt}$
Formule 9	$\frac{dx}{dy} = \frac{1}{dy/dx}$
	Dérivation implicite : $f(x, y) = 0 \Rightarrow \frac{d(f(x, y))}{dx} = 0$
Formule 10	$\frac{d(\sin u)}{dx} = \cos u \frac{du}{dx}$
Formule 11	$\frac{d(\cos u)}{dx} = -\sin u \frac{du}{dx}$

Formule 12	$\frac{d(\tan u)}{dx}=\sec^2 u\frac{du}{dx}$
Formule 13	$\frac{d(\cot u)}{dx}=-\operatorname{cosec}^2 u\frac{du}{dx}$
Formule 14	$\frac{d(\sec u)}{dx}=\sec u\tan u\frac{du}{dx}$
Formule 15	$\frac{d(\operatorname{cosec} u)}{dx}=-\operatorname{cosec} u\cot u\frac{du}{dx}$
Formule 16	$\frac{d(\arcsin u)}{dx}=\frac{1}{\sqrt{1-u^2}}\frac{du}{dx}$
Formule 17	$\frac{d(\arccos u)}{dx}=\frac{-1}{\sqrt{1-u^2}}\frac{du}{dx}$
Formule 18	$\frac{d(\arctan u)}{dx}=\frac{1}{1+u^2}\frac{du}{dx}$
Formule 19	$\frac{d(\operatorname{arccot} u)}{dx}=\frac{-1}{1+u^2}\frac{du}{dx}$
Formule 20	$\frac{d(\operatorname{arcsec} u)}{dx}=\frac{1}{\lvert u\rvert\sqrt{u^2-1}}\frac{du}{dx}$
Formule 21	$\frac{d(\operatorname{arccosec} u)}{dx}=\frac{-1}{\lvert u\rvert\sqrt{u^2-1}}\frac{du}{dx}$
Formule 22	$\frac{d(\log_a u)}{dx}=\frac{1}{u}\log_a e\frac{du}{dx}$
Formule 23	$\frac{d(\ln u)}{dx}=\frac{1}{u}\frac{du}{dx}$
Formule 24	$\frac{d(a^u)}{dx}=a^u\ln a\frac{du}{dx}$
Formule 25	$\frac{d(e^u)}{dx}=e^u\frac{du}{dx}$
	Dérivation logarithmique : $y=f(x):\ \ln y=\ln f(x)\ \Rightarrow\ \frac{1}{y}\frac{dy}{dx}=\frac{d\,(\ln f(x))}{dx}$

B Formules de géométrie

Carré

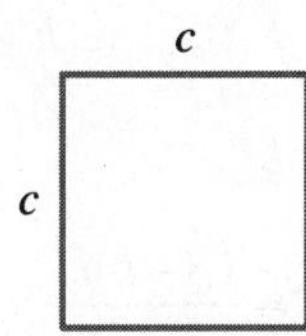

c côté
A aire
P périmètre

$$A = c^2$$
$$P = 4c$$

Rectangle

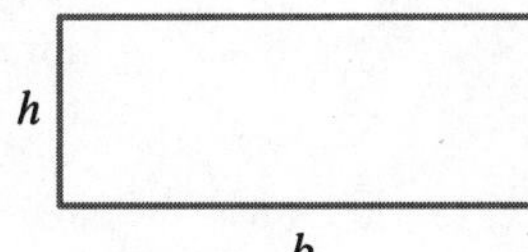

b base
h hauteur
A aire
P périmètre

$$A = bh$$
$$P = 2b + 2h$$

Parallélogramme

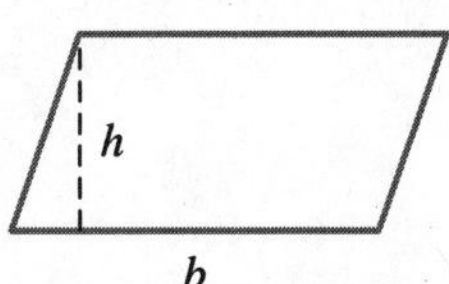

b base
h hauteur
A aire

$$A = bh$$

Triangle

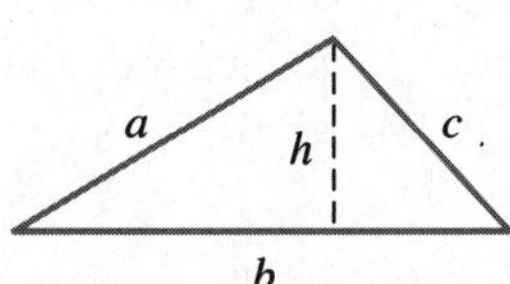

a un des côtés
b autre côté (appelé *base*)
c autre côté
h hauteur relative à la base
A aire du triangle
P périmètre

$$A = \frac{bh}{2}$$
$$P = a + b + c$$
$$A = \sqrt{\frac{P}{2}\left(\frac{P}{2} - a\right)\left(\frac{P}{2} - b\right)\left(\frac{P}{2} - c\right)}$$

Triangle rectangle

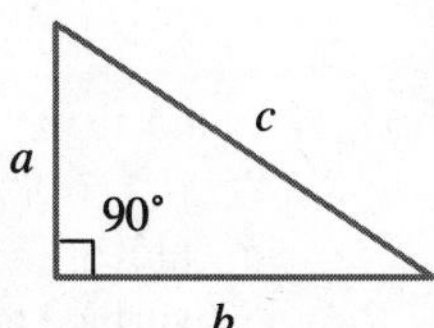

a un des côtés de l'angle droit
b autre côté de l'angle droit
c hypoténuse
A aire du triangle
P périmètre

$$A = \frac{ab}{2}$$
$$P = a + b + c$$
$$c^2 = a^2 + b^2 \quad \text{(Théorème de Pythagore)}$$

Trapèze

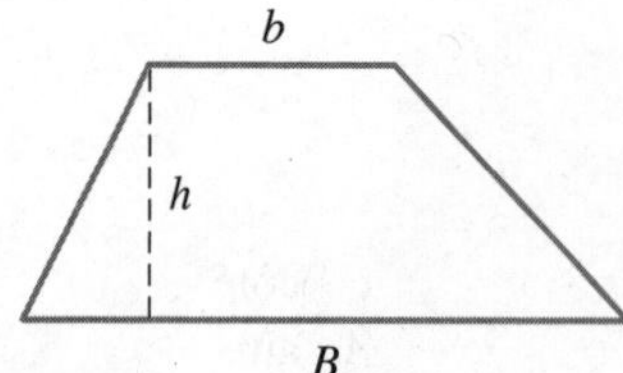

b petite base
B grande base
h hauteur relative aux bases
A aire

$$A = \frac{(B+b)h}{2}$$

Losange

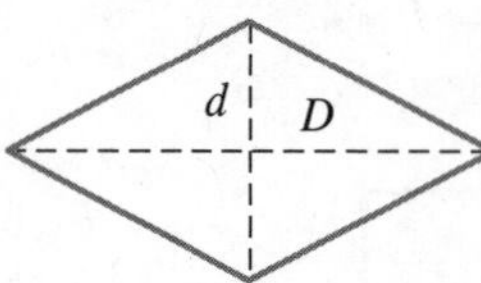

d petite diagonale
D grande diagonale
A aire

$$A = \frac{Dd}{2}$$

Cercle

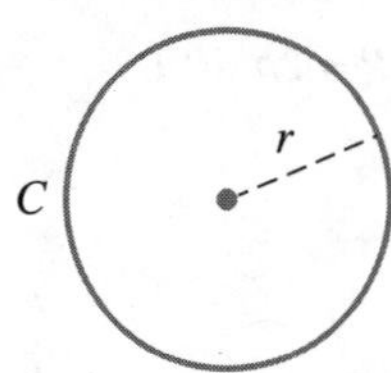

r rayon
C circonférence
A aire

$$C = 2\pi r$$
$$A = \pi r^2$$

Secteur circulaire

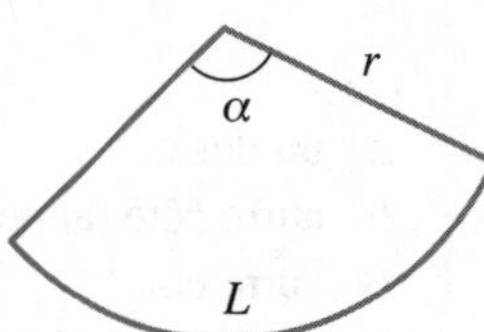

r rayon
α angle au centre (en radians)
L longueur de l'arc sous-tendu
A aire

$$L = \alpha r$$
$$A = \frac{\alpha r^2}{2} = \frac{Lr}{2}$$

Ellipse

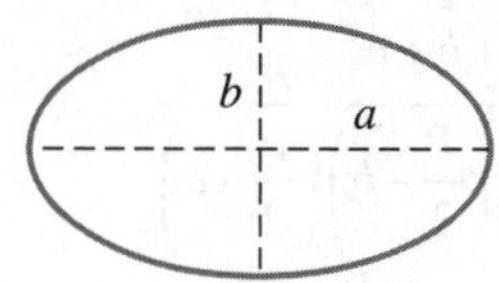

a un des demi-axes
b autre demi-axe
A aire

$$A = \pi ab$$

Cube

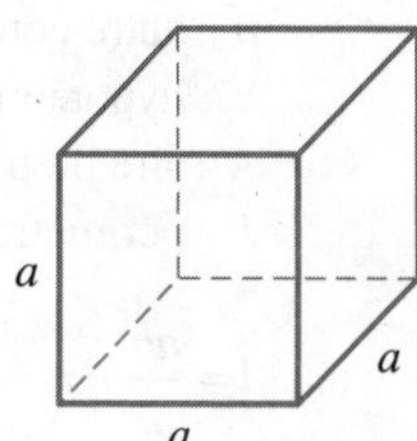

a arête
S surface totale
V volume

$$S = 6a^2$$
$$V = a^3$$

Parallélépipède rectangle

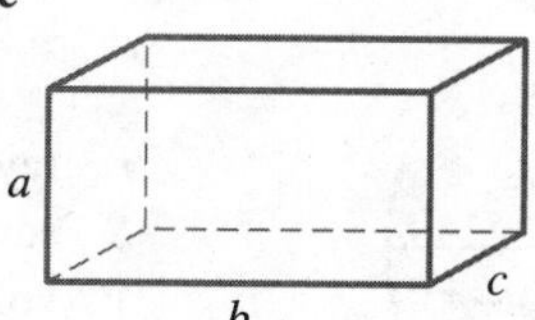

a une des arêtes
b autre arête
c autre arête
S surface totale
V volume

$$S = 2ab + 2ac + 2bc$$
$$V = abc$$

Parallélépipède quelconque

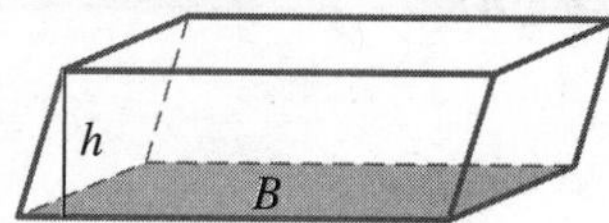

B aire de la base
h hauteur relative à cette base
V volume

$$V = Bh$$

Prisme

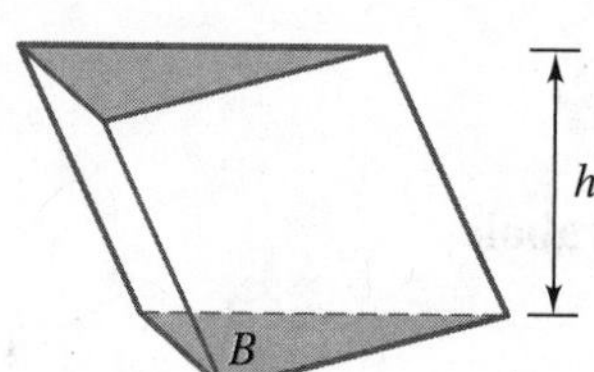

B aire de la base
h hauteur relative à cette base
V volume

$$V = Bh$$

Pyramide

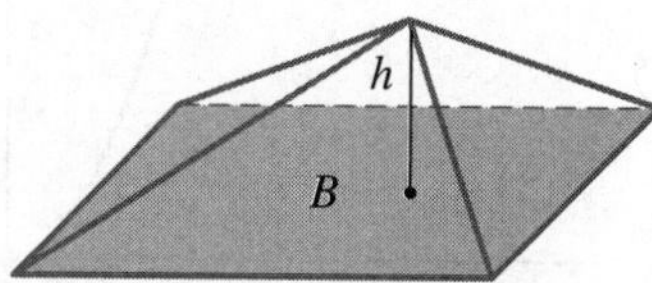

B aire de la base
h hauteur relative à cette base
V volume

$$V = \frac{1}{3}Bh$$

Cylindre circulaire droit

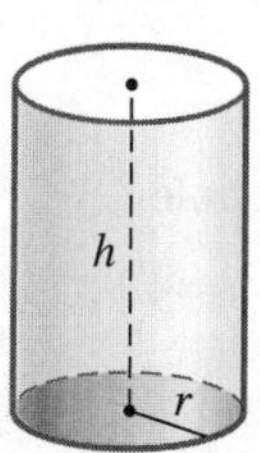

r rayon de la base
h hauteur
S_L surface latérale
S_T surface totale
V volume

$$S_L = 2\pi rh$$
$$S_T = 2\pi rh + 2\pi r^2 = 2\pi r(r + h)$$
$$V = \pi r^2 h$$

Cône circulaire droit

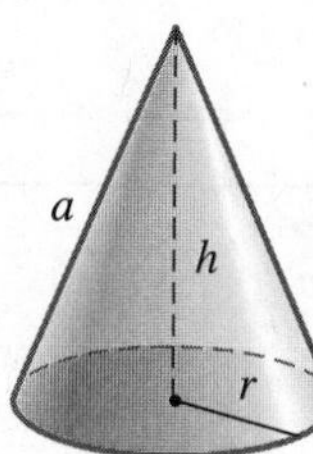

a apothème ou hauteur latérale
r rayon de la base
h hauteur
S_L surface latérale
S_T surface totale
V volume

$$S_L = \pi ra$$
$$S_T = \pi ra + \pi r^2 = \pi r(a + r)$$
$$V = \frac{1}{3}\pi r^2 h$$

Sphère

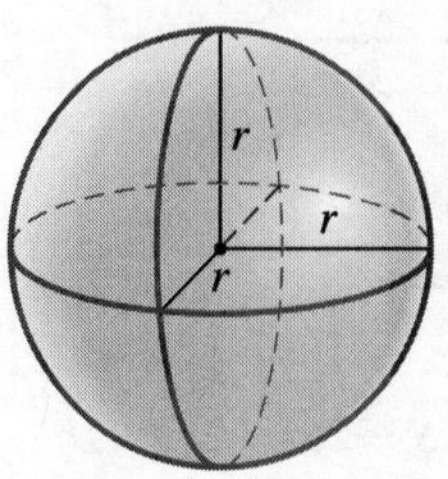

r rayon
S surface
V volume

$$S = 4\pi r^2$$
$$V = \frac{4}{3}\pi r^3$$

Représentations graphiques

Droite

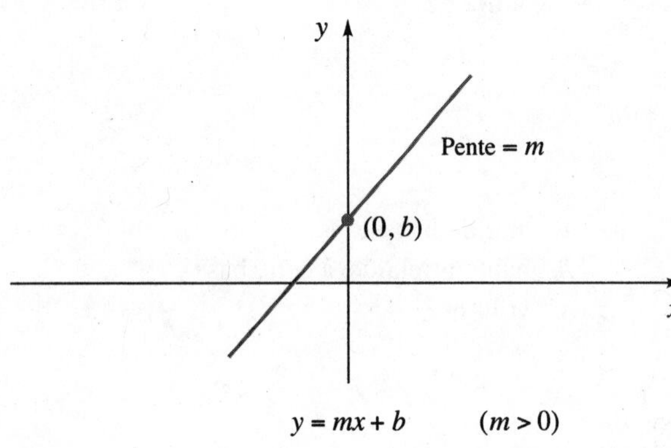

$y = mx + b \qquad (m > 0)$

Parabole

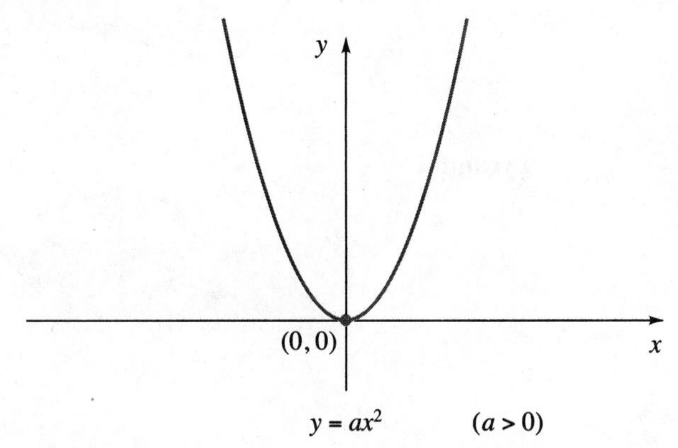

$y = ax^2 \qquad (a > 0)$

Parabole

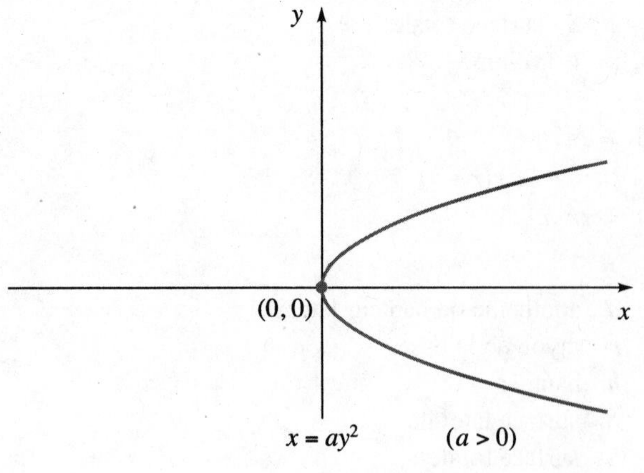

$x = ay^2 \qquad (a > 0)$

Parabole

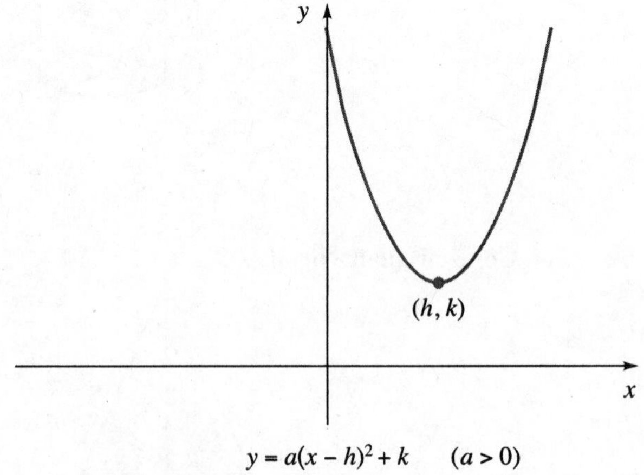

$y = a(x - h)^2 + k \qquad (a > 0)$

Parabole

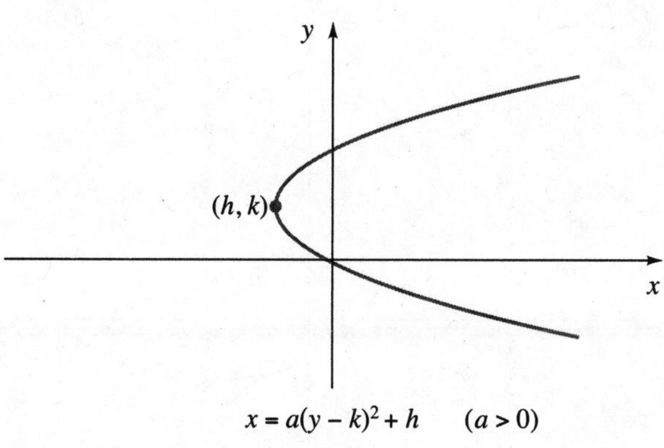

$x = a(y - k)^2 + h \quad (a > 0)$

Cubique

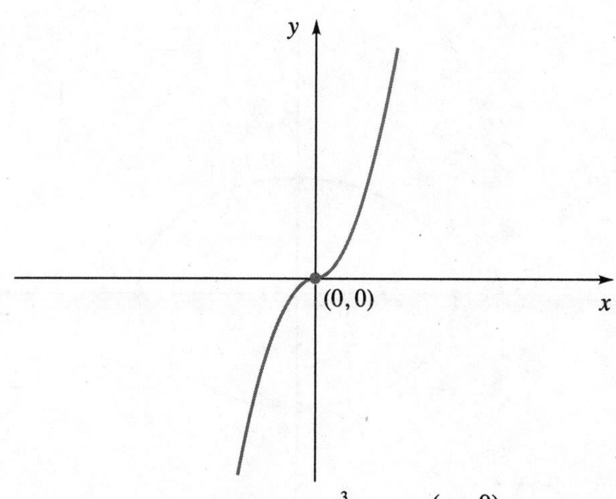

$y = ax^3 \quad (a > 0)$

Cubique

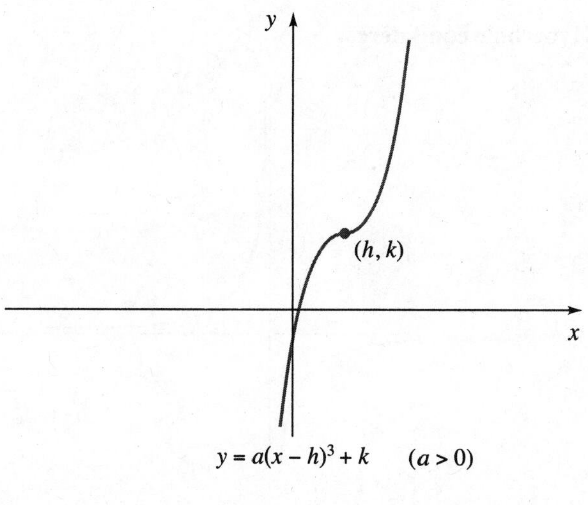

$y = a(x - h)^3 + k \quad (a > 0)$

Semi-cubique

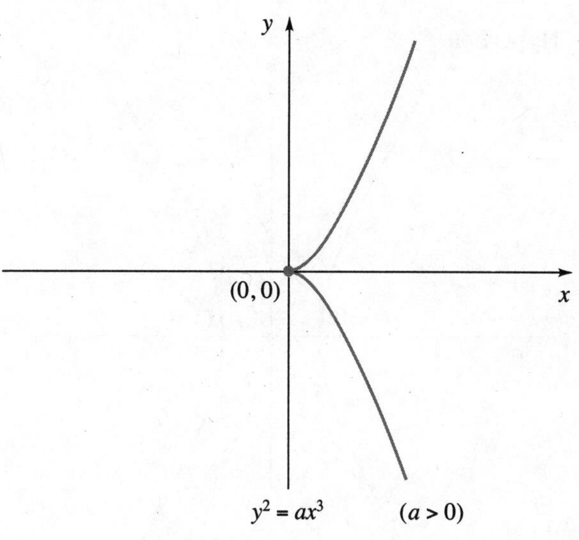

$y^2 = ax^3 \quad (a > 0)$

Cercle

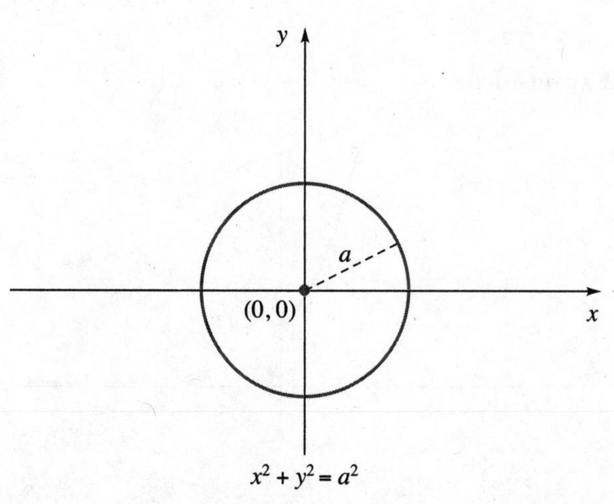

$x^2 + y^2 = a^2$

Cercle

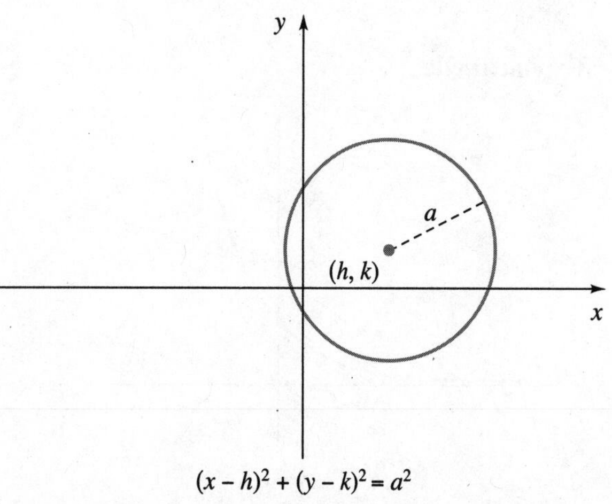

$(x - h)^2 + (y - k)^2 = a^2$

Ellipse

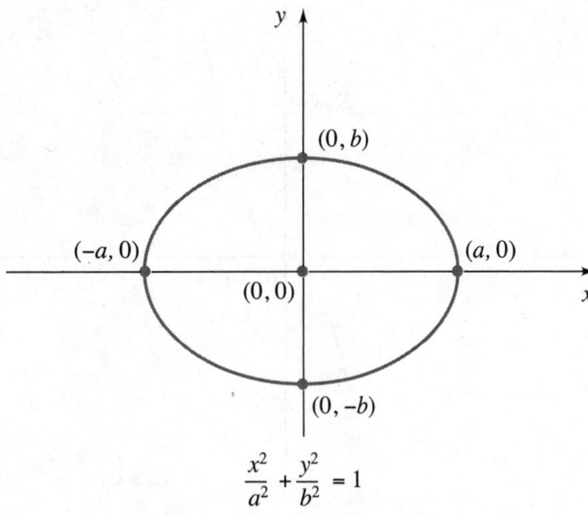

Ellipse

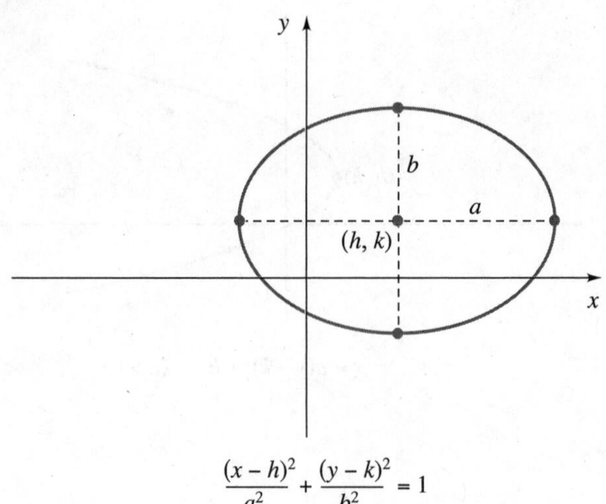

Hyperbole

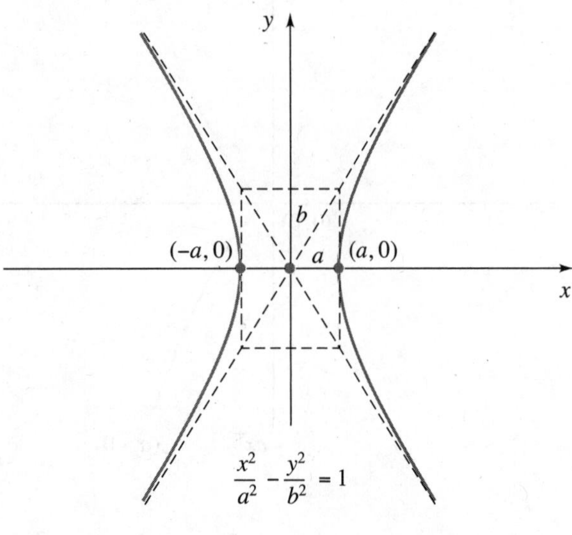

Hyperbole équilatère

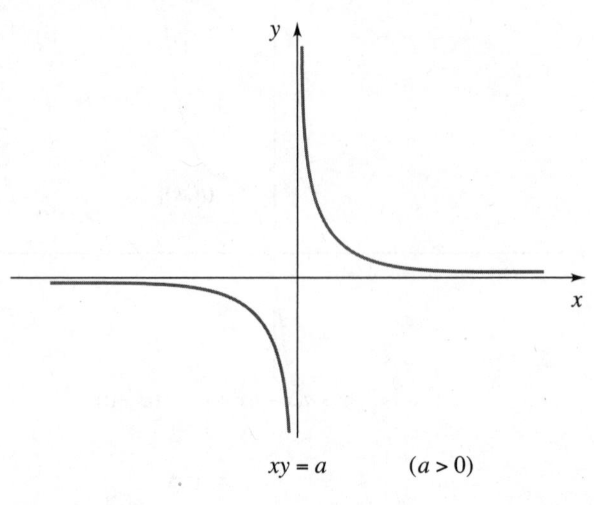

Exponentielle

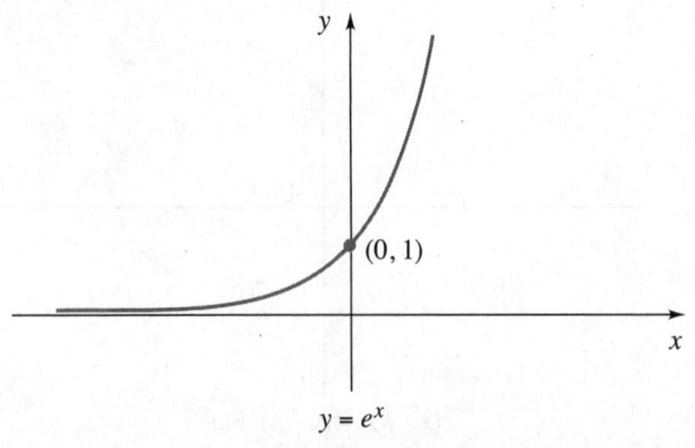

Exponentielle

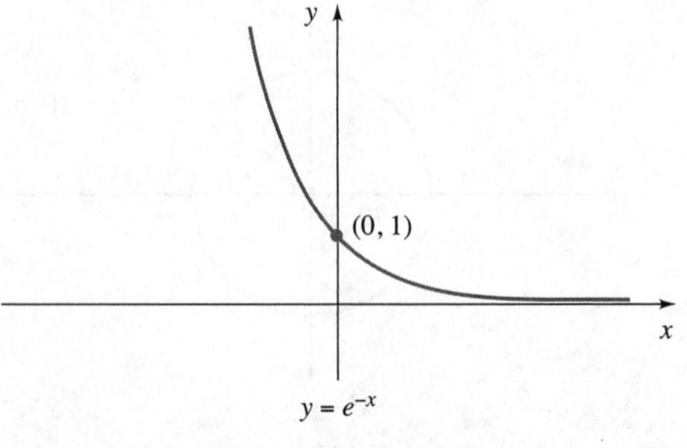

Logarithme

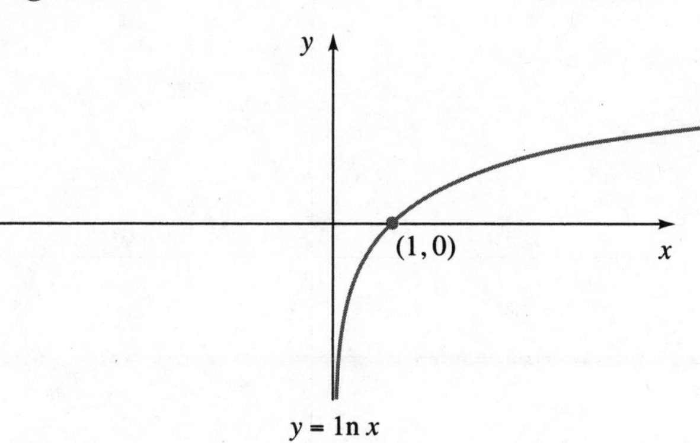

Logarithme

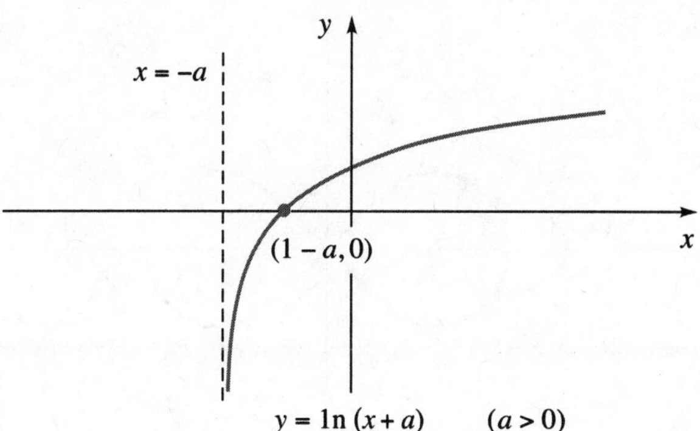

Sinusoïde

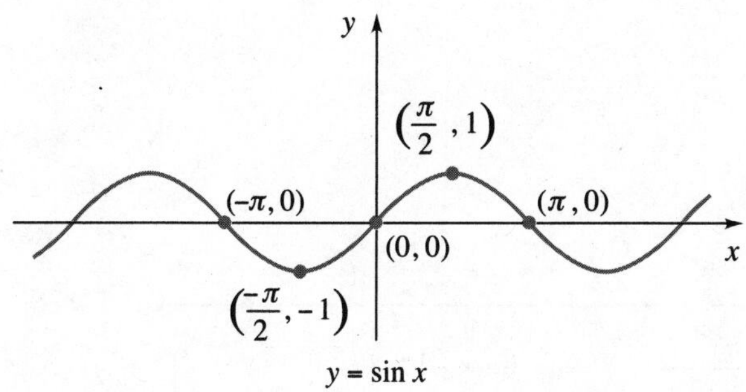

Cloche

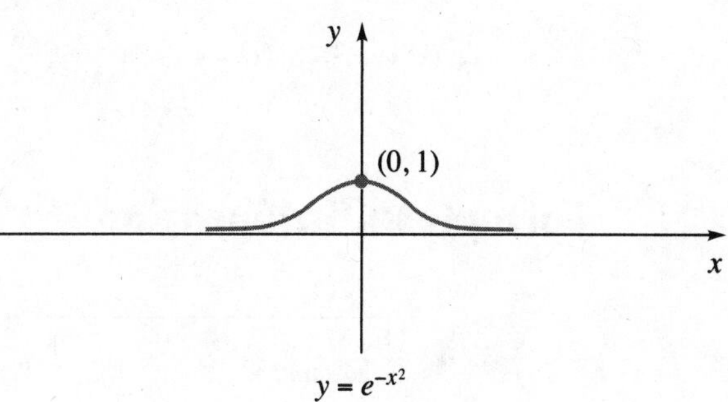

Cycloïde

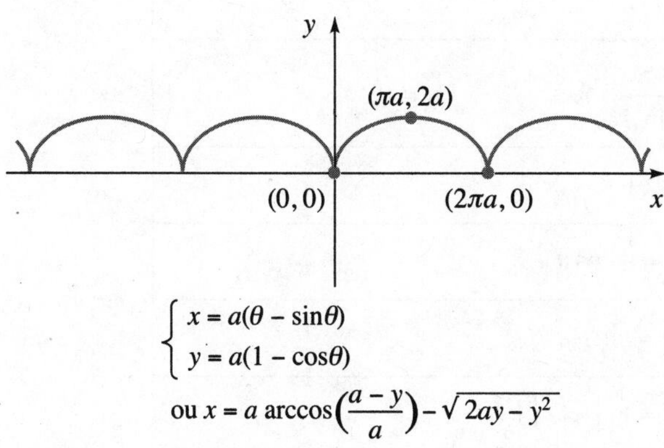

$$\begin{cases} x = a(\theta - \sin\theta) \\ y = a(1 - \cos\theta) \end{cases}$$

ou $x = a \arccos\left(\frac{a-y}{a}\right) - \sqrt{2ay - y^2}$

Boucle

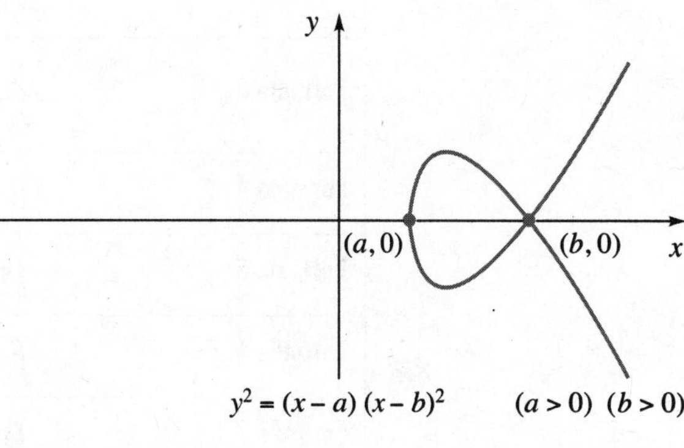

$y^2 = (x - a)(x - b)^2 \quad (a > 0) \; (b > 0)$

Chaînette

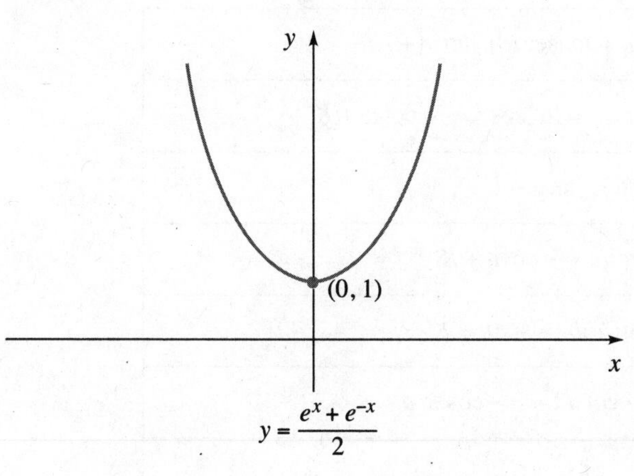

$$y = \frac{e^x + e^{-x}}{2}$$

Astroïde

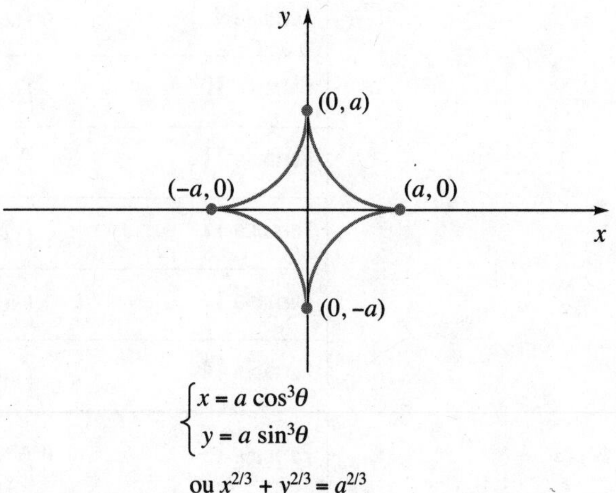

$$\begin{cases} x = a\cos^3\theta \\ y = a\sin^3\theta \end{cases}$$

ou $x^{2/3} + y^{2/3} = a^{2/3}$

Lemniscate de Bernoulli **Lemniscate**

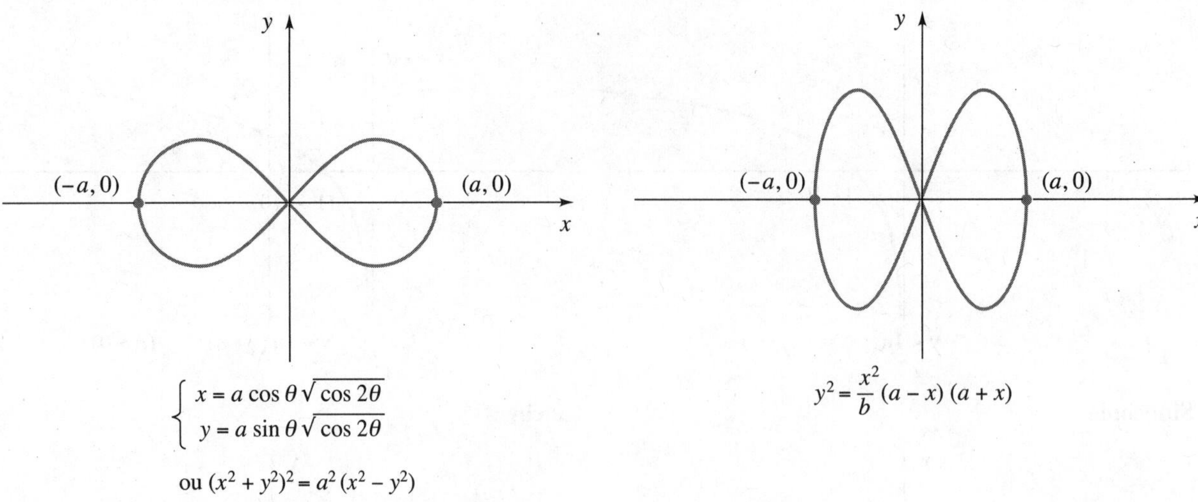

$$\begin{cases} x = a\cos\theta\sqrt{\cos 2\theta} \\ y = a\sin\theta\sqrt{\cos 2\theta} \end{cases}$$

ou $(x^2 + y^2)^2 = a^2(x^2 - y^2)$

$$y^2 = \frac{x^2}{b}(a - x)(a + x)$$

D Formules d'intégration

Formule 1	$\int u^n\,du = \frac{u^{n+1}}{n+1} + K$	$(n \neq -1)$
Formule 2	$\int \frac{du}{u} = \ln\lvert u\rvert + K$	
Formule 3	$\int a^u\,du = \frac{a^u}{\ln a} + K$	$(a \neq 1)$
Formule 4	$\int e^u\,du = e^u + K$	
Formule 5	$\int \sin u\,du = -\cos u + K$	
Formule 6	$\int \cos u\,du = \sin u + K$	
Formule 7	$\int \tan u\,du = \ln\lvert\sec u\rvert + K$	
Formule 8	$\int \cot u\,du = \ln\lvert\sin u\rvert + K$	
Formule 9	$\int \sec u\,du = \ln\lvert\sec u + \tan u\rvert + K$	
Formule 10	$\int \operatorname{cosec} u\,du = \ln\lvert\operatorname{cosec} u - \cot u\rvert + K$	
Formule 11	$\int \sec^2 u\,du = \tan u + K$	
Formule 12	$\int \operatorname{cosec}^2 u\,du = -\cot u + K$	
Formule 13	$\int \sec u \tan u\,du = \sec u + K$	
Formule 14	$\int \operatorname{cosec} u \cot u\,du = -\operatorname{cosec} u + K$	
Formule 15	$\int \frac{du}{a^2 + u^2} = \frac{1}{a}\arctan\frac{u}{a} + K$	

Formule 16	$\int \frac{du}{u^2 - a^2} = \frac{1}{2a} \ln \left\lvert \frac{u-a}{u+a} \right\rvert + K$
Formule 17	$\int \frac{du}{\sqrt{a^2 - u^2}} = \arcsin \frac{u}{a} + K$
Formule 18	$\int \frac{du}{\sqrt{u^2 - a^2}} = \ln \left\lvert u + \sqrt{u^2 - a^2} \right\rvert + K$
Formule 19	$\int \frac{du}{\sqrt{u^2 + a^2}} = \ln \left\lvert u + \sqrt{u^2 + a^2} \right\rvert + K$
Formule 20	$\int u\, dv = uv - \int v\, du$
Formule 21	$\int \sec^3 u\, du = \frac{1}{2} \sec u \tan u + \frac{1}{2} \ln \lvert \sec u + \tan u \rvert + K$

SOLUTIONS ET RÉPONSES AUX EXERCICES

Note : Pour certains exercices, on retrouve ici la solution complète ou une esquisse de solution. Pour les autres, on retrouve seulement la réponse finale.

Chapitre 1

Exercices 1.4

1. Pour appliquer le théorème de Rolle, il faut s'assurer que les conditions sont remplies. Dans le cas présent, f est une fonction polynomiale, donc f est continue sur $\mathbb{R}$ et en particulier sur $[-1, 3]$. De même f est dérivable sur $]-1, 3[$. De plus, $f(-1) = 1$ et $f(3) = 1$, donc $f(-1) = f(3)$. Nous sommes donc assurés qu'il existe au moins une valeur $c \in]-1, 3[$ telle que $f'(c) = 0$. Pour trouver c, faisons les opérations suivantes.

$$f'(x) = 2x - 2$$
$$f'(c) = 2c - 2$$
$$f'(c) = 0 \Rightarrow 2c - 2 = 0 \Rightarrow c = 1$$

C'est la valeur prévue par le théorème de Rolle. Illustrons graphiquement.

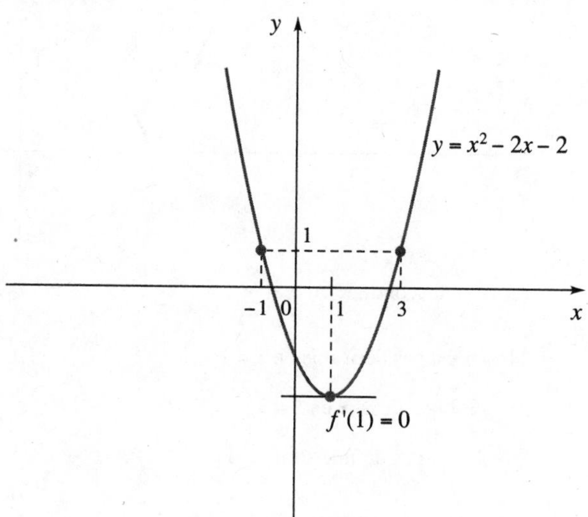

2. $c = 4$

3. $c = \pm\dfrac{\sqrt{3}}{3} = \pm\, 0{,}577$

4. Vérifions d'abord si les hypothèses sont remplies : $f(-1) = 0$ et $f(3) = 0$, f est continue sur $[-1, 3]$ et f est dérivable sur $]-1, 3[$.

Trouvons alors la valeur prévue de c :

$$f'(x) = 6x^2 - 14x = 2x\,(3x - 7)$$

Deux valeurs sont possibles : 0 et 7/3, valeurs qui sont toutes deux dans l'intervalle $]-1, 3[$. Illustrons graphiquement.

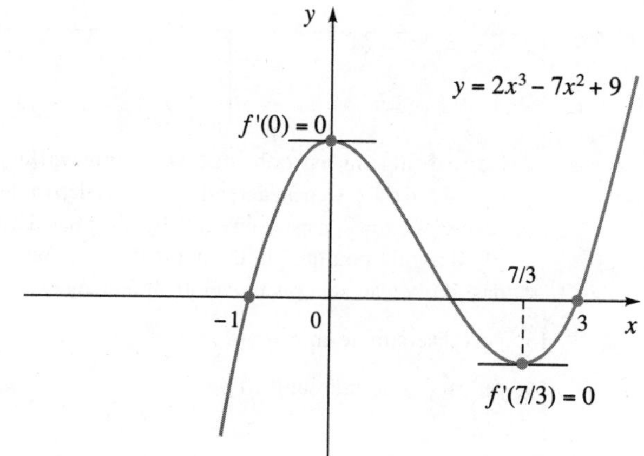

5. $c = \dfrac{\pi}{4} = 0{,}785$

6. $c = 3 - \sqrt{3} = 1{,}268$

7. $c = 0$

8. La fonction f est une fonction rationnelle. Elle est définie, continue et dérivable sauf lorsque $x = -5$. En particulier, f est continue sur $[-2, 2]$ et est dérivable sur $]-2, 2[$. Maintenant, $f(-2) = 0$ et $f(2) = 4/7$.

Donc, $f(-2) \neq f(2)$ et ainsi le théorème de Rolle ne s'applique pas dans ce cas-ci. Illustrons graphiquement.

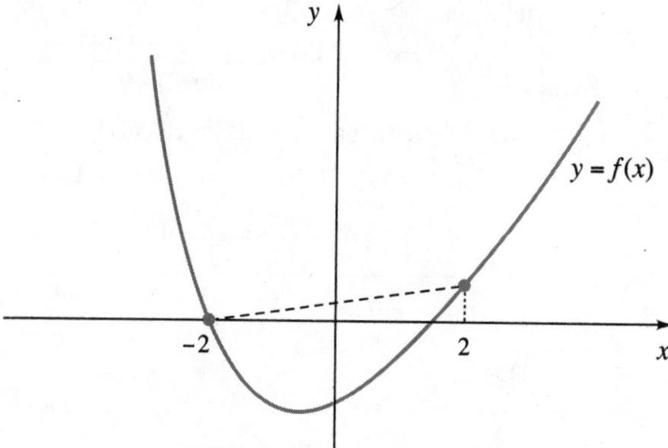

Notons que si le théorème de Rolle ne s'applique pas, il reste néanmoins qu'il existe une valeur où la dérivée devient 0 dans l'intervalle considéré.

9. f est non dérivable en $x = 1$.

10. $f(1) \neq 0 = f(-1)$

11. f est discontinue en $x = 1$.

12. Voici une représentation graphique de cette fonction.

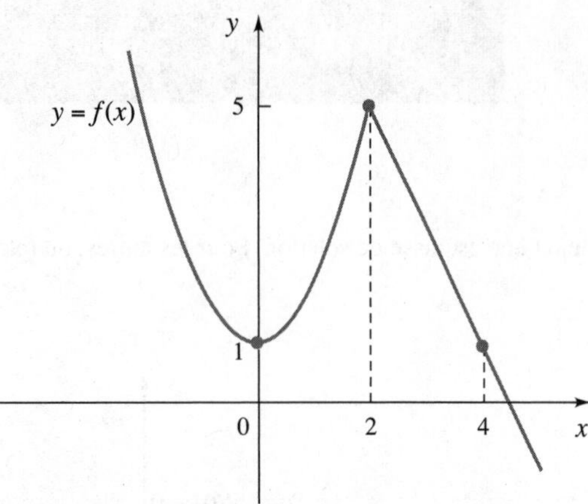

Cette fonction est continue sur l'intervalle [0, 4] et $f(0) = f(4) = 1$. Cependant, elle n'est pas dérivable au point d'abscisse $x = 2$, c'est-à-dire qu'elle n'est pas dérivable sur]0, 4[; voilà pourquoi le théorème de Rolle ne s'applique pas. Il n'y a aucune valeur $c \in]0, 4[$ telle que $f'(c) = 0$.

13. f est discontinue en $x = \pi/2$.

14. f n'est pas définie sur [0, 1].

15. $c = 5$

16. $c = \dfrac{2\sqrt{3}}{3} = 1{,}155$

17. $c = \dfrac{\sqrt{3}}{3} = 0{,}577$

18. $c = 5 - 2\sqrt{2} = 2{,}172$

19. $c = \arccos\left(\dfrac{2}{\pi}\right) = 0{,}881$

20. $c = -0{,}820$

21. Les conditions d'application du théorème de Lagrange sont remplies. En effet, f est continue sur $\left[0, \pi/2\right]$ et est dérivable sur $\left]0, \pi/2\right[$. Donc, il existe une valeur $c \in \left]0, \pi/2\right[$ telle que

$$f'(c) = \frac{f(\pi/2) - f(0)}{(\pi/2) - 0}$$

Pour trouver c, poursuivons les calculs :

$$f'(x) = 1 - \sin x \quad \Rightarrow \quad f'(c) = 1 - \sin c$$

$$\frac{f\left(\frac{\pi}{2}\right) - f(0)}{\frac{\pi}{2} - 0} = \frac{\left(\frac{\pi}{2} + 0\right) - (0 + 1)}{\frac{\pi}{2}} = \frac{\frac{\pi}{2} - 1}{\frac{\pi}{2}} = \frac{\pi - 2}{\pi}$$

Donc :

$$1 - \sin c = \frac{\pi - 2}{\pi}$$

$$\sin c = 1 - \frac{\pi - 2}{\pi} = \frac{2}{\pi}$$

$$\Rightarrow \quad c = \arcsin\left(\frac{2}{\pi}\right) = 0{,}690$$

Cette valeur c est dans l'intervalle considéré $\left[0, \pi/2\right]$. Illustrons graphiquement.

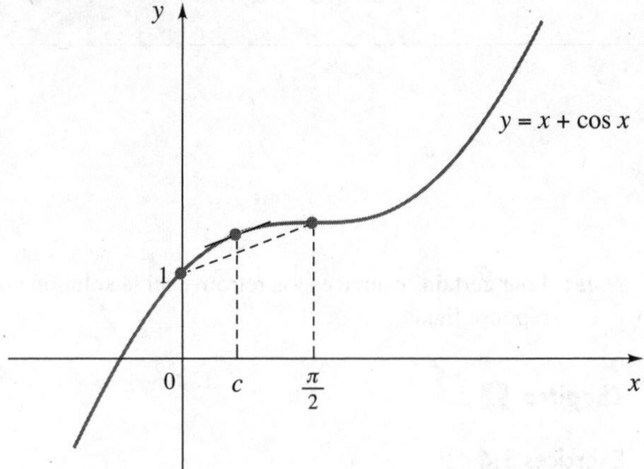

22. La fonction $f(x) = |2x + 3|$ est définie sur [−2, 0] et elle est continue sur [−2, 0]. Toutefois, elle n'est pas dérivable lorsque $x = -3/2$, donc elle n'est pas dérivable sur]−2, 0[. Ainsi, le théorème de Lagrange ne s'applique pas dans ce cas-ci. Illustrons graphiquement.

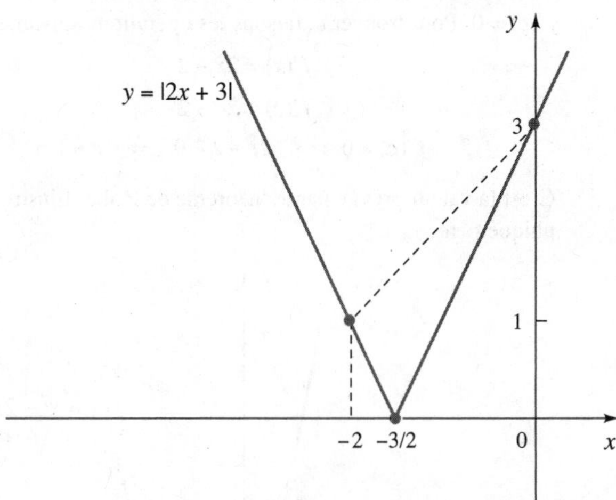

23. f est discontinue en $x = \dfrac{5}{2}$.

24. f n'est pas dérivable en $x = 1$.

25. f est non définie en $x = 3$.

26. f n'est pas définie sur [−1, 1].

27. f est discontinue en $x = 2 + \dfrac{\pi}{2} = 3{,}571$.

28. f n'est pas dérivable en $x = 0$.

29. C'est le cas particulier où $f(a) = f(b)$.

30. 4,125

31. 2,167

32. Il s'agit de calculer une racine cubique. Considérons donc la fonction $f(x) = \sqrt[3]{x}$.

Le problème consiste à évaluer $f(29) = \sqrt[3]{29}$.

Cette fonction est continue sur $\mathbb{R}$ et dérivable sur $\mathbb{R}\backslash\{0\}$. Selon le théorème de Lagrange appliqué sur l'intervalle $[a, 29]$:

$$\sqrt[3]{29} = f(a) + (29 - a)\, f'(c)$$

pour un $a > 0$ et où $a < c < 29$.

Nous pouvons choisir $a > 0$ quelconque, mais nous nous simplifierons la tâche en choisissant une valeur telle que $f(a)$ soit facile à calculer. Dans ce cas, posons $a = 27$ puisque $f(27) = \sqrt[3]{27} = 3$.

Nous obtenons ainsi :

$$\sqrt[3]{29} = 3 + (29 - 27)\, f'(c)$$

$$\sqrt[3]{29} = 3 + 2\, f'(c) \quad \text{où } 27 < c < 29$$

Ainsi, on aurait la valeur exacte de $\sqrt[3]{29}$ si on connaissait exactement la valeur de c que l'on sait, à ce stade, être entre les valeurs de 27 et 29. Cependant, on peut avoir une valeur approchée de $\sqrt[3]{29}$ en remplaçant c par 27. L'erreur sera faible ;on a :

$$f(x) = \sqrt[3]{x} \quad \Rightarrow \quad f'(x) = \frac{1}{3\,x^{2/3}} \quad \Rightarrow \quad f'(27) = \frac{1}{27}$$

Finalement : $\sqrt[3]{29} \cong 3 + 2 \times \frac{1}{27} \cong 3{,}074$

L'erreur est faible puisqu'une méthode de calcul plus précise nous donnerait la valeur 3,072.

33. Notons d'abord que $35° = 30° + 5° = \frac{\pi}{6} + \frac{\pi}{36}$ rad.

Considérons la fonction $f(x) = \sin x$ sur l'intervalle

$$\left[\frac{\pi}{6}, \frac{\pi}{6} + \frac{\pi}{36}\right].$$

Alors :

$$f'(x) = \cos x,\ f\left(\frac{\pi}{6}\right) = 0{,}5 \ \text{ et } \ f'\left(\frac{\pi}{6}\right) = \cos\left(\frac{\pi}{6}\right) = \frac{\sqrt{3}}{2}.$$

Selon le théorème de Lagrange :

$$\sin 35° = f\left(\frac{\pi}{6} + \frac{\pi}{36}\right) = f\left(\frac{\pi}{6}\right) + \left(\frac{\pi}{6} + \frac{\pi}{36} - \frac{\pi}{6}\right) f'(c)$$

$$\sin 35° = 0{,}5 + \left(\frac{\pi}{36}\right) f'(c)$$

$$\sin 35° \cong 0{,}5 + \left(\frac{\pi}{36}\right) f'\left(\frac{\pi}{6}\right) = 0{,}5 + \frac{\pi}{36} \times \frac{\sqrt{3}}{2} = 0{,}576$$

34. 0,645

35. 8,375

36. 3,917

37. 2,013

38. 73,6

39. 19,6

40. 3,534

41. 1,070

42. Considérons la fonction $f(x) = \ln x$ sur l'intervalle [1 ; 1,3].

Alors : $f'(x) = \frac{1}{x}$, $f(1) = \ln 1 = 0$ et $f'(1) = \frac{1}{1} = 1$.

Selon le théorème de Lagrange :

$$\ln 1{,}3 = f(1{,}3) = f(1) + (1{,}3 - 1)\, f'(c)$$

$$\ln 1{,}3 = 0 + (0{,}3)\, f'(c)$$

$$\ln 1{,}3 \cong (0{,}3)\ f'(1) = 0{,}3$$

43. Soit $0 < x < \pi/2$ et considérons la fonction $f(x) = \cos x$ sur l'intervalle $[0, x]$.

Alors : $f'(x) = -\sin x$. Selon le théorème de Lagrange :

$$\frac{f(x) - f(0)}{x - 0} = \frac{\cos x - \cos 0}{x - 0} = f'(c) = -\sin c$$

On a :

$$0 < c < x$$
$$\sin 0 < \sin c < \sin x$$
$$0 < \sin c < \sin x$$
$$0 > -\sin c > -\sin x$$
$$0 > \frac{\cos x - \cos 0}{x - 0} > -\sin x$$
$$0 > \frac{\cos x - 1}{x} > -\sin x$$
$$0 > \cos x - 1 > -x \sin x$$
$$1 > \cos x > 1 - x \sin x$$

En retenant la partie droite, on a l'inégalité cherchée :

$$\cos x > 1 - x \sin x \quad \text{pour tout } x \text{ tel que } 0 < x < \pi/2.$$

44. Soit $x > 0$ et soit $f(x) = e^x$. Considérons cette fonction sur l'intervalle $[0, x]$. Cette fonction f remplit les conditions du théorème de Lagrange. Alors :

$$f(x) = f(0) + (x - 0)\, f'(c) \quad \text{où } 0 < c < x,$$

C'est-à-dire :

$$e^x = 1 + x\, e^c \quad \text{où } 0 < c < x.$$

À partir de cette double inégalité ($0 < c < x$), par des opérations algébriques simples, reconstituons $1 + x\, e^c$, que nous remplacerons par son égal e^x, cette dernière fonction devenant ainsi impliquée dans une double inégalité. Ainsi :

$$0 < c < x$$

$e^0 < e^c < e^x$ (car l'exponentielle est une fonction croissante)

$$1 < e^c < e^x$$

$x < x\, e^c < x\, e^x$ (car $x > 0$)

$$1 + x < 1 + x\, e^c < 1 + x\, e^x$$

Ne retenant que la première partie de l'inégalité, on arrive au résultat souhaité.

$$1 + x < 1 + x\, e^c = e^x$$

45. Considérer $f(x) = e^x$ sur $[0, x]$

46. Considérer $f(x) = \ln(1 + x)$ sur $[0, x]$

47. Considérer $f(x) = \sin x$ sur $[0, x]$

48. Considérer $f(x) = \arctan x$ sur $[0, x]$

49. Considérer $f(x) = \tan x$ sur $[0, x]$ avec $0 < x < \pi/2$.

50. $f'(x) = g'(x) = \dfrac{x^2 - 4x + 2}{(x-2)^2}$

51. $f'(x) = g'(x) = -\sin x$

52. $c = 1{,}569$

53. $c = \pi/4$

Exercices 1.8

1. 5/19

2. $\displaystyle \lim_{x\to 0} \frac{3x^5 + x^2 + x}{2x^6 - x + x^2} \quad \text{forme } \frac{0}{0}$

$\displaystyle = \lim_{x\to 0} \frac{15x^4 + 2x + 1}{12x^5 - 1 + 2x} = \frac{1}{-1} = -1$

3. 7/5

4. 0

5. $\sqrt{3}/3$

6. $\displaystyle \lim_{x\to \pi} \frac{\ln \cos 2x}{(\pi - x)^2} \quad \text{forme } \frac{0}{0}$

$\displaystyle = \lim_{x\to \pi} \frac{\frac{1}{\cos 2x}(-\sin 2x)(2)}{2(\pi - x)(-1)}$

$\displaystyle = \lim_{x\to \pi} \frac{\sin 2x}{(\pi - x)\cos 2x} \quad \text{forme } \frac{0}{0}$

$\displaystyle = \lim_{x\to \pi} \frac{2\cos 2x}{-\cos 2x + (\pi - x)(-2\sin 2x)} = \frac{2}{-1+0} = -2$

7. 1

8. $\displaystyle \lim_{x\to 6} \frac{\sqrt{x-2} - 2}{x - 6} \quad \text{forme } \frac{0}{0}$

$\displaystyle = \lim_{x\to 6} \frac{\frac{1}{2\sqrt{x-2}} - 0}{1} = \lim_{x\to 6} \frac{1}{2\sqrt{x-2}} = \frac{1}{4}$

9. $\displaystyle \lim_{x\to 1} \frac{x^5 + x^3 - 2x + 4}{x^4 + x^3 - 2x} \quad \text{forme } \frac{4}{0}$

$\displaystyle = \lim_{x\to 1} \frac{x^5 + x^3 - 2x + 4}{x(x-1)(x^2 + 2x + 2)}$

D'une part : $\displaystyle \lim_{x\to 1^-} \frac{x^5 + x^3 - 2x + 4}{x(x-1)(x^2 + 2x + 2)} = \frac{4}{0^-} = -\infty$

D'autre part : $\displaystyle \lim_{x\to 1^+} \frac{x^5 + x^3 - 2x + 4}{x(x-1)(x^2 + 2x + 2)} = \frac{4}{0^+} = +\infty$

Donc : $\displaystyle \lim_{x\to 1} \frac{x^5 + x^3 - 2x + 4}{x(x-1)(x^2 + 2x + 2)} \quad \nexists$

10. 0

11. 3/2

12. 2/3

13. $\displaystyle \lim_{x\to \infty} \frac{x^4 + 3x^3 + x + 2}{2x^3 + x^2} \quad \text{forme } \frac{\infty}{\infty}$

$\displaystyle = \lim_{x\to \infty} \frac{4x^3 + 9x^2 + 1}{6x^2 + 2x} \quad \text{forme } \frac{\infty}{\infty}$

$\displaystyle = \lim_{x\to \infty} \frac{12x^2 + 18x}{12x + 2} \quad \text{forme } \frac{\infty}{\infty}$

$\displaystyle = \lim_{x\to \infty} \frac{24x + 18}{12} = \frac{\infty}{12} = \infty$

14. 3/5

15. 0

16. $\displaystyle \lim_{x\to 2^+} \frac{\operatorname{cosec}(x-2)}{\ln(x-2)} \quad \text{forme } \frac{\infty}{-\infty}$

$\displaystyle = \lim_{x\to 2^+} \frac{-\operatorname{cosec}(x-2)\cot(x-2)}{\frac{1}{x-2}}$

$\displaystyle = \lim_{x\to 2^+} \frac{-(\cos(x-2))(x-2)}{\sin^2(x-2)} \quad \text{forme } \frac{0}{0}$

$\displaystyle = \lim_{x\to 2^+} \frac{-\cos(x-2) + (x-2)\sin(x-2)}{2\sin(x-2)\cos(x-2)}$

$\displaystyle = \frac{-1+0}{0^+} = -\infty$

17. 1

18. 1

19. $\displaystyle \lim_{x\to -1} \frac{e^{x+1}\sin \pi x}{\ln(x+2)} \quad \text{forme } \frac{0}{0}$

$\displaystyle = \lim_{x\to -1} \frac{e^{x+1}\sin \pi x + e^{x+1}(\cos \pi x)\pi}{\frac{1}{x+2}}$

$\displaystyle = \frac{0 + (1)(-1)(\pi)}{1} = -\pi$

20. $\displaystyle \lim_{x\to 0^+} \frac{\ln \sin x}{\operatorname{cosec} x} \quad \text{forme } \frac{-\infty}{\infty}$

$\displaystyle = \lim_{x\to 0^+} \frac{\frac{\cos x}{\sin x}}{-\operatorname{cosec} x \cot x} = \lim_{x\to 0^+} \frac{-\cos x \sin x \sin x}{\sin x \cos x}$

$\displaystyle = \lim_{x\to 0^+} (-\sin x) = 0$

21. 3/2

22. ∞

23. 1

24. ∞

25. $\displaystyle \lim_{x\to \infty} e^x \ln\left(1 + \frac{1}{x}\right) \quad \text{forme } \infty \times 0$

$\displaystyle = \lim_{x\to \infty} \frac{\ln\left(1 + \frac{1}{x}\right)}{e^{-x}} \quad \text{forme } \frac{0}{0}$

$\displaystyle = \lim_{x\to \infty} \frac{\left(\frac{1}{1 + 1/x}\right)\left(-\frac{1}{x^2}\right)}{-e^{-x}}$

$\displaystyle = \lim_{x\to \infty} \frac{e^x}{x^2\left(1 + \frac{1}{x}\right)} = \lim_{x\to \infty} \frac{e^x}{x^2 + x} \quad \text{forme } \frac{\infty}{\infty}$

$= \lim_{x\to\infty} \frac{e^x}{2x+1}$ forme $\frac{\infty}{\infty}$

$= \lim_{x\to\infty} \frac{e^x}{2} = \frac{\infty}{2} = \infty$

26. $\lim_{x\to\pi/2} (x-\pi/2)\tan 3x$ forme $0\times\infty$

$= \lim_{x\to\pi/2} \frac{x-\pi/2}{\cot 3x}$ forme $\frac{0}{0}$

$= \lim_{x\to\pi/2} \frac{1}{-3\,\text{cosec}^2 3x} = \lim_{x\to\pi/2} \frac{\sin^2 3x}{-3} = -\frac{1}{3}$

27. $-1/3$

28. 0

29. $\lim_{x\to\infty} (\ln x - e^x)$ forme $\infty - \infty$

$= \lim_{x\to\infty} \ln x\left(1-\frac{e^x}{\ln x}\right)$

Or : $\lim_{x\to\infty} \frac{e^x}{\ln x}$ forme $\frac{\infty}{\infty}$

$= \lim_{x\to\infty} \frac{e^x}{1/x} = \lim_{x\to\infty} x\,e^x = \infty$

Donc : $\lim_{x\to\infty} \ln x\left(1-\frac{e^x}{\ln x}\right) = \infty(1-\infty) = -\infty$

30. $\lim_{x\to 0}\left(\frac{1}{x^4}-\frac{1}{x^2}\right)$ forme $\infty - \infty$

Première méthode de solution :

$= \lim_{x\to 0} \frac{1}{x^4}(1-x^2) = \infty(1-0) = \infty$

Deuxième méthode de solution :

$= \lim_{x\to 0}\left(\frac{1-x^2}{x^4}\right) = \frac{1}{0^+} = \infty$

31. $\lim_{x\to\infty} \left(\sqrt{x+3}-\sqrt{x}\right)$ forme $\infty - \infty$

$= \lim_{x\to\infty} \left(\sqrt{x+3}-\sqrt{x}\right)\frac{\left(\sqrt{x+3}+\sqrt{x}\right)}{\left(\sqrt{x+3}+\sqrt{x}\right)}$

$= \lim_{x\to\infty} \frac{x+3-x}{\sqrt{x+3}+\sqrt{x}} = \lim_{x\to\infty} \frac{3}{\sqrt{x+3}+\sqrt{x}} = \frac{3}{\infty} = 0$

32. $\lim_{x\to\infty} \left(2x-\sqrt{4x^2+3x}\right)$ forme $\infty - \infty$

$= \lim_{x\to\infty} \left(2x-\sqrt{4x^2+3x}\right)\frac{\left(2x+\sqrt{4x^2+3x}\right)}{\left(2x+\sqrt{4x^2+3x}\right)}$

$= \lim_{x\to\infty} \frac{4x^2-(4x^2+3x)}{2x+\sqrt{4x^2+3x}} = \lim_{x\to\infty} \frac{-3x}{2x+\sqrt{4x^2+3x}}$

Cette dernière limite est de la forme $\frac{\infty}{\infty}$. On peut appliquer la règle de L'Hospital :

$= \lim_{x\to\infty} \frac{-3}{2+\frac{8x+3}{2\sqrt{4x^2+3x}}} = \lim_{x\to\infty} \frac{-6\sqrt{4x^2+3x}}{4\sqrt{4x^2+3x}+8x+3}$

ce qui est encore une forme ∞/∞ et si on applique à nouveau la règle de L'Hospital, on a encore une forme ∞/∞ et ainsi de suite. Bref, on « tourne en rond ». Pour sortir de ce cercle vicieux, reprenons :

$\lim_{x\to\infty} \frac{-3x}{2x+\sqrt{4x^2+3x}}$

et divisons chaque terme par x. On a :

$\lim_{x\to\infty} \frac{-3}{2+\frac{\sqrt{4x^2+3x}}{x}} = \lim_{x\to\infty} \frac{-3}{2+\sqrt{\frac{4x^2+3x}{x^2}}}$

$= \lim_{x\to\infty} \frac{-3}{2+\sqrt{4+\frac{3}{x}}} = \frac{-3}{2+\sqrt{4}} = -\frac{3}{4}$

33. $1/10$

34. $-\infty$

35. $\lim_{x\to 0^+} (\sin x)^x$ forme 0^0

Posons : $y = (\sin x)^x$

Alors : $\ln y = x\ln(\sin x)$

Et : $\lim_{x\to 0^+} \ln y = \lim_{x\to 0^+} x\ln(\sin x)$ forme $0\times(-\infty)$

$= \lim_{x\to 0^+} \frac{\ln(\sin x)}{\frac{1}{x}}$ forme $\frac{-\infty}{\infty}$

$= \lim_{x\to 0^+} \frac{\frac{\cos x}{\sin x}}{-\frac{1}{x^2}} = \lim_{x\to 0^+} \frac{-x^2\cos x}{\sin x}$ forme $\frac{0}{0}$

$= \lim_{x\to 0^+} \frac{-2x\cos x + x^2\sin x}{\cos x} = \frac{0}{1} = 0$

Si $\lim_{x\to 0^+} \ln y = 0$, alors $\lim_{x\to 0^+} y = e^0 = 1$

36. 1

37. 1

38. 1

39. $\lim_{x\to\frac{\pi}{4}^-} (\tan 2x)^{\cos 2x}$ forme ∞^0

Posons : $y = (\tan 2x)^{\cos 2x}$

Alors : $\ln y = \cos 2x \ln(\tan 2x)$

Et : $\lim_{x\to\frac{\pi}{4}^-} \ln y = \lim_{x\to\frac{\pi}{4}^-} \cos 2x\ln(\tan 2x)$ forme $0\times\infty$

$= \lim_{x\to\frac{\pi}{4}^-} \frac{\ln(\tan 2x)}{\sec 2x}$ forme $\frac{\infty}{\infty}$

$= \lim_{x\to\frac{\pi}{4}^-} \frac{\frac{2\sec^2 2x}{\tan 2x}}{2\sec 2x\tan 2x} = \lim_{x\to\frac{\pi}{4}^-} \frac{\sec 2x}{\tan^2 2x}$

$= \lim_{x\to\frac{\pi}{4}^-} \frac{\cos^2 2x}{\cos 2x\sin^2 2x} = \lim_{x\to\frac{\pi}{4}^-} \frac{\cos 2x}{\sin^2 2x} = \frac{0}{1} = 0$

Si $\lim_{x\to\frac{\pi}{4}^-} \ln y = 0$, alors $\lim_{x\to\frac{\pi}{4}^-} y = \lim_{x\to\frac{\pi}{4}^-} (\tan 2x)^{\cos 2x} = e^0 = 1$

40. $e^2 = 7{,}389$

41. 1

42. $\lim_{x\to 0^+} (1-\ln x)^{\arctan x}$ forme ∞^0

Posons : $y = (1-\ln x)^{\arctan x}$

Alors : $\ln y = \arctan x\ln(1-\ln x)$

Et : $\lim_{x\to 0^+} \ln y = \lim_{x\to 0^+} \arctan x\ln(1-\ln x)$ forme $0\times\infty$

$$= \lim_{x\to0^+} \frac{\ln(1-\ln x)}{\dfrac{1}{\arctan x}} \qquad \text{forme } \frac{\infty}{\infty}$$

$$= \lim_{x\to0^+} \frac{\dfrac{-1}{x(1-\ln x)}}{\dfrac{-1}{(1+x^2)(\arctan x)^2}}$$

$$= \lim_{x\to0^+} \frac{(1+x^2)(\arctan x)^2}{x(1-\ln x)} \qquad \text{forme } \frac{0}{0} \;**$$

**NB : $\lim_{x\to0^+} x(1-\ln x) = \lim_{x\to0^+} \dfrac{1-\ln x}{\dfrac{1}{x}} = \lim_{x\to0^+} \dfrac{-1/x}{-1/x^2}$

$$= \lim_{x\to0^+} x = 0$$

$$\lim_{x\to0^+} \frac{(1+x^2)(\arctan x)^2}{x(1-\ln x)}$$

$$= \lim_{x\to0^+} \frac{2x(\arctan x)^2 + (1+x^2)\,2\arctan x\left(\dfrac{1}{1+x^2}\right)}{(1-\ln x) + x\left(-\dfrac{1}{x}\right)}$$

$$= \lim_{x\to0^+} \frac{\arctan x\,(2x\arctan x + 2)}{-\ln x} = \frac{0}{\infty} = 0$$

Si $\lim_{x\to0^+} \ln y = 0$, alors $\lim_{x\to0^+} y = \lim_{x\to0^+} (1-\ln x)^{\arctan x} = e^0 = 1$

43. $\sqrt{e} = 1{,}649$

44. $\lim_{x\to1} (x)^{1/(1-x^2)}$ forme 1^∞

Posons : $y = (x)^{\frac{1}{1-x^2}}$

Alors : $\ln y = \dfrac{1}{1-x^2}\ln x = \dfrac{\ln x}{1-x^2}$

Et : $\lim_{x\to1} \ln y = \lim_{x\to1} \dfrac{\ln x}{1-x^2}$ forme $\dfrac{0}{0}$

$$= \lim_{x\to1} \frac{\dfrac{1}{x}}{-2x} = \lim_{x\to1}\left(-\frac{1}{2x^2}\right) = -\frac{1}{2}$$

Si $\lim_{x\to1} \ln y = -\dfrac{1}{2}$, alors :

$$\lim_{x\to1} y = \lim_{x\to1} (x)^{\frac{1}{1-x^2}} = e^{-\frac{1}{2}} = \frac{1}{\sqrt{e}} = 0{,}607$$

45. $e^6 = 403{,}429$

46. $e^{-4} = 0{,}018$

47. e^{21}

48. $e^{-3/2} = 0{,}223$

49. 1

50. $\lim_{x\to0}\left(\dfrac{\tan x}{x}\right)^{1/x^2}$ forme $\left(\dfrac{0}{0}\right)^\infty$

Levons d'abord l'indétermination de la forme $\dfrac{0}{0}$

$$\lim_{x\to0} \frac{\tan x}{x} = \lim_{x\to0} \frac{\sec^2 x}{1} = 1$$

Donc : $\lim_{x\to0}\left(\dfrac{\tan x}{x}\right)^{1/x^2}$ est de la forme 1^∞

Posons : $y = \left(\dfrac{\tan x}{x}\right)^{1/x^2}$

Alors : $\ln y = \dfrac{1}{x^2}\ln\left(\dfrac{\tan x}{x}\right) = \dfrac{\ln\left(\dfrac{\tan x}{x}\right)}{x^2}$

Et : $\lim_{x\to0} \ln y = \lim_{x\to0} \dfrac{\ln\left(\dfrac{\tan x}{x}\right)}{x^2}$ forme $\dfrac{0}{0}$

$$= \lim_{x\to0} \frac{\left(\dfrac{x}{\tan x}\right)\left(\dfrac{x\sec^2 x - \tan x}{x^2}\right)}{2x}$$

$$= \lim_{x\to0} \frac{x\sec^2 x - \tan x}{2x^2\tan x} \qquad \text{forme } \frac{0}{0}$$

$$= \lim_{x\to0} \frac{\sec^2 x + 2x\sec^2 x\tan x - \sec^2 x}{4x\tan x + 2x^2\sec^2 x}$$

$$= \lim_{x\to0} \frac{2x\sec^2 x\tan x}{4x\tan x + 2x^2\sec^2 x} = \lim_{x\to0} \frac{\sec^2 x\tan x}{2\tan x + x\sec^2 x}$$

$$= \lim_{x\to0} \frac{\dfrac{\sin x}{\cos^3 x}}{2\dfrac{\sin x}{\cos x} + \dfrac{x}{\cos^2 x}}$$

$$= \lim_{x\to0} \frac{\sin x}{2\sin x\cos^2 x + x\cos x} \qquad \text{forme } \frac{0}{0}$$

$$= \lim_{x\to0} \frac{\cos x}{2\cos^3 x - 4\sin^2 x\cos x + \cos x - x\sin x} = \frac{1}{3}$$

Si $\lim_{x\to0} \ln y = \dfrac{1}{3}$, alors $\lim_{x\to0} y = \lim_{x\to0}\left(\dfrac{\tan x}{x}\right)^{1/x^2} = e^{1/3} = 1{,}396$

51. Ordre 1

52. $\lim_{x\to0} \dfrac{5x^4 + x^2 - x}{2x^4 + 3x + x^3}$ forme $\dfrac{0}{0}$

$$= \lim_{x\to0} \frac{20x^3 + 2x - 1}{8x^3 + 3 + 3x^2} = -\frac{1}{3}$$

Donc, ordre 1.

53. Ordre 1

54. $\lim_{x\to\pi/4} \dfrac{\cot^2 2x}{\cos 2x}$ forme $\dfrac{0}{0}$

$$\lim_{x\to\pi/4} \frac{-4\cot 2x\,\mathrm{cosec}^2 2x}{-2\sin 2x}$$

$$= \lim_{x\to\pi/4} \frac{-2\cos 2x}{\sin^4 2x} = 0$$

Ici, tout ce qu'on peut conclure, c'est que le numérateur est un infiniment petit d'ordre supérieur par rapport au dénominateur. Pour préciser l'ordre de grandeur, reprenons la comparaison avec le carré du dénominateur :

$$\lim_{x\to\pi/4} \frac{\cot^2 2x}{\cos^2 2x} \qquad \text{forme } \frac{0}{0}$$

$$= \lim_{x\to\pi/4} \frac{-4\cot 2x\,\mathrm{cosec}^2 2x}{-4\cos 2x\sin 2x}$$

$$= \lim_{x\to\pi/4} \frac{-4\cos 2x}{-4\cos 2x\sin 2x\sin 2x\sin^2 2x}$$

$$= \lim_{x\to\pi/4} \frac{1}{\sin^4 2x} = 1$$

Donc, ordre 2.

55. Ordre 2

56. Ordre 1

57. Ordre 1

58. $\lim_{x\to\pi/2} \dfrac{\cot x - \cos x}{x - \pi/2}$ forme $\dfrac{0}{0}$

$$= \lim_{x\to\pi/2} \frac{-\operatorname{cosec}^2 x + \sin x}{1} = 0$$

Alors, considérons :

$$\lim_{x\to\pi/2} \frac{\cot x - \cos x}{(x-\pi/2)^2} \quad \text{forme } \frac{0}{0}$$

$$= \lim_{x\to\pi/2} \frac{-\operatorname{cosec}^2 x + \sin x}{2\,(x-\pi/2)} \quad \text{forme } \frac{0}{0}$$

$$= \lim_{x\to\pi/2} \frac{2\operatorname{cosec}^2 x \cot x + \cos x}{2} = 0$$

Reprenons avec la puissance 3 au dénominateur :

$$\lim_{x\to\pi/2} \frac{\cot x - \cos x}{(x-\pi/2)^3} \quad \text{forme } \frac{0}{0}$$

$$= \lim_{x\to\pi/2} \frac{-\operatorname{cosec}^2 x + \sin x}{3\,(x-\pi/2)^2} \quad \text{forme } \frac{0}{0}$$

$$= \lim_{x\to\pi/2} \frac{2\operatorname{cosec}^2 x \cot x + \cos x}{6\,(x-\pi/2)} \quad \text{forme } \frac{0}{0}$$

$$= \lim_{x\to\pi/2} \frac{-4\operatorname{cosec}^2 x \cot^2 x - 2\operatorname{cosec}^4 x - \sin x}{6} = \frac{0-2-1}{6} = -\frac{1}{2}$$

Donc, on conclut que le numérateur est un infiniment petit d'ordre 3 par rapport au dénominateur.

59. Ordre 4

60. Ordre 1

61. Ordre 4

62. $\lim_{x\to 0} \frac{2\ln\cos x + x^2}{x} \quad \text{forme } \frac{0}{0}$

$$= \lim_{x\to 0} \frac{2\left(\frac{-\sin x}{\cos x}\right) + 2x}{1} = \lim_{x\to 0} \frac{-2\tan x + 2x}{1} = 0$$

Reprenons :

$$\lim_{x\to 0} \frac{2\ln\cos x + x^2}{x^2} \quad \text{forme } \frac{0}{0}$$

$$= \lim_{x\to 0} \frac{-2\tan x + 2x}{2x} = \lim_{x\to 0} \frac{-2\sec^2 x + 2}{2} = 0$$

Reprenons :

$$\lim_{x\to 0} \frac{2\ln\cos x + x^2}{x^3} \quad \text{forme } \frac{0}{0}$$

$$= \lim_{x\to 0} \frac{-2\tan x + 2x}{3x^2} = \lim_{x\to 0} \frac{-2\sec^2 x + 2}{6x}$$

$$= \lim_{x\to 0} \frac{-4\sec^2 x \tan x}{6} = 0$$

Reprenons :

$$\lim_{x\to 0} \frac{2\ln\cos x + x^2}{x^4} \quad \text{forme } \frac{0}{0}$$

$$= \lim_{x\to 0} \frac{-2\tan x + 2x}{4x^3} = \lim_{x\to 0} \frac{-2\sec^2 x + 2}{12x^2}$$

$$= \lim_{x\to 0} \frac{-4\sec^2 x \tan x}{24x}$$

$$= \lim_{x\to 0} \frac{-8\sec^2 x \tan^2 x - 4\sec^4 x}{24} = -\frac{4}{24} = -\frac{1}{6}$$

Donc, ordre 4.

63. Ordre 5

64. Ordre 2

65. $\lim_{x\to 0} \frac{x - \arcsin x}{\sin x} \quad \text{forme } \frac{0}{0}$

$$= \lim_{x\to 0} \frac{1 - \frac{1}{\sqrt{1-x^2}}}{\cos x} = 0$$

Reprenons :

$$\lim_{x\to 0} \frac{x - \arcsin x}{\sin^2 x} \quad \text{forme } \frac{0}{0}$$

$$= \lim_{x\to 0} \frac{1 - \frac{1}{\sqrt{1-x^2}}}{2\sin x\cos x} = \lim_{x\to 0} \frac{\frac{2x}{2\,(1-x^2)^{3/2}}}{2\cos^2 x - 2\sin^2 x} = 0$$

Reprenons :

$$\lim_{x\to 0} \frac{x - \arcsin x}{\sin^3 x} \quad \text{forme } \frac{0}{0}$$

$$= \lim_{x\to 0} \frac{1 - \frac{1}{\sqrt{1-x^2}}}{3\sin^2 x\cos x} = \lim_{x\to 0} \frac{\frac{x}{(1-x^2)^{3/2}}}{6\sin x\cos^2 x - 3\sin^3 x}$$

$$\lim_{x\to 0} \frac{\frac{1\,(1-x^2)^{3/2} - \frac{3}{2}(1-x^2)^{1/2}(-2x)\,x}{(1-x^2)^3}}{6\cos^3 x - 12\sin^2 x\cos x - 9\sin^2 x\cos x} = \frac{1}{6}$$

Donc, ordre 3.

66. $\lim_{x\to 0} \frac{7x^2 - 8x^5 + x^9}{x} \quad \text{forme } \frac{0}{0}$

$$= \lim_{x\to 0} \frac{14x - 40x^4 + 9x^8}{1} = 0$$

Reprenons :

$$\lim_{x\to 0} \frac{7x^2 - 8x^5 + x^9}{x^2} \quad \text{forme } \frac{0}{0}$$

$$= \lim_{x\to 0} \frac{14x - 40x^4 + 9x^8}{2x} = \lim_{x\to 0} \frac{14 - 160x^3 + 72x^7}{2} = \frac{14}{2} = 7$$

Donc, la partie principale cherchée est $7x^2$.

67. $\frac{3}{5}x^2$

68. $\frac{x^3}{3}$

69. $\lim_{x\to 1} \frac{3x^3 - 8x^2 + 7x - 2}{x-1} \quad \text{forme } \frac{0}{0}$

$$= \lim_{x\to 1} \frac{9x^2 - 16x + 7}{1} = 0$$

Reprenons :

$$\lim_{x\to 1} \frac{3x^3 - 8x^2 + 7x - 2}{(x-1)^2} \quad \text{forme } \frac{0}{0}$$

$$= \lim_{x\to 1} \frac{9x^2 - 16x + 7}{2\,(x-1)} = \lim_{x\to 1} \frac{18x - 16}{2} = \frac{2}{2} = 1$$

Donc, la partie principale cherchée est $(x-1)^2$

70. $2\,(x-2)^3$

71. $-x^3$

1

72. $\lim_{x\to\pi/6} \frac{2\sin x - 1}{x - \pi/6}$ forme $\frac{0}{0}$

$= \lim_{x\to\pi/6} \frac{2\cos x}{1} = \sqrt{3}$

Donc, la partie principale cherchée est $\sqrt{3}\,(x - \pi/6)$.

73. $\frac{1}{2}(x-1)^2$

74. $\lim_{x\to 1} \frac{\sqrt{x}-1}{x-1}$ forme $\frac{0}{0}$

$= \lim_{x\to 1} \frac{\frac{1}{2\sqrt{x}}}{1} = \frac{1}{2}$

Donc, la partie principale cherchée est $\frac{1}{2}(x-1)$.

Exercices 1.9

1. La fonction f est continue sur [0, 3], dérivable sur]0, 3[et $f(0) = f(3) = 0$. Donc, le théorème de Rolle s'applique et on trouve $c = 3/2$.

2. $c = 1/2$

3. $c = 1$

4. $c = \frac{\pi}{6}$

5. a) $f(1) \neq f(2)$

   b) f n'est pas continue (et aussi non dérivable) au point d'abscisse $x = 0$, donc pas continue sur [−1, 1].

   c) f n'est pas dérivable au point d'abscisse $x = 3$, donc pas dérivable sur]0, 6[.

6. Discontinuité en $x = 1$

7. Non dérivable en $x = 3$

8. Discontinuité en $x = \pi/2$

9. Pour tous ces cas, le théorème de Rolle ne s'applique pas puisque:

   a) La fonction est discontinue en $x = 0$

   b) La fonction n'est pas définie en $x = 2$

   c) La fonction n'est pas dérivable en $x = 0$

10. Considérons $f(x) = x^5 + x^3 - 3$. Alors:

$$f'(x) = 5x^4 + 3x^2 = x^2\,(5x^2 + 3)$$

La dérivée $f'(x)$ s'annule pour $x = 0$ et est positive partout ailleurs. Il ne peut y avoir plus d'une racine dans chacun des intervalles $]-\infty, 0[$ et $]0, \infty[$, sinon on contredit le théorème de Rolle. Il est clair que pour $x < 0$, $f(x)$ est toujours < 0 et ainsi, il ne peut y avoir de racine dans l'intervalle $]-\infty, 0[$. Dans l'intervalle $]0, \infty[$, il y aura une racine (et une seule) car $f(1) = -1$ et $f(2) = 37$. Cette racine est entre 1 et 2.

Pour illustrer, voici une représentation graphique de cette fonction $y = f(x)$.

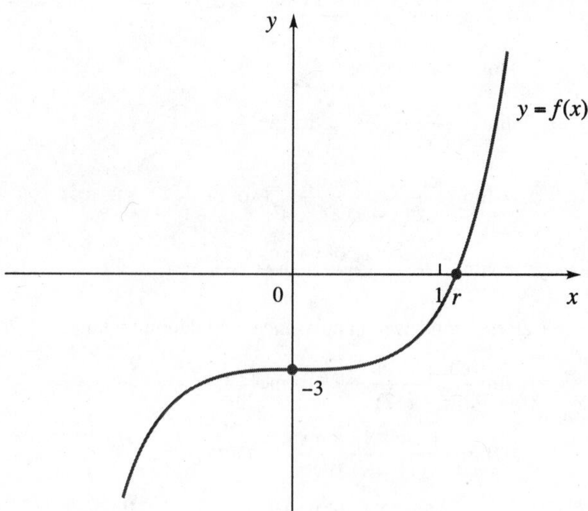

11. La fonction considérée est continue sur [0, 4] et dérivable sur]0, 4[.

$$\frac{f(4) - f(0)}{4 - 0} = \frac{13 - 5}{4} = 2$$

$$f'(x) = 6 - 2x \qquad 6 - 2c = 2 \quad \Rightarrow \quad c = 2$$

C'est la valeur prévue par le théorème de Lagrange.

12. $c = -4 + \sqrt{40} = 2{,}325$

13. a) $c = 3$

    b) $c = \sqrt{13/3} = 2{,}082$

    c) $c = 2 + \sqrt{3} = 3{,}732$

14. a) $c = \frac{5}{2}$

    b) $c = -5 + 2\sqrt{6} = -0{,}1010$

    c) $c = 0{,}0848$

15. Le domaine de définition de cette fonction f est l'intervalle [−3, 3]. Voici une représentation graphique de f:

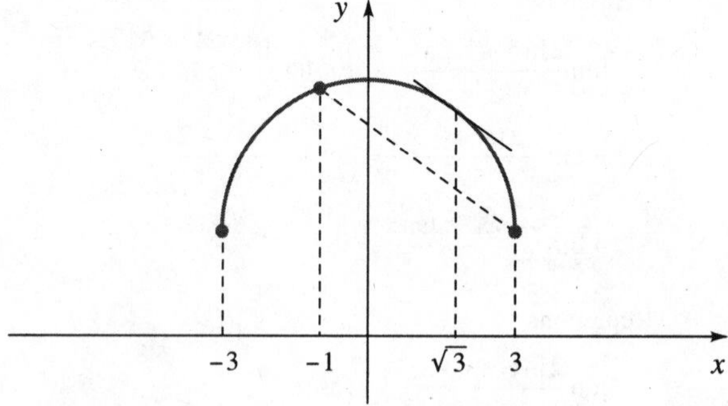

Cette fonction remplit les conditions du théorème de Lagrange. En effet, elle est continue sur [−3, 3] et dérivable sur]−3, 3[, donc en particulier sur [−1, 3]. De plus, $f(-1) = 2 + \sqrt{8}$ et $f(3) = 2$.

Donc, il existe une valeur c telle que

$$f'(c) = \frac{f(3) - f(-1)}{3 - (-1)}$$

Puisque $f'(x) = \dfrac{-x}{\sqrt{9-x^2}}$, on a :

$$\frac{-c}{\sqrt{9-c^2}} = \frac{2-(2+\sqrt{8})}{3-(-1)}$$
$$-4c = -\sqrt{8}\,\sqrt{9-c^2}$$
$$16c^2 = 8\,(9-c^2)$$
$$24c^2 = 72$$
$$c^2 = 3$$
$$c = \pm\sqrt{3}$$

Dans l'intervalle considéré, nous ne retenons que $c = \sqrt{3}$; c'est la valeur prévue par le théorème de Lagrange.

16. $f(x) = \begin{cases} 2x+4 & \text{si } x < 3 \\ 5-x^2 & \text{si } x \geq 3 \end{cases}$

Cette fonction est définie sur [1, 4] mais elle est discontinue en $x = 3$. En effet :

$$\lim_{x\to 3^-} f(x) = \lim_{x\to 3^-} (2x+4) = 10$$
$$\lim_{x\to 3^+} f(x) = \lim_{x\to 3^+} (5-x^2) = -4$$

Donc, $\lim\limits_{x\to 3} f(x)$ ∄

Globalement, f n'est pas continue sur [1, 4].

17. a) f est discontinue en $x = 2$, donc n'est pas continue sur [1, 4].

b) f n'est pas dérivable en $x = 3$, donc n'est pas dérivable sur]–2, 4[.

18. La fonction f n'est pas dérivable en $x = 4$.

19. Non, car il y a une discontinuité en $x = -5/2$.

20. Non, car la fonction est non dérivable en $x = -7/2$.

21. Non, car la fonction est non définie en $x = \pi/2$.

22. Oui, $c = -0{,}646$.

23. Non, car la fonction est non dérivable en $x = 2$.

24. Non, car $f(-3)$ n'existe pas, donc f n'est pas définie sur [–3, 0].

25. $\sec 50° = \sec(45° + 5°) = \sec\left(\dfrac{\pi}{4} + \dfrac{\pi}{36}\right)$

Considérons la fonction $y = \sec x$ sur $\left[\dfrac{\pi}{4}, \dfrac{\pi}{4} + \dfrac{\pi}{36}\right]$

On a $y' = \sec x \tan x$.

Selon le théorème de Lagrange :

$$\sec 50° \cong \sec 45° + \left(\frac{\pi}{36}\right)\left(\sec\frac{\pi}{4}\tan\frac{\pi}{4}\right) = \sqrt{2} + \frac{\pi}{36}\sqrt{2} = 1{,}538$$

26. Considérons la fonction $f(x) = \sqrt{x+4}$ sur l'intervalle $[0, x]$ où $x > 0$.

$$f'(x) = \frac{1}{2\sqrt{x+4}}$$

Selon le théorème de Lagrange :

$$f(x) = f(0) + (x-0)\,f'(c) \qquad \text{où } 0 < c < x$$
$$\sqrt{x+4} = 2 + x\frac{1}{2\sqrt{c+4}}$$

Partant de $0 < c < x$, on a :

$$4 < c+4 < x+4$$
$$2 < \sqrt{c+4} < \sqrt{x+4}$$
$$4 < 2\sqrt{c+4} < 2\sqrt{x+4}$$
$$\frac{1}{4} > \frac{1}{2\sqrt{c+4}} > \frac{1}{2\sqrt{x+4}}$$
$$\frac{x}{4} > \frac{x}{2\sqrt{c+4}} > \frac{x}{2\sqrt{x+4}}$$
$$2 + \frac{x}{4} > 2 + \frac{x}{2\sqrt{c+4}} > 2 + \frac{x}{2\sqrt{x+4}}$$
$$2 + \frac{x}{4} > \sqrt{x+4} > 2 + \frac{x}{2\sqrt{x+4}}$$

D'où le résultat.

27. Calculons les dérivées de f et de g :

$$f'(x) = \frac{-5}{(x-2)^2} \qquad g'(x) = \frac{-5}{(x-2)^2}$$

Les dérivées étant égales on peut conclure, selon le corollaire 2, que

$$f(x) = g(x) + K$$

En effet :

$$f(x) = 3 + \frac{5}{x-2} \quad \text{et} \quad g(x) = 2 + \frac{5}{x-2}$$

et ainsi $K = 1$.

28. $f'(x) = \dfrac{1\,(x+3) - (x+1)\,1}{(x+3)^2} = \dfrac{2}{(x+3)^2}$

$$g'(x) = \frac{(-3)\,(x+3) - (-3x-11)\,1}{(x+3)^2}$$
$$= \frac{-3x-9+3x+11}{(x+3)^2} = \frac{2}{(x+3)^2}$$

Donc, ces deux fonctions ne diffèrent que par une constante. Pour trouver cette constante, effectuons les divisions des numérateurs de f et g par les dénominateurs; on obtient :

$$f(x) = \frac{x+1}{x+3} = 1 - \frac{2}{x+3} \quad \text{et} \quad g(x) = \frac{-3x-11}{x+3} = -3 - \frac{2}{x+3}$$

Il s'ensuit que $f(x) = g(x) + 4$, ce qui nous donne la constante cherchée.

29. $f(t) = t^2 + 1 \Rightarrow f'(t) = 2t$

$g(t) = (t+1)^3 \Rightarrow g'(t) = 3\,(t+1)^2$

Sur [0, 2], les conditions du théorème de Cauchy sont remplies ; alors :

$$\frac{f(2)-f(0)}{g(2)-g(0)} = \frac{f'(c)}{g'(c)} \qquad \text{où } c \in\,]0, 2[$$
$$\frac{5-1}{27-1} = \frac{2c}{3\,(c+1)^2}$$
$$\frac{4}{26} = \frac{2c}{3c^2+6c+3}$$
$$3c^2 + 6c + 3 = 13c$$
$$3c^2 - 7c + 3 = 0 \Rightarrow c = \frac{7 \pm \sqrt{13}}{6} = \begin{cases} 1{,}768 \\ 0{,}566 \end{cases}$$

Les deux valeurs de c sont dans l'intervalle considéré.

1

30. −1

31. 1

32. $\dfrac{1}{2\sqrt{3}} = \dfrac{\sqrt{3}}{6} = 0{,}289$

33. 1

34. 3/7 = 0,429

35. 5/2

36. $\lim\limits_{x\to 4} \dfrac{\sin(x-4)}{\ln(5-x)}$ forme $\dfrac{0}{0}$

$= \lim\limits_{x\to 4} \dfrac{\cos(x-4)}{\dfrac{-1}{5-x}} = \dfrac{1}{-1} = -1$

37. $\lim\limits_{x\to\infty} \dfrac{2x^3+6x-5}{3x^3+7}$ forme $\dfrac{\infty}{\infty}$

$= \lim\limits_{x\to\infty} \dfrac{6x^2+6}{9x^2}$ forme $\dfrac{\infty}{\infty}$

$= \lim\limits_{x\to\infty} \dfrac{12x}{18x} = \dfrac{12}{18} = \dfrac{2}{3}$

38. ∞

39. 0

40. −2

41. ∞

42. $\lim\limits_{x\to 1^+} (x-1)\ln(x^2-1)$ forme $0\times(-\infty)$

$= \lim\limits_{x\to 1^+} \dfrac{\ln(x^2-1)}{\dfrac{1}{x-1}}$ forme $\dfrac{-\infty}{\infty}$

$= \lim\limits_{x\to 1^+} \dfrac{\dfrac{2x}{x^2-1}}{\dfrac{-1}{(x-1)^2}} = \lim\limits_{x\to 1^+} \dfrac{-2x(x-1)^2}{x^2-1}$

$= \lim\limits_{x\to 1^+} \dfrac{-2x(x-1)}{(x+1)} = 0$

43. 2

44. 3/5

45. $\lim\limits_{x\to\infty} (\ln x^2 - 3e^x)$ forme $\infty - \infty$

$= \lim\limits_{x\to\infty} \ln x^2 \left(1 - \dfrac{3e^x}{\ln x^2}\right)$

Or : $\lim\limits_{x\to\infty} \dfrac{3e^x}{\ln x^2}$ forme $\dfrac{\infty}{\infty}$

$= \lim\limits_{x\to\infty} \dfrac{3e^x}{2/x} = \lim\limits_{x\to\infty} \dfrac{3x\,e^x}{2} = \infty$

Donc : $\lim\limits_{x\to\infty} \ln x^2 \left(1 - \dfrac{3e^x}{\ln x^2}\right) = \infty(1-\infty) = -\infty$

46. $\lim\limits_{x\to\infty} \left(\sqrt{x^2+1} - \sqrt{x+1}\right)$ forme $\infty - \infty$

$= \lim\limits_{x\to\infty} \sqrt{x^2+1}\left(1 - \dfrac{\sqrt{x+1}}{\sqrt{x^2+1}}\right)$

Or : $\lim\limits_{x\to\infty} \dfrac{\sqrt{x+1}}{\sqrt{x^2+1}}$ forme $\dfrac{\infty}{\infty}$

$= \lim\limits_{x\to\infty} \dfrac{\dfrac{1}{2\sqrt{x+1}}}{\dfrac{2x}{2\sqrt{x^2+1}}}$

$= \lim\limits_{x\to\infty} \dfrac{\sqrt{x^2+1}}{\sqrt{x+1}\,2x}$ forme $\dfrac{\infty}{\infty}$

Note : Ici, la règle de L'Hospital ne permet pas de lever l'indétermination, car elle « tourne en rond ». Reprenons

$$\lim_{x\to\infty} \frac{\sqrt{x+1}}{\sqrt{x^2+1}}$$

et divisons chaque terme par x :

$$\lim_{x\to\infty} \frac{\dfrac{\sqrt{x+1}}{x}}{\dfrac{\sqrt{x^2+1}}{x}} = \lim_{x\to\infty} \frac{\sqrt{\dfrac{x}{x^2} + \dfrac{1}{x^2}}}{\sqrt{\dfrac{x^2}{x^2} + \dfrac{1}{x^2}}} = 0$$

Donc : $\lim\limits_{x\to\infty} \sqrt{x^2+1}\left(1 - \dfrac{\sqrt{x+1}}{\sqrt{x^2+1}}\right) = \infty(1-0) = \infty$

Autre méthode de solution :

$\lim\limits_{x\to\infty} \left(\sqrt{x^2+1} - \sqrt{x+1}\right) \dfrac{\left(\sqrt{x^2+1} + \sqrt{x+1}\right)}{\left(\sqrt{x^2+1} + \sqrt{x+1}\right)}$

$= \lim\limits_{x\to\infty} \dfrac{x^2+1-(x+1)}{\sqrt{x^2+1}+\sqrt{x+1}} = \lim\limits_{x\to\infty} \dfrac{x^2-x}{\sqrt{x^2+1}+\sqrt{x+1}}$

$= \lim\limits_{x\to\infty} \dfrac{\dfrac{x^2}{x} - \dfrac{x}{x}}{\dfrac{\sqrt{x^2+1}}{x} + \dfrac{\sqrt{x+1}}{x}} = \lim\limits_{x\to\infty} \dfrac{x-1}{\sqrt{\dfrac{x^2}{x^2}+\dfrac{1}{x^2}} + \sqrt{\dfrac{x}{x^2}+\dfrac{1}{x^2}}} = \dfrac{\infty}{1} = \infty$

47. 0

48. −1/2

49. 1/3

50. $\lim\limits_{x\to 0^+} x^{-\sin x}$ forme 0^0

Posons : $y = x^{-\sin x}$

Alors : $\ln y = (-\sin x)\ln x$

Et : $\lim\limits_{x\to 0^+} \ln y = \lim\limits_{x\to 0^+} (-\sin x)\ln x$ forme $0\times(-\infty)$

$= \lim\limits_{x\to 0^+} \dfrac{-\ln x}{\operatorname{cosec} x}$ forme $\dfrac{-\infty}{\infty}$

$= \lim\limits_{x\to 0^+} \dfrac{-\dfrac{1}{x}}{-\operatorname{cosec} x \cot x}$

$= \lim\limits_{x\to 0^+} \dfrac{\sin^2 x}{x\cos x}$ forme $\dfrac{0}{0}$

$= \lim\limits_{x\to 0^+} \dfrac{2\sin x\cos x}{\cos x - x\sin x} = 0$

Si $\lim\limits_{x\to 0^+} \ln y = 0$, alors $\lim\limits_{x\to 0^+} y = \lim\limits_{x\to 0^+} x^{-\sin x} = e^0 = 1$

51. 1

52. 1

53. $\lim\limits_{x\to 0} (x^2e^x+1)^{1/x}$ forme 1^∞

Posons : $y = (x^2e^x+1)^{1/x}$

Alors : $\ln y = \frac{1}{x}\ln(x^2e^x+1) = \frac{\ln(x^2e^x+1)}{x}$

Et : $\lim_{x\to 0}\ln y = \lim_{x\to 0}\frac{\ln(x^2e^x+1)}{x}$ forme $\frac{0}{0}$

$$= \lim_{x\to 0}\frac{\frac{2x\,e^x + x^2e^x}{x^2e^x+1}}{1}$$

$$= \lim_{x\to 0}\frac{2x\,e^x + x^2e^x}{x^2e^x+1} = \frac{0}{1} = 0$$

Si $\lim_{x\to 0}\ln y = 0$, alors $\lim_{x\to 0} y = \lim_{x\to 0}(x^2e^x+1)^{1/x} = e^0 = 1$

54. $e^8 = 2\,980{,}958$

55. $\lim_{x\to 0}(x\,e^x + \cos x)^{1/2x}$ forme 1^∞

Posons : $y = (x\,e^x + \cos x)^{1/2x}$

Alors : $\ln y = \frac{1}{2x}\ln(x\,e^x+\cos x) = \frac{\ln(x\,e^x+\cos x)}{2x}$

Et : $\lim_{x\to 0}\ln y = \lim_{x\to 0}\frac{\ln(x\,e^x+\cos x)}{2x}$ forme $\frac{0}{0}$

$$= \lim_{x\to 0}\frac{\frac{e^x + x\,e^x - \sin x}{x\,e^x+\cos x}}{2} = \lim_{x\to 0}\frac{e^x + x\,e^x - \sin x}{2\,(x\,e^x+\cos x)} = \frac{1}{2}$$

Si $\lim_{x\to 0}\ln y = 1/2$, alors $\lim_{x\to 0} y = \lim_{x\to 0}(x\,e^x+\cos x)^{1/2x}$
$= e^{1/2} = \sqrt{e} = 1{,}649$

56. $\frac{1}{e} = 0{,}368$

57. $\lim_{x\to 0}\frac{x\sin x}{\ln\cos x} = \lim_{x\to 0}\frac{\sin x + x\cos x}{-\tan x}$

$$= \lim_{x\to 0}\frac{2\cos x - x\sin x}{-\sec^2 x} = -2$$

Donc, ordre 1.

58. $\lim_{x\to 0}\frac{e^x-1}{\sqrt{x}}$ forme $\frac{0}{0}$

$$= \lim_{x\to 0}\frac{e^x}{\frac{1}{2\sqrt{x}}} = \lim_{x\to 0}\frac{2\sqrt{x}\,e^x}{1} = 0$$

Reprenons avec la puissance 2 au dénominateur :

$$\lim_{x\to 0}\frac{e^x-1}{\left(\sqrt{x}\right)^2} = \lim_{x\to 0}\frac{e^x-1}{x} = \lim_{x\to 0}\frac{e^x}{1} = 1$$

Donc, ordre 2.

59. Ordre 1

60. $\lim_{x\to 2}\frac{x\cos x - 2\cos x - x\cos 2 + 2\cos 2}{x^2+x-6}$ forme $\frac{0}{0}$

$$= \lim_{x\to 2}\frac{\cos x - x\sin x + 2\sin x - \cos 2}{2x+1} = \frac{0}{5} = 0$$

Reprenons avec la puissance 2 au dénominateur :

$$\lim_{x\to 2}\frac{x\cos x - 2\cos x - x\cos 2 + 2\cos 2}{(x^2+x-6)^2}$$

$$= \lim_{x\to 2}\frac{\cos x - x\sin x + 2\sin x - \cos 2}{2\,(x^2+x-6)\,(2x+1)} \quad \text{forme } \frac{0}{0}$$

$$= \lim_{x\to 2}\frac{-\sin x - \sin x - x\cos x + 2\cos x}{2\,(2x+1)^2 + 2\,(x^2+x-6)\,2}$$

$$= \frac{-2\sin 2}{2\,(5)^2+0} = \frac{-2\sin 2}{50}$$

Donc, ordre 2.

61. Ordre 3

62. $\lim_{x\to 0}\frac{\cot x - \operatorname{cosec} x}{x}$ forme $\frac{0}{0}$

$$= \lim_{x\to 0}\frac{-\operatorname{cosec}^2 x + \operatorname{cosec} x\cot x}{1}$$

$$= \lim_{x\to 0}\frac{-1+\cos x}{\sin^2 x} \quad \text{forme } \frac{0}{0}$$

$$= \lim_{x\to 0}\frac{-\sin x}{2\sin x\cos x} = \lim_{x\to 0}\frac{-1}{2\cos x} = -\frac{1}{2}$$

Donc, la partie principale cherchée est $-\frac{1}{2}x$.

63. $-x^3$

64. $\frac{1}{2}x^2$

65. $\lim_{x\to 0}\frac{2x - \sin x - \tan x}{x}$ forme $\frac{0}{0}$

$$= \lim_{x\to 0}\frac{2-\cos x - \sec^2 x}{1} = \frac{0}{1} = 0$$

Reprenons :

$$\lim_{x\to 0}\frac{2x-\sin x - \tan x}{x^2} \quad \text{forme } \frac{0}{0}$$

$$= \lim_{x\to 0}\frac{2-\cos x - \sec^2 x}{2x} = \lim_{x\to 0}\frac{\sin x - 2\sec^2 x\tan x}{2} = 0$$

Reprenons :

$$\lim_{x\to 0}\frac{2x-\sin x - \tan x}{x^3} \quad \text{forme } \frac{0}{0}$$

$$= \lim_{x\to 0}\frac{2-\cos x - \sec^2 x}{3x^2} \quad \text{forme } \frac{0}{0}$$

$$= \lim_{x\to 0}\frac{\sin x - 2\sec^2 x\tan x}{6x}$$

$$= \lim_{x\to 0}\frac{\cos x - 4\sec^2 x\tan^2 x - 2\sec^4 x}{6} = \frac{1-2}{6} = -\frac{1}{6}$$

Donc, la partie principale cherchée est $-\frac{1}{6}x^3$.

Exercices 1.10

1. f est continue sur $[0,1]$ et f est dérivable sur $]0,\ 1[$. $f(0)=0$ et $f(1)=0$. Donc, le théorème de Rolle s'applique.

$$f'(x) = x\,e^x - 1$$
$$f'(c) = c\,e^c - 1$$
$$f'(c) = 0 \ \Rightarrow\ c\,e^c - 1 = 0$$

Résolvons cette dernière équation par la méthode de Newton.

$$g(c) = c\,e^c - 1$$
$$g'(c) = (c+1)\,e^c$$
$$g''(c) = (c+2)\,e^c$$
$$g(0) = -1$$

et $g(1) = 1{,}718$

et $g''(c) > 0$ sur $[0, 1]$

Il y a donc une racine entre 0 et 1. Soit $c_1 = 1$, une première approximation :

$$c_2 = 1 - \frac{g(1)}{g'(1)} = 1 - \frac{1{,}7182}{5{,}4365} = 0{,}684$$

$$c_3 = 0{,}578 ; c_4 = 0{,}567 ; c_5 = 0{,}567 ; \ldots$$

La valeur prévue par le théorème de Rolle est donc $c = 0{,}567$.

2. $f(x) = 1 + \sqrt{x-3}$ sur $[1, 3]$

La fonction f n'est pas définie sur cet intervalle sauf au point d'abscisse $x = 3$. En effet, $D_f = [3, \infty[$.

3. $\sqrt{\dfrac{4-\pi}{\pi}} = 0{,}523$

4. Il y a une discontinuité en $x = \dfrac{\pi}{2} = 1{,}571$.

5. Non. L'énoncé du théorème de Lagrange a la forme « Si… alors… ». Voir la remarque analogue concernant le théorème de Rolle à la section 1.1.5.

6. Preuve semblable à l'exemple 1.9.

7. $f'(x) = g'(x)$ et $f(x) - g(x) = \ln 5 - 1 = 0{,}609$

8. $f'(x) = g'(x)$ et $f(x) - g(x) = 2$

9. Considérons la fonction $y = \tan x$ sur l'intervalle $[0, x]$ où $0 < x < \pi/2$. Selon le théorème de Lagrange,

$$\tan x = \tan 0 + (x - 0)\sec^2 c \quad \text{où } 0 < c < x$$

$$\tan x = x \sec^2 c$$

où

$$0 < c < x$$
$$1 < \sec^2 c < \sec^2 x$$
$$x < x\sec^2 c < x \sec^2 x$$
$$x < \tan x < x \sec^2 x$$

D'où la preuve.

10. $f(x) = x^3 - 3x^2 + 6x - 3$

$f'(x) = 3x^2 - 6x + 6 = 3(x^2 - 2x + 2)$

$f'(x)$ n'est jamais 0, donc $f(x)$ ne peut égaler 0 à deux valeurs a et b, car si c'était le cas, il y aurait une valeur c où $f'(c) = 0$ (théorème de Rolle). Donc, f n'a pas plus d'un zéro. La fonction f a un zéro car $f(0) = -3$ et $f(1) = 1$. D'où la preuve.

11. Appliquer le théorème de Lagrange à la fonction $f(x) = \sin x$ sur l'intervalle $[a, x]$.

12. Il suffit de considérer le cas particulier où la fonction g est définie par $g(t) = t$.

Alors $g'(t) = 1$ et la forme :

$$\frac{f(b) - f(a)}{g(b) - g(a)} = \frac{f'(c)}{g'(c)}$$

devient $\dfrac{f(b) - f(a)}{b - a} = \dfrac{f'(c)}{1} = f'(c)$

13. $\dfrac{5}{6}x^3$

14. Soit $f(x)$ un infiniment petit lorsque $x \to a$ et $k(x-a)^n$ sa partie principale. Alors par définition :

$$\lim_{x \to a} \frac{f(x)}{(x-a)^n} = k \neq 0$$

Comparant $f(x)$ et sa partie principale, on a :

$$\lim_{x \to a} \frac{f(x)}{k(x-a)^n} = \lim_{x \to a} \frac{1}{k} \frac{f(x)}{(x-a)^n} = \frac{k}{k} = 1$$

Donc, ce sont des infiniment petits de même ordre.

15. Comparant la différence entre $f(x)$ et sa partie principale avec $f(x)$, on a :

$$\lim_{x \to a} \frac{f(x) - k(x-a)^n}{f(x)} \qquad \text{forme } \frac{0}{0}$$

$$= \lim_{x \to a} \left(\frac{f(x)}{f(x)} - \frac{k(x-a)^n}{f(x)} \right)$$

$$= \lim_{x \to a} \left(1 - k\frac{(x-a)^n}{f(x)} \right) = 1 - k\left(\frac{1}{k}\right) = 0$$

Donc, $f(x) - k(x-a)^n$ est un infiniment petit d'ordre supérieur par rapport à $f(x)$.

16. Comme la $\lim\limits_{x \to a} \dfrac{f(x)}{g(x)}$ ne dépend pas de la valeur de $f(x)$ et $g(x)$ au point d'abscisse $x = a$, on peut définir $f(a) = \lim\limits_{x \to a} f(x) = 0$ et $g(a) = \lim\limits_{x \to a} g(x) = 0$ et la preuve est alors ramenée à celle donnée à la section 1.5.2.

17. Supposons que $\lim\limits_{x \to \infty} f(x) = 0$ et $\lim\limits_{x \to \infty} g(x) = 0$.

Posons $x = \dfrac{1}{z}$ alors si $x \to \infty$ alors $z \to 0$ et

$$\lim_{x \to \infty} \frac{f(x)}{g(x)} = \lim_{z \to 0} \frac{f\left(\frac{1}{z}\right)}{g\left(\frac{1}{z}\right)} = \lim_{z \to 0} \frac{f'\left(\frac{1}{z}\right)\left(-\frac{1}{z^2}\right)}{g'\left(\frac{1}{z}\right)\left(-\frac{1}{z^2}\right)}$$

$$= \lim_{z \to 0} \frac{f'\left(\frac{1}{z}\right)}{g'\left(\frac{1}{z}\right)} = \lim_{x \to \infty} \frac{f'(x)}{g'(x)}$$

Ce qui démontre la règle de L'Hospital même lorsque $x \to \infty$.

18. Considérer $\lim\limits_{x \to a} \dfrac{g(x)}{f(x)}$.

Test sur le chapitre 1

1. La fonction f est définie et continue sur $[-1, 2]$ et elle est dérivable sur $]-1, 2[$. De plus, $f(-1) = 2$ et $f(2) = 2$. Le théorème de Rolle assure donc qu'il existe une valeur $c \in\,]-1, 2[$ telle que $f'(c) = 0$. Cherchons cette valeur.

$$f'(x) = \frac{1}{2\sqrt{x+1}}(x-2) + \sqrt{x+1} = \frac{3x}{2\sqrt{x+1}}$$

$$f'(c) = \frac{3c}{2\sqrt{c+1}}$$

$$f'(c) = 0 \Rightarrow \frac{3c}{2\sqrt{c+1}} = 0 \Rightarrow c = 0$$

C'est la valeur prévue par le théorème de Rolle et bien sûr, $0 \in]-1, 2[$.

2. f est continue sur $[2, 3]$ et dérivable sur $]2, 3[$.

$f'(x) = \ln x + 1$

$f'(c) = \ln c + 1$

$$f'(c) = \frac{f(3)-f(2)}{3-2} = \frac{3\ln 3 - 2\ln 2}{3-2} = \ln 27 - \ln 4 = \ln\frac{27}{4}$$

Donc :

$$\ln c + 1 = \ln\frac{27}{4}$$

$$\ln c = \ln\frac{27}{4} - 1 = \ln\frac{27}{4} - \ln e = \ln\frac{27}{4e}$$

$$\Rightarrow \quad c = \frac{27}{4e} = 2{,}483$$

Cette valeur $c = 2{,}483$ dans l'intervalle $[2, 3]$ est la valeur prévue par le théorème de Lagrange.

3. $\cot 31° = \cot(30° + 1°) = \cot\left(\frac{\pi}{6} + \frac{\pi}{180}\right)$

Considérons la fonction $f(x) = \cot x$ sur l'intervalle

$$\left[\frac{\pi}{6}, \frac{\pi}{6} + \frac{\pi}{180}\right].$$

La fonction est continue sur cet intervalle et dérivable sur

$$\left]\frac{\pi}{6}, \frac{\pi}{6} + \frac{\pi}{180}\right[.$$

On a $f'(x) = -\text{cosec}^2 x$. Selon le théorème de Lagrange :

$$\cot 31° \cong \cot\left(\frac{\pi}{6}\right) + \left(\frac{\pi}{180}\right)\left(-\text{cosec}^2\frac{\pi}{6}\right)$$

$$= \sqrt{3} - \frac{\pi}{180}(2)^2 = 1{,}662$$

4. $$f'(x) = \frac{(2x-1)(x-2) - (x^2 - x)}{(x-2)^2} = \frac{x^2 - 4x + 2}{(x-2)^2}$$

$$g'(x) = \frac{(2x+4)(x-2) - (x^2 + 4x - 10)}{(x-2)^2} = \frac{x^2 - 4x + 2}{(x-2)^2}$$

Puisque les deux dérivées sont égales, les deux fonctions ne diffèrent que par une constante.

De plus :

$$f(x) = \frac{x^2 - x}{x-2} = x + 1 + \frac{2}{x-2}$$

$$g(x) = \frac{x^2 + 4x - 10}{x-2} = x + 6 + \frac{2}{x-2}$$

Ainsi : $f(x) - g(x) = -5$.

5. $\lim\limits_{x\to\infty} \frac{3e^x + x^2}{e^{2x} + 7}$ forme $\frac{\infty}{\infty}$

$= \lim\limits_{x\to\infty} \frac{3e^x + 2x}{2e^{2x}}$ forme $\frac{\infty}{\infty}$

$= \lim\limits_{x\to\infty} \frac{3e^x + 2}{4e^{2x}}$ forme $\frac{\infty}{\infty}$

$$= \lim_{x\to\infty} \frac{3e^x}{8e^{2x}} = \lim_{x\to\infty} \frac{3}{8e^x} = \frac{3}{\infty} = 0$$

6. $$\lim_{x\to 0^+} x(\ln \sin x) = \lim_{x\to 0^+} \frac{\ln \sin x}{1/x} = \lim_{x\to 0^+} \frac{\cos x/\sin x}{-1/x^2}$$

$$= \lim_{x\to 0^+} \frac{-x^2 \cos x}{\sin x} = \lim_{x\to 0^+} \frac{-2x\cos x + x^2 \sin x}{\cos x} = 0$$

7. $\lim (x^3 - \ln x)$ forme $\infty - \infty$

$$= \lim_{x\to\infty} x^3\left(1 - \frac{\ln x}{x^3}\right)$$

Or : $\lim\limits_{x\to\infty} \frac{\ln x}{x^3}$ forme $\frac{\infty}{\infty}$

$$= \lim_{x\to\infty} \frac{1/x}{3x^2} = \lim_{x\to\infty} \frac{1}{3x^3} = 0$$

Donc : $\lim\limits_{x\to\infty} x^3\left(1 - \frac{\ln x}{x^3}\right) = \infty(1-0) = \infty$

8. $\lim\limits_{x\to 0} (x e^x + 1)^{2/x}$ forme 1^∞

Posons : $y = (x e^x + 1)^{2/x}$

Alors : $\ln y = \frac{2}{x}\ln(x e^x + 1) = \frac{2\ln(x e^x + 1)}{x}$

Et : $\lim\limits_{x\to 0} \ln y = \lim\limits_{x\to 0} \frac{2\ln(x e^x + 1)}{x}$ forme $\frac{0}{0}$

$$= \lim_{x\to 0} \frac{2\left(\dfrac{e^x + x e^x}{x e^x + 1}\right)}{1}$$

$$\lim_{x\to 0} \frac{2(e^x + x e^x)}{x e^x + 1} = \frac{2}{1} = 2$$

Si $\lim\limits_{x\to 0} \ln y = 2$, alors $\lim\limits_{x\to 0} y = \lim\limits_{x\to 0} (x e^x + 1)^{2/x} = e^2 = 7{,}389$

9. $\lim\limits_{x\to 0} \frac{e^x \cos x - 1 - x}{x}$ forme $\frac{0}{0}$

$$= \lim_{x\to 0} \frac{e^x \cos x - e^x \sin x - 1}{1} = \frac{0}{1} = 0$$

Reprenons avec la puissance 2 au dénominateur :

$\lim\limits_{x\to 0} \frac{e^x \cos x - 1 - x}{x^2}$ forme $\frac{0}{0}$

$$= \lim_{x\to 0} \frac{e^x \cos x - e^x \sin x - 1}{2x}$$

$$= \lim_{x\to 0} \frac{e^x \cos x - e^x \sin x - e^x \sin x - e^x \cos x}{2} = \frac{0}{2} = 0$$

Reprenons avec la puissance 3 au dénominateur :

$\lim\limits_{x\to 0} \frac{e^x \cos x - 1 - x}{x^3}$ forme $\frac{0}{0}$

$= \lim\limits_{x\to 0} \frac{e^x \cos x - e^x \sin x - 1}{3x^2}$ forme $\frac{0}{0}$

$= \lim\limits_{x\to 0} \frac{-2e^x \sin x}{6x}$ forme $\frac{0}{0}$

$$= \lim_{x\to 0} \frac{-2e^x \sin x - 2e^x \cos x}{6} = \frac{-2}{6} = -\frac{1}{3}$$

Donc, $e^x \cos x - 1 - x$ est un infiniment petit d'ordre 3 par rapport à x lorsque $x \to 0$.

10. $\lim\limits_{x\to 3} \frac{x - 3 - \sin(x-3)}{x-3}$ forme $\frac{0}{0}$

$$= \lim_{x\to 3} \frac{1 - \cos(x-3)}{1} = \frac{0}{1} = 0$$

Reprenons :

$$\lim_{x\to3}\frac{x-3-\sin(x-3)}{(x-3)^2} \quad \text{forme } \frac{0}{0}$$
$$=\lim_{x\to3}\frac{1-\cos(x-3)}{2(x-3)} \quad \text{forme } \frac{0}{0}$$
$$=\lim_{x\to3}\frac{\sin(x-3)}{2}=\frac{0}{2}=0$$

Reprenons :

$$\lim_{x\to3}\frac{x-3-\sin(x-3)}{(x-3)^3} \quad \text{forme } \frac{0}{0}$$
$$=\lim_{x\to3}\frac{1-\cos(x-3)}{3(x-3)^2} \quad \text{forme } \frac{0}{0}$$
$$=\lim_{x\to3}\frac{\sin(x-3)}{6(x-3)} \quad \text{forme } \frac{0}{0}$$
$$=\lim_{x\to3}\frac{\cos(x-3)}{6}=\frac{1}{6}$$

Donc, la partie principale cherchée est $\frac{1}{6}(x-3)^3$.

Chapitre 2

Exercices 2.2

1. $\int x^5dx=\frac{x^6}{6}+K$

   Vérification : $d\left(\frac{x^6}{6}+K\right)=\frac{6x^5dx}{6}=x^5dx$

2. $\int 3x^4dx=3\int x^4dx=3\left(\frac{x^5}{5}+K_1\right)=\frac{3x^5}{5}+K$

   Vérification : $d\left(\frac{3x^5}{5}+K\right)=\frac{15x^4}{5}dx=3x^4dx$

3. $\int(x^3+x^2+x+1)\,dx=\frac{x^4}{4}+\frac{x^3}{3}+\frac{x^2}{2}+x+K$

   Vérification : $d\left(\frac{x^4}{4}+\frac{x^3}{3}+\frac{x^2}{2}+x+K\right)=(x^3+x^2+x+1)\,dx$

4. $\int e^{x+1}dx=e^{x+1}+K$

   Vérification : $d\,(e^{x+1}+K)=e^{x+1}dx$

5. $\int\frac{1}{x}dx=\ln x+K$ (supposons $x>0$)

   Vérification : $d\,(\ln x+K)=\left(\frac{1}{x}\right)dx$

6. $\int\sin x\,dx=-\cos x+K$

   Vérification : $d\,(-\cos x+K)=-(-\sin x)\,dx=\sin x\,dx$

7. $\int(4x-\cos x)\,dx=2x^2-\sin x+K$

   Vérification : $d\,(2x^2-\sin x+K)=(4x-\cos x)\,dx$

8. $\int\cos 3x\,dx=\frac{\sin 3x}{3}+K$

   Vérification : $d\left(\frac{\sin 3x}{3}+K\right)=\frac{3\cos 3x}{3}dx=\cos 3x\,dx$

9. $\int\sqrt{x}\,dx=\int x^{1/2}dx=\frac{2}{3}x^{3/2}+K$

   Vérification : $d\left(\frac{2}{3}x^{3/2}+K\right)=\frac{2}{3}\left(\frac{3}{2}\right)x^{1/2}dx=\sqrt{x}\,dx$

10. $\int\frac{dx}{1+x^2}=\arctan x+K$

    Vérification : $d\,(\arctan x+K)=\frac{1}{1+x^2}dx=\frac{dx}{1+x^2}$

Exercices 2.4

1. $\int x^7dx=\frac{x^8}{8}+K$

2. $\int(3x^3+2x^2-5)\,dx=\frac{3x^4}{4}+\frac{2x^3}{3}-5x+K$

3. $\int(e^x+3\cos x)\,dx=\int e^xdx+3\int\cos x\,dx=e^x+3\sin x+K$

4. $\int(2^x+x^2)\,dx=\int 2^xdx+\int x^2dx=\frac{2^x}{\ln 2}+\frac{x^3}{3}+K$

5. $\int\frac{x^2+10}{x}dx=\int\left(\frac{x^2}{x}+\frac{10}{x}\right)dx=\int\left(x+\frac{10}{x}\right)dx=\frac{x^2}{2}+10\ln|x|+K$

6. $\int(5\sin x-2e^x)\,dx=5\int\sin x\,dx-2\int e^xdx=-5\cos x-2e^x+K$

7. $\int(2x+3)^2dx=\int(4x^2+12x+9)\,dx=\frac{4x^3}{3}+6x^2+9x+K$

8. $\int\sqrt{5x}\,dx=\int\sqrt{5}\,\sqrt{x}\,dx=\sqrt{5}\int x^{1/2}dx$

   $=\sqrt{5}\left(\frac{x^{3/2}}{3/2}\right)+K=\frac{2\sqrt{5}}{3}x^{3/2}+K$

9. $\int\frac{3+x}{x^4}dx=\int\left(\frac{3}{x^4}+\frac{x}{x^4}\right)dx=3\int x^{-4}dx+\int x^{-3}dx$

   $=\frac{3x^{-3}}{-3}+\frac{x^{-2}}{-2}+K=\frac{-1}{x^3}-\frac{1}{2x^2}+K$

10. $\int\frac{dx}{4x}=\frac{1}{4}\int\frac{dx}{x}=\frac{1}{4}\ln|x|+K=\ln|x|^{1/4}+K=\ln\sqrt[4]{|x|}+K$

    Notons que la transformation qui convertit $(1/4)\ln|x|$ en $\ln|x|^{1/4}$ est accessoire dans le sens où elle n'est pas absolument nécessaire. Cependant, il faut bien comprendre cette transformation (basée sur une des propriétés fondamentales des logarithmes) puisqu'elle sera utilisée à l'occasion.

    Notons aussi qu'on pourrait écrire :

    $\ln\sqrt[4]{|x|}+K=\ln\sqrt[4]{|x|}+\ln k=\ln k\sqrt[4]{|x|}$

Exercices 2.6

1. Formule 1. Posons $u=2x+3$

   Alors : $du=2\,dx \Rightarrow dx=\frac{1}{2}du$

   $\int\sqrt{2x+3}\,dx=\int\sqrt{u}\left(\frac{1}{2}du\right)=\frac{1}{2}\int u^{1/2}du=\frac{1}{2}\left(\frac{u^{3/2}}{3/2}\right)+K$

   $=\frac{1}{3}u^{3/2}+K=\frac{1}{3}(2x+3)^{3/2}+K$

2. Formule 4. Posons $u=3x$

   Alors : $du=3\,dx \Rightarrow dx=\frac{1}{3}du$

   $\int e^{3x}dx=\int e^u\left(\frac{1}{3}du\right)=\frac{1}{3}\int e^udu=\frac{1}{3}e^u+K=\frac{e^{3x}}{3}+K$

3. Formule 2. Posons $u = 4x - 1$

Alors $du = 4\,dx \Rightarrow dx = \frac{1}{4}du$

$$\int \frac{dx}{4x-1} = \int \frac{(1/4)\,du}{u} = \frac{1}{4}\int \frac{du}{u} = \frac{1}{4}\ln|u| + K = \frac{1}{4}\ln|4x-1| + K$$

4. Formule 5. Posons $u = x + 7$

Alors : $du = dx$

$$\int \sin(x+7)\,dx = \int \sin u\,du = -\cos u + K = -\cos(x+7) + K$$

5. Formule 6. Posons $u = 7x + 1$

Alors : $du = 7\,dx \Rightarrow dx = \frac{1}{7}du$

$$\int \cos(7x+1)\,dx = \int \cos u\left(\frac{1}{7}du\right) = \frac{1}{7}\int \cos u\,du$$

$$= \frac{1}{7}\sin u + K = \frac{1}{7}\sin(7x+1) + K$$

6. Formule 1. Posons $u = \cos 3x$

Alors : $du = -3\sin 3x\,dx \Rightarrow \sin 3x\,dx = \frac{-1}{3}du$

$$\int \cos^4 3x \sin 3x\,dx = \int u^4\left(\frac{-1}{3}du\right) = \frac{-1}{3}\int u^4 du = \frac{-1}{3}\left(\frac{u^5}{5}\right) + K$$

$$= \frac{-1}{15}u^5 + K = \frac{-1}{15}\cos^5 3x + K$$

7. Formule 1. Posons $u = x^3 + 4$

Alors : $du = 3x^2dx \Rightarrow x^2dx = \frac{1}{3}du$

$$\int x^2\sqrt{x^3+4}\,dx = \int \sqrt{u}\left(\frac{1}{3}du\right) = \frac{1}{3}\int \sqrt{u}\,du = \frac{1}{3}\int u^{1/2}du$$

$$= \frac{1}{3}\left(\frac{u^{3/2}}{3/2}\right) + K = \frac{2}{9}u^{3/2} + K = \frac{2}{9}(x^3+4)^{3/2} + K$$

8. Formule 5. Posons $u = x^3 + 4$

Alors : $du = 3x^2dx \Rightarrow x^2dx = \frac{1}{3}du$

$$\int x^2\sin(x^3+4)\,dx = \int \sin u\left(\frac{1}{3}du\right) = \frac{1}{3}\int \sin u\,du$$

$$= \frac{1}{3}(-\cos u) + K = \frac{-\cos(x^3+4)}{3} + K$$

9. Formule 1. Posons $u = x^2 + 15$

Alors : $du = 2x\,dx \Rightarrow x\,dx = \frac{1}{2}du$

$$\int \frac{x\,dx}{\sqrt{x^2+15}} = \int \frac{(1/2)\,du}{\sqrt{u}} = \frac{1}{2}\int \frac{du}{\sqrt{u}} = \frac{1}{2}\int u^{-1/2}du = \frac{1}{2}\left(\frac{u^{1/2}}{1/2}\right) + K$$

$$= u^{1/2} + K = \sqrt{u} + K = \sqrt{x^2+15} + K$$

10. Formule 3. Posons $u = x^2 + 15$

Alors : $du = 2x\,dx \Rightarrow x\,dx = \frac{1}{2}du$

$$\int x\,2^{x^2+15}dx = \int 2^u\left(\frac{1}{2}du\right) = \frac{1}{2}\int 2^u du = \frac{1}{2}\left(\frac{2^u}{\ln 2}\right) + K = \frac{2^u}{2\ln 2} + K$$

$$= \frac{2^{u-1}}{\ln 2} + K = \frac{2^{x^2+14}}{\ln 2} + K$$

11. Formule 5. Réponse : $-\frac{\cos 6x}{6} + K$

12. Formule 2. Réponse : $\frac{1}{2}\ln|x^2 + 2x| + K$

13. Formule 1. Réponse : $-\frac{3}{5}(3-x)^{5/3} + K$

14. Formule 1. Réponse : $-\sqrt{1-x^2} + K$

15. $\frac{1}{8}(x^3+1)^8 + K$

16. $\frac{1}{8}(x^2-5)^4 + K$

17. $\frac{x^7}{7} - x^4 + 4x + K$

18. $\frac{1}{13}(x-7)^{13} + K$

19. $\frac{1}{12}(2x+11)^6 + K$

20. $\frac{14}{3}x^{3/2} + K$

21. $3\,x^{4/3} + K$

22. $-\frac{1}{3}(1-x^2)^{3/2} + K$

23. $\sqrt{1+2x^2} + K$

24. $(3+x^4)^{4/3} + K$

25. $\ln|x-3| + K$

26. $\ln\sqrt{|2x+15|} + K$

27. $\frac{-1}{2\,(2x+15)} + K$

28. $\frac{1}{3}(x^2+9)^{3/2} + K$

29. $\int \frac{6x+1}{3x^2+x-1}dx$

Posons $u = 3x^2 + x - 1$; alors $du = (6x+1)\,dx$

$$\int \frac{6x+1}{3x^2+x-1}dx = \int \frac{du}{u} = \ln|u| + K = \ln|3x^2+x-1| + K$$

30. $\int \frac{6x+1}{\sqrt{3x^2+x-1}}dx$

Posons $u = 3x^2 + x - 1$; alors $du = (6x+1)\,dx$

$$\int \frac{6x+1}{\sqrt{3x^2+x-1}}dx = \int \frac{du}{\sqrt{u}} = \int u^{-1/2}du$$

$$= \frac{u^{1/2}}{1/2} + K = 2\sqrt{3x^2+x-1} + K$$

31. $\int \frac{6x+1}{(3x^2+x-1)^3}dx$

Posons $u = 3x^2 + x - 1$; alors $du = (6x+1)\,dx$

$$\int \frac{6x+1}{(3x^2+x-1)^3}dx = \int \frac{du}{u^3} = \int u^{-3}du$$
$$= \frac{u^{-2}}{-2} + K = -\frac{1}{2}(3x^2+x-1)^{-2} + K$$
$$= \frac{-1}{2\,(3x^2+x-1)^2} + K$$

32. $\frac{x^2}{2} - 2x + 6\ln|x| + \frac{1}{x} + K$

33. a) On veut démontrer $\int u^n du = \frac{u^{n+1}}{n+1} + K$

Selon le corollaire 2 du théorème de Lagrange, deux fonctions qui admettent la même dérivée ne diffèrent que par une constante. Pour démontrer cette formule, il suffit donc de montrer que $\int u^n du$ et $\frac{u^{n+1}}{n+1}$ admettent la même dérivée.

En effet : $\frac{d\left(\int u^n du\right)}{du} = u^n$

Et : $\frac{d\left(\frac{u^{n+1}}{n+1}\right)}{du} = (n+1)\frac{u^n}{(n+1)} = u^n$

Ce qui démontre la formule.

34. $\frac{(\ln x)^3}{3} + K$

35. $-\frac{(\cos x^3)}{3} + K$

36. $\int \frac{x-x^2+1}{1-x}dx = \int \frac{-x^2+x+1}{-x+1}dx$

Effectuons la division des polynômes :

$$\begin{array}{r|l} -x^2+x+1 & -x+1 \\ \cline{2-2} -(-x^2+x) & x \\ \hline 1 & \end{array}$$

Donc : $\frac{-x^2+x+1}{-x+1} \equiv x + \frac{1}{-x+1}$

$$\int \frac{x-x^2+1}{1-x}dx = \int\left(x + \frac{1}{-x+1}\right)dx = \int x\,dx + \int \frac{dx}{-x+1}$$
$$= \frac{x^2}{2} - \int \frac{dx}{x-1} = \frac{x^2}{2} - \ln|x-1| + K$$

ou, ce qui est équivalent :

$$= \frac{x^2}{2} + \int \frac{dx}{1-x} = \frac{x^2}{2} - \ln|1-x| + K$$

37. $x^2 + x - \frac{3}{4}\ln|4x-3| + K$

38. $e^{\sqrt{x}} + K$

39. $\frac{(x^{50}+3)^5}{250} + K$

40. $\frac{-3}{2}\cos(x^2+1) + K$

41. $\frac{1}{3}\ln|\sec 3x| + K$

42. $\frac{1}{5}\ln|5x+3| + K$

43. $\frac{-1}{5\,(5x+3)} + K$

44. $\ln|\sin x| + K$

45. $\ln|1+\sin x| + K$

46. $\frac{-1}{1+\sin x} + K$

47. $\frac{-1}{2\,(1+\sin x)^2} + K$

48. $\frac{2}{3}x^{3/2} + 2x^{1/2} + K$

49. $\ln|\ln|x|| + K$

50. $\frac{-\cos ax}{a} + K$

51. $\frac{\sin ax}{a} + K$

52. $\frac{e^{ax}}{a} + K$

53. $\frac{4}{3}\left(1+\sqrt{x}\right)^{3/2} + K$

54. $\frac{2}{15}(x+1)^{3/2}(3x-2) + K$

55. $\frac{2}{3}(e^x+2)^{3/2} + K$

56. $\frac{(\arcsin x)^4}{4} + K$

57. $\frac{1}{6}\ln|3\tan 2x + 5| + K$

58. $\int \frac{10x-3}{2x-1}dx = \int\left(5 + \frac{2}{2x-1}\right)dx$
$$= \int 5\,dx + 2\int \frac{dx}{2x-1} = 5x + \ln|2x-1| + K$$

59. $\frac{3}{2}(\arctan x)^2 + K$

60. $\int \sqrt{8x^2-4x^4}\,dx = \int \sqrt{x^2\,(8-4x^2)}\,dx$
$$= \int \sqrt{4x^2\,(2-x^2)}\,dx = \int 2x\sqrt{2-x^2}\,dx$$

Posons $u = 2 - x^2$; alors $du = -2x\,dx$

$$\int 2x\sqrt{2-x^2}\,dx = \int -\sqrt{u}\,du = -\int u^{1/2}du$$
$$= -\frac{u^{3/2}}{3/2} + K = -\frac{2}{3}(2-x^2)^{3/2} + K$$

61. $\frac{1}{7}e^{7x} + K$

62. $\int \frac{\cos 3x}{\sin^2 3x}dx$

Posons $u = \sin 3x$; alors $du = 3\cos 3x\,dx$

$$\int \frac{\cos 3x}{\sin^2 3x}dx = \int \frac{\frac{1}{3}du}{u^2} = \frac{1}{3}\int u^{-2}du = \frac{1}{3}\left(\frac{u^{-1}}{-1}\right) + K$$
$$= -\frac{1}{3}(\sin 3x)^{-1} + K = -\frac{1}{3}\text{cosec } 3x + K$$

63. $\frac{1}{3}e^{3x+5} + K$

64. $\int \tan 4x \sec^2 4x\, dx$

Posons $u = \tan 4x$; alors $du = 4 \sec^2 4x\, dx$

$$\int \tan 4x \sec^2 4x\, dx = \int u \frac{1}{4} du = \frac{1}{4}\left(\frac{u^2}{2}\right) + K$$
$$= \frac{1}{8}\tan^2 4x + K$$

Autre solution :

Posons $u = \sec 4x$; alors $du = 4 \sec 4x \tan 4x\, dx$

$$\int \tan 4x \sec^2 4x\, dx = \int \sec 4x \tan 4x \sec 4x\, dx$$
$$= \int u\left(\frac{1}{4}du\right) = \frac{1}{4}\left(\frac{u^2}{2}\right) + K^* = \frac{1}{8}\sec^2 4x + K^*$$

NB : Notons que les deux réponses obtenues pour cette intégrale sont équivalentes si on observe que $\sec^2 4x = 1 + \tan^2 4x$.

65. $\frac{7^{2x+1}}{2\ln 7} + K$

66. $\frac{3}{8}\ln\left|x^{8/3} + 3\right| + K$

67. $\ln\left|\sin x^2\right| + K$

68. $\ln\left|e^x + 1\right| + K = \ln k\,(e^x + 1)$

69. $e^{\tan x} + K$

70. a) $\frac{d\left(\int \sin u\, du\right)}{du} = \sin u$ et $\frac{d(-\cos u)}{du} = \sin u$

Donc, $\int \sin u\, du = -\cos u + K$

b) $\frac{d\left(\int \cos u\, du\right)}{du} = \cos u$ et $\frac{d(\sin u)}{du} = \cos u$

Donc, $\int \cos u\, du = \sin u + K$

Exercices 2.8

1. $y^2 = 2x^3 - 10x + K$
2. $y = Kx - 2$
3. $xy = K$
4. $x^2 + 2x + 2 \sin y = K$
5. $y = 1 + k\, e^{x^2+3x}$
6. $y = k\, e^{e^{x+1}}$
7. $\cos x + \sin y = K$
8. $e^x + e^{-y} = K$
9. $\sqrt{1+x^2} + \cos y = K$
10. $\frac{1}{y} = \frac{x^2}{2} + e^x + K$
11. $\frac{dy}{dx} = \frac{y}{x}$

$$\frac{dy}{y} = \frac{dx}{x}$$
$$\ln|y| = \ln|x| + K = \ln k\,|x|$$
$$|y| = k\,|x|$$
$$y = \pm\, k\, x$$

Puisque la courbe passe par (3, 4) $\Rightarrow$ $k = 4/3$. Donc :

$$y = \frac{4}{3}x$$

12. $a = \frac{dv}{dt} = -9{,}8 \Rightarrow dv = -9{,}8\, dt \Rightarrow v = -9{,}8\, t + K_0$

Au départ du plongeoir, $t = 0$ et $v = 0$ $\Rightarrow$ $K_0 = 0$

Donc : $v = -9{,}8\, t$

Notons par y la position ou la hauteur du plongeur.

$$v = \frac{dy}{dt} = -9{,}8\, t$$
$$dy = -9{,}8\, t\, dt$$
$$y = -4{,}9\, t^2 + K_1$$

Au départ du plongeoir, $t = 0$ et $y = 10$ $\Rightarrow$ $K_1 = 10$

Donc : $y = -4{,}9\, t^2 + 10$

Au niveau de l'eau, $y = 0$:

$$0 = -4{,}9\, t^2 + 10$$
$$4{,}9\, t^2 = 10 \Rightarrow t^2 = \frac{10}{4{,}9} \Rightarrow t = 1{,}429 \text{ s}$$

La vitesse d'entrée dans l'eau est donc :

$$v = -9{,}8\,(1{,}429) = -14 \text{ m/s}$$

Le plongeur touche l'eau à une vitesse de 14 m/s. (*Note* : le signe négatif indique que cette vitesse est dirigée vers le bas).

13. Soit M le montant présent au temps t. Alors :

$$\frac{dM}{dt} = \frac{7}{100}M$$
$$\frac{dM}{M} = 0{,}07\, dt$$
$$\ln M = 0{,}07\, t + M_0$$
$$M = e^{0{,}07\, t} e^{M_0}$$

Au départ, $M = 1\,000$ pour $t = 0$ $\Rightarrow$ $e^{M_0} = 1\,000$

Donc : $M = 1\,000\, e^{0{,}07t}$

Pour répondre aux questions posées, on fait respectivement $t = 1, t = 10, t = 20$ et $t = 50$:

$$M(1) = 1\,000\, e^{0{,}07} = 1\,072{,}51\,\$$$
$$M(10) = 1\,000\, e^{0{,}7} = 2\,013{,}75\,\$$$
$$M(20) = 1\,000\, e^{1{,}4} = 4\,055{,}20\,\$$$
$$M(50) = 1\,000\, e^{3{,}5} = 33\,115{,}45\,\$$$

14. $y = \sqrt{2e^x + 2}$
15. $y = 3\sqrt{1+x^2}$

2

2

16. $\dfrac{y^3}{3} + 2y = \sin x + 1$

17. Soit R la quantité de radium présente au temps t.

$$\frac{dR}{dt} = k\,R$$

$$\frac{dR}{R} = k\,dt$$

$$\ln R = k\,t + K_0$$

$$R = e^{K_0} \times e^{k\,t}$$

En 1900 (considérons $t = 0$) on a $R = 300$. Donc :

$$300 = e^{K_0} \times e^0 \quad \Rightarrow \quad e^{K_0} = 300$$

Donc : $R = 300e^{k\,t}$

En 2000 (donc $t = 100$) on a $R = 280$. Donc :

$$280 = 300\,e^{100k}$$

$$e^{100k} = \frac{280}{300} \quad \Rightarrow \quad k = \frac{1}{100}\ln\left(\frac{280}{300}\right) = -0{,}000\,689\,928$$

Finalement : $R = 300\,e^{(t/100)\ln(280/300)} = 300\,e^{-0{,}000\,689\,928\,t}$

Pour déterminer t lorsque $R = 150$, on fait :

$$150 = 300\,e^{-0{,}000\,689\,928\,t}$$

$$-0{,}000\,689\,928\,t = \ln\left(\frac{150}{300}\right) = \ln\left(\frac{1}{2}\right) = -0{,}693\,147\,18$$

$$t = 1\,004{,}666$$

Donc, il restera 150 mg en l'an 2904.

18. Soit N le nombre de bactéries présentes au temps t.

$$\frac{dN}{dt} = k\,N$$

$$\frac{dN}{N} = k\,dt$$

$$\ln|N| = k\,t + K_0$$

$$N = e^{K_0} \times e^{k\,t}$$

Au départ, $N = 1\,000$ lorsque $t = 0$:

$$1\,000 = e^{K_0} \times e^0 \quad \Rightarrow \quad e^{K_0} = 1\,000$$

Donc : $N = 1\,000\,e^{k\,t}$

Après trois heures (donc $t = 3$), $N = 2\,000$; donc :

$$2\,000 = 1\,000\,e^{3k}$$

$$\Rightarrow \quad e^{3k} = 2 \quad \Rightarrow \quad k = \frac{1}{3}\ln 2$$

Ainsi : $N = 1\,000\,e^{(t/3)\ln 2} = 1\,000\,e^{\ln 2^{(t/3)}} = 1\,000\,(2)^{t/3}$

Pour connaître le nombre de bactéries après cinq heures, on fait $t = 5$:

$$N(5) = 1\,000\,(2)^{5/3} = 3\,175 \text{ bactéries}$$

19. Soit h la hauteur d'eau dans la fontaine au temps t. Alors :

$$\frac{dh}{dt} = k\sqrt{h}$$

$$\frac{dh}{\sqrt{h}} = k\,dt$$

$$2\sqrt{h} = k\,t + K_0$$

Si $t = 0$, alors $h = 64$; donc :

$$2\sqrt{64} = k\,(0) + K_0 \quad \Rightarrow \quad K_0 = 16$$

Ainsi : $2\sqrt{h} = k\,t + 16$

Si $t = 1$, alors $h = 49$; donc :

$$2\sqrt{49} = k\,(1) + 16 \quad \Rightarrow \quad k = -2$$

Donc : $2\sqrt{h} = -2t + 16$

On veut connaître à quel moment $h = 0$:

$$2\sqrt{0} = -2t + 16$$

$$\Rightarrow \quad t = 8$$

Il reste donc 7 heures avant que la fontaine soit vide.

20. 1 450 membres

21. Puisque l'accélération est le taux de variation de la vitesse, c'est-à-dire la dérivée de la vitesse, on a :

$$\frac{dv}{dt} = \frac{1}{2} \quad \Rightarrow \quad \int dv = \int \frac{1}{2}dt \quad \Rightarrow \quad v = \frac{1}{2}t + K_0$$

La vitesse initiale est nulle, donc si $t = 0$, $v = 0$:

$$0 = 0 + K_0 \quad \Rightarrow \quad K_0 = 0$$

Donc : $v = \dfrac{1}{2}t$

Pour que $v = 30$ m/s, il faut que $t = 60$. Donc, après 60 secondes, la vitesse sera de 30 m/s.

La vitesse est le taux de la variation de la distance par rapport au temps :

$$v = \frac{ds}{dt} = \frac{1}{2}t$$

$$ds = \frac{1}{2}t\,dt$$

$$\int ds = \int \frac{1}{2}t\,dt$$

$$s = \frac{t^2}{4} + K$$

Au départ, c'est-à-dire lorsque $t = 0$, posons que la distance parcourue est nulle ; alors $K = 0$. Ainsi :

$$s = \frac{t^2}{4}$$

et si $t = 60$, alors $s = 900$ m. C'est la distance parcourue au moment où la voiture atteint la vitesse de 30 m/s.

22. L'intérêt représente une variation du capital. Si on parle d'intérêt de 10% composé continuellement, cela signifie que le taux de variation instantané est égal à 10% du montant présent à cet instant. Soit M le montant investi au temps t :

$$\frac{dM}{dt} = \frac{1M}{10} \quad \text{et} \quad \frac{dM}{M} = \frac{1}{10}dt$$

$$\int \frac{dM}{M} = \frac{1}{10}\int dt$$

$$\ln M = \frac{1}{10}t + K$$

$$M = e^{t/10 + K}$$

Si $t = 0$, alors $M = M_0 \Rightarrow e^K = M_0$

Ainsi : $M = M_0\, e^{t/10}$

Quand M deviendra-t-il $2\,M_0$?

$$2\,M_0 = M_0\, e^{t/10}$$
$$e^{t/10} = 2$$
$$\frac{t}{10} = \ln 2$$
$$t = 10 \ln 2 = 6,93 \text{ années}$$

Donc, le montant aura doublé en près de 7 ans.

23. $\dfrac{dQ}{Q} = k\,dt$

où k est une constante de proportionnalité. Intégrant, on a :

$$\ln Q = k\,t + K$$

où K est une constante d'intégration

$$Q = e^{k\,t+K} = e^K e^{k\,t}$$

Selon les conditions données,

$$t = 0 \Rightarrow Q = 50 \text{ et } t = 1 \Rightarrow Q = 30$$

On a : $50 = e^K$

Donc : $Q = 50\, e^{k\,t}$ puis

$$30 = 50\, e^k \Rightarrow e^k = 3/5 \Rightarrow k = \ln 3/5$$

Ainsi : $Q = 50\, e^{t \ln 3/5}$

$$Q = 50\, e^{\ln (3/5)^t}$$
$$Q = 50\,(3/5)^t$$

Pour répondre à la question initiale, posons $t = 2$. On a :

$$Q = 50\,(3/5)^2 \Rightarrow Q = 18 \text{ mg}$$

Exercices 2.9

1. Posons $u = x + 7$; alors $du = dx$

$$\int (x+7)^{1/3} dx = \int u^{1/3} du = \frac{u^{4/3}}{4/3} + K = \frac{3}{4} u^{4/3} + K = \frac{3}{4}(x+7)^{4/3} + K$$

2. $\dfrac{x^5}{5} - \dfrac{14}{3}x^3 + 49x + K$

3. $-\dfrac{1}{12 \sin^4 3x} + K$

4. Posons $u = x^2 + 7x - 5$; $du = (2x + 7)\,dx$

$$\int (2x+7)\sqrt{x^2+7x-5}\, dx = \int \sqrt{u}\, du = \int u^{1/2} du$$
$$= \frac{u^{3/2}}{3/2} + K = \frac{2}{3}u^{3/2} + K = \frac{2}{3}(x^2+7x-5)^{3/2} + K$$

5. $\sqrt{2x+7} + K$

6. $\ln k \sqrt{x^2+1}$

7. $\dfrac{\sin (3x+7)}{3} + K$

8. $\dfrac{(x^2+1)^3}{6} + K$

9. $\ln \left| x^2 + 3x - 5 \right| + K$

10. $\dfrac{e^{x^3}}{3} + K$

11. Posons $u = \cos x$; $du = -\sin x\, dx$

$$\int \frac{\sin x}{\cos^8 x} dx = \int \frac{-du}{u^8} = -\int u^{-8} du = -\frac{u^{-7}}{-7} + K$$
$$= \frac{1}{7}(\cos x)^{-7} + K = \frac{1}{7\cos^7 x} + K = \frac{\sec^7 x}{7} + K$$

12. $\displaystyle\int \frac{3x+2}{x+5} dx = \int \left(3 - \frac{13}{x+5}\right) dx = \int 3\, dx - 13 \int \frac{dx}{x+5}$

$$= 3x - 13 \ln |x+5| + K$$

13. $\dfrac{(x^2+e^x)^3}{3} + K$

14. $\ln \left| 3x^2 + 2x - 5 \right| + K$

15. $2\sqrt{3x^2+2x-5} + K$

16. $\dfrac{-1}{3x^2+2x-5} + K$

17. $e^{\sin x} + K$

18. $\dfrac{-1}{4\,(x^2+x)^4} + K$

19. $\sin (\ln x) + K$

20. $\ln \left| e^x + x \right| + K$

21. $\sin e^x + K$

22. $\dfrac{2^{3x}}{3 \ln 2} + K$

23. $-\dfrac{\cos^3 x}{3} + K$

24. $\sec x + K$

25. $\sec x + K$

26. $\dfrac{\sec^2 x}{2} + K$

27. $\ln |5 + \cos x| + K$

28. $\dfrac{1}{3}\ln \left|1 + x^3\right| + K$

29. $\dfrac{x^2}{2} - \dfrac{1}{x} + K$

30. $-\dfrac{1}{3\,(1+x^3)} + K$

31. $\dfrac{8}{9}(x^3-1)^{3/2} + K$

32. $\dfrac{1}{3} e^{x^3+3x+\sin 3x} + K$

33. $\dfrac{(2x+3)^{3/2}(x-1)}{5} + K$

34. $\dfrac{4x^3}{3} - \dfrac{x^2}{2} + 5x + \dfrac{3}{2}\ln |2x+5| + K$

2

35. $2\ln^2 x + K$

36. $\dfrac{\ln|3^x+1|}{\ln 3} + K$

37. $\dfrac{1}{x-4} + K$

38. $\dfrac{2x^3}{3} - \dfrac{x^2}{2} - x + K$

39. $-\ln^2\cos x + K$

40. $\sin x + K$

41. $2x^2 + \dfrac{8}{5}x^{5/2} + \dfrac{x^3}{3} + K$

42. $-\text{cosec}\, x + K$

43. $e^x - \ln|e^x+1| + K$

44. $\dfrac{x^2}{2} - 4x + 10\ln|x+3| + K$

45. $y = K\, e^{\sin 2x}$

46. $e^y + e^{-y} - e^x = K$

47. $e^x dx + \cos y\, dy = 0$
$$e^x dx = -\cos y\, dy$$
$$\int e^x dx = -\int \cos y\, dy$$
$$e^x = -\sin y + K$$
$$e^x + \sin y = K$$

48. $y\, e^x dx + (y+1)\, dy = 0$
$$e^x dx + \frac{(y+1)}{y} dy = 0$$
$$\int e^x dx + \int \frac{y+1}{y} dy = 0$$
$$e^x + \int\left(1 + \frac{1}{y}\right) dy = 0$$
$$e^x + \int dy + \int \frac{dy}{y} = 0$$
$$e^x + y + \ln|y| = K$$

49. $2\sqrt{1-y} = \sqrt{1-x^2} + K$

50. $y^3 + 3\ln|1+x| + K = 0$

51. a) La pente étant donnée par la dérivée, on a :
$$\frac{dy}{dx} = x^2 + x + 1$$

Alors $dy = (x^2 + x + 1)\, dx$

En intégrant, on retrouve :
$$y = \frac{x^3}{3} + \frac{x^2}{2} + x + K$$

et comme cette courbe passe par l'origine, le point (0, 0) vérifie l'équation, c'est-à-dire :
$$0 = 0 + 0 + 0 + K$$

Donc $K = 0$ et l'équation de la courbe cherchée est
$$y = \frac{x^3}{3} + \frac{x^2}{2} + x$$

b) $6y = 2x^3 + 3x^2 + 6x + 1$

52. $y = \dfrac{4}{x^2+1}$

53. Un kilomètre

54. 99,04 m/s

55. 3 430 habitants

56. 9,155 années

Exercices 2.10

1. $\dfrac{x^3}{3} + x^2 + 6x + 11\ln|x-2| + K$

2. Posons $u = \sin x + \cos x$; $du = (\cos x - \sin x)\, dx$
$$\int \frac{\sin x - \cos x}{\sin x + \cos x} dx = \int \frac{-du}{u} = -\ln|u| + K$$
$$= -\ln|\sin x + \cos x| + K = \ln\left|\frac{1}{\sin x + \cos x}\right| + K$$

3. $\ln|1 + \ln x| + K$

4. $\displaystyle\int \frac{dx}{x + \sqrt{x}} = \int \frac{dx}{\sqrt{x}\left(\sqrt{x}+1\right)}$

Posons $u = \sqrt{x} + 1$; $du = \dfrac{1}{2}\dfrac{dx}{\sqrt{x}}$
$$\int \frac{dx}{\sqrt{x}\left(\sqrt{x}+1\right)} = \int \frac{2\, du}{u} = 2\ln|u| + K = 2\ln\left|\sqrt{x}+1\right| + K$$

5. $\ln|x+2| + \dfrac{y^2}{2} + y = K$

6. $\cos x \cos^2 y\, dx + \sin y \sec^2 x\, dy = 0$
$$\frac{\cos x}{\sec^2 x} dx + \frac{\sin y}{\cos^2 y} dy = 0$$
$$\cos^3 x\, dx + \frac{\sin y}{\cos^2 y} dy = 0$$
$$\cos^2 x \cos x\, dx + \frac{\sin y}{\cos^2 y} dy = 0$$
$$(1 - \sin^2 x)\cos x\, dx + \frac{\sin y}{\cos^2 y} dy = 0$$
$$\sin x - \frac{\sin^3 x}{3} + \frac{1}{\cos y} = K^*$$
$$3\sin x - \sin^3 x + 3\sec y = K$$

7. $\dfrac{x^2}{2} - x + \ln|x+1| + \dfrac{y^3}{3} + 3y = K$

8. 155 grammes

9. $x = 5t^2 + v_0 t + x_0$

Test sur le chapitre 2

1. $\displaystyle\int (\sin x - 3)^7 \cos x\, dx$

Posons $u = \sin x - 3$; $du = \cos x\,dx$

$$\int(\sin x - 3)^7 \cos x\,dx = \int u^7 du = \frac{u^8}{8} + K = \frac{(\sin x - 3)^8}{8} + K$$

2. $\int x\sqrt[3]{2x^2+3}\,dx$

Posons $u = 2x^2 + 3$; $du = 4x\,dx \Rightarrow x\,dx = \frac{du}{4}$

$$\int x\sqrt[3]{2x^2+3}\,dx = \int u^{1/3}\frac{du}{4} = \frac{1}{4}\int u^{1/3}du = \frac{1}{4}\frac{u^{4/3}}{4/3} + K$$

$$= \frac{3}{16}u^{4/3} + K = \frac{3}{16}(2x^2+3)^{4/3} + K$$

3. $\int(x^3-3)^2 x\,dx = \int(x^6 - 6x^3 + 9)\,x\,dx$

$$= \int(x^7 - 6x^4 + 9x)\,dx = \frac{x^8}{8} - \frac{6x^5}{5} + \frac{9x^2}{2} + K$$

4. $\int\frac{5x+2}{x-1}dx = \int\left(5 + \frac{7}{x-1}\right)dx = \int 5\,dx + \int\frac{7}{x-1}dx$

$$= 5x + 7\ln|x-1| + K = 5x + \ln|x-1|^7 + K$$

5. Posons $u = 1 + \tan x$; $du = \sec^2 x\,dx$

$$\int\frac{\sec^2 x}{1+\tan x}dx = \int\frac{du}{u} = \ln|u| + K = \ln|1+\tan x| + K$$

6. $\int x\cot(x^2+1)\,dx = \int\frac{x\cos(x^2+1)}{\sin(x^2+1)}dx$

Posons $u = \sin(x^2+1)$; $du = 2x\cos(x^2+1)\,dx$

$$\int\frac{x\cos(x^2+1)}{\sin(x^2+1)}dx = \int\frac{1/2\,du}{u} = \frac{1}{2}\ln|u| + K$$

$$= \frac{1}{2}\ln|\sin(x^2+1)| + K = \ln\sqrt{\sin(x^2+1)} + \ln k = \ln k\sqrt{\sin(x^2+1)}$$

7. $\int\frac{(e^{\sqrt{x}}+1)^2}{\sqrt{x}}dx$

Posons $u = \sqrt{x}$; $du = \frac{1}{2\sqrt{x}}dx \Rightarrow \frac{dx}{\sqrt{x}} = 2\,du$

$$\int\frac{(e^{\sqrt{x}}+1)^2}{\sqrt{x}}dx = \int(e^u+1)^2\,2\,du = 2\int(e^u+1)^2 du$$

$$= 2\int(e^{2u} + 2e^u + 1)\,du$$

$$= 2\int e^{2u}du + 4\int e^u du + 2\int du$$

$$= 2\frac{e^{2u}}{2} + 4e^u + 2u + K$$

$$= e^{2\sqrt{x}} + 4e^{\sqrt{x}} + 2\sqrt{x} + K$$

8. $(x^4y^2 - y^2)\,dx - (x^3y^3 + 3x^3)\,dy = 0$

$$y^2(x^4-1)\,dx - x^3(y^3+3)\,dy = 0$$

$$y^2(x^4-1)\,dx = x^3(y^3+3)\,dy$$

$$\frac{(x^4-1)}{x^3}dx = \frac{(y^3+3)}{y^2}dy$$

$$\left(x - \frac{1}{x^3}\right)dx = \left(y + \frac{3}{y^2}\right)dy$$

$$\int\left(x - \frac{1}{x^3}\right)dx = \int\left(y + \frac{3}{y^2}\right)dy$$

$$\int x\,dx - \int\frac{dx}{x^3} = \int y\,dy + \int\frac{3\,dy}{y^2}$$

$$\frac{x^2}{2} - \frac{x^{-2}}{(-2)} = \frac{y^2}{2} + 3\frac{(y^{-1})}{(-1)} + K_1$$

$$\frac{x^2}{2} + \frac{1}{2x^2} = \frac{y^2}{2} - \frac{3}{y} + K_1$$

$$\frac{x^4+1}{2x^2} = \frac{y^3-6}{2y} + K_1$$

$$(x^4+1)\,2y = (y^3-6)\,2x^2 + K_1\,(2x^2)(2y)$$

$$2x^4y + 2y = 2x^2y^3 - 12x^2 + 4K_1\,x^2y$$

$$x^4y + y = x^2y^3 - 6x^2 + K\,x^2y$$

9. La pente est donnée par $\frac{dy}{dx}$. Alors :

$$\frac{dy}{dx} = x\sqrt{1-x}$$

$$dy = x\sqrt{1-x}\,dx$$

$$y = \int x\sqrt{1-x}\,dx$$

Posons $u = 1 - x$; alors $du = -dx$ et $x = 1 - u$

$$y = \int x\sqrt{1-x}\,dx = \int(1-u)\,u^{1/2}\,(-du)$$

$$= \int(u^{1/2} - u^{3/2})\,(-du)$$

$$= \int u^{3/2}du - \int u^{1/2}du = \frac{u^{5/2}}{5/2} - \frac{u^{3/2}}{3/2} + K$$

$$y = \frac{2}{5}u^{5/2} - \frac{2}{3}u^{3/2} + K$$

$$y = \frac{2}{5}(1-x)^{5/2} - \frac{2}{3}(1-x)^{3/2} + K$$

Puisque la courbe passe par l'origine :

$$0 = \frac{2}{5}(1-0)^{5/2} - \frac{2}{3}(1-0)^{3/2} + K$$

$$\Rightarrow K = \frac{2}{3} - \frac{2}{5} = \frac{4}{15}$$

Donc : $y = \frac{2}{5}(1-x)^{5/2} - \frac{2}{3}(1-x)^{3/2} + \frac{4}{15}$

$$y = 2\,(1-x)^{3/2}\left(\frac{1-x}{5} - \frac{1}{3}\right) + \frac{4}{15}$$

$$y = \frac{2}{15}(1-x)^{3/2}\,(-3x-2) + \frac{4}{15}$$

$$y = -\frac{2}{15}(1-x)^{3/2}\,(3x+2) + \frac{4}{15}$$

10. Soit T : température de la plaque au temps t

$\frac{dT}{dt}$: taux de variation de la température de la plaque

a) $\frac{dT}{dt} = k\,(T - 10)$

où k est une constante de proportionnalité et 10°C la température de l'eau.

b) $\frac{dT}{T-10} = k\,dt$

$$\ln|T - 10| = k\,t + K$$

où K est une constante d'intégration

$$T-10=e^{kt+K}=e^{kt}e^{K}$$

Au départ, ($t=0$) on a $T=90$; alors :

$$90-10=e^{0}\,e^{K}\quad\Rightarrow\quad e^{K}=80$$

Donc : $T-10=80\,e^{kt}$

De plus, après 30 s, on a $T=50°C$; donc :

$$50-10=80\,e^{30k}\quad\Rightarrow\quad e^{30k}=\frac{1}{2}\quad\Rightarrow\quad k=\frac{1}{30}\ln\left(\frac{1}{2}\right)$$

Finalement : $T-10=80\,e^{\frac{t}{30}\ln\left(\frac{1}{2}\right)}=80\,e^{\ln\left(\frac{1}{2}\right)^{t/30}}=80\left(\frac{1}{2}\right)^{t/30}$

$$T=10+80\left(\frac{1}{2}\right)^{t/30}$$

c) Si la plaque a atteint la température $T=11°C$, alors :

$$11=10+80\left(\frac{1}{2}\right)^{t/30}$$

$$t=30\,\frac{\ln\left(\frac{1}{80}\right)}{\ln\left(\frac{1}{2}\right)}=189{,}7\text{ s}$$

Chapitre 3

Exercices 3.2

1. $\displaystyle\int\frac{\sin 5x}{\cos 5x}dx=\int\tan 5x\,dx=\frac{1}{5}\ln|\sec 5x|+K$

2. $\displaystyle\int x\,\text{cosec}^2(3x^2+4)\,dx$

Posons $u=3x^2+4$; alors $du=6x\,dx\quad\Rightarrow\quad x\,dx=\frac{1}{6}du$

$$\int x\,\text{cosec}^2(3x^2+4)\,dx=\int\text{cosec}^2u\left(\frac{1}{6}du\right)=\frac{1}{6}\int\text{cosec}^2u\,du$$

$$=\frac{1}{6}(-\cot u)+K=\frac{-\cot(3x^2+4)}{6}+K$$

3. $\displaystyle\int\frac{dx}{\cos^2 6x}=\int\sec^2 6x\,dx=\frac{\tan 6x}{6}+K$

4. $\displaystyle\int x\cot x^2dx$

Posons $u=x^2$; alors $du=2x\,dx\quad\Rightarrow\quad x\,dx=\frac{1}{2}du$

$$\int x\cot x^2dx=\int\cot u\left(\frac{1}{2}du\right)=\frac{1}{2}\int\cot u\,du$$

$$=\frac{1}{2}\ln|\sin u|+K=\frac{1}{2}\ln\left|\sin x^2\right|+K$$

5. $\displaystyle\int\frac{\cos x\,dx}{1+\sin x}$

Posons $u=1+\sin x$; alors $du=\cos x\,dx$

$$\int\frac{\cos x\,dx}{1+\sin x}=\int\frac{du}{u}=\ln|u|+K=\ln|1+\sin x|+K$$

6. $\displaystyle\int\frac{1+\sin x}{\cos x}dx=\int\left(\frac{1}{\cos x}+\frac{\sin x}{\cos x}\right)dx=\int(\sec x+\tan x)\,dx$

$$=\int\sec x\,dx+\int\tan x\,dx=\ln|\sec x+\tan x|+\ln|\sec x|+K$$

7. $\displaystyle\int\frac{\cos 2x}{\sin x}dx=\int\frac{\cos^2x-\sin^2x}{\sin x}dx=\int\frac{1-\sin^2x-\sin^2x}{\sin x}dx$

$$=\int\frac{dx}{\sin x}-\int\frac{2\sin^2x}{\sin x}dx=\int\text{cosec}\,x\,dx-2\int\sin x\,dx$$

$$=\ln|\text{cosec}\,x-\cot x|+2\cos x+K$$

8. $\displaystyle\int\frac{\sin 2x}{\cos^3x\sin x}dx=\int\frac{2\sin x\cos x}{\cos^3x\sin x}dx=2\int\frac{dx}{\cos^2x}$

$$=2\int\sec^2x\,dx=2\tan x+K$$

9. $\displaystyle\int\cos 2x\sin x\,dx=\int(\cos^2x-\sin^2x)\sin x\,dx$

$$=\int\left(\cos^2x-(1-\cos^2x)\right)\sin x\,dx=\int(2\cos^2x-1)\sin x\,dx$$

Posons $u=\cos x$; alors $du=-\sin x\,dx\quad\Rightarrow\quad\sin x\,dx=-du$

$$\int(2\cos^2x-1)\sin x\,dx=\int(2u^2-1)(-du)=-2\int u^2du+\int du$$

$$=-\frac{2u^3}{3}+u+K=\frac{-2\cos^3x}{3}+\cos x+K$$

10. $\displaystyle\int\cos^2x\sin x\,dx$

Posons $u=\cos x$; alors $du=-\sin x\,dx\quad\Rightarrow\quad\sin x\,dx=-du$

$$\int\cos^2x\sin x\,dx=\int u^2(-du)=\frac{-u^3}{3}+K=\frac{-\cos^3x}{3}+K$$

11. $\displaystyle\int\cos^2x\sin^3x\,dx=\int\cos^2x\sin^2x\,(\sin x\,dx)$

$$=\int\cos^2x\,(1-\cos^2x)\,(\sin x\,dx)$$

Posons $u=\cos x$; alors $du=-\sin x\,dx\quad\Rightarrow\quad\sin x\,dx=-du$

$$\int\cos^2x\,(1-\cos^2x)\,(\sin x\,dx)$$

$$=\int u^2(1-u^2)\,(-du)=-\int u^2du+\int u^4du$$

$$=\frac{-u^3}{3}+\frac{u^5}{5}+K=-\frac{\cos^3x}{3}+\frac{\cos^5x}{5}+K$$

12. $\displaystyle\int\cos^2x\sin^2x\,dx=\int(\cos x\sin x)^2dx=\int\left(\frac{\sin 2x}{2}\right)^2dx$

$$=\frac{1}{4}\int\sin^2 2x\,dx=\frac{1}{4}\int\left(\frac{1-\cos 4x}{2}\right)dx=\frac{1}{8}\int(1-\cos 4x)\,dx$$

$$=\frac{1}{8}\left\{x-\frac{\sin 4x}{4}\right\}+K=\frac{x}{8}-\frac{\sin 4x}{32}+K$$

13. $\displaystyle\int\sin 3x\sin 4x\,dx=\frac{1}{2}\int\left(\cos(-x)-\cos 7x\right)dx$

$$=\frac{1}{2}\int\cos x\,dx-\frac{1}{2}\int\cos 7x\,dx=\frac{\sin x}{2}-\frac{\sin 7x}{14}+K$$

14. $\displaystyle\int\sin^4x\,dx=\int(\sin^2x)^2dx=\int\left(\frac{1-\cos 2x}{2}\right)^2dx$

$$=\frac{1}{4}\int(1-\cos 2x)^2dx=\frac{1}{4}\int(1-2\cos 2x+\cos^2 2x)\,dx$$

$= \frac{1}{4}\int\left(1 - 2\cos 2x + \frac{1+\cos 4x}{2}\right)dx$

$= \frac{1}{4}\int\left(\frac{3}{2} - 2\cos 2x + \frac{\cos 4x}{2}\right)dx$

$= \frac{1}{4}\left\{\frac{3x}{2} - \sin 2x + \frac{\sin 4x}{8}\right\} + K = \frac{3x}{8} - \frac{\sin 2x}{4} + \frac{\sin 4x}{32} + K$

15. $\frac{5x}{16} - \frac{\sin 2x}{4} + \frac{3\sin 4x}{64} + \frac{\sin^3 2x}{48} + K$

16. $\int \sin^2 x \cos 3x\, dx = \int\left(\frac{1-\cos 2x}{2}\right)\cos 3x\, dx$

$= \frac{1}{2}\int(1-\cos 2x)\cos 3x\, dx = \frac{1}{2}\int\cos 3x\, dx - \frac{1}{2}\int\cos 2x \cos 3x\, dx$

$= \frac{\sin 3x}{6} - \frac{1}{2}\int\frac{1}{2}\left(\cos(-x) + \cos 5x\right)dx$

$= \frac{\sin 3x}{6} - \frac{1}{4}\int\cos x\, dx - \frac{1}{4}\int\cos 5x\, dx$

$= \frac{\sin 3x}{6} - \frac{\sin x}{4} - \frac{\sin 5x}{20} + K$

17. $\int \tan^4 x \sec^2 x\, dx$

Posons $u = \tan x$; alors $du = \sec^2 x\, dx$

$\int \tan^4 x \sec^2 x\, dx = \int u^4 du = \frac{u^5}{5} + K = \frac{\tan^5 x}{5} + K$

18. $\frac{\tan^5 3x}{15} + \frac{\tan^7 3x}{21} + K$

19. $\frac{\tan^4 x}{4} + \frac{\tan^6 x}{6} + K$ ou $\frac{\sec^6 x}{6} - \frac{\sec^4 x}{4} + K_1$

20. $\int \tan^3 2x \sec^3 2x\, dx = \int \tan^2 2x \sec^2 2x\,(\sec 2x \tan 2x\, dx)$

$= \int(\sec^2 2x - 1)\sec^2 2x\,(\sec 2x \tan 2x\, dx)$

Posons $u = \sec 2x$;

Alors $du = 2\sec 2x \tan 2x\, dx \Rightarrow \sec 2x \tan 2x\, dx = \frac{1}{2}du$

$\int(\sec^2 2x - 1)\sec^2 2x\,(\sec 2x \tan 2x\, dx)$

$= \int(u^2 - 1)\,u^2\left(\frac{1}{2}du\right) = \frac{1}{2}\int u^4 du - \frac{1}{2}\int u^2 du$

$= \frac{u^5}{10} - \frac{u^3}{6} + K = \frac{\sec^5 2x}{10} - \frac{\sec^3 2x}{6} + K$

21. $\frac{\tan^4 x}{4} - \frac{\tan^2 x}{2} + \ln|\sec x| + K$

22. $\int \tan^4(x+3)\, dx = \int \tan^2(x+3)\left(\sec^2(x+3) - 1\right)dx$

$= \int \tan^2(x+3)\sec^2(x+3)\, dx - \int \tan^2(x+3)\, dx$

$= \frac{\tan^3(x+3)}{3} - \int\left(\sec^2(x+3) - 1\right)dx$

$= \frac{\tan^3(x+3)}{3} - \tan(x+3) + x + K$

23. $\int \cos^2 x\, dx = \int\left(\frac{1+\cos 2x}{2}\right)dx = \frac{x}{2} + \frac{\sin 2x}{4} + K$

24. $\int \operatorname{cosec} u\, du = \int \operatorname{cosec} u\left(\frac{\operatorname{cosec} u - \cot u}{\operatorname{cosec} u - \cot u}\right)du$

$= \int \frac{\operatorname{cosec}^2 u - \operatorname{cosec} u \cot u}{\operatorname{cosec} u - \cot u}du$

Posons $v = \operatorname{cosec} u - \cot u$;

Alors $dv = (-\operatorname{cosec} u \cot u + \operatorname{cosec}^2 u)\, du$

$\int \frac{\operatorname{cosec}^2 u - \operatorname{cosec} u \cot u}{\operatorname{cosec} u - \cot u}du = \int \frac{dv}{v} = \ln|v| + K$

$= \ln|\operatorname{cosec} u - \cot u| + K$

25. Partons de :

$\sin(u+v) \equiv \sin u \cos v + \cos u \sin v$

et $\sin(u-v) \equiv \sin u \cos v - \cos u \sin v$

Additionnons : $\sin(u+v) + \sin(u-v) \equiv 2\sin u \cos v$

D'où : $\sin u \cos v \equiv \left(\frac{1}{2}\right)\left(\sin(u+v) + \sin(u-v)\right)$

26. $2\tan(2x+1) + K$

27. Posons $u = \sqrt{x} \Rightarrow du = \frac{dx}{2\sqrt{x}} \Rightarrow \frac{dx}{\sqrt{x}} = 2\, du$

$\int \frac{\tan\sqrt{x}\sec\sqrt{x}}{\sqrt{x}}dx = 2\int \tan u \sec u\, du$

$= 2\sec u + K = 2\sec\sqrt{x} + K$

28. $e^{\sec x} + K$

29. $\frac{-3}{2}\cot\left(\frac{x^2 - \pi}{3}\right) + K$

30. $\frac{1}{3}\ln|\sec x^3 + \tan x^3| + K$

31. $\ln|\tan 3x| + K$

32. $\tan x - x + K$

33. $\ln|\sin(x+1)| + K$

34. $\ln|\sec x| + K$

35. $\frac{1}{6}\ln|\sec(3x^2+1) + \tan(3x^2+1)| + K$

36. $x + \frac{\tan 5x}{5} + K$

37. $-\cot e^x - e^x + K$

38. $\frac{-\operatorname{cosec} 3x}{3} + K$

39. $\frac{\sec x^2}{2} + K$

40. $\sec(x+5) + K$

41. $\frac{-\cot 7x}{7} + K$

3

42. $\frac{2}{3}\tan 3x + \frac{2}{3}\sec 3x - x + K$

43. $\frac{1}{2}\ln|3 + 2\sec x| + K$

44. $\frac{1}{3}\cos^3 x - \cos x + K$

45. $\frac{1}{3}\tan^3 x + \tan x + K$

46. $\frac{-1}{14}\text{cosec}^2 7x + K$ ou $\frac{-1}{14}\cot^2 7x + K$

47. cosec $(1/x) + K$

48. $\frac{1}{4}\ln|\text{cosec } 2x - \cot 2x| + K$

49. $x + \ln\sqrt{|\sin 2x|} + K$

50. $\cos(u+v) \equiv \cos u \cos v - \sin u \sin v$

$\cos(u-v) \equiv \cos u \cos v + \sin u \sin v$

$\Rightarrow \cos(u+v) + \cos(u-v) \equiv 2\cos u \cos v$

D'où l'identité $\cos u \cos v \equiv \frac{1}{2}\left(\cos(u-v) + \cos(u+v)\right)$

51. $\text{cosec } u - \cot u \equiv \dfrac{1-\cos u}{\sin u} \equiv \dfrac{2\sin^2(u/2)}{2\sin(u/2)\cos(u/2)} \equiv \tan\left(\dfrac{u}{2}\right)$

$\int \text{cosec } u \, du = \ln\left|\tan\left(\frac{u}{2}\right)\right| + K$

52. $\sec u + \tan u \equiv \dfrac{1+\sin u}{\cos u} \equiv \dfrac{1-\cos\left(\frac{\pi}{2}+u\right)}{\sin\left(\frac{\pi}{2}+u\right)}$

$\equiv \dfrac{2\sin^2\left(\frac{\pi}{4}+\frac{u}{2}\right)}{2\sin\left(\frac{\pi}{4}+\frac{u}{2}\right)\cos\left(\frac{\pi}{4}+\frac{u}{2}\right)} \equiv \tan\left(\dfrac{\pi}{4}+\dfrac{u}{2}\right)$

$\int \sec u \, du = \ln\left|\tan\left(\frac{\pi}{4}+\frac{u}{2}\right)\right| + K$

53. $\dfrac{\sin^7 x}{7} + K$

54. $\dfrac{-\cos^7 x}{7} + K$

55. $\dfrac{\sin^3 x}{3} + K$

56. $\int \sin^3 2x \cos^2 2x \, dx = \int \sin^2 2x \cos^2 2x \sin 2x \, dx$

Posons $v = \cos 2x$; alors $dv = -2\sin 2x \, dx$. Ainsi :

$\int \sin^2 2x \cos^2 2x \sin 2x \, dx = \int (1-\cos^2 2x)\cos^2 2x \sin 2x \, dx$

$\int (1-v^2)\, v^2 \left(-\frac{1}{2}\right) dv = -\frac{1}{2}\int (v^2 - v^4)\, dv$

$= -\frac{1}{2}\left(\frac{v^3}{3}\right) + \frac{1}{2}\left(\frac{v^5}{5}\right) + K = -\frac{\cos^3 2x}{6} + \frac{\cos^5 2x}{10} + K$

57. $\int \sin^5 5x \, dx = \int \sin^4 5x \sin 5x \, dx = \int (1-\cos^2 5x)^2 \sin 5x \, dx$

Posons $v = \cos 5x$; alors $dv = -5\sin 5x \, dx$. Ainsi :

$\int (1-\cos^2 5x)^2 \sin 5x \, dx = -\frac{1}{5}\int (1-v^2)^2 dv$

$= -\frac{1}{5}\int (1 - 2v^2 + v^4)\, dv = -\frac{1}{5}v + \frac{2}{5}\left(\frac{v^3}{3}\right) - \frac{1}{5}\left(\frac{v^5}{5}\right) + K$

$= -\frac{\cos 5x}{5} + \frac{2}{15}\cos^3 5x - \frac{1}{25}\cos^5 5x + K$

58. $\int \sin^{3/2} x \cos^7 x \, dx = \int \sin^{3/2} x \cos^6 x \cos x \, dx$

$= \int \sin^{3/2} x \,(1-\sin^2 x)^3 \cos x \, dx$

Posons $v = \sin x$; alors $dv = \cos x \, dx$. Ainsi :

$\int \sin^{3/2} x\,(1-\sin^2 x)^3 \cos x \, dx = \int v^{3/2}\,(1-v^2)^3 dv$

$= \int v^{3/2}\,(1 - 3v^2 + 3v^4 - v^6)\, dv = \int (v^{3/2} - 3v^{7/2} + 3v^{11/2} - v^{15/2})\, dv$

$= \frac{2}{5}v^{5/2} - \frac{2}{3}v^{9/2} + \frac{6}{13}v^{13/2} - \frac{2}{17}v^{17/2} + K$

$= \frac{2}{5}\sin^{5/2} x - \frac{2}{3}\sin^{9/2} x + \frac{6}{13}\sin^{13/2} x - \frac{2}{17}\sin^{17/2} x + K$

59. $\int \cos^7 7x \, dx = \int \cos^6 7x \cos 7x \, dx$

$= \int (1-\sin^2 7x)^3 \cos 7x \, dx$

Posons $v = \sin 7x$; alors $dv = 7\cos 7x \, dx$. Ainsi :

$\int (1-\sin^2 7x)^3 \cos 7x \, dx = \frac{1}{7}\int (1-v^2)^3 dv$

$= \frac{1}{7}\int (1 - 3v^2 + 3v^4 - v^6)\, dv = \frac{v}{7} - \frac{v^3}{7} + \frac{3v^5}{35} - \frac{v^7}{49} + K$

$= \frac{\sin 7x}{7} - \frac{\sin^3 7x}{7} + \frac{3\sin^5 7x}{35} - \frac{\sin^7 7x}{49} + K$

60. $\int \sin^2 2x \cos^2 2x \, dx = \int (\sin 2x \cos 2x)^2 dx$

$= \int \left(\frac{\sin 4x}{2}\right)^2 dx = \frac{1}{4}\int \sin^2 4x \, dx$

$= \frac{1}{4}\int \left(\frac{1-\cos 8x}{2}\right) dx = \frac{1}{8}\int (1-\cos 8x)\, dx$

$= \frac{x}{8} - \frac{\sin 8x}{64} + K$

61. $\int \cos 8x \cos 9x \, dx = \frac{1}{2}\int \left(\cos(-x) + \cos 17x\right) dx$

$= \frac{1}{2}\int \cos x \, dx + \frac{1}{2}\int \cos 17x \, dx = \frac{\sin x}{2} + \frac{\sin 17x}{34} + K$

62. $\int \sin^2 x \sin^2 3x \, dx$

$= \int (\sin x \sin 3x)^2 dx = \int \left(\frac{\cos(-2x) - \cos 4x}{2}\right)^2 dx$

$$= \frac{1}{4}\int(\cos^2 2x - 2\cos 2x\cos 4x + \cos^2 4x)\,dx$$

$$= \frac{1}{4}\int\cos^2 2x\,dx - \frac{1}{2}\int\cos 2x\cos 4x\,dx + \frac{1}{4}\int\cos^2 4x\,dx$$

$$= \frac{1}{8}\int(1+\cos 4x)\,dx - \frac{1}{4}\int(\cos 2x + \cos 6x)\,dx + \frac{1}{8}\int(1+\cos 8x)\,dx$$

$$= \frac{x}{8} + \frac{\sin 4x}{32} - \frac{\sin 2x}{8} - \frac{\sin 6x}{24} + \frac{x}{8} + \frac{\sin 8x}{64} + K$$

$$= \frac{x}{4} - \frac{\sin 2x}{8} + \frac{\sin 4x}{32} - \frac{\sin 6x}{24} + \frac{\sin 8x}{64} + K$$

63. $\frac{3x}{128} - \frac{\sin 4x}{128} + \frac{\sin 8x}{1\,024} + K$

64. $-\cos x + \cos^3 x - \frac{3\cos^5 x}{5} + \frac{\cos^7 x}{7} + K$

65. $\frac{\sin 4x}{8} - \frac{\sin 10x}{20} + K$

66. $\frac{-(\cos 5x + 5\cos x)}{10} + K$

67. $\int\tan x\sec^4 x\,dx = \int\tan x\sec^2 x\sec^2 x\,dx$

$$= \int\tan x\,(1+\tan^2 x)\sec^2 x\,dx$$

Posons $v = \tan x$; alors $dv = \sec^2 x\,dx$. Ainsi :

$$\int\tan x\,(1+\tan^2 x)\sec^2 x\,dx = \int v\,(1+v^2)\,dv$$

$$= \int v\,dv + \int v^3 dv = \frac{v^2}{2} + \frac{v^4}{4} + K = \frac{\tan^2 x}{2} + \frac{\tan^4 x}{4} + K$$

68. $\int\tan^3 3x\sec^5 3x\,dx = \int\tan^2 3x\sec^4 3x\sec 3x\tan 3x\,dx$

$$= \int(\sec^2 3x - 1)\sec^4 3x\sec 3x\tan 3x\,dx$$

Posons $v = \sec 3x$; alors $dv = 3\sec 3x\tan 3x\,dx$. Ainsi :

$$\int(\sec^2 3x - 1)\sec^4 3x\sec 3x\tan 3x\,dx$$

$$= \int(v^2-1)\,v^4\frac{dv}{3} = \frac{1}{3}\int(v^6 - v^4)\,dv$$

$$= \frac{v^7}{21} - \frac{v^5}{15} + K = \frac{\sec^7 3x}{21} - \frac{\sec^5 3x}{15} + K$$

69. $\int\tan^3 2x\,dx = \int\tan 2x\,(\sec^2 2x - 1)\,dx$

$$= \int\tan 2x\sec^2 2x\,dx - \int\tan 2x\,dx$$

$$= \frac{\tan^2 2x}{4} - \ln\sqrt{|\sec 2x|} + K$$

70. $\int\tan^4 5x\,dx = \int\tan^2 5x\,(\sec^2 5x - 1)\,dx$

$$= \int\tan^2 5x\sec^2 5x\,dx - \int\tan^2 5x\,dx$$

$$= \int\tan^2 5x\sec^2 5x\,dx - \int(\sec^2 5x - 1)\,dx$$

$$= \int\tan^2 5x\sec^2 5x\,dx - \int\sec^2 5x\,dx + \int dx$$

$$= \frac{\tan^3 5x}{15} - \frac{\tan 5x}{5} + x + K$$

71. $\int\sin 2x\sec^6 x\,dx = \int 2\sin x\cos x\sec^6 x\,dx$

$$= 2\int\frac{\sin x\cos x}{\cos^6 x}dx = 2\int\sin x\sec^5 x\,dx$$

$$= 2\int\tan x\sec^4 x\,dx = 2\int\sec^3 x\sec x\tan x\,dx$$

$$= \frac{2\sec^4 x}{4} + K = \frac{\sec^4 x}{2} + K$$

72. $\frac{\sec^7 x}{7} - \frac{2\sec^5 x}{5} + \frac{\sec^3 x}{3} + K$

73. $\frac{x}{8} - \frac{\sin 4x}{32} + K$

74. $2\sqrt{\tan x} + \frac{2}{5}\tan^{5/2} x + K$

75. $\frac{\tan^4 5x}{20} + K$

76. $\frac{\tan^4 3x}{12} + \frac{\tan^6 3x}{18} + K$

77. $\frac{\sin^2 2x}{4} + K$

78. $\frac{x}{8} - \frac{\sin 4x}{32} + K$

Exercices 3.4

1. Posons $x = 4\sin\theta$; alors $dx = 4\cos\theta\,d\theta$

$$\int(16-x^2)^{-3/2}dx = \int(16 - 16\sin^2\theta)^{-3/2}4\cos\theta\,d\theta$$

$$= \int 16^{-3/2}(1-\sin^2\theta)^{-3/2}4\cos\theta\,d\theta = \int\frac{1}{64}\frac{1}{\cos^3\theta}4\cos\theta\,d\theta$$

$$\frac{1}{16}\int\frac{d\theta}{\cos^2\theta} = \frac{1}{16}\int\sec^2\theta\,d\theta = \frac{1}{16}\tan\theta + K$$

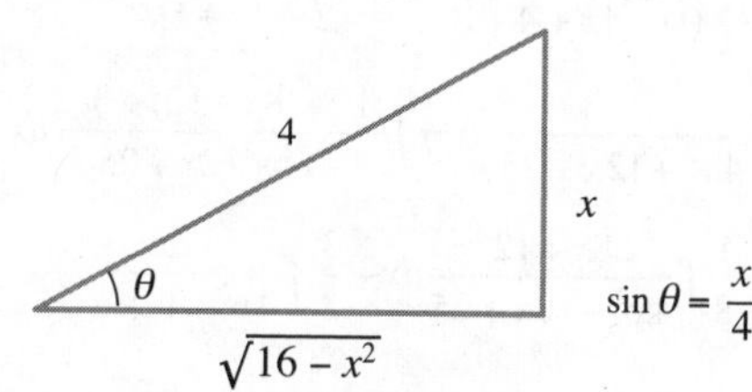

$\sin\theta = \frac{x}{4}$

$$\int(16-x^2)^{-3/2}dx = \frac{1}{16}\frac{x}{\sqrt{16-x^2}} + K$$

2. Posons $x = 4\tan\theta$; alors $dx = 4\sec^2\theta\,d\theta$

$$\int\frac{\sqrt{16+x^2}}{x^4}dx = \int\frac{\sqrt{16+16\tan^2\theta}}{4^4\tan^4\theta}4\sec^2\theta\,d\theta$$

$$= \int\frac{4\sec\theta}{4^4\tan^4\theta}4\sec^2\theta\,d\theta = \frac{1}{16}\int\frac{\sec^3\theta}{\tan^4\theta}d\theta$$

$$= \frac{1}{16}\int\frac{\cos^4\theta}{\cos^3\theta\sin^4\theta}d\theta = \frac{1}{16}\int\frac{\cos\theta\,d\theta}{\sin^4\theta}$$

$$= \frac{1}{16}\left\{\frac{\sin^{-3}\theta}{-3}\right\} + K = \frac{-1}{48\sin^3\theta} + K$$

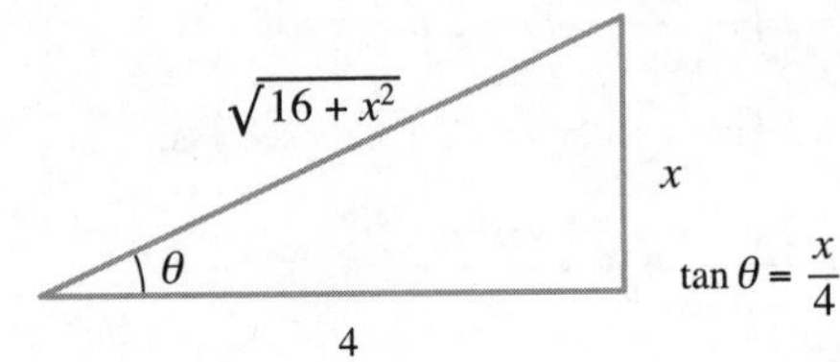

$$\int \frac{\sqrt{16+x^2}}{x^4}\,dx = \frac{-1}{48\left(x/\sqrt{16+x^2}\right)^3} + K = \frac{-(16+x^2)^{3/2}}{48x^3} + K$$

3. Posons $x = 4 \sec \theta$; alors $dx = 4 \sec \theta \tan \theta \, d\theta$

$$\int \frac{\sqrt{x^2-16}}{x}\,dx = \int \frac{\sqrt{16\sec^2\theta - 16}}{4\sec\theta} 4 \sec\theta \tan\theta \, d\theta$$

$$= \int \frac{4\tan\theta}{4\sec\theta} 4 \sec\theta \tan\theta \, d\theta = 4\int \tan^2\theta \, d\theta = 4\int (\sec^2\theta - 1)\, d\theta$$

$$= 4\tan\theta - 4\theta + K$$

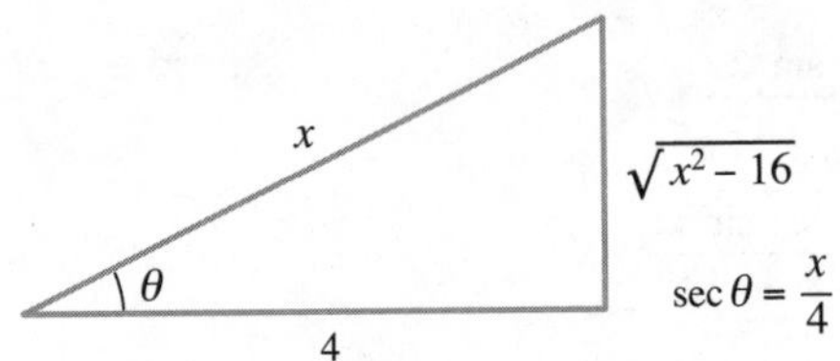

$$\int \frac{\sqrt{x^2-16}}{x}\,dx = \frac{4\sqrt{x^2-16}}{4} - 4 \operatorname{arcsec} \frac{x}{4} + K$$

$$= \sqrt{x^2-16} - 4 \operatorname{arcsec} \frac{x}{4} + K$$

4. $$\int \frac{dx}{x^2+8x+15} = \int \frac{dx}{x^2+8x+16-1} = \int \frac{dx}{(x+4)^2-1^2}$$

$$= \frac{1}{2\,(1)} \ln \left| \frac{x+4-1}{x+4+1} \right| + K = \frac{1}{2} \ln \left| \frac{x+3}{x+5} \right| + K$$

5. $$\int \frac{x+3}{4x^2+12x+25}\,dx = \int \frac{(1/8)\,(8x+12) + 3/2}{4x^2+12x+25}\,dx$$

$$= \frac{1}{8}\int \frac{8x+12}{4x^2+12x+25}\,dx + \frac{3}{2}\int \frac{dx}{4x^2+12x+25}$$

$$= \frac{1}{8}\ln\left|4x^2+12x+25\right| + \frac{3}{2}\int \frac{dx}{4\left(x^2+3x+\frac{25}{4}\right)}$$

$$= \frac{1}{8}\ln\left|4x^2+12x+25\right| + \frac{3}{8}\int \frac{dx}{\left(x+\frac{3}{2}\right)^2 + 2^2}$$

$$= \frac{1}{8}\ln\left|4x^2+12x+25\right| + \frac{3}{8} \times \frac{1}{2} \arctan \frac{x+(3/2)}{2} + K$$

$$= \frac{1}{8}\ln\left|4x^2+12x+25\right| + \frac{3}{16} \arctan \frac{2x+3}{4} + K$$

6. $$\int \frac{dx}{\sqrt{24-9x^2-6x}}$$

$$= \int \frac{dx}{\sqrt{24-9\left(x^2+\frac{2}{3}x\right)}} = \int \frac{dx}{\sqrt{24-9\left(x^2+\frac{2}{3}x+\frac{1}{9}\right)+1}}$$

$$= \int \frac{dx}{\sqrt{25-9\left(x+\frac{1}{3}\right)^2}} = \int \frac{dx}{\sqrt{25-(3x+1)^2}}$$

Posons $u = 3x + 1$; alors $du = 3\,dx \;\Rightarrow\; dx = \frac{1}{3}du$

$$\int \frac{dx}{\sqrt{25-(3x+1)^2}} = \int \frac{(1/3)\,du}{\sqrt{25-u^2}} = \frac{1}{3}\int \frac{du}{\sqrt{25-u^2}}$$

$$= \frac{1}{3}\arcsin\frac{u}{5} + K = \frac{1}{3}\arcsin\frac{3x+1}{5} + K$$

7. $$\int \frac{x\,dx}{\sqrt{x^2+2x+37}} = \int \frac{(1/2)\,(2x+2)-1}{\sqrt{x^2+2x+37}}\,dx$$

$$= \frac{1}{2}\int \frac{2x+2}{\sqrt{x^2+2x+37}}\,dx - \int \frac{dx}{\sqrt{x^2+2x+37}}$$

$$= \frac{1}{2}\frac{\sqrt{x^2+2x+37}}{1/2} - \int \frac{dx}{\sqrt{(x+1)^2+6^2}}$$

$$= \sqrt{x^2+2x+37} - \ln\left|x+1+\sqrt{(x+1)^2+6^2}\right| + K$$

$$= \sqrt{x^2+2x+37} - \ln\left|x+1+\sqrt{x^2+2x+37}\right| + K$$

8. Posons $u = a \sin \theta$; alors $du = a \cos \theta \, d\theta$

$$\int \frac{du}{\sqrt{a^2-u^2}} = \int \frac{a\cos\theta\,d\theta}{\sqrt{a^2-a^2\sin^2\theta}} = \int \frac{a\cos\theta\,d\theta}{a\cos\theta} = \int d\theta = \theta + K$$

$$= \arcsin\frac{u}{a} + K$$

9. Posons $x = 3 \sin \theta$; alors $dx = 3 \cos \theta \, d\theta$ et on a :

$$\int \frac{dx}{\sqrt{9-x^2}} = \int \frac{3\cos\theta\,d\theta}{\sqrt{9-9\sin^2\theta}} = \int \frac{\cos\theta\,d\theta}{\sqrt{1-\sin^2\theta}} = \int d\theta = \theta + K$$

$$= \arcsin\left(\frac{x}{3}\right) + K$$

10. Posons $x = 3 \sin \theta$; alors $dx = 3 \cos \theta \, d\theta$ et on a :

$$\int (9-x^2)^{3/2}\,dx = \int (9-9\sin^2\theta)^{3/2}\, 3\cos\theta\,d\theta$$

$$= 3 \times 9^{3/2} \int (1-\sin^2\theta)^{3/2} \cos\theta\,d\theta$$

$$= 81\int \cos^3\theta \cos\theta\,d\theta = 81\int \cos^4\theta\,d\theta$$

$$= 81\int \left(\frac{1+\cos 2\theta}{2}\right)^2 d\theta = \frac{81}{4}\int (1 + 2\cos 2\theta + \cos^2 2\theta)\,d\theta$$

$$= \frac{81}{4}\int \left(1 + 2\cos 2\theta + \frac{1}{2} + \frac{\cos 4\theta}{2}\right) d\theta$$

$$= \frac{81}{4}\int \left(\frac{3}{2} + 2\cos 2\theta + \frac{\cos 4\theta}{2}\right) d\theta$$

$$= \frac{81}{4}\left(\frac{3\theta}{2} + \sin 2\theta + \frac{\sin 4\theta}{8}\right) + K$$

Il nous faut maintenant revenir à la variable initiale x. Nous avons posé $x = 3 \sin \theta$, c'est-à-dire :

$$\sin\theta = \frac{x}{3} \quad \text{ou} \quad \theta = \arcsin\,(x/3)$$

Portons ces valeurs dans un triangle rectangle; appelons x le côté opposé à l'angle θ et 3 l'hypoténuse.

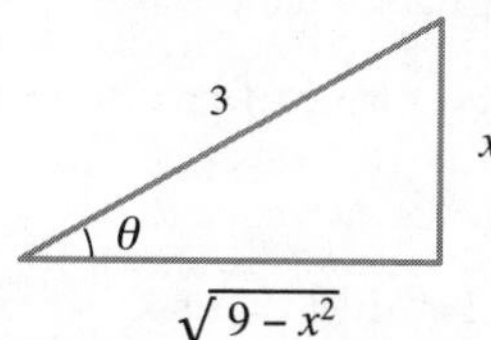

Le troisième côté nous est donné par le théorème de Pythagore. De cette façon, on peut retrouver toutes les fonctions trigonométriques de θ en termes de x.

$$\sin\theta = \frac{x}{3}\ ;\quad \cos\theta = \frac{\sqrt{9-x^2}}{3}\ ;\quad \tan\theta = \frac{x}{\sqrt{9-x^2}}$$

$$\cot\theta = \frac{\sqrt{9-x^2}}{x}\ ;\quad \sec\theta = \frac{3}{\sqrt{9-x^2}}\ ;\quad \operatorname{cosec}\theta = \frac{3}{x}$$

Il faut donc exprimer la solution en termes de fonctions trigonométriques de l'angle θ. Reprenant l'intégrale

$$\frac{81}{4}\left(\frac{3\theta}{2} + \sin 2\theta + \frac{\sin 4\theta}{8}\right) + K$$

$$= \frac{81}{4}\left(\frac{3\theta}{2} + 2\sin\theta\cos\theta + \frac{2\sin 2\theta\cos 2\theta}{8}\right) + K$$

$$= \frac{81}{4}\left(\frac{3\theta}{2} + 2\sin\theta\cos\theta + \frac{4\sin\theta\cos\theta\,(\cos^2\theta - \sin^2\theta)}{8}\right) + K$$

$$= \frac{81}{4}\left(\frac{3\theta}{2} + 2\sin\theta\cos\theta + \frac{\sin\theta\cos\theta}{2}(1 - 2\sin^2\theta)\right) + K$$

$$= \frac{81}{4}\left(\frac{3\theta}{2} + \frac{5\sin\theta\cos\theta}{2} - \sin^3\theta\cos\theta\right) + K$$

$$= \frac{81}{4}\left(\frac{3}{2}\arcsin\left(\frac{x}{3}\right) + \frac{5}{2}\times\frac{x}{3}\times\frac{\sqrt{9-x^2}}{3} - \frac{x^3}{27}\times\frac{\sqrt{9-x^2}}{3}\right) + K$$

$$= \frac{243}{8}\arcsin\left(\frac{x}{3}\right) + \frac{45x\sqrt{9-x^2}}{8} - \frac{x^3\sqrt{9-x^2}}{4} + K$$

11. $\dfrac{x\sqrt{9-x^2}}{2} + \dfrac{9}{2}\arcsin\left(\dfrac{x}{3}\right) + K$

12. $\dfrac{9}{2}\arcsin\left(\dfrac{x}{3}\right) - \dfrac{x\sqrt{9-x^2}}{2} + K$

13. $-\sqrt{9-x^2} + K$

14. $\dfrac{-\sqrt{9-x^2}}{9x} + K$

15. $\dfrac{-1}{3}\ln\left|\dfrac{3+\sqrt{9-x^2}}{x}\right| + K = \dfrac{1}{3}\ln\left|\dfrac{x}{3-\sqrt{9-x^2}}\right| + K$

16. $\dfrac{x}{\sqrt{9-x^2}} - \arcsin\left(\dfrac{x}{3}\right) + K$

17. $\ln\left|x + \sqrt{9+x^2}\right| + K$

18. $\dfrac{x\sqrt{9+x^2}}{2} + \dfrac{9}{2}\ln\left|x + \sqrt{9+x^2}\right| + K$ (selon formule 21)

19. $\sqrt{9+x^2}\left(\dfrac{x^2-18}{3}\right) + K$

20. $\dfrac{-\sqrt{9+x^2}}{9x} + K$

21. $\ln\left|x + \sqrt{x^2-9}\right| + K$

22. $\dfrac{1}{3}\operatorname{arcsec}\left(\dfrac{x}{3}\right) + K$

23. $\displaystyle\int\frac{dx}{x^2+8x+1} = \int\frac{dx}{(x^2+8x+16)-16+1}$

$$= \int\frac{dx}{(x+4)^2-15} = \int\frac{dx}{(x+4)^2-\left(\sqrt{15}\right)^2}$$

Posons $u = x + 4$; alors $du = dx$ et on a :

$$= \int\frac{du}{u^2-\left(\sqrt{15}\right)^2} = \frac{1}{2\sqrt{15}}\ln\left|\frac{u-\sqrt{15}}{u+\sqrt{15}}\right| + K$$

$$= \frac{1}{2\sqrt{15}}\ln\left|\frac{x+4-\sqrt{15}}{x+4+\sqrt{15}}\right| + K$$

24. $\displaystyle\int\frac{dx}{\sqrt{x^2+6x+3}} = \int\frac{dx}{\sqrt{x^2+6x+9-9+3}}$

$$= \int\frac{dx}{\sqrt{(x+3)^2-\left(\sqrt{6}\right)^2}}$$

Posons $u = x + 3$; alors $du = dx$ et

$$= \int\frac{du}{\sqrt{u^2-\left(\sqrt{6}\right)^2}} = \ln\left|u + \sqrt{u^2-\left(\sqrt{6}\right)^2}\right| + K$$

$$= \ln\left|x + 3 + \sqrt{x^2+6x+3}\right| + K$$

25. Lorsqu'on a une forme linéaire au numérateur, on la transforme en l'exprimant en termes de la dérivée de la forme quadratique au dénominateur. Bien sûr, on ajuste les constantes en conséquence. Dans le cas présent, on veut écrire $3x + 1$ en termes de $2x + 4$.

Ainsi :

$$3x + 1 \equiv \frac{3}{2}(2x+4) - 5$$

Il faut bien comprendre cette transformation. À partir de là, on écrit :

$$\int\frac{3x+1}{x^2+4x+6}dx$$

$$= \frac{3}{2}\int\frac{2x+4}{x^2+4x+6}dx - 5\int\frac{dx}{x^2+4x+6}$$

$$= \frac{3}{2}\ln\left|x^2+4x+6\right| - 5\int\frac{dx}{x^2+4x+4+2}$$

$$= \frac{3}{2}\ln\left|x^2+4x+6\right| - 5\int\frac{dx}{(x+2)^2+\left(\sqrt{2}\right)^2}$$

$$= \frac{3}{2}\ln\left|x^2+4x+6\right| - \frac{5}{\sqrt{2}}\arctan\left(\frac{x+2}{\sqrt{2}}\right) + K$$

3

26. La transformation-clé consiste à exprimer le numérateur $x+1$ en termes de la dérivée de l'expression quadratique sous le radical au dénominateur, soit $-2x$. On a :

$$x+1 \equiv \left(\frac{-1}{2}\right)(-2x)+1$$

Alors : $\displaystyle\int \frac{x+1}{\sqrt{3-x^2}}\,dx = \int \frac{(-1/2)(-2x)+1}{\sqrt{3-x^2}}\,dx$

$$= -\frac{1}{2}\int \frac{-2x\,dx}{\sqrt{3-x^2}} + \int \frac{dx}{\sqrt{3-x^2}} = -\sqrt{3-x^2} + \arcsin\left(\frac{x}{\sqrt{3}}\right) + K$$

27. $\ln\sqrt{\left|3x^2+5x-1\right|} + \dfrac{3}{2\sqrt{37}}\ln\left|\dfrac{6x+5-\sqrt{37}}{6x+5+\sqrt{37}}\right| + K$

28. $\sqrt{x^2+4x-5} + \ln\left|x+2+\sqrt{x^2+4x-5}\right| + K$

29. Poser $u = a\sec\theta$

30. Poser $u = a\tan\theta$

Exercices 3.6

1. Posons $u = x$ et $dv = \cos x\,dx$

Alors $du = dx$ et $v = \sin x$

$$\int x\cos x\,dx = x\sin x - \int \sin x\,dx = x\sin x + \cos x + K$$

2. Posons $u = x^2$ et $dv = e^x\,dx$

Alors $du = 2x\,dx$ et $v = e^x$

$$\int x^2e^x dx = x^2e^x - 2\int x\,e^x dx$$

Posons $u_1 = x$ et $dv_1 = e^x\,dx$

Alors $du_1 = dx$ et $v_1 = e^x$

$$\int x^2e^x dx = x^2e^x - 2\left\{x\,e^x - \int e^x dx\right\}$$

$$\int x^2e^x dx = x^2e^x - 2\,x\,e^x + 2\,e^x + K = e^x\,(x^2-2x+2) + K$$

3. Posons $u = \ln^2 x$ et $dv = dx$

Alors $du = \dfrac{2\ln x}{x}dx$ et $v = x$

$$\int \ln^2 x\,dx = x\ln^2 x - 2\int \frac{\ln x}{x}x\,dx$$

$$\int \ln^2 x\,dx = x\ln^2 x - 2\int \ln x\,dx$$

Posons $u_1 = \ln x$ et $dv_1 = dx$

Alors $du_1 = \dfrac{dx}{x}$ et $v_1 = x$

$$\int \ln^2 x\,dx = x\ln^2 x - 2\left\{x\ln x - \int \frac{dx}{x}x\right\}$$

$$\int \ln^2 x\,dx = x\ln^2 x - 2\,x\ln x + 2\int dx = x\ln^2 x - 2\,x\ln x + 2x + K$$

4. Posons $u = \arccos x$ et $dv = dx$

Alors $du = \dfrac{-dx}{\sqrt{1-x^2}}$ et $v = x$

$$\int \arccos x\,dx = x\arccos x + \int \frac{x\,dx}{\sqrt{1-x^2}} = x\arccos x - \sqrt{1-x^2} + K$$

5. Posons $u = x$ et $dv = \sec^2 x\,dx$

Alors $du = dx$ et $v = \tan x$

$$\int x\sec^2 x\,dx = x\tan x - \int \tan x\,dx = x\tan x - \ln\left|\sec x\right| + K$$

6. Posons $u = e^{2x}$ et $dv = \cos x\,dx$

Alors $du = 2\,e^{2x}\,dx$ et $v = \sin x$

$$\int e^{2x}\cos x\,dx = e^{2x}\sin x - 2\int e^{2x}\sin x\,dx$$

Poursuivons en posant $u_1 = e^{2x}$ et $dv_1 = \sin x\,dx$

Alors $du_1 = 2\,e^{2x}\,dx$ et $v_1 = -\cos x$

$$\int e^{2x}\cos x\,dx = e^{2x}\sin x - 2\left\{-e^{2x}\cos x + 2\int e^{2x}\cos x\,dx\right\}$$

$$\int e^{2x}\cos x\,dx = e^{2x}\sin x + 2\,e^{2x}\cos x - 4\int e^{2x}\cos x\,dx$$

$$5\int e^{2x}\cos x\,dx = e^{2x}\sin x + 2\,e^{2x}\cos x + K_1$$

$$\int e^{2x}\cos x\,dx = \frac{e^{2x}\sin x}{5} + \frac{2\,e^{2x}\cos x}{5} + K$$

(*Note* : Comparez la méthode utilisée ici avec celle utilisée dans l'exemple 3.33. Notez bien la différence.)

7. Posons $u = \sin 2x$ et $dv = \sin 3x\,dx$

Alors $du = 2\cos 2x\,dx$ et $v = \dfrac{-\cos 3x}{3}$

$$\int \sin 2x\sin 3x\,dx = \frac{-\sin 2x\cos 3x}{3} + \frac{2}{3}\int \cos 2x\cos 3x\,dx$$

Posons $u_1 = \cos 2x$ et $dv_1 = \cos 3x\,dx$

Alors $du_1 = -2\sin 2x\,dx$ et $v_1 = \dfrac{\sin 3x}{3}$

$$\int \sin 2x\sin 3x\,dx$$
$$= \frac{-\sin 2x\cos 3x}{3} + \frac{2}{3}\left\{\frac{\cos 2x\sin 3x}{3} + \frac{2}{3}\int \sin 2x\sin 3x\,dx\right\}$$

$$\int \sin 2x\sin 3x\,dx$$
$$= \frac{-\sin 2x\cos 3x}{3} + \frac{2\cos 2x\sin 3x}{9} + \frac{4}{9}\int \sin 2x\sin 3x\,dx$$

$$\frac{5}{9}\int \sin 2x\sin 3x\,dx = \frac{-\sin 2x\cos 3x}{3} + \frac{2\cos 2x\sin 3x}{9} + K_1$$

$$\int \sin 2x\sin 3x\,dx = \frac{-3\sin 2x\cos 3x}{5} + \frac{2\cos 2x\sin 3x}{5} + K$$

(*Note* : Faites le même problème avec les formules de la section 3.1 et comparez les réponses.)

8. Posons $y = \sqrt{x}$; alors $dy = \dfrac{dx}{2\sqrt{x}} \Rightarrow dx = 2y\,dy$

$$\int \sin\sqrt{x}\,dx = \int \sin y\,(2y\,dy) = 2\int y\sin y\,dy$$

Posons $u = y$ et $dv = \sin y\,dy$

Alors $du = dy$ et $v = -\cos y$

$$2\int y\sin y\,dy = 2\,(-y\cos y) - 2\int(-\cos y)\,dy$$

$$2\int y\sin y\,dy = -2y\cos y + 2\sin y + K$$

$\int \sin\sqrt{x}\,dx = -2\sqrt{x}\cos\sqrt{x} + 2\sin\sqrt{x} + K$

9. $\int \sec^n x\,dx = \int \sec^{n-2}x\sec^2 x\,dx$

Posons $u = \sec^{n-2}x$ et $dv = \sec^2 x\,dx$

Alors $du = (n-2)\sec^{n-3}x\sec x\tan x\,dx$ et $v = \tan x$

$\int \sec^n x\,dx = \sec^{n-2}x\tan x - (n-2)\int \sec^{n-2}x\tan^2 x\,dx$

$\int \sec^n x\,dx = \sec^{n-2}x\tan x - (n-2)\int \sec^{n-2}x(\sec^2 x - 1)\,dx$

$\int \sec^n x\,dx = \sec^{n-2}x\tan x - (n-2)\int \sec^n x\,dx + (n-2)\int \sec^{n-2}x\,dx$

$(1+n-2)\int \sec^n x\,dx = \sec^{n-2}x\tan x + (n-2)\int \sec^{n-2}x\,dx$

$\int \sec^n x\,dx = \dfrac{\sec^{n-2}x\tan x}{n-1} + \dfrac{(n-2)}{(n-1)}\int \sec^{n-2}x\,dx$

C'est la formule de réduction cherchée.

Alors : $\int \sec^5 x\,dx = \dfrac{\sec^3 x\tan x}{4} + \dfrac{3}{4}\int \sec^3 x\,dx$

$\int \sec^5 x\,dx = \dfrac{\sec^3 x\tan x}{4} + \dfrac{3}{4}\left\{\dfrac{\sec x\tan x}{2} + \dfrac{1}{2}\ln|\sec x + \tan x|\right\} + K$

$\int \sec^5 x\,dx = \dfrac{\sec^3 x\tan x}{4} + \dfrac{3\sec x\tan x}{8} + \dfrac{3}{8}\ln|\sec x + \tan x| + K$

10. Posons $u = x^n$ et $dv = \sin x\,dx$

Alors $du = n\,x^{n-1}dx$ et $v = -\cos x$

$\int x^n \sin x\,dx = -x^n\cos x + n\int x^{n-1}\cos x\,dx$

Posons $u_1 = x^{n-1}$ et $dv_1 = \cos x\,dx$

Alors $du_1 = (n-1)\,x^{n-2}\,dx$ et $v_1 = \sin x$

$\int x^n \sin x\,dx = -x^n\cos x + n\,x^{n-1}\sin x - n\,(n-1)\int x^{n-2}\sin x\,dx$

C'est la formule de réduction cherchée.

Alors : $\int x^4\sin x\,dx = -x^4\cos x + 4x^3\sin x - 12\int x^2\sin x\,dx$

$\int x^4\sin x\,dx$
$= -x^4\cos x + 4x^3\sin x - 12\left\{-x^2\cos x + 2x\sin x - 2\int \sin x\,dx\right\}$

$\int x^4\sin x\,dx$
$= -x^4\cos x + 4x^3\sin x + 12x^2\cos x + 24x\sin x - 24\cos x + K$

11. $(x-1)\,e^x + K$

12. $-(2x+3)\cos x + 2\sin x + K$

13. Posons $u = \ln x$ et $dv = x^4\,dx$; alors $du = \dfrac{dx}{x}$ et $v = \dfrac{x^5}{5}$. Ainsi :

$\int x^4\ln x\,dx = \dfrac{x^5}{5}\ln x - \int \dfrac{x^5}{5}\times\dfrac{dx}{x}$

$= \dfrac{x^5}{5}\ln x - \dfrac{1}{5}\int x^4 dx = \dfrac{x^5}{5}\ln x - \dfrac{x^5}{25} + K$

14. $(4x-5)\,e^x + K$

15. $(x^2 - 2x + 3)\,e^x + K$

16. $(4-3x^2)\cos x + 6x\sin x + K$

17. $\dfrac{x^3}{3}\left(\ln 3x - \dfrac{1}{3}\right) + K$

18. $\dfrac{x\sin 2x}{2} + \dfrac{\cos 2x}{4} + K$

19. $x^2(\ln x^2 - 1) + K$

20. Posons $u = \ln^3 x$ et $dv = dx$; alors $du = 3\ln^2 x\dfrac{dx}{x}$ et $v = x$.

Ainsi, si on appelle I l'intégrale cherchée, on a :

$$I = \int \ln^3 x\,dx = x\ln^3 x - 3\int \ln^2 x\,dx$$

Cette dernière intégrale se résout par parties en posant

$$u_1 = \ln^2 x \quad \text{et} \quad dv_1 = dx$$
$$du_1 = 2\ln x\frac{dx}{x} \quad \text{et} \quad v_1 = x$$

Reprenant, on a :

$I = x\ln^3 x - 3\left(x\ln^2 x - 2\int \ln x\,dx\right)$
$= x\ln^3 x - 3x\ln^2 x + 6\int \ln x\,dx$

À nouveau, pour cette dernière intégrale, procédons par parties en posant

$$u_2 = \ln x \quad \text{et} \quad dv_2 = dx$$
$$du_2 = \frac{dx}{x} \quad \text{et} \quad v_2 = x$$

Ainsi :

$I = x\ln^3 x - 3x\ln^2 x + 6\left(x\ln x - \int dx\right)$
$= x\ln^3 x - 3x\ln^2 x + 6\,x\ln x - 6x + K$

21. $\left(\dfrac{-18x^2 - 23}{27}\right)\cos 3x + \dfrac{4x}{9}\sin 3x + K$

22. $x^2\sin x + 2x\cos x - 2\sin x + K$

23. $\dfrac{\cos x\sin 3x}{8} - \dfrac{3\sin x\cos 3x}{8} + K$

24. $\dfrac{x}{2}(\cos(\ln x) + \sin(\ln x)) + K$

25. $\dfrac{(x^2+1)}{2}\arctan x - \dfrac{x}{2} + K$

26. $x\arcsin x + \sqrt{1-x^2} + K$

27. $\dfrac{3^x}{\ln 3}\left(x - \dfrac{1}{\ln 3}\right) + K$

28. $\dfrac{(x^2-1)}{2}\ln(x+1) - \dfrac{x^2}{4} + \dfrac{x}{2} + K$

29. $\dfrac{e^{2x}}{5}(-\cos x + 2\sin x) + K$

30. $\dfrac{e^{2x}}{29}(-5\cos 5x + 2\sin 5x) + K$

3

31. Posons $u = \arccos x$ et $dv = x\,dx$; alors $du = \dfrac{-dx}{\sqrt{1-x^2}}$ et $v = x^2/2$. Ainsi :

$$I = \int x \arccos x\, dx = \frac{x^2}{2}\arccos x + \frac{1}{2}\int \frac{x^2\, dx}{\sqrt{1-x^2}}$$

Cette dernière intégrale se résout par une substitution trigonométrique, soit en posant $x = \cos\theta$; alors $dx = -\sin\theta\, d\theta$.

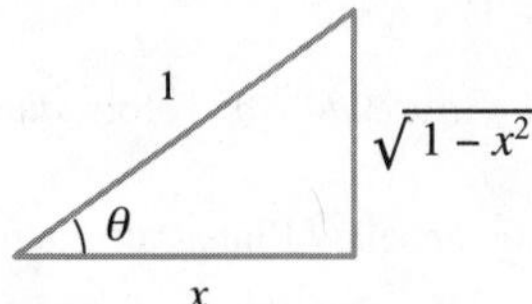

$$\int \frac{x^2\, dx}{\sqrt{1-x^2}} = -\int \frac{\cos^2\theta \sin\theta\, d\theta}{\sqrt{1-\cos^2\theta}} = -\int \frac{\cos^2\theta \sin\theta\, d\theta}{\sin\theta}$$

$$= -\int \cos^2\theta\, d\theta = -\int \frac{1+\cos 2\theta}{2} d\theta = -\frac{\theta}{2} - \frac{\sin 2\theta}{4} + K$$

$$= -\frac{\theta}{2} - \frac{2\sin\theta\cos\theta}{4} + K = -\frac{\arccos x}{2} - \frac{2\,x\sqrt{1-x^2}}{4} + K$$

Revenant au problème initial, on obtient :

$$I = \frac{x^2}{2}\arccos x - \frac{1}{4}x\sqrt{1-x^2} - \frac{1}{4}\arccos x + K$$

$$I = \left(\frac{x^2}{2} - \frac{1}{4}\right)\arccos x - \frac{1}{4}x\sqrt{1-x^2} + K$$

32. Posons $u = e^{-x/2}$ et $dv = \sin 3x\, dx$; alors $du = -\dfrac{1}{2}e^{-x/2}\, dx$ et $v = -(\cos 3x)/3$. Ainsi :

$$I = \int e^{-x/2}\sin 3x\, dx = -\frac{1}{3}e^{-x/2}\cos 3x - \frac{1}{6}\int e^{-x/2}\cos 3x\, dx$$

Nous allons procéder un peu différemment dans ce cas en reprenant l'intégrale initiale où l'on posera cette fois

$$u_1 = \sin 3x \text{ et } dv_1 = e^{-x/2}\, dx$$

Alors : $du_1 = 3\cos 3x\, dx$ et $v_1 = -2\,e^{-x/2}$

Ainsi :

$$I = \int e^{-x/2}\sin 3x\, dx = -2\,e^{-x/2}\sin 3x + 6\int e^{-x/2}\cos 3x\, dx$$

Nous avons deux expressions différentes de I et, dans les deux cas, nous nous retrouvons face à la même intégrale, soit

$$\int e^{-x/2}\cos 3x\, dx$$

affectée cependant de coefficients différents. Pour en sortir, nous allons multiplier la première expression de I par 36 et l'additionner à la seconde.

$$36I + I = -12\,e^{-x/2}\cos 3x - 6\int e^{-x/2}\cos 3x\, dx$$
$$-2\,e^{-x/2}\sin 3x + 6\int e^{-x/2}\cos 3x\, dx$$

$$37I = -12\,e^{-x/2}\cos 3x - 2\,e^{-x/2}\sin 3x + K_1$$

$$I = -\frac{2}{37}e^{-x/2}(6\cos 3x + \sin 3x) + K$$

33. Poser $u = x^n$ et $dv = e^{ax}\, dx$

34. Poser $u = \ln^n x$ et $dv = dx$

Exercices 3.8

1. $$\int \frac{5x-17}{(x-4)(x-3)}dx = \int\left(\frac{3}{x-4} + \frac{2}{x-3}\right)dx$$
$$= 3\ln|x-4| + 2\ln|x-3| + K = \ln\left|(x-4)^3(x-3)^2\right| + K$$

2. $$\int \frac{8x^2-11x-4}{x^3-x^2-2x}dx = \int\left(\frac{2}{x} + \frac{1}{x-2} + \frac{5}{x+1}\right)dx$$
$$= 2\ln|x| + \ln|x-2| + 5\ln|x+1| + K = \ln k\left|x^2(x-2)(x+1)^5\right|$$

3. $$\int \frac{(x+1)^2}{x^3+x^2+x}dx = \int\left(\frac{1}{x} + \frac{1}{x^2+x+1}\right)dx$$
$$= \ln|x| + \int\frac{dx}{x^2+x+1} = \ln|x| + \int\frac{dx}{x^2+x+\frac{1}{4}+\frac{3}{4}}$$
$$= \ln|x| + \int\frac{dx}{(x+(1/2))^2 + \left(\sqrt{3}/2\right)^2}$$
$$= \ln|x| + \frac{1}{\sqrt{3}/2}\arctan\left(\frac{x+(1/2)}{\sqrt{3}/2}\right) + K$$
$$= \ln|x| + \frac{2}{\sqrt{3}}\arctan\left(\frac{2x+1}{\sqrt{3}}\right) + K$$

4. $$\int\frac{5x^2+8}{x^4+4x^2}dx = \int\left(\frac{2}{x^2} + \frac{3}{x^2+4}\right)dx$$
$$= \frac{-2}{x} + \frac{3}{2}\arctan\left(\frac{x}{2}\right) + K$$

5. Posons $u = e^x$; alors $du = e^x\, dx$
$$\int\frac{e^x(2e^x+14)}{(e^x+1)(e^x-3)(2e^x-1)}dx = \int\frac{2u+14}{(u+1)(u-3)(2u-1)}du$$
$$= \int\left(\frac{1}{u+1} + \frac{1}{u-3} - \frac{4}{2u-1}\right)du$$
$$= \ln|u+1| + \ln|u-3| - 2\ln|2u-1| + K$$
$$= \ln\left|\frac{(u+1)(u-3)}{(2u-1)^2}\right| + K = \ln\left|\frac{(e^x+1)(e^x-3)}{(2\,e^x-1)^2}\right| + K$$

6. $\ln\left|(x-1)^2(x-10)^3\right| + K$

7. $\ln\left|(x-2)^3(x-3)^2\right| + K$

8. Avant d'aborder l'intégration proprement dite, nous allons décomposer la fonction rationnelle en fractions partielles. Notons que le dénominateur $x^3 - 4x$ peut se décomposer en facteurs de la façon suivante.
$$x^3 - 4x \equiv x(x-2)(x+2)$$
Selon le théorème des fractions partielles, il y aura trois fractions partielles et la décomposition se fera ainsi :
$$\frac{8x-8}{x^3-4x} \equiv \frac{A}{x} + \frac{B}{x-2} + \frac{C}{x+2}$$
Il reste à déterminer A, B et C. Recomposons la fraction rationnelle du côté droit en mettant au même dénominateur.
$$\frac{8x-8}{x^3-4x} \equiv \frac{A(x-2)(x+2) + B\,x(x+2) + C\,x(x-2)}{x(x-2)(x+2)}$$

$$\frac{8x-8}{x^3-4x} \equiv \frac{A(x^2-4)+B(x^2+2x)+C(x^2-2x)}{x^3-4x}$$

$$8x-8 \equiv (A+B+C)x^2+(2B-2C)x-4A$$

Ces deux polynômes sont *identiques* (ce qui est noté par le symbole $\equiv$), c'est-à-dire que l'égalité tient pour toute valeur de x. Lorsque deux polynômes entiers en x sont identiques, les coefficients des mêmes puissances de x sont égaux. Alors :

$$A+B+C=0$$
$$2B-2C=8$$
$$-4A=-8$$

D'où on tire $A=2$, $B=1$ et $C=-3$. Ainsi :

$$\frac{8x-8}{x^3-4x} \equiv \frac{2}{x}+\frac{1}{x-2}-\frac{3}{x+2}$$

Et l'intégration devient :

$$\int \frac{8x-8}{x^3-4x}dx = \int \frac{2}{x}dx + \int \frac{dx}{x-2} - \int \frac{3}{x+2}dx$$

$$= 2\int \frac{dx}{x} + \int \frac{dx}{x-2} - 3\int \frac{dx}{x+2}$$

$$= 2\ln|x| + \ln|x-2| - 3\ln|x+2| + K$$

$$= \ln\left|\frac{x^2(x-2)}{(x+2)^3}\right| + K = \ln\left|\frac{k\,x^2(x-2)}{(x+2)^3}\right|$$

9. Notons d'abord que le numérateur et le dénominateur sont des polynômes de même degré. Il faut d'abord effectuer la division car la décomposition en fractions partielles n'est valable que lorsque le degré du numérateur est inférieur à celui du dénominateur.

$$\frac{x^2-2x+6}{x^2-x-2} \equiv 1+\frac{(-x+8)}{x^2-x-2}$$

Et selon le théorème sur les fractions partielles :

$$\frac{-x+8}{x^2-x-2} \equiv \frac{A}{x-2}+\frac{B}{x+1}$$

Donc : $-x+8 \equiv A(x+1)+B(x-2)$

Puisqu'on a ici une identité, elle doit être vérifiée pour toutes valeurs de x. En particulier, si $x=2$, on a :

$$-2+8=3A+0 \Rightarrow A=2$$

Si $x=-1$, on a : $1+8=0-3B \Rightarrow B=-3$

Revenant à l'intégrale de départ, on a :

$$\int \frac{x^2-2x+6}{x^2-x-2}dx = \int 1\,dx + \int \frac{2\,dx}{x-2} + \int \frac{-3\,dx}{x+1}$$

$$= x+2\ln|x-2|-3\ln|x+1|+K$$

$$= x+\ln\left|\frac{(x-2)^2}{(x+1)^3}\right|+K$$

10. $\ln\left|\frac{k\,x^6(x-2)}{(x+2)^7}\right|^{1/8}$

11. $\frac{x^2}{2}+x+\ln\left|(x-2)^3(x-3)^2\right|+K$

12. $\ln\left|k(x-5)^2x^7\right|$

13. $\ln\left|k(x+3)(x-2)(x+7)\right|$

14. $\ln\left|x^3(x-1)^5\right|+\frac{6}{x}+K$

15. $\ln\left|(x+1)(x-2)^4\right|-\frac{4x+7}{2(x+1)^2}+K$

16. $\ln\left|\frac{x+2}{x}\right|^{1/8}-\frac{x+5}{4(x+2)^2}+K$

17. $\ln\left|\frac{(x-1)^2}{x-2}\right|-\frac{1}{x-1}+K$

18. $2\arctan x-\frac{3}{x}+K$

19. $\frac{-2}{x}-3\arctan x+K$

20. $\frac{1}{\sqrt{2}}\arctan\sqrt{2}\,x+\ln\left|x^3\right|+K$

21. $\frac{2}{x}+\frac{2}{x-3}+\ln\left|x^3(x-3)^5\right|+K$

22. $\frac{-1}{x}-\frac{1}{\sqrt{2}}\arctan\left(\frac{x}{\sqrt{2}}\right)+K$

23. $\arctan x-\frac{1}{x^2+1}+K$

24. Décomposons d'abord en fractions partielles.

$$\frac{5x^3+45x^2+125x+108}{x(x+3)^3} \equiv \frac{A}{x}+\frac{B}{x+3}+\frac{C}{(x+3)^2}+\frac{D}{(x+3)^3}$$

$$5x^3+45x^2+125x+108 \equiv A(x+3)^3+B\,x(x+3)^2 + C\,x(x+3)+D\,x$$

Posons $x=0$. Alors :

$108=27A \Rightarrow A=4$

Posons $x=-3$. Alors :

$-135+405-375+108=-3D \Rightarrow D=-1$

Posons $x=1$. Alors :

$5+45+125+108=256+16B+4C-1 \Rightarrow 4B+C=7$

Posons $x=-1$. Alors :

$-5+45-125+108=32-4B-2C+1 \Rightarrow 2B+C=5$

Donc, $B=1$ et $C=3$. Alors l'intégrale initiale se ramène à

$$\int \frac{4\,dx}{x}+\int \frac{dx}{x+3}+\int \frac{3\,dx}{(x+3)^2}-\int \frac{dx}{(x+3)^3}$$

$$= 4\ln|x|+\ln|x+3|-\frac{3}{x+3}+\frac{1}{2(x+3)^2}+K$$

$$= \ln\left|x+3\right|x^4-\frac{6x+17}{2(x+3)^2}+K$$

25. $\frac{1}{x(x^2+1)} \equiv \frac{A}{x}+\frac{Bx+C}{x^2+1}$

$1 \equiv A(x^2+1)+Bx^2+Cx$

$1 \equiv (A+B)x^2+Cx+A$

d'où $A+B=0$, $C=0$ et $A=1$. Donc, $A=1$, $B=-1$ et $C=0$.

On a alors :

$$\int \frac{dx}{x(x^2+1)} = \int \frac{dx}{x} - \int \frac{x\,dx}{x^2+1}$$

$$= \ln|x| - \frac{1}{2}\ln|x^2+1| + K = \ln\left|\frac{x}{\sqrt{x^2+1}}\right| + K$$

26. $\frac{1}{x(x^2+1)^2} \equiv \frac{A}{x} + \frac{Bx+C}{x^2+1} + \frac{Dx+E}{(x^2+1)^2}$

$1 \equiv A(x^2+1)^2 + (Bx+C)\,x(x^2+1) + (Dx+E)\,x$

$1 \equiv A(x^4+2x^2+1) + B(x^4+x^2) + C(x^3+x) + Dx^2 + Ex$

$1 \equiv (A+B)\,x^4 + Cx^3 + (2A+B+D)\,x^2 + (C+E)\,x + A$

d'où $A+B=0$, $C=0$, $2A+B+D=0$, $C+E=0$, $A=1$. Donc, $A=1$, $B=-1$, $C=0$, $D=-1$ et $E=0$.

Ainsi :

$$\int \frac{dx}{x(x^2+1)^2} = \int \frac{dx}{x} - \int \frac{x\,dx}{x^2+1} - \int \frac{x\,dx}{(x^2+1)^2}$$

$$= \ln|x| - \frac{1}{2}\ln|x^2+1| + \frac{1}{2(x^2+1)} + K$$

$$= \ln\left|\frac{x}{\sqrt{x^2+1}}\right| + \frac{1}{2(x^2+1)} + K$$

27. $\ln\sqrt{\frac{x^2+1}{x^2+2}} + K$

28. $\ln\left|\frac{(x-1)^{3/5}}{\sqrt{x}\,(x^2+2x+2)^{1/20}}\right| + \frac{3}{10}\arctan(x+1) + K$

29. $\frac{1}{\sqrt{7}}\arctan\left(\frac{x}{\sqrt{7}}\right) + \ln|x^3| - \frac{1}{x^2+7} + K$

30. $\ln|(x+1)(x^2+x+1)| - \frac{10}{\sqrt{3}}\arctan\left(\frac{2x+1}{\sqrt{3}}\right) + K$

31. $\frac{1}{x} + \ln|x^3(x^2+3x+5)| + K$

32. $\ln|(x-1)(x-4)^2(x^2+x+4)^{3/2}| - \frac{\sqrt{15}}{3}\arctan\left(\frac{2x+1}{\sqrt{15}}\right) + K$

33. $\frac{x^2}{2} - 2x + \ln|(x+2)(x-1)^8| - 2\arctan x + K$

34. $\ln\left|k\left(\sqrt{x}\right)^7\left(\sqrt{x}-1\right)^3\right|^2$

35. $\ln|x^{1/4}-1|^8 + 4\arctan x^{1/4} + K$

36. Posons $u = x^{1/6}$. Le choix de ce changement de variable est justifié par le fait que tous les exposants deviennent entiers. En effet, si $u = x^{1/6}$, alors $u^2 = x^{1/3}$ et $u^3 = x^{1/2}$. De plus :

$$du = \frac{1}{6}x^{-5/6}\,dx \Rightarrow dx = 6\,x^{5/6}\,du = 6\,u^5\,du$$

Donc : $\int \frac{\sqrt{x}\,dx}{1+\sqrt[3]{x}} = \int \frac{u^3 \times 6\,u^5\,du}{1+u^2} = 6\int \frac{u^8}{1+u^2}du$

$$= 6\int\left(u^6 - u^4 + u^2 - 1 + \frac{1}{1+u^2}\right)du$$

$$= 6\left(\frac{u^7}{7} - \frac{u^5}{5} + \frac{u^3}{3} - u + \arctan u\right) + K$$

$$= \frac{6}{7}x^{7/6} - \frac{6}{5}x^{5/6} + 2\sqrt{x} - 6\,x^{1/6} + 6\arctan x^{1/6} + K$$

37. Posons $u = \sqrt{x-3}$. Alors : $u^2 = x-3 \Rightarrow x = u^2+3$ et $2u\,du = dx$

Ainsi :

$$\int \frac{7\sqrt{x-3}-3}{2(x-4)\sqrt{x-3}}dx = \int \frac{(7u-3)\,2u\,du}{2(u^2+3-4)\,u} = \int \frac{7u-3}{u^2-1}du$$

Selon la décomposition en fractions partielles :

$$\frac{7u-3}{u^2-1} \equiv \frac{A}{u-1} + \frac{B}{u+1}$$

$7u-3 \equiv A(u+1) + B(u-1) \equiv (A+B)\,u + A - B$

Donc : $A+B=7$ et $A-B=-3$

d'où on tire $A=2$ et $B=5$.

$$\int \frac{7u-3}{u^2-1}du = \int \frac{2\,du}{u-1} + \int \frac{5\,du}{u+1}$$

$$= 2\ln|u-1| + 5\ln|u+1| + K$$

$$= \ln\left|k\,(u-1)^2\,(u+1)^5\right|$$

$$= \ln\left|k\left(\sqrt{x-3}-1\right)^2\left(\sqrt{x-3}+1\right)^5\right|$$

Exercices 3.10

1. Posons $u^2 = x-2$; alors $2\,u\,du = dx$ et $x = u^2+2$

$$\int \frac{x-4+2\sqrt{x-2}}{2(x-2)^2 - 2(x-2)^{3/2}}dx = \int \frac{u^2+2-4+2u}{2u^4-2u^3}2u\,du$$

$$= \int \frac{u^2+2u-2}{u^3-u^2}du = \int \frac{u^2+2u-2}{u^2(u-1)}du$$

$$= \int\left(\frac{2}{u^2} + \frac{1}{u-1}\right)du = 2\int\frac{du}{u^2} + \int\frac{du}{u-1}$$

$$= \frac{-2}{u} + \ln|u-1| + K = \frac{-2}{\sqrt{x-2}} + \ln\left|\sqrt{x-2}-1\right| + K$$

2. Posons $u^2 = x^3-1$; alors $2\,u\,du = 3\,x^2\,dx$ et $x^3 = u^2+1$

$$\int x^5\sqrt{x^3-1}\,dx = \int x^3\,x^2\sqrt{x^3-1}\,dx = \int x^3\sqrt{x^3-1}\,x^2\,dx$$

$$= \int (u^2+1)\,u\,\frac{2}{3}u\,du = \frac{2}{3}\int (u^2+1)\,u^2\,du$$

$$= \frac{2}{3}\int (u^4+u^2)\,du = \frac{2}{3}\left(\frac{u^5}{5} + \frac{u^3}{3}\right) + K = \frac{2}{3}u^3\left(\frac{u^2}{5} + \frac{1}{3}\right) + K$$

$$= \frac{2}{3}(x^3-1)^{3/2}\left(\frac{x^3-1}{5} + \frac{1}{3}\right) + K = \frac{2}{3}(x^3-1)^{3/2}\left(\frac{3x^3+2}{15}\right) + K$$

3. Posons $x = 1/u$; alors $dx = -du/u^2$

$$\int \frac{dx}{x\sqrt{x^2-1}} = \int \frac{-du/u^2}{\frac{1}{u}\sqrt{\frac{1}{u^2}-1}} = -\int \frac{du}{u^2\,\frac{1}{u}\sqrt{\frac{1-u^2}{u^2}}} = -\int \frac{du}{\sqrt{1-u^2}}$$

$$= -\arcsin u + K = -\arcsin\left(\frac{1}{x}\right) + K$$

(*Note* : On peut aussi procéder par la substitution trigonométrique $x = \sec\theta$.)

4. Posons $x = 1/u$; alors $dx = -du/u^2$

$$\int \frac{dx}{x^2\sqrt{x^2+x+1}}$$

$$= \int \frac{-du/u^2}{\frac{1}{u^2}\sqrt{\frac{1}{u^2}+\frac{1}{u}+1}} - \int \frac{du}{\sqrt{\frac{1+u+u^2}{u^2}}} = -\int \frac{u\,du}{\sqrt{u^2+u+1}}$$

$$= -\int \frac{(1/2)(2u+1)-(1/2)}{\sqrt{u^2+u+1}}du$$

$$= \frac{-1}{2}\int \frac{(2u+1)\,du}{\sqrt{u^2+u+1}} + \frac{1}{2}\int \frac{du}{\sqrt{u^2+u+1}}$$

$$= -\frac{1}{2}\,\frac{\sqrt{u^2+u+1}}{1/2} + \frac{1}{2}\int \frac{du}{\sqrt{u^2+u+\frac{1}{4}+\frac{3}{4}}}$$

$$= -\sqrt{u^2+u+1} + \frac{1}{2}\int \frac{du}{\sqrt{(u+(1/2))^2+\left(\sqrt{3}/2\right)^2}}$$

$$= -\sqrt{u^2+u+1} + \frac{1}{2}\ln\left|u+\frac{1}{2}+\sqrt{u^2+u+1}\right| + K$$

$$= -\sqrt{\frac{1}{x^2}+\frac{1}{x}+1} + \frac{1}{2}\ln\left|\frac{1}{x}+\frac{1}{2}+\sqrt{\frac{1}{x^2}+\frac{1}{x}+1}\right| + K$$

$$= \frac{-\sqrt{x^2+x+1}}{x} + \frac{1}{2}\ln\left|\frac{2+x+2\sqrt{x^2+x+1}}{2x}\right| + K$$

5. Posons $u = \tan(x/2)$; alors $\cos x = \dfrac{1-u^2}{1+u^2}$ et $dx = \dfrac{2\,du}{1+u^2}$

$$\int \frac{\cos x\,dx}{1+\cos x} = \int \frac{\frac{1-u^2}{1+u^2}\times\frac{2\,du}{1+u^2}}{1+\frac{1-u^2}{1+u^2}} = \int \frac{(1-u^2)}{(1+u^2+1-u^2)}\times\frac{2\,du}{1+u^2}$$

$$= \frac{2}{2}\int \frac{1-u^2}{1+u^2}du = \int\left(-1+\frac{2}{1+u^2}\right)du = -\int du + 2\int\frac{du}{1+u^2}$$

$$= -u + 2\arctan u + K = -\tan(x/2) + 2\arctan\left(\tan(x/2)\right) + K$$

$$= -\tan(x/2) + 2(x/2) + K = x - \tan(x/2) + K$$

6. $\ln\left|x\left(\sqrt{x}-1\right)^3\left(\sqrt{x}+1\right)^4\right| + K$

7. $\dfrac{2}{3}\sqrt{x}\,(x+3) + K$

8. $\sqrt{x^2-4}\left(\dfrac{x^2-16}{3}\right) + 8\arctan\left(\dfrac{\sqrt{x^2-4}}{2}\right) + K$

9. Posons $u^2 = x^2 + 7$; alors $u\,du = x\,dx$. Ainsi :

$$\int \frac{(x^2+7)^{3/2}\,dx}{x}$$

$$= \int \frac{u^3}{x}\times\frac{u\,du}{x} = \int \frac{u^4\,du}{u^2-7} = \int\left(u^2+7+\frac{49}{u^2-7}\right)du$$

$$= \int u^2\,du + 7\int du + 49\int\frac{du}{u^2-7}$$

$$= \frac{u^3}{3} + 7u + \frac{49}{2\sqrt{7}}\ln\left|\frac{u-\sqrt{7}}{u+\sqrt{7}}\right| + K$$

$$= \frac{(x^2+7)^{3/2}}{3} + 7\sqrt{x^2+7} + \frac{49}{2\sqrt{7}}\ln\left|\frac{\sqrt{x^2+7}-\sqrt{7}}{\sqrt{x^2+7}+\sqrt{7}}\right| + K$$

$$= \sqrt{x^2+7}\left(\frac{x^2+28}{3}\right) + \frac{49}{2\sqrt{7}}\ln\left|\frac{\sqrt{x^2+7}-\sqrt{7}}{\sqrt{x^2+7}+\sqrt{7}}\right| + K$$

10. $\dfrac{-2}{15}(1-x)^{3/2}(3x+2) + K$

11. $3\sqrt[3]{x+3} + \ln\left|\dfrac{\sqrt[3]{x+3}-1}{\sqrt{(x+3)^{2/3}+(x+3)^{1/3}+1}}\right|$

$$-\sqrt{3}\arctan\left(\frac{2\sqrt[3]{x+3}+1}{\sqrt{3}}\right) + K$$

12. $\dfrac{2}{135}(3x+5)^{3/2}(9x-10) + K$

13. $\left(\dfrac{x-5}{3}\right)\sqrt{5+2x} + K$

14. $\dfrac{(5-x^2)^{5/2}}{5} - \dfrac{5(5-x^2)^{3/2}}{3} + K$

15. Posons $u^2 = 1 - x^3$; alors $2u\,du = -3x^2\,dx$. On a :

$$\int \frac{(1-x^3)^{1/2}}{x^4}dx = \int \frac{u}{x^4}\left(-\frac{2}{3}\times\frac{u}{x^2}\right)du = -\frac{2}{3}\int\frac{u^2}{(u^2-1)^2}du$$

En décomposant en fractions partielles :

$$= -\frac{2}{3}\int\frac{1}{4}\left(\frac{1}{u-1}+\frac{1}{(u-1)^2}-\frac{1}{u+1}+\frac{1}{(u+1)^2}\right)du$$

$$= -\frac{1}{6}\int\frac{du}{u-1} - \frac{1}{6}\int\frac{du}{(u-1)^2} + \frac{1}{6}\int\frac{du}{u+1} - \frac{1}{6}\int\frac{du}{(u+1)^2}$$

$$= -\frac{1}{6}\ln|u-1| + \frac{1}{6}\times\frac{1}{(u-1)} + \frac{1}{6}\ln|u+1| + \frac{1}{6}\times\frac{1}{(u+1)} + K$$

$$= \frac{1}{6}\ln\left|\frac{u+1}{u-1}\right| + \frac{1}{3}\times\frac{u}{(u^2-1)} + K$$

$$= \frac{1}{6}\ln\left|\frac{\sqrt{1-x^3}+1}{\sqrt{1-x^3}-1}\right| - \frac{\sqrt{1-x^3}}{3x^3} + K$$

16. Posons $x = 1/u$; alors $dx = -du/u^2$. On a :

$$\int\frac{dx}{x\sqrt{x^2+4x-1}} = -\int\frac{du}{u^2(1/u)\sqrt{1/u^2+4/u-1}}$$

$$= -\int\frac{du}{\sqrt{1+4u-u^2}} = -\int\frac{du}{\sqrt{1+4-4+4u-u^2}}$$

$$= -\int\frac{du}{\sqrt{5-(u-2)^2}} = -\arcsin\left(\frac{u-2}{\sqrt{5}}\right) + K$$

$$= -\arcsin\left(\frac{(1/x)-2}{\sqrt{5}}\right) + K = -\arcsin\left(\frac{1-2x}{\sqrt{5}\,x}\right) + K$$

3

17. $= -\arcsin\left(\dfrac{1-8x}{\sqrt{65}\,x}\right) + K$

18. Posons $x = 1/u$; alors $dx = -du/u^2$. On a :

$$\int \frac{dx}{x^2\sqrt{2x^2-x+3}} = -\int \frac{du}{u^2 \times (1/u^2)\sqrt{2/u^2-1/u+3}}$$

$$= -\int \frac{u\,du}{\sqrt{2-u+3u^2}} = -\frac{1}{\sqrt{3}}\int \frac{u\,du}{\sqrt{u^2-u/3+2/3}}$$

On peut remplacer u par $\frac{1}{2}(2u-1/3)+1/6$. On a :

$$-\frac{1}{\sqrt{3}}\int \frac{u\,du}{\sqrt{u^2-u/3+2/3}}$$

$$= -\frac{1}{\sqrt{3}}\int \frac{(1/2)(2u-1/3)\,du}{\sqrt{u^2-u/3+2/3}} - \frac{1}{6\sqrt{3}}\int \frac{du}{\sqrt{u^2-u/3+2/3}}$$

$$= -\frac{1}{2\sqrt{3}} \times 2\sqrt{u^2-u/3+2/3} - \frac{1}{6\sqrt{3}}\int \frac{du}{\sqrt{u^2-u/3+1/36+23/36}}$$

$$= -\frac{1}{\sqrt{3}}\sqrt{u^2-u/3+2/3} - \frac{1}{6\sqrt{3}}\int \frac{du}{\sqrt{(u-1/6)^2+\left(\sqrt{23}/6\right)^2}}$$

$$= -\frac{1}{\sqrt{3}}\sqrt{u^2-u/3+2/3} - \frac{1}{6\sqrt{3}}\ln\left|u-\frac{1}{6}+\sqrt{u^2-u/3+2/3}\right| + K$$

$$= -\frac{1}{\sqrt{3}}\sqrt{1/x^2-1/3x+2/3}$$

$$- \frac{1}{6\sqrt{3}}\ln\left|\frac{1}{x}-\frac{1}{6}+\sqrt{1/x^2-1/3x+2/3}\right| + K$$

$$= \frac{-\sqrt{2x^2-x+3}}{3x} - \frac{1}{6\sqrt{3}}\ln\left|\frac{1}{x}-\frac{1}{6}+\frac{\sqrt{2x^2-x+3}}{\sqrt{3}\,x}\right| + K$$

19. $\dfrac{-\sqrt{x^2-x+1}}{x} - \ln\sqrt{\dfrac{1}{x}-\dfrac{1}{2}+\dfrac{\sqrt{x^2-x+1}}{x}} + K$

20. $-\dfrac{1}{3}\dfrac{\sqrt{6-x}}{\sqrt{x}} + K$

21. $\dfrac{\sqrt{x^2-2}}{2x} + K$

22. $\ln\sqrt{\dfrac{x-1}{2+\sqrt{x^2-2x+5}}} + K$

23. $\ln\sqrt{\dfrac{x+1}{2+\sqrt{3-2x-x^2}}} + K$

24. $-\dfrac{1}{\sqrt{5}}\arcsin\left(\dfrac{\sqrt{5}}{x}\right) + K$

25. $\dfrac{1}{\sqrt{5}}\arctan\left(\dfrac{\sqrt{x^2-5}}{\sqrt{5}}\right) + K$

26. $\dfrac{1}{\sqrt{5}}\operatorname{arcsec}\left(\dfrac{x}{\sqrt{5}}\right) + K$

27. Ces réponses (notons que ce sont des angles) sont égales ou ne diffèrent que par une constante.

28. Posons $u = \tan(x/2)$; alors $\sin x = \dfrac{2u}{1+u^2}$ et $dx = \dfrac{2\,du}{1+u^2}$

$$\int \frac{dx}{3-\sin x} = \int \frac{2\,du}{(1+u^2)\left(3-2u/(1+u^2)\right)}$$

$$= \int \frac{2\,du}{3(1+u^2)-2u} = \int \frac{2\,du}{3+3u^2-2u} = \frac{2}{3}\int \frac{du}{u^2-(2/3)u+1}$$

$$= \frac{2}{3}\int \frac{du}{u^2-(2/3)u+1/9+8/9} = \frac{2}{3}\int \frac{du}{(u-1/3)^2+\left(\sqrt{8}/3\right)^2}$$

$$= \frac{2}{3} \times \frac{1}{\sqrt{8}/3}\arctan\left(\frac{u-1/3}{\sqrt{8}/3}\right) + K$$

$$= \frac{1}{\sqrt{2}}\arctan\left(\frac{3\tan(x/2)-1}{2\sqrt{2}}\right) + K$$

29. $\ln\left|\tan\left(\dfrac{x}{2}\right)\right| + K$

30. $\dfrac{1}{3}\ln\left|k\left(\dfrac{3\tan(x/2)-1}{3\tan(x/2)+1}\right)\right|$

31. $\dfrac{1}{2}\arctan\left(2\tan\left(\dfrac{x}{2}\right)\right) + K$

32. $\dfrac{1}{\sqrt{5}}\ln\left|\dfrac{\tan(x/2)+2-\sqrt{5}}{\tan(x/2)+2+\sqrt{5}}\right| + K$

33. $\ln\sec^2\left(\dfrac{x}{2}\right) + K$

Exercices 3.11

1. $\dfrac{1}{3}(x^2+9)^{3/2} + K$

2. $\dfrac{10}{3}\arctan\left(\dfrac{\sqrt{x}}{3}\right) + K$

3. $\dfrac{1}{5}\arcsin e^{5x} + K$

4. $-\arcsin\left(\dfrac{\cos x}{\sqrt{10}}\right) + K$

5. $\dfrac{1}{\sqrt{2}}\ln\left|x-2+\sqrt{x^2-4x+\dfrac{9}{2}}\right| + K$

6. $4\sqrt{x^2-3x+2} + 13\ln\left|x-\dfrac{3}{2}+\sqrt{x^2-3x+2}\right| + K$

7. $\displaystyle\int \frac{\sin\sqrt{x}\cos\sqrt{x}+1}{\sqrt{x}\cos\sqrt{x}}\,dx$

$$= \int \frac{\sin\sqrt{x}\cos\sqrt{x}}{\sqrt{x}\cos\sqrt{x}}\,dx + \int \frac{dx}{\sqrt{x}\cos\sqrt{x}}$$

$$= \int \frac{\sin\sqrt{x}}{\sqrt{x}}\,dx + \int \frac{\sec\sqrt{x}}{\sqrt{x}}\,dx$$

Posons $u = \sqrt{x}$; alors $du = \dfrac{dx}{2\sqrt{x}} \Rightarrow \dfrac{dx}{\sqrt{x}} = 2\,du$

$$2\int \sin u\,du + 2\int \sec u\,du$$

$= 2(-\cos u) + 2\ln|\sec u + \tan u| + K$

$= -2\cos\sqrt{x} + 2\ln\left|\sec\sqrt{x} + \tan\sqrt{x}\right| + K$

8. $\displaystyle\int\frac{\cos x - \cos^2 x + 1}{\sin x \cos x}dx = \int\frac{\cos x}{\sin x \cos x}dx + \int\frac{(-\cos^2 x + 1)}{\sin x \cos x}dx$

$\displaystyle = \int\frac{1}{\sin x}dx + \int\frac{\sin^2 x}{\sin x \cos x}dx = \int \operatorname{cosec} x\, dx + \int\frac{\sin x}{\cos x}dx$

$= \ln|\operatorname{cosec} x - \cot x| + \ln|\sec x| + K$

9. $\dfrac{3x^2}{2} + x + \ln|x^2 + x + 1| + K$

10. $x^3 - x^2 + x + \ln\sqrt{x^2 - 2x + 5} + 2\arctan\left(\dfrac{x-1}{2}\right) + K$

11. NB : Notons ici que le mode de solution d'une intégrale indéfinie n'est pas nécessairement unique et que vous pouvez fort bien avoir suggéré quelque chose de différent de ce qui est proposé ici et que votre suggestion soit tout à fait correcte.

N° 12 : On pose $u = x^2 + x + 3$

N° 13 : Intégration par parties : $u = 3x^2 + 4x - 1$ et $dv = e^x\,dx$

N° 14 : Intégration par fractions partielles

N° 15 : On utilise l'identité $\sin^2 u = \dfrac{1 - \cos 2u}{2}$

N° 16 : On pose $u^2 = x$

N° 17 : On pose $u^2 = 2x + 5$

N° 18 : On complète le carré sous le radical puis on pose $x - 1 = 2\sin\theta$

N° 19 : Intégration par fractions partielles

N° 20 : Intégration par parties : $u = \arctan x$ et $dv = dx$

12. $\sin(x^2 + x + 3) + K$

13. $e^x(3x^2 - 2x + 1) + K$

14. $\ln|x| + \dfrac{1}{x^2} + \arctan x + K$

15. $\dfrac{3x}{8} - \dfrac{\sin 2(x+1)}{4} + \dfrac{\sin 4(x+1)}{32} + K$

16. $2\sqrt{x} - 2\arctan\sqrt{x} + K$

17. $\dfrac{2x+5}{2} + \ln\left|\sqrt{2x+5} - 1\right| + K = x + \ln\left|\sqrt{2x+5} - 1\right| + K$

18. $\dfrac{-\sqrt{3 + 2x - x^2}}{x-1} - \arcsin\left(\dfrac{x-1}{2}\right) + K$

19. $\ln\left|x^3(x-1)^2(x-3)^5\right| + K$

20. $x\arctan x - \ln\sqrt{1 + x^2} + K$

21. Voir le NB du n°11

N° 22 : On a une forme « linéaire/quadratique »

N° 23 : Intégration par parties avec $u = x^3 + 1$ et $dv = e^{2x}\,dx$

N° 24 : Intégration par parties avec $u = \ln x$ et $dv = (6x^2 + 7x)\,dx$

N° 25 : On utilise l'identité $\tan^2\theta = \sec^2\theta - 1$

N° 26 : Intégration par fractions partielles

N° 27 : On transforme sec $2x$ en $1/\cos 2x$ puis on pose $u = \sin 2x$

N° 28 : Intégration par parties en posant $u = \arcsin x$ et $dv = (x + 1)\,dx$

N° 29 : On pose $x = 6\tan\theta$

N° 30 : On pose $u = e^{2x} + 2$

22. $\dfrac{1}{2}\ln|x^2 - 2x + 3| + \dfrac{5}{\sqrt{2}}\arctan\left(\dfrac{x-1}{\sqrt{2}}\right) + K$

23. $\dfrac{e^{2x}}{8}(4x^3 - 6x^2 + 6x + 1) + K$

24. $\left(2x^3 + \dfrac{7x^2}{2}\right)\ln x - \dfrac{2x^3}{3} - \dfrac{7x^2}{4} + K$

25. $\dfrac{\tan^2 5x}{10} - \dfrac{1}{5}\ln|\sec 5x| + K = \dfrac{\tan^2 5x}{10} + \dfrac{1}{5}\ln|\cos 5x| + K$

26. $\ln\left|(x-1)^2(x+2)^7(x-3)^3\right| + K$

27. $\dfrac{\sin^4 2x}{8} + K$

28. $\left(\dfrac{x^2}{2} + x - \dfrac{1}{4}\right)\arcsin x + \left(\dfrac{x}{4} + 1\right)\sqrt{1 - x^2} + K$

29. $\dfrac{x\sqrt{x^2 + 36}}{2} + 18\ln\left|x + \sqrt{x^2 + 36}\right| + K$

30. $\dfrac{1}{2}\ln\left|\sec(e^{2x} + 2)\right| + K$

31. Voir le NB du n°11

N° 32 : Intégration par fractions partielles

N° 33 : Intégration par parties avec $u = 2x^2 + 3x - 1$ et $dv = e^{3x}\,dx$

N° 34 : On pose $x = 2\sin\theta$

N° 35 : Division de polynômes puis fractions partielles

N° 36 : Substitution magique

N° 37 : On pose $u^2 = x + 7$

N° 38 : Intégration par parties avec $u = \arccos 6x$ et $dv = dx$

N° 39 : On pose $x = 2\sec\theta$

N° 40 : Intégration par parties avec $u = \ln^2 x$ et $dv = (3x^2 - 5)\,dx$

32. $\ln\left|x(x-1)^2\right| - \dfrac{3}{x-1} - \dfrac{2}{(x-1)^2} + K$

33. $\dfrac{e^{3x}}{3}\left(2x^2 + \dfrac{5x}{3} - \dfrac{14}{9}\right) + K$

34. $2\arcsin\left(\dfrac{x}{2}\right) + \dfrac{x\sqrt{4 - x^2}}{2} + K$

35. $\dfrac{x^4}{4} + \dfrac{x^2}{2} + \ln\left|\dfrac{x+1}{(2x+1)^{3/2}}\right| + K$

36. $\dfrac{1}{\sqrt{5}}\ln\left|\dfrac{2\tan(x/2) + 3 - \sqrt{5}}{2\tan(x/2) + 3 + \sqrt{5}}\right| + K$

37. $\dfrac{2}{3}(x - 14)\sqrt{x + 7} + K$

38. $x \arccos 6x - \frac{1}{6}\sqrt{1-36x^2} + K$

39. $\frac{x\sqrt{x^2-4}}{2} - 2\ln\left|x+\sqrt{x^2-4}\right| + K$

40. $(x^3-5x)\ln^2 x - 2\left(\frac{x^3}{3}-5x\right)\ln x + 2\left(\frac{x^3}{9}-5x\right) + K$

41. Voir le NB du n°11

N° 42 : Intégration par parties avec u = arctan x et $dv = (2x+1)\,dx$

N° 43 : On pose $x = 4\sin\theta$

N° 44 : On transforme $\tan^2 4x$ en $\sec^2 4x - 1$ et on pose $u = \sec 4x$

N° 45 : On pose $x = \sqrt{3}\tan\theta$

N° 46 : Intégration par parties avec $u = 4x^3 - x$ et $dv = \sin 2x\,dx$

N° 47 : Intégration par parties (on peut aussi utiliser les formules de la section 3.1)

N° 48 : Intégration par parties

N° 49 : Intégration par fractions partielles

N° 50 : On pose $x = \sin\theta$

42. $(x^2+x+1)\arctan x - x - \ln\sqrt{x^2+1} + K$

43. $4\ln\left|\frac{4-\sqrt{16-x^2}}{x}\right| + \sqrt{16-x^2} + K$

44. $\frac{\sec^5 4x}{20} - \frac{\sec^3 4x}{12} + K$

45. $\frac{\sqrt{3}}{3}\ln\left|\frac{\sqrt{3+x^2}-\sqrt{3}}{x}\right| + K$

46. $\left(\frac{7x}{2}-2x^3\right)\cos 2x + \left(3x^2-\frac{7}{4}\right)\sin 2x + K$

47. $\frac{4}{9}\cos 4x\sin 5x - \frac{5}{9}\sin 4x\cos 5x + K$ ou $\frac{\sin x}{2} - \frac{\sin 9x}{18} + K$

48. $\frac{e^x}{50}(7\sin 7x + \cos 7x) + K$

49. $\ln\left|\frac{x^2}{x^2+1}\right| + K$

50. $\frac{x}{4}(1-x^2)^{3/2} + \frac{3x}{8}\sqrt{1-x^2} + \frac{3}{8}\arcsin x + K$

51. $\frac{x}{2}\sqrt{x^2-2} - \ln\left|x+\sqrt{x^2-2}\right| + K$

52. $\frac{1}{2}\arccos\left(\frac{1}{x}\right) + \frac{\sqrt{x^2-1}}{2x^2} + K$

53. $\frac{\left(5+2\sqrt{x}\right)^3}{3} + K$

54. $\frac{\sin^{3/2} 2x}{3} - \frac{\sin^{7/2} 2x}{7} + K$

55. $\ln(e^x-1)^2 e^{4x} - \frac{3}{e^x-1} + K$

56. $\frac{1}{2}\ln|\tan 2x| + \frac{\tan^2 2x}{4} + K$

57. $8\arcsin\left(\frac{x}{4}\right) + \frac{x}{2}\sqrt{16-x^2} + K$

58. $\left(4x^2-\frac{3}{4}\right)\sin 4x + 2x\cos 4x + K$

59. $-\frac{\sqrt{10-x^2}}{x} - \arcsin\left(\frac{x}{\sqrt{10}}\right) + K$

60. $\frac{e^{5x}}{34}(5\sin 3x - 3\cos 3x) + K$

61. $\frac{x}{2}\sqrt{x^2+4} + 2\ln\left|x+\sqrt{x^2+4}\right| + K$

62. $\frac{e^x}{2}(-x\cos x + x\sin x + \cos x) + K$

63. $\frac{x+6}{\sqrt{x+3}} + K$

64. $\frac{3x^8}{8} + \frac{x^7}{7} + x^6 + \frac{14x^5}{5} + \frac{7x^4}{4} + \frac{13x^3}{3} + 8x^2 + 4x + K$

65. $\int x^3\ln^n x\,dx = \frac{x^4}{4}\ln^n x - \frac{n}{4}\int x^3\ln^{n-1}x\,dx$ et

$\int x^3\ln^4 x\,dx = \frac{x^4}{4}\ln^4 x - \frac{x^4}{4}\ln^3 x + \frac{3x^4}{16}\ln^2 x - \frac{3x^4}{32}\ln x + \frac{3x^4}{128} + K$

66. $y = \frac{\sqrt{x^2-1}}{x} - \frac{\sqrt{3}}{2}$

67. $\frac{3}{2}\ln^2 x + K$

68. $\ln\left|k\sqrt[3]{x^3+3x^2-6}\right|$

69. $3x + \ln|x-2|^5 + K$

70. $e^{\arcsin x} + K$

71. $\frac{1}{16}\ln\left|\frac{2x+5}{2x-3}\right| + K$

72. $\ln\sqrt{\frac{k(5x-4)}{5x-2}}$

73. $\operatorname{arcsec}(3x+2) + K$

74. $-\operatorname{cosec}(x^2+1) + K$

75. $\frac{1}{2}x\sqrt{9-4x^2} + \frac{9}{4}\arcsin\left(\frac{2x}{3}\right) + K$

76. $\frac{3}{10}(7+5x)^{2/3} + K$

77. $\frac{3x^2}{2} + \ln\left|\frac{(x-3)^{11}}{(x-1)^2}\right| + K$

78. $\frac{1}{2\sqrt{35}}\ln\left|\frac{\sqrt{5}\,x-\sqrt{7}}{\sqrt{5}\,x+\sqrt{7}}\right| + K$

79. $\dfrac{x^8}{8}\left(\ln x - \dfrac{1}{8}\right) + K$

80. $\dfrac{e^{7x}}{113}(7\sin 8x - 8\cos 8x) + K$

81. $\ln|k\,(x-1)(x-2)(x-3)(x-4)|$

82. $\dfrac{1}{24}\ln\left|\dfrac{\left(\sqrt[3]{x}-3\right)^2}{\sqrt[3]{x^2}+3}\right| - \dfrac{\sqrt{3}}{12}\arctan\dfrac{\sqrt[3]{x}}{\sqrt{3}} + K$

83. $\dfrac{1}{112}\left(7x - \dfrac{\sin 4\,(7x+1)}{4} + \dfrac{\sin^3 2\,(7x+1)}{3}\right) + K$

84. $\dfrac{1}{9}\sin^3 3x - \dfrac{1}{15}\sin^5 3x + K$

85. $\dfrac{1}{6}\sec^5 x\tan x + \dfrac{5}{24}\sec^3 x\tan x + \dfrac{5}{16}\sec x\tan x$
$+ \dfrac{5}{16}\ln|\sec x + \tan x| + K$

86. $\dfrac{2}{5}\arctan\dfrac{\sqrt{x+2}}{5} + K$

87. $\dfrac{\sin 4x}{4} - \dfrac{1}{6}\sin^3 4x + \dfrac{1}{20}\sin^5 4x + K$

88. $-\dfrac{\cot 3x}{3} - \dfrac{2}{9}\cot^3 3x - \dfrac{1}{15}\cot^5 3x + K$

89. $\dfrac{\sin 14x}{28} + \dfrac{\sin 2x}{4} + K$

90. $\ln\sqrt{x^2+2x+2} - \dfrac{x+(5/2)}{x^2+2x+2} - 4\arctan(x+1) + K$

91. $\dfrac{x-5}{25\sqrt{10x-x^2}} + K$

92. $\dfrac{x\sqrt{x^2-16}}{2} + 8\ln\left|x+\sqrt{x^2-16}\right| + K$

93. $\ln\left|\dfrac{x}{\sqrt{x^2+1}}\right| + \dfrac{x+1}{2\,(x^2+1)} + \dfrac{1}{2}\arctan x + K$

94. $\ln\left|k\,\dfrac{(e^x-2)^2\,(e^x-5)^3}{e^x}\right|$

95. $\ln\left|k\,\dfrac{\sin^{15}x}{(\sin x+3)^2}\right|$

96. $\ln\left|k\,\dfrac{(\tan x-5)^4}{(\tan x+2)^3}\right|$

97. $\dfrac{1}{2}\sec x\tan x - \dfrac{1}{2}\ln|\sec x + \tan x| + K$

98. $\dfrac{2\sec^{5/2}x}{5} - 2\sqrt{\sec x} + K$

99. $x - \dfrac{\cos 2x}{2} + K$

100. $\tan x - \cot x + K$

101. $\dfrac{\sin^3 e^x}{3} - \dfrac{\sin^5 e^x}{5} + K$

102. $\ln\left|\dfrac{\sqrt{e^x+1}-1}{\sqrt{e^x+1}+1}\right| + K$

103. $e^x + \ln(e^x-2)^6 + K$

104. $(x-1)\ln\left(1-\sqrt{x}\right) - \dfrac{x}{2} - \sqrt{x} + K$

105. $\dfrac{4}{25}\ln|4-5\cos x| - \dfrac{(4-5\cos x)}{25} + K$

106. $\dfrac{1}{2\left(5-\ln|x+1|\right)^2} + K$

107. $\displaystyle\int\sqrt{x^2+2x+2}\,dx = \int\sqrt{x^2+2x+1+1}\,dx$

$\displaystyle = \int\sqrt{(x+1)^2+1}\,dx$

Posons $x + 1 = \tan\theta$; alors $dx = \sec^2\theta\,d\theta$; on obtient :

$\displaystyle\int\sqrt{(x+1)^2+1}\,dx = \int\sqrt{\tan^2\theta+1}\,\sec^2\theta\,d\theta$

$\displaystyle = \int\sec\theta\,\sec^2\theta\,d\theta = \int\sec^3\theta\,d\theta$

et, selon l'exemple 3.34 :

$$\int\sec^3\theta\,d\theta = \frac{1}{2}\sec\theta\tan\theta + \ln\sqrt{|\sec\theta+\tan\theta|} + K$$

Pour revenir à la variable initiale, construisons le triangle rectangle suivant.

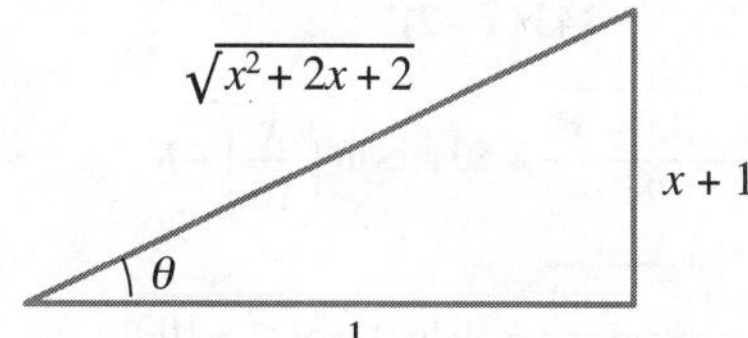

On a $\tan\theta = \dfrac{x+1}{1}$ et $\sec\theta = \dfrac{\sqrt{x^2+2x+2}}{1}$

Alors : $\dfrac{1}{2}\sec\theta\tan\theta + \ln\sqrt{|\sec\theta+\tan\theta|} + K$

$= \dfrac{1}{2}(x+1)\sqrt{x^2+2x+2} + \ln\sqrt{\left|\sqrt{x^2+2x+2}+x+1\right|} + K$

108. Posons $x = \sec\theta$; alors $dx = \sec\theta\tan\theta\,d\theta$; on obtient :

$\displaystyle\int\sqrt{x^2-1}\,dx = \int\sqrt{\sec^2\theta-1}\,\sec\theta\tan\theta\,d\theta$

$\displaystyle = \int\sec\theta\tan^2\theta\,d\theta = \int(\sec^3\theta-\sec\theta)\,d\theta$

et, se référant à la formule 21 et à la formule 9, on trouve :

$= \dfrac{1}{2}\sec\theta\tan\theta - \dfrac{1}{2}\ln|\sec\theta+\tan\theta| + K$

Et, pour revenir à la variable initiale, construisons le triangle rectangle suivant :

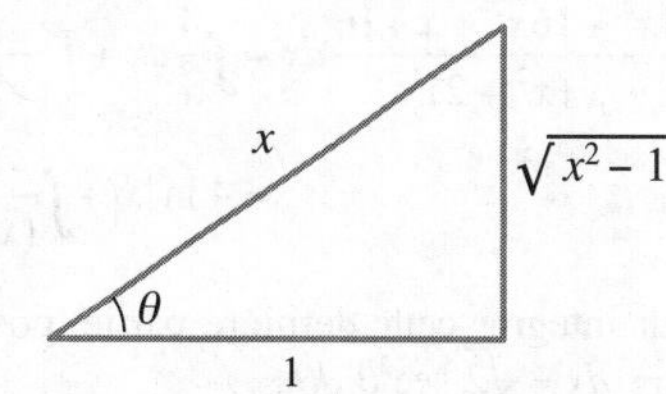

On a $\sec\theta = \frac{x}{1}$ et $\tan\theta = \frac{\sqrt{x^2-1}}{1}$

Alors : $\frac{1}{2}\sec\theta\,\tan\theta - \frac{1}{2}\ln|\sec\theta + \tan\theta| + K$

$= \frac{1}{2}x\sqrt{x^2-1} - \frac{1}{2}\ln\left|x + \sqrt{x^2-1}\right| + K$

109. $\frac{5}{7}\sin^{7/5}x - \frac{5}{17}\sin^{17/5}x + K$

110. $\frac{3x}{8} + \frac{\sin 8x}{16} + \frac{\sin 16x}{128} + K$

111. $\frac{x}{16} - \frac{\sin 4x}{64} + \frac{\sin^3 2x}{48} + K$

112. $\frac{1}{54}\arctan\left(\frac{x-2}{3}\right) + \frac{3x-6}{54\,(x^2-4x+13)} + K$

113. $3\arctan(x+2) + \frac{2\,(x+3)}{x^2+4x+5} + K$

114. $\ln\sqrt{2x+1} - \frac{9}{16}\arctan\left(\frac{x}{2}\right) - \frac{x}{8\,(x^2+4)} + K$

115. $\frac{\sqrt{x^2-1}\,(1+2x^2)}{3x^3} + K$

116. $\frac{-\sqrt{5-4x-x^2}\,(2x^2+8x+17)}{243\,(x+2)^3} + K$

117. $\frac{x\sqrt{100-x^2}}{2} + 50\arcsin\left(\frac{x}{10}\right) + K$

118. $\frac{x\sqrt{x^2-100}}{2} - 50\ln\left|x + \sqrt{x^2-100}\right| + K$

119. $\frac{x\sqrt{x^2+100}}{2} + 50\ln\left|x + \sqrt{x^2+100}\right| + K$

Exercices 3.12

1. $\int \frac{dx}{e^x + e^{-x}} = \int \frac{dx}{e^x + \frac{1}{e^x}} = \int \frac{dx}{\frac{e^{2x}+1}{e^x}} = \int \frac{e^x\,dx}{e^{2x}+1}$

   Posons $u = e^x$; alors $du = e^x\,dx$

   $\int \frac{e^x\,dx}{e^{2x}+1} = \int \frac{du}{u^2+1} = \arctan u + K = \arctan e^x + K$

2. $\frac{1}{2\sqrt{21}}\arctan\left(\frac{3x^2}{\sqrt{21}}\right) + K$

3. $\frac{1}{3}\ln\left|x - 1 - \sqrt{x^2-2x-24}\right| + K$

4. La décomposition en fractions partielles nous donne :

   $\int \frac{4x^4+16x^2+x+16}{x\,(x^2+2)^2}dx = \int \frac{4}{x}dx + \int \frac{dx}{(x^2+2)^2}$

   $= 4\ln|x| + \int \frac{dx}{(x^2+2)^2}$

   Pour intégrer cette dernière partie, posons $x = \sqrt{2}\tan\theta$, alors $dx = \sqrt{2}\sec^2\theta\,d\theta$.

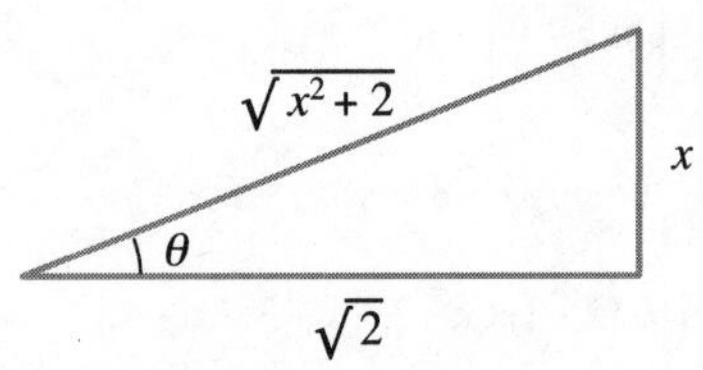

Ainsi :

$\int \frac{dx}{(x^2+2)^2} = \int \frac{\sqrt{2}\sec^2\theta\,d\theta}{(2\tan^2\theta+2)^2}$

$= \frac{\sqrt{2}}{4}\int \frac{\sec^2\theta}{\sec^4\theta}d\theta = \frac{\sqrt{2}}{4}\int \cos^2\theta\,d\theta$

$= \frac{\sqrt{2}}{4}\int\left(\frac{1+\cos 2\theta}{2}\right)d\theta = \frac{\sqrt{2}}{8}\left(\theta + \frac{\sin 2\theta}{2} + K_1\right)$

$= \frac{\sqrt{2}}{8}\arctan\frac{x}{\sqrt{2}} + \frac{\sqrt{2}}{8} \times \frac{\sqrt{2}\,x}{x^2+2} + K$

Revenant à l'intégrale initiale, on trouve :

$\int \frac{4x^4+16x^2+x+16}{x\,(x^2+2)^2}dx$

$= \ln x^4 + \frac{\sqrt{2}}{8}\arctan\frac{x}{\sqrt{2}} + \frac{x}{4\,(x^2+2)} + K$

5. $\ln\left|k\frac{\left(\sqrt{x-6}+3\right)^5}{\left(\sqrt{x-6}+1\right)^4}\right|$

6. $\ln|2x+1| - \frac{1}{2\sqrt{2x+1}} + \frac{1}{2\sqrt{2}}\arctan\left(\frac{\sqrt{2x+1}}{\sqrt{2}}\right) + K$

7. $\int \frac{dx}{1-\sin\frac{x}{3}} \cdot \frac{\left(1+\sin\frac{x}{3}\right)}{\left(1+\sin\frac{x}{3}\right)} = \int \frac{\left(1+\sin\frac{x}{3}\right)dx}{\left(1-\sin^2\frac{x}{3}\right)}$

   $= \int \frac{\left(1+\sin\frac{x}{3}\right)dx}{\cos^2\frac{x}{3}} = \int \frac{1\,dx}{\cos^2\frac{x}{3}} + \int \frac{\sin\frac{x}{3}}{\cos^2\frac{x}{3}}dx$

   $= \int \sec^2\frac{x}{3}\,dx + \int \frac{\sin\frac{x}{3}}{\cos^2\frac{x}{3}}dx$

   $= \int \sec^2\frac{x}{3}\,dx + \int \frac{\sin\frac{x}{3}}{\cos\frac{x}{3}} \cdot \frac{1}{\cos\frac{x}{3}}dx$

   $= \int \sec^2\frac{x}{3}\,dx + \int \tan\frac{x}{3}\sec\frac{x}{3}\,dx$

   $= 3\tan\frac{x}{3} + 3\sec\frac{x}{3} + K = 3\left(\tan\frac{x}{3} + \sec\frac{x}{3}\right) + K$

8 à 15. Toutes ces formules, sauf celle du n°13, se démontrent grâce à l'intégration par parties.

Test sur le chapitre 3

1. $\int \sin^3 2x \sqrt{\cos 2x}\, dx = \int \sin^2 2x \sqrt{\cos 2x}\, \sin 2x\, dx$

$= \int (1-\cos^2 2x)\sqrt{\cos 2x}\, \sin 2x\, dx$

Posons $u = \cos 2x$; alors $du = -2 \sin 2x\, dx$

$\int (1-\cos^2 2x)\sqrt{\cos 2x}\, \sin 2x\, dx = \int (1-u^2)\sqrt{u}\left(-\frac{1}{2}du\right)$

$= -\frac{1}{2}\int (1-u^2)\, u^{1/2}\, du = -\frac{1}{2}\int (u^{1/2} - u^{5/2})\, du$

$= -\frac{1}{2}\left(\frac{u^{3/2}}{3/2} - \frac{u^{7/2}}{7/2}\right) + K = -\frac{\cos^{3/2} 2x}{3} + \frac{\cos^{7/2} 2x}{7} + K$

2. $\int \tan^4 x\, dx$

$= \int (\tan^2 x)^2\, dx$

$= \int (\sec^2 x - 1)^2\, dx = \int (\sec^4 x - 2\sec^2 x + 1)\, dx$

$= \int \sec^2 x \sec^2 x\, dx - 2\int \sec^2 x\, dx + \int dx$

$= \int (1+\tan^2 x)\sec^2 x\, dx - 2\tan x + x$

$= \int \sec^2 x\, dx + \int \tan^2 x \sec^2 x\, dx - 2\tan x + x$

$= \tan x + \frac{\tan^3 x}{3} - 2\tan x + x + K$

$= \frac{\tan^3 x}{3} - \tan x + x + K$

3. $\int \sqrt{4+x^2}\, dx$

Posons $x = 2\tan\theta$; alors $dx = 2\sec^2\theta\, d\theta$

$\int \sqrt{4+x^2}\, dx = \int \sqrt{4 + 4\tan^2\theta}\; 2\sec^2\theta\, d\theta$

$= \int 2\sec\theta\; 2\sec^2\theta\, d\theta = 4\int \sec^3\theta\, d\theta$

$= 4\left\{\frac{1}{2}\sec\theta\tan\theta + \frac{1}{2}\ln|\sec\theta + \tan\theta|\right\} + K$

$= 2\sec\theta\tan\theta + 2\ln|\sec\theta + \tan\theta| + K$

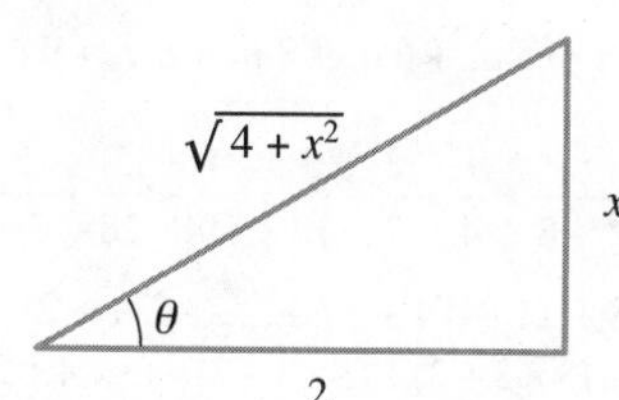

$= 2\left(\frac{\sqrt{4+x^2}}{2}\right)\left(\frac{x}{2}\right) + 2\ln\left|\frac{\sqrt{4+x^2}}{2} + \frac{x}{2}\right| + K$

$= \frac{x\sqrt{4+x^2}}{2} + 2\ln\left|\frac{\sqrt{4+x^2}+x}{2}\right| + K$

$= \frac{x\sqrt{4+x^2}}{2} + 2\ln\left|\sqrt{4+x^2}+x\right| + K_1$

4. $\int \frac{5x+3}{x^2+4x+6}dx$

$5x+3 = \frac{5}{2}(2x+4) - 7$

$\int \frac{5x+3}{x^2+4x+6}dx = \frac{5}{2}\int \frac{(2x+4)}{x^2+4x+6}dx - 7\int \frac{dx}{x^2+4x+6}$

$= \frac{5}{2}\ln|x^2+4x+6| - 7\int \frac{dx}{x^2+4x+4+2}$

$= \frac{5}{2}\ln|x^2+4x+6| - 7\int \frac{dx}{(x+2)^2 + \left(\sqrt{2}\right)^2}$

$= \frac{5}{2}\ln|x^2+4x+6| - 7\frac{1}{\sqrt{2}}\arctan\frac{x+2}{\sqrt{2}} + K$

$= \frac{5}{2}\ln|x^2+4x+6| - \frac{7}{\sqrt{2}}\arctan\left(\frac{x+2}{\sqrt{2}}\right) + K$

5. $\int x^2 \ln^2 x\, dx$

Posons $u = \ln^2 x = (\ln x)^2$ et $dv = x^2\, dx$

Alors $du = (2\ln x)\left(\frac{1}{x}\right)dx$ et $v = \frac{x^3}{3}$

$\int x^2 \ln^2 x\, dx = \frac{x^3}{3}\ln^2 x - \int \frac{x^3}{3}\frac{2\ln x}{x}dx$

$\int x^2 \ln^2 x\, dx = \frac{x^3}{3}\ln^2 x - \frac{2}{3}\int x^2 \ln x\, dx$

Posons $u_1 = \ln x$ et $dv_1 = x^2\, dx$

Alors $du_1 = \frac{dx}{x}$ et $v_1 = \frac{x^3}{3}$

$\int x^2 \ln^2 x\, dx = \frac{x^3}{3}\ln^2 x - \frac{2}{3}\left\{\frac{x^3}{3}\ln x - \int \frac{x^3}{3}\frac{dx}{x}\right\}$

$\int x^2 \ln^2 x\, dx = \frac{x^3}{3}\ln^2 x - \frac{2}{9}x^3\ln x + \frac{2}{9}\int x^2\, dx$

$\int x^2 \ln^2 x\, dx = \frac{x^3}{3}\ln^2 x - \frac{2}{9}x^3\ln x + \frac{2}{27}x^3 + K$

6. $\int \frac{x^2-6x-3}{(x+3)^2(x^2+3)}dx$

$\frac{x^2-6x-3}{(x+3)^2(x^2+3)} \equiv \frac{A}{x+3} + \frac{B}{(x+3)^2} + \frac{Cx+D}{x^2+3}$

$x^2-6x-3 \equiv A(x+3)(x^2+3) + B(x^2+3) + (Cx+D)(x+3)^2$

$x^2-6x-3 \equiv A(x^3+3x^2+3x+9) + B(x^2+3) + (Cx+D)(x^2+6x+9)$

$x^2-6x-3 \equiv (A+C)x^3 + (3A+B+6C+D)x^2 + (3A+9C+6D)x + (9A+3B+9D)$

Donc :

$A + C = 0$

$3A + B + 6C + D = 1$

$3A + 9C + 6D = -6$

$9A + 3B + 9D = -3$

$\Rightarrow\; A = 0, B = 2, C = 0, D = -1$

$\int \frac{x^2-6x-3}{(x+3)^2(x^2+3)}dx = \int \left(\frac{2}{(x+3)^2} - \frac{1}{x^2+3}\right)dx$

3

$$= \frac{-2}{(x+3)} - \frac{1}{\sqrt{3}} \arctan \frac{x}{\sqrt{3}} + K$$

7. $\int \frac{dx}{x\sqrt{1+x^2}}$

Posons $x = \frac{1}{u} \Rightarrow dx = -\frac{du}{u^2}$

$$\int \frac{dx}{x\sqrt{1+x^2}} = \int \frac{-du}{u^2\left(\frac{1}{u}\right)\sqrt{1+\frac{1}{u^2}}} = -\int \frac{du}{\sqrt{u^2+1}}$$

$$= -\ln\left|u+\sqrt{u^2+1}\right| + K = -\ln\left|\frac{1}{x}+\sqrt{\frac{1}{x^2}+1}\right| + K$$

$$= -\ln\left|\frac{1+\sqrt{1+x^2}}{x}\right| + K$$

(*Note* : On pourrait aussi poser $x = \tan\theta$ et obtenir comme réponse

$$\ln\left|\frac{\sqrt{1+x^2}-1}{x}\right| + K$$

ce qui est un résultat équivalent.)

8. $\int \frac{\sin x\, dx}{1+\sin x}$

Posons $u = \tan\left(\frac{x}{2}\right)$; alors $\sin x = \frac{2u}{1+u^2}$ et $dx = \frac{2\,du}{1+u^2}$

$$\int \frac{\sin x\, dx}{1+\sin x} = \int \left(\frac{2u}{1+u^2}\right)\left(\frac{2\,du}{1+u^2}\right)\frac{1}{1+\left(\frac{2u}{1+u^2}\right)}$$

$$= \int \frac{4u\,du}{(1+u^2)^2}\,\frac{1}{\frac{1+u^2+2u}{1+u^2}} = 4\int \frac{u\,du}{(1+u^2)(1+u)^2}$$

En décomposant en fractions partielles, on obtient :

$$4\int\left(\frac{1/2}{1+u^2} - \frac{1/2}{(1+u)^2}\right)du = 2\int\frac{du}{1+u^2} - 2\int\frac{du}{(1+u)^2}$$

$$= 2\arctan u + \frac{2}{1+u} + K = 2\arctan\left(\tan\frac{x}{2}\right) + \frac{2}{1+\tan\left(\frac{x}{2}\right)} + K$$

$$= x + \frac{2}{1+\tan\left(\frac{x}{2}\right)} + K$$

9. $\int \frac{\sqrt[3]{x+1}}{x}dx$

Posons $u^3 = x+1 \Rightarrow 3u^2\,du = dx$ et $x = u^3 - 1$

$$\int \frac{\sqrt[3]{x+1}}{x}dx = \int \frac{u}{u^3-1}3u^2\,du = 3\int\frac{u^3}{u^3-1}du$$

$$= 3\int\left(1+\frac{1}{u^3-1}\right)du = 3\int du + 3\int\frac{du}{u^3-1}$$

$$= 3u + 3\int\frac{du}{(u-1)(u^2+u+1)} = 3u + 3\int\left(\frac{1/3}{u-1} - \frac{1/3\,u+2/3}{u^2+u+1}\right)du$$

$$= 3u + \int\frac{du}{u-1} - \int\frac{u+2}{u^2+u+1}du$$

$$= 3u + \ln|u-1| - \int\frac{\frac{1}{2}(2u+1)+\frac{3}{2}}{u^2+u+1}du$$

$$= 3u + \ln|u-1| - \frac{1}{2}\ln|u^2+u+1| - \frac{3}{2}\int\frac{du}{u^2+u+1}$$

$$= 3u + \ln|u-1| - \frac{1}{2}\ln|u^2+u+1| - \frac{3}{2}\int\frac{du}{\left(u+\frac{1}{2}\right)^2+\left(\frac{\sqrt{3}}{2}\right)^2}$$

$$= 3u + \ln|u-1| - \frac{1}{2}\ln|u^2+u+1| - \frac{3}{2}\,\frac{1}{\frac{\sqrt{3}}{2}}\arctan\left(\frac{u+1/2}{\sqrt{3}/2}\right) + K$$

$$= 3u + \ln|u-1| - \frac{1}{2}\ln|u^2+u+1| - \frac{3}{\sqrt{3}}\arctan\left(\frac{2u+1}{\sqrt{3}}\right) + K$$

$$= 3\sqrt[3]{x+1} + \ln\left|\sqrt[3]{x+1}-1\right| - \frac{1}{2}\ln\left|\sqrt[3]{(x+1)^2}+\sqrt[3]{x+1}+1\right|$$

$$- \frac{3}{\sqrt{3}}\arctan\left(\frac{2\sqrt[3]{x+1}+1}{\sqrt{3}}\right) + K$$

10. Posons $u = x^n$ et $dv = \cos x\,dx$

Alors $du = n\,x^{n-1}\,dx$ et $v = \sin x$

$$\int x^n \cos x\,dx = x^n \sin x - n\int x^{n-1}\sin x\,dx$$

Chapitre 4

Exercices 4.3

1. En décomposant la figure, on a un carré, un rectangle et deux triangles. L'aire est :

$$2\times 2 + 1\times 3 + \frac{2\times 1}{2} + \frac{3\times 2}{2} = 11 \text{ unités carrées}$$

(*Note* : Il est clair que la décomposition n'est pas unique.)

2. En imaginant des rectangles construits à partir des segments de droites dont les mesures sont connues, on obtient l'approximation suivante.

$10\,(18+28+30+33+35+30+26+27)$
$= 2\,270$ unités carrées

3. a) $\sum_{i=5}^{11} i\,a_i = 5\,a_5 + 6\,a_6 + 7\,a_7 + 8\,a_8 + 9\,a_9 + 10\,a_{10} + 11\,a_{11}$

b) $\sum_{i=1}^{6}\frac{i}{i^2+3} = \frac{1}{4}+\frac{2}{7}+\frac{3}{12}+\frac{4}{19}+\frac{5}{28}+\frac{6}{39}$

4. a) $5 + 8 + 11 + 14 + 17 + \ldots + (3n+2)$
$(3+2)+(3\times 2+2)+(3\times 3+2)+(3\times 4+2)+(3\times 5+2)+\ldots$
$+ (3n+2) = \sum_{i=1}^{n}(3i+2)$

b) $\frac{1}{2}+\frac{2}{3}+\frac{3}{4}+\frac{4}{5}+\frac{5}{6}+\frac{6}{7}+\frac{7}{8} = \sum_{i=1}^{7}\frac{i}{i+1}$

5. $\sum_{i=1}^{n} i = 1+2+3+4+5+\ldots+n = \frac{n\,(n+1)}{2}$

La formule est vraie pour $n = 1$; en effet :

$$\sum_{i=1}^{1} i = 1 = \frac{1\,(1+1)}{2} = 1$$

Supposons la formule vraie lorsque $n = k$ où k est un entier positif quelconque.

$$\sum_{i=1}^{k} i = 1 + 2 + 3 + 4 + 5 + \ldots + k = \frac{k\,(k+1)}{2}$$

Ajoutons $(k + 1)$:

$$\sum_{i=1}^{k} i + (k+1) = 1 + 2 + 3 + 4 + 5 + \ldots + k + (k+1)$$

$$= \frac{k\,(k+1)}{2} + (k+1)$$

$$\sum_{i=1}^{k+1} i = 1 + 2 + 3 + 4 + 5 + \ldots + k + (k+1) = (k+1)\left(\frac{k}{2} + 1\right)$$

$$\sum_{i=1}^{k+1} i = 1 + 2 + 3 + 4 + 5 + \ldots + k + (k+1) = (k+1)\left(\frac{k+2}{2}\right)$$

$$\sum_{i=1}^{k+1} i = 1 + 2 + 3 + 4 + 5 + \ldots + k + (k+1) = \frac{(k+1)\,(k+2)}{2}$$

$$\sum_{i=1}^{k+1} i = 1 + 2 + 3 + 4 + 5 + \ldots + k + (k+1) = \frac{(k+1)\left((k+1)+1\right)}{2}$$

Ainsi, la formule est vraie lorsque $n = k + 1$.

Donc, selon le principe d'induction, la formule est vraie pour tout entier positif n.

6. $$\sum_{i=1}^{n} (i^2 + 3i) = \sum_{i=1}^{n} i^2 + \sum_{i=1}^{n} 3i = \sum_{i=1}^{n} i^2 + 3\sum_{i=1}^{n} i$$

$$= \frac{n\,(n+1)\,(2n+1)}{6} + 3\,\frac{(n)\,(n+1)}{2} = n\,\frac{(n+1)}{6}\left((2n+1)+9\right)$$

$$= \frac{n\,(n+1)\,(2n+10)}{6} = \frac{n\,(n+1)\,(n+5)}{3}$$

7. $-1 \quad -\frac{1}{2} \quad 0 \quad \frac{1}{2} \quad 1 \quad \frac{3}{2} \quad 2$

La fonction $f(x) = e^x + 1$ est toujours croissante, donc la valeur minimale sur un intervalle est toujours à l'extrémité gauche de l'intervalle et la valeur maximale est à l'extrémité droite.

$$s_6 = \frac{1}{2}\left(f(-1) + f(-1/2) + f(0) + f(1/2) + f(1) + f(3/2)\right)$$

$$s_6 = \frac{1}{2}\left(1{,}3679 + 1{,}6065 + 2 + 2{,}6487 + 3{,}7183 + 5{,}4817\right)$$

$$s_6 = 8{,}412$$

$$S_6 = \frac{1}{2}\left(f(-1/2) + f(0) + f(1/2) + f(1) + f(3/2) + f(2)\right)$$

$$S_6 = \frac{1}{2}\left(1{,}6065 + 2 + 2{,}6487 + 3{,}7183 + 5{,}4817 + 8{,}3891\right)$$

$$S_6 = 11{,}922$$

$$S_R = \frac{1}{2}\left(f(-3/4) + f(-1/4) + f(1/4) + f(3/4) + f(5/4) + f(7/4)\right)$$

$$S_R = \frac{1}{2}\left(1{,}4724 + 1{,}7788 + 2{,}2840 + 3{,}1170 + 4{,}4903 + 6{,}7546\right)$$

$$S_R = 9{,}949$$

Nous calculerons plus loin que

$$\int_{-1}^{2} (e^x + 1)\,dx = e^2 - e^{-1} + 3 = 10{,}021$$

8. Voici une représentation de la courbe et de l'aire calculée.

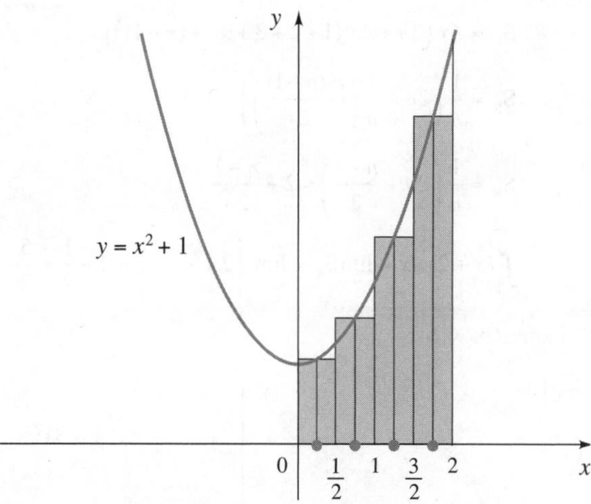

Divisons l'intervalle [0, 2] en quatre sous-intervalles d'égale longueur :

[0, 1/2] [1/2, 1] [1, 3/2] [3/2, 2]

Considérons les points milieux d'abscisses :

1/4 3/4 5/4 7/4

Alors, une approximation de l'aire considérée est donnée par la somme de Riemann suivante.

$$S_R = f(1/4) \times 1/2 + f(3/4) \times 1/2 + f(5/4) \times 1/2 + f(7/4) \times 1/2$$

$$S_R = 17/16 \times 1/2 + 25/16 \times 1/2 + 41/16 \times 1/2 + 65/16 \times 1/2$$

$$S_R = 37/8 = 4{,}625$$

Cette somme de Riemann représente l'aire des quatre rectangles ombrés. Visuellement, on constate que c'est une approximation de l'aire bornée par la courbe $y = x^2 + 1$, les verticales $x = 0$ et $x = 2$ et l'axe des x. La valeur exacte de cette aire (on pourra la calculer précisément plus loin) est $4{,}\dot{6}$.

9. Divisons l'intervalle [0, 1] en n parties égales. Chaque sous-intervalle a comme longueur :

$$\Delta x_i = \frac{1-0}{n} = \frac{1}{n} = \Delta x$$

Pour $\overline{x}_i$, choisissons l'extrémité gauche de chacun des sous-intervalles, c'est-à-dire :

$$\overline{x}_1 = 0\,;\ \overline{x}_2 = \Delta x\,;\ \overline{x}_3 = 2\,\Delta x\,;\ \overline{x}_4 = 3\,\Delta x\,;\ldots;\ \overline{x}_n = (n-1)\,\Delta x$$

Comme la fonction considérée ici est $f(x) = x + 2$, alors :

$$f(\overline{x}_1) = f(0) = 0 + 2 = 2$$

$$f(\overline{x}_2) = f(\Delta x) = \Delta x + 2$$

$$f(\overline{x}_3) = f(2\,\Delta x) = 2\,\Delta x + 2$$

$$f(\overline{x}_4) = f(3\,\Delta x) = 3\,\Delta x + 2$$

$$\ldots \qquad \ldots$$

$$f(\overline{x}_n) = f\left((n-1)\,\Delta x\right) = (n-1)\,\Delta x + 2$$

Formons la somme de Riemann suivante.

$$S_R = \sum_{i=1}^{n} f(\overline{x}_i)\,\Delta x_i = \Delta x\left(2 + (\Delta x + 2) + (2\,\Delta x + 2) + (3\,\Delta x + 2) + \ldots + \left((n-1)\,\Delta x + 2\right)\right)$$

4

$$S_R = \Delta x\left(2+2+2+\ldots+2+\Delta x+2\,\Delta x+3\,\Delta x+\ldots + (n-1)\,\Delta x\right)$$

$$S_R = \Delta x\left(2n+\Delta x\left(1+2+3+\ldots+(n-1)\right)\right)$$

$$S_R = \frac{1}{n}\left(2n+\frac{1}{n}\left(\frac{n\,(n-1)}{2}\right)\right)$$

$$S_R = \frac{1}{n}\left(2n+\frac{n-1}{2}\right) = 2+\frac{n-1}{2n}$$

$$\int_0^1 (x+2)\,dx = \lim_{n\to\infty} S_R = \lim_{n\to\infty}\left\{2+\frac{n-1}{2n}\right\} = 2+\frac{1}{2} = \frac{5}{2}$$

Exercices 4.6

1.

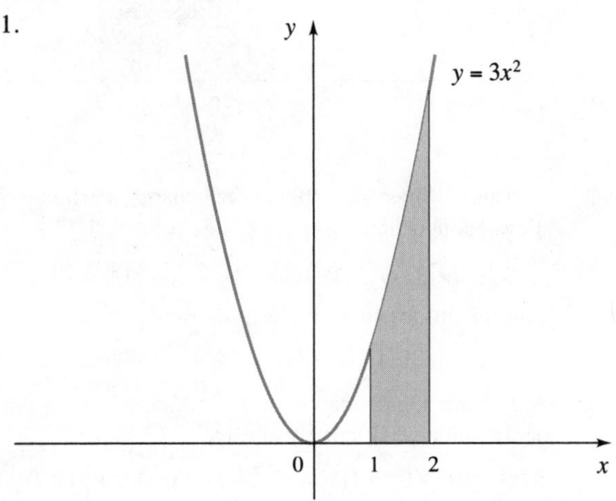

$$A = \int_1^2 3x^2\,dx = x^3\Big|_1^2 = 8-1 = 7$$

2.

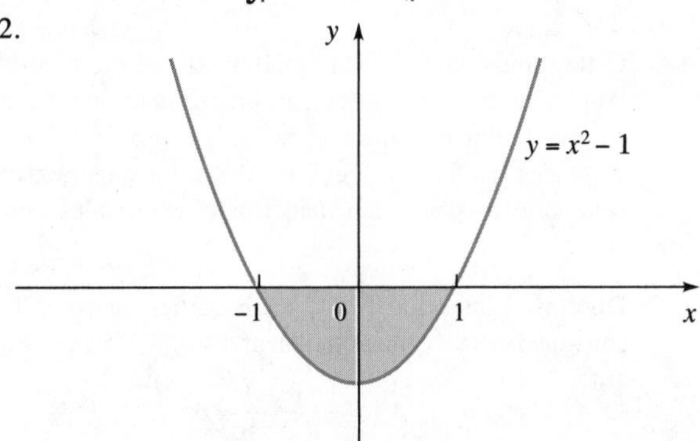

La surface considérée est tout entière sous l'axe des x.

$$A = -\int_{-1}^1 (x^2-1)\,dx = -\left[\frac{x^3}{3}-x\right]_{-1}^1 = -\left(\left(\frac{1}{3}-1\right)-\left(-\frac{1}{3}+1\right)\right) = \frac{4}{3}$$

3.

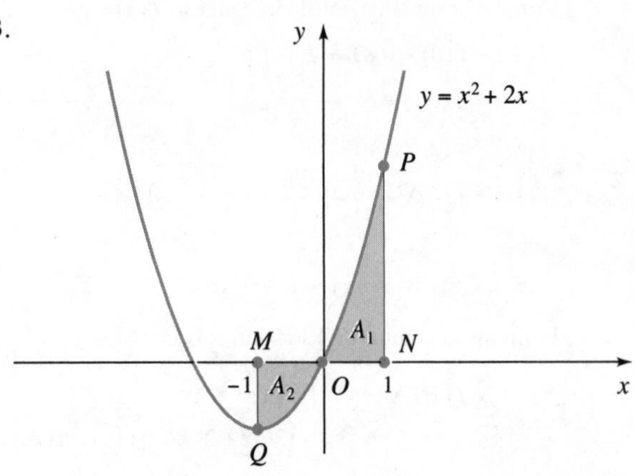

Si on pose :

$$\int_{-1}^1 (x^2+2x)\,dx = \left[\frac{x^3}{3}+x^2\right]_{-1}^1 = \left(\frac{1}{3}+1\right)-\left(-\frac{1}{3}+1\right) = \frac{2}{3}$$

A-t-on le résultat voulu? En fait, non. Nous avons déjà dit que l'intégrale définie représente l'aire sous la courbe, mais cela dans le cas où la fonction considérée est positive sur tout l'intervalle considéré. Ce n'est pas le cas ici. La fonction est négative entre −1 et 0 et positive entre 0 et 1.

La difficulté sera alors contournée en évaluant deux intégrales séparément, c'est-à-dire de 0 à 1, puis de −1 à 0. Cela nous permettra d'interpréter géométriquement le résultat de la première intégrale définie déjà calculée. Calculons d'abord :

$$\int_0^1 (x^2+2x)\,dx = \left[\frac{x^3}{3}+x^2\right]_0^1 = \frac{1}{3}+1-0 = \frac{4}{3}$$

C'est l'aire de la figure OPN; appelons-la A_1. Pour cette portion de la courbe, l'interprétation déjà donnée est applicable, c'est-à-dire que l'intégrale définie représente l'aire sous la courbe. Donc, si $A_1 = 4/3$, il est clair que la première intégrale définie dont le résultat est $2/3$ n'est certainement pas l'aire cherchée. Calculons maintenant :

$$\int_{-1}^0 (x^2+2x)\,dx = \left[\frac{x^3}{3}+x^2\right]_{-1}^0 = 0-\left(-\frac{1}{3}+1\right) = -\frac{2}{3}$$

Interprétons ce résultat. Dans l'intervalle $[-1, 0]$, la fonction est négative. Rendons-la positive en considérant $y = -x^2 - 2x$ et recalculons l'intégrale :

$$\int_{-1}^0 (-x^2-2x)\,dx = \left[-\frac{x^3}{3}-x^2\right]_{-1}^0 = 0-\left(\frac{1}{3}-1\right) = \frac{2}{3}$$

Donc l'aire de la figure OMQ est $2/3$; appelons-la A_2. C'est donc dire qu'en calculant $\int_{-1}^0 (x^2+2x)\,dx$, nous avons trouvé l'aire OMQ, mais affectée d'un signe négatif. Donc, globalement, l'aire cherchée est

$$A = A_1 + A_2 = \frac{4}{3}+\frac{2}{3} = 2$$

alors que l'intégrale définie initiale a donné

$$\int_{-1}^1 (x^2+2x)\,dx = A_1 - A_2 = \frac{4}{3}-\frac{2}{3} = \frac{2}{3}$$

Donc, l'intégrale définie représente l'aire sous la courbe, mais l'aire affectée d'un signe « + » ou « − » suivant que la courbe est au-dessus ou au-dessous de l'axe des x. C'est pourquoi on dit que c'est une *aire algébrique*.

4. $\displaystyle\int_0^4 x\,dx = \frac{x^2}{2}\Big|_0^4 = \frac{16}{2}-0 = 8$

5. $\displaystyle\int_1^6 \sqrt{x+3}\,dx = \frac{2}{3}(x+3)^{3/2}\Big|_1^6 = \frac{2}{3}(27-8) = \frac{38}{3}$

6. $\displaystyle\int_{-1}^1 \frac{dx}{\sqrt{1-x^2}} = \arcsin x\Big|_{-1}^1 = \arcsin 1 - \arcsin(-1) = \frac{\pi}{2}-\left(-\frac{\pi}{2}\right) = \pi$

7. $\displaystyle\int_0^1 \frac{x\,dx}{\sqrt{2-x^2}} = \left(-\sqrt{2-x^2}\right)\Big|_0^1 = -\left(1-\sqrt{2}\right) = \sqrt{2}-1 = 0{,}414$

8. $\int_{\pi/6}^{\pi/4} \cos x \sin^2 x \, dx = \left.\frac{\sin^3 x}{3}\right|_{\pi/6}^{\pi/4} = \frac{1}{3}\left(\left(\frac{\sqrt{2}}{2}\right)^3 - \left(\frac{1}{2}\right)^3\right)$

$= \frac{2\sqrt{2}-1}{24} = 0{,}076$

9. $\int_0^3 \frac{dx}{3x+1} = \frac{1}{3} \ln |3x+1| \Big|_0^3 = \frac{1}{3}(\ln 10 - \ln 1) = \frac{\ln 10}{3} = 0{,}768$

10. Trouvons d'abord l'intégrale indéfinie $\int x\, e^x \, dx$ en procédant par parties. Posons $u = x$ et $dv = e^x dx$. Alors $du = dx$ et $v = e^x$.

$\int x\, e^x \, dx = x\, e^x - \int e^x \, dx = x\, e^x - e^x + K$

Reprenons le calcul de l'intégrale définie :

$\int_{-1}^{1} x\, e^x \, dx = \left[x\, e^x - e^x\right]_{-1}^{1} = (e^1 - e^1) - (-e^{-1} - e^{-1})$

$= \frac{2}{e} = 0{,}736$

11. $\int_{-2}^{2} \frac{dx}{x^2+4} = \frac{1}{2} \arctan\left(\frac{x}{2}\right)\Big|_{-2}^{2} = \frac{1}{2}\left(\arctan 1 - \arctan(-1)\right) = \frac{\pi}{4}$

Exercices 4.7

1. Calcul de la somme intégrale inférieure :

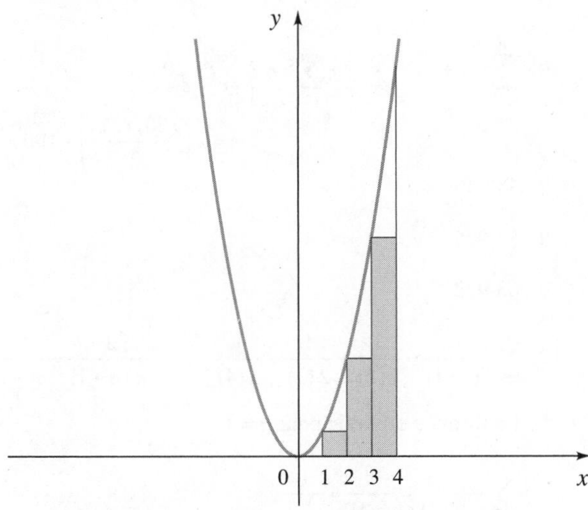

$f(0) \times 1 + f(1) \times 1 + f(2) \times 1 + f(3) \times 1 = 0 + 1 + 4 + 9 = 14$

Calcul de la somme intégrale supérieure :

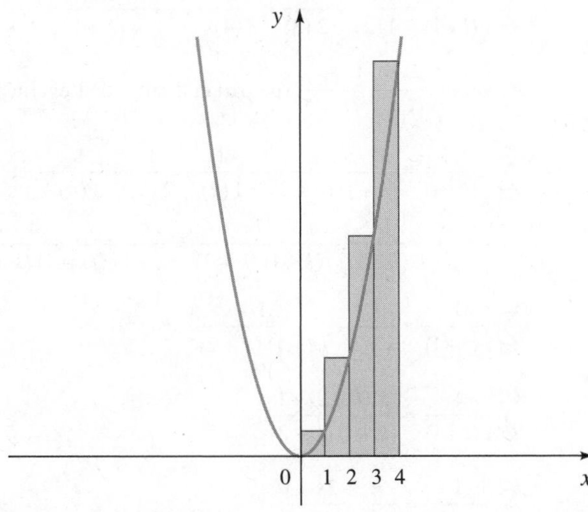

$f(1) \times 1 + f(2) \times 1 + f(3) \times 1 + f(4) \times 1 = 1 + 4 + 9 + 16 = 30$

Calcul de la somme de Riemann :

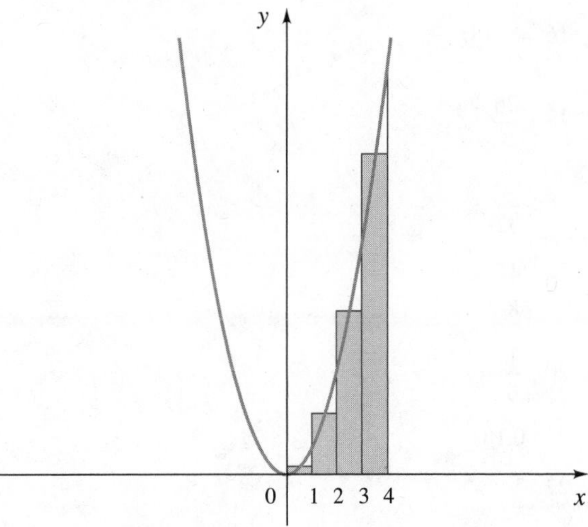

$f(1/2) \times 1 + f(3/2) \times 1 + f(5/2) \times 1 + f(7/2) \times 1$

$= \frac{1}{4} + \frac{9}{4} + \frac{25}{4} + \frac{49}{4} = \frac{84}{4} = 21$

Calcul selon le théorème fondamental :

$$\int_0^4 x^2 \, dx = \left.\frac{x^3}{3}\right|_0^4 = \frac{64}{3} = 21{,}333$$

2. a) 2,625

   b) 8,718

3. a) $\frac{8}{3} = 2{,}667$

   b) $8 \ln 3 = 8{,}789$

4. On a $f(x) = 3x^2 + 1$. Donc, $F(x) = x^3 + x$ est une primitive et l'aire cherchée nous est donnée par :

$$A = F(2) - F(1) = 10 - 2 = 8$$

5. On a $f(x) = x^2 - 7x + 6 = (x-1)(x-6)$. Cette fonction est négative pour $x \in]\,1, 6\,[$, positive pour $x < 1$ ou $x > 6$. La fonction étant négative sur l'intervalle considéré, on calcule l'aire par l'intégrale suivante.

$$A = -\int_2^5 (x^2 - 7x + 6)\, dx = -\left[\frac{x^3}{3} - \frac{7x^2}{2} + 6x\right]_2^5 = -\left(-\frac{95}{6} - \frac{2}{3}\right)$$

$$= \frac{99}{6} = \frac{33}{2}$$

6. $\frac{14}{3}$

7. 8,047

8. 0. L'aire sous la courbe au-dessus de l'axe des x est égale à l'aire au-dessous de l'axe des x.

9. 4. La courbe est toujours au-dessus de l'axe des x sur l'intervalle considéré.

10. 28,5

11. 6,362

12. 0,199

13. 0,079

14. 23,467

15. $\frac{1}{3}$

16. 0,118

17. $\frac{26}{3}$

18. $\frac{\pi}{32}$

19. $\frac{1}{8}$

20. $\frac{1}{6}$

21. 0,187

22. 3

23. 17,384

24. $\frac{52}{3} = 17{,}333$

25. $\ln\sqrt{2} = 0{,}347$

26. $\frac{9\pi}{4} = 7{,}069$

27. $\frac{9}{2}$

28. $\frac{3}{4}$

29. $\frac{75}{4}$

30. $\frac{e^2-1}{2} = 3{,}195$

31. $\frac{1}{3}$

32. 98

33. $\ln 18 = 2{,}890$

34. 1

35. $\frac{\pi}{4} = 0{,}785$

36. $2\ln 2 - \frac{3}{4} = 0{,}636$

37. $\frac{\pi}{4} = 0{,}785$

38. $\frac{\pi}{8} - \frac{1}{4} = 0{,}143$

39. $\frac{\pi}{4} = 0{,}785$

40. $\frac{\pi}{8} + \frac{1}{4} = 0{,}643$

41. 1,111

4

Exercices 4.8

1. 4π

2. Voir l'exemple 3.40 pour la recherche de l'intégrale indéfinie.

$$\int_0^7 \frac{x\,dx}{(x+1)^{2/3}} = \left[\frac{3}{4}(x+1)^{1/3}(x-3)\right]_0^7 = 6 - \left(-\frac{9}{4}\right) = \frac{33}{4}$$

3. Voir la section 3.7.2 pour la recherche de l'intégrale indéfinie.

$$\int_3^4 \frac{9x^2-17x+6}{x(x-1)(x-2)}dx = \int_3^4\left(\frac{3}{x} + \frac{2}{x-1} + \frac{4}{x-2}\right)dx$$

$$= \left[\ln\left|x^3(x-1)^2(x-2)^4\right|\right]_3^4 = \ln(64\times 9\times 16) - \ln(27\times 4\times 1) = 4{,}447$$

4. Voir l'exercice 23 de la section 3.8 pour la recherche de l'intégrale indéfinie.

$$\int_0^1 \frac{(x+1)^2}{(x^2+1)^2}dx = \left[\arctan x - \frac{1}{x^2+1}\right]_0^1 = \left(\frac{\pi}{4} - \frac{1}{2}\right) + 1 = 1{,}285$$

5. 9,613

6. $$\sum_{i=1}^{20}(2i+5) = \sum_{i=1}^{20}2i + \sum_{i=1}^{20}5 = 2\sum_{i=1}^{20}i + 20(5)$$

$$= 2\left(\frac{(20)(21)}{2}\right) + 100 = 520$$

7. 343 400

8. 53 925

9. 63 922

12. $$\sum_{i=1}^{n}\frac{1}{i(i+1)} = \frac{1}{1(2)} + \frac{1}{2(3)} + \frac{1}{3(4)} + \ldots + \frac{1}{n(n+1)} = \frac{n}{n+1}$$

La formule est vraie pour $n = 1$

$$\sum_{i=1}^{1}\frac{1}{i(i+1)} = \frac{1}{1(2)} = \frac{1}{1+1}$$

Supposons la formule vraie pour $n = k$

$$\sum_{i=1}^{k}\frac{1}{i(i+1)} = \frac{1}{1(2)} + \frac{1}{2(3)} + \frac{1}{3(4)} + \ldots + \frac{1}{k(k+1)} = \frac{k}{k+1}$$

Ajoutons $\frac{1}{(k+1)(k+2)}$ de part et d'autre de l'égalité :

$$\sum_{i=1}^{k}\frac{1}{i(i+1)} + \frac{1}{(k+1)(k+2)} = \frac{1}{1(2)} + \frac{1}{2(3)} + \frac{1}{3(4)} + \ldots + \frac{1}{k(k+1)} + \frac{1}{(k+1)(k+2)} = \frac{k}{k+1} + \frac{1}{(k+1)(k+2)}$$

$$\sum_{i=1}^{k+1}\frac{1}{i(i+1)} = \frac{k}{k+1} + \frac{1}{(k+1)(k+2)}$$

$$\sum_{i=1}^{k+1}\frac{1}{i(i+1)} = \frac{k(k+2)+1}{(k+1)(k+2)}$$

$$\sum_{i=1}^{k+1}\frac{1}{i(i+1)} = \frac{k^2+2k+1}{(k+1)(k+2)}$$

$$\sum_{i=1}^{k+1}\frac{1}{i\,(i+1)}=\frac{(k+1)^2}{(k+1)\,(k+2)}$$

$$\sum_{i=1}^{k+1}\frac{1}{i\,(i+1)}=\frac{k+1}{k+2}$$

$$\sum_{i=1}^{k+1}\frac{1}{i\,(i+1)}=\frac{k+1}{(k+1)+1}$$

Ainsi la formule est vraie pour $n = k + 1$.

Selon le principe d'induction, la formule est vraie pour tout entier positif n.

15. 8
16. 9
17. $\frac{7}{2}$
18. 80
19. 204,8

Test sur le chapitre 4

1. $\int_1^7 (x^3 - 1)\,dx$. Subdivisons l'intervalle [1, 7] en six sous-intervalles égaux.

1 2 3 4 5 6 7

a) $s_6 = f(1)\times 1 + f(2)\times 1 + f(3)\times 1 + f(4)\times 1 + f(5)\times 1 + f(6)\times 1$

$s_6 = 0 + 7 + 26 + 63 + 124 + 215 = 435$

b) $S_6 = f(2)\times 1 + f(3)\times 1 + f(4)\times 1 + f(5)\times 1 + f(6)\times 1 + f(7)\times 1$

$S_6 = 7 + 26 + 63 + 124 + 215 + 342 = 777$

c) $S_R = f\left(\frac{3}{2}\right)\times 1 + f\left(\frac{5}{2}\right)\times 1 + f\left(\frac{7}{2}\right)\times 1 + f\left(\frac{9}{2}\right)\times 1 + f\left(\frac{11}{2}\right)\times 1 + f\left(\frac{13}{2}\right)\times 1$

$$S_R = \frac{19}{8}+\frac{117}{8}+\frac{335}{8}+\frac{721}{8}+\frac{1\,323}{8}+\frac{2\,189}{8} = 588$$

d) $\int_1^7 (x^3 - 1)\,dx = \left[\frac{x^4}{4} - x\right]_1^7 = \left(\frac{7^4}{4} - 7\right) - \left(\frac{1}{4} - 1\right) = 594$

2. $\int_0^4 x\sqrt{16 - x^2}\,dx = \left[-\frac{(16 - x^2)^{3/2}}{3}\right]_0^4 = 0 - \left(-\frac{16^{3/2}}{3}\right) = \frac{64}{3}$

3. $\int_0^{\pi/4} \tan x \sec^2 x\,dx = \left[\frac{\tan^2 x}{2}\right]_0^{\pi/4} = \frac{1}{2}$

4. $\int_0^{\pi/2} \sin^3 x\,dx = \int_0^{\pi/2} \sin^2 x \sin x\,dx = \int_0^{\pi/2} (1 - \cos^2 x)\sin x\,dx$

$= \int_0^{\pi/2} \sin x\,dx - \int_0^{\pi/2} \cos^2 x \sin x\,dx$

$= \left[-\cos x + \frac{\cos^3 x}{3}\right]_0^{\pi/2} = 0 - \left(-1 + \frac{1}{3}\right) = \frac{2}{3}$

5. $\int_0^{\pi/6} x \sin x\,dx$

Trouvons d'abord l'intégrale indéfinie $\int x \sin x\,dx$ en intégrant par parties.

Posons $u = x$ et $dv = \sin x\,dx$.

Alors $du = dx$ et $v = -\cos x$. Ainsi :

$\int x \sin x\,dx = -x\cos x - \int(-\cos x)\,dx = -x\cos x + \sin x + K$

Revenons à l'intégrale définie :

$$\int_0^{\pi/6} x \sin x\,dx = \left[-x\cos x + \sin x\right]_0^{\pi/6} = -\frac{\pi}{6}\cos\frac{\pi}{6} + \sin\frac{\pi}{6} - 0$$

$$= -\frac{\pi\sqrt{3}}{12} + \frac{1}{2} = 0{,}047$$

6. $\int_1^2 \frac{\ln x^3}{x}\,dx$

Trouvons d'abord l'intégrale indéfinie $\int \frac{\ln x^3}{x}\,dx$.

$\int \frac{\ln x^3}{x}\,dx = \int \frac{3\ln x}{x}\,dx$; posons $u = \ln x$; $du = \frac{dx}{x}$

$\int \frac{3\ln x}{x}\,dx = \int 3u\,du = \frac{3u^2}{2} + K = \frac{3}{2}(\ln x)^2 + K$

Revenons à l'intégrale définie :

$$\int_1^2 \frac{\ln x^3}{x}\,dx = \left[\frac{3}{2}(\ln x)^2\right]_1^2 = \frac{3}{2}(\ln 2)^2 - 0 = 0{,}721$$

7.

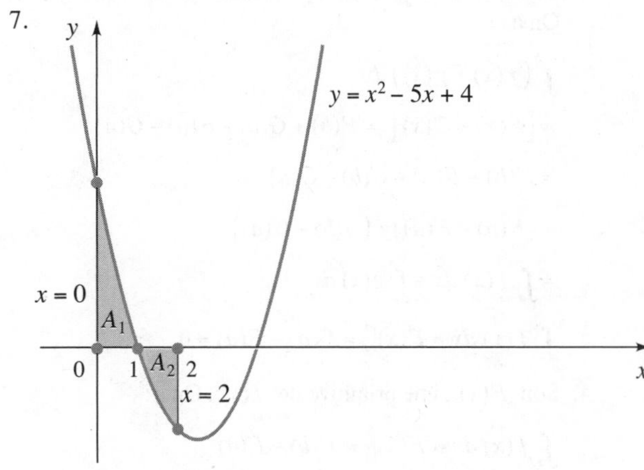

$$A_1 = \int_0^1 (x^2 - 5x + 4)\,dx = \left[\frac{x^3}{3} - \frac{5x^2}{2} + 4x\right]_0^1$$

$$= \left(\frac{1}{3} - \frac{5}{2} + 4\right) - 0 = \frac{11}{6}$$

$$A_2 = \int_1^2 (x^2 - 5x + 4)\,dx = \left[\frac{x^3}{3} - \frac{5x^2}{2} + 4x\right]_1^2$$

$$= \left(\frac{8}{3} - 10 + 8\right) - \left(\frac{1}{3} - \frac{5}{2} + 4\right) = -\frac{7}{6}$$

L'intégrale définie est une aire algébrique, par conséquent l'aire cherchée est :

$$|A_1| + |A_2| = \frac{11}{6} + \frac{7}{6} = 3$$

8. $\sum_{i=1}^{n+1} i = 1 + 2 + 3 + \ldots + (n-1) + n + (n+1) = \frac{(n+1)\,(n+2)}{2}$

La proposition est vraie pour $n = 1$

$$\sum_{i=1}^{1+1} i = 1 + 2 = 3 = \frac{(1+1)\,(1+2)}{2}$$

Supposons la proposition vraie pour $n = k$

$$\sum_{i=1}^{k+1} i = 1 + 2 + 3 + \ldots + k + (k+1) = \frac{(k+1)(k+2)}{2}$$

Ajoutons $(k + 2)$ de part et d'autre :

$$\sum_{i=1}^{k+1} i + (k+2) = \frac{(k+1)(k+2)}{2} + (k+2)$$

$$\sum_{i=1}^{k+2} i = (k+2)\left(\frac{k+1}{2} + 1\right) = \frac{(k+2)(k+3)}{2}$$

$$\sum_{i=1}^{(k+1)+1} i = \frac{((k+1)+1)((k+1)+2)}{2}$$

Ce qui montre que la proposition est vraie pour $n = k + 1$. Selon le principe d'induction, la proposition est ainsi vraie pour tout entier positif n.

Chapitre 5

Exercices 5.2

1. $\int_a^b dx = [x]_a^b = b - a$

2. Soit $F(x)$ et $G(x)$, des primitives de $f(x)$ et $g(x)$. On a :

$$\int_a^b (f(x) + g(x))\, dx$$
$$= [F(x) + G(x)]_a^b = F(b) + G(b) - F(a) - G(a)$$
$$= F(b) - F(a) + G(b) - G(a)$$
$$= (F(b) - F(a)) + (G(b) - G(a))$$
$$= \int_a^b f(x)\, dx + \int_a^b g(x)\, dx$$

3. $\int_a^a f(x)\, dx = F(x)\big|_a^a = F(a) - F(a) = 0$

4. Soit $F(x)$, une primitive de $f(x)$. On a :

$$\int_a^b f(x)\, dx = F(x)\big|_a^b = F(b) - F(a)$$
$$= F(b) - F(c) + F(c) - F(a)$$
$$= F(x)\big|_c^b + F(x)\big|_a^c$$
$$= \int_c^b f(x)\, dx + \int_a^c f(x)\, dx$$

Géométriquement, cette propriété peut être interprétée de la façon suivante.

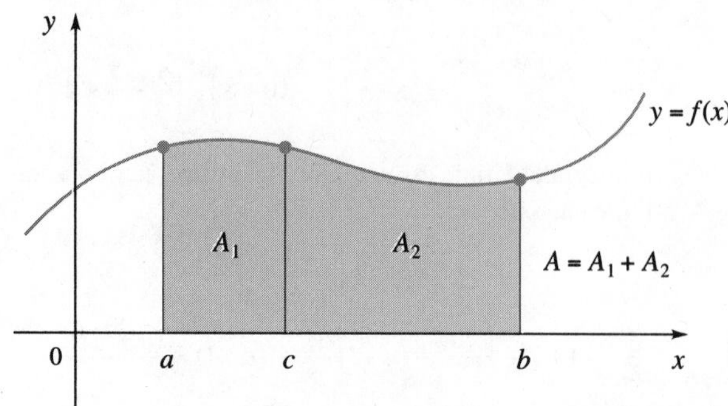

L'aire A sous la courbe entre les verticales $x = a$ et $x = b$ est égale à l'aire A_1 sous la courbe entre les verticales $x = a$ et $x = c$ plus l'aire A_2 sous la courbe entre les verticales $x = c$ et $x = b$. Notons que cette propriété demeure valable même si c est à l'extérieur de l'intervalle $[a, b]$.

5. $\int_0^{\pi/6} \sin^3 x\, dx = \int_0^{\pi/6} \sin^2 x \sin x\, dx = \int_0^{\pi/6} (1 - \cos^2 x) \sin x\, dx$

$$= \int_0^{\pi/6} \sin x\, dx - \int_0^{\pi/6} \cos^2 x \sin x\, dx = [-\cos x]_0^{\pi/6} - \left[\frac{-\cos^3 x}{3}\right]_0^{\pi/6}$$
$$= -\cos\frac{\pi}{6} + \cos 0 + \frac{\cos^3(\pi/6)}{3} - \frac{\cos^3 0}{3}$$
$$= \frac{-\sqrt{3}}{2} + 1 + \frac{\sqrt{3}}{8} - \frac{1}{3} = 0{,}017$$

6. $\int_0^4 (6x - x^3)\, dx = \left[3x^2 - \frac{x^4}{4}\right]_0^4 = 48 - 64 = -16$

7. $\int_0^1 \frac{dx}{9 - x^2} = -\int_0^1 \frac{dx}{x^2 - 9} = -\left[\frac{1}{6}\ln\left|\frac{x-3}{x+3}\right|\right]_0^1$

$$= -\frac{1}{6}\left(\ln\left(\frac{1}{2}\right) - \ln(1)\right) = -\frac{1}{6}\ln\left(\frac{1}{2}\right) = \frac{1}{6}\ln 2 = 0{,}116$$

8. $\int_3^3 \frac{7x\sqrt{x}}{x+1}\, dx = 0$, selon la propriété 4.

9. $\int_{-2}^2 \sqrt{4 - x^2}\, dx$

Posons $x = 2 \sin \theta$; alors $dx = 2 \cos \theta\, d\theta$.

La borne $x = -2$ change pour

$\theta = \arcsin(-2/2) = \arcsin(-1) = -\pi/2$;

la borne $x = 2$ change pour

$\theta = \arcsin(2/2) = \pi/2$.

Avec ce changement de variable, on a :

$$\int_{-2}^2 \sqrt{4 - x^2}\, dx$$
$$= \int_{-\pi/2}^{\pi/2} \sqrt{4 - 4\sin^2\theta}\; 2\cos\theta\, d\theta = 4\int_{-\pi/2}^{\pi/2} \cos^2\theta\, d\theta$$
$$= 8\int_0^{\pi/2} \cos^2\theta\, d\theta = 8\int_0^{\pi/2} \frac{1 + \cos 2\theta}{2}\, d\theta = 4\int_0^{\pi/2} (1 + \cos 2\theta)\, d\theta$$
$$= 4\left[\theta + \frac{\sin 2\theta}{2}\right]_0^{\pi/2} = 4\left(\frac{\pi}{2} + 0 - 0 - 0\right) = 2\pi$$

10. $\int_1^6 x\sqrt{x+3}\, dx$

Posons $u = \sqrt{x+3}$; alors $u^2 = x + 3$ et $2u\, du = dx$; de plus $x = u^2 - 3$.

La borne $x = 1$ change pour $u = 2$ et la borne $x = 6$ change pour $u = 3$. Alors :

$$\int_1^6 x\sqrt{x+3}\, dx = \int_2^3 (u^2 - 3)\, u\, 2u\, du = 2\int_2^3 (u^2 - 3)\, u^2\, du$$
$$= 2\int_2^3 (u^4 - 3u^2)\, du = 2\left[\frac{u^5}{5} - u^3\right]_2^3$$
$$= 2\left(\frac{3^5}{5} - 3^3 - \frac{2^5}{5} + 2^3\right) = \frac{232}{5} = 46{,}4$$

11. Remarquons que $(x^2 + 3\cos x)$ est une fonction paire. En effet :

$$f(-x) = (-x)^2 + 3\cos(-x) = x^2 + 3\cos x = f(x)$$

Donc :

$$\int_{-3}^{3}(x^2+3\cos x)\,dx = 2\int_0^3 (x^2+3\cos x)\,dx$$

$$= 2\left[\frac{x^3}{3}+3\sin x\right]_0^3$$

$$= 2\,(9+3\sin 3) = 18+6\sin 3 = 18{,}847$$

12. Pour trouver une primitive, une substitution trigonométrique s'impose.

Posons $x = 2\tan\theta$; alors $dx = 2\sec^2\theta\, d\theta$

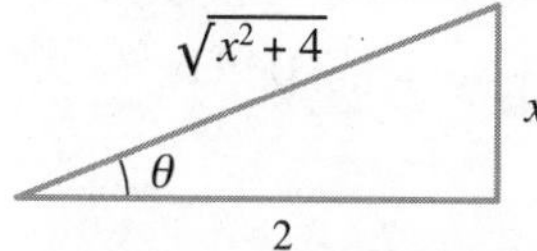

Ce lien entre les variables x et θ constitue également la clé pour changer les bornes d'intégration.

En effet :

si $x = 0$, alors $\tan\theta = 0 \;\Rightarrow\; \theta = 0$

si $x = 2$, alors $\tan\theta = 1 \;\Rightarrow\; \theta = \pi/4$

Ainsi :

$$\int_0^2 \frac{dx}{(x^2+4)^{3/2}} = \int_0^{\pi/4}\frac{2\sec^2\theta\, d\theta}{\left((2\tan\theta)^2+4\right)^{3/2}}$$

$$= \frac{2}{8}\int_0^{\pi/4}\frac{\sec^2\theta\, d\theta}{\sec^3\theta} = \frac{1}{4}\int_0^{\pi/4}\cos\theta\, d\theta$$

$$= \frac{1}{4}\sin\theta\Big|_0^{\pi/4} = \frac{1}{4}\left(\frac{1}{\sqrt{2}}-0\right) = \frac{1}{4\sqrt{2}}$$

Il est à remarquer que nous aurions pu, après avoir trouvé la primitive, revenir à la variable initiale pour évaluer l'intégrale ; notons toutefois que ce n'est pas nécessaire.

On aurait alors :

$$\int_0^2 \frac{dx}{(x^2+4)^{3/2}} = \frac{1}{4}\int_0^{\pi/4}\cos\theta\, d\theta = \frac{1}{4}\sin\theta\Big|_0^{\pi/4}$$

$$= \frac{1}{4}\frac{x}{\sqrt{x^2+4}}\Bigg|_0^2 = \frac{1}{4\sqrt{2}}$$

13. Posons $x = \sec\theta$; alors $dx = \sec\theta\tan\theta\, d\theta$.

Alors :

$$\int_2^3 \frac{dx}{x\sqrt{x^2-1}} = \int_{x=2}^{x=3}\frac{\sec\theta\tan\theta\, d\theta}{\sec\theta\sqrt{\sec^2\theta-1}}$$

$$= \int_{x=2}^{x=3}\frac{\sec\theta\tan\theta\, d\theta}{\sec\theta\tan\theta} = \int_{x=2}^{x=3} d\theta$$

$$= [\theta]_{x=2}^{x=3} = [\operatorname{arcsec} x]_2^3 = \operatorname{arcsec} 3 - \operatorname{arcsec} 2 = 0{,}184$$

14. $\displaystyle\int_0^{\pi/4} x\sin x\, dx$

Trouvons d'abord l'intégrale indéfinie $\int x\sin x\, dx$ en intégrant par parties. Posons $u = x$ et $dv = \sin x\, dx$; alors $du = dx$ et $v = -\cos x$.

$$\int x\sin x\, dx = -x\cos x - \int -\cos x\, dx = -x\cos x + \sin x + K$$

Revenons à l'intégrale définie.

$$\int_0^{\pi/4} x\sin x\, dx = [-x\cos x+\sin x]_0^{\pi/4} = -\frac{\pi}{4}\cos\frac{\pi}{4}+\sin\frac{\pi}{4}-0$$

$$= -\frac{\pi}{4}\times\frac{\sqrt{2}}{2}+\frac{\sqrt{2}}{2} = \frac{\sqrt{2}}{2}\left(1-\frac{\pi}{4}\right) = 0{,}152$$

15.

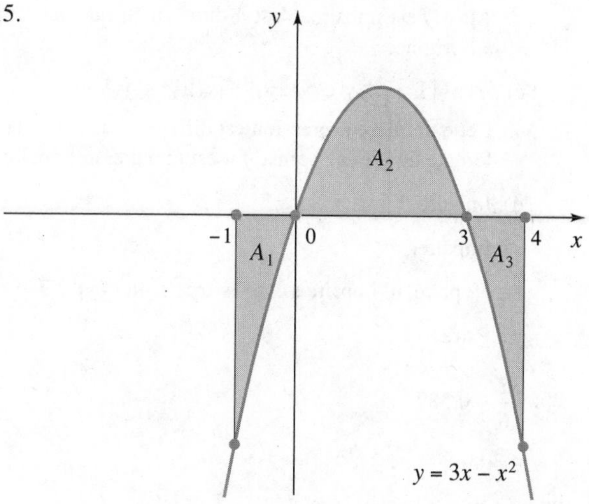

Cette fonction est négative sur $]-1, 0[$, positive sur $]0, 3[$ et négative sur $]3, 4[$. Ainsi, l'aire cherchée A est la somme des aires bornées par la courbe et l'axe des x dans chacun de ces trois intervalles.

$$A = A_1 + A_2 + A_3$$

$$A_1 = \int_{-1}^{0} -(3x-x^2)\,dx = \left[-\frac{3x^2}{2}+\frac{x^3}{3}\right]_{-1}^{0} = 0-\left(-\frac{3}{2}-\frac{1}{3}\right) = \frac{11}{6}$$

$$A_2 = \int_0^3 (3x-x^2)\,dx = \left[\frac{3x^2}{2}-\frac{x^3}{3}\right]_0^3 = \frac{27}{2}-\frac{27}{3} = \frac{27}{6}$$

$$A_3 = \int_3^4 -(3x-x^2)\,dx = \left[-\frac{3x^2}{2}+\frac{x^3}{3}\right]_3^4$$

$$= \left(-24+\frac{64}{3}\right)-\left(-\frac{27}{2}+\frac{27}{3}\right) = \frac{11}{6}$$

Donc : $A = \dfrac{11}{6}+\dfrac{27}{6}+\dfrac{11}{6} = \dfrac{49}{6}$.

16. $\dfrac{55}{2}$

17. 0

18. 6

19. $e^4 - e^{-4} = 54{,}580$

20. 0

21. $\sin 2 = 0{,}909$

22. 0

23. $\ln\left(\dfrac{8}{3}\right) = 0{,}981$

24. $1 + 2\ln 2 = 2{,}386$

25. a) Considérons $f(-x)$:

$$f(-x) = (-x)^2 + \cos 4(-x)$$

$$= x^2 + \cos(-4x) = x^2 + \cos 4x = f(x)$$

Puisque $f(-x) = f(x)$ pour tout $x \in \mathbb{R}$, la fonction f est paire, c'est-à-dire qu'elle est symétrique par rapport à l'axe des y.

b) $f(-x) = (-x)^3 - \sin 2(-x) = -x^3 + \sin 2x = -f(x)$

Ainsi, f est impaire, c'est-à-dire symétrique par rapport à l'origine.

c) $f(-x) = 4(-x)^4 - 2(-x)^3 + 1 = 4x^4 + 2x^3 + 1$

Cette dernière expression est différente de $f(x)$ et différente de $f(-x)$; ainsi, f n'est ni paire, ni impaire.

d) Impaire

e) Impaire

f) Ni paire, ni impaire ; *note* : si $x > 0$, $\ln(-x)$ $\nexists$

g) Paire

26. $\dfrac{3\pi}{16} = 0{,}589$

27. 4,305

28. 0,120

29. 3,753

30. 72,785

31. 1,034

32. $\displaystyle\int_0^1 \frac{e^{2x}}{e^x + 1}\,dx$

Posons $u = e^x + 1$; alors $du = e^x\,dx$ et $e^x = u - 1$

$$\int_0^1 \frac{e^{2x}}{e^x+1}\,dx = \int_0^1 \frac{e^x\,e^x}{e^x+1}\,dx = \int_{x=0}^{x=1} \frac{(u-1)\,du}{u}$$

$$= \int_{x=0}^{x=1}\left(1 - \frac{1}{u}\right)du = \left[u - \ln|u|\right]_{x=0}^{x=1} = \left[e^x + 1 - \ln(e^x+1)\right]_0^1$$

$$= \left(e + 1 - \ln(e+1)\right) - \left(1 + 1 - \ln(1+1)\right) = 1{,}098$$

33. $\displaystyle\int_0^1 \frac{dx}{(1+x^2)^2}$; Posons $x = \tan\theta$; alors $dx = \sec^2\theta\,d\theta$

si $x = 0 \Rightarrow \theta = 0$

si $x = 1 \Rightarrow \theta = \pi/4$

$$\int_0^1 \frac{dx}{(1+x^2)^2} = \int_0^{\pi/4} \frac{\sec^2\theta\,d\theta}{(1+\tan^2\theta)^2} = \int_0^{\pi/4} \frac{\sec^2\theta\,d\theta}{\sec^4\theta}$$

$$= \int_0^{\pi/4} \frac{d\theta}{\sec^2\theta} = \int_0^{\pi/4} \cos^2\theta\,d\theta = \int_0^{\pi/4}\left(\frac{1+\cos 2\theta}{2}\right)d\theta$$

$$= \left[\frac{\theta}{2} + \frac{\sin 2\theta}{4}\right]_0^{\pi/4} = \left(\frac{\pi}{8} + \frac{1}{4}\right) - 0 = 0{,}643$$

34. $\displaystyle\int_0^2 x^2\,e^x\,dx$ (Voir l'exercice 2 de la section 3.6)

$$\int_0^2 x^2\,e^x\,dx = \left[e^x\,(x^2 - 2x + 2)\right]_0^2 = e^2(2) - e^0(2) = 12{,}778$$

35. $\displaystyle\int_0^{\pi/2} \cos 4x \cos x\,dx = \int_0^{\pi/2} \frac{\cos 3x + \cos 5x}{2}\,dx$

$$= \left[\frac{\sin 3x}{6} + \frac{\sin 5x}{10}\right]_0^{\pi/2}$$

$$= -\frac{1}{15} = -0{,}067$$

Exercices 5.4

1. $\displaystyle\int_3^\infty \frac{dx}{x-2} = \lim_{b\to\infty}\int_3^b \frac{dx}{x-2}$

$$= \lim_{b\to\infty}\left[\ln|x-2|\right]_3^b = \lim_{b\to\infty} \ln|b-2| - \ln|3-2|$$

$$= \infty - 0 = \infty$$

Donc, cette intégrale diverge.

2. $\displaystyle\int_{-\infty}^0 e^{x+1}\,dx = \lim_{a\to-\infty}\int_a^0 e^{x+1}\,dx$

$$= \lim_{a\to-\infty}\left[e^{x+1}\right]_a^0 = e - \lim_{a\to-\infty}\left(e^{a+1}\right)$$

$$= e - 0 = e$$

3. $\displaystyle\int_{-\infty}^\infty x\,e^{-x^2}\,dx = \lim_{\substack{a\to-\infty\\ b\to\infty}}\int_a^b x\,e^{-x^2}\,dx = \lim_{\substack{a\to-\infty\\ b\to\infty}}\left[\frac{-e^{-x^2}}{2}\right]_a^b$

$$= \lim_{b\to\infty}\left(\frac{-e^{-b^2}}{2}\right) - \lim_{a\to-\infty}\left(\frac{-e^{-a^2}}{2}\right) = 0 - 0 = 0$$

4. $\displaystyle\int_2^\infty \frac{dx}{(x-1)^3} = \lim_{b\to\infty}\int_2^b \frac{dx}{(x-1)^3}$

$$= \lim_{b\to\infty}\left[\frac{-1}{2(x-1)^2}\right]_2^b = \lim_{b\to\infty}\left(-\frac{1}{2(b-1)^2} + \frac{1}{2}\right)$$

$$= \lim_{b\to\infty}\left(-\frac{1}{2(b-1)^2}\right) + \frac{1}{2} = 0 + \frac{1}{2} = \frac{1}{2}$$

5. $\displaystyle\int_3^\infty \frac{dx}{x^2+4} = \lim_{b\to\infty}\int_3^b \frac{dx}{x^2+4} = \lim_{b\to\infty}\left[\frac{1}{2}\arctan\frac{x}{2}\right]_3^b$

$$= \lim_{b\to\infty}\frac{1}{2}\arctan\frac{b}{2} - \frac{1}{2}\arctan\frac{3}{2} = \frac{1}{2}\left(\frac{\pi}{2}\right) - \frac{1}{2}\arctan\frac{3}{2} = 0{,}294$$

6. $\displaystyle\int_{-\infty}^\infty \frac{dx}{x^2 - 10x + 29} = \lim_{\substack{a\to-\infty\\ b\to\infty}}\int_a^b \frac{dx}{x^2 - 10x + 29}$

$$= \lim_{\substack{a\to-\infty\\ b\to\infty}}\int_a^b \frac{dx}{(x-5)^2 + 2^2} = \lim_{\substack{a\to-\infty\\ b\to\infty}}\left[\frac{1}{2}\arctan\frac{x-5}{2}\right]_a^b$$

$$= \lim_{b\to\infty}\frac{1}{2}\arctan\left(\frac{b-5}{2}\right) - \lim_{a\to-\infty}\frac{1}{2}\arctan\left(\frac{a-5}{2}\right)$$

$$= \frac{1}{2}\left(\frac{\pi}{2} + \frac{\pi}{2}\right) = \frac{\pi}{2}$$

7. $\displaystyle\int_{-\infty}^\infty \frac{x\,dx}{x^2+9} = \lim_{\substack{a\to-\infty\\ b\to\infty}}\int_a^b \frac{x\,dx}{x^2+9} = \lim_{\substack{a\to-\infty\\ b\to\infty}}\left[\ln\sqrt{x^2+9}\right]_a^b$

$$= \lim_{b\to\infty}\ln\sqrt{b^2+9} - \lim_{a\to-\infty}\ln\sqrt{a^2+9} = \infty - \infty$$

L'intégrale diverge. On doit remarquer que

$\displaystyle\int_{-\infty}^\infty \frac{x\,dx}{x^2+9}$ diverge, bien que $\displaystyle\int_{-a}^a \frac{x\,dx}{x^2+9} = 0$

Si on n'en est pas convaincu, il faut alors relire la définition 3.

8. La fonction à intégrer $f(x) = \dfrac{1}{x^2}$ est discontinue en $x = 0$.

Alors : $\displaystyle\int_0^1 \frac{dx}{x^2} = \lim_{\lambda\to0^+}\int_\lambda^1 \frac{dx}{x^2} = \lim_{\lambda\to0^+}\left[-\frac{1}{x}\right]_\lambda^1$

$\displaystyle= \lim_{\lambda\to0^+}\left(-1+\frac{1}{\lambda}\right) = -1+\infty$

Donc, l'intégrale diverge. Voici l'illustration :

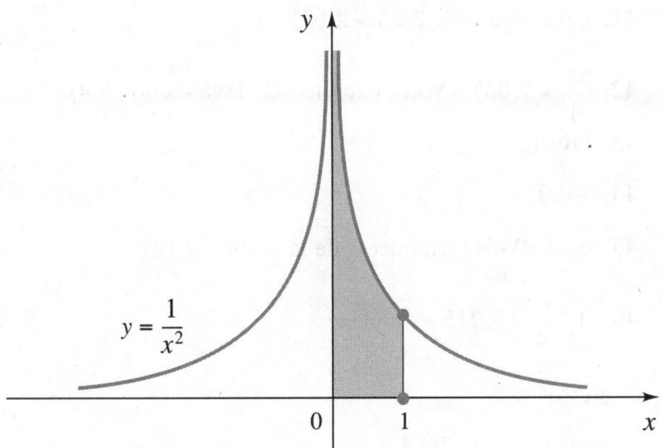

L'aire représentée est infinie, c'est-à-dire que pour tout nombre choisi d'avance, on peut toujours trouver une portion de cette surface dont l'aire est plus grande que ce nombre.

9. La fonction à intégrer $f(x) = \operatorname{cosec} x$ est discontinue en $x = 0$. Alors :

$\displaystyle\int_0^{\pi/4} \operatorname{cosec} x\, dx$

$\displaystyle= \lim_{\lambda\to0^+}\int_\lambda^{\pi/4} \operatorname{cosec} x\, dx = \lim_{\lambda\to0^+}\left[\ln\left|\operatorname{cosec} x - \cot x\right|\right]_\lambda^{\pi/4}$

$\displaystyle= \ln\left|\operatorname{cosec}\frac{\pi}{4} - \cot\frac{\pi}{4}\right| - \lim_{\lambda\to0^+}\ln\left|\operatorname{cosec}\lambda - \cot\lambda\right|$

$\displaystyle= \ln\left|\sqrt{2}-1\right| - \lim_{\lambda\to0^+}\ln\left|\frac{1-\cos\lambda}{\sin\lambda}\right|$

$\displaystyle= \ln\left|\sqrt{2}-1\right| - \ln\lim_{\lambda\to0^+}\frac{1-\cos\lambda}{\sin\lambda} = \ln\left|\sqrt{2}-1\right| - \ln\lim_{\lambda\to0^+}\frac{\sin\lambda}{\cos\lambda}$

$= \ln\left|\sqrt{2}-1\right| - \ln(0^+) = \ln\left|\sqrt{2}-1\right| - (-\infty)$

Donc, l'intégrale diverge.

10. La fonction à intégrer est discontinue en $x = 0$. Alors :

$\displaystyle\int_0^9 \frac{dx}{\sqrt{x}} = \lim_{\lambda\to0^+}\int_\lambda^9 \frac{dx}{\sqrt{x}} = \lim_{\lambda\to0^+}\left[2\sqrt{x}\right]_\lambda^9 = 2\sqrt{9} - \lim_{\lambda\to0^+} 2\sqrt{\lambda}$

$= 6 - 2\sqrt{0^+} = 6 - 0 = 6$

11. La fonction à intégrer $f(x) = 1/\sqrt{3-x}$ est discontinue en $x = 3$. Alors, on a :

$\displaystyle\int_0^3 \frac{dx}{\sqrt{3-x}} = \lim_{\lambda\to3^-}\int_0^\lambda \frac{dx}{\sqrt{3-x}} = \lim_{\lambda\to3^-}\left[-2\sqrt{3-x}\right]_0^\lambda$

$\displaystyle= \lim_{\lambda\to3^-}\left(-2\sqrt{3-\lambda}\right) + 2\sqrt{3} = 0 + 2\sqrt{3} = 2\sqrt{3}$

Illustrons graphiquement ; on a l'aire sous la courbe de $f(x) = 1/\sqrt{3-x}$ entre les verticales $x = 0$ et $x = 3$.

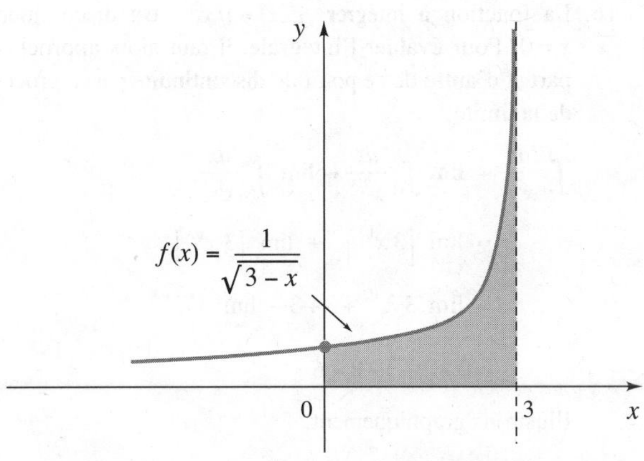

Bien que la surface considérée ne soit pas fermée, l'aire de n'importe quelle portion de cette surface entre les verticales $x = 0$ et $x = \lambda$, est inférieure à $2\sqrt{3}$; cependant, cette aire s'approche d'aussi près qu'on veut de $2\sqrt{3}$, à condition que λ s'approche suffisamment de 3 tout en restant inférieur à 3. Voilà le sens géométrique qu'on doit rattacher au résultat de cette intégrale.

12. La fonction à intégrer $f(x) = \dfrac{x}{\sqrt{1-x^2}}$ est discontinue en $x = 1$. Alors :

$\displaystyle\int_0^1 \frac{x\,dx}{\sqrt{1-x^2}} = \lim_{\lambda\to1^-}\int_0^\lambda \frac{x\,dx}{\sqrt{1-x^2}} = \lim_{\lambda\to1^-}\left[-\sqrt{1-x^2}\right]_0^\lambda$

$\displaystyle= \lim_{\lambda\to1^-}\left(-\sqrt{1-\lambda^2}\right) - \left(-\sqrt{1-0^2}\right) = 0 + 1 = 1$

13. La fonction à intégrer $f(x) = \dfrac{1}{\sqrt{1-x^2}}$ est discontinue en $x = 1$. Alors :

$\displaystyle\int_0^1 \frac{1}{\sqrt{1-x^2}} = \lim_{\lambda\to1^-}\int_0^\lambda \frac{dx}{\sqrt{1-x^2}} = \lim_{\lambda\to1^-}\left[\arcsin x\right]_0^\lambda$

$\displaystyle= \lim_{\lambda\to1^-}\arcsin\lambda - \arcsin 0 = \frac{\pi}{2} - 0 = \frac{\pi}{2}$

14. La fonction à intégrer $f(x) = \dfrac{1}{1-x^2}$ est discontinue en $x = 1$. Alors :

$\displaystyle\int_0^1 \frac{dx}{1-x^2} = \lim_{\lambda\to1^-}\int_0^\lambda \frac{dx}{1-x^2} = \lim_{\lambda\to1^-}\left[-\frac{1}{2}\ln\left|\frac{1-x}{1+x}\right|\right]_0^\lambda$

$\displaystyle= -\frac{1}{2}\lim_{\lambda\to1^-}\ln\left|\frac{1-\lambda}{1+\lambda}\right| - \left(-\frac{1}{2}\ln\left|\frac{1-0}{1+0}\right|\right) = -\frac{1}{2}\ln\lim_{\lambda\to1^-}\frac{1-\lambda}{1+\lambda}$

$\displaystyle= -\frac{1}{2}\ln(0^+) = \infty$

Donc, l'intégrale diverge.

15. La fonction à intégrer est discontinue en $x = 1$. Alors :

$\displaystyle\int_0^2 \frac{dx}{1-x} = \lim_{\lambda_1\to1^-}\int_0^{\lambda_1} \frac{dx}{1-x} + \lim_{\lambda_2\to1^+}\int_{\lambda_2}^2 \frac{dx}{1-x}$

$\displaystyle= \lim_{\lambda_1\to1^-}\left[-\ln|1-x|\right]_0^{\lambda_1} + \lim_{\lambda_2\to1^+}\left[-\ln|1-x|\right]_{\lambda_2}^2$

$\displaystyle= \lim_{\lambda_1\to1^-}\left(-\ln|1-\lambda_1|\right) - \left(-\ln|1-0|\right) + \left(-\ln|1-2|\right)$

$\displaystyle- \lim_{\lambda_2\to1^+}\left(-\ln|1-\lambda_2|\right)$

$= -\ln(0^+) + \ln 1 - \ln 1 + \ln(0^+) = +\infty + 0 - 0 - \infty$

Donc, l'intégrale diverge.

16. La fonction à intégrer $f(x) = 1/x^{2/3}$ est discontinue en $x = 0$. Pour évaluer l'intégrale, il faut alors approcher de part et d'autre de ce point de discontinuité par le processus de la limite.

$$\int_{-1}^{1} \frac{dx}{x^{2/3}} = \lim_{\lambda_1 \to 0^-} \int_{-1}^{\lambda_1} \frac{dx}{x^{2/3}} + \lim_{\lambda_2 \to 0^+} \int_{\lambda_2}^{1} \frac{dx}{x^{2/3}}$$

$$= \lim_{\lambda_1 \to 0^-} \left[3\,x^{1/3}\right]_{-1}^{\lambda_1} + \lim_{\lambda_2 \to 0^+} \left[3\,x^{1/3}\right]_{\lambda_2}^{1}$$

$$= \lim_{\lambda_1 \to 0^-} 3\,\lambda_1^{1/3} + 3 + 3 - \lim_{\lambda_2 \to 0^+} 3\,\lambda_2^{1/3}$$

$$= 0 + 3 + 3 - 0 = 6$$

Illustrons graphiquement.

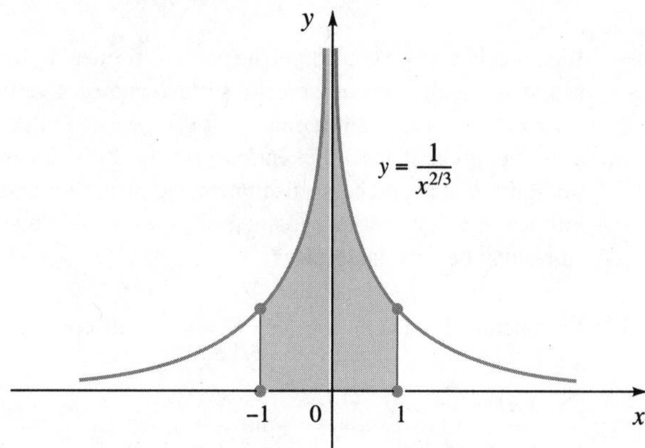

Bien que la surface considérée ne soit pas fermée, l'aire de n'importe quelle partie de cette surface est inférieure à 6.

17. Converge vers $1/2$
18. Diverge (∞)
19. Converge vers $-1/8$
20. Converge vers $1/3$
21. Diverge (∞)
22. Converge vers $\pi/3$
23. Converge vers $\pi/2$
24. Diverge (∞)
25. Diverge ($-\infty$)
26. Converge vers $2\sqrt{7} = 5{,}292$
27. Diverge (∞)
28. Converge vers $\frac{5}{2} + \frac{5}{2}\sqrt[5]{3} = 5{,}614$
29. Diverge (∞)
30. Converge vers $1/3$
31. Diverge (∞)
32. Converge vers $5\,(4^{1/5}) = 6{,}598$
33. Converge vers $\frac{1}{4}\ln 3 = 0{,}275$
34. Diverge
35. Converge vers $-1/4$
36. Converge vers $8{,}597 = \frac{4}{3}(12)^{3/4}$
37. Diverge (∞)
38. Diverge
39. Diverge (∞)
40. Converge vers $\frac{\pi}{12} - \frac{\sqrt{3}}{8} = 0{,}045$
41. Converge vers $2\sqrt[4]{3} = 2{,}632$
42. $\frac{9\pi}{4} = 7{,}067$ (Voir l'exercice 12 de la section 3.4)
43. Diverge
44. $-0{,}055$
45. $\pi/2$ (Voir l'exercice 1 de la section 3.12)
46. $1 - \frac{\pi}{4} = 0{,}215$

Exercices 5.6

1. a) $A_S = \left(\frac{1-0}{2}\right)\frac{1}{3}\big(f(0) + 4\,f(1/2) + f(1)\big)$

$A_S = \frac{1}{6}\big(1 + 3{,}116 + 0{,}368\big) = 0{,}747$

b) $A_S = \left(\frac{1-0}{4}\right)\frac{1}{3}\big(f(0) + 4\,f(1/4) + 2\,f(1/2) + 4\,f(3/4) + f(1)\big)$

$A_S = \frac{1}{12}\big(1 + 3{,}756 + 1{,}558 + 2{,}280 + 0{,}368\big) = 0{,}747$

c) $A_S = \left(\frac{1-0}{8}\right)\frac{1}{3}\big(f(0) + 4\,f(1/8) + 2\,f(1/4) + 4\,f(3/8) + 2\,f(1/2) + 4\,f(5/8) + 2\,f(3/4) + 4\,f(7/8) + f(1)\big)$

$A_S = \frac{1}{24}\big(1 + 3{,}936 + 1{,}878 + 3{,}476 + 1{,}558 + 2{,}708 + 1{,}140 + 1{,}860 + 0{,}368\big) = 0{,}747$

2. a) $\int_0^4 (x^2 + x)\,dx = \left[\frac{x^3}{3} + \frac{x^2}{2}\right]_0^4 = \frac{64}{3} + \frac{16}{2} = \frac{88}{3} = 29{,}333$

b) $\int_0^4 (x^2 + x)\,dx \cong \left(\frac{4-0}{8}\right) \times \big(f(0) + f(1/2) + f(1) + f(3/2) + f(2) + f(5/2) + f(3) + f(7/2)\big)$

$\cong \frac{1}{2}\left(0 + \frac{3}{4} + 2 + \frac{15}{4} + 6 + \frac{35}{4} + 12 + \frac{63}{4}\right) \cong \frac{49}{2} = 24{,}5$

c) $\int_0^4 (x^2 + x)\,dx \cong \left(\frac{4-0}{8}\right)\left(\frac{1}{2}\right) \times \big(f(0) + 2\,f(1/2) + 2\,f(1) + 2\,f(3/2) + 2\,f(2) + 2\,f(5/2) + 2\,f(3) + 2\,f(7/2) + f(4)\big)$

$\cong \frac{1}{2} \times \frac{1}{2}\left(0 + 2 \times \frac{3}{4} + 2 \times 2 + 2 \times \frac{15}{4} + 2 \times 6 + 2 \times \frac{35}{4} + 2 \times 12 + 2 \times \frac{63}{4} + 20\right) = 29{,}5$

d) $\int_0^4 (x^2 + x)\,dx \cong \left(\frac{4-0}{8}\right)\left(\frac{1}{3}\right) \times \big(f(0) + 4\,f(1/2) + 2\,f(1) + 4\,f(3/2) + 2\,f(2) + 4\,f(5/2) + 2\,f(3) + 4\,f(7/2) + f(4)\big)$

$$\cong \frac{1}{6}(0+3+4+15+12+35+24+63+20) \cong 29{,}333$$

Ici, l'approximation est parfaite; toutefois, il n'en sera pas toujours ainsi. Dans le présent exemple, l'exactitude de la réponse s'explique par le fait que la fonction à intégrer $f(x) = x^2 + x$ est une parabole et que dans la méthode de Simpson on a justement recours à des paraboles pour faire l'approximation d'une intégrale définie.

3. 26,875

4. 29,375

5. 1,000 13

6. a) 6,919
   b) 7,714
   c) 7,676

7. a) 3,820
   b) 3,820
   c) 3,821

8. a) 1,354 d) 1,121
   b) 0,831 e) 1,110
   c) 1,061

Exercices 5.7

1. Selon la propriété 4 :

$$\int_1^1 \frac{x}{\sqrt{x+3}}\,dx = 0$$

2. La fonction $f(x) = \dfrac{\sin x}{\sqrt{1+x^2}}$ est impaire. Selon la propriété 8 :

$$\int_{-1}^{1} \frac{\sin x}{\sqrt{1+x^2}}\,dx = 0$$

3. $\dfrac{14}{3}$

4. 0,080

5. Voir l'exercice 22 de la section 3.11.

$$\int_1^2 \frac{x+4}{x^2-2x+3}\,dx = \left[\frac{1}{2}\ln\left|x^2-2x+3\right| + \frac{5}{\sqrt{2}}\arctan\left(\frac{x-1}{\sqrt{2}}\right)\right]_1^2$$

$$= \frac{1}{2}\ln 3 + \frac{5}{\sqrt{2}}\arctan\left(\frac{1}{\sqrt{2}}\right) - \frac{1}{2}\ln 2 - 0$$

$$= 2{,}379$$

6. Voir l'exercice 25 de la section 3.11.

$$\int_0^{\pi/20} \tan^3 5x\,dx = \left[\frac{\tan^2 5x}{10} + \frac{1}{5}\ln\left|\cos 5x\right|\right]_0^{\pi/20}$$

$$= \frac{\tan^2(\pi/4)}{10} + \frac{1}{5}\ln\left|\cos(\pi/4)\right| - 0 = \frac{1}{10} + \frac{1}{5}\ln\left|\frac{\sqrt{2}}{2}\right| = 0{,}031$$

7. $\dfrac{8+4\sqrt{2}}{3} = 4{,}552$

8. 22,614

9. 0,439 (Voir l'exercice 20 de la section 3.11)

10. $\pi - 2 = 1{,}142$

11. $2 - \dfrac{\pi}{2} = 0{,}429$ (Voir l'exercice 16 de la section 3.11)

12. $\sqrt{3} - \dfrac{\pi}{3} = 0{,}685$

13. 2

14. 1

15. $\cong 1$

16. $\pi/4$

17. Sont paires : a, e, g, h, i.
    Sont impaires : c, d, f, j, k.
    Ne sont ni l'un ni l'autre : b, l.

18. 0,218

19. 0,814

20. 8,389 (Voir l'exercice 11 de la section 3.6)

21. $-1{,}535$

22. 1,400

23. 0,597

24. 0,272 (Voir l'exercice 16 de la section 3.10)

25. 0,022

26. 247,467

27. 0,181

28. 6,354

29. Voir l'exercice 76 de la section 3.11.

$$\int_{1/5}^{4} \frac{dx}{(7+5x)^{1/3}} = \left[\frac{3}{10}(7+5x)^{2/3}\right]_{1/5}^{4} = \frac{3}{10}(9-4) = \frac{3}{2}$$

30. Voir l'exercice 27 de la section 3.11.

$$\int_0^{\pi/4} \frac{\sin^3 2x}{\sec 2x}\,dx = \left[\frac{\sin^4 2x}{8}\right]_0^{\pi/4} = \frac{1}{8}$$

31. $\pi/2 = 1{,}571$

32. Diverge

33. 1/3

34. -1

35. $1/2e = 0{,}184$

36. $\dfrac{\sqrt{2}-1}{4} = 0{,}104$

37. Diverge

38. 6,780

39. Diverge

40. Diverge

41. Diverge

5

42. 1

43. 0,254

44. π

45. $9/2$

46. Diverge

47. Voir l'exercice 100 de la section 3.11.

$$\int_0^{\pi/2} (\tan x + \cot x)^2 \, dx$$
$$= \lim_{\substack{a \to 0^+ \\ b \to \left(\frac{\pi}{2}\right)^-}} \left[\tan x - \cot x\right]_a^b = \lim_{\substack{a \to 0^+ \\ b \to \left(\frac{\pi}{2}\right)^-}} (\tan b - \cot b - \tan a + \cot a)$$
$$= \lim_{b \to \left(\frac{\pi}{2}\right)^-} (\tan b - \cot b) + \lim_{a \to 0^+} (\cot a - \tan a)$$
$$= \infty - 0 + \infty - 0$$

Donc, l'intégrale diverge.

48. Diverge

49. 0

50. $\pi/2$

51. $2\sqrt{2}$

52. Rectangles : 223 ; trapèzes : 243 ; Simpson : 242,667 ; théorème fondamental : 242,667.

53. Rectangles : 4,5 ; trapèzes : 5 ; Simpson : 5 ; théorème fondamental : 5.

54. Rectangles : 1,140 ; trapèzes : 0,909 ; Simpson : 0,868 ; théorème fondamental : 0,855.

55. Rectangles : 4,411 ; trapèzes : 4,661 ; Simpson : 4,667 ; théorème fondamental : 4,667.

56. Rectangles : 1,517 ; trapèzes : 1,450 ; Simpson : 1,449 ; théorème fondamental : 1,449.

57. Rectangles : 1,416 ; trapèzes : 1,368 ; Simpson : 1,371 ; théorème fondamental : impossible.

58. $f(x) = \dfrac{x}{x + \ln x}$

$f(1) = 1$; $f(1{,}5) = 0{,}787$; $f(2) = 0{,}743$;

$f(2{,}5) = 0{,}732$; $f(3) = 0{,}732$; $f(3{,}5) = 0{,}736$;

$f(4) = 0{,}743$; $f(4{,}5) = 0{,}750$; $f(5) = 0{,}756$

$$\int_1^5 \frac{x\,dx}{x + \ln x} \cong \left(\frac{5-1}{8}\right)\left(\frac{1}{3}\right)\big(f(1) + 4\,f(1{,}5) + 2\,f(2) + 4\,f(2{,}5) + 2\,f(3) + 4\,f(3{,}5) + 2\,f(4) + 4\,f(4{,}5) + f(5)\big) = 3{,}035$$

Exercices 5.8

1. $\displaystyle\int_a^b f(x)\,dx = \lim_{\substack{n \to \infty \\ \max \Delta x_i \to 0}} \sum_{i=1}^{n} f(\overline{x}_i)\,\Delta x_i$

Supposons que de a à c on ait n_1 sous-intervalles et que de c à b, on ait n_2 sous-intervalles ; $n = n_1 + n_2$. On a alors :

$$\int_a^b f(x)\,dx = \lim_{\substack{n_1 \to \infty \\ \max \Delta x_i \to 0}} \sum_{i=1}^{n_1} f(\overline{x}_i)\,\Delta x_i + \lim_{\substack{n_2 \to \infty \\ \max \Delta x_i \to 0}} \sum_{i=1}^{n_2} f(\overline{x}_i)\,\Delta x_i$$
$$\int_a^b f(x)\,dx = \int_a^c f(x)\,dx + \int_c^b f(x)\,dx$$

2. On a alors une différence d'aires

3. 1

4. π

5. 3,142

6. 14

Test sur le chapitre 5

1. $f(x) = 6x - x^3$ est une fonction impaire car :

$f(-x) = 6(-x) - (-x)^3 = -6x + x^3 = -f(x)$

Donc $\displaystyle\int_{-4}^{4} (6x - x^3)\,dx = 0$

2. $\displaystyle\int_2^2 \frac{x^2+2}{x^2+4}\,dx = 0$ puisque les deux bornes sont identiques.

3. $\displaystyle\int_0^2 \frac{x^2\,dx}{\sqrt{1+x^3}}$

Posons $u = 1 + x^3$; $du = 3x^2\,dx \Rightarrow x^2\,dx = \dfrac{du}{3}$

$x = 0 \Rightarrow u = 1$ et $x = 2 \Rightarrow u = 9$

$$\int_0^2 \frac{x^2\,dx}{\sqrt{1+x^3}} = \frac{1}{3}\int_1^9 \frac{du}{\sqrt{u}} = \frac{1}{3}\left[2\sqrt{u}\right]_1^9 = \frac{2}{3}(3-1) = \frac{4}{3}$$

4. $\displaystyle\int_0^7 \sqrt{49 - x^2}\,dx$

Posons $x = 7 \sin\theta$; $dx = 7\cos\theta\,d\theta$;

$x = 0 \Rightarrow \theta = 0$; $x = 7 \Rightarrow \theta = \pi/2$

$$\int_0^7 \sqrt{49 - x^2}\,dx = \int_0^{\pi/2} \sqrt{49 - 49\sin^2\theta}\;7\cos\theta\,d\theta = 49\int_0^{\pi/2}\cos^2\theta\,d\theta$$
$$= \frac{49}{2}\int_0^{\pi/2}(1 + \cos 2\theta)\,d\theta = \frac{49}{2}\left[\theta + \frac{\sin 2\theta}{2}\right]_0^{\pi/2} = \frac{49\pi}{4} = 38{,}485$$

5. $\displaystyle\int_2^\infty \frac{x^2\,dx}{(x^3-4)^2} = \lim_{b\to\infty}\int_2^b \frac{x^2\,dx}{(x^3-4)^2} = \lim_{b\to\infty}\left[\frac{-1}{3(x^3-4)}\right]_2^b$

$\displaystyle = \lim_{b\to\infty} \frac{-1}{3(b^3-4)} + \frac{1}{3(2^3-4)} = \frac{1}{12}$

6. $\displaystyle\int_0^\infty x\,e^{-x}\,dx = \lim_{b\to\infty}\int_0^b x\,e^{-x}\,dx = \lim_{b\to\infty}\left[-x\,e^{-x} - e^{-x}\right]_0^b$

$\displaystyle = \lim_{b\to\infty}\left(-b\,e^{-b} - e^{-b}\right) - (0 - 1) = 1$

7. $\displaystyle\int_{-\infty}^{\infty} \frac{1+e^x}{x+e^x}\,dx = \lim_{\substack{a\to-\infty \\ b\to\infty}} \int_a^b \frac{1+e^x}{x+e^x}\,dx$

$\displaystyle = \lim_{\substack{a\to-\infty \\ b\to\infty}} \left[\ln\left|x+e^x\right|\right]_a^b = \lim_{b\to\infty} \ln\left|b+e^b\right| - \lim_{a\to-\infty}\ln\left|a+e^a\right|$

$= \infty - \infty$; donc, l'intégrale diverge.

8. $\displaystyle\int_4^5 \frac{dx}{(x-4)^{4/3}} = \lim_{\lambda\to4^+}\int_\lambda^5 \frac{dx}{(x-4)^{4/3}} = \lim_{\lambda\to4^+}\left[-3\,(x-4)^{-1/3}\right]_\lambda^5$

$$= \lim_{\lambda \to 4^+} \left[\frac{-3}{(x-4)^{1/3}} \right]_\lambda^5 = -3 + \lim_{\lambda \to 4^+} \frac{3}{(\lambda - 4)^{1/3}} = \infty$$

Donc, l'intégrale diverge.

9. $f(x) = \dfrac{1}{x + e^x}$

$f(0) = 1$

$f(1/2) = 0{,}465$

$f(1) = 0{,}269$

$f(3/2) = 0{,}167$

$f(2) = 0{,}107$

$f(5/2) = 0{,}068$

$f(3) = 0{,}043$

$f(7/2) = 0{,}027$

$f(4) = 0{,}017$

a) $A_R = \left(\dfrac{4-0}{8}\right)(1 + 0{,}465 + 0{,}269 + 0{,}167 + 0{,}107 + 0{,}068 + 0{,}043 + 0{,}027) = 1{,}073$

b) $A_T = \left(\dfrac{4-0}{8}\right)\left(\dfrac{1}{2}\right)(1 + 0{,}930 + 0{,}538 + 0{,}334 + 0{,}214 + 0{,}136 + 0{,}086 + 0{,}054 + 0{,}017) = 0{,}827$

c) $A_S = \left(\dfrac{4-0}{8}\right)\left(\dfrac{1}{3}\right)(1 + 1{,}860 + 0{,}538 + 0{,}668 + 0{,}214 + 0{,}272 + 0{,}086 + 0{,}108 + 0{,}017) = 0{,}794$

10. $$\int_0^2 \frac{dx}{1+x^5} \cong \left(\frac{2-0}{6}\right)\left(\frac{1}{3}\right)\left(f(0) + 4f\left(\frac{1}{3}\right) + 2f\left(\frac{2}{3}\right) + 4f(1) + 2f\left(\frac{4}{3}\right) + 4f\left(\frac{5}{3}\right) + f(2) \right)$$

$$= \frac{1}{9}(1 + 3{,}984 + 1{,}767 + 2 + 0{,}384 + 0{,}289 + 0{,}030)$$

$$= 1{,}050$$

Chapitre 6

Exercices 6.3

1. En résolvant le système de deux équations à deux inconnues formé par :

$$y = (x/2) + 2 \quad \text{et} \quad y = x^2/4$$

on trouve aisément que les points de rencontre de ces deux courbes sont $(-2, 1)$ et $(4, 4)$.

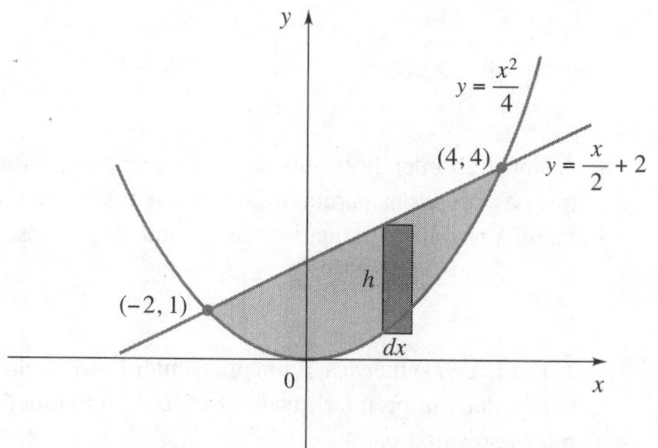

Considérons des rectangles verticaux ; alors :

$$h = y_2(x) - y_1(x) = \left(\frac{x}{2} + 2\right) - \frac{x^2}{4}$$

et $dw = dx$. Ainsi :

$$A = \int_{-2}^{4} h\, dw = \int_{-2}^{4} \left(\frac{x}{2} + 2 - \frac{x^2}{4}\right) dx$$

$$= \left[\frac{x^2}{4} + 2x - \frac{x^3}{12}\right]_{-2}^{4} = \left(4 + 8 - \frac{16}{3}\right) - \left(1 - 4 + \frac{2}{3}\right) = 9$$

2.

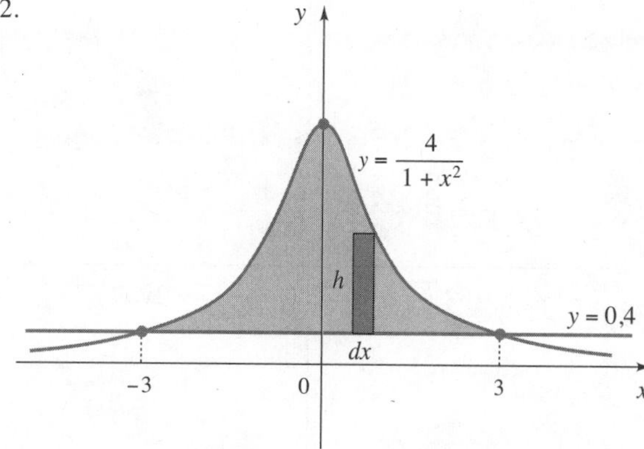

$$A = 2\int_0^3 \left(\frac{4}{1+x^2} - 0{,}4\right) dx = 2\int_0^3 \frac{4}{1+x^2}\, dx - 0{,}8\int_0^3 dx$$

$$= 8\left[\arctan x\right]_0^3 - 2{,}4 = 8 \arctan 3 - 2{,}4 = 7{,}592$$

3.

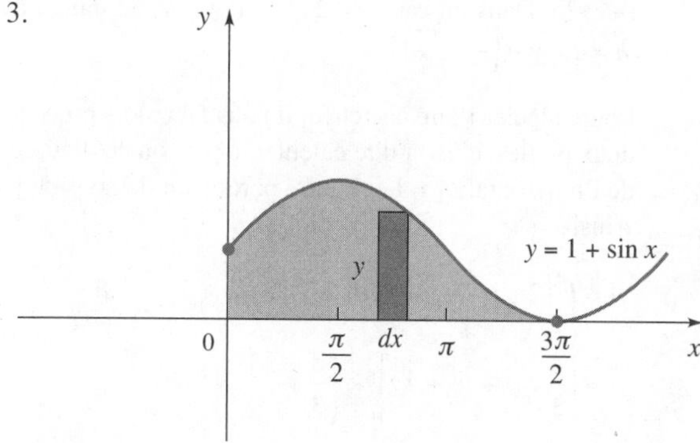

$$A = \int_0^{3\pi/2} (1 + \sin x)\, dx = \left[x - \cos x\right]_0^{3\pi/2} = \left(\frac{3\pi}{2} - 0\right) - (0 - 1)$$

$$= \frac{3\pi}{2} + 1 = 5{,}712$$

4. Les points d'intersection de ces courbes sont $(0, -1)$ et $(3, 2)$.

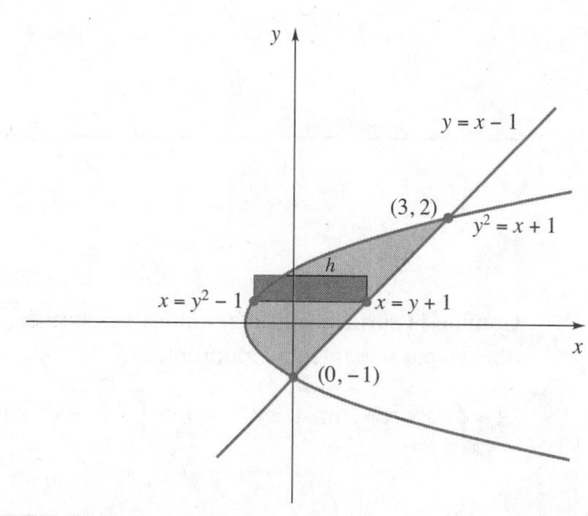

Considérons des rectangles horizontaux. Alors :

$$h = x_1(y) - x_2(y) = (y+1) - (y^2 - 1) = y - y^2 + 2$$

et $dw = dy$. Ainsi :

$$A = \int_{-1}^{2} (y - y^2 + 2)\, dy = \left[\frac{y^2}{2} - \frac{y^3}{3} + 2y\right]_{-1}^{2} = \frac{9}{2}$$

5.

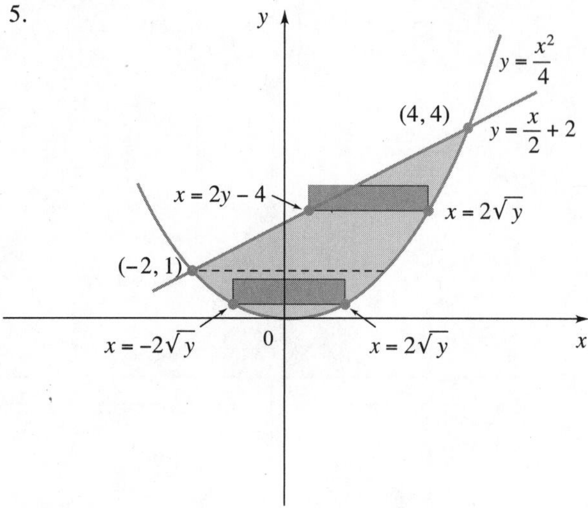

L'expression de la hauteur h des rectangles n'est pas la même selon que l'on est au-dessus ou en-dessous du point $(-2, 1)$. Dans un cas, $h = 2\sqrt{y} - (2y - 4)$ et dans l'autre, $h = 2\sqrt{y} - \left(-2\sqrt{y}\right)$.

Pour calculer l'aire cherchée, il nous faut alors procéder en deux parties, c'est-à-dire calculer la portion de A au-dessus de l'horizontale $y = 1$ et l'autre portion en-dessous de $y = 1$. Ainsi :

$$A = \int_{1}^{4} \left(2\sqrt{y} - 2y + 4\right) dy + \int_{0}^{1} \left(2\sqrt{y} + 2\sqrt{y}\right) dy$$

$$A = \left[\frac{4}{3}y^{3/2} - y^2 + 4y\right]_{1}^{4} + \left[\frac{8}{3}y^{3/2}\right]_{0}^{1} = 9$$

6.

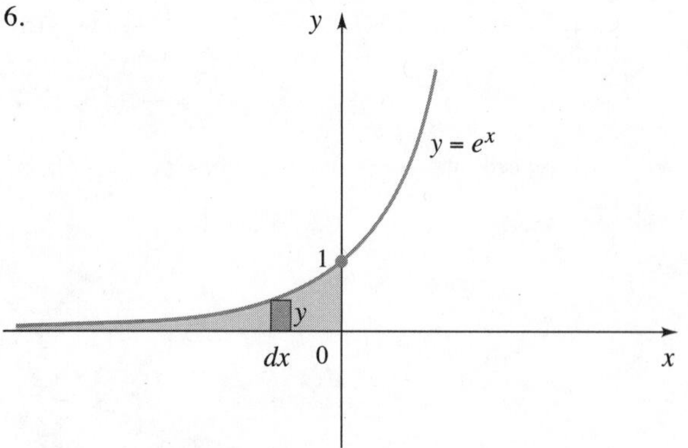

Comme la surface considérée n'est pas fermée, l'aire sera donnée par une intégrale impropre.

$$A = \int_{-\infty}^{0} e^x\, dx = \lim_{a \to -\infty} \int_{a}^{0} e^x\, dx = \lim_{a \to -\infty} \left[e^x\right]_{a}^{0} = e^0 - \lim_{a \to -\infty} e^a$$

$$= e^0 - e^{-\infty} = 1 - 0 = 1$$

7. Les deux courbes $y = x^2 - 3x + 2$ et $y = \ln x$ se rencontrent au point $(1, 0)$. Pour trouver l'autre point d'intersection, utilisons la méthode de Newton pour résoudre $x^2 - 3x + 2 = \ln x$

$$x^2 - 3x + 2 - \ln x = 0$$

$f(x) = x^2 - 3x + 2 - \ln x$; $f'(x) = 2x - 3 - (1/x)$;

$f''(x) = 2 + (1/x^2)$

$f(1) = 0$; c'est la première racine identifiée.

$f(2) = -0{,}693$; $f(3) = 0{,}901$

Il y a donc une racine entre 2 et 3 ; comme $f''(x) > 0$ sur $[2, 3]$, on choisit comme première approximation $x_1 = 3$.

Alors :

$$x_2 = 3 - \frac{f(3)}{f'(3)} = 3 - \frac{0{,}901}{2{,}667} = 2{,}662$$

$$x_3 = 2{,}662 - \frac{f(2{,}662)}{f'(2{,}662)} = 2{,}662 - \frac{0{,}121}{1{,}948} = 2{,}600$$

$$x_4 = 2{,}600 - \frac{f(2{,}600)}{f'(2{,}600)} = 2{,}600 - \frac{0{,}004}{1{,}815} = 2{,}598$$

$$x_5 = 2{,}598 - \frac{f(2{,}598)}{f'(2{,}598)} = 2{,}598 - \frac{0{,}0008}{1{,}811} = 2{,}598$$

Donc, la racine cherchée est $r = 2{,}598$.

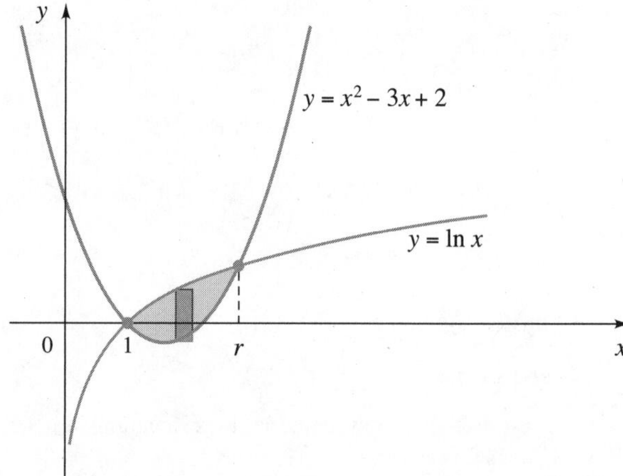

$$A = \int_{1}^{r} \left(\ln x - (x^2 - 3x + 2)\right) dx = \left[x\ln x - x - \frac{x^3}{3} + \frac{3x^2}{2} - 2x\right]_{1}^{r=2{,}598}$$

$$= \left[x\ln x - \frac{x^3}{3} + \frac{3x^2}{2} - 3x\right]_{1}^{r=2{,}598} = 0{,}799$$

8. Avant d'aborder le problème proprement dit, remarquons que ces équations paramétriques peuvent se transformer de façon à retrouver l'équation cartésienne de l'ellipse :

$$\frac{x^2}{a^2} + \frac{y^2}{b^2} = 1$$

À l'aide des symétries, on peut calculer l'aire de la portion située dans le premier quadrant et tout simplement multiplier le résultat par 4.

6

$$\begin{aligned} A &= 4\int_0^a y\,dx \\ &= 4\int_{\pi/2}^0 b\sin t\,(-a\sin t)\,dt \\ &= -4ab\int_{\pi/2}^0 \sin^2 t\,dt \\ &= 4ab\int_0^{\pi/2} \sin^2 t\,dt \\ &= 2ab\int_0^{\pi/2} (1-\cos 2t)\,dt \\ &= 2ab\left[t-\frac{\sin 2t}{2}\right]_0^{\pi/2} \\ &= \pi ab \end{aligned}$$

9. Bien que ce ne soit pas absolument nécessaire, on peut transformer ces équations paramétriques $x = 1 + \cos t$ et $y = 1 - \cos 2t$ en une équation cartésienne reliant x et y. Il suffit d'éliminer le paramètre t. Ainsi :

   $x - 1 = \cos t$ et $y = 1 - \cos 2t = 1 - 2\cos^2 t + 1 = 2 - 2\cos^2 t$

   $y = 2 - 2\cos^2 t = 2 - 2\,(x-1)^2 = 2 - 2x^2 + 4x - 2 = 4x - 2x^2$

   Notons toutefois que les équations paramétriques décrivent uniquement la portion de la parabole au-dessus de l'axe des x, c'est-à-dire l'arche parabolique.

   En effet, puisque $-1 \le \cos t \le 1$, alors $0 \le x = 1 + \cos t \le 2$ et $0 \le y = 1 - \cos 2t \le 2$.

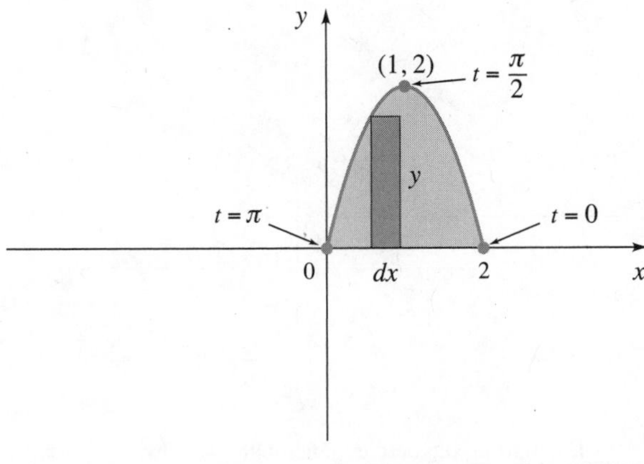

$$\begin{aligned} A = \int_0^2 y\,dx &= \int_\pi^0 (1-\cos 2t)\,(-\sin t)\,dt \\ &= \int_\pi^0 (-\sin t + \sin t\cos 2t)\,dt \\ &= \int_\pi^0 \big(-\sin t + (2\cos^2 t - 1)\sin t\big)\,dt \\ &= \int_\pi^0 (-\sin t + 2\cos^2 t\sin t - \sin t)\,dt \\ &= \int_\pi^0 (-2\sin t + 2\cos^2 t\sin t)\,dt = \int_0^\pi (2\sin t - 2\cos^2 t\sin t)\,dt \\ &= \left[-2\cos t + \frac{2\cos^3 t}{3}\right]_0^\pi = \left(2-\frac{2}{3}\right) - \left(-2+\frac{2}{3}\right) = \frac{8}{3} \end{aligned}$$

10. Les deux courbes sont symétriques par rapport à l'axe des y. Pour trouver le point d'intersection dans le premier quadrant, on utilise la méthode de Newton. On trouve $a = 0{,}753$.

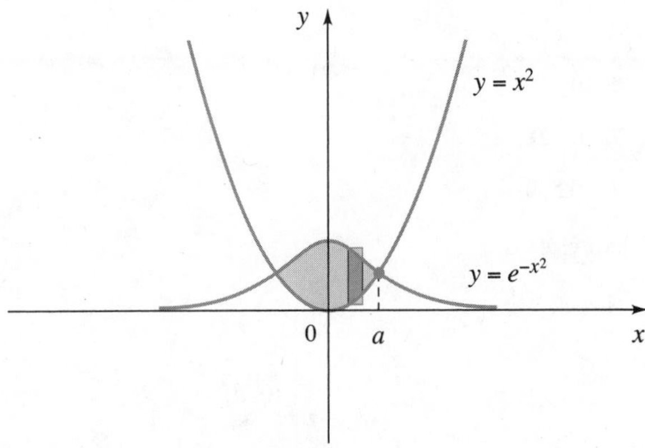

$$\begin{aligned} A &= 2\int_0^a \left(e^{-x^2} - x^2\right)dx = 2\int_0^{0{,}753} e^{-x^2}\,dx - \left[\frac{2x^3}{3}\right]_0^{0{,}753} \\ &= 2\int_0^{0{,}753} e^{-x^2}\,dx - 0{,}285 \end{aligned}$$

Pour évaluer l'intégrale restante, on utilise la méthode de Simpson avec, par exemple, $n = 8$ sous-intervalles.

$$\begin{aligned} &\int_0^{0{,}753} e^{-x^2}\,dx \\ &\cong \left(\frac{0{,}753-0}{8}\right)\left(\frac{1}{3}\right)\big(f(0) + 4\,f(0{,}094) + 2\,f(0{,}188) + 4\,f(0{,}282) \\ &\quad + 2\,f(0{,}377) + 4\,f(0{,}471) + 2\,f(0{,}565) + 4\,f(0{,}659) + f(0{,}753)\big) \\ &\cong \left(\frac{0{,}753}{24}\right)\big(1 + 3{,}964 + 1{,}930 + 3{,}696 + 1{,}736 + 3{,}204 \\ &\quad + 1{,}454 + 2{,}592 + 0{,}567\big) \\ &\cong 0{,}632 \end{aligned}$$

Reprenant le calcul d'aire, on obtient :

$$A = 2\,(0{,}632) - 0{,}285 = 0{,}979$$

11. 9/2
12. 9
13. 9/2
14. 9/2
15. $125/6 = 20{,}833$
16. 15
17. $e^\pi - 3 = 20{,}141$
18. 8/3
19. $125/6 = 20{,}833$
20. $17/12 = 1{,}417$

21. $16\sqrt{2}/3 = 7{,}542$

22. $16\sqrt{2}/3 = 7{,}542$

23. 1,652

24. 32/3

25. 5π

26. $\dfrac{3\sqrt{2}\,e^{\pi/2} - 4}{10} = 1{,}641$

27. $2\sqrt{3} - \ln\left|2 + \sqrt{3}\right| = 2{,}147$

28. 0,410

29. 0,328

30. 0,580

Exercices 6.5

1.

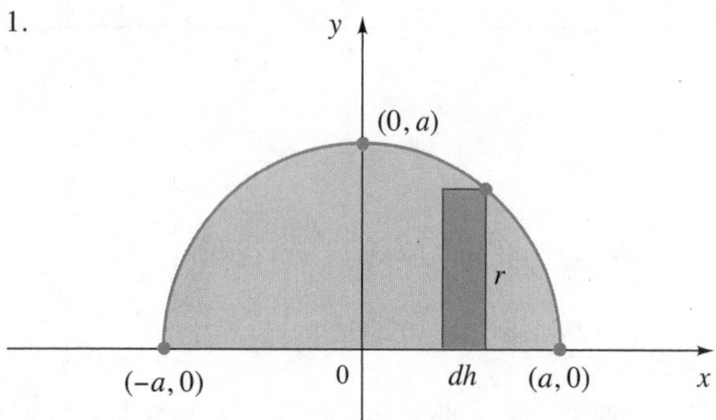

Nous avons un demi-cercle de rayon a et de centre à l'origine. Après une révolution complète autour de l'axe des x, nous aurons une sphère de rayon a et de centre à l'origine. On a : $r = y$ et $dh = dx$. Alors :

$$V = \pi \int_{-a}^{a} y^2\, dx = 2\pi \int_{0}^{a} y^2\, dx$$

$$V = 2\pi \int_{0}^{a} (a^2 - x^2)\, dx$$

$$V = 2\pi \left[a^2 x - \frac{x^3}{3}\right]_0^a = 2\pi\left(a^3 - \frac{a^3}{3}\right) = \frac{4}{3}\pi a^3$$

C'est la formule bien connue donnant le volume d'une sphère.

2.

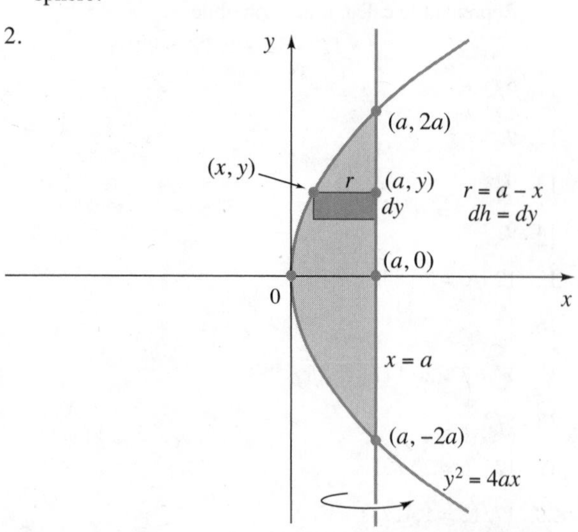

$$V = \pi \int_{-2a}^{2a} (a - x)^2\, dy$$

$$V = 2\pi \int_{0}^{2a} (a - x)^2\, dy$$

$$V = 2\pi \int_{0}^{2a} \left(a - \frac{y^2}{4a}\right)^2 dy = 2\pi \int_{0}^{2a} \left(a^2 - \frac{2y^2}{4} + \frac{y^4}{16a^2}\right) dy$$

$$V = 2\pi \left[a^2 y - \frac{y^3}{6} + \frac{y^5}{80a^2}\right]_0^{2a} = 2\pi\left(2a^3 - \frac{8a^3}{6} + \frac{32a^5}{80a^2}\right)$$

$$V = 2\pi\, a^3\left(2 - \frac{4}{3} + \frac{2}{5}\right) = 2\pi\, a^3\left(\frac{16}{15}\right) = \frac{32}{15}\pi\, a^3$$

3.

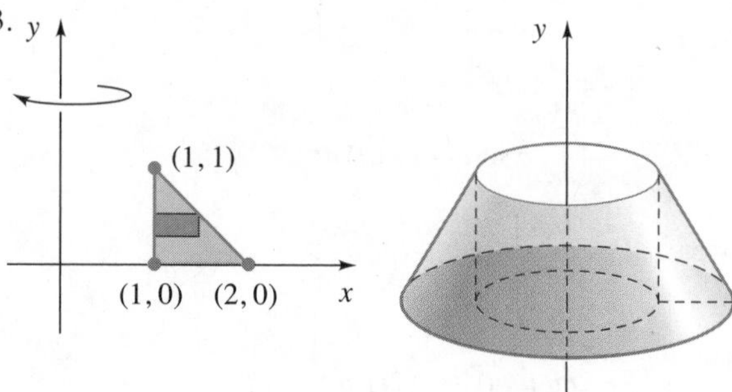

La droite joignant les points (1, 1) et (2, 0) a pour équation $x + y = 2$.

Ainsi : $R = 2 - y$, $r = 1$, $dh = dy$ et

$$V = \pi \int_0^1 \left((2 - y)^2 - 1^2\right) dy = \pi \int_0^1 (4 - 4y + y^2 - 1)\, dy$$

$$V = \pi \int_0^1 (3 - 4y + y^2)\, dy = \pi \left[3y - 2y^2 + \frac{y^3}{3}\right]_0^1$$

$$V = \pi\left(3 - 2 + \frac{1}{3}\right) = \frac{4\pi}{3}$$

4. Le cercle générateur est centré au point $(b, 0)$; il a pour rayon a.

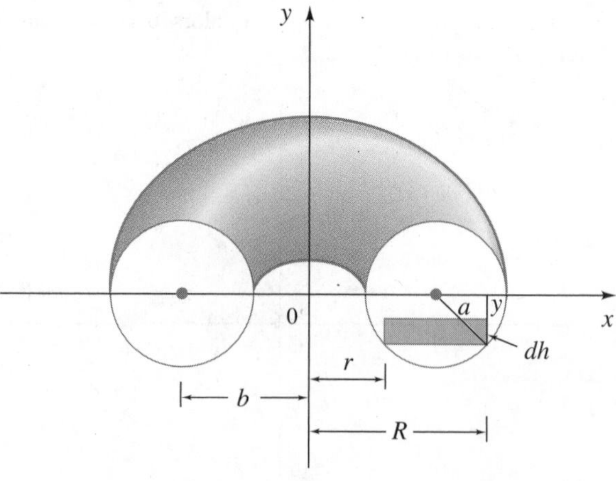

L'équation du cercle générateur $(x - b)^2 + y^2 = a^2$ nous permet de déduire :

$$x = b \pm \sqrt{a^2 - y^2}$$

Et, de là : $R = b + \sqrt{a^2 - y^2}$

$$r = b - \sqrt{a^2 - y^2}$$

De plus : $dh = dy$. Ainsi :

$$V = \pi \int_{-a}^{a} (R^2 - r^2)\, dh$$

$$V = 2\pi \int_{0}^{a} (R^2 - r^2)\, dh$$

$$V = 2\pi \int_{0}^{a} \left(\left(b + \sqrt{a^2 - y^2}\right)^2 - \left(b - \sqrt{a^2 - y^2}\right)^2 \right) dy$$

$$V = 2\pi \int_{0}^{a} 4b \sqrt{a^2 - y^2}\, dy$$

$$V = 8\pi\, b \int_{0}^{a} \sqrt{a^2 - y^2}\, dy$$

Pour intégrer cette dernière forme, posons $y = a \sin\theta$; alors $dy = a \cos\theta\, d\theta$. De plus, les bornes sont modifiées ; on a : $y = 0 \;\Rightarrow\; \theta = 0$ et $y = a \;\Rightarrow\; \theta = \pi/2$. Alors :

$$V = 8\pi\, b \int_{0}^{\pi/2} \sqrt{a^2 - a^2 \sin^2\theta}\; a \cos\theta\, d\theta$$

$$V = 8\pi\, b\, a^2 \int_{0}^{\pi/2} \cos^2\theta\, d\theta$$

$$V = 8\pi\, a^2\, b \int_{0}^{\pi/2} \left(\frac{1 + \cos 2\theta}{2} \right) d\theta$$

$$V = 4a^2\, b\, \pi \left[\theta + \frac{\sin 2\theta}{2} \right]_0^{\pi/2}$$

$$V = 2a^2\, b\, \pi^2$$

Remarquons que la réponse peut s'écrire $V = (2\,\pi\, b) \times (\pi\, a^2)$, c'est-à-dire qu'on a le produit de la circonférence décrite par le centre multiplié par l'aire du cercle générateur.

5.

y, x, 0, $(a, 2a)$, (x, y), r, h, dr, $x = a$, $(a, -2a)$, $y^2 = 4ax$

$h = y = 2\sqrt{a}\,\sqrt{x}$

$r = a - x$

$dr = -dx$

Lorsque r va de 0 à a, x va de a à 0

En choisissant un rectangle comme celui qui est illustré ici, on retrouvera la moitié du volume cherché.

Ainsi :

$$\frac{V}{2} = 2\pi \int_{0}^{a} r\, h\, dr = 2\pi \int_{a}^{0} (a - x)\, 2\sqrt{a}\,\sqrt{x}\,(-dx)$$

$$V = 4\pi \int_{0}^{a} (a - x)\, 2\sqrt{a}\,\sqrt{x}\, dx$$

$$V = 8\pi \sqrt{a} \int_{0}^{a} \left(a\sqrt{x} - x\sqrt{x} \right) dx$$

$$V = 8\pi \sqrt{a} \left[a \times \frac{2}{3} \times x^{3/2} - \frac{2}{5} \times x^{5/2} \right]_0^a$$

$$V = 8\pi \sqrt{a} \left(\frac{2}{3} \times a^{5/2} - \frac{2}{5} \times a^{5/2} \right)$$

$$V = 8\pi\, a^3 \left(\frac{2}{3} - \frac{2}{5} \right) = \frac{32}{15} \pi\, a^3$$

Évidemment, on retrouve le même résultat que celui de l'exercice 2.

6. Plaçons la pyramide dans un système de coordonnées cartésiennes dans l'espace.

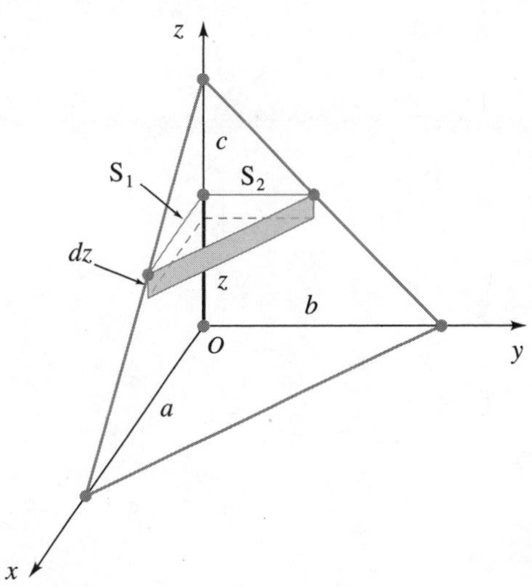

Plaçons ensuite les trois arêtes perpendiculaires selon les axes perpendiculaires avec l'intersection de ces arêtes à l'origine du système d'axes. Tranchons la pyramide par un plan horizontal perpendiculaire à l'axe des z, à une hauteur z. La figure obtenue est un triangle rectangle de côtés S_1 et S_2.

Soit dz, l'épaisseur de cette tranche. Il nous faut maintenant exprimer l'aire latérale de la tranche en fonction de z. Regardons les projections dans les plans xOz et yOz.

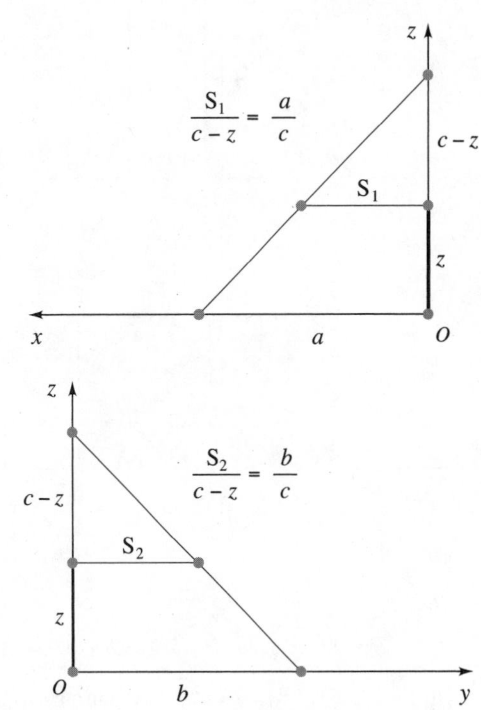

De la figure, on déduit :

$$S_1 = \frac{a}{c}(c - z) \quad \text{et} \quad S_2 = \frac{b}{c}(c - z)$$

L'élément différentiel de volume s'exprime par :

$$dV = \frac{1}{2} S_1 S_2\, dz = \frac{1}{2}\frac{ab}{c^2}(c - z)^2\, dz$$

et le volume par :

$$V = \int_0^c \frac{1}{2}\frac{ab}{c^2}(c - z)^2\, dz$$

$$V = \frac{1}{2}\frac{ab}{c^2}\int_0^c (c^2 - 2cz + z^2)\, dz$$

$$V = \frac{1}{2}\frac{ab}{c^2}\left[c^2 z - cz^2 + \frac{z^3}{3}\right]_0^c$$

$$V = \frac{1}{2}\frac{ab}{c^2}\left(c^3 - c^3 + \frac{c^3}{3}\right)$$

$$V = \frac{1}{6} abc$$

7.

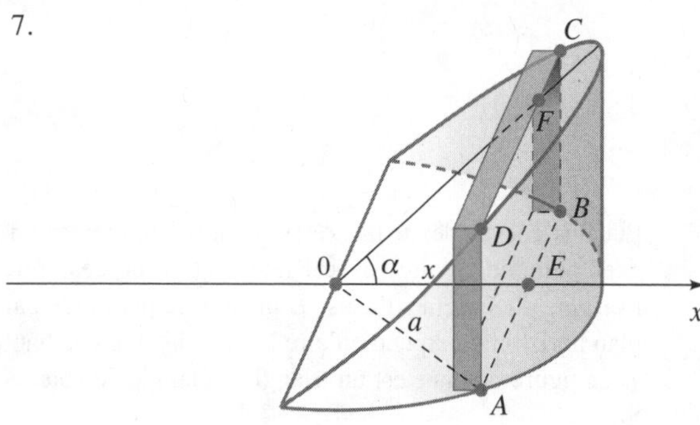

Vue en perspective

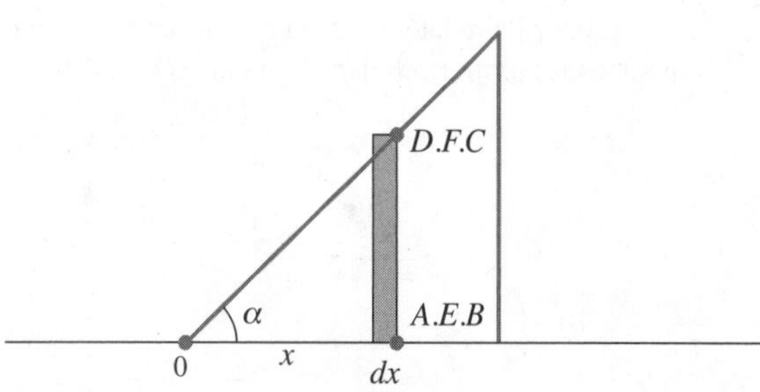

Vue de côté

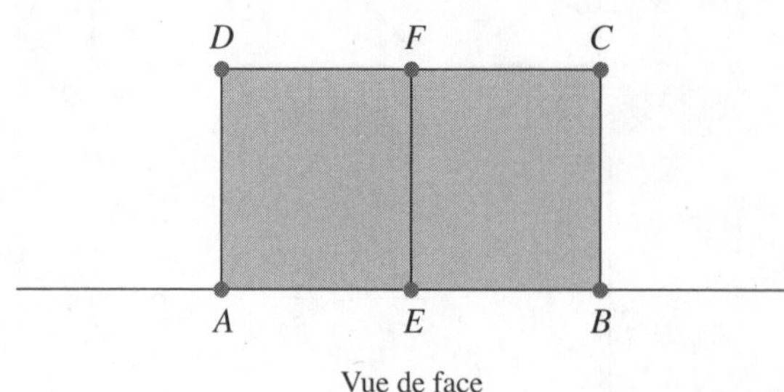

Vue de face

On a :

$A(x)$ = aire du rectangle $ABCD = (AB)(BC) = (AB)(EF)$

$A(x) = 2\,(AE)\,(EF) = 2\sqrt{a^2 - x^2}\,(x \tan\alpha)$

$$dV = A(x)\, dx = 2\sqrt{a^2 - x^2}\; x \tan\alpha\, dx$$

et

$$V = \int_0^a \sqrt{a^2 - x^2}\, \tan\alpha\; 2x\, dx$$

$$V = \tan\alpha \int_0^a \sqrt{a^2 - x^2}\; 2x\, dx$$

$$V = \tan\alpha \left[-\frac{2}{3}(a^2 - x^2)^{3/2}\right]_0^a$$

$$V = \frac{2}{3} a^3 \tan\alpha$$

8. $4 - 3 \ln 3 = 0{,}704$
9. $0{,}704$
10. $8\pi/3 = 8{,}378$
11. $8\pi/3 = 8{,}378$
12. $8\pi/3 = 8{,}378$
13. $8\pi/3 = 8{,}378$
14. $3{,}953$
15. $3{,}953$
16. $4{,}896$
17. $4{,}896$
18. $9{,}320$
19. $9{,}320$
20. $1296\pi/5 = 814{,}301$
21. $128\pi/7 = 57{,}446$
22. $64\pi/5 = 40{,}212$
23. $12\pi = 37{,}699$
24. $2\pi = 6{,}283$
25. $\pi^2/2 = 4{,}935$
26. $0{,}188\pi = 0{,}592$
27. $32\pi/3 = 33{,}510$
28. $72\pi/5 = 45{,}239$
29. $16\pi/5 = 10{,}053$
30. $56\pi/15 = 11{,}729$
31. $176\sqrt{2}\pi/15 = 52{,}130$
32. $72\pi^2 = 710{,}612$
34. $333{,}333$
35. 8
36. 2π

Exercices 6.7

1. On a $y = x^2/2$, donc $dy/dx = x$. Alors :

$$L = \int_0^2 \sqrt{1 + x^2} \times dx$$

Pour intégrer, posons $x = \tan\theta$. Alors : $dx = \sec^2\theta\, d\theta$

$$\text{et } x = 0 \Rightarrow \theta = 0$$

$$x = 2 \Rightarrow \theta = \arctan 2$$

Avec ce changement de variables, on a :

$$L = \int_0^{\arctan 2} \sqrt{1+\tan^2\theta}\, \sec^2\theta\, d\theta$$

$$L = \int_0^{\arctan 2} \sec^3\theta\, d\theta$$

$$L = \left[\frac{1}{2}\sec\theta\, \tan\theta + \frac{1}{2}\ln\left|\sec\theta + \tan\theta\right|\right]_0^{\arctan 2}$$

Note : voir l'exemple 3.34 ou la formule 21.

Pour retrouver les valeurs des fonctions trigonométriques de l'angle arctan 2, construisons le triangle suivant.

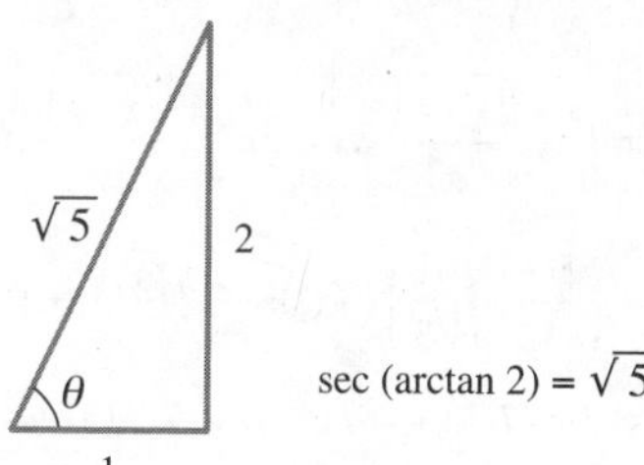

$\sec(\arctan 2) = \sqrt{5}$

Alors :

$$L = \frac{1}{2}\sqrt{5}\times 2 + \frac{1}{2}\ln\left(\sqrt{5}+2\right)$$

$$L = 2{,}958$$

2. $x = \dfrac{2}{3}y^{3/2} - 1 \Rightarrow \dfrac{dx}{dy} = y^{1/2} = \sqrt{y}$

$$L = \int_0^9 \sqrt{1+y}\times dy$$

$$L = \left[(2/3)\,(1+y)^{3/2}\right]_0^9$$

$$L = (2/3)\,(10\sqrt{10} - 1) = 20{,}415$$

3. $y = \sqrt{x^2-1} \Rightarrow \dfrac{dy}{dx} = \dfrac{x}{\sqrt{x^2-1}}$

$$L = \int_{3/2}^4 \sqrt{1+\frac{x^2}{x^2-1}}\, dx = \int_{3/2}^4 \sqrt{\frac{2x^2-1}{x^2-1}}\, dx$$

Méthode de Simpson avec $n = 10$.

$$L \cong \left(\frac{4-(3/2)}{10}\right)\left(\frac{1}{3}\right)\big(f(3/2) + 4\,f(7/4) + 2\,f(2) + 4\,f(9/4) + 2\,f(5/2) + 4\,f(11/4) + 2\,f(3) + 4\,f(13/4) + 2\,f(7/2) + 4\,f(15/4) + f(4)\big)$$

$$L \cong \frac{1}{12}\big(1{,}673 + 6{,}305 + 3{,}055 + 5{,}995 + 2{,}960 + 5{,}868 + 2{,}915 + 5{,}803 + 2{,}891 + 5{,}764 + 1{,}437\big)$$

$$L \cong 3{,}722$$

4. $\dfrac{dx}{dt} = 3t$ et $\dfrac{dy}{dt} = 3\,(1+2t)^{1/2}$

$$L = \int_0^2 \sqrt{9t^2 + 9\,(1+2t)}\times dt$$

$$L = 3\int_0^2 \sqrt{1+2t+t^2}\times dt$$

$$L = 3\int_0^2 (1+t)\, dt$$

$$L = 3\left[t + \frac{t^2}{2}\right]_0^2 = 12$$

5. $\dfrac{dx}{dt} = e^t - 1$ et $\dfrac{dy}{dt} = 2\,e^{t/2}$

$$L = \int_1^2 \sqrt{(e^t-1)^2 + (2e^{t/2})^2}\times dt$$

$$L = \int_1^2 \sqrt{e^{2t} - 2e^t + 1 + 4e^t}\times dt$$

$$L = \int_1^2 \sqrt{e^{2t} + 2e^t + 1}\times dt$$

$$L = \int_1^2 (e^t + 1)\, dt$$

$$L = \left[e^t + t\right]_1^2$$

$$L = e^2 - e + 1 = 5{,}671$$

6. $\ln\left(\sqrt{2}+1\right) = 0{,}881$

7. $2\sqrt{17} = 8{,}246$

8. $2\pi a$

9. $4\sqrt{3} = 6{,}928$

10. $1022/27 = 37{,}852$

11. $8\sqrt{2} + 8\ln\left(1+\sqrt{2}\right) = 18{,}365$

12. $\dfrac{e^2-1}{2e} = 1{,}175$

13. $\dfrac{\sqrt{2}}{2} + \dfrac{\ln\left(\sqrt{2}+1\right)}{2} = 1{,}148$

14. π

15. $\sqrt{2}\left(e^3 - 1\right) = 26{,}991$

16. 2,484

17. 9,689

Exercices 6.9

1.

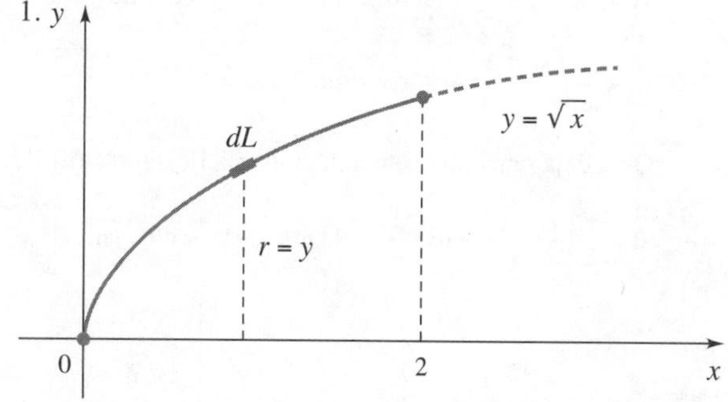

On a $y = \sqrt{x} \Rightarrow y' = \dfrac{1}{2\sqrt{x}}$; de plus $r = y = \sqrt{x}$.

$$a = 2\pi \int_0^2 y \sqrt{1+(y')^2}\, dx$$

$$a = 2\pi \int_0^2 \sqrt{x} \sqrt{1+\left(\frac{1}{2\sqrt{x}}\right)^2}\, dx$$

$$a = 2\pi \int_0^2 \sqrt{x} \sqrt{(4x+1)/4x}\, dx$$

$$a = 2\pi \int_0^2 \frac{1}{2} \sqrt{4x+1}\, dx$$

$$a = \pi \left[\frac{2}{12}(4x+1)^{3/2}\right]_0^2$$

$$a = \frac{\pi}{6}(27-1) = \frac{13\pi}{3} = 13{,}614$$

2.

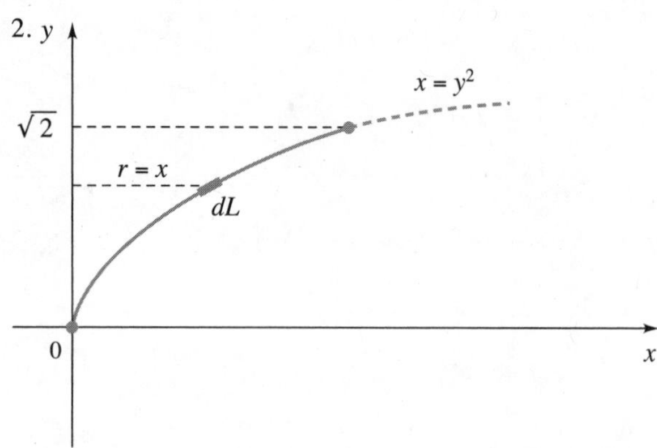

On a $x = y^2 \Rightarrow \dfrac{dx}{dy} = 2y$; de plus $r = x$.

$$a = 2\pi \int_0^{\sqrt{2}} x \sqrt{(x')^2+1}\, dy$$

$$a = 2\pi \int_0^{\sqrt{2}} y^2 \sqrt{4y^2+1}\, dy$$

Posons $y = \dfrac{1}{2}\tan\theta$;

alors $dy = \dfrac{1}{2}\sec^2\theta\, d\theta$ et θ varie alors de 0 à $\arctan 2\sqrt{2}$.

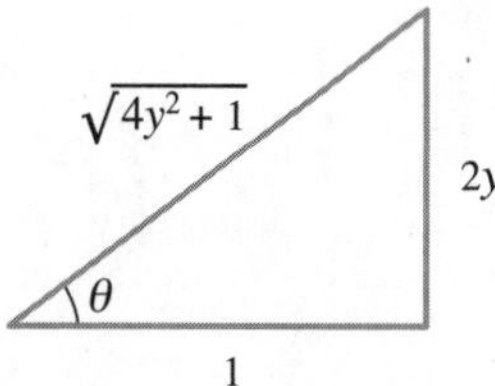

$$a = 2\pi \int_0^{\arctan 2\sqrt{2}} \frac{1}{4}\tan^2\theta \sqrt{\tan^2\theta+1} \times \frac{1}{2}\sec^2\theta\, d\theta$$

$$= \frac{\pi}{4}\int_0^{\arctan 2\sqrt{2}} \tan^2\theta \sec^3\theta\, d\theta$$

On a déjà rencontré cette intégration à l'exemple 6.17

$$a = \frac{\pi}{4}\left[\frac{1}{4}\sec^3\theta \tan\theta - \frac{1}{8}\sec\theta \tan\theta - \frac{1}{8}\ln\left|\sec\theta + \tan\theta\right|\right]_0^{\arctan 2\sqrt{2}}$$

3
$2\sqrt{2}$
θ
1

$$a = \frac{\pi}{4}\left(\frac{1}{4}\times 27\times 2\sqrt{2} - \frac{1}{8}\times 3\times 2\sqrt{2} - \frac{1}{8}\ln\left|3+2\sqrt{2}\right|\right) = 13{,}989$$

3. $a = 2\pi \int_0^2 y(t) \sqrt{\left(x'(t)\right)^2 + \left(y'(t)\right)^2}\, dt$

$$a = 2\pi \int_0^2 (t^2+2)\sqrt{4t+1+4t^2}\, dt$$

$$a = 2\pi \int_0^2 (t^2+2)(2t+1)\, dt = 2\pi \int_0^2 (2t^3+t^2+4t+2)\, dt$$

$$a = 2\pi \left[\frac{t^4}{2} + \frac{t^3}{3} + 2t^2 + 2t\right]_0^2 = \frac{136\pi}{3} = 142{,}419$$

4. On a $\dfrac{dy}{dx} = -\dfrac{1}{x^2}$; de plus $r = x$. Ainsi,

$$a = 2\pi \int_1^5 x \sqrt{1+\left(\frac{dy}{dx}\right)^2}\, dx = 2\pi \int_1^5 x \sqrt{1+\frac{1}{x^4}}\, dx$$

$$a = 2\pi \int_1^5 x \sqrt{\frac{x^4+1}{x^4}}\, dx = 2\pi \int_1^5 \frac{\sqrt{x^4+1}}{x}\, dx$$

$$a \cong 2\pi \left(\frac{5-1}{12}\right)\left(\frac{1}{3}\right)\big(f(1) + 4f(4/3) + 2f(5/3) + 4f(2) + 2f(7/3) + 4f(8/3) + 2f(3) + 4f(10/3) + 2f(11/3) + 4f(4) + 2f(13/3) + 4f(14/3) + f(5)\big)$$

$$a \cong \frac{2\pi}{9}\big(1{,}414 + 6{,}119 + 3{,}543 + 8{,}246 + 4{,}745 + 10{,}772 + 6{,}037 + 13{,}387 + 7{,}354 + 16{,}031 + 8{,}679 + 18{,}686 + 5{,}004\big)$$

$$a \cong 76{,}806$$

5. $\dfrac{\pi}{6}\left(17^{3/2} - 5^{3/2}\right) = 30{,}847$

6. 30,847

7. 22,943

8. $\pi\left(\sqrt{2} + \ln\left|1+\sqrt{2}\right|\right) = 7{,}212$

9. 3,972

10. $4\pi a^2$

11. $25\pi = 78{,}540$

12. $30\pi = 94{,}248$

13. 203,043

14. 77,325

15. $3\pi^2 + 2\pi = 35{,}892$

16. 51,001

Exercices 6.10

1. $\dfrac{1}{6}$

2. $\dfrac{1}{4}$

3. $\dfrac{9}{2}$

4. $\dfrac{4}{3}$

5. $\dfrac{64}{3}$

6. $\dfrac{128}{5}$

7.

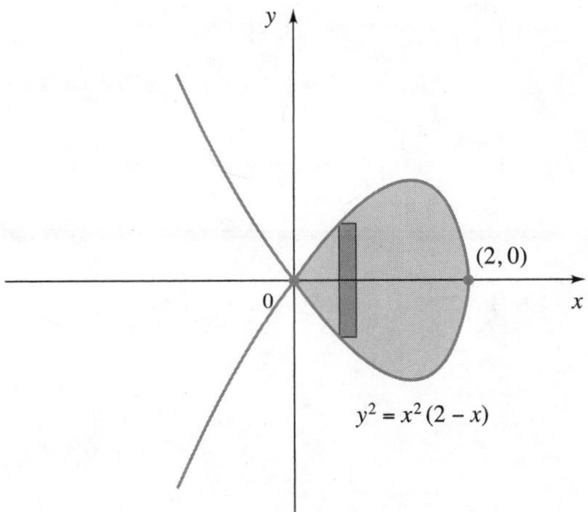

Intersection avec les axes :

$$x^2(2-x) = 0 \quad \Rightarrow \quad x = 0 \text{ et } x = 2$$

Les points d'intersection sont (0, 0) et (2, 0)

En utilisant des rectangles verticaux, on a :

$$A = \int_0^2 \left(\sqrt{x^2(2-x)} - \left(-\sqrt{x^2(2-x)}\right)\right) dx$$

$$A = 2\int_0^2 x\sqrt{2-x}\, dx$$

Posons $u = \sqrt{2-x}$; $u^2 = 2 - x$; $2u\, du = -dx$;

$x = 0 \Rightarrow u = \sqrt{2}$; $x = 2 \Rightarrow u = 0$

$$A = 2\int_{\sqrt{2}}^0 (2-u^2)\, u\, (-2u\, du)$$

$$= -4\int_{\sqrt{2}}^0 (2-u^2)\, u^2 du = 4\int_0^{\sqrt{2}} (2u^2 - u^4)\, du$$

$$= 4\left[\frac{2u^3}{3} - \frac{u^5}{5}\right]_0^{\sqrt{2}} = 4\left(\frac{4\sqrt{2}}{3} - \frac{4\sqrt{2}}{5}\right)$$

$$= 16\sqrt{2}\left(\frac{1}{3} - \frac{1}{5}\right) = \frac{32\sqrt{2}}{15} = 3{,}017$$

8.

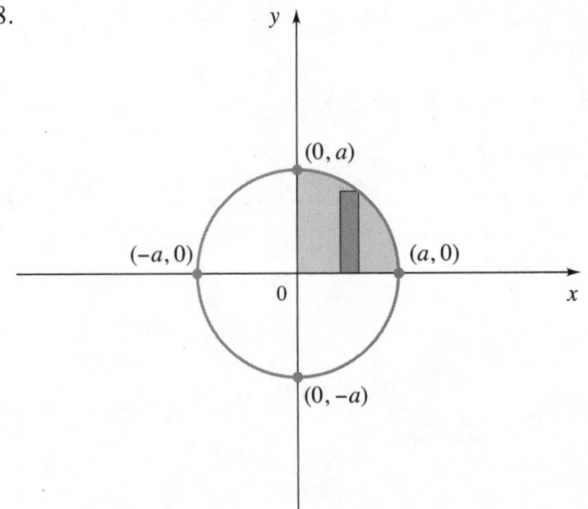

$x^2 + y^2 = a^2$ est un cercle centré à l'origine et de rayon a.

Considérons le quart de cercle situé dans le premier quadrant

$$y = \sqrt{a^2 - x^2}$$

En utilisant des rectangles verticaux, on a :

$$\frac{A}{4} = \int_0^a \left(\sqrt{a^2 - x^2} - 0\right) dx$$

$$= \int_0^a \sqrt{a^2 - x^2}\, dx \quad \Rightarrow \quad A = 4\int_0^a \sqrt{a^2 - x^2}\, dx$$

Posons $x = a\sin\theta$; $dx = a\cos\theta\, d\theta$;

$x = 0 \Rightarrow \theta = 0$; $x = a \Rightarrow \theta = \dfrac{\pi}{2}$

$$A = 4\int_0^{\pi/2} \sqrt{a^2 - a^2\sin^2\theta}\; a\cos\theta\, d\theta = 4a^2\int_0^{\pi/2} \cos^2\theta\, d\theta$$

$$A = 4a^2\int_0^{\pi/2} \frac{1+\cos 2\theta}{2} d\theta = 2a^2\int_0^{\pi/2} (1+\cos 2\theta)\, d\theta$$

$$A = 2a^2\left[\theta + \frac{\sin 2\theta}{2}\right]_0^{\pi/2} = 2a^2\left(\frac{\pi}{2} + 0 - 0 - 0\right) = \pi a^2$$

9. πab

10. 2

11. 40

12. 4,566

13. 1,222

14. $12\pi = 37{,}699$

15. 59,628

16. $\dfrac{4}{3}\pi a^3$

17. $2\pi a^3$

18. $\pi^2 a^3$

19. $\dfrac{\pi r^2 h}{3}$

20. $\pi r^2 h$

21. $\dfrac{4}{3}\pi a^2 b$ ou $\dfrac{4}{3}\pi ab^2$

(selon que la révolution se fait autour de l'axe des y ou l'axe des x).

22. $32\pi^2 = 315{,}827$

23.

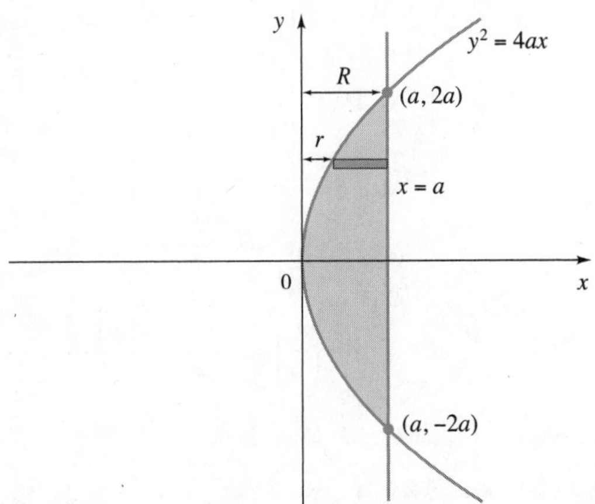

Méthode des rondelles (autour de l'axe des y)

$$V = \pi \int (R^2 - r^2)\, dh$$

$$R = a;\ r = x = \frac{y^2}{4a}$$

$$V = \pi \int_{-2a}^{2a} \left(a^2 - \left(\frac{y^2}{4a} \right)^2 \right) dy$$

$$V = 2\pi \int_0^{2a} \left(a^2 - \frac{y^4}{16a^2} \right) dy = 2\pi \left[a^2 y - \frac{y^5}{80a^2} \right]_0^{2a}$$

$$V = 2\pi \left(2a^3 - \frac{32a^5}{80a^2} \right) = \frac{16\pi a^3}{5}$$

24. $55\pi = 172{,}788$

25. $\frac{\pi}{8} = 0{,}393$

26. $16\pi^2 = 157{,}914$

27. $27\pi = 84{,}823$

28. $\frac{\pi a^2 h}{2}$

29. $\frac{a^2 h}{2}$

30. 192

31. $\frac{\sqrt{3}}{2} = 0{,}866$

32. $2\sqrt{10} = 6{,}325$

33.

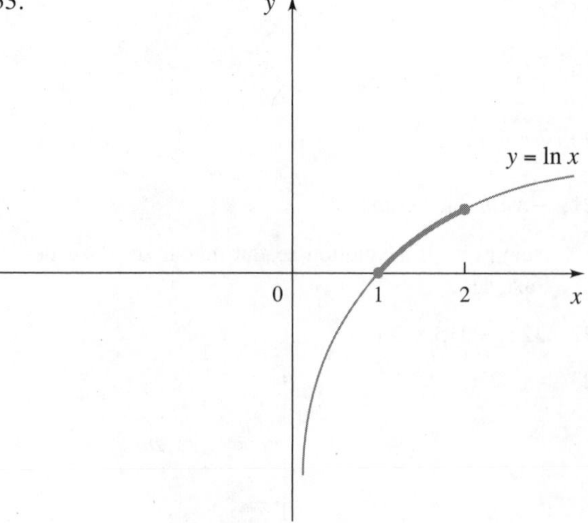

$$y = \ln x \quad \Rightarrow \quad \frac{dy}{dx} = \frac{1}{x}$$

$$L = \int_1^2 \sqrt{1 + \left(\frac{1}{x} \right)^2}\, dx = \int_1^2 \frac{\sqrt{x^2 + 1}}{x} dx$$

Posons $x = \tan\theta$; $dx = \sec^2\theta\, d\theta$

$x = 1 \ \Rightarrow \ \theta = \pi/4$; $x = 2 \ \Rightarrow \ \theta = \arctan 2$

$$L = \int_{\pi/4}^{\arctan 2} \frac{\sqrt{\tan^2\theta + 1}}{\tan\theta} \sec^2\theta\, d\theta = \int_{\pi/4}^{\arctan 2} \frac{\sec^3\theta}{\tan\theta} d\theta$$

$$L = \int_{\pi/4}^{\arctan 2} \frac{\sec^2\theta}{\tan\theta} \sec\theta\, d\theta = \int_{\pi/4}^{\arctan 2} \frac{(1 + \tan^2\theta)}{\tan\theta} \sec\theta\, d\theta$$

$$L = \int_{\pi/4}^{\arctan 2} (\cot\theta + \tan\theta) \sec\theta\, d\theta$$

$$= \int_{\pi/4}^{\arctan 2} (\cot\theta \sec\theta + \tan\theta \sec\theta)\, d\theta$$

$$L = \int_{\pi/4}^{\arctan 2} \left(\frac{1}{\sin\theta} + \tan\theta \sec\theta \right) d\theta$$

$$= \int_{\pi/4}^{\arctan 2} (\operatorname{cosec}\theta + \sec\theta \tan\theta)\, d\theta$$

$$L = \left[\ln |\operatorname{cosec}\theta - \cot\theta| + \sec\theta \right]_{\pi/4}^{\arctan 2}$$

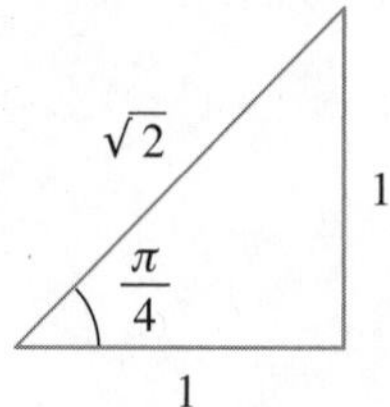

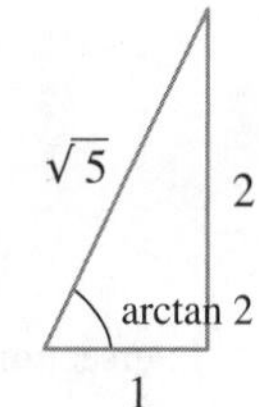

$$L = \ln \left| \frac{\sqrt{5}}{2} - \frac{1}{2} \right| + \sqrt{5} - \ln |\sqrt{2} - 1| - \sqrt{2} = 1{,}222$$

34. π

35. $24\sqrt{5} + 12 \ln (2 + \sqrt{5}) = 70{,}989$

36. $6a$

37. $8a$

38. 1,226

39. $\frac{227}{24} = 9{,}458$

40. 3,563

41. a) $3\pi^2 - 2\pi = 23{,}326$
    b) $3\pi^2 + 2\pi = 35{,}892$

42. $4\pi^2 ab$

43. $\frac{12\pi a^2}{5}$

44. π

45. 67,673

Exercices 6.11

1. 9

2. $\frac{3\pi a^2}{8}$

3. $\frac{a^2}{2}$

4. $60\pi^2 = 592{,}176$

5. 3,650

6. $\frac{16a^3}{3}$

6

7. $96\pi = 301,593$

8. $\dfrac{4\pi abc}{3}$

9. 18,666

10. $\dfrac{64\pi a^2}{3}$

Test sur le chapitre 6

1.

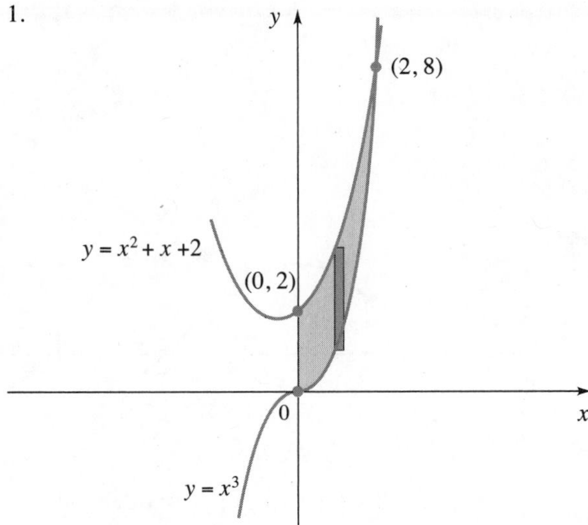

Points d'intersection :

$$x^3 = x^2 + x + 2$$
$$x^3 - x^2 - x - 2 = 0$$
$$(x-2)(x^2 + x + 1) = 0$$

$\Rightarrow\ x = 2$; donc, on a un point d'intersection à $(2, 8)$

Les autres avec $x = 0$ sont $(0, 0)$ et $(0, 2)$.

$$A = \int_0^2 (x^2 + x + 2 - x^3)\, dx = \left[\frac{x^3}{3} + \frac{x^2}{2} + 2x - \frac{x^4}{4}\right]_0^2$$
$$= \frac{8}{3} + 2 + 4 - 4 = \frac{14}{3} = 4,667$$

2.

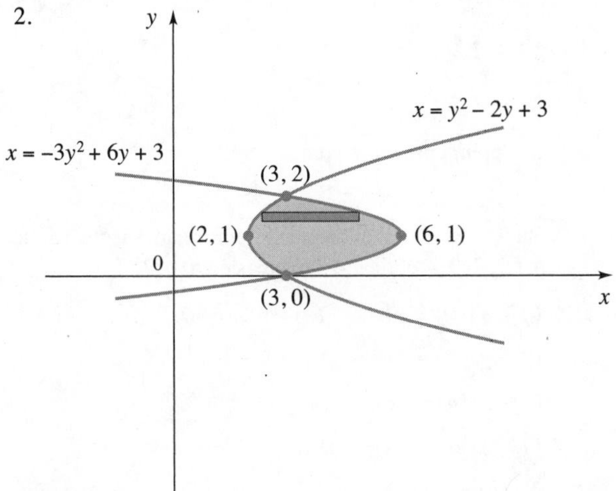

Points d'intersection :

$$y^2 - 2y + 3 = -3y^2 + 6y + 3$$
$$4y^2 - 8y = 0$$
$$4y\,(y-2) = 0$$

Donc, ces points d'intersection sont : $(3, 0)$ et $(3, 2)$

$$A = \int_0^2 \left((-3y^2 + 6y + 3) - (y^2 - 2y + 3)\right) dy = \int_0^2 (-4y^2 + 8y)\, dy$$

$$A = \left[-\frac{4y^3}{3} + 4y^2\right]_0^2 = \frac{16}{3} = 5,333$$

3.

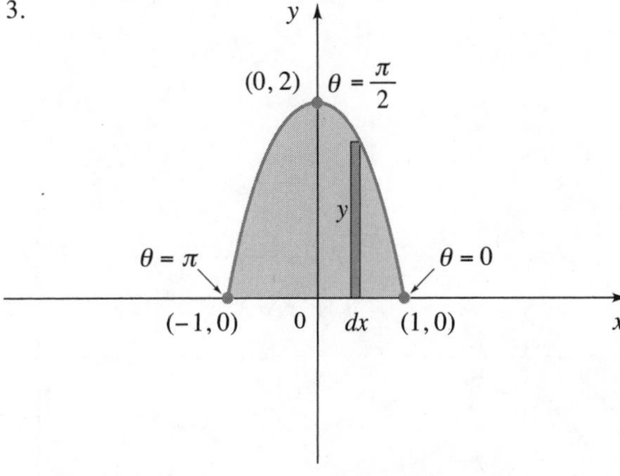

Si $\theta = 0 \ \Rightarrow\ x = 1$ et $y = 0$; point $(1, 0)$

Si $\theta = \pi/2 \ \Rightarrow\ x = 0$ et $y = 2$; point $(0, 2)$

Si $\theta = \pi \ \Rightarrow\ x = -1$ et $y = 0$; point $(-1, 0)$

$$x = \cos\theta \ \Rightarrow\ dx = -\sin\theta\, d\theta$$

Pour faire l'intégrale de -1 à 1 selon x, il faut que θ passe de π à 0.

$$A = \int_\pi^0 (1 - \cos 2\theta)(-\sin\theta\, d\theta)$$
$$= -\int_0^\pi (1 - \cos^2\theta + \sin^2\theta)(-\sin\theta\, d\theta)$$
$$A = -\int_0^\pi (1 - \cos^2\theta + 1 - \cos^2\theta)(-\sin\theta\, d\theta)$$
$$= -\int_0^\pi (2 - 2\cos^2\theta)(-\sin\theta\, d\theta)$$
$$A = -2\int_0^\pi (-\sin\theta + \cos^2\theta\, \sin\theta)\, d\theta = -2\left[\cos\theta - \frac{\cos^3\theta}{3}\right]_0^\pi$$
$$A = -2\left(-1 + \frac{1}{3} - \left(1 - \frac{1}{3}\right)\right) = -2\left(-\frac{4}{3}\right) = \frac{8}{3} = 2,667$$

4.

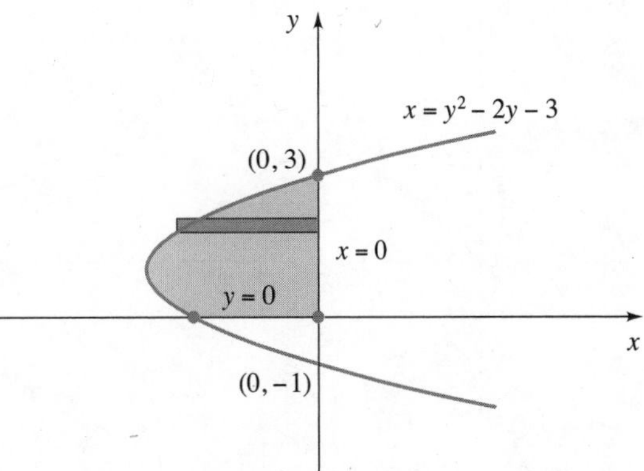

Intersection $x = 0$ et $x = y^2 - 2y - 3$

$$y^2 - 2y - 3 = 0$$

$$(y-3)(y+1) = 0 \Rightarrow y = 3 \text{ ou } y = -1$$

$$V = \pi \int_0^3 r^2 dy = \pi \int_0^3 x^2 dy$$

$$V = \pi \int_0^3 (y^2 - 2y - 3)^2\, dy = \pi \int_0^3 (y^4 - 4y^3 - 2y^2 + 12y + 9)\, dy$$

$$V = \pi \left[\frac{y^5}{5} - y^4 - \frac{2y^3}{3} + 6y^2 + 9y \right]_0^3$$

$$= \pi \left(\frac{243}{5} - 81 - 18 + 54 + 27 \right) = \frac{153\pi}{5}$$

$$V = 96{,}133$$

5.

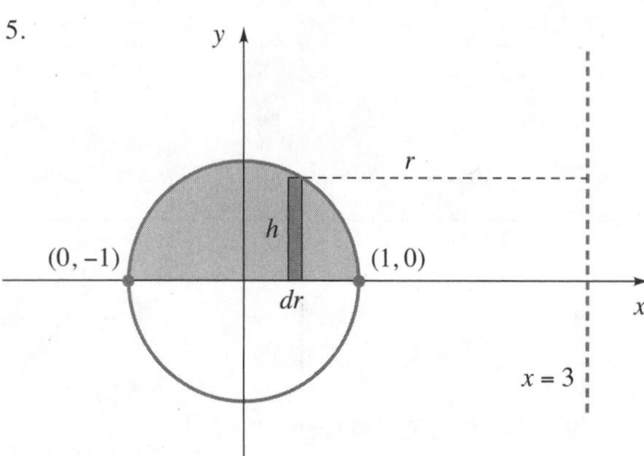

$r = 3 - x$; $h = y = \sqrt{1 - x^2}$; $dr = dx$

$$\frac{V}{2} = 2\pi \int_{-1}^{1} (3 - x)\sqrt{1 - x^2}\, dx$$

$$V = 4\pi \int_{-1}^{1} (3 - x)\sqrt{1 - x^2}\, dx$$

Posons $x = \sin\theta$; $dx = \cos\theta\, d\theta$;

$x = -1 \Rightarrow \theta = -\pi/2$ et $x = 1 \Rightarrow \theta = \pi/2$

$$V = 4\pi \int_{-\pi/2}^{\pi/2} (3 - \sin\theta)\cos^2\theta\, d\theta$$

$$= 4\pi \int_{-\pi/2}^{\pi/2} \left(3\frac{(1 + \cos 2\theta)}{2} - \cos^2\theta \sin\theta \right) d\theta$$

$$V = 4\pi \left[\frac{3}{2}\left(\theta + \frac{\sin 2\theta}{2} \right) + \frac{\cos^3\theta}{3} \right]_{-\pi/2}^{\pi/2} = 6\pi^2$$

6.

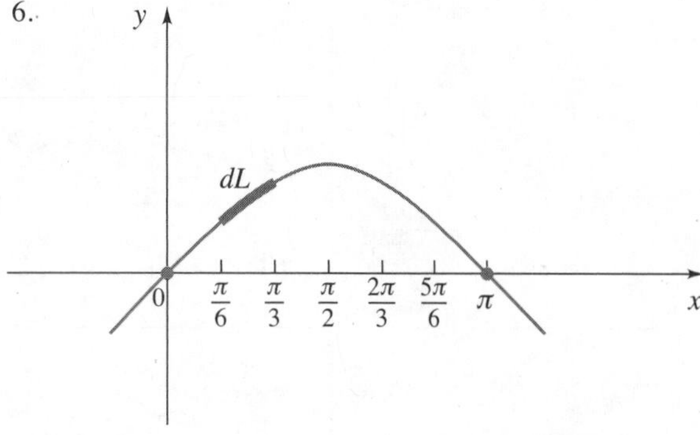

$y = \sin x$; $\frac{dy}{dx} = \cos x$;

$$dL = \sqrt{1 + \left(\frac{dy}{dx}\right)^2}\, dx = \sqrt{1 + \cos^2 x}\, dx$$

$$L = \int_0^\pi \sqrt{1 + \cos^2 x}\, dx$$

$$L \cong \left(\frac{\pi - 0}{6} \right) \frac{1}{3} \left\{ f(0) + 4 f\left(\frac{\pi}{6}\right) + 2 f\left(\frac{\pi}{3}\right) + 4 f\left(\frac{\pi}{2}\right) + 2 f\left(\frac{2\pi}{3}\right) + 4 f\left(\frac{5\pi}{6}\right) + f(\pi) \right\}$$

$$L \cong \frac{\pi}{18} \{1{,}414 + 5{,}292 + 2{,}236 + 4 + 2{,}236 + 5{,}292 + 1{,}414\} = 3{,}819$$

7.

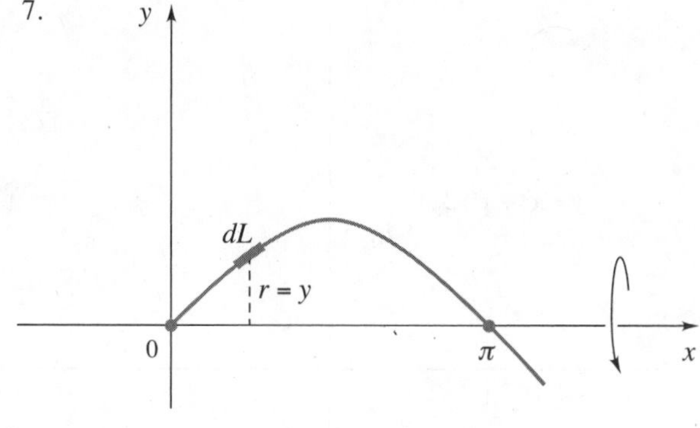

$$r = y = \sin x$$

$$a = \int_0^\pi 2\pi \sin x \sqrt{1 + \cos^2 x}\, dx$$

Posons $u = \cos x$; $du = -\sin x\, dx$

$x = 0 \Rightarrow u = 1$; $x = \pi \Rightarrow u = -1$

$$a = \int_1^{-1} 2\pi \sqrt{1 + u^2}\, (-du) = 2\pi \int_{-1}^{1} \sqrt{1 + u^2}\, du$$

Posons $u = \tan\theta$; $du = \sec^2\theta\, d\theta$;

$u = -1 \Rightarrow \theta = -\pi/4$; $u = 1 \Rightarrow \theta = \pi/4$

$$a = 2\pi \int_{-\pi/4}^{\pi/4} \sqrt{1 + \tan^2\theta}\, \sec^2\theta\, d\theta = 2\pi \int_{-\pi/4}^{\pi/4} \sec^3\theta\, d\theta$$

$$a = 2\pi \left[\frac{1}{2}\sec\theta \tan\theta + \frac{1}{2}\ln\left|\sec\theta + \tan\theta\right| \right]_{-\pi/4}^{\pi/4}$$

$$a = 2\pi\left(\sqrt{2} + \ln\left(1 + \sqrt{2}\right)\right) = 14{,}424$$

Chapitre 7

Exercices 7.2

1. Ces premiers termes sont :

$$-1, 2, 7, 14, 23, \ldots$$

On les retrouve facilement en remplaçant successivement n par 1, 2, 3, 4 et 5 dans l'expression $n^2 - 2$.

2. $(f + g)(n) = f(n) + g(n) = n^2 + n - 1$

$(f - g)(n) = f(n) - g(n) = n - 1 - n^2$

$(f \times g)(n) = f(n) \times g(n) = n^3 - n^2$

$(f/g)(n) = f(n)/g(n) = (n-1)/n^2$

$3 f(n) = 3(n - 1) = 3n - 3$

7

En utilisant la notation avec les accolades, on aurait :

$$\{n-1\}+\{n^2\}=\{n^2+n-1\}$$
$$\{n-1\}-\{n^2\}=\{n-1-n^2\}$$
$$\{n-1\}\times\{n^2\}=\{n^3-n^2\}$$
$$\{n-1\}/\{n^2\}=\{(n-1)/n^2\}$$
$$3\{n-1\}=\{3n-3\}$$

Dans ce texte, la deuxième notation sera préférée à la première.

3. Écrivons d'abord les quelques premiers termes de cette suite :

$$\frac{3}{2},\frac{6}{3},\frac{9}{4},\frac{12}{5},\frac{15}{6},\frac{18}{7},\frac{21}{8},\frac{24}{9},\ldots$$

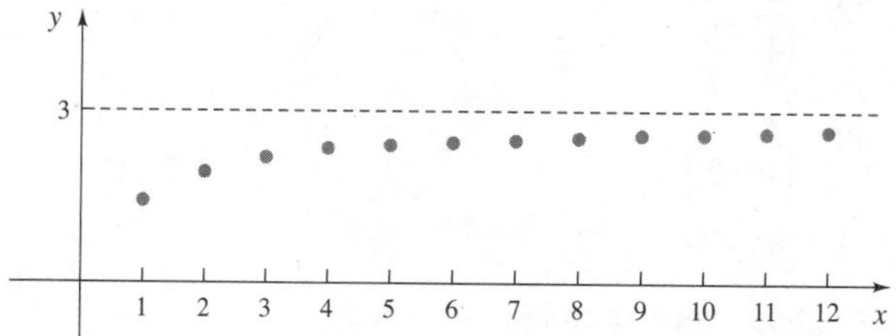

4. $s_1=1, s_2=2, s_3=\frac{3}{2}, s_4=\frac{7}{4}, s_5=\frac{13}{8}, s_6=\frac{27}{16}, s_7=\frac{53}{32}$.

5. a) $n!-1$

   b) n^2+2n

   c) $\dfrac{2n-1}{2^n-1}$

6. Écrivons d'abord les quelques premiers termes de cette suite :

$$0,-1,0,3,8,15,24,35,\ldots$$

Cette suite est un cas particulier de la fonction $f(x)=x^2-4x+3$ considérée sur l'intervalle $[1, \infty[$. Par les méthodes connues du calcul différentiel, on cherche le MIN absolu et le MAX absolu de cette fonction sur l'intervalle $[1, \infty[$:

$f'(x)=2x-4$; valeur critique : $x_1=2$

$f''(x)=2\geq 0$

Donc, on a un MIN relatif en $x=2$ et $f(2)=-1$. Aux extrémités de l'intervalle, on a :

$$f(1)=0 \quad\text{et}\quad f(\infty)=\lim_{x\to\infty}f(x)=\infty\ .$$

Donc, on a un MIN absolu en $x=2$ et ce MIN absolu est -1 et il n'y a pas de MAX absolu. En appliquant ce résultat au cas particulier de la suite, on conclut que la suite est bornée inférieurement par -1 et qu'elle n'est pas bornée supérieurement.

7. Par définition : $s_n=\dfrac{1}{n}$ et $s_{n+1}=\dfrac{1}{n+1}$

Or, pour tout entier positif n : $n+1>n$

Donc : $\dfrac{1}{n+1}<\dfrac{1}{n}$ et ainsi : $s_{n+1}<s_n$

d'où l'on conclut que la suite $\left\{\frac{1}{n}\right\}$ est strictement décroissante.

8. On a : $s_n=\dfrac{1}{(n-1)!}$ et $s_{n+1}=\dfrac{1}{n!}$

Or, pour tout entier positif n : $n!\geq(n-1)!$,

car il faut bien remarquer que $1!=0!=1$.

Donc : $\dfrac{1}{n!}\leq\dfrac{1}{(n-1)!}$, c'est-à-dire : $s_{n+1}\leq s_n$

d'où la conclusion à l'effet que la suite $\left\{\dfrac{1}{(n-1)!}\right\}$ est décroissante.

9. On a $s_n=\dfrac{3^n-2}{3^n}$ et $s_{n+1}=\dfrac{3^{n+1}-2}{3^{n+1}}$

Pour comparer ces deux expressions s_n et s_{n+1}, amenons-les à un dénominateur commun : 3^{n+1}.

$$s_n=\frac{3^n-2}{3^n}\times\frac{3}{3}=\frac{3(3^n-2)}{3^{n+1}}=\frac{3^{n+1}-6}{3^{n+1}}$$

En comparant alors les numérateurs, il est clair que :

$$3^{n+1}-6<3^{n+1}-2$$

pour tout entier positif n, donc : $s_n<s_{n+1}$

Ainsi, la suite est strictement croissante. C'est donc une suite monotone.

10. Considérant la fonction $f(x)=\dfrac{x-5}{x+3}$

On a : $f'(x)=\dfrac{8}{(x+3)^2}$

Donc, $f'(x)>0$ pour toute valeur de x et en particulier pour $x\geq 1$; donc f est toujours strictement croissante, d'où on tire que la suite est strictement croissante.

11. $\lim\limits_{n\to\infty}s_n=\lim\limits_{n\to\infty}\dfrac{1}{n}=\dfrac{1}{\infty}=0$

Cette suite converge vers 0.

12. $\lim\limits_{n\to\infty}s_n=\lim\limits_{n\to\infty}\dfrac{n}{n+6}=\lim\limits_{n\to\infty}\dfrac{1}{1}=1$

Cette suite converge vers 1.

13. $\lim\limits_{n\to\infty}s_n=\lim\limits_{n\to\infty}\dfrac{n}{\sqrt{n+3}}=\lim\limits_{n\to\infty}\dfrac{1}{1/\left(2\sqrt{n+3}\right)}=\lim\limits_{n\to\infty}2\sqrt{n+3}=\infty$

Cette suite diverge.

14. $\lim\limits_{n\to\infty}s_n=\lim\limits_{n\to\infty}\left(\dfrac{3}{5}\right)^n$

Pour évaluer cette limite, posons $y=\left(\dfrac{3}{5}\right)^n$; alors :

$\ln y=n\ln\left(\dfrac{3}{5}\right)$ et

$\lim\limits_{n\to\infty}\ln y=\lim\limits_{n\to\infty}n\ln\left(\dfrac{3}{5}\right)=\infty\,(-0{,}5108\ldots)=-\infty$

Par la suite : $\lim\limits_{n\to\infty}y=\lim\limits_{n\to\infty}\left(\dfrac{3}{5}\right)^n=e^{-\infty}=0$

Donc, cette suite converge vers 0.

15. Écrivons quelques termes de cette suite.

$$-1, 2^2, -3^3, 4^4, -5^5, 6^6, -7^7, 8^8, -9^9, \ldots$$

C'est une suite où les signes alternent et où $|s_n| \not\to 0$. En effet, $\lim_{n\to\infty}|s_n| = \lim_{n\to\infty} n^n = \infty^\infty = \infty$.

Donc, la suite diverge.

16. Posons $y = \left(\frac{4}{3}\right)^n$

Alors $\ln y = \ln\left(\frac{4}{3}\right)^n = n \ln\left(\frac{4}{3}\right)$ et

$\lim_{n\to\infty} \ln y = \lim_{n\to\infty} n \ln\left(\frac{4}{3}\right) = \infty\,(0{,}28768\ldots) = \infty$

Selon le théorème 7.1.4.9:

$$\lim_{n\to\infty} y = \lim_{n\to\infty} e^{\ln y} = e^\infty = \infty$$

Donc, la suite diverge.

Note: Comparer cet exercice et l'exercice 14 à l'exemple 7.11.

17. $\frac{1}{2}, \frac{1}{3}, \frac{1}{4}, \frac{1}{5}, \frac{1}{6}, \ldots$

18. $1, \frac{2}{5}, \frac{2}{10}, \frac{2}{17}, \frac{2}{26}, \ldots$

19. $6, 10, 16, 24, 34, \ldots$

20. $12, 30, 60, 102, 156, \ldots$

21. $0, \frac{1}{2}, \frac{2}{3}, \frac{3}{4}, \frac{4}{5}, \ldots$

22. $\frac{1}{2}, \frac{\sqrt{2}}{4}, \frac{\sqrt{3}}{8}, \frac{1}{8}, \frac{\sqrt{5}}{32}, \ldots$

23. a) Bornée inférieurement par 1, non bornée supérieurement

b) Bornée inférieurement par -9, non bornée supérieurement

c) Bornée par 1/3 et 1

d) Bornée par -1 et 1

e) Bornée par 0 et 3

f) Bornée par 1 et 2

25. $\{n^2\}$

26. $\{(n+1)^2\}$

27. $\{n^2 - n\}$

28. $\left\{\frac{n+1}{3}\right\}$

29. $\{n^3 - 2\}$

30. $\{n\,(n-1)\,(n+1)\}$

31. $\left\{\frac{1}{n+1}\right\}$

32. $\left\{\frac{1}{n^2+1}\right\}$

33. $\{2^n\}$

34. $\left\{\frac{n}{n+1}\right\}$

35. $\left\{\frac{n}{(n+1)^2}\right\}$

36. $\{n^2 + n + 1\}$

37. $\left\{\frac{n^2+1}{n}\right\}$

38. $\left\{\frac{n+1}{n+3}\right\}$

39. $\left\{\frac{2^n - 1}{n}\right\}$

40. $\left\{\frac{n^3 - 1}{n+2}\right\}$

41. $\{n^2 + 2n + 3\}$

42. Strictement décroissante ; 0 et 3

43. Strictement croissante ; $\sqrt{2}$ et non

44. Strictement croissante ; 1 et non

45. Strictement décroissante ; 1 et 5

46. Strictement croissante ; 2/3 et 1

47. Non monotone ; -1 et $1/\sqrt{2}$

48. Strictement croissante ; 1/5 et 1

49. $\left\{\frac{n^2 - 3n + 2}{n}\right\}$

$0, 0, \frac{2}{3}, \frac{6}{4}, \frac{12}{5}, \ldots$

On a :

$$s_n = \frac{n^2 - 3n + 2}{n} \quad \text{et} \quad s_{n+1} = \frac{(n+1)^2 - 3\,(n+1) + 2}{n+1}$$

$$s_n = \frac{n^2 - 3n + 2}{n} \quad \text{et} \quad s_{n+1} = \frac{n^2 - n}{n+1}$$

$$s_n = \frac{(n^2 - 3n + 2)\,(n+1)}{n\,(n+1)} \quad \text{et} \quad s_{n+1} = \frac{(n^2 - n)\,(n)}{(n+1)\,(n)}$$

$$s_n = \frac{n^3 - 2n^2 - n + 2}{n\,(n+1)} \quad \text{et} \quad s_{n+1} = \frac{n^3 - n^2}{n\,(n+1)}$$

Or : $n^3 - n^2 \geq n^3 - n^2 - (n^2 + n - 2)$ pour tout entier positif n.

$$n^3 - n^2 \geq n^3 - 2n^2 - n + 2$$

$$s_{n+1} \geq s_n$$

Donc, la suite est croissante. On a $s_1 = 0$ et

$$s = \lim_{n\to\infty} s_n = \lim_{n\to\infty} \frac{n^2 - 3n + 2}{n} = \lim_{n\to\infty} \frac{2n - 3}{1} = \infty$$

Donc, la suite est bornée inférieurement par 0 mais n'est pas bornée supérieurement.

50. Strictement décroissante ; 0 et 5

51. Strictement décroissante ; 1 et 2

52. 0

53. Diverge

54. Diverge

55. 1

56. $\left\{\dfrac{(-1)^n}{\sqrt{n}}\right\}$

$$\lim_{n\to\infty}\frac{-1}{\sqrt{n}} \le \lim_{n\to\infty}\frac{(-1)^n}{\sqrt{n}} \le \lim_{n\to\infty}\frac{1}{\sqrt{n}}$$

et $\lim\limits_{n\to\infty}\dfrac{-1}{\sqrt{n}} = 0$ de même que $\lim\limits_{n\to\infty}\dfrac{1}{\sqrt{n}} = 0$

Donc, $\lim\limits_{n\to\infty}\dfrac{(-1)^n}{\sqrt{n}} = 0$ et la suite converge vers 0.

57. 0

58. ln 3

59. 1

60. 1

61. 1

62. 0

63. 0

64. 0

65. Diverge

66. $\sqrt{7}$

67. e

68. 3

69. 0

70. 0

71. Diverge

72. 1/2

73. 0

74. Diverge

75. $\sqrt{3}$

76. $\left\{\dfrac{\ln n}{n}\right\}$

$$\lim_{n\to\infty}\frac{\ln n}{n} = \lim_{n\to\infty}\frac{\frac{1}{n}}{1} = 0$$

Donc, la suite converge vers 0.

Exercices 7.4

1. Écrivons quelques termes de cette série :

$$1 + 3 + 5 + 7 + 9 + 11 + \ldots + (2n - 1) + \ldots$$

C'est une série arithmétique, donc elle diverge. On peut aussi observer que le terme général ne tend pas vers 0.

2. On peut écrire cette série ainsi :

$$2 + 2\frac{1}{3} + 2\frac{2}{3} + 2\frac{3}{3} + 2\frac{4}{3} + 2\frac{5}{3} + \ldots = \sum_{n=1}^{\infty}\left(2 + \frac{n-1}{3}\right)$$

C'est une série arithmétique, donc elle diverge et la somme est infinie.

3. On reconnaît une série géométrique où le premier terme $a = 4$ et où la raison $r = 2/5$.

Puisque $-1 < r < 1$, la série converge et la somme est :

$$\frac{a}{1-r} = \frac{4}{1-(2/5)} = \frac{20}{3}$$

4. Cette série peut s'écrire :

$$\frac{2}{7} + \frac{4}{10} + \frac{6}{13} + \frac{8}{16} + \ldots + \frac{2n}{3n+4} + \ldots$$

Son terme général est : $u_n = \dfrac{2n}{3n+4}$ et

$$\lim_{n\to\infty} u_n = \lim_{n\to\infty}\frac{2n}{3n+4} = \frac{2}{3} \neq 0$$

Donc, la série diverge puisque le terme général ne tend pas vers 0.

5. Cette série géométrique peut s'écrire :

$$2 + \frac{6}{5} + \frac{18}{25} + \frac{54}{125} + \frac{162}{625} + \ldots + 2\left(\frac{3}{5}\right)^{n-1} + \ldots$$

Son terme général est : $u_n = 2\left(\dfrac{3}{5}\right)^{n-1}$ et

$$\lim_{n\to\infty} u_n = \lim_{n\to\infty} 2\left(\frac{3}{5}\right)^{n-1} = 0$$

Il faut être bien prudent ici. Le seul fait que $u_n \to 0$ ne permet pas de conclure que la série converge. Si l'on observe en plus que c'est une série géométrique où $a = 2$ et $r = 3/5$, alors on peut conclure que cette série converge vers $2/(1-(3/5)) = 5$.

6. Le terme général est $u_n = \dfrac{n^2+1}{3n^2-1}$

$$\lim_{n\to\infty} u_n = \lim_{n\to\infty}\frac{n^2+1}{3n^2-1} = \lim_{n\to\infty}\frac{2n}{6n} = \frac{1}{3} \neq 0$$

Puisque le terme général ne tend pas vers 0, la série diverge.

7. Cette série peut s'écrire :

$$\frac{5}{6} + \frac{5}{36} + \frac{5}{216} + \frac{5}{1296} + \frac{5}{7776} + \ldots + \frac{5}{6^n} + \ldots$$

On reconnaît une série géométrique où $a = 5/6$ et $r = 1/6$. Donc, cette série converge (car $-1 < r < 1$) et la somme est :

$$s = \frac{5/6}{1-(1/6)} = 1$$

8. 6

9. 15/2
10. 7/5
11. 28/3
12. 3/4
13. ∞
14. Diverge par oscillation
15. Le terme général $\frac{n+2}{3}$ ne tend pas vers 0, donc la série diverge.
16. Le terme général $\frac{3n}{2n+5}$ ne tend pas vers 0, donc la série diverge.
17. Le terme général $\frac{n}{2n+1}$ ne tend pas vers 0, donc la série diverge.
18. Le terme général $\frac{n}{5n-1}$ ne tend pas vers 0, donc la série diverge.

Exercices 7.6

1. Cette série peut s'écrire :

$$\frac{1}{7}+\frac{1}{7^2}+\frac{1}{7^3}+\frac{1}{7^4}+\frac{1}{7^5}+\ldots+\frac{1}{7^n}+\ldots$$

C'est une série géométrique de raison $r = 1/7$, donc elle converge. On peut aussi utiliser le test de D'Alembert ou le test de l'intégrale.

2. Le terme général de cette série $u_n = \frac{1}{2^n+1}$ tend vers 0, mais ce n'est pas suffisant pour conclure à la convergence de la série. En observant de plus près, on peut comparer cette série avec la série $\sum_{n=1}^{\infty}\frac{1}{2^n}$. En effet, pour tout n :

$$\frac{1}{2^n+1}<\frac{1}{2^n}$$

Or, la série $\sum_{n=1}^{\infty}\frac{1}{2^n}=\frac{1}{2}+\frac{1}{4}+\frac{1}{8}+\frac{1}{16}+\frac{1}{32}+\ldots+\frac{1}{2^n}+\ldots$ est une série géométrique de raison $1/2$, donc elle converge.

Selon le test de comparaison, la série $\sum_{n=1}^{\infty}\frac{1}{2^n+1}$ converge aussi.

3. $\sum_{n=1}^{\infty}\frac{4}{n\sqrt{n}}=4\sum_{n=1}^{\infty}\frac{1}{n\sqrt{n}}=4\sum_{n=1}^{\infty}\frac{1}{n^{3/2}}$

C'est une série de Riemann où $p = 3/2$. Cette série est donc convergente.

4. La série peut se noter $\sum_{n=1}^{\infty}\frac{2n}{n^3+2}$.

Elle est le double de la série dont le terme général est $u_n=\frac{n}{n^3+2}$.

Or, pour tout $n \geq 1$,

$$\frac{n}{n^3+2}<\frac{n}{n^3}=\frac{1}{n^2}$$

Une série dont le terme général est $1/n^2$ est une série de Riemann où $p = 2$, donc une série convergente. Par comparaison, la série dont le terme général est $n/(n^3+2)$ est aussi convergente et selon le théorème 7.3.5.3, la série dont le terme général est $2n/(n^3+2)$ est également convergente. On peut aussi utiliser le test du polynôme.

5. Appliquons le test de D'Alembert

$$u_n=\frac{n+1}{2^n} \quad \text{et} \quad u_{n+1}=\frac{(n+1)+1}{2^{n+1}}=\frac{n+2}{2^{n+1}}$$

$$\lim_{n\to\infty}\frac{u_{n+1}}{u_n}=\lim_{n\to\infty}\frac{n+2}{2^{n+1}}\times\frac{2^n}{n+1}=\lim_{n\to\infty}\frac{(n+2)}{2\,(n+1)}=\frac{1}{2}$$

Donc, la série est convergente.

6. Cette série peut s'écrire

$$\frac{1}{e}+\frac{2}{e^2}+\frac{3}{e^3}+\frac{4}{e^4}+\frac{5}{e^5}+\ldots+\frac{n}{e^n}+\ldots$$

Appliquons le test de l'intégrale en comparant cette série à la fonction $f(x)=\frac{x}{e^x}=x\,e^{-x}$.

Or $\int x\,e^{-x}\,dx=-e^{-x}(x+1)+K$

et $\int_1^{\infty}x\,e^{-x}\,dx=\lim_{n\to\infty}\int_1^n x\,e^{-x}\,dx=\lim_{n\to\infty}\left(-e^{-n}(n+1)+\frac{2}{e}\right)$

$$=-\lim_{n\to\infty}\frac{n+1}{e^n}+\frac{2}{e}=0+\frac{2}{e}=\frac{2}{e}$$

Donc, l'intégrale converge et la série également. Attention! On ne dit pas que la série converge vers $2/e$, mais simplement qu'elle converge.

7. Cette série peut s'écrire :

$$\frac{3}{1}+\frac{3^2}{2^3}+\frac{3^3}{3^3}+\frac{3^4}{4^3}+\frac{3^5}{5^3}+\ldots+\frac{3^n}{n^3}+\ldots$$

Appliquons le test de la racine n^e de Cauchy :

$$\lim_{n\to\infty}\sqrt[n]{u_n}=\lim_{n\to\infty}\left(\frac{3^n}{n^3}\right)^{1/n}=\lim_{n\to\infty}\frac{3}{n^{3/n}}$$

Pour évaluer $\lim_{n\to\infty}n^{3/n}$, prenons le logarithme de l'expression $y=n^{3/n}$

$$\ln y=\frac{3}{n}\ln n=\frac{3\ln n}{n}$$

$$\lim_{n\to\infty}\ln y=\lim_{n\to\infty}\frac{3\ln n}{n}=\lim_{n\to\infty}\frac{3\,(1/n)}{1}=0$$

Donc, $\lim_{n\to\infty}n^{3/n}=e^0=1$ et finalement :

$$\lim_{n\to\infty}\frac{3}{n^{3/n}}=\frac{3}{1}=3$$

Donc, la série diverge.

8. Une observation attentive permet de trouver le terme général :

$$u_n=\frac{n^3+1}{n^4+1}$$

Selon le test du polynôme, cette série diverge.

9. Cette série peut s'écrire :

$$1+1+\frac{17}{25}+\frac{53}{125}+\frac{161}{625}+\ldots+\frac{2\times 3^{n-1}-1}{5^{n-1}}+\ldots$$

On peut la comparer avec la série convergente suivante (voir l'exercice 5 de la section 7.4).

$$\sum_{n=1}^{\infty}2\left(\frac{3}{5}\right)^{n-1}$$

7

On a:

$$\frac{2\times 3^{n-1}-1}{5^{n-1}} < \frac{2\times 3^{n-1}}{5^{n-1}}$$

pour toute valeur de n. Selon le test de comparaison, on peut conclure que la série converge.

10. Écrivons les premiers termes de cette série:

$$2+\frac{7}{4}+\frac{12}{8}+\frac{19}{16}+\frac{28}{32}+\ldots+\frac{n^2+3}{2^n}+\ldots$$

On a:

$$u_n = \frac{n^2+3}{2^n} \quad \text{et} \quad u_{n+1} = \frac{(n+1)^2+3}{2^{n+1}}$$

Appliquons le test de D'Alembert:

$$\lim_{n\to\infty}\frac{u_{n+1}}{u_n} = \lim_{n\to\infty}\frac{\left((n+1)^2+3\right)}{2^{n+1}}\times\frac{2^n}{n^2+3} = \lim_{n\to\infty}\frac{n^2+2n+4}{2\,(n^2+3)} = \frac{1}{2}$$

Donc, la série converge.

11. Écrivons les premiers termes de la série:

$$2+2+\frac{8}{6}+\frac{16}{24}+\frac{32}{120}+\ldots+\frac{2^n}{n!}+\ldots$$

Appliquons le test de D'Alembert:

$$\lim_{n\to\infty}\frac{u_{n+1}}{u_n} = \lim_{n\to\infty}\frac{2^{n+1}}{(n+1)!}\times\frac{n!}{2^n} = \lim_{n\to\infty}\frac{2}{n+1} = 0$$

Donc, la série converge.

12. Écrivons les premiers termes de cette série:

$$\frac{1}{2\times 3}+\frac{1}{3\times 4}+\frac{1}{4\times 5}+\ldots+\frac{1}{(n+1)\times(n+2)}+\ldots$$

Appliquons le test de l'intégrale de Cauchy en considérant la fonction

$$f(x) = \frac{1}{(x+1)\,(x+2)}$$

En décomposant en fractions partielles, on a:

$$\frac{1}{(x+1)\,(x+2)} \equiv \frac{1}{x+1} - \frac{1}{x+2}$$

$$\int_1^\infty \frac{dx}{(x+1)\,(x+2)} = \int_1^\infty \frac{dx}{x+1} - \int_1^\infty \frac{dx}{x+2}$$

$$= \lim_{n\to\infty}\left[\ln|x+1| - \ln|x+2|\right]_1^n = \lim_{n\to\infty}\left[\ln\left|\frac{x+1}{x+2}\right|\right]_1^n$$

$$= \lim_{n\to\infty}\ln\left|\frac{n+1}{n+2}\right| - \ln\left|\frac{2}{3}\right| = \ln\frac{3}{2}$$

Donc, la série converge.

Remarquons qu'on pourrait étudier la convergence de cette série en utilisant d'autres tests. Par exemple, on pourrait utiliser le test de comparaison et comparer cette série avec la série de Riemann convergente

$$\sum_{n=1}^{\infty}\frac{1}{n^2}$$

Puisque, pour tout entier positif n,

$$\frac{1}{n^2+3n+2} < \frac{1}{n^2}$$

et l'on conclut que la série étudiée converge.

On pourrait aussi utiliser le test du polynôme et considérer que le terme général

$$u_n = \frac{1}{n^2+3n+2}$$

est le quotient d'un polynôme de degré 0 sur un polynôme de degré 2 et ainsi conclure que la série converge. Notons, par contre, que le test de D'Alembert serait ici non concluant.

13. Cette série peut s'écrire:

$$1+\left(\frac{2}{4}\right)^2+\left(\frac{3}{7}\right)^3+\left(\frac{4}{10}\right)^4+\ldots+\left(\frac{n}{3n-2}\right)^n+\ldots$$

Appliquons le test de la racine n^e de Cauchy:

$$\lim_{n\to\infty}\sqrt[n]{\left(\frac{n}{3n-2}\right)^n} = \lim_{n\to\infty}\frac{n}{3n-2} = \frac{1}{3}$$

Donc, cette série converge.

14. Écrivons les premiers termes de la série:

$$1+\frac{7}{10}+\frac{13}{29}+\frac{21}{66}+\ldots+\frac{n^2+n+1}{n^3+2}+\ldots$$

Le terme général u_n est un quotient de polynômes ; le numérateur est de degré 2, le dénominateur de degré 3. Alors, selon le test du polynôme, la série diverge.

15. Écrivons les premiers termes de la série ainsi:

$$2+\frac{2}{2}+\frac{2}{3}+\frac{2}{4}+\frac{2}{5}+\ldots$$

$$2\left(1+\frac{1}{2}+\frac{1}{3}+\frac{1}{4}+\frac{1}{5}+\ldots\right)$$

On reconnaît à l'intérieur des parenthèses la série harmonique qui est une série divergente. Bien sûr, le double d'une série divergente est une série divergente.

16. On a:

$$1+\frac{1}{\sqrt{2}}+\frac{1}{\sqrt{3}}+\frac{1}{2}+\frac{1}{\sqrt{5}}+\ldots+\frac{1}{\sqrt{n}}+\ldots = \sum_{n=1}^{\infty}\frac{1}{\sqrt{n}}$$

Comparaison: Pour tout entier positif n: $\sqrt{n} \le n$

$$\frac{1}{\sqrt{n}} \ge \frac{1}{n}$$

$$\sum_{n=1}^{\infty}\frac{1}{\sqrt{n}} \ge \sum_{n=1}^{\infty}\frac{1}{n}$$

Donc, la série $\sum_{n=1}^{\infty}\frac{1}{\sqrt{n}}$ diverge puisqu'elle est supérieure à la série harmonique.

Autre méthode:

On peut aussi utiliser le test de l'intégrale :

$$\int_1^\infty\frac{dx}{\sqrt{x}} = \lim_{b\to\infty}\int_1^b\frac{dx}{\sqrt{x}} = \lim_{b\to\infty}\left[2\sqrt{x}\right]_1^b = \lim_{b\to\infty}2\sqrt{b}-2 = \infty$$

Puisque $\int_1^\infty\frac{dx}{\sqrt{x}}$ diverge, alors $\sum_{n=1}^{\infty}\frac{1}{\sqrt{n}}$ diverge aussi.

17. Divergente
18. Convergente
19. Divergente
20. Divergente
21. Convergente
22. Convergente

23. Convergente. Série de Riemann où $p = 3$ ou test de l'intégrale ou test du polynôme.
24. Divergente. Test de l'intégrale ou test de comparaison.
25. Divergente
26. Convergente
27. Convergente
28. Divergente
29. Divergente
30. Convergente
31. Convergente
32. Divergente
33. Convergente
34. Convergente
35. Divergente
36. Convergente
37. Convergente
38. Convergente
39. Divergente. Test du polynôme ou test de l'intégrale.
40. Convergente. Test de la racine n^e ou test de D'Alembert.
41. Divergente
42. Convergente
43. Convergente
44. Convergente
45. Divergente
46. Convergente
47. Divergente
48. Convergente
49. Convergente
50. Divergente
51. Convergente
52. Convergente
53. Divergente
54. Divergente

Exercices 7.8

1. C'est une série alternée dont le terme général est :

$$(-1)^{n+1}\left(\frac{n}{5n+8}\right)$$

Ainsi : $u_n = \dfrac{n}{5n+8}$ et $u_{n+1} = \dfrac{n+1}{5n+13}$

Pour comparer ces deux termes, amenons-les à un dénominateur commun :

$$u_n = \frac{n\,(5n+13)}{(5n+8)\,(5n+13)} \quad \text{et} \quad u_{n+1} = \frac{(n+1)\,(5n+8)}{(5n+13)\,(5n+8)}$$

$$u_n = \frac{5n^2+13n}{(5n+8)\,(5n+13)} \quad \text{et} \quad u_{n+1} = \frac{5n^2+13n+8}{(5n+13)\,(5n+8)}$$

Comme $5n^2+13n < 5n^2+13n+8$, on a : $u_n < u_{n+1}$.

Donc, les termes ne sont pas décroissants.

De plus : $\lim\limits_{n\to\infty} u_n = \lim\limits_{n\to\infty} \dfrac{n}{5n+8} = \dfrac{1}{5}$

Donc, la série diverge.

2. Considérons la série des valeurs absolues, c'est-à-dire $\sum\limits_{n=1}^{\infty} \dfrac{1}{n^2}$.

Cette série est convergente car c'est la série de Riemann où $p = 2$. Ainsi, la série de l'énoncé est absolument convergente, donc elle est convergente.

3. Écrivons les premiers termes de cette série :

$$-2+\frac{4}{16}-\frac{6}{41}+\frac{8}{76}-\frac{10}{121}+\ldots$$

Considérons la série des valeurs absolues $\sum\limits_{n=1}^{\infty} \dfrac{2n}{5n^2-4}$.

Selon le test du polynôme, cette dernière série diverge. Revenons à la série alternée où

$$|u_n| = \frac{2n}{5n^2-4} \quad \text{et} \quad |u_{n+1}| = \frac{2n+2}{5n^2+10n+1}$$

On a :

$$|u_n| = \frac{2n}{(5n^2-4)}\,\frac{(5n^2+10n+1)}{(5n^2+10n+1)} = \frac{10n^3+20n^2+2n}{(5n^2-4)\,(5n^2+10n+1)}$$

$$|u_{n+1}| = \frac{(2n+2)}{(5n^2+10n+1)}\,\frac{(5n^2-4)}{(5n^2-4)} = \frac{10n^3+10n^2-8n-8}{(5n^2+10n+1)\,(5n^2-4)}$$

et ainsi, $|u_{n+1}| < |u_n|$.

Donc les termes (en valeur absolue) vont en décroissant. De plus :

$$\lim_{n\to\infty} |u_n| = \lim_{n\to\infty} \frac{2n}{5n^2-4} = \lim_{n\to\infty} \frac{2}{10n} = 0$$

Donc, la série alternée est convergente et comme la série des valeurs absolues diverge, la série originale est dite semi-convergente.

4. Considérons la série des valeurs absolues $\sum\limits_{n=1}^{\infty} \dfrac{\ln n}{n^2}$.

Appliquons le test de l'intégrale à cette série à termes positifs.

$$\int_1^{\infty} \frac{\ln x}{x^2}\,dx = \lim_{n\to\infty} \left[\frac{-1-\ln x}{x}\right]_1^n = \lim_{n\to\infty} \frac{-1-\ln n}{n} - \frac{-1-0}{1} = 0+1 = 1$$

Donc, la série de l'énoncé est absolument convergente.

5. Considérons la série des valeurs absolues $\sum\limits_{n=1}^{\infty} \dfrac{n^3}{n!}$.

Appliquons le test de D'Alembert.

$$\lim_{n\to\infty} \frac{u_{n+1}}{u_n} = \lim_{n\to\infty} \frac{(n+1)^3}{(n+1)!} \times \frac{n!}{n^3} = \lim_{n\to\infty} \frac{(n+1)^3}{(n+1)\,n^3} = 0$$

Donc, la série alternée est absolument convergente.

6. Considérons la série des valeurs absolues $\sum_{n=1}^{\infty} \frac{2 \times 4 \times 6 \times \ldots \times (2n)}{1 \times 5 \times 9 \times \ldots \times (4n-3)}$.

   Appliquons le test de D'Alembert.

   $$\lim_{n\to\infty} \frac{u_{n+1}}{u_n}$$

   $$= \lim_{n\to\infty} \frac{2 \times 4 \times 6 \times \ldots \times (2n)\,(2n+2)}{1 \times 5 \times 9 \times \ldots \times (4n-3)\,(4n+1)} \times \frac{1 \times 5 \times 9 \times \ldots \times (4n-3)}{2 \times 4 \times 6 \times \ldots \times (2n)}$$

   $$= \lim_{n\to\infty} \frac{2n+2}{4n+1} = \frac{1}{2}$$

   Donc, la série originale est absolument convergente.

7. Divergente
8. Conditionnellement convergente
9. Absolument convergente
10. Absolument convergente
11. Conditionnellement convergente
12. Absolument convergente
13. Absolument convergente
14. Absolument convergente
15. Divergente
16. Conditionnellement convergente
17. Absolument convergente
18. Absolument convergente
19. Conditionnellement convergente
20. Divergente
21. Absolument convergente
22. Absolument convergente
23. Divergente
24. Absolument convergente
25. Conditionnellement convergente
26. Absolument convergente

Exercices 7.10

1. a) Si $x = 0$, la série devient

   $$\sum_{n=1}^{\infty} \frac{(0-3)^{2n}}{4^n} = \sum_{n=1}^{\infty} \frac{(-3)^{2n}}{2^{2n}} = \sum_{n=1}^{\infty} \left(\frac{9}{4}\right)^n.$$

   C'est une série géométrique de raison $r = 9/4$, donc elle diverge.

   b) Si $x = 2$, la série devient

   $$\sum_{n=1}^{\infty} \frac{(2-3)^{2n}}{4^n} = \sum_{n=1}^{\infty} \frac{(-1)^{2n}}{4^n} = \sum_{n=1}^{\infty} \left(\frac{1}{4}\right)^n.$$

   C'est une série géométrique de raison $r = 1/4$, donc, elle converge.

   c) Appliquons le test de la racine n^e (notons que le test de D'Alembert convient aussi bien) :

   $$\lim_{n\to\infty} \sqrt[n]{|u_n|} = \lim_{n\to\infty} \sqrt[n]{\frac{(x-3)^{2n}}{4^n}} = \lim_{n\to\infty} \frac{(x-3)^2}{4} = \frac{(x-3)^2}{4}$$

   La série converge lorsque $\frac{(x-3)^2}{4} < 1$

   $$(x-3)^2 < 4$$
   $$(x-3)^2 - 4 < 0$$
   $$(x^2 - 6x + 9) - 4 < 0$$
   $$x^2 - 6x + 5 < 0$$
   $$(x-1)(x-5) < 0$$
   $$1 < x < 5$$

   La série diverge pour $x < 1$ ou $x > 5$.

   Si $x = 1$, la série devient $\sum_{n=1}^{\infty} \frac{(-2)^{2n}}{4^n} = \sum_{n=1}^{\infty} \frac{4^n}{4^n} = \sum_{n=1}^{\infty} 1$.

   C'est évidemment une série divergente.

   Si $x = 5$, la série devient $\sum_{n=1}^{\infty} \frac{2^{2n}}{4^n} = \sum_{n=1}^{\infty} \frac{4^n}{4^n} = \sum_{n=1}^{\infty} 1$.

   C'est la même série divergente.

   L'intervalle de convergence est donc]1, 5[.

2. Cette série peut s'écrire :

   $$\frac{(x+2)}{3} + \frac{(x+2)^2}{2 \times 3^2} + \frac{(x+2)^3}{3 \times 3^3} + \frac{(x+2)^4}{4 \times 3^4} + \ldots + \frac{(x+2)^n}{n \times 3^n} + \ldots$$

   Évaluons $\lim_{n\to\infty} \left|\frac{u_{n+1}}{u_n}\right|$

   $$\lim_{n\to\infty} \left|\frac{(x+2)^{n+1}}{(n+1) \times 3^{n+1}} \times \frac{n\,3^n}{(x+2)^n}\right| = \lim_{n\to\infty} \left|\frac{(x+2)}{3} \times \frac{n}{n+1}\right|$$

   $$= \left|\frac{x+2}{3}\right| \lim_{n\to\infty} \left|\frac{n}{n+1}\right| = \left|\frac{x+2}{3}\right|$$

   Selon le test de D'Alembert, pour que cette série converge, il faut que

   $$\left|\frac{x+2}{3}\right| < 1$$
   $$|x+2| < 3$$
   $$-5 < x < 1$$

   Pour les valeurs $x = 1$ et $x = -5$, le test de D'Alembert est non concluant. Nous trancherons simplement la question en remplaçant x par ces valeurs dans la série initiale.

   Si $x = 1$, la série devient :

   $$\sum_{n=1}^{\infty} \frac{3^n}{n\,3^n} = \sum_{n=1}^{\infty} \frac{1}{n}$$

   C'est la série harmonique, donc elle diverge. Si $x = -5$, on a alors :

   $$\sum_{n=1}^{\infty} \frac{(-3)^n}{n\,3^n} = \sum_{n=1}^{\infty} \frac{(-1)^n}{n}$$

   C'est la série harmonique alternée, donc elle converge. Globalement, l'intervalle de convergence est [−5, 1[.

3. Cette série peut s'écrire :

   $$\frac{x-1}{2} + \left(\frac{x-1}{2}\right)^2 + \left(\frac{x-1}{2}\right)^3 + \left(\frac{x-1}{2}\right)^4 + \left(\frac{x-1}{2}\right)^5 + \ldots$$
   $$+ \left(\frac{x-1}{2}\right)^n + \ldots$$

Évaluons $\lim_{n\to\infty} \sqrt[n]{|u_n|}$. Notons qu'on considère $|u_n|$ à l'intérieur de la racine.

$$\lim_{n\to\infty} \sqrt[n]{\left|\frac{x-1}{2}\right|^n} = \lim_{n\to\infty} \left|\frac{x-1}{2}\right| = \left|\frac{x-1}{2}\right|$$

Pour que la série converge, il faut que

$$\left|\frac{x-1}{2}\right| < 1$$

$$|x-1| < 2$$

$$-1 < x < 3$$

Pour les valeurs $x = -1$ et $x = 3$, le test de la racine n^e est non concluant. Considérons alors les séries à termes constants générées en remplaçant x par ces valeurs dans la série à termes variables. Si $x = -1$, on obtient :

$$\sum_{n=1}^{\infty} (-1)^n = -1+1-1+1-1+\ldots$$

C'est une série divergente par oscillation.

Si $x = 3$, on obtient :

$$\sum_{n=1}^{\infty} (1)^n = 1+1+1+1+1+\ldots$$

C'est une série arithmétique divergente et l'intervalle de convergence de la série de départ est]–1, 3[.

4. Cette série peut s'écrire :

$$\frac{\cos x}{1} + \frac{\cos 2x}{2^3} + \frac{\cos 3x}{3^3} + \frac{\cos 4x}{4^3} + \ldots + \frac{\cos nx}{n^3} + \ldots$$

Pour toute valeur de x, on a :

$$\left|\frac{\cos nx}{n^3}\right| \leq \frac{1}{n^3}$$

La série à termes variables est toujours inférieure à la série de Riemann $\sum_{n=1}^{\infty} \frac{1}{n^3}$ convergente, donc elle est toujours convergente. L'intervalle de convergence est $\mathbb{R}$.

5. Cette série peut s'écrire :

$$\frac{5}{3}x + \frac{10}{5}x^2 + \frac{15}{7}x^3 + \ldots + \frac{5n}{2n+1}x^n + \ldots$$

Selon le test de D'Alembert :

$$\lim_{n\to\infty} \left|\frac{u_{n+1}}{u_n}\right| = \lim_{n\to\infty} \left|\frac{5(n+1)\,x^{n+1}}{2n+3} \times \frac{2n+1}{5n\,x^n}\right|$$

$$= \lim_{n\to\infty} |x| \left|\frac{5(n+1)(2n+1)}{(2n+3)\,5n}\right|$$

$$= |x| \lim_{n\to\infty} \left|\frac{10n^2+15n+5}{10n^2+15n}\right| = |x|$$

La série converge pour $|x| < 1$. Le rayon de convergence est donc $r = 1$. Si $x = 1$, on a la série

$$\sum_{n=1}^{\infty} \frac{5n}{2n+1}$$

qui est une série divergente car le terme général ne tend pas vers 0. Si $x = -1$, on a la série alternée

$$\sum_{n=1}^{\infty} (-1)^n \left(\frac{5n}{2n+1}\right)$$

qui diverge car le terme général ne tend pas vers 0. Donc, l'intervalle de convergence est]– 1, 1[.

6. Selon le test de D'Alembert :

$$\lim_{n\to\infty} \left|\frac{u_{n+1}}{u_n}\right| = \lim_{n\to\infty} \left|\frac{(n+1)(x-3)^{n+1}}{\left((n+1)^2+1\right)} \times \frac{n^2+1}{n(x-3)^n}\right|$$

$$= |x-3| \lim_{n\to\infty} \left|\frac{n^3+n^2+n+1}{n^3+2n^2+2n}\right| = |x-3|$$

La série converge pour $|x-3| < 1$. Le rayon de convergence est $r = 1$. Qu'en est-il lorsque $|x-3| = 1$, c'est-à-dire $x = 4$ et $x = 2$? Si $x = 4$, la série devient :

$$\frac{1}{2} + \frac{2}{5} + \frac{3}{10} + \ldots + \frac{n}{n^2+1} + \ldots$$

Ce qui est une série divergente (test du polynôme). Si $x = 2$, la série devient :

$$-\frac{1}{2} + \frac{2}{5} - \frac{3}{10} + \ldots + \frac{(-1)^n\,n}{n^2+1} + \ldots$$

Ce qui est une série convergente (théorème de Leibniz). Donc, l'intervalle de convergence est [2, 4[.

7. Selon le test de D'Alembert :

$$\lim_{n\to\infty} \left|\frac{u_{n+1}}{u_n}\right|$$

$$= \lim_{n\to\infty} \left|\frac{7(x-2)^{n+1}}{3\times 6\times 9\times\ldots\times(3n)(3n+3)} \times \frac{3\times 6\times 9\times\ldots\times(3n)}{7(x-2)^n}\right|$$

$$= \lim_{n\to\infty} \left|\frac{x-2}{3n+3}\right| = |x-2| \lim_{n\to\infty} \frac{1}{3n+3} = |x-2|\,(0) = 0$$

Donc, la série converge sur $\mathbb{R}$.

8. Selon le test de D'Alembert :

$$\lim_{n\to\infty} \left|\frac{u_{n+1}}{u_n}\right| = \lim_{n\to\infty} \left|\frac{(7x)^{n+1}}{n!} \times \frac{(n-1)!}{(7x)^n}\right| = \lim_{n\to\infty} \left|\frac{7x}{n}\right| = 0$$

Donc, la série converge sur $\mathbb{R}$.

9. Selon le test de D'Alembert :

$$\lim_{n\to\infty} \left|\frac{u_{n+1}}{u_n}\right| = \lim_{n\to\infty} \left|\frac{5^{n+1}\sin^{n+1}x}{(n+1)^2} \times \frac{n^2}{5^n \sin^n x}\right| = |\sin x| \lim_{n\to\infty} \left|\frac{5n^2}{(n+1)^2}\right|$$

$$= 5\,|\sin x| \lim_{n\to\infty} \left|\frac{n^2}{(n+1)^2}\right| = 5\,|\sin x|$$

La série converge lorsque $5\,|\sin x| < 1$, c'est-à-dire

$$|\sin x| < \frac{1}{5}$$

$$-\frac{1}{5} < \sin x < \frac{1}{5}$$

$$\arcsin\left(-\frac{1}{5}\right) = -\arcsin\frac{1}{5} < x < \arcsin\frac{1}{5}$$

La série diverge lorsque $x < -\arcsin\frac{1}{5}$ ou $x > \arcsin\frac{1}{5}$.

Si $x = -\arcsin\frac{1}{5}$, la série devient $\sum_{n=1}^{\infty} \frac{5^n(-1/5)^n}{n^2} = \sum_{n=1}^{\infty} \frac{(-1)^n}{n^2}$.

C'est une série absolument convergente, car $\sum_{n=1}^{\infty} \frac{1}{n^2}$ est la série de Riemann où $p = 2$.

Si $x = \arcsin\frac{1}{5}$, la série devient $\sum_{n=1}^{\infty}\frac{5^n\,(1/5)^n}{n^2} = \sum_{n=1}^{\infty}\frac{1}{n^2}$, ce qui est une série de Riemann convergente.

Donc, l'intervalle de convergence est $\left[-\arcsin\frac{1}{5}, \arcsin\frac{1}{5}\right]$.

10. a) $\sum_{n=1}^{\infty}\frac{1}{n\,2^n}$; converge (test de D'Alembert)

b) $\sum_{n=1}^{\infty}\frac{2^{2n}}{n\,2^n} = \sum_{n=1}^{\infty}\frac{2^n}{n}$; diverge (test de D'Alembert)

11. $]-4, 4[$
12. $[-3, -1[$
13. $\mathbb{R}$
14. $[-4, -2[$
15. $]-\infty, -1[\ \cup\ ]1, \infty[$
16. $]4/3, 10[$
17. $[-1, 1]$
18. $[-1, 0[$
19. $\left]-\sqrt{2}, \sqrt{2}\right[$
20. C'est la série $\sum_{n=1}^{\infty}\frac{(-1)^{n+1}\,x^{n+1}}{n\,(n+2)}$; elle converge sur $[-1, 1]$.
21. C'est la série $\sum_{n=1}^{\infty}\frac{(x^2-1)^n}{8^{n+1}}$; elle converge sur $]-3, 3[$.

Exercices 7.12

1. $f(x) = e^x \qquad f(0) = e^0 = 1$

$f'(x) = e^x \qquad f'(0) = 1$

$f''(x) = e^x \qquad f''(0) = 1$

$f'''(x) = e^x \qquad f'''(0) = 1$

$f^{(4)}(x) = e^x \qquad f^{(4)}(0) = 1$

$f^{(5)}(x) = e^x \qquad f^{(5)}(0) = 1$

... ...

Donc, selon la formule de MacLaurin, on a :

$$e^x = 1 + x + \frac{x^2}{2!} + \frac{x^3}{3!} + \frac{x^4}{4!} + \frac{x^5}{5!} + \ldots + \frac{x^{n-1}}{(n-1)!} + \ldots$$

Déterminons l'intervalle de convergence en calculant

$$\lim_{n\to\infty}\left|\frac{u_{n+1}}{u_n}\right| = \lim_{n\to\infty}\left|\frac{x^n}{n!}\times\frac{(n-1)!}{x^{n-1}}\right| = |x|\lim_{n\to\infty}\left|\frac{1}{n}\right| = 0$$

Donc, la série converge sur $\mathbb{R}$.

2. $f(x) = \sin x \qquad f(0) = 0$

$f'(x) = \cos x \qquad f'(0) = 1$

$f''(x) = -\sin x \qquad f''(0) = 0$

$f'''(x) = -\cos x \qquad f'''(0) = -1$

$f''''(x) = \sin x \qquad f''''(0) = 0$

... ...

Donc :

$$\sin x = 0 + 1\times x + 0\times\frac{x^2}{2!} - 1\times\frac{x^3}{3!} + 0\times\frac{x^4}{4!} + \frac{x^5}{5!} + \ldots$$

$$\sin x = x - \frac{x^3}{3!} + \frac{x^5}{5!} - \frac{x^7}{7!} + \frac{x^9}{9!} - \ldots + (-1)^{n+1}\frac{x^{2n-1}}{(2n-1)!} + \ldots$$

Déterminons l'intervalle de convergence en calculant

$$\lim_{n\to\infty}\left|\frac{u_{n+1}}{u_n}\right| = \lim_{n\to\infty}\left|\frac{x^{2n+1}}{(2n+1)!}\times\frac{(2n-1)!}{x^{2n-1}}\right| = x^2\lim_{n\to\infty}\left|\frac{1}{2n\,(2n+1)}\right| = 0$$

Donc, cette série converge pour toute valeur de $x \in \mathbb{R}$.

3. $f(x) = (1+x)^{3/2} \qquad f(0) = 1$

$f'(x) = \frac{3}{2}(1+x)^{1/2} \qquad f'(0) = \frac{3}{2}$

$f''(x) = \frac{3}{2}\times\frac{1}{2}(1+x)^{-1/2} \qquad f''(0) = \frac{3}{4}$

$f'''(x) = \frac{3}{2}\times\frac{1}{2}\times\left(-\frac{1}{2}\right)(1+x)^{-3/2} \qquad f'''(0) = -\frac{3}{8}$

$f^{(4)}(x) = \frac{3}{2}\times\frac{1}{2}\times\left(-\frac{1}{2}\right)\times\left(-\frac{3}{2}\right)(1+x)^{-5/2}$

$f^{(4)}(0) = \frac{9}{2^4}$

$f^{(5)}(x) = \frac{3}{2}\times\frac{1}{2}\times\left(-\frac{1}{2}\right)\times\left(-\frac{3}{2}\right)\times\left(-\frac{5}{2}\right)(1+x)^{-7/2}$

$f^{(5)}(0) = -\frac{3\times3\times5}{2^5}$

... ...

Ainsi :

$$(1+x)^{3/2} = 1 + \frac{3}{2}x + \frac{3}{2^2}\frac{x^2}{2!} - \frac{3}{2^3}\frac{x^3}{3!} + \frac{3\times3}{2^4}\frac{x^4}{4!} - \frac{3\times3\times5}{2^5}\frac{x^5}{5!} + \ldots$$

$$+\left(\left(\frac{3}{2}\right)\left(\frac{1}{2}\right)\left(-\frac{1}{2}\right)\left(-\frac{3}{2}\right)\times\ldots\times\left(\frac{3}{2}-n+2\right)\right)\frac{x^{n-1}}{(n-1)!} + \ldots$$

Déterminons l'intervalle de convergence :

$$\lim_{n\to\infty}\left|\frac{u_{n+1}}{u_n}\right|$$

$$= \lim_{n\to\infty}\left|\frac{\left(\frac{3}{2}\right)\left(\frac{1}{2}\right)\left(-\frac{1}{2}\right)\ldots\left(\frac{3}{2}-n+1\right)x^n}{n!}\times\frac{(n-1)!}{\left(\frac{3}{2}\right)\left(\frac{1}{2}\right)\left(-\frac{1}{2}\right)\ldots\left(\frac{3}{2}-n+2\right)x^{n-1}}\right|$$

$$= \lim_{n\to\infty}\left|\frac{\left(\frac{3}{2}-n+1\right)x}{n}\right| = |x|\lim_{n\to\infty}\left|\frac{\frac{5}{2}-n}{n}\right| = |x|\times1 = |x|$$

La série converge lorsque $|x| < 1$, soit lorsque $-1 < x < 1$. La preuve de la convergence de cette série aux extrémités de l'intervalle dépasse le niveau de cette section. (Voir les exercices défis au sujet de la convergence lorsque $x = 1$ ou -1.) De fait, l'intervalle de convergence est $[-1, 1]$.

4. $f(x) = \ln x$ $\qquad f(1) = 0$

$f'(x) = \dfrac{1}{x}$ $\qquad f'(1) = 1$

$f''(x) = \dfrac{-1}{x^2}$ $\qquad f''(1) = -1$

$f'''(x) = \dfrac{2}{x^3}$ $\qquad f'''(1) = 2$

$f''''(x) = \dfrac{-2 \times 3}{x^4}$ $\qquad f''''(1) = -2 \times 3$

$\ldots \qquad \ldots$

$f^{(n)}(x) = \dfrac{(-1)^{n+1}(n-1)!}{x^n}$ $\qquad f^{(n)}(1) = (-1)^{n+1}(n-1)!$

Donc :

$$\ln x = 0 + 1(x-1) - \frac{1(x-1)^2}{2!} + \frac{2(x-1)^3}{3!} - \frac{2\times 3(x-1)^4}{4!} + \ldots + \frac{(-1)^{n+1}(n-1)!(x-1)^n}{n!} + \ldots$$

$$\ln x = (x-1) - \frac{(x-1)^2}{2} + \frac{(x-1)^3}{3} - \frac{(x-1)^4}{4} + \ldots + \frac{(-1)^{n+1}(x-1)^n}{n} + \ldots$$

Déterminons l'intervalle de convergence en calculant

$$\lim_{n\to\infty}\left|\frac{u_{n+1}}{u_n}\right| = \lim_{n\to\infty}\left|\frac{(x-1)^{n+1}}{n+1} \times \frac{n}{(x-1)^n}\right|$$

$$= |x-1| \lim_{n\to\infty}\left|\frac{n}{n+1}\right| = |x-1|$$

La série converge si $|x-1| < 1$, c'est-à-dire si $0 < x < 2$. Qu'en est-il aux valeurs $x = 0$ et $x = 2$?

Si $x = 0$, la série devient :

$$-1 - \frac{1}{2} - \frac{1}{3} - \frac{1}{4} - \frac{1}{5} - \ldots$$

C'est la série harmonique négative; donc, elle diverge.

Si $x = 2$, la série devient :

$$1 - \frac{1}{2} + \frac{1}{3} - \frac{1}{4} + \frac{1}{5} - \ldots$$

C'est la série harmonique alternée; donc, elle converge.

Globalement, ce développement en série de Taylor de $\ln x$ converge sur l'intervalle $]0, 2]$.

5. $f(x) = \sqrt{x} = x^{1/2}$ $\qquad f(4) = 2$

$f'(x) = \dfrac{1}{2}x^{-1/2}$ $\qquad f'(4) = \dfrac{1}{2}\left(\dfrac{1}{2}\right)$

$f''(x) = \left(\dfrac{1}{2}\right)\left(-\dfrac{1}{2}\right)x^{-3/2}$ $\qquad f''(4) = \dfrac{1}{2}\left(-\dfrac{1}{2}\right)\left(\dfrac{1}{2^3}\right)$

$f'''(x) = \left(\dfrac{1}{2}\right)\left(-\dfrac{1}{2}\right)\left(-\dfrac{3}{2}\right)x^{-5/2}$

$f'''(4) = \left(\dfrac{1}{2}\right)\left(-\dfrac{1}{2}\right)\left(-\dfrac{3}{2}\right)\left(\dfrac{1}{2^5}\right)$

$f^{(4)}(x) = \left(\dfrac{1}{2}\right)\left(-\dfrac{1}{2}\right)\left(-\dfrac{3}{2}\right)\left(-\dfrac{5}{2}\right)x^{-7/2}$

$f^{(4)}(4) = \left(\dfrac{1}{2}\right)\left(-\dfrac{1}{2}\right)\left(-\dfrac{3}{2}\right)\left(-\dfrac{5}{2}\right)\left(\dfrac{1}{2^7}\right)$

$f^{(5)}(x) = \left(\dfrac{1}{2}\right)\left(-\dfrac{1}{2}\right)\left(-\dfrac{3}{2}\right)\left(-\dfrac{5}{2}\right)\left(-\dfrac{7}{2}\right)x^{-9/2}$

$f^{(5)}(4) = \left(\dfrac{1}{2}\right)\left(-\dfrac{1}{2}\right)\left(-\dfrac{3}{2}\right)\left(-\dfrac{5}{2}\right)\left(-\dfrac{7}{2}\right)\left(\dfrac{1}{2^9}\right)$

$\ldots \qquad \ldots$

Ainsi :

$$\sqrt{x} = 2 + \frac{1}{4}(x-4) - \frac{1}{2^2}\frac{(x-4)^2}{2!\,2^3} + \frac{1\times 3}{2^3}\frac{(x-4)^3}{3!\,2^5} - \frac{1\times 3\times 5}{2^4}\frac{(x-4)^4}{4!\,2^7} + \frac{1\times 3\times 5\times 7}{2^5}\frac{(x-4)^5}{5!\,2^9} + \ldots + (-1)^n\frac{1\times 3\times 5\times\ldots\times(2n-5)}{2^{n-1}(n-1)!}\frac{(x-4)^{n-1}}{2^{2n-3}} + \ldots$$

Pour déterminer l'intervalle de convergence, calculons

$$\lim_{n\to\infty}\left|\frac{u_{n+1}}{u_n}\right|$$

$$= \lim_{n\to\infty}\left|\frac{1\times 3\times 5\times\ldots\times(2n-3)(x-4)^n}{2^n\, n!\, 2^{2n-1}} \times \frac{2^{n-1}(n-1)!\,2^{2n-3}}{1\times 3\times 5\times\ldots\times(2n-5)(x-4)^{n-1}}\right|$$

$$= \lim_{n\to\infty}\left|\frac{(2n-3)(x-4)}{2(n)\,2^2}\right| = |x-4|\lim_{n\to\infty}\left|\frac{2n-3}{8n}\right| = \frac{|x-4|}{4}$$

La série converge lorsque $\left|\dfrac{x-4}{4}\right| < 1$ soit lorsque $0 < x < 8$.

La preuve de la convergence de cette série aux extrémités de l'intervalle dépasse le niveau de cette section. (Voir les exercices du numéro 6 de la section 7.16). L'intervalle de convergence est $[0, 8]$.

6. a) $\dfrac{1}{1+x} = 1 - x + x^2 - x^3 + x^4 - x^5 + x^6 - \ldots + (-1)^{n+1}x^{n-1} + \ldots$

Cette série converge sur $]-1, 1[$.

b) $\dfrac{1}{1+x^2} = 1 - x^2 + x^4 - x^6 + x^8 - x^{10} + \ldots + (-1)^{n+1}x^{2n-2} + \ldots$

Cette série converge sur $]-1, 1[$.

7. $\cos x = 1 - \dfrac{x^2}{2!} + \dfrac{x^4}{4!} - \dfrac{x^6}{6!} + \dfrac{x^8}{8!} - \ldots + \dfrac{(-1)^{n+1}x^{2n-2}}{(2n-2)!} + \ldots$

Converge sur $\mathbb{R}$.

8. $e^{-x} = 1 - x + \dfrac{x^2}{2!} - \dfrac{x^3}{3!} + \dfrac{x^4}{4!} - \ldots + \dfrac{(-1)^{n+1}x^{n-1}}{(n-1)!} + \ldots$

Converge sur $\mathbb{R}$.

9. $e^{x^2} = 1 + x^2 + \dfrac{x^4}{2!} + \dfrac{x^6}{3!} + \dfrac{x^8}{4!} + \ldots + \dfrac{x^{2n-2}}{(n-1)!} + \ldots$

Converge sur $\mathbb{R}$.

7

10. $\dfrac{1}{x+5} = \dfrac{1}{5} - \dfrac{x}{5^2} + \dfrac{x^2}{5^3} - \dfrac{x^3}{5^4} + \dfrac{x^4}{5^5} - \ldots + \dfrac{(-1)^{n+1}\,x^{n-1}}{5^n} + \ldots$

    Converge sur $]-5, 5[$.

11. $e^x = e^2 + e^2\,(x-2) + \dfrac{e^2\,(x-2)^2}{2!} + \dfrac{e^2\,(x-2)^3}{3!} + \ldots + \dfrac{e^2\,(x-2)^{n-1}}{(n-1)!} + \ldots$

    Converge sur $\mathbb{R}$.

12. $\sqrt{x} = 1 + \dfrac{(x-1)}{2} - \dfrac{(x-1)^2}{2^2\,2!} + \dfrac{3\,(x-1)^3}{2^3\,3!} - \dfrac{(3)\,(5)\,(x-1)^4}{2^4\,4!} + \ldots + \dfrac{(-1)^{n-1}\,(-1)\,(1)\,(3)\,(5)\ldots(2n-5)\,(x-1)^{n-1}}{2^{n-1}\,(n-1)!} + \ldots$

    (NB : L'expression du terme général vaut pour $n \geq 2$). Converge sur $]0, 2[$.

    On peut montrer, grâce au *test de Raabe*, que l'intervalle de convergence est $[0, 2]$. À ce sujet, voir l'exercice 6b de la section 7.16.

13. $\ln x = \ln 3 + \dfrac{(x-3)}{3} - \dfrac{(x-3)^2}{(2)\,3^2} + \dfrac{(x-3)^3}{(3)\,3^3} - \ldots + \dfrac{(-1)^n\,(x-3)^{n-1}}{(n-1)\,3^{n-1}} + \ldots$

    (NB : L'expression du terme général vaut pour $n \geq 2$). Converge sur $]0, 6]$.

14. $\sin x = \dfrac{\sqrt{2}}{2} + \dfrac{\sqrt{2}}{2}\left(x - \dfrac{\pi}{4}\right) - \dfrac{\sqrt{2}}{2}\dfrac{(x-(\pi/4))^2}{2!} - \dfrac{\sqrt{2}}{2}\dfrac{(x-(\pi/4))^3}{3!} + \ldots + (\pm)\dfrac{\sqrt{2}}{2}\dfrac{(x-(\pi/4))^{n-1}}{(n-1)!} + \ldots$

    Converge sur $\mathbb{R}$.

    (NB : deux « + », deux « – », deux « + », deux « – », ...)

15. $\cos x = \dfrac{1}{2} - \dfrac{\sqrt{3}}{2}\left(x - \dfrac{\pi}{3}\right) - \dfrac{1}{2}\dfrac{(x-(\pi/3))^2}{2!} + \dfrac{\sqrt{3}}{2}\dfrac{(x-(\pi/3))^3}{3!} + \dfrac{1}{2}\dfrac{(x-(\pi/3))^4}{4!} - \ldots$

    Converge sur $\mathbb{R}$.

    (NB : un plus, deux moins, deux plus, deux moins, ...)

Exercices 7.14

1. Rappelons qu'en calcul les angles doivent être mesurés en radians. On cherche donc la valeur de $\sin(\pi/18)$.

   Selon l'exercice 2 de la section 7.12 :

   $$\sin x = x - \frac{x^3}{3!} + \frac{x^5}{5!} - \frac{x^7}{7!} + \frac{x^9}{9!} - \ldots$$

   Ainsi :

   $$\sin\left(\frac{\pi}{18}\right) = \frac{\pi}{18} - \frac{1}{3!}\left(\frac{\pi}{18}\right)^3 + \frac{1}{5!}\left(\frac{\pi}{18}\right)^5 - \ldots = 0{,}173648\ldots$$

2. On a :

   $$\ln x = (x-1) - \frac{(x-1)^2}{2} + \frac{(x-1)^3}{3} - \frac{(x-1)^4}{4} + \ldots$$

   et cette série converge pour $0 < x \leq 2$. Alors :

   $$\ln\frac{3}{2} = \left(\frac{1}{2}\right) - \frac{(1/2)^2}{2} + \frac{(1/2)^3}{3} - \frac{(1/2)^4}{4} + \frac{(1/2)^5}{5} - \frac{(1/2)^6}{6} + \frac{(1/2)^7}{7} - \ldots$$

   $$\ln\frac{3}{2} = 0{,}5000 - 0{,}1250 + 0{,}0416 - 0{,}0156 + 0{,}0063 - 0{,}0026 + 0{,}0011 - 0{,}0005 + 0{,}0002 - \ldots$$

   $$\ln\frac{3}{2} = 0{,}405\ldots$$

3. On cherche $\cos\left(\dfrac{\pi}{6} + \dfrac{\pi}{180}\right)$.

   Pour avoir une série qui converge rapidement, on développera la fonction $y = \cos x$ en série de Taylor autour de $a = \pi/6$.

   $f(x) = \cos x \qquad f\left(\dfrac{\pi}{6}\right) = \dfrac{\sqrt{3}}{2}$

   $f'(x) = -\sin x \qquad f'\left(\dfrac{\pi}{6}\right) = -\dfrac{1}{2}$

   $f''(x) = -\cos x \qquad f''\left(\dfrac{\pi}{6}\right) = -\dfrac{\sqrt{3}}{2}$

   $f'''(x) = \sin x \qquad f'''\left(\dfrac{\pi}{6}\right) = \dfrac{1}{2}$

   $f''''(x) = \cos x \qquad f''''\left(\dfrac{\pi}{6}\right) = \dfrac{\sqrt{3}}{2}$

   $\ldots \qquad \ldots$

   Ainsi :

   $$\cos x = \frac{\sqrt{3}}{2} - \frac{1}{2}\left(x - \frac{\pi}{6}\right) - \frac{\sqrt{3}}{2} \times \frac{1}{2!}\left(x - \frac{\pi}{6}\right)^2 + \frac{1}{2} \times \frac{1}{3!}\left(x - \frac{\pi}{6}\right)^3 + \ldots$$

   $$\cos\left(\frac{\pi}{6} + \frac{\pi}{180}\right) = \frac{\sqrt{3}}{2} - \frac{1}{2}\left(\frac{\pi}{180}\right) - \frac{\sqrt{3}}{4}\left(\frac{\pi}{180}\right)^2 + \frac{1}{12}\left(\frac{\pi}{180}\right)^3 + \ldots$$

   $= 0{,}86602 - 0{,}00872 - 0{,}00013 + 0{,}0000004 + \ldots$

   $= 0{,}85717\ldots$

4. Considérons les deux développements en série de MacLaurin qu'on a déjà utilisés à l'exemple 7.57 :

   $$e^x = 1 + x + \frac{x^2}{2!} + \frac{x^3}{3!} + \frac{x^4}{4!} + \ldots + \frac{x^{n-1}}{(n-1)!} + \ldots$$

   $$\sin x = x - \frac{x^3}{3!} + \frac{x^5}{5!} - \frac{x^7}{7!} + \frac{x^9}{9!} - \ldots + (-1)^{n+1}\frac{x^{2n-1}}{(2n-1)!} + \ldots$$

   Ces deux séries convergent sur $\mathbb{R}$.

   En multipliant ces deux séries termes à termes, on obtient :

   $$e^x \sin x = x + x^2 + \frac{2x^3}{3} - \frac{x^5}{30} - \frac{x^6}{90} - \frac{x^7}{630} + \ldots$$

   Cette série converge sur $\mathbb{R}$. Il est cependant difficile de trouver l'expression du terme général.

5. On a vu que :

   $$\sin x = x - \frac{x^3}{3!} + \frac{x^5}{5!} - \frac{x^7}{7!} + \frac{x^9}{9!} - \ldots$$

7

Alors :

$$\frac{\sin x}{x} = 1 - \frac{x^2}{3!} + \frac{x^4}{5!} - \frac{x^6}{7!} + \frac{x^8}{9!} - \ldots$$

$$\int \frac{\sin x}{x}\,dx = x - \frac{x^3}{3\times 3!} + \frac{x^5}{5\times 5!} - \frac{x^7}{7\times 7!} + \frac{x^9}{9\times 9!} - \ldots$$

$$\int_0^{\pi/2} \frac{\sin x}{x}\,dx = \left[x - \frac{x^3}{3\times 3!} + \frac{x^5}{5\times 5!} - \frac{x^7}{7\times 7!} + \frac{x^9}{9\times 9!} - \ldots\right]_0^{\pi/2}$$

$$= \frac{\pi}{2} - \frac{(\pi/2)^3}{3\times 3!} + \frac{(\pi/2)^5}{5\times 5!} - \frac{(\pi/2)^7}{7\times 7!} + \frac{(\pi/2)^9}{9\times 9!} - \ldots$$

$$= 1{,}57079 - 0{,}21532 + 0{,}01593 - 0{,}00066 + 0{,}00002 - \ldots$$

$$= 1{,}37076\ldots$$

6. $e^{3x} = 1 + 3x + \frac{9x^2}{2!} + \frac{27x^3}{3!} + \frac{81x^4}{4!} + \ldots + \frac{3^{n-1}x^{n-1}}{(n-1)!} + \ldots$

Converge sur $\mathbb{R}$.

7. $\frac{e^x + e^{-x}}{2} = 1 + \frac{x^2}{2!} + \frac{x^4}{4!} + \frac{x^6}{6!} + \ldots + \frac{x^{2n-2}}{(2n-2)!} + \ldots$

Converge sur $\mathbb{R}$.

8. $\cos 3x = 1 - \frac{9x^2}{2!} + \frac{81x^4}{4!} - \frac{729x^6}{6!} + \ldots + \frac{(-1)^{n+1}(3x)^{2n-2}}{(2n-2)!} + \ldots$

Converge sur $\mathbb{R}$.

9. $\frac{e^x - e^{-x}}{2} = x + \frac{x^3}{3!} + \frac{x^5}{5!} + \frac{x^7}{7!} + \ldots + \frac{x^{2n-1}}{(2n-1)!} + \ldots$

Converge sur $\mathbb{R}$.

10. $\sin x + \cos x = 1 + x - \frac{x^2}{2!} - \frac{x^3}{3!} + \frac{x^4}{4!} + \frac{x^5}{5!} - \frac{x^6}{6!} - \frac{x^7}{7!} + \frac{x^8}{8!} + \frac{x^9}{9!} - \ldots \frac{(\pm)\,x^{n-1}}{(n-1)!} + \ldots$

Converge sur $\mathbb{R}$.

11. $\tan x = \frac{\sin x}{\cos x} = x + \frac{x^3}{3} + \frac{2x^5}{15} + \frac{17}{315}x^7 + \frac{62}{2835}x^9 + \ldots$

(NB : Il est très difficile de trouver l'expression du terme général dans ce cas-ci, et de démontrer que cette série converge sur $\left]-\frac{\pi}{2}, \frac{\pi}{2}\right[$.)

12. $\sec x = \frac{1}{\cos x} = 1 + \frac{x^2}{2} + \frac{5x^4}{24} + \frac{61x^6}{720} + \frac{1385x^8}{40320} + \ldots$

(NB : Il est très difficile de trouver l'expression du terme général dans ce cas-ci, et de démontrer que cette série converge sur $\left]-\frac{\pi}{2}, \frac{\pi}{2}\right[$.)

13. $\frac{x}{x+5} = \frac{x}{5} - \frac{x^2}{5^2} + \frac{x^3}{5^3} - \frac{x^4}{5^4} + \frac{x^5}{5^5} - \ldots + \frac{(-1)^{n+1}x^n}{5^n} + \ldots$

Converge sur $]-5, 5[$.

14. 7,38906

15. 0,99619

16. 0,36788

17. 0,16667

18. 3,08616

19. 2,35040

20. 1,28171

21. 0,15838

22. 1,01543

23. 0,28571

24. 0,18232

25. 1,46265

26. 0,13340

27. 1,44090

28. 20,08554

29. 1,09545

30. 1,25276

31. 0,76604

32. 0,64279

33. $\ln(1+x) = \int \frac{dx}{1+x}$

$$= \int \left\{1 - x + x^2 - x^3 + x^4 - x^5 + \ldots + (-1)^{n+1}x^{n-1} + \ldots\right\} dx$$

$$= x - \frac{x^2}{2} + \frac{x^3}{3} - \frac{x^4}{4} + \frac{x^5}{5} - \frac{x^6}{6} + \ldots + (-1)^{n+1}\frac{x^n}{n} + \ldots$$

Cette dernière série converge sur $]-1, 1]$.

34. $\arctan x = \int \frac{dx}{1+x^2}$

$$= \int \left\{1 - x^2 + x^4 - x^6 + x^8 - x^{10} + \ldots + (-1)^{n+1}x^{2n-2} + \ldots\right\} dx$$

$$= x - \frac{x^3}{3} + \frac{x^5}{5} - \frac{x^7}{7} + \frac{x^9}{9} - \frac{x^{11}}{11} + \ldots + (-1)^{n+1}\frac{x^{2n-1}}{2n-1} + \ldots$$

Cette dernière série converge sur $[-1, 1]$.

$$\arctan 1 = \frac{\pi}{4} = 1 - \frac{1}{3} + \frac{1}{5} - \frac{1}{7} + \frac{1}{9} - \ldots + \frac{(-1)^{n+1}}{2n-1} + \ldots$$

$$\pi = 4\left\{1 - \frac{1}{3} + \frac{1}{5} - \frac{1}{7} + \frac{1}{9} - \frac{1}{11} + \frac{1}{13} - \ldots\right\}$$

$$\pi = 3{,}14159$$

Notons que cette série converge assez lentement.

Exercices 7.15

1. $\left\{\frac{2n}{n+3}\right\}$; converge vers 2; strictement croissante; bornée inférieurement par $1/2$ et supérieurement par 2.

2. $\left\{\frac{n^2-1}{n}\right\}$; diverge; strictement croissante; bornée inférieurement par 0 ; non bornée supérieurement.

7

3. $\left\{\dfrac{2n+3}{n+1}\right\}$; converge vers 2; strictement décroissante; bornée supérieurement par $5/2$ et inférieurement par 2.

4. $\left\{\dfrac{3n+1}{n+1}\right\}$; converge vers 3; strictement croissante; bornée inférieurement par 2 et supérieurement par 3.

5. $\left\{\dfrac{1-2n}{n+1}\right\}$; converge vers -2; strictement décroissante; bornée supérieurement par $-1/2$ et inférieurement par -2.

6. $\left\{\dfrac{n^2+n}{3}\right\}$; diverge; strictement croissante; bornée inférieurement par $2/3$; non bornée supérieurement.

7. $\left\{\dfrac{n+4}{2n^2+3}\right\}$; converge vers 0; strictement décroissante; bornée supérieurement par 1 et inférieurement par 0.

8. $\left\{\dfrac{e^n}{n^3+4}\right\}$; diverge; strictement croissante; bornée inférieurement par $e/5$; non bornée supérieurement.

9. $\left\{\dfrac{3^n}{4^{n-1}}\right\}$; converge vers 0; strictement décroissante; bornée supérieurement par 3 et inférieurement par 0.

10. $\left\{\dfrac{n}{n+1}\right\}$; converge vers 1; strictement croissante; bornée inférieurement par $1/2$ et supérieurement par 1.

11. $\left\{\dfrac{n}{n^2+2}\right\}$; converge vers 0; décroissante; bornée supérieurement par $1/3$ et inférieurement par 0.

12. $\left\{\dfrac{3n}{n+1}\right\}$; converge vers 3; strictement croissante; bornée inférieurement par $3/2$ et supérieurement par 3.

13. $\{(-2)^n\}$; diverge; non monotone; non bornée.

14. $\{\sqrt{n+3}\}$; diverge; strictement croissante; bornée inférieurement par 2; non bornée supérieurement.

15. $\{2^{1/n}\}$; converge vers 1; strictement décroissante; bornée supérieurement par 2 et inférieurement par 1.

16. $\left\{\dfrac{3^n}{n!}\right\}$; converge vers 0; non monotone; bornée supérieurement par $9/2$ et inférieurement par 0.

17. $\left\{\dfrac{n^2}{2^n}\right\}$; converge vers 0; non monotone; bornée supérieurement par $9/8$ et inférieurement par 0.

18. $\left\{\dfrac{\ln n}{n}\right\}$; converge vers 0; non monotone; bornée supérieurement par $(\ln 3)/3$ et inférieurement par 0.

19. $\left\{\left(1+\dfrac{1}{n}\right)^n\right\}$; converge vers e; strictement croissante; bornée inférieurement par 2 et supérieurement par e.

20. $\left\{\dfrac{(n-2)\ln n}{n^2}\right\}$; converge vers 0; non monotone; bornée supérieurement par $(\ln 6)/9$ et inférieurement par 0.

21. Convergente; série géométrique où $r = 2/3$.

22. Divergente; test du polynôme.

23. Convergente; test de D'Alembert.

24. Convergente; test de la racine n^e.

25. Convergente; comparaison avec la série de Riemann où $p = 3/2$.

26. Absolument convergente; test de D'Alembert.

27. Conditionnellement convergente.

28. Divergente ; test de l'intégrale.

29. Convergente ; test du polynôme.

30. Conditionnellement convergente.

31. $u_n = \dfrac{n}{n^2+1\,000}$; divergente; test du polynôme.

32. $u_n = \dfrac{n^2}{n!}$; convergente; test de D'Alembert.

33. $u_n = \dfrac{n}{3^n}$; convergente; test de D'Alembert.

34. $u_n = \dfrac{1}{\sqrt{2n+3}}$; divergente; test de l'intégrale.

35. $u_n = \dfrac{2n-3}{n^2+n+7}$; divergente; test du polynôme.

36. $u_n = \dfrac{n}{2^n}$; convergente; test de D'Alembert.

37. $u_n = \dfrac{(-1)^{n+1}n^2}{n!}$; absolument convergente.

38. $u_n = \dfrac{2n}{n+2}$; divergente; u_n ne tend pas vers 0.

39. $u_n = \dfrac{n}{n!}$; convergente; test de D'Alembert.

40. $u_n = \dfrac{(-1)^n\,2n}{3n^2-1}$; conditionnellement convergente.

41. $u_n = \dfrac{n^2}{(n+1)!}$; convergente; test de D'Alembert.

42. $u_n = (-1)^{n+1}\dfrac{(n+1)\,3^n}{n!}$; absolument convergente.

43. $u_n = \dfrac{2n+3}{n^2+n}$; divergente; test du polynôme.

44. $u_n = \dfrac{\sin(n+1)}{n^2+1}$; absolument convergente.

45. $u_n = \dfrac{1\times 3\times 5\times\ldots\times(2n-1)}{3\times 6\times 9\times\ldots\times(3n)}$; convergente; test de D'Alembert.

46. $u_n = n\left(\dfrac{5}{7}\right)^n$; convergente; test de la racine n^e.

47. $u_n = \dfrac{(-1)^n}{\sqrt[3]{n^2+1}}$; conditionnellement convergente.

48. $u_n = \dfrac{n^2+\sqrt{n}}{n^3}$; divergente; comparaison avec $1/n$.

49. $u_n = \dfrac{\pm 2^n}{n^2+n}$; divergente; u_n ne tend pas vers 0.

50. $u_n = \dfrac{(-1)^{n+1}}{(n+1)\ln(n+1)}$; conditionnellement convergente.

51. $]-1,1]$

52. $[-1,7]$

53. $[4,6]$

54. $]-12,12[$

55. $[1,3]$

56. $[-1,5]$

57. $\mathbb{R}$

58. $[-3,3[$

59. $]-1,1[$

60. $]-6,-4[$

61. $[1,5[$

62. $[4/3,2[$

63. $e^{2x} = 1 + 2x + \dfrac{2^2x^2}{2!} + \dfrac{2^3x^3}{3!} + \ldots + \dfrac{2^{n-1}x^{n-1}}{(n-1)!} + \ldots$

Converge sur $\mathbb{R}$.

64. $\cos 2x = 1 - \dfrac{2^2x^2}{2!} + \dfrac{2^4x^4}{4!} - \dfrac{2^6x^6}{6!} + \ldots + (-1)^{n+1}\dfrac{2^{2n-2}x^{2n-2}}{(2n-2)!} + \ldots$

Converge sur $\mathbb{R}$.

65. $a^x = 1 + x\ln a + \dfrac{x^2}{2!}(\ln a)^2 + \dfrac{x^3}{3!}(\ln a)^3 + \ldots + \dfrac{x^{n-1}}{(n-1)!}(\ln a)^{n-1} + \ldots$

Converge pour tout $x \in \mathbb{R}$.

66. $\dfrac{1}{1+x^2} = 1 - x^2 + x^4 - x^6 + \ldots + (-1)^{n+1}x^{2n-2} + \ldots$

Converge sur $]-1,1[$.

67. $\dfrac{e^x-1}{x} = 1 + \dfrac{x}{2!} + \dfrac{x^2}{3!} + \ldots + \dfrac{x^{n-1}}{n!} + \ldots$

Converge sur $\mathbb{R}$.

68. $\arcsin x = x + \dfrac{1\times x^3}{2\times 3} + \dfrac{1\times 3}{2\times 4}\dfrac{x^5}{5} + \ldots + \dfrac{1\times 3\times 5\times\ldots\times(2n-3)}{2\times 4\times 6\times\ldots\times(2n-2)}\dfrac{x^{2n-1}}{(2n-1)} + \ldots$

Converge sur $[-1,1]$. Pour démontrer la convergence aux extrémités de l'intervalle, voir l'exercice 6c de la section 7.16.

69. $\arctan x = x - \dfrac{x^3}{3} + \dfrac{x^5}{5} - \dfrac{x^7}{7} + \ldots + (-1)^{n+1}\dfrac{x^{2n-1}}{2n-1} + \ldots$

Converge sur $[-1,1]$.

70. $\sin 5x = 5x - \dfrac{(5x)^3}{3!} + \dfrac{(5x)^5}{5!} - \ldots + \dfrac{(-1)^{n+1}(5x)^{2n-1}}{(2n-1)!} + \ldots$

Converge sur $\mathbb{R}$.

71. $\ln\left|\dfrac{1+x}{1-x}\right| = 2\left(x + \dfrac{x^3}{3} + \dfrac{x^5}{5} + \dfrac{x^7}{7} + \ldots + \dfrac{x^{2n-1}}{2n-1} + \ldots\right)$

Converge sur $]-1,1[$.

72. $e^x\cos x = 1 + x - \dfrac{1}{3}x^3 - \dfrac{1}{6}x^4 - \dfrac{1}{30}x^5 - \ldots$

Converge sur $\mathbb{R}$.

73. $\sin x\cos x = \dfrac{\sin 2x}{2}$

$= \dfrac{1}{2}\left(2x - \dfrac{(2x)^3}{3!} + \dfrac{(2x)^5}{5!} - \ldots + \dfrac{(-1)^{n+1}(2x)^{2n-1}}{(2n-1)!} + \ldots\right)$

Converge sur $\mathbb{R}$.

74. $\sin x$

$= \dfrac{1}{2}\left(1 + \sqrt{3}\left(x-\dfrac{\pi}{6}\right) - \dfrac{1}{2!}\left(x-\dfrac{\pi}{6}\right)^2 - \dfrac{\sqrt{3}}{3!}\left(x-\dfrac{\pi}{6}\right)^3 + \ldots\right)$

Converge sur $\mathbb{R}$.

75. e^x

$= e\left(x + \dfrac{(x-1)^2}{2!} + \dfrac{(x-1)^3}{3!} + \dfrac{(x-1)^4}{4!} + \ldots + \dfrac{(x-1)^{n-1}}{(n-1)!} + \ldots\right)$

Converge sur $\mathbb{R}$.

76. $\cos 3x = -3\left(x-\dfrac{\pi}{6}\right) + \dfrac{3^3}{3!}\left(x-\dfrac{\pi}{6}\right)^3 - \dfrac{3^5}{5!}\left(x-\dfrac{\pi}{6}\right)^5 + \ldots + \dfrac{(-1)^n 3^{2n-1}\left(x-\dfrac{\pi}{6}\right)^{2n-1}}{(2n-1)!} + \ldots$

Converge sur $\mathbb{R}$.

77. $\ln x = \ln 8 + \dfrac{1}{8}(x-8) - \dfrac{1}{2\times 8^2}(x-8)^2 + \dfrac{1}{3\times 8^3}(x-8)^3 + \ldots + \dfrac{(-1)^n(x-8)^{n-1}}{(n-1)8^{n-1}} + \ldots$

Converge sur $]0,16]$.

78. 2,71828

79. 0,98481

80. −0,05234

81. 1,60944

7

82. 3,14159

83. 0,84805

84. 1,25992

85. 0,33984

86. 1,24905

87. 0,46128

88. 0,44841

89. 0,04148

90. $\sqrt{1+x^4} = 1 + \frac{x^4}{2} - \frac{x^8}{8} + \frac{x^{12}}{16} - \frac{5x^{16}}{128} + \ldots$

$\int_0^{1/2} \sqrt{1+x^4}\, dx = 0,503098\ldots$

91. $\int \frac{e^{-x}-1}{x}\, dx = -x + \frac{x^2}{2\times 2!} - \frac{x^3}{3\times 3!} + \frac{x^4}{4\times 4!} - \frac{x^5}{5\times 5!} + \frac{x^6}{6\times 6!} - \frac{x^7}{7\times 7!} + \ldots$

$\int_0^{1/2} \frac{e^{-x}-1}{x}\, dx = -0,44384\ldots$

Exercices 7.16

1. La plupart des preuves d'unicité sont des *preuves par l'absurde*. Dans une preuve par l'absurde, on nie la conclusion du théorème et, de là, on est conduit à une contradiction ou une absurdité, ce qui nous amène à admettre le théorème.

Considérons une suite $\{s_n\}$ qui admet deux limites différentes s et t. Alors $s \neq t$ et $|s-t| > 0$.

Posons $\varepsilon = \frac{|s-t|}{2} > 0$.

Puisque $\lim_{n\to\infty} s_n = s$, il existe un entier positif k_1 tel que pour $n \geq k_1, |s_n - s| < \varepsilon$.

Puisque $\lim_{n\to\infty} s_n = t$, il existe un entier positif k_2 tel que pour $n \geq k_2, |s_n - t| < \varepsilon$.

Soit k, le plus grand des deux entiers positifs k_1 et k_2, alors pour $n \geq k$:

$$\varepsilon + \varepsilon > |s_n - s| + |s_n - t| = |s - s_n| + |s_n - t| \geq |s - s_n + s_n - t| = |s-t| = 2\varepsilon$$

C'est-à-dire : $2\varepsilon > 2\varepsilon$

C'est une absurdité. Donc, la limite est unique.

2. Soit $\{s_n\}$, une suite bornée croissante. Soit $\varepsilon > 0$, un nombre quelconque et soit s, la plus petite borne supérieure de cette suite bornée. Comme s est la plus petite des bornes supérieures, $s - \varepsilon$ n'est pas une borne supérieure. Donc, il existe un certain entier positif k tel que :

$$s_k > s - \varepsilon$$

La suite est croissante, donc pour $n \geq k$:

$$s_n \geq s_k$$

En regroupant ces deux inéquations, on obtient

$$s_n \geq s_k > s - \varepsilon$$
$$s_n > s - \varepsilon$$
$$s - s_n < \varepsilon$$

De plus, s étant une borne supérieure, $s - s_n \geq 0$; donc :

$$|s_n - s| < \varepsilon \quad \text{pour tout } n \geq k$$

Selon la définition de la limite d'une suite :

$$\lim_{n\to\infty} s_n = s$$

Donc, la suite converge vers s.

3. Posons $y = r^{1/n}$.

Alors $\ln y = \frac{1}{n}\ln r$ et $\lim_{n\to\infty} \ln y = \lim_{n\to\infty} \frac{\ln r}{n} = \frac{\text{constante}}{\infty} = 0$

Donc, $\lim_{n\to\infty} y = e^0 = 1$

Ce qui démontre que la suite $\{r^{1/n}\}$ où $r > 0$ converge vers 1.

4. Posons $y = \left(1 + \frac{r}{n}\right)^n$.

Alors, $\ln y = n \ln\left(1 + \frac{r}{n}\right) = \frac{\ln(1 + (r/n))}{1/n}$

et $\lim_{n\to\infty} \ln y = \lim_{n\to\infty} \frac{\ln(1+(r/n))}{1/n} = \lim_{n\to\infty} \frac{\left(\frac{1}{1+(r/n)}\right)\left(-\frac{r}{n^2}\right)}{\left(-1/n^2\right)}$

$$= \lim_{n\to\infty} \frac{r}{1+(r/n)} = r$$

Donc, $\lim_{n\to\infty} y = e^r$

Ce qui démontre que la suite $\left\{\left(1+\frac{r}{n}\right)^n\right\}$ converge vers e^r.

5. Choisissons un entier k positif où $k > r$. Notons que k est fixe.

$$n^r \leq n^k$$
$$\frac{n^r}{e^n} \leq \frac{n^k}{e^n}$$

$$\lim_{n\to\infty} \frac{n^k}{e^n} = \lim_{n\to\infty} \frac{k\, n^{k-1}}{e^n} = \lim_{n\to\infty} \frac{k\,(k-1)\, n^{k-2}}{e^n} = \ldots = \lim_{n\to\infty} \frac{k!}{e^n} = 0$$

Donc, $\lim_{n\to\infty} \frac{n^r}{e^n} = 0$, ce qui démontre que la suite $\left\{\frac{n^r}{e^n}\right\}$, où $r > 0$, converge vers 0.

6. a) Dans la série de l'exercice 3 de la section 7.12, si l'on fait $x = 1$, on obtient :

$$\lim_{n\to\infty} \left|\frac{u_{n+1}}{u_n}\right| = 1 \text{ et } \lim_{n\to\infty} n\left\{\left|\frac{u_{n+1}}{u_n}\right| - 1\right\} = \lim_{n\to\infty} n\left\{\frac{n - \frac{5}{2}}{n} - 1\right\}$$

$$= \lim_{n\to\infty} n\left\{\frac{n - \frac{5}{2} - n}{n}\right\} = \lim_{n\to\infty} n\left\{\frac{-5/2}{n}\right\} = -\frac{5}{2} = -1 - \frac{3}{2}$$

ce qui démontre que la série converge absolument. Le résultat est le même si l'on fait $x = -1$.

7

b) Considérons le développement en série de l'exercice 12 de la section 7.12 et faisons $x = 2$ (le problème est semblable si l'on fait $x = 0$).

$$\lim_{n\to\infty}\left|\frac{u_{n+1}}{u_n}\right|$$

$$= \lim_{n\to\infty}\left|\frac{(-1)(1)(3)(5)\ldots(2n-3)}{2^n(n!)}\;\frac{2^{n-1}(n-1)!}{(-1)(1)(3)(5)\ldots(2n-5)}\right|$$

$$= \lim_{n\to\infty}\left|\frac{2n-3}{2n}\right| = 1\,.$$

De plus :

$$\lim_{n\to\infty} n\left\{\left|\frac{u_{n+1}}{u_n}\right| - 1\right\} = \lim_{n\to\infty} n\left\{\frac{2n-3}{2n} - 1\right\} = -\frac{3}{2} = -1 - \frac{1}{2}$$

Donc, la série converge absolument.

c) Si l'on fait $x = 1$ ou $x = -1$ dans la série de l'exercice 60 de la section 7.15, on obtient :

$$\lim_{n\to\infty}\left|\frac{u_{n+1}}{u_n}\right| = \lim_{n\to\infty}\left|\frac{4n^2-4n+1}{4n^2+2n}\right| = 1 \text{ et}$$

$$\lim_{n\to\infty} n\left\{\left|\frac{u_{n+1}}{u_n}\right| - 1\right\} = \lim_{n\to\infty} n\left\{\frac{4n^2-4n+1}{4n^2+2n} - 1\right\}$$

$$= \lim_{n\to\infty} n\left\{\frac{4n^2-4n+1-4n^2-2n}{4n^2+2n}\right\} = \lim_{n\to\infty} n\left\{\frac{-6n+1}{4n^2+2n}\right\}$$

$$= \lim_{n\to\infty}\frac{-6n+1}{4n+2} = -\frac{6}{4} = -1 - \frac{2}{4}$$

Donc, la série converge absolument.

12. Soit $s_n \to s$ une suite convergente. Alors, pour tout $\varepsilon > 0$, il existe un entier positif k, tel que pour $n \geq k$

$$|s_n - s| < \varepsilon/2$$

et de même si $m \geq k$

$$|s_m - s| < \varepsilon/2$$

$$|s_n - s_m| = |s_n - s + s - s_m| \leq |s_n - s| + |s - s_m| < \frac{\varepsilon}{2} + \frac{\varepsilon}{2} = \varepsilon$$

Donc, $|s_n - s_m| < \varepsilon$

c'est-à-dire que la suite $\{s_n\}$ est une suite de Cauchy.

14. Soit $\sum_{n=1}^{\infty} u_n$ une série qui converge vers s et $\sum_{n=1}^{\infty} v_n$ une série qui converge vers t. Soit $s_n = \sum_{i=1}^{n} u_i$ et $t_n = \sum_{i=1}^{n} v_i$.

Alors $s_n + t_n = \sum_{i=1}^{n} u_i + \sum_{i=1}^{n} v_i = \sum_{i=1}^{n}(u_i + v_i)$ et

$$\lim_{n\to\infty}(s_n + t_n) = \lim_{n\to\infty}\sum_{i=1}^{n}(u_i + v_i)$$

$$\lim_{n\to\infty} s_n + \lim_{n\to\infty} t_n = \sum_{i=1}^{\infty}(u_i + v_i) = \sum_{n=1}^{\infty}(u_n + v_n)$$

$$s + t = \sum_{n=1}^{\infty}(u_n + v_n)$$

Donc $\sum_{n=1}^{\infty}(u_n + v_n)$ converge vers $s + t$.

La preuve est semblable pour $s - t$.

Test sur le chapitre 7

1. $u_n = \dfrac{2n+5}{n+2}$

Considérons $f(x) = \dfrac{2x+5}{x+2}$ alors $f'(x) = \dfrac{-1}{(x+2)^2} < 0$

La suite est donc strictement décroissante.

$\lim_{n\to\infty}\dfrac{2n+5}{n+2} = 2$; la suite converge vers 2.

La borne supérieure est $\dfrac{7}{3}$ et la borne inférieure 2.

2. $u_n = \dfrac{3n-2}{2n+1}$

Considérons $f(x) = \dfrac{3x-2}{2x+1}$ alors $f'(x) = \dfrac{7}{(2x+1)^2} > 0$

La suite est donc strictement croissante.

$\lim_{n\to\infty}\dfrac{3n-2}{2n+1} = \dfrac{3}{2}$; la suite converge vers $\dfrac{3}{2}$.

La borne inférieure est $\dfrac{1}{3}$ et la borne supérieure $\dfrac{3}{2}$.

3. $\sum_{n=1}^{\infty}\dfrac{4(2^{n+1})}{n!}$; $u_n \to 0$. Test de D'Alembert :

$$\lim_{n\to\infty}\frac{u_{n+1}}{u_n} = \lim_{n\to\infty}\frac{4(2^{n+2})}{(n+1)!}\times\frac{n!}{4(2^{n+1})} = \lim_{n\to\infty}\frac{2}{n+1} = 0 < 1\,.$$

Donc, la série converge.

4. $\sum_{n=1}^{\infty}\dfrac{(-1)^{n+1}\ln n}{n}$; considérons la série des valeurs absolues

$\sum_{n=1}^{\infty}\dfrac{\ln n}{n}$; comme $\dfrac{\ln n}{n} > \dfrac{1}{n}$ pour $n \geq 3$, la série est supérieure à la série harmonique, donc elle diverge.

Considérons maintenant la série alternée. Si $f(x) = \dfrac{\ln x}{x}$ alors $f'(x) = \dfrac{1-\ln x}{x^2} < 0$ pour $x \geq 3$.

Ainsi, les termes $\dfrac{\ln n}{n}$ vont en décroissant pour $n \geq 3$ et

$\lim_{n\to\infty}\dfrac{\ln n}{n} = \lim_{n\to\infty}\dfrac{\frac{1}{n}}{1} = 0$. Donc, la série est semi-convergente.

5. $u_n = \dfrac{2n-1}{2^n+1}$; par comparaison $\dfrac{2n-1}{2^n+1} < \dfrac{2n}{2^n} = \dfrac{n}{2^{n-1}}$.

Selon le test de D'Alembert

$$\lim_{n\to\infty}\frac{n+1}{2^n}\times\frac{2^{n-1}}{n} = \lim_{n\to\infty}\frac{n+1}{2n} = \frac{1}{2} < 1\,,$$

la série $\sum_{n=1}^{\infty}\dfrac{2n}{2^n}$ converge, donc $\sum_{n=1}^{\infty}\dfrac{2n-1}{2^n+1}$ converge aussi.

6. $u_n = \dfrac{(n+1)(x-1)^n}{n^2\,4^n}$

7

$$\lim_{n\to\infty}\left|\frac{u_{n+1}}{u_n}\right| = \lim_{n\to\infty}\left|\frac{(n+2)(x-1)^{n+1}}{(n+1)^2\,4^{n+1}}\times\frac{n^2\,4^n}{(n+1)(x-1)^n}\right|$$

$$= |x-1|\lim_{n\to\infty}\frac{n^3+2n^2}{4(n+1)^3} = \frac{|x-1|}{4}$$

Alors $\frac{|x-1|}{4} < 1 \;\Rightarrow\; |x-1| < 4 \;\Rightarrow\; -3 < x < 5$

Si $x = -3$, alors $\sum_{n=1}^{\infty}\frac{(-1)^n(n+1)}{n^2}$; Si $f(x) = \frac{x+1}{x^2}$ alors

$f'(x) = \frac{-x-2}{x^3} < 0$ et donc les termes vont en décroissant

et $\lim_{n\to\infty}\frac{n+1}{n^2} = \lim_{n\to\infty}\frac{1}{2n} = 0$, donc la série alternée converge.

Si $x = 5$, alors $\sum_{n=1}^{\infty}\frac{n+1}{n^2}$ diverge selon le test du polynôme.

Globalement, l'intervalle de convergence est $[-3, 5[$.

7. $u_n = \frac{3x^n}{(n+1)(n+2)}$

$$\lim_{n\to\infty}\left|\frac{u_{n+1}}{u_n}\right| = \lim_{n\to\infty}\left|\frac{3x^{n+1}}{(n+2)(n+3)}\times\frac{(n+1)(n+2)}{3x^n}\right|$$

$$= |x|\lim_{n\to\infty}\frac{n+1}{n+3} = |x|$$

La série converge pour $|x| < 1 \;\Rightarrow\; -1 < x < 1$

Si $x = 1$, $\sum_{n=1}^{\infty}\frac{3}{(n+1)(n+2)}$ converge selon le test du polynôme.

Si $x = -1$, $\sum_{n=1}^{\infty}\frac{3(-1)^n}{(n+1)(n+2)}$ converge absolument selon le test du polynôme.

Globalement, l'intervalle de convergence est $[-1, 1]$.

8. $f(x) = (1+x)^{-1}$ $\qquad f(1) = \frac{1}{2}$

$f'(x) = -(1+x)^{-2}$ $\qquad f'(1) = -\frac{1}{2^2}$

$f''(x) = 2(1+x)^{-3}$ $\qquad f''(1) = \frac{2!}{2^3}$

$f'''(x) = -2\times 3(1+x)^{-4}$ $\qquad f'''(1) = -\frac{3!}{2^4}$

$f^{(4)}(x) = 2\times 3\times 4(1+x)^{-5}$ $\qquad f^{(4)}(1) = \frac{4!}{2^5}$

$\ldots \qquad \ldots$

$f^{(n)}(x) = (-1)^n\,n!\,(1+x)^{-n-1}$ $\qquad f^{(n)}(1) = \frac{(-1)^n\,n!}{2^{n+1}}$

$$f(x) = \frac{1}{2} - \frac{(x-1)}{2^2} + \frac{(x-1)^2}{2^3} - \frac{(x-1)^3}{2^4} + \frac{(x-1)^4}{2^5} + \ldots$$
$$+ \frac{(-1)^n(x-1)^n}{2^{n+1}} + \ldots$$

Pour trouver l'intervalle de convergence

$$\lim_{n\to\infty}\left|\frac{(-1)^{n+1}(x-1)^{n+1}}{2^{n+2}}\times\frac{2^{n+1}}{(-1)^n(x-1)^n}\right| = \frac{|x-1|}{2}$$

Ainsi $\frac{|x-1|}{2} < 1 \;\Rightarrow\; -1 < x < 3$

Si $x = -1$, on a $\frac{1}{2} + \frac{1}{2} + \frac{1}{2} + \frac{1}{2} + \ldots$ donc diverge.

Si $x = 3$, on a $\frac{1}{2} - \frac{1}{2} + \frac{1}{2} - \frac{1}{2} + \ldots$ donc diverge.

La série converge donc sur $]-1, 3[$.

9. $f(x) = e^{3x}$ $\qquad f(0) = 1$

$f'(x) = 3e^{3x}$ $\qquad f'(0) = 3$

$f''(x) = 3^2e^{3x}$ $\qquad f''(0) = 3^2$

$f'''(x) = 3^3e^{3x}$ $\qquad f'''(0) = 3^3$

$f^{(4)}(x) = 3^4e^{3x}$ $\qquad f^{(4)}(0) = 3^4$

$\ldots \qquad \ldots$

$$f(x) = 1 + 3x + \frac{3^2}{2!}x^2 + \frac{3^3}{3!}x^3 + \frac{3^4}{4!}x^4 + \ldots + \frac{3^{n-1}}{(n-1)!}x^{n-1} + \frac{3^n}{n!}x^n + \ldots$$

$$\lim_{n\to\infty}\left|\frac{u_{n+1}}{u_n}\right| = \lim_{n\to\infty}\left|\frac{3^n x^n}{n!}\times\frac{(n-1)!}{3^{n-1}x^{n-1}}\right| = |x|\lim_{n\to\infty}\frac{3}{n} = 0$$

Donc, l'intervalle de convergence est $\mathbb{R}$.

Maintenant, si on fait $x = 1$, on a :

$$e^3 = 1 + 3 + \frac{3^2}{2!} + \frac{3^3}{3!} + \frac{3^4}{4!} + \frac{3^5}{5!} + \frac{3^6}{6!} + \frac{3^7}{7!} + \frac{3^8}{8!} + \frac{3^9}{9!} + \frac{3^{10}}{10!}$$
$$+ \frac{3^{11}}{11!} + \frac{3^{12}}{12!} + \frac{3^{13}}{13!} + \frac{3^{14}}{14!} + \ldots$$

$$e^3 = 1 + 3 + 4{,}5 + 4{,}5 + 3{,}375 + 2{,}025 + 1{,}0125 + 0{,}4339 + 0{,}1627$$
$$+ 0{,}0542 + 0{,}0163 + 0{,}0044 + 0{,}0011 + 0{,}0003 + 0{,}0000 + \ldots$$

$e^3 = 20{,}0854$

10. $\cos x = 1 - \frac{x^2}{2!} + \frac{x^4}{4!} - \frac{x^6}{6!} + \frac{x^8}{8!} - \frac{x^{10}}{10!} + \frac{x^{12}}{12!} - \ldots$

$$\cos x - 1 = -\frac{x^2}{2!} + \frac{x^4}{4!} - \frac{x^6}{6!} + \frac{x^8}{8!} - \frac{x^{10}}{10!} + \frac{x^{12}}{12!} - \ldots$$

$$\frac{\cos x - 1}{x} = -\frac{x}{2!} + \frac{x^3}{4!} - \frac{x^5}{6!} + \frac{x^7}{8!} - \frac{x^9}{10!} + \frac{x^{11}}{12!} - \ldots$$

$$\int\frac{\cos x - 1}{x}dx = -\frac{x^2}{2(2!)} + \frac{x^4}{4(4!)} - \frac{x^6}{6(6!)} + \frac{x^8}{8(8!)} - \frac{x^{10}}{10(10!)}$$
$$+ \frac{x^{12}}{12(12!)} - \ldots$$

$$\int_0^1\frac{\cos x - 1}{x}dx = \left[-\frac{x^2}{4} + \frac{x^4}{96} - \frac{x^6}{4320} + \frac{x^8}{322560}\right.$$
$$\left.- \frac{x^{10}}{36288000} + \ldots\right]_0^1$$

$$\int_0^1\frac{\cos x - 1}{x}dx = -\frac{1}{4} + \frac{1}{96} - \frac{1}{4320} + \frac{1}{322560} - \frac{1}{36288000}$$
$$= -0{,}2398$$

BIBLIOGRAPHIE

APOSTOL, Tom M. *Calculus*, 2e édition, New-York, Blaisdell Publishing, 1967, volumes I et II, 666 p. et 525 p.

ARYA, Jagdish C. et Robin W. LARDNER. *Mathematics for the biological sciences*, s. l., Prentice-Hall, 1976.

AYRES, Frank Jr. *Théorie et applications du calcul différentiel et intégral*, Paris, McGraw-Hill, 1977, 346 p. (Série Schaum)

BURGER, Nicole et Pierre MICHEL. *Mathématiques : cours et exercices avec solutions*, Paris, Dunod, 1970, tome I, 241 p. (Collection Technologie et Université)

COURANT, R. *Differential and integral calculus*, 2e édition, New-York, Interscience publisher, 1937, volume I, 616 p.

DE SAPIO, Rodolfo. *Calculus for the life sciences*, s. l., Freeman, 1978.

FISHER, Robert C. et Allen D. ZIEBUR. *Calculus and analytic geometry*, 2e édition, s. l., Prentice-Hall, 1959, 768 p.

GOODMAN, A. W. *Modern calculus with analytic geometry*, New-York, MacMillan, 1967, volume I, 808 p.

GRANDVILLE, W. A., Percey F. SMITH et W. R. LONGLEY. *Éléments de calcul différentiel et intégral*, Paris, Librairie Vuibert, 1962, 680 p.

JOHNSON, Richard E. et Fred L. KIOKEMEISTER. *Calculus with analytic geometry*, 4e édition, Boston, Allyn and Bacon, 1969, 956 p.

KAPLAN, Wilfred. *Advanced calculus*, s. l., Addison-Wesley, 1952, 679 p.

MASSART, Jean. *Cours d'analyse : tome I, calcul différentiel*, Paris, Dunod, 1969, 276 p.

MIDDLEMISS, Ross R., *Differential and integral calculus*, 2e édition, New-York, McGraw-Hill, 1946, 497 p.

PISKOUNOV, N. *Calcul différentiel et intégral*, 7e édition, Paris, Éditions Mir, 1978, tomes I et II, 511 p. et 614 p.

PROTTER, Murray H. et Charles B. MORREY JR. *Calculus for college students*, s. l., Addison-Wesley, 1967, 730 p.

PURCELL, Edwin J. *Calculus with analytic geometry*, 2e édition, New-York, Appleton-Century-Crofts, 1972, 989 p.

SALAS, Saturnino L. et Einar HILLE. *Calculus : one and several variables*, Toronto, Xerox College Publishing, 1971, 800 p.

SCHWARTZ, Abraham. *Calculus and analytic geometry*, 2e édition, New-York, Holt, Rinehart and Winston, 1967, 1008 p.

TAYLOR, Angus E. *Calculus and analytic geometry*, Englewood Cliffs, Prentice-Hall, 1959, 762 p.

THOMAS, George B. Jr. et Ross L. FINNEY. *Calculus and analytic geometry*, s. l., Addison-Wesley, 1984, 1151 p.

THOMAS, George B. Jr. et André WARUSFEL. *Calcul différentiel et intégral et géométrie analytique*, Montréal, Éditions du Renouveau Pédagogique, 1969, première partie, 500p.

INDEX